NARRATIV

824

Stefania Auci

L'INVERNO DEI LEONI

LA SAGA DEI FLORIO — II

Romanzo

EDITRICE NORD

Consulente per la storia e l'arte della Sicilia
Francesco Melia

ISBN 978-88-429-3154-6

I edizione maggio 2021
II edizione luglio 2021

Per le citazioni di pag. 7:
William Shakespeare, *Macbeth* (atto V, scena iii), traduzione
di Nemi D'Agostino, Milano, Garzanti, 1989.
Joseph Roth, *La milleduesima notte*, traduzione
di Ugo Gimmelli, Milano, Adelphi, 1979.

In copertina: *When the Heart is Young,* by Johan William Godward, 1902
/ foto © Alamy
Art director: Giacomo Callo
Graphic designer: Davide Nasta

L'INVERNO DEI LEONI

LA SAGA DEI FLORIO – II

*A Eleonora e Federico,
per tutta la tenerezza e per l'affetto.
Sono molto orgogliosa di voi.*

« Ho vissuto abbastanza: il sentiero della vita
scende alla terra vizza, la foglia gialla,
e quanto dovrebbe andare con la vecchiaia,
come rispetto, affetto, ubbidienza,
amici attorno, non devo sperarlo. Invece
maledizioni, basse ma profonde, omaggi
di bocca, fiato che il povero cuore
vorrebbe rifiutare, e non osa... »

WILLIAM SHAKESPEARE, *Macbeth*

« Qui tutto all'intorno il cielo è chiaro e limpido, di rado ho visto un cielo così limpido.
Apri gli occhi, capitano, e dillo tu stesso. Vedi
una sola nuvola all'orizzonte, sia pure la più
piccola? »

JOSEPH ROTH, *La milleduesima notte*

I FLORIO

1799 – 1868

Originari di Bagnara Calabra, i fratelli Paolo e Ignazio Florio sbarcano a Palermo nel 1799, decisi a fare fortuna. Sono aromatari – commerciano in spezie – e la concorrenza è spietata, ma la loro ascesa appare subito inarrestabile e ben presto le loro attività si espandono: avviano il commercio di zolfo, acquistano case e terreni dagli spiantati nobili palermitani, creano una compagnia di navigazione... E questo impulso – nutrito da una caparbia determinazione – non si ferma neppure quando Vincenzo, figlio di Paolo, prende le redini di Casa Florio: nelle cantine di famiglia, un vino da poveri – il marsala – viene trasformato in un nettare degno della tavola di un re; a Favignana, un metodo rivoluzionario per conservare il tonno – sott'olio e in lattina – ne rilancia il consumo... In tutto ciò, Palermo osserva il successo dei Florio con un misto di ammirazione, d'invidia e di disprezzo: quegli uomini rimangono comunque « stranieri », « facchini » il cui sangue « puzza di sudore ». Ed è proprio un bruciante desiderio di riscatto sociale che sta alla base dell'ambizione dei Florio e segna nel bene e nel male la loro esistenza pubblica e privata. Perché gli uomini della famiglia sono individui eccezionali ma anche fragili e – sebbene non lo possano ammettere – hanno bisogno di avere accanto donne altrettanto eccezionali: come Giuseppina, la moglie di Paolo, che sacrifica tutto – compreso l'amore – per la stabilità della famiglia, oppure Giulia, la giovane milanese che entra come un vortice nella vita di Vincenzo e ne diventa il porto sicuro, la roccia inattaccabile.

Vincenzo muore nel 1868, a neanche settant'anni, lasciando il destino di Casa Florio nelle mani dell'unico figlio maschio, il trentenne Ignazio, che ha sposato due anni prima la baronessa

10

Giovanna d'Ondes Trigona, portando finalmente « sangue nobile » in famiglia. Ignazio è cresciuto nel culto del lavoro, nella consapevolezza che i Florio devono sempre guardare oltre l'orizzonte. E si appresta a scrivere un nuovo capitolo della storia della sua famiglia...

MARE

settembre 1868 – giugno 1874

Aceddu 'nta l'aggia 'un canta p'amuri, ma pi' raggia.
« L'uccello in gabbia non canta per amore, ma per rabbia. »

PROVERBIO SICILIANO

Sono passati sette anni da quando – il 17 marzo 1861 – il Parlamento ha proclamato la nascita del Regno d'Italia, con Vittorio Emanuele II come sovrano. Le elezioni del primo Parlamento unitario si sono tenute a gennaio (su oltre 22 milioni di abitanti, poco più di 400.000 ha avuto diritto al voto) e hanno visto trionfare la Destra Storica, composta prevalentemente da proprietari terrieri e industriali e orientata a un pesante fiscalismo, considerato necessario per risanare i debiti contratti dal Paese per il processo di unificazione. Particolare risentimento suscita la cosiddetta «tassa sul macinato» (1º gennaio 1869), cioè sul pane e sui cereali, che colpisce in maniera diretta i poveri e scatena proteste anche molto violente. Benché considerata da alcuni politici un «dazio da Medioevo, tassa da tempi borbonici e feudali» rimarrà in vigore fino al 1884. E, nel 1870, il ministro delle Finanze Quintino Sella presenta un'altra serie di duri provvedimenti, deciso a imporre «economie fino all'osso».

La fine del Secondo Impero (1852-1870) e l'inizio della Terza Repubblica francese (1870-1940) hanno un'importante conseguenza anche per la storia italiana: privato del sostegno della Francia, lo Stato Pontificio cade il 20 settembre 1870. Dopo un breve cannoneggiamento, al grido di «Savoia!» le truppe italiane entrano a Roma attraverso una breccia a Porta Pia. Il 3 febbraio 1871, Roma diventa ufficialmente la capitale d'Italia, dopo Torino (1861-1865) e Firenze (1865-1871). Il 21 aprile 1871 il governo italiano approva la cosiddetta Legge delle Guarentigie, intesa ad assicurare al papa la sovranità personale e la libertà di compiere il suo ministero spirituale, ma Pio IX – che si considera «prigioniero dello Stato italiano» – la respinge con l'enciclica *Ubi Nos* (15 maggio 1871). Il 10 settembre 1874, la Santa Sede decreta poi il cosiddetto *non expedit*, cioè il divieto ai cattolici di prendere parte alla vita politica italiana, divieto che verrà spesso aggirato fino al suo decadimento, nel 1919.

La progressiva riduzione del deficit, il completamento di grandi opere in Italia (dalla ferrovia del Moncenisio, inaugurata il 15 giugno 1868, al traforo del Fréjus, aperto il 17 settembre 1871), nel mondo (il canale di Suez viene inaugurato il 17 novembre 1869) e l'afflusso di capitali stranieri fanno sì che il periodo 1871-1873 sia il « triennio febbrile », decisivo per la nascita dell'industria italiana. Uno slancio che però s'interrompe nel 1873, in seguito alla crisi finanziaria che investe l'Europa e gli Stati Uniti; la « grande depressione », causata da una serie di speculazioni e di investimenti azzardati, continuerà, tra alti e bassi, fino al 1896 e certo non aiuterà a colmare il profondo divario tra il Nord e il Sud dell'Italia, quest'ultimo penalizzato anche dal fatto che i notevoli investimenti nella rete ferroviaria del Nord non trovano riscontro nel Meridione, dove il governo concentra i propri sforzi nello sviluppo della marineria.

U' mari unn'avi né chiese né taverne, dicono i pescatori anziani. Non ha luoghi in cui ci si può rifugiare, il mare, perché di tutto il creato è l'elemento più maestoso e sfuggente. L'essere umano non può che inchinarsi al suo volere.

Da sempre, i siciliani hanno capito una cosa: il mare porta rispetto solo a chi lo rispetta. È generoso: dà il pesce e il sale per il nutrimento, dà il vento per le vele delle barche, dà il corallo per i gioielli di santi e di re. Ma è anche imprevedibile e, in ogni istante, può riappropriarsi con violenza di quei doni. Per questo i siciliani lo rispettano, per questo lasciano che definisca la loro stessa essenza: che forgi il loro carattere, che segni la loro pelle, che li sostenga, che li sfami, che li protegga.

Il mare è confine aperto, in continuo movimento. Ecco perché chi vive in Sicilia è inquieto, e cerca sempre la terra oltre l'orizzonte e vuole scappare, cercare altrove ciò che spesso, alla fine della propria vita, scopre di avere sempre avuto accanto a sé.

Per i siciliani, il mare è padre. E se ne accorgono quando ne sono lontani, quando non possono sentire quell'odore forte di alghe e sale che li avvolge nel momento in cui il vento si alza, portandolo fin nei vicoli delle città.

Per i siciliani, il mare è madre. Amato e geloso. Imprescindibile. Talvolta crudele.

Per i siciliani, il mare è forma e confine della loro anima.

Catena e libertà.

All'inizio è un sussurro, un mormorio portato da una bava di vento. Nasce nel cuore dell'Olivuzza, al riparo di tende tirate, in stanze immerse nella penombra. Il vento afferra la voce e questa sale d'intensità, si mescola al pianto e ai singhiozzi di una donna anziana che stringe una mano fredda.

«*Murìu...*» dice la voce, e trema, incredula. La parola crea la realtà, sigilla ciò che è avvenuto, dichiara l'irreversibile. Il sussurro raggiunge le orecchie dei servitori, da lì passa alle loro labbra, esce, si affida di nuovo al vento, che lo porta attraverso il giardino, verso la città. Rimbalza di bocca in bocca, si veste di sorpresa, pianto, timore, spavento, astio.

«*Murìu!*» ripetono i palermitani, con gli occhi rivolti all'Olivuzza. Non possono credere che un uomo come Vincenzo Florio sia morto. Certo, era vecchio, malato da tempo, ormai aveva affidato la gestione della casa commerciale al figlio, eppure... Per la città, Vincenzo Florio era un titano, un uomo così poderoso che niente e nessuno era in grado di fermare. E invece se n'è andato per un colpo apoplettico.

C'è pure chi gioisce. Da anni, in certe anime, l'invidia, la gelosia, la sete di vendetta nei suoi confronti si erano fatte la casa. Ma è una soddisfazione vana. Vincenzo Florio è morto in pace, nel suo letto, confortato dall'amore della moglie e dei figli. Ed è morto ricco, circondato da tutto ciò che, per volontà o per fortuna, era riuscito a ottenere. Anzi: quella morte sembra aver riservato a Vincenzo una pietà che lui spesso non ha riservato ad altri.

«*Murìu!*»

Ora la voce – carica di stupore, pena, rabbia – penetra nel cuore di Palermo, sorvola la Cala e cade in picchiata in mezzo alle stradine che circondano il porto. Arriva a via dei Materassai portata da un servitore trafelato. Una corsa inutile, perché quel grido, quel «*Murìu!*» è già entrato dalle porte e dalle finestre ed è rotolato sulle maioliche del pavimento, fin dentro la stanza da letto di Ignazio, dove c'è la moglie del nuovo padrone di Casa Florio.

Nel sentire le grida e gli scoppi di pianto per strada, Giovanna d'Ondes Trigona alza la testa di scatto, facendo ondeggiare la lunga treccia nera, afferra i braccioli della poltrona e guarda con aria interrogativa donna Ciccia, che è stata la sua governante e adesso è la sua dama di compagnia.

Bussano alla porta con forza. D'istinto, donna Ciccia protegge la testa del neonato che ha in braccio – Ignazziddu, il secondogenito di Giovanna – e va ad aprire. Ferma il servitore sulla soglia, chiede seccamente: «*Chi fu?*»

«*Murìu!* Don Vincenzo, *ora ora.*» Sempre ansimando, il servitore appunta lo sguardo su Giovanna. «Vostro marito, signora, ve lo manda a dire e dice di prepararvi e di fare sistemare la casa per le visite dei parenti.»

«Morto è...?» chiede lei, più stupita che addolorata. Non può provare pena per la scomparsa di quell'uomo cui non ha mai voluto bene e che anzi le ha sempre messo addosso un disagio così profondo che difficilmente riusciva a parlare in sua presenza. Sì, già da qualche giorno si era aggravato – anche per quello non avevano festeggiato la nascita di Ignazziddu –, ma lei non si aspettava una fine così rapida. Si alza a fatica. Il parto è stato doloroso; anche soltanto stare in piedi la stanca. «Mio marito è là?»

Il servitore annuisce. «Sì, donna Giovanna.»

Donna Ciccia arrossisce, si aggiusta una ciocca di capelli neri sfuggita alla cuffia e si volta a guardarla. Giovanna apre la bocca per parlare, ma non ci riesce. Allora allunga le braccia, prende il neonato e se lo stringe al seno.

Donna Giovanna Florio. Così la chiameranno d'ora in poi. Non più «signora baronessa», come vorrebbe il titolo che le spetta per nascita, quel titolo che tanta importanza ha avuto nel suo essere ammessa in quella casa di ricchi mercanti. Adesso non conta più essere una Trigona, appartenere a una delle famiglie più antiche di Palermo. Conta solo il fatto che lei è *la padrona*.

Donna Ciccia le va davanti, le prende il bambino dalle braccia. «Dovete vestirvi a lutto», le mormora. «Tra poco arriveranno i primi ospiti a porgere le condoglianze.» Nella voce una nuova deferenza, un accento che Giovanna non ha mai sentito. Il segnale di un cambiamento irreversibile.

Adesso ha un ruolo preciso. E dovrà dimostrare di esserne all'altezza.

Sente il respiro nascondersi nella cassa toracica, il sangue defluire dal viso. Afferra i lembi della vestaglia, li stringe. «Date ordine che vengano coperti gli specchi e aprite il portone a metà», dice poi, con voce ferma. «Quindi venite ad aiutarmi.»

Giovanna si avvia verso lo spogliatoio, oltre il baldacchino del letto. Le mani le tremano, ha freddo. Nella testa, un solo pensiero.

Sono donna *Giovanna Florio*.

La casa è vuota.

Non ci sono che ombre.

Ombre che si allungano tra i mobili di noce e di mogano, oltre le porte socchiuse, tra le pieghe dei pesanti tendaggi.

C'è silenzio. Non quiete. È un'assenza di rumori, un'immobilità che soffoca, che toglie il respiro, che inibisce i gesti.

Gli abitanti della casa dormono. Tutti tranne uno: Ignazio, in pantofole e giacca da camera, vaga per le stanze di via dei Materassai, nel buio. L'insonnia che lo ha torturato durante la giovinezza è tornata.

Sono tre notti che non dorme. Da quand'è morto suo padre.

Sente gli occhi inumidirsi, li sfrega con forza. Ma non può piangere, non deve; sono cose da femmine, le lacrime. Eppure prova una sensazione di estraneità, di abbandono e di solitudine così potente da annichilirlo. Sente in bocca la sofferenza, la inghiotte, se la tiene dentro. Cammina, passa da una stanza all'altra. Si ferma davanti a una finestra, guarda fuori. Via dei Materassai è immersa in un buio spezzato dai pochi frammenti di luce dei lampioni. Le finestre delle altre case sono occhi vuoti.

Ogni respiro ha un peso, una forma, un sapore, ed è amaro. Oh, se è amaro.

Ha trent'anni, Ignazio. Da tempo, suo padre gli ha affidato la gestione della cantina di Marsala, e da non molto gli aveva dato anche una procura generale per gli affari. Da due anni è sposato con Giovanna, che gli ha dato Vincenzo e Ignazio, i figli maschi che assicurano il futuro di Casa Florio. È ricco, stimato, potente.

Ma nulla può cancellare la solitudine del lutto.

Il vuoto.

Pareti, oggetti, suppellettili sono muti testimoni di giorni in cui la sua famiglia era intera, intatta. In cui l'ordine del mondo era solido e il tempo scandito dal lavoro condiviso. Un equilibrio che è esploso in mille pezzi, lasciando un cratere al centro del quale si trova lui, Ignazio. Intorno, solo macerie e desolazione.

Continua a camminare, percorre i corridoi, oltrepassa lo studio del padre. Per un istante pensa di entrare, ma si rende conto che non ci riuscirebbe, non in quella notte in cui i ricordi sono così consistenti da sembrare di carne. Allora va avanti, sale le scale e raggiunge la stanza dove suo padre riceveva i soci per le riunioni informali oppure s'isolava per riflettere. È un piccolo ambiente, foderato di legno e di quadri. Rimane fermo sulla soglia, a occhi bassi. Dalle finestre aperte arriva un fiotto di luce bianca che illumina la poltrona capitonné in pelle e il tavolino su cui c'è un giornale, quello che lui stava leggendo la sera prima del colpo apoplettico che lo aveva ridotto all'immobilità. Nessuno ha avuto il coraggio di buttarlo, sebbene siano passati già diversi mesi. In un angolo del tavolino, il suo pince-nez e la scatola del tabacco da naso. È tutto lì, come se lui dovesse tornare da un momento all'altro.

Gli pare di sentire il suo profumo, un'acqua di colonia dal sentore di salvia, limone e aria di mare, e poi il respiro, una sorta di borbottio affaticato, e infine il passo pesante. Lo rivede intento a leggere lettere e documenti con un'ombra di sorriso che gli colorava il viso d'ironia, e poi alzare la testa, e mugugnare un commento, una considerazione.

La sofferenza lo divora. Come farà ad andare avanti senza di lui? Ha avuto mesi per preoccuparsene, per prepararsi, ma adesso non sa come. Gli sembra di essere sul punto di annegare, proprio come quella volta in cui, da bambino, aveva rischiato di morire all'Arenella. Allora era stato proprio suo padre a tuffarsi e salvarlo. Ricorda la sensazione dell'aria che manca, dell'acqua di mare che gli brucia la trachea... come adesso bruciano le lacrime che si sforza di reprimere. Ma deve resistere. Perché ora è lui il capofamiglia e si deve prendere cura di Casa Florio. Ma anche di sua madre, rimasta sola. E, certo, anche di Giovanna, di Vincenzo, di Ignazziddu...

Prende fiato a bocca aperta, si asciuga gli occhi. Ha paura di dimenticarsi com'era, di non riuscire più a ricordare le sue mani o il suo odore. Ma nessuno deve saperlo. Nessuno deve leggere la sofferenza nei suoi occhi. Lui non è un figlio che ha perso un padre. È il nuovo padrone di una casa commerciale fortunata, in piena espansione.

In quel momento di dolorosa solitudine, però, lo ammette. Vorrebbe allungare la mano e trovare quella del padre, chiedergli consiglio, lavorare al suo fianco, in silenzio, come avevano fatto tante volte.

Lui, che adesso è padre, vorrebbe tornare a essere soltanto figlio.

«Ignazio!»

È stata sua madre, Giulia, a chiamarlo con un sussurro. Ha visto la sua ombra attraversare la lama di luce nel vano della porta della stanza dove dormono Vincenzino e Ignazziddu. È seduta su una poltrona, e culla tra le braccia l'ultimo nato, venuto al mondo mentre il nonno si apprestava a lasciarlo.

Giulia indossa una vestaglia di velluto nero, e ha i capelli bianchi legati in una treccia. Alla luce del lume, Ignazio nota le mani rattrappite dall'artrosi e la schiena curva. I dolori alle ossa la perseguitano da anni, ma finora lei era sempre riuscita a stare dritta. Adesso, invece, pare accartocciata su se stessa. Dimostra molto di più dei suoi cinquantanove anni, come se di colpo si fosse fatta carico di tutta la fatica del mondo. Anche perché i suoi occhi – così sereni e insieme pieni di curiosità – sono diventati opachi, spenti.

«*Maman*... che ci fate qui? Perché non avete chiamato la balia?»

Giulia lo guarda in silenzio. Torna a cullare il neonato e, sulle sue ciglia, appare una lacrima. «Lui sarebbe stato felice per questo bambino, e per il fatto che hai avuto dei maschi. Tua moglie è stata brava: a venticinque anni ti ha dato già due eredi.»

Ignazio avverte nel cuore una nuova crepa. Si siede di fronte alla madre, nella poltrona vicino alla culla. «Lo so.» Le stringe la mano. «Ciò che mi addolora di più è che lui non li vedrà crescere.»

Giulia deglutisce a vuoto. «Avrebbe potuto vivere a lungo. Ma non si è mai risparmiato, mai. Non si è mai preso neppure un giorno di riposo, persino nelle feste, lui lavorava... qui», dice, sfiorandosi la tempia. «Non riusciva a smettere. Alla fine, è stato questo a portarmelo via.» Sospira, poi afferra la mano del figlio. «Giuramelo. Giurami che non metterai mai il lavoro davanti alla tua famiglia.»

La stretta di Giulia è energica, un'energia disperata che sgorga dalla consapevolezza che il tempo prende e basta, non restituisce nulla; anzi brucia e rende cenere i ricordi. Ignazio copre la sua mano con la propria, avverte le ossa sotto il velo della pelle. La crepa nel cuore si allarga. «Ma sì.»

Giulia scuote la testa; non accetta quella risposta meccanica. Ignazziddu gorgoglia tra le sue braccia. «No. Devi pensare a tua moglie e a 'sti picciriddi.» Con un gesto tutto siciliano – lei, milanese, arrivata sull'isola quando aveva poco più di vent'anni – alza il mento verso il lettino in fondo, dove dorme Vincenzino, che ha un anno. «Tu non lo sai, non te lo puoi ricordare, ma tuo padre non ha davvero *visto* crescere le tue sorelle, Angelina e Peppina. Ha seguito a malapena te, e solo perché tu eri il figlio *masculu* che voleva.» La voce le si abbassa, vibra di lacrime nascoste. «Non fare lo stesso errore. Tra le cose che si perdono, l'infanzia dei nostri figli è una delle più dolorose.»

Lui annuisce, si copre il viso con le mani. Anni di sguardi severi riemergono dalla memoria. Solo da adulto aveva imparato a decifrare l'orgoglio e l'affetto negli occhi scuri di suo padre. Vincenzo Florio non era stato un uomo di parole, ma di sguardi, nel bene e nel male. E non era stato neanche un uomo capace di dimostrare affetto. Non ricorda abbracci. Forse qualche carezza. Eppure Ignazio gli aveva voluto bene.

«E Giovanna, tua moglie... non la trascurare. Ti vuole bene, povera stella, e cerca sempre la tua attenzione.» Giulia lo osserva con un misto di rimprovero e rammarico. Sospira. «Se te la sei sposata, devi pur provare qualcosa per lei.»

Lui muove la mano, quasi a scacciare un pensiero fastidioso. «Sì», mormora. Ma non aggiunge altro e abbassa gli occhi per sottrarsi allo sguardo della madre, che gli ha sempre letto sino in fondo all'anima.

Quel dolore appartiene solo a lui.

Giulia si alza e, a passi lenti, rimette Ignazziddu nella culla. Il neonato gira la testolina con un sospiro soddisfatto e si abbandona al sonno.

Ignazio, sulla soglia, la aspetta. Le posa una mano sulla spalla e l'accompagna verso la sua camera. «Sono contento che abbiate deciso di venire qui, almeno per i primi giorni. Non ci potevo pensare a voi, sola.»

Lei annuisce. «La casa dell'Olivuzza è troppo grande senza di lui.» *Vuota. Per sempre.*

Ignazio sente il respiro solidificarsi.

Giulia s'infila nella camera che il figlio e la nuora le hanno riservato, la stessa dove, anni prima, aveva vissuto sua suocera, Giuseppina Saffiotti Florio. Una donna severa, che aveva perso il marito ancora giovane, aveva cresciuto Vincenzo insieme con Ignazio, il cognato, e che per molto tempo aveva osteggiato il suo ingresso in famiglia, considerandola una poco di buono e un'arrampicatrice sociale. Adesso anche lei è una vedova. Rimane al centro della stanza mentre il figlio chiude la porta, poi posa lo sguardo sul letto matrimoniale.

Non le sente, Ignazio, le sue parole. E non potrebbe nemmeno capire il dolore di Giulia, che è diverso dal suo: più viscerale, più acuto, senza speranza.

Perché lei e Vincenzo si erano scelti, si erano voluti e amati, a dispetto di tutto e di tutti.

«Come faccio io a vivere senza di te, amore mio?»

La porta raschia appena il pavimento, si richiude senza fare rumore. Il materasso accanto a lei si piega, il corpo di Ignazio torna a invadere lo spazio, a emanare un calore tiepido che si mischia con il suo.

Giovanna rallenta il respiro, simula un sonno che l'ha lasciata nel momento in cui il marito s'è alzato. Sa bene che Ignazio soffre d'insonnia, e lei, che ha il sonno leggero, spesso resta sveglia senza muoversi. In più, secondo lei, la morte del padre ha colpito Ignazio più di quanto lui non voglia ammettere.

Ha gli occhi spalancati nel buio. Se la ricorda bene, la prima volta che ha visto Vincenzo Florio: un uomo massiccio, dall'aria accigliata e dal respiro pesante. L'aveva guardata come si guarda una bestia al mercato.

Lei, in soggezione, non aveva potuto far altro che abbassare lo sguardo a terra, fissando il pavimento del salone nella Villa delle Terre Rosse, poco fuori dalle mura di Palermo.

Poi lui si era rivolto alla moglie con quello che doveva essere un sussurro, ma che era rimbombato nel salone dei d'Ondes. «*Ma unn'è troppu sicca?*»

Giovanna aveva rialzato di scatto la testa. C'era forse da rimproverarla se aveva passato la vita cercando di non diventare come la madre, così grassa da essere quasi informe? Voleva forse dire che lei non poteva essere una buona moglie? Ferita da quell'accusa d'inadeguatezza, aveva guardato Ignazio, sperando che dicesse qualcosa in sua difesa.

Ma lui era rimasto indifferente, con un vago sorriso distaccato sulle labbra.

Era stato suo padre, Gioacchino d'Ondes, conte di Gallitano, a rassicurare Vincenzo. «*Fimmina sana è*», aveva dichiarato con orgoglio. «E darà figli forti alla vostra casa.»

Già, perché la sua capacità di figliare era l'unica cosa che interessava davvero a don Vincenzo: non il fatto che lei fosse grassa o magra e neppure che Ignazio fosse innamorato di lei.

Eppure, nonostante tutto, lei era entrata in casa Florio con il cuore pieno d'amore per quel marito così controllato, padrone di sé.

Era entusiasta, sì, perché si era innamorata subito di lui – sin dal momento in cui l'aveva visto nel Casino delle Dame e dei Cavalieri, quando ancora doveva compiere diciassette anni –, e poi era stata conquistata dalla calma che lui sapeva infonderle, dalla sua forza, che pareva sgorgare direttamente da un'inattaccabile convinzione di superiorità. Dalla pacatezza delle sue parole.

Il desiderio era comparso dopo, quando avevano condiviso l'intimità. Ma era stato proprio il desiderio a ingannarla, a farle credere che il loro matrimonio fosse diverso da quelli che gli altri le avevano descritto, a farle pensare che potesse esserci dell'affetto, o per lo meno del rispetto. Tutti l'avevano messa in guardia, a cominciare da sua madre, con le sue oscure allusioni al fatto che avrebbe dovuto fare «sacrifici» e «sopportare» il marito, per finire con padre Berto che, il giorno delle nozze, l'aveva ammonita: «La pazienza è la dote principale di una moglie».

Tanto più se si sposa un Florio, aveva aggiunto il suo sguardo.

E lei era stata paziente, aveva obbedito, cercando in continuazione un cenno di approvazione, o almeno di riconoscimento. Per due anni aveva vissuto tra la gentilezza composta di donna Giulia e gli sguardi puntuti di don Vincenzo, sentendosi in difetto per la sua dote – non particolarmente generosa – e la sua istruzione, di gran lunga inferiore a quella delle cognate, smarrita in una casa e in una famiglia che le si erano rivelate estranee. Aveva fatto appello al suo orgoglio nobiliare, al sangue dei Trigona. Ma soprattutto, a ciò che provava, perché in quella casa e in quella famiglia c'era Ignazio.

Con tenacia, con determinazione, aveva aspettato che lui si accorgesse di lei. Che la guardasse veramente.

Ma aveva ottenuto soltanto un'affettuosa gentilezza, un calore tiepido e fuggevole.

Sente il lieve russare dell'uomo alle sue spalle. Si volta, ne osserva il profilo nel buio. Gli ha dato due figli. Lo ama, sia pure in maniera cieca e stupida, lo sa.

Però sa pure che non basta.

La verità, pensa Giovanna, *è che ci si abitua a tutto*. E lei per troppo tempo è stata abituata ad accontentarsi delle briciole. Ma ora vuole di più. Ora vuole essere davvero sua moglie.

La mattina del 21 settembre 1868, il notaio Giuseppe Quattrocchi dà lettura delle ultime volontà di Vincenzo Florio, negoziante. In abito scuro di sartoria inglese e con la cravatta in crespo di lana nero, Ignazio ascolta i capitoli del testamento, divisi secondo i settori d'interesse di Casa Florio. Sul tavolo, numerosi fascicoli, disposti in pile ordinate. Il segretario del notaio li prende, controlla l'elenco dei beni. Una litania di luoghi, nomi, cifre.

Ignazio rimane impassibile. Nessuno può vedere le mani tremanti che tiene intrecciate sotto il tavolo.

Ha sempre saputo che la rete dei loro affari era molto estesa, ma è come se soltanto in quel momento si rendesse *veramente* conto di quanto sia complessa e articolata. Fino a pochi giorni prima, lui si occupava solo di alcuni settori, e in particolare della cantina di Marsala. Amava trascorrere i giorni della vendemmia nello stabilimento, e attendere il tramonto per vedere il sole che spariva dietro la sagoma delle Egadi, oltre la laguna dello Stagnone.

Adesso invece, davanti a lui, s'innalza una montagna di carte, denaro, contratti e impegni. Dovrà scalarla, arrivare in cima, e ancora non sarà sufficiente: dovrà sottometterla al suo volere. I Florio devono *sempre* guardare oltre. Così hanno fatto suo nonno Paolo e suo zio Ignazio, quando hanno lasciato Bagnara per Palermo. Così ha fatto suo padre, quando ha creato la cantina di Marsala, quando ha preso in mano la gestione della tonnara di Favignana, o quando si è intestardito – contro il parere di tutti – a volere la Fonderia Oretea, che ora dà pane e lavoro a decine di uomini. E non ci sono mai stati dubbi sul fatto che sarebbe toccato a lui proseguire quel cammino. È il maschio di casa, l'erede, quello che dovrà portare avanti il nome della famiglia e consolidare potere e ricchezza.

Con un unico gesto, Ignazio solleva le mani intrecciate, che hanno finalmente smesso di tremare, e le posa sul tavolo. Poi fissa l'anulare; lì, sotto la fede, c'è l'anello di oro battuto che gli ha dato suo padre nel giorno del matrimonio con Giovanna, due anni prima: apparteneva allo zio di cui lui porta il nome e, ancor prima, alla sua bisnonna, Rosa Bellantoni. Mai gli è sembrato così pesante.

Il notaio ha proseguito la lettura: ormai è giunto alle disposizioni che riguardano la madre e le sorelle, per cui sono stati predisposti dei legati. Ignazio ascolta, annuisce, poi firma gli atti per l'accettazione dell'eredità.

Alla fine si alza, si guarda intorno. Sa che tutti si aspettano da lui qualche parola. Non vuole e non deve deluderli. « Vi ringrazio di essere venuti. Mio padre era un uomo straordinario: non aveva un carattere facile, ma è stato sempre leale con tutti e coraggioso nelle sue imprese. » Fa una pausa, sceglie le parole. La schiena è dritta, la voce è ferma. « Confido che lavorerete per Casa Florio con lo stesso impegno che avete dimostrato a lui. E io ho intenzione di continuare la sua opera, rendendo le nostre imprese più solide, più forti. Ma non dimentico che, prima di tutto, Casa Florio è una risorsa per tante persone e a loro offre pane, lavoro e dignità. Vi prometto che avrò particolare cura di loro... di voi. Tutti insieme renderemo questa Casa il cuore di Palermo e della Sicilia intera. » Indica i fascicoli davanti a lui, vi poggia le mani sopra.

Qualcuno annuisce. Le rughe di preoccupazione si spianano, gli sguardi tesi si ammorbidiscono.

Almeno per adesso non hanno bisogno di altre rassicurazioni, pensa Ignazio, e sente la tensione che abbandona le spalle. *Ma già domani sarà diverso.*

I convenuti si alzano, si accostano: rinnovano le condoglianze, qualcuno chiede anche un appuntamento. Ignazio ringrazia e fa cenno al suo segretario perché si occupi di fissare gli incontri.

Vincenzo Giachery è l'ultimo ad avvicinarsi, insieme con Giuseppe Orlando. Sono amici di famiglia, prima ancora che collaboratori e consiglieri di Casa Florio. Vincenzo è il fratello di Carlo Giachery, il braccio destro del padre, nonché l'architetto della Villa dei Quattro Pizzi, morto tre anni prima. Un altro di quei lutti che Vincenzo aveva subìto rimanendo impassibile, rinchiudendosi in se stesso. Giuseppe, invece, è un abile ingegnere meccanico, esperto di marina mercantile, con un passato da garibaldino e un presente da tranquillo funzionario e da buon padre di famiglia.

«Dobbiamo parlare, don Ignazio», esordisce Giachery, senza preamboli. «La questione dei piroscafi.»

«Lo so.»

No, non domani: oggi, considera Ignazio a labbra strette. *Non c'è tempo, non ne ho avuto, non ne avrò mai più.*

Guarda i due uomini, trattiene il respiro per un istante prima di lasciarlo andare. Li segue fuori dal salone dove i domestici stanno porgendo guanti e cappelli ai parenti giunti lì per il funerale e per la lettura del testamento. Saluta la sorella Angelina e il marito, Luigi De Pace; stringe la mano ad Auguste Merle, il suocero di sua sorella Giuseppina, che vive a Marsiglia da anni.

I tre uomini si dirigono verso lo studio di Vincenzo. Sulla soglia, Ignazio esita, com'era accaduto la sera prima, quasi che avesse davanti un muro. È entrato innumerevoli volte in quella stanza, ma solo quando suo padre era vivo, quand'era lui a tenere le fila di Casa Florio.

E ora con quale diritto lui ci entra? Chi è lui, senza suo padre? Tutti dicono che è l'erede, ma non sarà piuttosto un impostore?

Chiude gli occhi e, per un lunghissimo istante, immagina di aprire la porta e di vederlo seduto lì, nella sua poltrona di pelle. Vede la testa che si alza, i capelli grigi in disordine, la fronte aggrottata, lo sguardo indagatore, la mano che stringe un foglio...

Ma è la mano di Vincenzo Giachery quella che si posa sulla sua spalla. «Coraggio», gli dice in un soffio.

No, non oggi: adesso, pensa Ignazio, cercando di scacciare il timore che lo opprime. A lui, la morte ha portato via il padre; a loro, ha sottratto una guida. *Ora, e non dopo*, perché è arrivato il momento di dimostrare che sarà il degno successore di suo padre. Che la sua vita – consacrata a Casa Florio sin dal momento in cui è venuto al mondo – non è inutile. Che la fragilità del dolore non gli appartiene e, se pure la avverte, deve nasconderla. È lui che deve rassicurare loro. Il tempo delle conferme e del conforto è già finito, per lui. Anzi gli sembra che non sia mai neppure iniziato.

E allora supera quel muro. Entra nella stanza, ne occupa lo

spazio. Lo studio torna a essere ciò che è: un luogo di lavoro, rivestito da una boiserie di legno scuro, con mobili massicci, due poltrone di pelle e una grande scrivania di mogano ingombra di documenti, carte e relazioni contabili.

Si siede a *quella* scrivania, su *quella* poltrona. Per un istante, lo sguardo si appunta sul calamaio e sul vassoio in cui ci sono un tagliacarte, dei timbri, una riga, alcuni fogli di carta assorbente. Su uno di essi c'è l'impronta di un polpastrello.

« Allora. » Prende un respiro profondo. Sul sottomano vede i biglietti di condoglianze. In cima, c'è quello di Francesco Crispi. *Dovrò scrivere subito anche a lui*, pensa. Crispi e suo padre si erano conosciuti nel momento dell'arrivo dei garibaldini a Palermo e, tra i due, era nato subito un rapporto schietto e di reciproca fiducia, che si era consolidato negli anni. Era stato l'avvocato dei Florio e adesso pareva avviato a una luminosa carriera politica: era stato eletto da poco nel collegio di Maglie e in quello di Castelvetrano. « Prima dobbiamo rassicurare tutti. Devono continuare a fidarsi di noi come hanno fatto finora. »

« E la faccenda dei sussidi statali, come la vedete? Gira voce che il governo sia restio a rinnovare le sovvenzioni e per Casa Florio sarebbe pericoloso trovarsi senza questo sostegno. Il Mediterraneo è pieno di compagnie che si affonderebbero a cannonate per ottenere una rotta in più. »

Subito in prima linea, pensa Ignazio. La questione più spinosa, eccola lì.

« Lo so perfettamente, e non ho la minima intenzione di farmi mettere un passo davanti. Ho idea di rivolgermi al direttore generale delle Poste, Barbavara: penso sia opportuno confermargli che abbiamo idee precise sulla fusione della nostra Piroscafi Postali con l'Accossato e Peirano di Genova, che, come sapete, insieme con la Rubattino, possiede oltre la metà del tonnellaggio a vapore nazionale. Una mossa che porterebbe a un indubbio miglioramento delle linee dei trasporti in generale e a un potenziamento della nostra flotta in particolare. Ma, soprattutto, protesterò con lui per la soppressione della tratta su Livorno: per noi è un danno enorme, perché toglie un collegamento diretto tra la Sicilia e il Centro Italia. Per consegnargli la lettera, mi affiderò al nostro intermediario al ministero, il cavalier Scibona, che avrà cura di perorare la nostra causa. »

Orlando si massaggia le cosce, sbuffa. « Scibona è uno *spicciafacenne*, e l'unico vantaggio che ha è quello di essere già dentro il ministero. Ma passacarte è e passacarte resta, e non so quanto potrà trovare ascolto. Serve qualcuno di più in alto. »

Ignazio annuisce lentamente. Inarca le sopracciglia. « Per questo voglio come interlocutore il direttore delle Poste in persona », scandisce. « Lui potrà fare pressione quando servirà... Anche se... » Afferra un tagliacarte, lo fa girare nel cavo della mano. « Il problema è a monte: il governo ha deciso di tagliare le spese. Al Nord stanno costruendo strade e ferrovie, e poco gli interessa dei commerci con la Sicilia. Dobbiamo essere noi a dargli un buon motivo per giustificare le sovvenzioni ai trasporti e quindi rendere le tratte convenienti. »

Giachery posa i gomiti sul piano della scrivania e Ignazio lo fissa: in quella luce fioca, il viso scavato e i capelli scuri sporcati di grigio lo fanno somigliare al fratello in modo quasi inquietante. *È come se mi trovassi a una riunione di fantasmi, unico vivo. Fantasmi che non vogliono andarsene*, pensa Ignazio. « Voi che ne dite, don Vincenzo? » chiede poi. « Perché tacete? »

L'altro scrolla le spalle e lo guarda di sbieco. « Perché voi avete già deciso e niente vi farà cambiare idea. »

Quella frase gli strappa una risata, la prima da molti giorni a questa parte. È un'apertura di credito. « Esatto. *Questione di vestiri u' pupo è*. Fare in modo che Barbavara capisca che gli conviene essere conciliante con Casa Florio e con i nostri interessi. »

Giachery apre le braccia. Accenna un sorriso che non diventa tale. « *Chistu è.* »

Ignazio si appoggia allo schienale della poltrona, guarda lontano. Nella sua mente si sta già formando la lettera che scriverà. No, non è cosa da affidare a un segretario. Se ne occuperà lui personalmente.

« E comunque dobbiamo guardarci le spalle dalla concorrenza in casa nostra », dice Giuseppe Orlando. « Mi è arrivata all'orecchio la voce che Pietro Tagliavia, l'armatore, intende costruire una flotta di soli vapori per commerciare con il Mediterraneo orientale.» Nasconde uno sbadiglio dietro una mano chiusa a pugno. Sono stati giorni pesanti per tutti e la stanchezza si fa sentire. «Quando sarà aperto il canale dei francesi, a Suez, andare nelle Indie diventerà assai più semplice e rapido...»

Ignazio lo interrompe: «Anche di questo dobbiamo parlare. Il commercio di spezie ha portato tanta ricchezza a mio padre, ma non ha più l'importanza di un tempo. Adesso bisogna concentrarsi sul fatto che la gente desidera spostarsi in maniera rapida, e senza rinunciare alle comodità. Vuole sentirsi moderna, insomma. È questo che noi dobbiamo garantirle, coprendo le rotte del Mediterraneo con piroscafi più veloci di quelli dei nostri concorrenti».

I due ospiti si guardano, allarmati. Rinunciare al commercio di spezie, a una delle principali attività della casa commerciale? Sono avanti negli anni, loro, e hanno visto accadere tante cose. Sanno che un cambio di direzione così brusco può avere conseguenze catastrofiche.

Ignazio si alza, va alla parete dov'è appesa una grande carta geografica del mondo. Allarga la mano lì, dove si trova il Mediterraneo. «È dai piroscafi che verrà la nostra ricchezza. Da quelli e dalla cantina. Il nostro obiettivo principale sarà proteggere e favorire queste due attività. Se dal governo non avremo aiuti, dovremo cercarceli noi, lottando con le unghie e con i denti. Bisognerà contare gli amici, ma soprattutto conoscere i nemici, sapere come combatterli, stando sempre con gli occhi aperti, perché gli errori non ce li perdonerà nessuno.» Li fissa. Parla con calma, con fermezza. «Dobbiamo ampliare la rete di trasporti. Per questo ci serve che uomini di potere come Barbavara stiano dalla nostra parte.»

I due uomini si scambiano un altro sguardo teso, ma non osano parlare. Ignazio lo nota, fa un passo verso di loro. «Fidatevi di me», mormora. «Mio padre ha sempre guardato in avanti, oltre l'orizzonte. E io voglio fare lo stesso.»

È Giachery ad annuire, dopo una manciata di secondi. Si alza, gli tende la mano. «Voi siete don Ignazio Florio. Sapete cosa fare», dice, e in quella frase c'è tutto ciò che Ignazio può sperare, almeno per ora. Riconoscimento, fiducia, sostegno.

Anche Orlando si alza e va alla porta. «Passerete al Banco, domani?» chiede.

«Conto di farlo subito.» Ignazio indica un faldone sulla scrivania. «Dobbiamo chiudere la gestione di mio padre e aprire la mia.»

L'altro si limita ad annuire.

La porta si chiude alle spalle dei due uomini.

Ignazio appoggia la fronte sullo stipite. *Il primo ostacolo lo hai affrontato*, si dice. *Ora verranno gli altri, uno alla volta.*

Le carte sulla scrivania lo guardano, lo pungolano. Lui torna a sedersi, le ignora. *Aspettate ancora un momento*, implora, mentre si passa una mano sul viso. Poi afferra i biglietti e i telegrammi di condoglianze. Vengono da tutt'Europa: ne riconosce le firme e s'inorgoglisce al pensiero di quanta gente importante conoscesse e stimasse suo padre. C'è persino un telegramma dalla corte dello zar, segno di una stima costruita negli anni.

E poi, tra gli ultimi messaggi, trova una busta con un timbro francese. Viene da Marsiglia.

Conosce quella calligrafia. Apre la busta con lentezza, quasi ne avesse paura.

Ho saputo della tua perdita.
Sono sinceramente addolorata per te. Immagino quanto tu stia soffrendo.
Ti abbraccio.

Nessuna firma. Non ce n'è bisogno.

Gira il cartoncino in carta d'Amalfi: sul retro, sono stampati due nomi. Uno è stato cancellato con un deciso tratto di penna.

Il volto gli si vela di un'amarezza che nulla ha a che fare con il dolore per la morte del padre. Pena si somma a pena. Un ricordo che ha il sapore del rimpianto, della nostalgia per una vita mai vissuta, ma soltanto sognata. Uno di quei desideri che ci si porta dentro per tutta la vita pur sapendo di non poterli mai soddisfare.

No.

Ammucchia i biglietti in un angolo. Ci penserà dopo.

Ma quello senza firma lo mette in una tasca della giacca, posato sul cuore.

Giovanna, in veste da camera e pantofole, si sporge appena dalla finestra. Il tempo palermitano è beffardo, con un'umidità fredda che taglia le ossa al mattino e un caldo ancora estivo nelle ore centrali della giornata.

Guarda le carrozze che sciamano via, sente i saluti scambiati sulla soglia. A fatica, rientra e si lascia cadere sulla poltrona con una smorfia di dolore. Si guarda intorno. La porta che comunica con la camera da letto di Ignazio è seminascosta da una pesante tenda di broccato verde; il baldacchino scolpito e dorato, con un capezzale in tartaruga e madreperla che raffigura un Cristo in croce. Sul comò in piuma di mogano, intarsiato in ottone, c'è uno dei doni di nozze della suocera: un servizio da toeletta in argento con profili a motivi floreali, di manifattura inglese.

Tutto è raffinato. Lussuoso.

Ma, oltre le pareti, c'è il mandamento di Castellammare, l'antica Loggia dei mercanti, pieno di magazzini, negozi e casupole di lavoratori. Un mondo ormai inadeguato al rango dei Florio. Aveva provato diverse volte a farlo capire a Ignazio, ma lui non le aveva dato ascolto.

«Staremo bene qui», le aveva detto invece. «Lasciamo l'Olivuzza ai miei genitori, che sono anziani e hanno bisogno di aria buona e tranquillità. E poi, cos'è che non ti piace? Mia madre ci ha dato questa casa, che è più comoda per noi, è più vicina a piazza Marina e agli uffici della Casa. Ha pure l'illuminazione a gas, che ho fatto installare poco tempo fa. Cosa ti manca?»

Arriccia la piccola bocca, Giovanna, e sbuffa, stizzita. Non capisce perché Ignazio si ostini a vivere lì, mentre l'Olivuzza, che pure lui ha voluto, deve restare nelle mani della suocera, specie ora che è rimasta sola. Detesta la promiscuità di quella strada popolare. Non può aprire le tende che subito la sua dirimpettaia si affaccia al balcone e sembra quasi voglia infilarsi nella sua stanza. Qualche volta l'ha persino sentita commentare ad alta voce ciò che vedeva, a beneficio di tutto il vicinato.

Le manca l'aria aperta delle Terre Rosse, l'ampia zona di campagna vicino alla chiesa di San Francesco di Paola, dove i suoi genitori hanno la loro villetta, un edificio con qualche pretesa di eleganza e con un piccolo giardino. Lì Giovanna è cresciuta. In via dei Materassai, con le case affastellate le une sulle altre e con quegli odori forti di sapone e di cucinato, l'aria le manca, risucchiata nei vicoli stretti. Non ci sono né intimità né riservatezza.

Non le importa che le scale siano di marmo, che i soffitti siano affrescati e che i mobili arrivino dai quattro angoli della Terra. Non vuole vivere lì, in una casa di negozianti arricchiti. Poteva andar bene per suo suocero ma, sposando lei, Ignazio è entrato a far parte della nobiltà palermitana e ha bisogno di un'abitazione consona al suo nuovo rango.

In fondo, non è proprio per questo che mi ha sposato? si chiede, richiudendo con rabbia i lembi della vestaglia. *Per il sangue nobile che gli ho portato in dote, per cancellare la polvere sulle scarpe e quell'epiteto di « facchino » che mio suocero non è mai riuscito a scrollarsi di dosso! Voleva avere a fianco la baronessina Giovanna d'Ondes Trigona. E c'è riuscito.*

Un pensiero amaro, seguito da una considerazione ancora più amara.

Ma allora perché tutto questo non gli basta?

In quel momento, la porta si apre. Ignazio entra e le si avvicina. «Ah, sei sveglia. Buongiorno.»

«Mi sono alzata ora dal letto, aspetto donna Ciccia per prepararmi.» Gli prende la mano, gliela bacia. «Com'è stato?»

Ignazio si siede sul bracciolo della poltrona, le passa un braccio intorno alla spalla. «Snervante.» Non può dirle di più: è inutile, non capirebbe. Non può neppure immaginare cosa significa avere addosso tutta la responsabilità di Casa Florio. Le sfiora il viso con una carezza. «Sei pallida...»

Lei annuisce. «Qui mi manca l'aria. Vorrei andare in campagna.»

Ma Ignazio non l'ascolta più. È scattato in piedi, si dirige verso lo spogliatoio. «Sono salito per cambiarmi la giacca. È tornato il caldo. Devo andare alla sede del Banco per controllare la lista dei creditori e delle cambiali dopo l'accettazione dell'eredità. In più...»

«Avresti bisogno di un valletto», lo interrompe lei.

Lui si ferma, le mani a mezz'aria. «Come?»

«Di un *cammareri chi ti sistema i vistita.*» Giovanna fa un gesto ampio, indica la città fuori dalla finestra. «I miei parenti hanno *un valletto e na cammarera pa' mugghiere.*»

Ignazio stringe appena le labbra. Ma Giovanna capisce subito che è molto contrariato. Abbassa gli occhi e si morde un labbro, in attesa del rimprovero.

«Preferirei che tu parlassi in italiano, lo sai», ribatte infatti Ignazio in tono secco. «Qualche parola ogni tanto va bene, però mai davanti agli altri. Non è decoroso. Ricordati sempre chi sei...» Indossa una giacca leggera, toglie un biglietto dall'altra giacca, lo ripone in un cassetto dell'armadio e poi lo chiude a chiave.

Non è la prima volta che hanno questa discussione. Subito dopo il matrimonio, lui le aveva messo in casa una specie di precettore che le insegnasse quel tanto di francese e di tedesco per permetterle di fare un po' di conversazione con i loro ospiti stranieri e con i soci in affari. Se avessero viaggiato insieme, lei doveva essere in grado di capire e di farsi capire, le aveva spiegato. E lei aveva obbedito, come si conveniva a una buona moglie.

Ha sempre obbedito, finora.

La mortificazione di Giovanna trascolora in fastidio. Ignazio non se ne accorge nemmeno: le sfiora la fronte con un bacio distratto ed esce.

Giovanna scatta in piedi, ignorando il capogiro che la afferra, si dirige verso lo spogliatoio. Si passa la mano sul ventre ancora gonfio e sformato dalla gravidanza. Le perdite si sono ridotte poco dopo il parto e questo, secondo la levatrice, è a causa della sua magrezza. Dovrebbe mangiare di più, l'ha rimproverata: carne rossa, piatti di pasta, brodo di carne... L'hanno persino minacciata di farle bere il sangue degli animali appena macellati se non riesce a mettersi in forze. Certo, non ha la fatica dell'allattamento, visto che l'ha messo subito a balia con una contadina venuta apposta dall'Olivuzza per *nutricare u' picciriddu*. Ma nutrirsi bene è un dovere per una puerpera.

Al solo pensiero, Giovanna avverte una morsa di disgusto stringerle lo stomaco. Il cibo la nausea. L'unica cosa che riesce a mandar giù sono spicchi di arancia o di mandarino.

« *Ancora accussì siti?* » È proprio con un piattino di frutta che entra donna Ciccia, e la guarda con aria di rimprovero. « *Ora di allestìrisi è* », dice, e batte una mano sul bacile pieno d'acqua. « *Vostra soggira vi aspetta.* »

Ad aspettare Ignazio, fuori dal portone, non c'è solo l'insolito calore di quel giorno di tarda estate, ma anche un uomo, che si avvicina a lui e gli bacia la mano.

« *Assabbinirìca, don Ignazio* », mormora. « *M'avite a pirdunare. Sugnu Saro Motisi, avissi a parlare cu' vossia. Pi' chistu stavu viniennu al Banco.* »

« Sto andando lì », replica Ignazio con un sorriso, cercando di nascondere l'irritazione. Il tragitto da via dei Materassai al Banco Florio è breve, e lui aveva sperato di farlo in solitudine, riflettendo. Invece quel piccolo commerciante di vini del mandamento dei Tribunali gli si affianca, deciso a seguirlo.

« Mi dovete perdonare », ripete, e si sforza di parlare in italiano. « Ho carte in sospeso, cambiali che mi scadono nella prossima settimana, ma ho avuto difficoltà e all'ultimo mi arrivarono altre cambiali, *chi ccà tutti i cristiani vonnu picciuli...* »

Ignazio gli posa una mano sul braccio. « Vedremo come fare, signor Motisi », gli dice. « Andate al Banco; sarò lì tra poco. Se avete garanzie da offrire, sono certo che potremo pensare a una dilazione nel pagamento. »

Motisi si ferma, s'inchina quasi a terra. « *Certo, certo, vossia u sapi'*, *nuatri semu precisi... poi questione di na' misata è...* »

Ma Ignazio non lo ascolta più. Rallenta, lascia che Motisi si allontani e poi si ferma a guardare piano San Giacomo, colmo di una luce che dà al basolato un biancore quasi accecante. In apparenza, il tempo non ha cambiato quella piazza, che lui ha attraversato con suo padre innumerevoli volte. Invece tante piccole cose sono mutate negli anni: il selciato, un tempo sempre invaso da pozze di fango, adesso è pulito; non c'è più la corte di mendicanti davanti alla chiesa di Santa Maria La Nova; là dove c'era un verduraio ora c'è una piccola officina e, più avanti, qualcuno ha aperto un negozio di terraglie. Eppure l'anima di quel luogo è rimasta la stessa: caotica, allegra, piena di voci e di accenti. È la sua strada, e quella è la sua gente. Una gente che adesso gli viene incontro, gli bacia la mano e gli porge le condoglianze a occhi bassi.

Come fa Giovanna a non amare questo quartiere? si chiede. È così pieno di vita, è uno dei cuori pulsanti di Palermo. Ignazio lo sente suo; è come se ne possedesse ogni pietra, ogni portone, ogni lama di sole e ogni pozza d'ombra. Ha percorso centinaia di volte il tragitto da casa sua al Banco e conosce a una a una le persone che ora si affacciano all'uscio per salutarlo.

Le conosce, sì, ma anche in loro c'è qualcosa di diverso: perché lui, adesso, è *u' patruni.*

Per un istante, assapora la malinconia della solitudine. È consapevole che, da questo momento in poi, non avrà riposo, non avrà salvezza. E non è solo la responsabilità della famiglia a gravare sulle sue spalle; dalle sorti del Banco Florio dipende la vita di tante persone che si fidano di lui, delle sue capacità, del suo potere economico.

Responsabilità, si dice. Suo padre la usava spesso, questa parola. Gliel'ha instillata nell'animo, l'ha piantata come un seme, lasciandola a germinare nel buio della coscienza. Ora sta crescendo, sta diventando un albero poderoso. E Ignazio sa che le radici di quell'albero finiranno per soffocare i *suoi* desideri e i *suoi* sogni, in nome di qualcosa di più grande. La sua famiglia. Il nome dei Florio.

Lo sa e spera di non soffrire troppo. Di non soffrire più.

«Donna Giovanna, buongiorno.»

La balia la saluta inclinando la testa. Sta allattando il neonato. Giovanna osserva il figlio che poppa avidamente da quel petto bianco, gonfio, lussurioso.

Lo paragona al suo, schiacciato dal corsetto che ha indossato sopra la camiciola, insistendo con la cameriera perché stringesse i lacci fin quasi a mozzarle il respiro. Pensa che non vorrebbe mai avere un seno simile. Lo trova ripugnante.

«Giovannina, vieni.» Giulia è seduta in poltrona e tiene in braccio Vincenzino. Le indica la poltrona dove la notte prima si era seduto Ignazio.

«*Comu siti*, donna Giulia?» Non ha paura di usare il dialetto quando le parla. Con lei, Giulia è sempre stata gentile. Certo, è una donna riservata, ma non l'ha mai ripresa e ha fatto anche qualche piccolo gesto cortese nei suoi confronti. Giovanna, però, non ha mai capito sino in fondo se quella gentilezza sia sincera o nasca da una strana, intima compassione. Si vede così tanto che Ignazio non tiene veramente a lei, che le riserva soltanto un tiepido affetto?

L'altra non risponde subito. «Sto come una cui hanno tagliato un braccio», dice poi. Accarezza la testa del nipotino e lo bacia sui capelli chiari.

Giovanna non sa cosa fare. Dovrebbe stringerle la mano, dirle una parola di conforto, perché è così che ci si comporta tra parenti. Ma non ci riesce, e non perché non provi pena per Giulia, no.

Troppo è il dolore che le vede addosso. L'intensità di quella perdita la spaventa. Non avrebbe mai pensato che un uomo duro come Vincenzo Florio potesse suscitare un simile attaccamento in una donna, specie in una donna mite e paziente come Giulia. «*Unn'era cosa di stari accussì, bonanima*», mormora, ed è la verità, per quanto dolorosa.

Giulia inghiotte un grumo di lacrime. «Lo so. Lo vedevo. Sai, gli ultimi giorni, mentre tu stavi per avere Ignazziddu e lui se ne andava...» La voce le si spezza. «Quando ho visto che non riusciva più a parlare, che non mi guardava più, ho pregato Dio che se lo prendesse. Preferivo saperlo morto piuttosto che vederlo soffrire ancora.»

Giovanna maschera l'imbarazzo con un segno della croce. Poi mormora: «*Iddu è cu u' Signuri, ora, pinsati chistu. Fici tanti cosi bboni...*»

Giulia sorride, amara. «Magari fosse vero... Ha fatto molte

cose, non tutte buone. Specialmente a me.» Alza lo sguardo. Giovanna rimane sorpresa dall'energia che vi legge. Quasi un fuoco. «Tu sai che per lungo tempo io e lui abbiamo vissuto in una condizione di... peccato. Che i nostri figli sono nati fuori dal matrimonio.»

Con un po' d'imbarazzo, Giovanna annuisce. Quand'era arrivata la proposta di Ignazio, sua madre aveva storto il naso proprio per quel motivo: nonostante tutti i suoi soldi, quell'uomo era nato bastardo. Giulia e Vincenzo si erano sposati solo dopo la sua nascita.

«Ricordo una volta...» La voce le si addolcisce, il viso sembra distendersi. «All'inizio, quando lui aveva già deciso che io dovevo essere sua e io... non sapevo come resistergli, ecco, un giorno mi ero trovata a passare all'aromateria, qui sotto. Dovevo acquistare delle spezie e lui, che stava in ufficio, aveva sentito la mia voce ed era venuto a servirmi al bancone. Una cosa strana assai, dato che non serviva più nessuno da anni. Voleva regalarmi dei pistilli di zafferano, dicendomi che erano un augurio di buona sorte e di serenità: io li avevo rifiutati, ma lui me li aveva messi in mano, costringendomi ad accettarli. La gente nella *putìa* lo fissava, sconvolta, perché Vincenzo Florio non regalava mai nulla...» Un sospiro. «Ma io non ero come *gli altri*. Lui voleva me, *me* e nessun'altra. E, quando mi ha avuto, si è preso tutta la mia vita. E io gliel'ho data con gioia, e non mi è mai importato di quello che gli altri pensavano di me, che mi considerassero una poco di buono. Perché per me lui era tutto.» Si stringe al petto il bambino, che si divincola. «E ora pensate che io possa fare a meno dell'uomo che ho amato più di me stessa solo perché Dio se l'è preso?»

Vincenzino inizia a frignare e si allunga verso i giocattoli sparsi per la stanza, poi si mette a tossire. Giulia lo lascia andare. «Ti ho detto tutto questo perché Ignazio, a me, non mi ascolta più. C'è stato un tempo in cui ero tutto per lui, ma poi suo padre se l'è messo vicino... e Ignazio è diventato *suo*.» Sospira di nuovo. «E io, adesso, senza Vincenzo, non conto più niente.» Giovanna accenna una protesta, ma Giulia la ferma con la mano, abbassa la voce. «Certo, sono sua madre e mi vuole bene, però... Ora ci sei tu, sua moglie, e sei tu la padrona di tutto. Tu mi puoi aiutare. Devi parlargli, devi dirgli che voglio andare a vivere ai Quattro Pizzi. So già che lui non vuole, che pensa sia meglio per me stare qui ma io... non voglio. Era quella la nostra casa, e là intendo stare, insieme con lui e con i nostri ricordi. Lo farai?»

Giovanna vorrebbe replicare che Ignazio raramente la ascolta, ma la sorpresa per quella richiesta la ammutolisce. Se la suocera lasciasse la casa di via dei Materassai, allora forse potrebbe convincere Ignazio a trasferirsi all'Olivuzza. Potrebbe far sistemare il giardino e la casa e arricchire l'arredamento di stampo francese con altri mobili, più di suo gusto.

È un dono insperato, quello che Giulia le sta facendo.

E non è l'unico. Le sta anche affidando la sua casa.

Giovanna si limita ad annuire. Stringe la mano della suocera. «Ci parlo io», le dice, e già sa come fare. Perché, se è vero che suo marito non la ascolta, c'è una cosa al cui richiamo non può resistere: il prestigio legato al nome della sua famiglia. In questo, Ignazio è identico a suo padre, preda di un'ambizione che lo consuma da dentro.

E nulla può essere più prestigioso di ciò che lei ha in mente per l'Olivuzza.

Silenziosi, invisibili, uomini armati vigilano sulla sicurezza del grande parco, della villa e dei suoi abitanti. Essere i Florio significa anche guardarsi le spalle: l'aveva già capito Vincenzo, ma a lui, per proteggersi, era bastato fare appello all'amicizia o a una serie di favori fatti e resi. Invece, quando Ignazio si era trasferito all'Olivuzza, nell'autunno del 1869, qualcuno gli aveva fatto notare – sommessamente, discretamente – che c'era bisogno di qualcosa di più per «dare tranquillità» alla famiglia. Perché Palermo è città vivace, in cui il commercio – in particolare quello degli agrumi – promette ricchezza, e quindi ha chiamato intorno a sé – nelle sue borgate – operai, carrettieri, contadini e giovani che sognano una vita lontana dalla schiavitù della terra, ma anche contrabbandieri e ladri, banditi occasionali e di professione. E questi uomini hanno dato vita a una rete di relazioni «particolari» le cui maglie si sono fatte via via sempre più strette, finendo per diventare impenetrabile alle forze dell'ordine. E poi, non c'è bisogno di coinvolgere la polizia «piemontese» quando le cose si possono sistemare da soli. Un torto? Si raddrizza danneggiando una certa fornitura di limoni pronta a essere imbarcata per l'America. Un'offesa? Si ripara facendo scoppiare un incendio in *quella* casa. Un dissidio? Si spara una fucilata nella schiena di chi non ha dimostrato «rispetto».

Diventava quindi ovvio come proteggersi: bastava rivolgersi a «certi galantuomini», che sarebbero stati «ben lieti» di fornire protezione in cambio di adeguati favori o del pagamento di una somma «simbolica». Era una prassi accettata, che tutti – aristocratici e no – seguivano.

Ed è proprio sotto gli occhi di quei «galantuomini» che una carrozza dalle linee agili e moderne arriva davanti alla parte più antica del complesso di edifici che forma la grande villa dell'Olivuzza. Nessuno l'ha fermata né l'ha perquisita, perché don Ignazio ha detto che gli ospiti sono sacri e non devono essere infastiditi. E quello è un ospite molto importante.

Dalla carrozza scende un uomo dagli occhi penetranti e dalla fronte ampia, su cui ricadono ciocche di capelli ricci. Si muove con grazia, ma non riesce a nascondere un certo disagio.

Ignazio è fermo all'ingresso dell'edificio e lo sta aspettando. Gli stringe la mano e dice semplicemente: «Venite».

L'uomo lo segue. Attraversano il vestibolo, poi una teoria di stanze e di salotti arredati con gusto. La mano di Giovanna si riconosce nell'accostamento dei colori della tappezzeria, nei mobili acquistati a Parigi e in Inghilterra, nei divani damascati, nei grandi tappeti persiani. Lei ha rinnovato gli interni della villa, scegliendo ogni arredo, ogni suppellettile.

I due arrivano nello studio. L'uomo si sofferma sulla soglia, studia l'ambiente, poi nota un grande quadro a olio che raffigura la cantina marsalese dei Florio, con le sue alte mura bianche, immersa in una luce morente. Chiunque sia l'autore, è riuscito a fermare sulla tela sia quel chiarore sia il verde profondo delle acque davanti alla costa.

«Affascinante», mormora. «Di chi è?»

«Di Antonino Leto.» Ignazio si avvicina. «Vi piace? Raffigura il mio baglio di Marsala. Leto mi ha consegnato il quadro poche settimane fa. Mi ha fatto aspettare, ma il risultato è magnifico, mi dà serenità. Soprattutto il mare è reso in modo meraviglioso. Sono ancora indeciso se lasciarlo qui, nel mio studio, o altrove. Ma ora accomodiamoci.»

Indica le poltrone e si siede. Fissa l'uomo per alcuni secondi prima di parlare. Sul suo volto appare un sorriso appena celato dalla folta barba scura.

L'altro si agita, a disagio. «Cosa succede, don Ignazio? Qualcosa non va? La realizzazione del mausoleo per vostro padre a Santa Maria di Gesù procede secondo i tempi stabiliti. Abbiamo faticato per scavare la cripta nella roccia, ma ora stiamo procedendo speditamente, e so che De Lisi ha ultimato il bozzetto per la scultura...»

«Non è per questo che vi ho fatto venire.» Ignazio unisce le mani a piramide davanti al viso. «Ho una proposta per voi.»

Giuseppe Damiani Almeyda, professore di Disegno d'ornato e Architettura elementare presso la Regia Università di Palermo, si appoggia allo schienale della poltrona. È perplesso. Apre le mani, poi le congiunge in grembo. «Per me? E come posso esservi utile?» L'accento napoletano è mascherato da un'inflessione vagamente straniera, eredità della madre portoghese, la bella Maria Carolina Almeyda, figlioccia della regina Maria Carolina di Borbone, una nobildonna di cui si era innamorato alla follia il palermitano Felice Damiani, colonnello dell'esercito borbonico.

«Voi siete anche un ingegnere del comune di Palermo, non solo un architetto per cui ho grande stima. E siete un uomo di cultura: conoscete e apprezzate il passato, ma non vi fate spaventare dal futuro. Anzi.»

Damiani Almeyda porta un pugno chiuso dinanzi ai baffi. È guardingo, ora. I complimenti lo mettono in allarme, sempre. Non frequenta da molto tempo quel giovane uomo dall'aria pacata, ma sa bene che è potente, e non solo perché è ricco. È anche intelligente, molto, ma ha quel tipo d'intelligenza da cui guardarsi. «Cosa volete chiedermi, don Ignazio?»

«Un progetto.»

« Per cosa? »

« Per la fonderia. »

L'altro sgrana gli occhi. L'immagine di un capannone in conci di tufo sporchi di fuliggine e affollato di operai gli appare davanti. « L'Oretea? »

Ignazio accenna una risata. « Almeno per il momento, non ne possiedo altre. »

Una pausa. I due si osservano, si studiano. Damiani Almeyda si china in avanti, le mani incrociate sulle ginocchia. « Fatemi capire. Cosa vi serve di preciso? »

Ignazio si alza e fa qualche passo sul tappeto che copre quasi tutto il pavimento. È un Qazvin e lui l'ha scelto non tanto perché è di estrema eleganza, quanto per l'eccezionale attenzione che in quella regione della Persia si dà all'annodatura, alla qualità della lana e alla colorazione naturale. « Voi sapete che mio padre ha voluto la fonderia con una determinazione eccezionale pure per lui, cui non ha mai fatto difetto la volontà. Tutti gli dicevano che sarebbe stato un progetto in perdita, ma lui ha insistito, anche contro il parere di amici come Benjamin Ingham, che Dio l'abbia in gloria. »

Si ferma dinanzi alla vetrata. Ricorda il funerale di Ingham, e suo padre, il viso impietrito, che accarezza la bara. Ben Ingham era stato per lui amico e rivale, mentore e avversario. Erano legati da un'amicizia tanto anomala quanto forte, un sentimento che lui purtroppo non conosce.

Si riscuote, batte le nocche di una mano sul palmo dell'altra. « La situazione è cambiata. Oggi, la fonderia deve fare i conti con le imprese del Nord, molto più competitive. È stato uno dei... doni che ci ha fatto il Regno d'Italia: imprese che producono quello che produciamo noi. Non posso dar loro torto: la Sicilia non è una priorità del Regno e non fa nulla per esserlo. Qui, per ottenere qualcosa, bisogna brigare o minacciare o andare per vie traverse o appellarsi ai santi in paradiso. E a volte manco quelli bastano. Vince chi ha la carta più forte, come in una partita e quel poco che c'è se ne va *a schifiu*. Ecco, è questo che mi manda su tutte le furie: a Palermo i capitali ci sono e devono essere investiti in maniera intelligente, altrimenti finiremo tutti schiacciati dalla concorrenza. Al Nord, le fabbriche cresceranno e si arricchiranno, mentre qui si continuerà a coltivare grano, a macinare sommacco o a estrarre zolfo. È inutile girarci intorno: adesso noi non possiamo competere. È a questo che dobbiamo porre rimedio. A ogni costo.»

Si volta. Damiani Almeyda quasi trattiene il respiro. Quel giovane dall'aria quieta e dai modi gentili ha lasciato il posto a un uomo d'affari di una durezza sorprendente.

«Come posso aiutarvi, allora?» chiede. Si sente quasi obbligato a dirlo.

«Voi, ingegnere, se vorrete, mi aiuterete a cambiare la situazione. Intanto vi chiedo se siete disposto a portare la fonderia in quest'epoca, a renderla una struttura moderna. Potreste iniziare dalla facciata.» Ignazio riprende a camminare avanti e indietro, e Damiani Almeyda lo segue con gli occhi. «Avete presente l'Oretea, vero? È poco più di un capannone, un *malaseno* con due assi per tetto. Deve diventare un impianto moderno, proprio a cominciare dagli esterni, come ho visto a Marsiglia, dove le officine meccaniche per la riparazione delle navi sono a poca distanza dai bacini e dal porto. La fonderia lavora soprattutto con i piroscafi in riparazione e di questo dobbiamo tenere conto.»

«Quindi voi vorreste un progetto per...?»

«Per la facciata, in primo luogo, e poi per il rifacimento degli interni.» Non aggiunge altro: non è ancora il momento di parlargli della sua idea di costruire case per gli operai o di ripensare agli spazi per gli uffici della fonderia, com'è normale in Inghilterra o in Francia. Lui è un padrone, un buon padrone, e penserà al benessere della sua gente, degli operai e delle loro famiglie. Prima, però, c'è molto da fare.

Parlano a lungo, nella luce autunnale che accende d'oro la stanza. Di cosa Ignazio vorrebbe per la sua fabbrica e di come Damiani Almeyda la immagina: luminosa, con ampi spazi per i lavoratori e con un soffitto rialzato che faccia disperdere il calore... Si ascoltano, si riconoscono, si capiscono. Hanno la stessa visione, vogliono lo stesso futuro per Palermo.

Da questo momento, il destino di Giuseppe Damiani Almeyda – che farà edificare il Teatro Politeama, rinnoverà il Palazzo Pretorio e costruirà l'Archivio Storico della città di Palermo – sarà indissolubilmente legato a quello dei Florio.

E, per i Florio, lui realizzerà a Favignana il suo capolavoro.

È sera. Nel camino arde un gigantesco ceppo e il profumo di resina aleggia all'intorno. Assorta, Giulia accenna un sorriso stanco. Com'è strano essere di nuovo in quella stanza, pensa, lì, dove Vincenzo è morto, ormai quasi un anno e mezzo prima.

È la vigilia di Natale 1869. Ignazio e Giovanna le hanno chiesto di venire all'Olivuzza per festeggiarlo insieme, anche perché, come ha detto Ignazio, ai Quattro Pizzi ci sono troppe scale e fa troppo freddo. Tuttavia, a neanche metà della cena, Giulia ha rivolto uno sguardo a Giovanna e lei ha capito, come sa capire una donna che riconosce in un'altra la stanchezza di vivere imprigionata tra le rughe profonde e le palpebre pesanti. Giovanna ha annuito, poi ha fatto un cenno alla governante perché aiutasse Giulia ad alzarsi dalla sedia e a raggiungere la sua stanza.

Ignazio l'ha seguita con uno sguardo indeciso tra la preoccupazione e la tristezza.

Avrà pensato che, per me, c'erano troppe risate, troppo chiasso, troppo cibo, pensa ora Giulia. *La verità è che non m'importa più niente. Voglio solo stare qui, dov'è stato lui.*

Alza gli occhi verso la finestra, verso il buio che avvolge il parco dell'Olivuzza.

Non si sente del tutto a suo agio in quella villa. Ricorda come appartenesse in origine ai Butera, una delle più antiche famiglie nobili palermitane, e come fosse stata una nobile russa, la principessa Varvara Petrovna Šachovskaja, seconda moglie del principe di Butera-Radalì, ad ampliarla e ad arricchirla. La zarina Alessandra, moglie dello zar Nicola I, vi aveva soggiornato addirittura per un intero inverno. Ossessionato dal bisogno di dimostrare la ricchezza della famiglia, Vincenzo non aveva certo lesinato denaro e impegno per accaparrarsi quella proprietà. E adesso toccava a Ignazio e alla moglie ingrandirla e abbellirla. Suo figlio aveva di recente acquisito anche alcuni palazzi vicini così da rendere il complesso ancora più imponente.

È casa loro, ormai.

Palermo – la sua Palermo, quella delle strade di pietra e dei vicoli oscuri – è lontana, al di là di una strada polverosa che corre tra le tenute nobiliari e gli orti. È verso le montagne che la città cerca spazio, dopo che le mura sono state abbattute a seguito dell'unificazione. Le nuove abitazioni divorano i campi, i giardini all'italiana sostituiscono orti e agrumeti; palazzine di due o tre piani, simili le une alle altre, con architravi squadrati e imposte di legno marrone, sorgono lungo le nuove strade che portano verso le campagne. Via dei Materassai, Castellammare, la Kalsa appartengono a un altro mondo, a un'altra vita. La città sta cambiando e forse neppure se ne rende conto.

Sospira di nuovo. L'aria le ristagna nel torace; le fa male il petto. Vincenzo non avrebbe approvato certe stranezze. Ma Vincenzo è morto.

E lei sente la vita scivolarle via, e non fa nulla per trattenerla.

I domestici hanno iniziato a sparecchiare. Mani efficienti raccolgono le posate d'argento e le ripongono nei cesti che vengono portati nelle cucine. Le guantiere con dolci e cassatine sono coperte da panni di lino. I bicchieri di cristallo e i samovar d'argento per il tè sono svuotati e riposti nelle credenze, dopo essere stati asciugati e lucidati. Le luci vengono abbassate o spente. Nell'aria, resta il profumo dell'alloro e del viburno che appassiscono nei *cache-pot* cinesi in porcellana, insieme con quello più persistente della colonia maschile e della cipria.

«*Giuvannina! Giuvannina!*»

Giovanna sta ordinando di servire del marsala nel salotto che si affaccia sul giardino – che tutti chiamano salotto verde per via del colore della tappezzeria – quando la voce petulante della madre la costringe a voltarsi. È stato Ignazio a insistere perché al pranzo di Santo Stefano fossero presenti lei e il padre insieme con Angelina e Luigi De Pace, la sorella e il cognato di

Ignazio. Quella mattina sono arrivati anche Auguste e François Merle, il suocero e il marito di sua sorella Giuseppina, rimasta a Marsiglia: il suo bambino, Louis Auguste, ha una salute tanto cagionevole almeno quanto quella del cuginetto Vincenzo, e lei non se l'è sentita di metterlo su un piroscafo e fargli affrontare un viaggio per mare in inverno. Ma a Ignazio interessava far vedere al mondo che i Florio erano una famiglia unita e il risultato era stato comunque raggiunto.

Giovanna guarda la madre caracollare verso di lei, appoggiata ai due bastoni che usa per camminare. I capelli grigi sono acconciati in un *tuppo* alto, che sottolinea la rotondità del viso. Tutto, in lei, è rotondo: dalle dita in cui gli anelli sembrano affondare, al seno contenuto a malapena dall'abito, alle sottogonne di cui quasi non c'è bisogno perché c'è tanta, troppa carne a sostenerle.

Eleonora d'Ondes Trigona, sorella di Romualdo Trigona, principe di Sant'Elia, è una donna di mezz'età che sta invecchiando male anche perché è piena di acciacchi e non si cura come dovrebbe. È rossa in viso, ansima e suda persino per quei pochi passi.

La figlia rimane immobile. Aspetta che sia la madre a raggiungerla, poi s'inoltrano insieme tra i vialetti del giardino.

«*Maronna santa, stanca sugnu. Veni ccà, assittamunni*», dice d'un tratto Eleonora.

Giovanna la precede di alcuni passi, poi aspetta che si sieda sulla panca di pietra davanti alla voliera e si mette accanto a lei, nell'angolo, mentre i piccoli, insieme con le bambinaie, si aggirano per il giardino e stuzzicano i pappagalli nella gabbia, facendoli svolazzare. Poco lontano, gli uomini di casa fumano sigari e discutono a mezza voce.

Sulla gonna dell'abito della madre, macchie di unto. *Sono certa che avrà mangiato ancor prima di venire qui a pranzo*, pensa Giovanna, con un misto di sgomento e fastidio. *Come ha fatto lei, una principessa, a lasciarsi andare così?*

«*Perciò arrè incinta sì e 'un mi rici nenti? Di donna Ciccia l'ha a veniri a sapiri? Ora to soggira puru mu rissi, e ju arristai accussì.*»

Giovanna non risponde. Fissa le dita sottili e nota che la fede nuziale quasi scivola via. Poi osserva il brillante e lo smeraldo che Ignazio le ha regalato in quei quattro anni di matrimonio. Per Natale, le ha donato un bracciale d'oro rigido con un fiore di pietre preziose, realizzato apposta per lei. «Volevo essere sicura. *Poi, mamà, u' sapite.* Porta male parlare troppo presto.»

Eleonora le afferra la mano e le tocca la pancia. «*Quannu nasci?*»

Giovanna si ritrae, allontana la mano della madre e scuote la testa. «*E chi nni sacciu?* Maggio, giugno...» Poi si liscia il vestito. Ha dovuto allentare il corsetto, che le schiacciava il ventre in maniera fastidiosa. Il ventre sta crescendo più in fretta che per le precedenti gravidanze, e donna Ciccia – *Mannaggia a lei che non ha tenuto la bocca chiusa!* – dice che il motivo potrebbe essere che stavolta aspetta una femmina.

«*Ora tu ha' a stari accura, chi to' marito unn'avi e iri a circari autre fimmine. Chi dopo du picciriddi, 'un si cchiù na' rosa... ti l'hai a taliàre bbonu.*»

«*U' saccio. Me marito unn'avi gonnelle dà taliàre.*» È brusca, Giovanna. Ignazio è serio, non la tradirebbe mai con un'altra donna, specie ora che è incinta. E, anche se fosse successo, lei non vorrebbe saperlo.

Pensa per te, riflette, piena di rancore. *Da quanto tempo tuo marito non riesce neppure a guardarti?*

Da qualche giorno, tutto la irrita. E sua madre non fa di certo eccezione.

Eleonora sembra accorgersene. Un lampo di pena si accende nei suoi occhi. «*Manci?*»

«Sì.»

«*Viri chi si 'un manci, c'appizzi tutti cosi. E poi, a' carni fa bedda la atta.*»

«La carne fa bella la gatta.» Come se lei fosse un animale da compagnia! «*Mancio, ti rissi!*»

Giovanna si accorge di aver alzato la voce perché le bambinaie si voltano a guardarla. Si sente avvampare. Lacrime di stizza le pungono le palpebre. «*Viri picchì uno 'un ti po' cuntari nenti? Picchì poi tu ti metti a abbainari comu 'na lavannara.*»

La voce le trema, e per questo si odia, Giovanna: perché tutto in lei – la gola, le viscere, il corpo intero – le ricorda cosa abbia significato essere figlia di quella donna. La sorella di un principe che parlava sempre a voce troppo alta, che aveva le mani sempre piene di cibo e che teneva la bocca sempre aperta perché non ce la faceva a respirare. Ricorda gli sguardi che i parenti rivolgevano a lei e a suo padre: occhiate di derisione o imbarazzo nel vedere una principessa in quelle condizioni. Se almeno avesse avuto un fratello con cui sfogarsi, al quale chiedere consolazione, con cui condividere la pena. E invece no: la vergogna di quella madre era caduta tutta su di lei.

Le sfugge un singhiozzo. Scatta in piedi, mentre la madre cerca di trattenerla e la chiama, le grida di tornare, le chiede scusa.

I passi la portano nel folto del parco. Si aggrappa a un pero, singhiozza rumorosamente, e una manciata di foglie secche le precipita tra i capelli. Schegge di legno si conficcano sotto le unghie.

Una parte di lei sa che è il bambino a renderla così fragile e nervosa, a toglierle il controllo. Ma l'altra, più profonda, quella che si nasconde nel fondo dello stomaco, ribolle e cerca di far uscire ricordi e umiliazioni.

Si china in avanti, cerca il vomito con due dita in gola, lo trova. Un conato, un altro. Il cibo trascina fuori la rabbia dal suo corpo, la purifica, la libera, e poco importa che abbia un sapore acido in bocca, che le mucose della gola le brucino. D'istinto, porta all'indietro il vestito per non sporcarlo. Ha imparato a farlo quand'era più giovane e osservava la madre abbuffarsi e diventare sempre più grassa, mentre lei mangiava sempre meno, come se volesse sparire agli occhi del mondo.

A un certo punto, erano cominciati gli svenimenti. Sconcertata, la madre l'aveva costretta a letto, portandole pasta, carne, pasticci e dolci, e l'aveva obbligata a mangiare, a inghiottire a forza. Giovanna obbediva e poi rigettava tutto. Il medico aveva sentenziato che ormai il suo stomaco era diventato poco più grande di una tazzina, e lei non avrebbe mai più potuto mangiare normalmente. Giovanna si era aggrappata a quella diagnosi con tutte le sue forze, evocandola – con un vago sorriso di scuse – ogni volta che qualcuno notava il suo scarso appetito.

C'era voluto Ignazio per metterla in discussione: dopo i primi mesi di matrimonio, si era stancato di dover insistere con la moglie perché mangiasse «un po' di più» e l'aveva portata a Roma, da un medico famoso. Dopo un lungo colloquio e una visita ancora più lunga, il luminare aveva dichiarato senza mezzi termini che Giovanna doveva farsi «passare quelle paturnie da bambina capricciosa» e che un figlio avrebbe riportato il corpo a funzionare «secondo natura».

Lei si era limitata ad annuire e Ignazio, rassicurato, aveva sorriso al pensiero di quel figlio che avrebbe sistemato tutto. E, in fondo, il medico aveva avuto ragione, almeno in parte: durante le gravidanze, la situazione era migliorata, anche perché lei si era costretta a non vomitare per amore della creatura che aspettava.

Ma oggi la tristezza le annebbia i pensieri, le fa il buio nell'anima.

Tossisce ancora. Sente la bile salirle lungo la gola: ormai non ha più nulla da buttar fuori. Si sente meglio: libera, leggera. Troppo. Barcolla.

In quel momento, una mano si posa sulla sua spalla. È una stretta forte e gentile, che si trasforma in un abbraccio. «È il bambino? Hai vomitato?»

Ignazio la sorregge, spalle contro petto. È forte, Ignazio, ha un fisico massiccio. Tra le sue braccia, Giovanna sembra scomparire.

Lei si abbandona a quella stretta, accoglie il tepore, il benessere che viene dal suo contatto. «Nausea», minimizza, e respira a bocca aperta. «*Manciai assai.*»

Lui tira fuori un fazzoletto dalla tasca. Le asciuga la fronte sudata e le pulisce le labbra senza aggiungere nulla. Non le dirà che ha sentito la discussione con la madre e che l'ha seguita per questo, né che l'ha vista mettersi le dita in gola. E neppure che non è la prima volta che le vede fare quel gesto. Non capisce, ma non chiede, non può chiedere: sono cose da *fimmine*. E poi il medico di Roma è stato chiaro: era stata colpa di alcune brutte abitudini e la naturale isteria femminile aveva fatto il resto.

L'abbraccia, la rassicura.

Ha capito da tempo quanto sia fragile Giovanna e quanto sia grande la sua paura di non essere all'altezza del nome che porta. Ma ha imparato anche ad apprezzarne la tenacia, la capacità di reagire. Senza quel suo coraggio ferino, quel suo essere così spigolosa, così dura, non riuscirebbe a stargli accanto, ad accettare di non essere al centro dei suoi pensieri. Perché lui appartiene a Casa Florio e a nessun altro, proprio com'era stato per suo padre. E non gliel'ha mai nascosto.

«Vieni», le dice.

Giovanna si allontana. «Sto bene», dichiara, ma il pallore la tradisce.

«Non è vero», ribatte lui a voce bassissima. Le carezza il viso, poi le prende una mano e bacia la punta delle dita. «Ricordati cosa sei.»

Insicura? Isterica? pensa Giovanna, e vorrebbe chiederlo a lui, ma Ignazio le mette un dito sulle labbra e si china in avanti. Per un istante, lei vede un'ombra attraversargli lo sguardo. Un lampo di consapevolezza. Di rimpianto.

«Sei mia moglie», le dice infine. E le sfiora la bocca con un bacio.

Allora Giovanna lo afferra per i risvolti della giacca, se lo tira addosso. È questo che lui può darle e questo, almeno per il momento, le deve bastare.

Rientrando, Giovanna e Ignazio trovano i loro ospiti in procinto di congedarsi. L'atmosfera sembra tornata serena. Mentre Ignazio saluta Auguste Merle e i De Pace, Eleonora si avvicina a Giovanna e, seppure a fatica, la abbraccia, seguita dal marito che, a onta dei suoi modi formali e abitualmente distaccati, prende la mano della figlia, la bacia con tenerezza e poi le sussurra un: «Riguardati».

Alla fine, Giovanna e Ignazio rimangono soli sulla soglia. Ignazio lascia scorrere la mano sulla schiena della moglie, si sofferma sulle reni. «Vuoi andare a riposare un poco?» chiede.

«Mi piacerebbe, sì.»

Lui estrae l'orologio dal taschino, lo guarda. «Vado nello studio a lavorare. Ti raggiungerò per cena, se vorrai prendere qualcosa.» E, dopo averle dato un bacio sulla fronte, si allontana.

Giovanna prende sottobraccio Giulia e la aiuta a salire le scale verso la parte più antica dell'Olivuzza. Entrano in una delle stanze dei bambini. Vincenzino aveva un po' di febbre e Giovanna l'ha affidato alla bambinaia, chiedendole di portarlo a letto. E infatti adesso è sotto le coperte, semiaddormentato. Ignazziddu è seduto in terra, scalzo, e gioca con alcuni soldatini. «Rimango io qui. Tu vai a riposare», dice Giulia a Giovanna. Esita, poi aggiunge: «Ho capito troppo tardi che tua madre non sapeva che eri incinta...»

Giovanna arriccia la bocca in una smorfia. «Non gliel'avevo ancora detto, infatti.»

«Ti chiedo scusa.» Giulia le posa una mano sul viso e osserva la nuora con aria malinconica. «Anche con mia madre era così; aveva sempre qualcosa da farmi notare, da rimproverarmi...» dice infine. «E io non mi sono mai confidata con lei.» Solleva il mento di Giovanna, la costringe a guardarla negli occhi. «Le madri sono creature imperfette e talvolta sembrano le nostre peggiori nemiche, ma non lo sono. La verità è che spesso non sanno come amarci. Si convincono che possono renderci migliori e cercano di risparmiarci le loro sofferenze... senza rendersi conto che ogni donna chiede già molto a se stessa e ha bisogno di conoscere il proprio dolore.»

Ha parlato a voce bassissima, con una nota di rammarico che ha fatto riempire di lacrime gli occhi di Giovanna. È vero, lei e sua madre si vogliono bene, ma sono insanabilmente diverse: Eleonora è eccessiva, irruente; lei è discreta, semplice. Per tutta la vita si erano scontrate perché la madre voleva portarla dalla sua parte, renderla uguale a lei. E quindi Giovanna era cresciuta nella costante sensazione di essere... sbagliata. Un pensiero che non l'ha mai abbandonata del tutto.

A capo chino, raggiunge la sua stanza. Donna Ciccia è lì che la aspetta, impegnata nel ricamo di una vestina da neonato. «*Fimmina sarà*», le ha detto con forza; ne è certa perché ha contato i giorni della luna e perché certe cose lei le sente sotto le dita, le passano attraverso la pelle.

Per quella donna dai lineamenti rozzi e severi, Giovanna

prova timore e affetto insieme. Non le piace che faccia «quelle cose» perché la mettono a disagio e le danno la sensazione di perdere anche quel minimo controllo sulla propria vita che ancora pensa di avere. Senza contare che il padre confessore le ha detto e ripetuto che bisogna stare lontani dalle superstizioni, perché il futuro è scritto in libri che solo Dio sa leggere. Nel contempo, però, Giovanna ha sempre potuto contare su donna Ciccia. Da bambina, se si faceva male, lei la consolava; da adolescente, quando rifiutava di mangiare, lei la imboccava con silenziosa pazienza. Era stata lei a spiegarle la comparsa del sangue mensile e a dirle cosa accadeva tra un uomo e una donna. L'aveva assistita durante il parto dei suoi figli. L'aveva abbracciata quando Giovanna le aveva confessato, in lacrime, la sua paura di aver perso l'affetto di Ignazio. Più della sua vera madre, più di una parente di sangue, donna Ciccia le aveva sempre dato ciò di cui aveva davvero bisogno. E a lei deve anche la passione per il ricamo. Ha cominciato da bambina, creando quadretti a piccolo punto, e adesso, insieme con la sua vecchia nutrice, realizza tovaglie e lenzuola e anche qualche arazzo.

Con il tempo, donna Ciccia è persino riuscita a compiere il miracolo di farla mangiare un po' di più; durante i pasti, la fissa con un misto di durezza e di affetto finché Giovanna non inghiotte almeno qualche boccone. Quando poi ricamano insieme, l'una di fronte all'altra, immerse in un silenzio confortevole, fatto di complicità e di abitudine, le fa trovare accanto alla sedia un vassoio con un piattino di arance o di limoni a spicchi e una piccola zuccheriera. Così, di tanto in tanto, Giovanna immerge uno spicchio nello zucchero e lo mangia.

Mentre l'aiuta a cambiarsi, le parla, diretta come sempre. «Siete pallida... Ho visto che avete mangiato sì e no quanto Vincenzino quand'è malato. Dovete stare attenta, sennò il *picciriddu* non cresce e magari *ci fati puru danno.*»

«Non è cosa per me, sedermi e mangiare un piatto pieno. Anzi. Dite pure che stasera non ho intenzione di mangiare. *Un c'ha fazzu, sugnu troppu stanca.*»

«Mangiare giusto cosa di ogni cristiano è, donna Giovanna», sospira l'altra. Le prende i polsi, glieli stringe, la obbliga a guardarla. «Non ci dovete pensare più a certi capricci di bambina, *ché ora fimmina maritata siti.* Avete un marito che vi rispetta, e non è che sono tante le donne che possono dire la stessa cosa. *Avite du figghi chi sunnu du' ciuri.* Ve l'ho già detto tante volte: fare capricci *pi' manciari è cosa di fari siddiari u' Signuri.*»

Giovanna annuisce, ma non la guarda. Lo sa che ha ragione, che non dovrebbe far adirare il Signore ma, davvero, è più forte di lei. «Lui non lo capisce come sto», dice a voce così bassa che donna Ciccia, che la sta aiutando a sfilarsi la gonna, deve avvicinare la testa per sentire. «Mio marito è *u' megghiu di lu munnu.* Ma...» S'interrompe, perché dietro quel «ma» c'è una pena che non la lascia mai, un'ombra in cui si agitano fantasmi ai quali non riesce a dare un nome. Una solitudine fredda come una lastra di vetro.

Donna Ciccia alza gli occhi al cielo, inizia a piegare il vestito. «Voi avete tutto e non sapete accontentarvi, ve l'ho detto. *Marito è, e masculu: le cose delle fimmine* non le capisce e *manco c'interessano.* Voi dovete farvi il vostro: essere moglie e pensare ai vostri figli. Siete sposata a un uomo importante: *'un putite pinsari chi iddu vi sta dappresso.*»

«*Raggiuni aviti*», sospira Giovanna.

L'altra la guarda, poco convinta ma rassegnata. «Chiamo la cameriera perché vi aiuti a lavarvi e prepararvi per la notte?»

«No, grazie, donna Ciccia, faccio da sola.»

L'altra replica un: «*Comu dici vossia*» a mezza bocca, ed esce per avvertire in cucina che la padrona non cenerà.

Giovanna si appoggia allo stipite, esausta. L'immagine che la specchiera dorata le restituisce è quella di una donna fragile, che quasi scompare nella sottoveste. Quel giorno aveva indossato un abito confezionato per lei a Parigi, di seta color crema con gale di pizzo di Valenciennes sulla scollatura e sui polsi. E aveva messo anche la collana e gli orecchini con il motivo a fiore in perle, circondate da diamanti. Un regalo di nozze di Ignazio.

La famiglia intera le aveva fatto i complimenti. Ignazio si era limitato a guardarla e ad annuire in segno di approvazione; poi aveva continuato a parlare con Auguste.

Come se lei avesse semplicemente fatto il suo dovere.

Quella parola – dovere – la perseguita. Lei ha il *dovere* di mangiare, perché deve essere forte e fare figli. Lei ha il *dovere* di essere impeccabile, perché dev'essere all'altezza della famiglia che l'ha accolta. Lei ha il *dovere* di parlare in un buon italiano e di conoscere le lingue.

E, nel privato, lei ha il *dovere* di restare nell'ombra e sopportare qualsiasi cosa, perché così si comporta una buona moglie, perché questo significa il matrimonio: assecondare il marito e obbedirgli in silenzio. L'aveva fatto subito, a partire dalla loro prima notte. Era stata docile, remissiva, seguendo gli imbarazzati suggerimenti della madre: tenere gli occhi chiusi e stringere i denti, se avesse sentito dolore. Pregare, se avesse avuto paura.

Ma lui era stato appassionato e attento in un modo che ancora riusciva a farla arrossire, al ricordo. Camicia da notte e preghiere erano finite in un angolo del letto, mentre lui s'impossessava del suo corpo e le regalava sensazioni che mai lei avrebbe immaginato di provare.

E così era stato per i primi tempi, ma dopo la nascita di Vincenzino, Ignazio l'aveva cercata sempre meno, e senza passione. Come se *lei* fosse diventata un *dovere*, una pratica da sbrigare e non la compagna con cui dividere letto, corpo e anima.

Per qualche tempo, all'inizio, aveva pensato ci fosse un'altra donna. Ma, dopo la nascita di Ignazziddu, aveva capito che la mancanza d'interesse di Ignazio nei suoi confronti era uguale e contraria al suo coinvolgimento negli affari della famiglia. Una rivale c'era, ma si chiamava Casa Florio.

Senza contare che gli aveva già dato due maschi, quindi la discendenza era assicurata, quindi lei...

Aveva provato a parlarne con donna Ciccia, ma lei aveva scrollato le spalle. «*Megghiu u' travagghiu chi na' fimmina. E poi, vostra soggira puru accussì era e mischina fu paciunziusa assai. Prima Casa Florio e poi idda e i so' figghi.*»

Solo che lei non è Giulia. Lei vorrebbe suo marito.

Neanche Ignazio cena. Si fa portare una tazza di tè nero, e continua a guardare i fascicoli sull'andamento dell'aromateria di via dei Materassai. Non rende più come un tempo e in diverse occasioni lui ha addirittura pensato di disfarsene ma, alla fine, la tradizione e l'attaccamento alle sue origini hanno avuto la meglio. E poi, c'è anche un po' di scaramanzia: il negozio apparteneva a suo padre e, prima ancora, al nonno e allo zio che lui non ha mai conosciuto. Le poche luci rimaste sono pozze di bianco nel nero. È un pezzo della loro storia, come l'anello che lui porta al dito, sotto la fede.

Spegne la luce, lascia lo studio. Sbadiglia. Forse riuscirà a dormire.

I domestici attraversano silenziosamente le stanze, spengono i lumi e mettono i parascintille ai camini, mentre i ceppi finiscono di consumarsi, crollando silenziosamente nella cenere. Le porte vengono chiuse.

La ronda notturna sorveglia la casa. Ignazio non può vederla, ma è come se sentisse i passi degli uomini che camminano avanti e indietro nel giardino. Non si abituerà mai a quella « necessaria » sorveglianza: da piccolo scorrazzava in assoluta tranquillità per tutta Palermo, da via dei Materassai all'Arenella. Ora, invece, è cambiato tutto.

La ricchezza attira guai.

Mentre sale le scale, si sfila la giacca e allenta la cravatta. Passa davanti alla stanza della madre, ma non si ferma; sta sicuramente dormendo. La vede sempre più stanca e fragile. Proverà a convincerla a restare all'Olivuzza.

Raggiunge le stanze dei bambini. Entra in quella di Ignazziddu e si avvicina al letto. Il figlio sta dormendo con una mano vicina alle labbra. Ha preso i tratti delicati di Giovanna, i suoi colori decisi, ed è vivace, gli piace mettersi in mostra. Poi va in quella di Vincenzino che, invece, dorme con la bocca aperta e le braccia sollevate. Ha i capelli di suo padre, mossi in piccole onde, e un corpo sottile che sembra quasi sparire sotto le coperte. Ignazio gli fa una carezza e scivola fuori dalla stanza. Chissà se il bambino che nascerà sarà un maschio o una femmina. *Mi piacerebbe che fosse una bambina*, si dice con un sorriso.

Infine torna sui suoi passi e arriva in camera sua, dove c'è Leonardo, detto Nanài, il valletto che Giovanna l'ha convinto ad assumere, appisolato su uno sgabello. Lo scuote. « Nanài... »

L'uomo piccolo e robusto, con una folta chioma di capelli nerissimi, balza in piedi e chiude di scatto la bocca aperta. «Don Ignazio, io...»

Lui lo ferma. «*Vattinni a dormiri. Ancora ma firu a canciarimi sulo*», dice, e lo incoraggia con un sorriso di complicità. Con i domestici usa il dialetto, Ignazio, perché non si sentano a disagio. Una piccola accortezza.

L'altro s'inchina. «*Mortificato sugnu, signure. Ero ccà che v'aspettava e...*»

«*Bonu. Ora va curcati, che dumani matina n'avemu a susiri pi' cinque.*»

Il servitore strascica i piedi e scompare dietro la porta, continuando a biascicare scuse.

Ignazio allunga le braccia sopra la testa, sbadiglia di nuovo. Tira le tende di damasco alle finestre, poi abbandona la giacca sulla poltrona. Scalcia via le scarpe, si sfila il gilet, si lascia cadere sul letto e chiude gli occhi.

Complice la stanchezza, un ricordo riemerge. È così potente da rapirlo al presente, da cancellare tutto ciò che lo circonda. Gli sembra quasi di scivolare nel corpo dei suoi vent'anni, di non sentire più la fatica e il peso delle responsabilità.

Marsiglia.

Un'acacia e una coperta distesa per terra. L'odore del fieno tagliato di fresco, il frinire delle cicale, il tepore del sole. La luce di fine estate che filtra attraverso le foglie, il vento che canta tra i rami. La sua testa appoggiata su un corpo femminile. Una mano che gli accarezza i capelli.

Lui sta leggendo un libro, poi prende la mano che lo sfiora e se la porta alle labbra. La bacia.

Qualcuno bussa alla porta.

Ignazio spalanca gli occhi. Il sole, il tepore, le cicale scompaiono di colpo. È di nuovo all'Olivuzza, nella sua camera, al termine di una giornata di festa che lo ha stancato più di un giorno di lavoro.

Si raddrizza. «Avanti.»

Giovanna.

Avvolta in una vestaglia di pizzo, i capelli raccolti in una treccia, sembra ancora più giovane dei suoi ventun anni. Nonostante l'apparente fragilità, è una donna forte, che lo onora con la sua dedizione e gli ha portato sangue nuovo e nobile.

Giovanna è la certezza di aver scelto bene, una vita senza ribellioni, adeguata a ciò che i Florio rappresentano: una nuova aristocrazia che si basa sul denaro. Sul potere. Sul prestigio sociale.

Ed è la madre dei suoi figli.

A questo devi pensare, si rimprovera. *Non a ciò che non puoi più avere. Che non avresti mai potuto avere.*

Lei si ferma al centro della stanza. « Contento sei? È andato tutto bene, vero? »

Lui annuisce. È distante, ancora prigioniero di quella memoria, e non riesce a nasconderlo.

Giovanna si avvicina, gli prende la testa tra le mani. « Ma che hai? » Il tono è accorato. « Ero venuta per dirti di tua madre, che sono preoccupata per lei, che mangia sempre meno e fatica a camminare, e non è buono. È per questo? »

Ignazio fa cenno di no. Le mette una mano dietro la nuca, la attira a sé per baciarle la fronte. Un gesto di tenerezza. « Pensieri. »

« Cose di lavoro? » insiste Giovanna, scostandosi per guardarlo.

Ignazio è sereno come sempre. « Ma sì. »

Non vuole, non può aggiungere altro, perché il senso di colpa lo divora. Quella donna lo ama con tutta se stessa e – disperatamente – vorrebbe essere ricambiata. E invece una parte di lui è ancora – e sempre – invischiata nel ricordo. Un ricordo che gli scorre nel sangue. Il battito di un cuore di pietra che risuona accanto a quello di carne.

Le posa una mano sul seno, cerca le sue labbra. Il bacio è ancora tiepido, ma quel calore lo scalda, si trasforma in desiderio. « Giovanna... » mormora. Lei lo accoglie, lo stringe, lo chiama per nome.

Ignazio, però, ha un sussulto. « Ma possiamo ancora? Non lo so, con il bambino... »

Lei sorride, gli toglie la camicia.

Fanno l'amore in fretta, cercandosi sotto la pelle, inseguendosi l'uno nell'altra.

58

Dopo, per Ignazio arriva un sonno buio, senza sogni.

Dopo, per Giovanna arriva la tristezza di un amore durato pochi attimi. E, insieme, la sensazione che lei non riuscirà mai a raggiungere Ignazio nel suo mondo di ombre.

Per la festa dell'Epifania, la famiglia si raccoglie di nuovo nella sala da pranzo dell'Olivuzza, che si riempie delle voci degli adulti che si scambiano gli auguri e delle grida dei bambini che ricevono i doni. In tavola, dopo il pranzo, restano frutta candita e secca, insieme con qualche liquore.

Troppo chiasso, pensa Ignazio. Lui vuole parlare d'affari con François, suo cognato, e di certo lì è impossibile. Gli fa cenno di seguirlo nello studio e, quando la porta si chiude alle loro spalle, il silenzio strappa un sospiro di sollievo a entrambi.

«*Les repas* di famigghia *peuvent être très bruyants!*» considera François, che parla in fretta, mescolando italiano, francese e siciliano. È un bell'uomo, con i baffi arricciati e gli occhi chiari e buoni. Ignazio gli è affezionato anche perché sa che ama sinceramente Giuseppina. «Come sai, sono venuto qui anche per affari. Avevo un carico da portare a Palermo per il negozio di mio padre, e dovevo riscuotere dei crediti che... A proposito: posso lasciare in custodia delle tratte cambiarie al vostro banco?»

«Certamente.» Ignazio gli versa un bicchiere di marsala e riempie il proprio.

«Volevo chiederti se ci sono novità per l'affitto di quei magazzini al porto di Marsiglia.»

François allarga le mani, e una goccia di liquore gli cade su un dito. «Ne ho individuati due. Entrambi adatti, anche se quello più grande è *un peu plus loin.*»

Ignazio annuisce. Disporre di un magazzino in prossimità del porto significherebbe un notevole risparmio di tempo e denaro.

«Non appena torno a Marsiglia, passo tutte le indicazioni ai tuoi procuratori.» Sospira. «Ho intenzione di partire al più presto, perché sono un po' preoccupato per *mon petit*, per Louis.

Vorrei che fosse seguito da un bravo dottore. E voi, avete buoni medici, qui? Vincenzino mi è sembrato un po' fragile...»

«Lo è, purtroppo. Va soggetto a febbri che lo indeboliscono. E adesso è reduce da un'infreddatura che gli ha lasciato un respiro cavernoso...»

«Ah, mannaggia, *puru iddu*! Per fortuna, Josephine, *ta sœur*, non è sola con Louis. È ospite di Camille Martin Clermont.»

Ignazio non alza lo sguardo dal bicchiere.

«Avrai saputo che non si chiama più Darbon, ma Clermont, vero? Si è risposata con un ammiraglio, un brav'uomo.»

Improvvisamente, Ignazio ha la sensazione che la voce di François venga da molto lontano. «Sì», mormora. «Mi pare sia stato all'inizio del 1868.»

«Già. È rimasta vedova poco più che ventenne. Non ha avuto figli e pare che ora non ne possano avere. Ha sofferto molto, ma forse si è rassegnata...» Scrolla le spalle, finisce il marsala. «La vita sa essere molto ingiusta. Ma la felicità non è cosa di questa Terra», conclude in un soffio. Ha una sfumatura di tristezza nella voce. O forse è un indiretto rimprovero al cognato?

Le dita di Ignazio stringono il bicchiere in cristallo bugnato. Si costringe ad alzare la testa, a indossare uno sguardo distaccato. Riesce persino ad annuire.

È a quel punto che François lo sorprende. Il viso gli si addolcisce, la tristezza – o il rimprovero? – si stempera. «Quando le ho detto che sarei venuto a Palermo, mi ha chiesto di mandarti un saluto.»

Ignazio respira a fondo. «Capisco», mormora.

E invece non vorrebbe capire, né sapere, né ricordare.

Si passa la mano sulla nuca, massaggia il collo rigido. Abbassa la testa. Un respiro che non riesce a uscire dalle labbra gli comprime il petto, un grumo di fiato e pensieri che non vuol saperne di andar via.

Lui, padrone di quasi cinquanta navi, di una fonderia, di una cantina, di una banca, di decine di immobili, lui non vuole che lo si guardi in viso. Non in quel momento.

Ma poi rialza la testa e fissa François. «Dille che ricambio i suoi saluti.»

Non ha il diritto di chiedere nulla. Ha solo il dovere di vivere il presente.

Il febbraio 1872 ha portato un po' di freddo a un inverno mite. Ignazio se ne accorge quasi per caso, quando scende dalla carrozza che si è fermata davanti al cimitero di Santa Maria di Gesù, ai piedi del monte Grifone. Il respiro si condensa in una piccola nuvola di vapore.

Lontana, Palermo. Intorno a lui, verde e silenzio. La luce del giorno, grigia, filtra attraverso le nuvole. Il rumore della pioggia imprigionata tra i rami dei cipressi piantati da poco, e il gocciolio che scende dalle foglie degli aranci che circondano il cimitero lo distraggono per qualche istante dai pensieri cupi che lo hanno accompagnato lungo il tragitto.

Con gli anni, il vuoto lasciato dalla morte del padre si è lentamente richiuso, come una ferita che ha impiegato molto tempo a cicatrizzarsi e che ha lasciato in eredità un dolore profondo. Ignazio credeva di aver imparato a conviverci, di aver trovato pace nella rassegnazione e nel lavoro. Continuava a parlare al padre nella sua testa, a perpetuare i piccoli riti che compivano insieme, come la lettura del *Giornale di Sicilia* subito dopo pranzo. E aveva mantenuto certe sue abitudini, come prendere il caffè al mattino, nel suo ufficio, in completa solitudine.

E invece.

Una sera di novembre dell'anno prima, sua madre era andata a dormire e lui l'aveva salutata distrattamente con un bacio sulla fronte.

La mattina dopo, Giulia non si era svegliata.

Era morta nel sonno. Il suo cuore buono aveva smesso di battere. Se n'era andata in silenzio, com'era vissuta.

Sotto la maschera di dolore, Ignazio era furente. Non riusciva a perdonarla: era stata ingiusta, gli aveva negato la possibilità di dirle addio, di prepararsi a lasciarla andare. Ormai non poteva più ringraziarla per tutto ciò che aveva fatto per lui: per la gentilezza che gli aveva insegnato, per la calma che gli aveva trasmesso, per il rispetto verso gli altri che aveva sempre dimostrato. La dedizione al lavoro, lo spirito di sacrificio, la determinazione venivano da suo padre. Tutto il resto, a cominciare dalla capacità di resistere alle tempeste della vita – tutto ciò che lo rendeva davvero un uomo –, era stato un dono di Giulia. E – se n'era reso conto solo in quel momento – era stato un dono persino quell'amore esclusivo, silenzioso, incrollabile che lei aveva avuto per suo padre.

Poi, con il passare dei giorni, aveva capito. La madre si era spenta il giorno stesso in cui Vincenzo era morto. Di lei non era rimasto che un fantasma in attesa di dissolversi alla luce del giorno. Un guscio vuoto. Poi, finalmente, quella luce era arrivata. E, con essa, era arrivata la pace.

Perché, se suo padre era il mare, lei era lo scoglio. E uno scoglio non può esistere senza il mare.

Ora li immagina in un luogo che non esiste e che tuttavia somiglia molto alla Villa dei Quattro Pizzi. Suo padre guarda il mare e sua madre si appoggia al suo braccio. Lei solleva la testa, con quel suo sorriso lieve sulle labbra; suo padre la guarda e appoggia la sua fronte sulla testa di lei. Non parlano. Stanno vicini, e basta.

Sente un groppo alla gola. Non sa nemmeno se sia un ricordo d'infanzia, quello che la mente gli ha offerto come consolazione. Non vuole saperlo, si dice, mentre percorre gli ultimi metri che lo portano davanti alla tomba che ha fatto costruire per i genitori. *Non importa: ovunque essi siano, sono insieme, in pace.*

Eccola, la cappella. Un edificio imponente, circondato da altre sepolture monumentali, proprietà delle famiglie nobili più antiche di Palermo. A Santa Maria di Gesù, la città dei morti è uno specchio della città dei vivi.

Davanti al portone, trova Giuseppe Damiani Almeyda e Vincenzo Giachery. I due stanno parlando e, nel silenzio, le loro parole risuonano tra il cinguettio degli uccelli che abitano i cipressi. Non si accorgono subito della sua presenza.

« Le ultime case che ha comprato sono state tutte prese a nome della Piroscafi Postali. Voi avete capito che ne vuole fare? » Damiani Almeyda tira su il colletto per ripararsi dall'umidità.

« Le spezie, ormai, manco le guarda più. Ce l'aveva detto subito, dopo la morte di suo padre, ma... »

Ignazio alza appena la voce. «E vi avevo spiegato anche perché: i tempi sono cambiati.»

I due uomini si voltano di scatto, sorpresi.

Ignazio pensa alle cantine di Marsala, al vino liquoroso che produce e che arriva in tutta Europa. Ai suoi piroscafi, che portano merci e persone per il Mediterraneo e oltre, in Asia e in America. «C'è chi è ricco e chi vuole sentirsi ricco», aggiunge.

Damiani Almeyda scrolla le spalle. «Su questo avete ragione. La gente, oggi, aspira a sentirsi ricca anche se non lo è.»

«*Sempre accussì fu*. Ai cristiani ci piace fare i Grandi di Spagna.» Giachery si appoggia al bastone che usa da qualche tempo a causa di un fastidioso dolore all'anca. «Prima erano i nobili che *vuliano pariri ch'aviano ancora picciuli, pure si s'aviano vinnuto i chiova di mura. Ora sunnu i gintuzzi che vanno facennu i scaltri*.» Getta uno sguardo intorno a sé: lapidi con nomi altisonanti si alternano a lastre mute, in attesa. Famiglie borghesi si associano con quelle di antico lignaggio, tombe sontuose s'innalzano accanto a sepolture sobrie non per scelta, ma per scarsità di moneta. La morte ha tolto la velleità della ricchezza a chi aveva dovuto vendere persino i chiodi dei muri per sopravvivere, come ha detto Giachery, mentre le nuove tombe delle famiglie borghesi consacrano la ricchezza ottenuta con il lavoro, lì a Santa Maria di Gesù come negli altri cimiteri cittadini, a cominciare dal più esteso, quello di Santa Maria dei Rotoli.

«E, più andremo avanti, più questo cambio sarà evidente. Lo è già in altre parti d'Europa. È come se certa gente volesse dimostrare di essere padrona del mondo quando non è padrona nemmeno di un *pirtuso*.» Damiani Almeyda scende i gradini che separano la cappella dalla cripta, lì dove poco tempo prima è stata sepolta Giulia, tira fuori dalla tasca un mazzo di chiavi. Le soppesa tra le mani, poi le passa a Ignazio. «Eccole. Sono vostre.»

Lui le prende, le stringe. Sono grosse, di ferro, pesanti. Proprio come l'eredità di suo padre.

È davanti alla porta della cripta, ora. La chiave gira nella toppa. Per terra, tracce d'intonaco e impronte di scarpe.

Oltre il breve corridoio, c'è un grande sarcofago bianco di

marmo scolpito. Sui pannelli, Vincenzo Florio – suo padre – è presentato come un semidio, con una specie di toga sopra gli abiti da borghese. La madre è in un loculo, dietro il sarcofago. Discreta in morte come in vita.

Gli altri due uomini sono rimasti indietro. Ignazio posa la mano guantata sul sarcofago, lo accarezza. La pietra fredda è muta eppure, in fondo al cuore, lui sente la presenza di suo padre, dei suoi genitori. Un calore dolce gli invade il torace.

Sta facendo del suo meglio. Ci prova. Ma gli mancano i loro sguardi, anche a distanza di tempo. Non si smette mai del tutto di essere figlio, com'è impossibile non essere genitore una volta che un figlio l'hai messo al mondo.

Chiude gli occhi e si ritrova sommerso dai ricordi, dalla Villa dei Quattro Pizzi al grande agrumeto della Villa ai Colli di San Lorenzo in cui lui inseguiva le sorelle; dai girotondi intorno alla dracena davanti al portico alle lezioni di ballo con la madre, così goffa da pestargli di continuo i piedi, eppure felice di quel contatto con lui; rideva sempre, con la testa gettata all'indietro, mentre il maestro di ballo sbuffava e Angelina e Giuseppina alzavano gli occhi al cielo, infastidite da quella complicità tra madre e figlio. E ancora: suo padre che gli posa una mano sulla spalla e gli parla a bassa voce, spiegandogli come muoversi tra gli squali della politica...

Poi, di colpo, gli appare un viso, circondato da una massa di ricci biondi.

Di lei, Ignazio non è mai riuscito a parlare con nessuno. Solo sua sorella Giuseppina sa. E probabilmente – da come si è comportato, da quello che ha detto – anche François è al corrente di qualcosa.

No, si corregge. *Un'altra persona sapeva.*

Sua madre. Gli aveva chiesto se volesse davvero sposare Giovanna, e lui aveva risposto di sì, che non poteva fare altrimenti.

Non solo sapevi, ma avevi capito tutto il mio dolore, mamma.

È una ferita che non smetterà mai di far male, perché è stata la rinuncia più difficile, il prezzo imposto perché suo padre lo considerasse un vero Florio. Un prezzo imposto in silenzio, senza che venisse mai detta neppure una parola al riguardo.

Soltanto in quel momento si rende conto dell'altro filo che lo lega alla madre. Entrambi avevano rinunciato a una parte importante di se stessi per far sì che Casa Florio non solo continuasse il suo cammino, ma soprattutto prosperasse. La madre aveva sacrificato il proprio amore e la propria dignità, così che Vincenzo fosse libero di dedicarsi anima e corpo al lavoro. E lui – Ignazio – era andato oltre, rinunciando alla donna che amava perché i Florio potessero ampliare le loro attività commerciali fin là dove suo padre non si era potuto spingere: prima nei salotti della nobiltà palermitana e poi oltre, alla corte dei Savoia. Perché i nobili di Sicilia, con il loro sangue arabo, normanno e francese, si erano convinti di discendere dagli dei dell'Olimpo e loro, i Florio, a quell'Olimpo dovevano puntare. E così era stato.

Eppure ci sono giorni – e notti – in cui tutto questo non basta, pensa.

Ed è allora che rifioriscono i ricordi di Marsiglia, di quella che era stata la stagione più felice della sua vita: si rivede ventenne, rammenta i suoni e i colori di una piccola casa di campagna, il profumo delle rose, di un sapone sfregato su un corpo femminile, nudo insieme con il suo, in un'unica tinozza.

La vera maledizione della felicità è non rendersi conto di quando la stai vivendo. Nel momento in cui ti accorgi di essere stato felice, non ti resta che l'eco.

Guarda la lapide della madre, Giulia Rachele Portalupi in Florio. Una donna che tutto sapeva, che mediava senza darlo a vedere, che amava senza chiedere niente in cambio, che rimaneva sempre un passo indietro.

Sua figlia, nata nel giugno 1870, porta il suo nome. Giulia Florio. La sua *stidduzza* ora ha un anno e mezzo.

Passi dietro di lui. Si volta.

Giachery ha un sorriso buono, in cui si leggono parole di conforto che tuttavia rimangono inespresse.

Ignazio nasconde subito dietro una cortina di calma i suoi pensieri. Nessuno deve capire. «Il lavoro è stato fatto bene», mormora. «Certo, gli operai potevano pulire meglio gli scalini...» Tocca la lapide di Giulia, depone un bacio con la punta delle dita, poi si fa il segno della croce. Giachery lo imita.

Damiani Almeyda li ha aspettati sulla soglia, le mani allacciate dietro la schiena. Si avviano verso l'uscita e salgono in carrozza.

È Ignazio a rompere il silenzio calato su di loro. «Spero che mi perdonerete se vi ho trascinato fin qui, ma volevo vedere la cappella dopo la sepoltura di mia madre.»

«Ne siete soddisfatto?»

«Molto, ingegnere.» Incrocia le dita sulle gambe accavallate, lancia un'occhiata fuori dal finestrino. Il cielo si sta allargando e mostra lembi di azzurro oltre nuvole sfilacciate. «Ma volevo parlarvi pure di un'altra cosa. Sto valutando di riprendere in mano una delle attività di mio padre.»

Giachery corruga la fronte. «Quale, di grazia? Perché vostro padre era uno sperimentatore ed era difficile star dietro a tutte le sue idee.»

«*Raggiuni aviti*. Sto parlando dell'industria tessile, quella che voleva avviare a Marsala, accanto alla cantina. Poi non se n'è fatto nulla, però...» Ignazio lo guarda con attenzione. «Ho sentito dire che l'avvocato Morvillo cerca soci per la sua piccola fabbrica di cotone, qui a Palermo. È il vecchio assessore alla Pubblica Istruzione ed è un uomo intelligente. Mi piace anche per certe idee progressiste che ha sugli operai... Cercate di capire quali sono le sue intenzioni, ma senza scoprirvi troppo, come sapete fare voi.»

Giachery annuisce. «*Iddu* vuole fare il cotone che si produce qui, ma *a' sacchetta ci chiance*. La concorrenza napoletana troppo forte è.»

«Certo, è di *fuoddi* che il cotone prodotto in Sicilia venga mandato a Napoli o addirittura in Veneto per essere filato, e poi torni qui per essere venduto. Il prezzo aumenta a dismisura, conviene *accattare* pezze inglesi o americane. E se c'è da poter volgere la situazione a nostro favore, perché non farlo?»

«Va bene. Lo farò.»

Damiani Almeyda osserva Ignazio e non commenta. Per l'ennesima volta, s'interroga su quell'uomo che lo disorienta e lo affascina. Di certo non è da meno del padre, eppure non potrebbe essere più diverso. Ha una forza intima, profonda, e una determinazione spietata, nascosta sotto modi affabili.

Di una cosa, però, Damiani Almeyda è sicuro: dalla gentilezza, talvolta, c'è da temere più che dalla crudeltà.

«Verdure stufate con burro e poco pepe, sì, e coniglio alla provenzale», sta dettando Giovanna. Donna Ciccia scrive, la lingua tra le labbra. «Quanto al vino... un Alicante andrà bene», conclude. Ci tiene che Ignazio, al suo rientro, trovi un ambiente sereno e che ogni cosa sia curata nei dettagli.

Donna Ciccia piega il foglio, lo passa alla cameriera perché questa lo porti in cucina, poi rivolge la sua attenzione a Giovanna e annuisce, soddisfatta, davanti all'abito nero dai profili color malva. Sono passati solo tre mesi dalla morte di Giulia e il lutto è ancora strettissimo.

«*Site un ciure.*»

Giovanna abbozza un sorriso. Sa che non è vero, che è tutt'altro che bella, ma quell'innocente bugia la aiuta a stare bene. Donna Ciccia le stringe una spalla. «E dire che una volta avevate paura di tutto. Ora invece siete diventata un'ottima padrona di casa. Sapete persino abbinare i vini.»

«Ma... mamamama...»

È la piccola Giulia, l'ultima nata. La bambinaia la porge a Giovanna, che le sorride, la bacia sulle guance. La bimba le afferra un dito e se lo porta alla bocca. «*Chi si' bedda, cori meo*», le dice, strofinando il naso contro quello della piccola, che prova ad afferrarle una ciocca di capelli. «*La vita mia sei.*»

Donna Ciccia guarda quella scena e il peso sul suo cuore si alleggerisce. Per tanto tempo ha pregato Dio – e non solo – che la sua *picciridda* fosse serena. Sì, la sua *picciridda*, e non la sua *padrona*, perché lei le ha fatto da madre, l'ha cresciuta, le è stata sempre accanto. *Com'è cambiata dai primi tempi del matrimonio*, pensa, mentre piega la sottoveste lasciata ai piedi del letto. Era sempre così nervosa e insicura, e trovava rifugio nel digiuno, come se volesse sparire dal mondo. Come se non potesse permettersi di esistere. Ora invece è a suo agio nel ruolo di madre e di moglie. Ha anche messo su un po' di carne, il che le ha fatto guadagnare in femminilità. Donna Ciccia non saprebbe dire se la sua *picciridda* abbia davvero trovato la pace o se si sia rassegnata. Certo, il rapporto tra lei e Ignazio non è paragonabile a quello dell'altra coppia che donna Ciccia ha conosciuto a fondo – i genitori di Giovanna – e che non è mai andato oltre l'indifferenza reciproca. Però la distanza tra la pacatezza di Ignazio e il trasporto di Giovanna poteva, alla lunga, rivelarsi incolmabile. L'aveva capito subito, ma poteva soltanto sperare che non accadesse. Così ha vegliato in silenzio, ha ascoltato Giovanna, le ha dato conforto, ha asciugato le sue lacrime, proprio come una madre.

Giovanna dà un ultimo bacio a Giulia e la affida alla bambinaia. « Dite a Vincenzino e Ignazziddu che inizino a studiare, perché adesso arriva il maestro di musica. Io li raggiungerò tra poco. »

La donna sparisce dietro la porta. Donna Ciccia si volta e inizia a mettere ordine tra i bustini, cercando di nascondere una smorfia. I due maschi di Casa Florio sono vivaci, com'è giusto che siano i bambini, tuttavia, mentre Vincenzino ascolta i rimproveri e chiede sempre scusa, Ignazziddu sembra indifferente persino agli schiaffi. « *Acqua di malutempu* », le sfugge in un sussurro.

« Cos'avete detto? » chiede Giovanna.

« Pensavo al signorino Ignazziddu. *Focu vivo è.* »

« Mio marito dice che è così perché è ancora *nico...* »

« *U' lignu si raddrizza quann'è virdi* », la ammonisce la donna.

« Crescendo metterà la testa a posto, vedrete », replica Giovanna, aprendo il portagioie per scegliere gli orecchini. Alcuni gioielli – topazi, perle, smeraldi – appartenevano a Giulia, ma la maggior parte è andata alle cognate. Peraltro lei non li ama particolarmente: li trova antiquati nel taglio e con montature pesanti. E comunque non sono adatti per il lutto. Alla fine, sceglie due pendenti in onice e perle. « Chissà cosa avrebbe detto mia suocera. Da quello che so, Giuseppina e Angelina erano molto più irrequiete di Ignazio, da piccole. » Sospira. « Negli ultimi tempi, però, era così difficile parlare con lei. Se ne stava sempre alla finestra e fissava la strada come se aspettasse qualcuno... »

« *Iddu era, chi la chiamava.* » Donna Ciccia lo dice con un brivido e si fa il segno della croce. «Una delle ultime sere, mi ha chiesto di lasciare la luce accesa, perché sarebbe arrivato suo marito. *Ju pinsai che ci mancava qualche carta du mazzo... Ma, quannu l'attruvammu morta, un poco mi scantai.*»

Giovanna arriccia le labbra. Non le piace parlare di quelle cose.

Si siede a un tavolino e prende le lettere che donna Ciccia ha messo lì per lei. Si tratta per lo più d'inviti a cena o a qualche festa – inviti puramente di cortesia, dato il lutto strettissimo –, ma non mancano i biglietti di condoglianze. «Continuano ad arrivare...» considera, sventolandone uno, mentre donna Ciccia sistema il cestino da lavoro per il ricamo dell'arazzo che stanno completando.

Un socio in affari di Vincenzo, che era in viaggio e ha saputo la notizia da poco; un cugino che vive in Calabria e di cui lei a malapena ricorda il nome; un fornitore che si profonde in scuse per il ritardo, ma è stato molto malato e non...

E poi.

Un biglietto in carta d'Amalfi, con un'affrancatura francese, indirizzato a Ignazio. *Chissà come mai è finito qui*, si chiede Giovanna, rigirandolo tra le mani. Nota soprattutto la calligrafia delicata, diversa da quella – spigolosa e pesante – degli altri messaggi di condoglianze.

Sta per metterlo da parte, ma poi lo guarda di nuovo.

Esita per un istante. Quindi accantona le altre buste, afferra uno degli spilloni con cui ferma i capelli e lo usa a mo' di tagliacarte. *Ignazio non se ne avrà a male se...*

Anche tua madre ti ha lasciato: so quanto le eri legato e immagino quanto sia difficile per te non poterla piangere come vorresti. Il mio cuore piange per te.
Il tuo dolore è il mio, e lo sai.
C.

Giovanna sente il respiro trasformarsi in schegge di vetro.

Nessun commerciante, nessun parente, nessun amico scriverebbe una frase del genere. *Nessun uomo*, si corregge. Non con quel tono. Non con quella scrittura elegante. Non su quella carta così raffinata.

Il tuo dolore è il mio, e lo sai.

Solo una donna scriverebbe una frase del genere.

E solo a un uomo che conosce bene.

Solo a un uomo cui *vuole* bene.

Scuote la testa con forza. Frasi, sguardi, gesti. Silenzi, tanti.

Ricordi si affollano alla mente. Parole che di colpo assumono un altro significato.

No.

Alza la testa di scatto e quasi sussulta nel vedere la propria immagine riflessa nello specchio. I suoi occhi sono enormi, vuoti e bui, come se su di loro fosse scesa la notte.

Guarda donna Ciccia, che sta ancora trafficando con fili e tele di lino. Non si è accorta di nulla.

Allora torna a fissare la busta. Vuole, deve sapere.

Il timbro è quasi illeggibile. Inclina la carta verso la luce della finestra. *Marsiglia.* Quel messaggio viene da Marsiglia. Dunque è possibile che si tratti di una donna che Giuseppina e François conoscono? Considera per un istante l'idea di scrivere a Giuseppina, ma poi la accantona subito.

Per chiedere cosa?

Ti renderesti solo ridicola, puntualizza una voce maligna dentro di lei, con un tono che somiglia vagamente a quello della madre.

Riguarda il cartoncino, lo annusa. Le sembra che abbia addirittura un vago profumo di fiori. Di garofano, forse. O forse è la sua immaginazione. Non lo sa.

Le mani formicolano, lo stomaco si ribella e si contrae come se fosse dotato di vita propria, e ritorna la sensazione che per tanto tempo ha segnato la sua esistenza. Via il cibo, via le emozioni.

Chiude gli occhi finché l'impulso del vomito che risale non cessa.

Le paure, *quelle paure* senza nome, tornano a farsi vive, la aggrediscono.

Lascia cadere il biglietto in grembo, una macchia avorio sul nero della gonna. Le sembra quasi che sprigioni un'energia malefica.

Il mio cuore piange per te.

« Andate voi dai bambini, donna Ciccia », dice con voce ferma. « Io devo rispondere a questi biglietti. Vi raggiungo dopo. » Si alza, nasconde nel palmo il biglietto e, quasi senza accorgersene, lo accartoccia.

Non ascolta la risposta della donna; attraversa la porta di comunicazione e arriva nella stanza del marito.

Si guarda intorno, frenetica, con il sangue che le rimbomba nelle orecchie. In un lampo, ricorda un altro mattino, un altro lutto. Spalanca l'armadio.

Attirato dal rumore dei passi, Nanài, il valletto, si affaccia sulla soglia. « *Chi ci fu?* » chiede timidamente, sconvolto nel vedere la padrona che fruga tra i vestiti del marito.

Lei si volta, lo gela con un sibilo. « *Vattinni!* »

Palesemente spaventato, l'uomo si ritrae oltre la porta.

Ormai è come se Giovanna fosse posseduta da un demone. Infila le mani tra le camicie, sposta le vestaglie da camera, tasta i pantaloni...

Poi, di colpo, si ferma, colta da un capogiro. Si porta le mani alle tempie.

Quel modo di comportarsi non è degno di lei. Ma come si fa a resistere, come ci si può trattenere se l'uomo per cui hai cambiato il tuo modo di essere, che ti ha insegnato l'amore, per il quale hai imparato a mangiare... ecco, se quell'uomo porta nel cuore un'altra persona?

Chiude gli occhi, prova a riflettere. No, il mondo di suo marito non è lì, tra quegli oggetti. *In questa camera lui ci viene solo per cambiarsi e per dormire. Gran parte del suo tempo lo passa nello studio. È lì che tiene le cose* davvero *importanti.*

E allora corre, Giovanna, corre come mai ha fatto in vita sua. Scende le scale, si dirige verso lo studio. Richiamati dal rumore, i figli si affacciano alla porta della cameretta e la guardano passare, straniti: la loro madre non ha mai ha avuto quell'aria disperata. Vincenzino dà un colpo di tosse e guarda Ignazziddu con aria interrogativa, ma questi si stringe nelle spalle.

Giovanna apre la porta dello studio. È la prima volta che ci entra: quello è un luogo di affari, di parole asciutte, di pareti di cuoio, di fumo di sigaro. Per qualche istante, osserva emergere dalla penombra i massicci mobili in legno, la libreria bassa alle spalle della scrivania, la lampada orientale sullo stipo. Poi si dirige verso la scrivania, apre i cassetti con malagrazia. Vi trova matite, penne, pennini, registri pieni di cifre. Li sfoglia, ma senza risultato. Poi si china, apre l'ultimo cassetto. C'è un doppio scomparto.

Ed è lì che la trova. La scatola in legno di rosa ed ebano con il manico in metallo. Ignazio la custodiva nel suo armadio di via dei Materassai. Una volta gli aveva chiesto cosa ci fosse dentro e lui le aveva risposto laconicamente: «Ricordi».

Le mani le tremano. La scatola è liscia, pesante, calda al tatto. La mette sul piano della scrivania e un raggio di sole la colpisce, illuminando le venature del legno.

La apre.

Avverte subito un profumo assai simile a quello che le è parso di sentire sul biglietto di condoglianze. Poi, sotto una copia consunta della *Princesse de Clèves* di Madame de La Fayette, trova un fascio di buste. Rovescia tutto sul sottomano di pelle e, con un misto di curiosità e di disgusto, ci tuffa le mani dentro. La carta è pesante, raffinata, e la calligrafia è femminile. Molte non sono neanche aperte; altre, invece, sono quasi a brandelli. Tutte hanno il timbro di Marsiglia e sembrano risalire ad alcuni anni prima. D'un tratto, spunta anche un nastro di raso azzurro, scolorito dal tempo.

Sul fondo della scatola, è rimasto un biglietto simile a quello che ha scatenato la tempesta e che adesso è finito sulla scrivania, sopra la pila delle buste. Guarda la data, lo legge. Un messaggio per la morte del suocero.

La frenesia sale di nuovo, s'impossessa di lei. «Chi è questa donna?» grida, senza neppure rendersene conto. Afferra una busta, cerca di aprirla.

«Cosa stai facendo?»

La voce di Ignazio è acqua gelida in pieno viso. Giovanna alza la testa, lo vede sulla soglia con il soprabito tra le mani. D'istinto, lascia cadere la busta.

Ignazio sposta lo sguardo dal volto della moglie alla scatola aperta e poi alle carte sparse sulla scrivania. «Ti ho chiesto cosa stai facendo», ripete, pallidissimo, con voce roca, quasi metallica.

Quindi chiude la porta, appoggia il soprabito su una sedia e si porta davanti alla scrivania. Allunga lentamente una mano e prende il biglietto accartocciato. Lo liscia con un gesto quasi amorevole. Ma il suo viso è freddo, immobile.

Ed è questo che fa infuriare Giovanna. «Cosa sono... queste?» sibila, sventolando la busta che stringe tra le mani.

«Dammela», dice Ignazio, con gli occhi ancora fissi sul biglietto.

È un sussurro con l'anima di un ordine. Giovanna fa cenno di no, se la stringe al petto. Il volto pallido si riempie di chiazze rosse che creano uno strano contrasto con il nero dell'abito. «Cosa sono?» ripete, adesso in tono accorato.

«Cose che non ti riguardano.»

«Sono lettere di una femmina. Chi è?»

Ignazio alza lo sguardo su di lei e il cuore di Giovanna perde un colpo.

Ignazio – il suo Ignazio – non ha mai perso il controllo. Ha sempre liquidato ogni contrarietà con una scrollata di spalle o con un sorriso distaccato. Quell'uomo dal viso terreo, con la mascella serrata e con gli occhi socchiusi, pieni di collera, non è suo marito. È un estraneo, un individuo in preda a una furia tanto gelida quanto incontenibile.

I pensieri di Giovanna si affastellano, crudeli, spaventati, contraddittori. *Che stupida sono stata! Perché ho voluto sapere? Perché sono sua moglie, me lo deve. Non potevo fare a pezzi quel biglietto e dimenticare? No, avrei dovuto mentire a lui, a mio marito... Ma tutto sarebbe rimasto come prima! E ora, cosa farò per placarlo? Però ho diritto di sapere, dopo tutti questi anni in cui mi sono sacrificata per lui! E, se lui adesso scegliesse quest'altra donna? Ma no, non è possibile, ci sono Vincenzino e Ignazziddu...*

Lei scuote la testa, come per far tacere quelle voci che la stanno dilaniando.

«Perché?» gli chiede infine, in un soffio. Lascia andare la busta e si appoggia alla scrivania, inclinandosi verso di lui. È l'unica domanda che può – che vuole – fargli. «Perché non mi hai detto che c'era un'altra?» continua, la voce adesso venata di pianto. «Per questo non mi hai mai voluto davvero? Perché pensavi solo a questa francese?»

«Da quando ti ho sposato, non c'è mai stata nessun'altra.»

La sua voce è di nuovo ferma, controllata. Anche l'espressione del viso è quella solita, di quieto distacco. Solo una piccola smorfia gli arriccia le labbra, mentre lui raccoglie le buste, le sistema e le ripone nella scatola.

Ma a Giovanna non sfugge la tenerezza di quei gesti, la cura con cui lui arrotola tra le dita il nastro azzurro, con cui prende il libro. Non si trattiene. «*Tanto megghiu di mia è?*»

«Cosa del passato è. Tu non c'entri», replica Ignazio, senza guardarla. Poi, dalla tasca dei pantaloni, tira fuori un mazzo di chiavi. Con una di esse – piccola, scura – chiude a chiave la scatola. La stringe a sé, si dirige verso la porta. «Non sono affari tuoi. E non mettere mai più piede nel mio studio. Mai più.»

Sabbia e sale sotto le scarpe. Il vento è caldo, forte, la luce bianca, così accecante da costringerlo a socchiudere gli occhi. Nell'aria, odore di origano misto a quello del mare.

Ignazio si china, raccoglie una manciata di sabbia e terriccio e la lascia scorrere tra le dita. È tufo sbriciolato, in realtà: una pietra chiara che imprigiona resti di conchiglie e animali marini, e che rappresenta il cuore vero di Favignana.

Della sua isola.

Mia davvero, si dice sorridendo, mentre riprende a camminare e arriva al bordo della scogliera del Bue Marino, lì dove può affacciarsi per guardare la terraferma e il mare. Sotto di lui, operai tagliano blocchi di tufo che verranno poi trascinati a riva e imbarcati su navi dirette a Trapani. Un pulviscolo sottile s'innalza nell'aria, subito gettato a terra da folate di vento: è il residuo dell'estrazione del tufo da cave profonde decine di metri, un'attività che, insieme con la pesca, da secoli, è vitale per gli abitanti dell'isola, non soltanto perché è una fonte di reddito, ma anche perché il tufo serve per costruire le case.

Sua davvero: qualche mese prima, ha comprato le isole Egadi dai marchesi Giuseppe Carlo e Francesco Rusconi e dalla loro madre, la marchesa Teresa Pallavicini: Favignana, Marettimo, Levanzo e Formica, quest'ultima a metà strada fra Levanzo e Trapani. A tutti, Ignazio ha detto che quell'investimento di due milioni e settecentomila lire* gli assicurava la possibilità di dare un deciso impulso all'industria del tonno; che poteva usare – come forza lavoro – i galeotti rinchiusi nel forte di Santa Caterina e che, per soprammercato, c'era il tufo da rivendere. Insomma: aveva sottoposto a un esame minuzioso ogni caratteristica delle isole, valutandone le reali potenzialità, ed era giunto alla decisione di comprarle. E aveva pure approfittato del fatto che la precedente gestione fosse in passivo, riuscendo così ad abbassare il prezzo.

Con se stesso, però, non ha bisogno di trovare giustificazioni.

Com'era accaduto quasi settant'anni prima allo zio di cui porta il nome, che aveva amato fin da subito la tonnara dell'Arenella, Ignazio si è innamorato di Favignana: la ama più degli affari, del prestigio sociale, di tante cose che gli riempiono la vita. Le tensioni per il lavoro – le difficoltà per l'estrazione dello zolfo, l'aumento dei dazi doganali – sono lontane; la sua famiglia, pure. Gli occhi di Giovanna, così seri e tristi, non sono che un ricordo sbiadito.

È lì che vuole creare una casa per sé, come suo padre aveva fatto all'Arenella. Ma non è ancora il momento: c'è un contratto di affitto che grava sulla tonnara, e un gabellotto, Vincenzo Drago, che ne è il titolare. Deve aspettare altri tre anni – e sarà il 1877 – per entrare totalmente in possesso dell'impianto e dell'isola.

Sotto di lui, il mare mugghia e romba e strepita. Il vento, un favonio capriccioso, sta cambiando, lo sente, e allora anche quel tratto di mare, d'improvviso, troverà la sua pace. Riuscirà a placarsi, proprio com'è accaduto a lui nel momento esatto in cui ha messo piede sull'isola.

Chiude gli occhi, lascia che la luce filtri attraverso le palpebre.

* Circa dieci milioni di euro. (*N.d.A.*)

Rammenta quand'è arrivato lì per la prima volta: aveva solo quattordici anni ed era stato il padre – che, all'epoca, gestiva la tonnara – a chiedergli di accompagnarlo. Mentre l'odore dei tonni in decomposizione riempiva l'aria e il sole si rifletteva sui muri delle case, Vincenzo si era arrotolato le maniche della camicia, si era seduto su una grossa pietra e si era messo a parlare con i pescatori in dialetto, discutendo con loro del punto più adatto in cui calare le reti oppure della direzione che avrebbe preso il vento durante la mattanza. Ignazio è diverso da suo padre: è cordiale e distaccato insieme. Quello che però gli uomini di Favignana colgono in lui è una forza interiore che, ben lontana da manifestarsi in un atteggiamento arrogante o spocchioso, lo circonda di un'aura di tranquilla sicurezza. L'hanno colta quella mattina stessa, quando Ignazio si è presentato alla tonnara senza preavviso. La mattanza si è conclusa da qualche settimana, l'estate è esplosa e, mentre nei magazzini si lavora per terminare le operazioni d'inscatolamento, i tonnaroti provvedono alle barche e alle reti.

Ignazio ha parlato a lungo con loro; non li ha mai interrotti, neanche quando i discorsi si facevano confusi e il dialetto diventava poco comprensibile. Ma soprattutto li ha guardati negli occhi, cogliendo tutto il loro malessere, la paura per il futuro, attraversato da nubi d'incertezza, vuoi per la concorrenza delle tonnare spagnole vuoi per le tasse volute dai « piemontesi ». Non ha fatto promesse, eppure la sua semplice presenza ha rassicurato tutti.

« Contento siete? »

La voce che lo distoglie dai suoi pensieri è quella di Gaetano Caruso, uno dei suoi collaboratori più fidati, figlio di Ignazio, uno degli amministratori che aveva lavorato con suo padre. Anche loro hanno parlato a lungo, soprattutto di ciò che Ignazio vuole realizzare a Favignana, delle sue idee per ammodernare l'impianto, dei contratti che vorrebbe stipulare.

« Sì, assai. Sono bravi cristiani quelli che lavorano qui, gente rispettosa », replica, strofinandosi il palmo delle mani. Un velo di tufo gli rimane sulla pelle.

« Perché voi sapete come prenderli. Gli date sicurezza perché li rispettate e loro questo lo sentono. Non comandate e basta, come fanno altri.»

Caruso gli si affianca. Ha un viso sottile, dai lineamenti spigolosi e un pizzetto che tormenta spesso. Adesso però tiene le falde della giacca chiuse, con le braccia incrociate sul petto, a differenza di Ignazio, che invece osserva il mare con le mani in tasca, lasciandosi schiaffeggiare dal vento.

«Tanto tempo fa, quand'ero *picciriddu*, il mio precettore mi ha fatto tradurre il brano di Tito Livio in cui si parla dell'apologo di Menenio Agrippa. Lo conoscete?»

«No, don Ignazio», risponde Caruso.

«Dovete sapere che, a quell'epoca, i plebei volevano gli stessi diritti dei patrizi e allora, per protesta, si erano allontanati da Roma. E Menenio Agrippa li aveva fatti tornare indietro raccontando loro un apologo, in cui s'immaginava che le membra improvvisamente smettessero di funzionare, invidiose del fatto che lo stomaco se ne stesse lì, in ozio, ad aspettare che gli arrivasse il cibo. Ma, così facendo, il corpo intero aveva finito per indebolirsi e quindi le membra avevano dovuto far pace con lo stomaco.» Solleva appena le labbra, un abbozzo di sorriso. «I nostri operai devono sentirsi parte di qualcosa. Me lo diceva anche mio padre. Il salario non può essere l'unica cosa cui ambiscono. Io per primo devo dimostrare che ciascuno di loro è importante e posso farlo solo se li guardo in faccia, a uno a uno.»

Caruso annuisce. «Non è sempre facile.»

«Qui lo è. Questi sono pescatori, gente semplice che capisce il valore del lavoro... In città, invece, gli operai hanno pretese, cercano motivi per non lavorare, o lavorare di meno, e chiedono, chiedono... salvo poi criticare quello che viene loro concesso. È una battaglia continua.» S'incupisce, pensando agli operai dell'Oretea e a quelli della tessoria che ha avviato insieme con l'avvocato Morvillo e che stenta a essere produttiva.

Dà le spalle al Mediterraneo. Il calesse li aspetta a poca distanza.

Caruso guarda Ignazio che sale sulla vettura, coperta anch'essa da un velo di polvere di tufo, come ogni cosa sull'isola, e poi, cercando di strappargli un sorriso, dice: «Ormai la gente

qui vi considera come un principe, lo sapete? E non mi stupirei
se il re...»

«Io sono un industriale, signor Caruso», lo interrompe
Ignazio. «Il mio titolo è il capitale. Ed è un titolo che genera
potere e rispetto più di ogni altro.»

Mentre il calesse lo porta via dal Bue Marino, una parte della sua anima canta con la stessa voce del vento. No, non ha nessun desiderio di essere nominato principe o conte o marchese
delle Egadi. È il fatto di esserne padrone che lo rende semplicemente felice.

TONNARA

giugno 1877 – settembre 1881

> *Fa' beni e scordatillo; fa' mali e pensaci.*
> «Fai del bene e dimenticalo; fai del male e ricordatelo.»
>
> PROVERBIO SICILIANO

Il 18 marzo 1876, solo due giorni dopo l'annuncio del raggiungimento del pareggio di bilancio, sale al potere la Sinistra Storica – Agostino Depretis diventa primo ministro il 25 marzo 1876 –, formata da uomini della media borghesia, orientata a una minore pressione fiscale rispetto alla Destra e decisa a imporre all'Italia un forte slancio di modernizzazione. Guiderà ininterrottamente il Paese per vent'anni, fino al 1896, con vari governi, capeggiati di volta in volta da Agostino Depretis, Francesco Crispi, Benedetto Cairoli e Giovanni Giolitti.

La Sinistra Storica si afferma anche in numerosi collegi siciliani ma, a onta delle promesse elettorali, la difficile situazione nel Sud rimane sostanzialmente immutata. Il 3 luglio 1876, il deputato Romualdo Bonfadini presenta al governo la *Relazione della Giunta per l'inchiesta sulle condizioni della Sicilia* in cui si affronta anche la questione della mafia « [che] è [...] lo sviluppo e il perfezionamento della prepotenza diretta ad ogni scopo di male; è la solidarietà istintiva, brutale, interessata, che unisce a danno dello Stato, delle leggi e degli organismi regolari, tutti quegli individui e quegli strati sociali che amano trarre l'esistenza e gli agi, non già dal lavoro, ma dalla violenza, dall'inganno e dall'intimidazione ». Ma la *Relazione* non viene divulgata per intero; saranno due giovani esponenti della Destra Storica, Leopoldo Franchetti e Sidney Sonnino, a pubblicare, nel 1877, un'inchiesta indipendente, fatta « sul campo », dal titolo *La Sicilia nel 1876*, che farà emergere in tutta la loro gravità i problemi che affliggono il Meridione, tra cui la corruzione, il clientelismo, la mancanza di un'efficace riforma agraria e soprattutto l'assenza del « sentimento della legge superiore per tutti ». Viene avviata nel 1877 anche l'*Inchiesta agraria e sulle condizioni della classe agricola* a opera di una giunta presieduta dal senatore Stefano Jacini: viene pubblicata in quindici volumi tra il 1881 e il 1886 e mette in evidenza la preoccupante situazione dell'agricoltura italiana, la sua complessiva arretratezza e le miserevoli condizioni di vita dei contadini. Ma i suoi risultati vengono generalmente ignorati dal governo.

Vittorio Emanuele II muore il 9 gennaio 1878. Gli succede suo figlio, Umberto I, che ha sposato, nel 1868, la cugina Margherita di Savoia. Animato da uno spirito profondamente conservatore (condiviso con la moglie), cerca tuttavia di conquistarsi subito il favore popolare: appena salito al trono, visita con la regina e il figlio di nove anni, Vittorio Emanuele, molte regioni italiane (a Napoli, il 17 novembre 1878, sfuggirà all'attentato dell'anarchico Giovanni Passannante) e sarà spesso presente nei luoghi colpiti da calamità naturali (l'inondazione del Veneto nel 1882, l'epidemia di colera a Napoli nel 1884).

Il 7 febbraio 1878 muore Pio IX. Sebbene il nuovo papa – Leone XIII – si dimostri più aperto al dialogo, la frattura con lo Stato italiano continuerà a segnare ancora a lungo la vita del Paese.

*C*hiurma, sarpatu, chiummo, càmmara, coppu, bastardedda, panaticu, rimiggiu.

Parole in un dialetto che ancora qualcuno parla sull'isola a forma di farfalla, Favignana, e che hanno il suono del tempo e della fatica.

Durante l'inverno, i vascelli neri sono stati calafatati e le reti aggiustate e rinforzate. La tonnara va *cruciata* e poi *calata* dopo la festa della Santa Croce a maggio: si calano le ancore secondo le coordinate stabilite dal *rais*, che le individua in base allo spirare dei venti e alle correnti marine; s'invocano *U' Patri Crucifissu* – il Santissimo Crocifisso –, la Madonna del Rosario, il Sacro Cuore e il *Santu Patri*, san Francesco da Paola, patrono dei naviganti e dei pescatori. Signore della tonnara è il *rais*, il capo della *chiurma*, cioè dei tonnaroti, i pescatori che salgono sulle barche poco più che adolescenti e che le lasciano solo quando la vecchiaia, la morte o il mare li reclamano.

Il *rais* legge il vento e le acque, comanda *a' calata* e *u' sarpatu*, la rimozione della tonnara.

Insieme con le ancore, si mettono sul fondo il *chiummo* e i *rusazzi*, una catena e dei conci di tufo delle cave di Favignana, per far sì che l'*isula* – il corpo della tonnara – sia stabile: infatti, quando i tonni entreranno e combatteranno per restare in vita con tutte le loro forze, le reti saranno lacerate e i cavi strattonati.

L'*isula* è divisa in camere: i tonni vengono indirizzati verso l'ingresso, la *vucca 'a nassa*, tramite una *custa*, una rete lunga e alta che sbarra loro il cammino. Ha porte fatte di reti sollevate a mano; ha una *càmmara di punenti* e una *càmmara di levanti* in comunicazione con la *càmmara granni* e l'*urdunaru*. Niente reti sul fondo. L'unica camera ad avere reti su cinque lati è il *coppu*, la camera della morte. Attraversata la *càmmara di punenti*, i tonni passano nella *bastardedda*, l'anticamera del *coppu*. Quando finalmente la porta – fatta anch'essa di reti da pesca – viene sollevata, i tonni impazziti per le maglie sempre più strette si tuffano nella camera della morte in cerca di una via di fuga.

Il giorno prima, i tonnaroti hanno pregato, hanno invocato *u' nomi di Gesù* e implorato perché la pesca sia ricca, perché il *panaticu* – il salario – sia sufficiente a sostentare la famiglia, perché ci sia il *migghiurato*, una sorta di premio di produzione.

Il giorno della *pisca*, i *varcazzi*, i vascelli lunghi, si pongono a coppia sui lati del *quadratu*, la parte emersa della camera della morte; insieme con i *parascarmi*, barche più piccole, e i *vasceddi* dallo scafo nero, lunghi e imponenti, chiudono il *quadratu*. Sono sempre in coppia, uno sopravvento e uno sottovento.

Prima della mattanza, si prega ancora. S'intonano le *scialome*, canti che mescolano san Pietro e le maledizioni contro un mare avaro e nemico.

Poi si comincia a tirare *u' coppu*, il fondo della camera della morte. Tutto a forza di braccia, con gli spruzzi di acqua che si mescolano al sudore, con i tonni che si dibattono perché manca loro spazio, aria, acqua. Le reti – pesanti, zuppe di acqua, strattonate dai pesci – vengono fissate all'interno dei vascelli. Dalle barche si sporgono i membri del *rimiggiu*, gruppi di pescatori dal corpo solido e muscoloso che hanno il compito di arpionare i tonni e portarli a bordo con la *spetta*, un lungo, letale uncino.

Arriva il segnale. Compaiono aste, *corchi*, *masche*, arpioni costruiti dai tonnaroti. Colpiscono i tonni che ormai sono a pelo d'acqua, e cozzano contro i vascelli con spinte poderose, e si urtano tra loro. Il mare diventa rosso, l'acqua si trasforma in sangue. Gli animali mugghiano e i loro gemiti coprono le urla dei tonnaroti che s'incoraggiano e si chiamano a vicenda. Gli animali cercano scampo, si divincolano, ma i pescatori li trafiggono, li issano sui *vasceddi* a forza di braccia, li afferrano per le pinne mentre gli arpioni lacerano le loro carni, gli occhi, la bocca. Sono ancora vivi quando toccano il fondo delle barche, saranno morti all'arrivo al porto e il loro sangue sarà lavato via con secchi di acqua di mare.

Nella mattanza c'è rispetto per il tonno, ma non c'è nessuna pietà.

Quando la carrozza si ferma nei pressi della Fonderia Oretea, alle cinque e mezzo di una plumbea mattina del giugno 1877, i cancelli sono stati appena aperti. Sotto le volte di metallo disegnate da Damiani Almeyda, s'inseguono grida acute e improperi. Le voci raggiungono il tetto spiovente di metallo, decorato con piccole volute, e s'insinuano all'interno attraverso i pesanti vetri delle finestre. L'architetto ha ingentilito le linee massicce e grezze della fonderia originale, migliorandone la funzionalità.

Seduti per terra o appoggiati ai muri, gruppi di uomini e di ragazzi in abiti da lavoro chiacchierano o discutono. Alcuni addentano un pezzo di pane.

Non hanno la minima intenzione di entrare, riflette Ignazio.

D'un tratto, davanti ai cancelli, si piazza un uomo tozzo, dal naso storto e dai capelli grigi e stopposi. Spalanca le braccia e grida: «*Ma che è? Vero vuliti travagghiari pi' uno chi ni leva i picciuli chi n'attoccano e ni fa jiccari u' sangu?*»

La sua voce rimbomba sino in fondo alla strada e zittisce tutti.

Ignazio lo conosce. È un saldatore, uno di quelli che – fino a due giorni prima – lavoravano alle riparazioni sulle navi e che da ieri si rifiutano di entrare nella fonderia perché hanno saputo che non verrà più loro corrisposta una piccola somma – il cosiddetto «quarto di campagna» – a titolo d'indennità. Gli operai hanno gridato al sopruso, la rabbia si è diffusa in un baleno. A un certo punto, era intervenuta persino la forza pubblica. La sera del secondo giorno, i responsabili della fonderia avevano deciso che soltanto la presenza di Ignazio avrebbe potuto cambiare la situazione e lo avevano implorato di venire alla fonderia l'indomani mattina, all'apertura dei cancelli.

«*Iddi nun taliano in facci nenti e nuddu*», tuona il saldatore. «*Sannu chi 'u carretto cu' l'attrezzeria ni servi, sannu puru chi ac-*

chianamu mura lisci... semu ccà, sempre presenti, nun dicimu bai manco quannu...»

Un coro di «*Veru è!*» si alza dalla folla, copre la voce dell'uomo. Alcuni si lanciano verso i cancelli, li chiudono, poi picchiano forte contro i muri della fonderia. In una manciata di secondi, la strada pulsa di suoni, di grida feroci, di una tensione che ha un odore di sudore e di ferro. Decine e decine di operai battono i pugni sul muro, gridano che non si lasceranno derubare, che quel lavoro è la vita per le loro famiglie, perché è vero che «si arrampicano addirittura sulle pareti lisce» per fare il loro lavoro e non protestano mai, ma adesso...

È allora che Ignazio decide di scendere dalla carrozza.

Esce con calma, a testa alta, con il cappello in mano. Impassibile, si dirige verso l'ingresso.

È un bambino ad accorgersi del suo arrivo. Tira la manica del padre. «*Papà, papà! U' principale! Don Ignazio c'è!*»

L'uomo si volta, sbarra gli occhi e si sfila il berretto, stringendoselo al petto. «*Don Ignazio, assabbinirìca*», lo saluta, mentre le guance si arrossano d'imbarazzo.

Improvvisamente com'era iniziato, il clamore si spegne.

La folla si divide per lasciarlo passare, il saldatore abbassa le braccia e si fa da parte, come se avesse perso tutta la sua veemenza. I cancelli si aprono, seppure di poco. Alcuni operai si scoprono la testa e lo fissano con un misto di rispetto e di timore. Altri si tirano indietro, altri ancora guardano a terra.

Ignazio ricambia i saluti con un cenno del capo, ma non dice una parola.

Certi sguardi, però, sono tutt'altro che intimiditi. Se li sente sulla schiena, ne avverte l'astio, annusa la rabbia. Ha un odore acre, simile a quello della polvere da sparo. Quegli occhi affamati lo inseguono fino all'ingresso dell'amministrazione, dove lo attende un uomo con un pizzetto sporcato di grigio e una stempiatura impietosa: è l'ingegner Wilhelm Theis, il direttore della fonderia. È un ometto asciutto che, accanto a Ignazio, così massiccio, sembra ancora più mingherlino.

Chiude la porta alle loro spalle con una doppia mandata. In silenzio, i due percorrono un corridoio stretto, ancora impregnato di buio, salgono le scale e raggiungono gli uffici dove una decina d'impiegati in giacca e cravatta nera, camicia con il colletto inamidato e mezze maniche di percallina si sta preparando a iniziare il lavoro. Mentre passa davanti alla fila di scrivanie ordinate, Ignazio li saluta, chiede notizie delle famiglie.

Nel frattempo, continua a scrutare oltre la vetrata che si affaccia sull'interno della fonderia. Da lì si domina l'intero complesso. Gli operai stanno lentamente entrando: ne scorge i visi stanchi e nota che parecchie mani si agitano in direzione degli uffici.

Non si nasconde. *Che mi vedano*, pensa. *Che tutti sappiano che sono qui.*

Alle sue spalle, un colpo di tosse.

«Dunque, ingegner Theis. Mi par di capire che gli uomini non abbiano accettato di buon grado le nuove condizioni per il lavoro sulle navi.»

L'uomo mingherlino si avvicina alla scrivania. È il posto che lui, il direttore, occupa solitamente in assenza di Ignazio. Ma non oggi. Oggi c'è *u' principale*.

«Don Ignazio, l'abolizione dell'indennità del quarto di campagna per l'attività sui piroscafi ha causato un malumore che nessuno di noi si aspettava; non così violento, almeno. Mugugni, proteste a non finire, e poi stanno coinvolgendo pure quel loro foglio, quel giornalaccio...»

«*Il Povero*? E ve ne stupite? Metà della redazione è fatta dai dipendenti della fonderia. Mi aspettavo la loro protesta.»

«Però stanno esagerando. Gli operai, soprattutto i saldatori e i meccanici, lamentano che il lavoro sulle navi è diventato troppo pesante e pericoloso e che, senza quei soldi, non vale la pena. Abbiamo resistito per due giorni, respingendo le proteste anche grazie alla forza pubblica, ma adesso...»

Ignazio ascolta senza voltarsi. Si massaggia la barba scura e riflette. Ci sono stati alcuni arresti, e lui lo sa: è stato lui a chiedere al prefetto – in via confidenziale, ovviamente – che fosse mantenuto l'ordine intorno alla fonderia. Come sa che ora è suo il compito di riportare la tranquillità e l'armonia.

La tensione che sente nell'aria è densa come vapore. Si è attaccata addosso agli operai, ma anche agli impiegati. Impregna le pareti bianche degli uffici, quelle sporche di fuliggine dell'impianto, quasi si può respirare.

I sorveglianti in divisa spingono i lavoratori verso le postazioni di servizio. Vola qualche parola di troppo, un ragazzo viene spintonato, reagisce. Un sorvegliante alza le mani, altri intervengono per sedare la lite.

Il sibilo dell'acqua pompata nelle tubature per raffreddare le presse annuncia che la fonderia sta per riprendere a pieno ritmo.

La porta dell'ufficio si apre con un tintinnio di vetro, seguito dal tonfo di un bastone. Poi arriva il rumore dei magli per la forgia del metallo.

«Scusate il ritardo», dice Vincenzo Giachery, che è il direttore amministrativo della fonderia. «La mia gamba stamattina non ne voleva sapere di muoversi bene.»

Ignazio gli va incontro, gli offre la sedia. «Colpa mia, don Vincenzo.»

«No, no.» Nel volto segnato dagli anni, gli occhi s'illuminano e appare un sorriso. «*Vossia avi u' vizziaccio di vostru patri, chi i cristiani hanno a fari subbito i cosi chi diciti voi*», sospira Giachery, mettendosi a sedere.

Ignazio sorride di rimando. Accarezza la superficie levigata della scrivania, quella che suo padre aveva usato per anni nell'aromateria di via dei Materassai. Non se n'è voluto separare. Si siede, le mani aperte sul piano. «Mio padre e vostro fratello Carlo, *requiescant in pace*, erano fatti allo stesso modo. *U' sicchio e a' corda.*»

Giachery annuisce. Incrocia le mani sul pomello del bastone. Indica gli impianti oltre la vetrata con un cenno del mento. «*C'avemu a fari?*»

Dinanzi a lui, Theis allarga le braccia con aria disgustata. «Sono cafoni, altroché. Scansafatiche che manco sanno parlare e che nemmeno possiamo definire operai... A questi qui va data una lezione esemplare. Che capiscano che qui non siamo a loro disposizione!»

Ignazio incrocia le mani e vi poggia il mento. «Sono i nostri operai, ingegner Theis. Potranno anche essere cafoni, ma portano avanti il lavoro qui nella fonderia e sulle navi. Di loro abbiamo bisogno. Soprattutto dei meccanici genovesi e...»

«Sono ben pagati, don Ignazio», lo interrompe Theis, agitandosi sulla sedia. «Se pensiamo al lavoro che sono in grado di fare, però...»

Giachery si schiarisce la voce, chiede attenzione. Parla con cautela, lo sguardo rivolto a terra, per non urtare quell'ingegnere dal carattere ombroso. «Ascoltate: in questa fabbrica si fa un po' di tutto, dalle posate alle caldaie. Voi lo sapete meglio di chiunque altro, ingegner Theis. Io lavoro con questa gente, la ascolto. Siete ingiusto a definirli cafoni: è gente umile, si spacca la schiena e riceve un salario molto più basso di quello di un operaio francese, per non parlare di uno tedesco. È vero, sono ignoranti e hanno poca voglia d'imparare cose nuove, però ci tengono a portare il pane a casa.» Solo allora alza la testa e fissa Ignazio: è a lui che parla, adesso. «Sanno che il lavoro sulle navi è pericoloso e hanno paura, ma sanno pure che, se rinunciano, ci sono altri pronti a rimpiazzarli. Siamo a Palermo, signori, dove un salario di due lire alla Fonderia Oretea ti fa ricco. C'è chi farebbe carte false pur di lavorare qui. Ma è a noi che non conviene, perché sarebbero operai senza nessuna preparazione. In più, sapete quanto sia difficile convincere un livornese o addirittura un tedesco a venire qui per insegnare il mestiere agli altri. Pensate solo a quanto dovremmo pagarlo.»

Ignazio rigira la fede nuziale, poi sfiora l'anello dello zio Ignazio. «Quindi, se ho ben capito, voi, don Vincenzo, raccomandate cautela?»

L'altro agita una mano. «Cautela, certo. E, ancora meglio, il bastone e la carota.» S'inclina in avanti, gli parla in confidenza. «*Vi canusciu da quannu avevate i causi curti: a vuatri l'operai v'ascutano, accussì com'è pi' tonnaroti di Favignana. Parlateci.*»

Un sospiro. Ignazio tamburella le dita sul legno, sembra esitare, ma sa che Giachery ha ragione. Troppo a lungo aveva giudicato gli operai privi di umiltà, di voglia di migliorarsi, di riconoscenza. La loro vita era molto diversa da quella dei tonnaroti, ma uguali erano l'orgoglio e il bisogno di essere trattati con rispetto. E adesso tocca a lui trovare un equilibrio tra quelle esigenze e la necessità di rimanere competitivi. Anche se non riuscirà a ottenerlo in tempi brevi. «Abbattere i costi è fondamentale», dice, come se stesse riflettendo a voce alta. «È vero che la fonderia sta andando bene, ma abbiamo avuto commesse pesanti e dobbiamo assumere altro personale. E gli operai, qui, sono più di settecento.» La voce è bassa, il tono è senza incertezze. «Non possiamo permetterci di pagare l'indennità del quarto di campagna. Oltretutto tornare sulla nostra decisione creerebbe un precedente pericoloso.»

Su quell'ultima parola, arrivano i colpi dei martelli che stanno piegando gli enormi pannelli della cupola per il nuovo teatro, il Politeama.

La fonderia è una delle colonne portanti di Casa Florio, ma non potrà competere a lungo con le fabbriche del Nord Italia, o con quelle tedesche. Non è un caso che l'unica loro commessa governativa sia quella per il porto di Messina, mentre le acciaierie del Nord hanno appalti per la costruzione di ferrovie o per i bacini di carenaggio. Troppo alti i costi di produzione, e scomodi i trasporti delle merci e delle materie prime. L'unico modo per continuare a lavorare è tenere i salari bassi, è contare ogni lira.

Forse, tra qualche tempo, potranno introdurre modifiche nel ciclo di produzione e pensare a degli incrementi salariali. Ma adesso no. Innovare significa investire e formare nuovi operai. No, in questo momento l'unica cosa importante è stare al passo con gli industriali del Nord, quelli che con il metallo ci lavorano da decenni.

Per qualche istante, nell'ufficio riecheggiano i rumori assordanti del metallo contro metallo.

Poi, di colpo, la campana. Tre colpi ripetuti. Un allarme.

Theis sobbalza, si volta verso la finestra, la raggiunge. A fatica, Giachery lo imita.

Gli operai si stanno raccogliendo nei cortili. Hanno abbandonato i martelli e le pinze, bloccato le presse; pochi sono rimasti a sorvegliare le macchine a pressione o a farle sfiatare. Tutti si agitano e non c'è nessuno che riesca a calmarli, nemmeno un sorvegliante armato di bastone. Anzi: i più giovani si avvicinano all'uomo, lo circondano e gli strappano dalle mani il pezzo di legno; altri due lo prendono per le braccia e lo tirano indietro.

Un colpo, poi un altro. È un pestaggio.

Dal fondo del magazzino arriva di corsa un sorvegliante, subito seguito da altri. Il suono del suo fischietto lacera il brusio, copre le grida.

Il sorvegliante ferito è a terra. Geme, un rivolo di sangue gli esce dalla bocca. Gli operai si girano verso gli altri guardiani, che ormai sono davanti a loro con i bastoni alzati. Ma sono pochi, pochissimi, e la marea umana sembra inghiottirli, sommergerli, soffocarli.

« Che succede? » strilla Theis. « Dobbiamo chiamare la forza pubblica? »

« Si stanno ammazzando! » Ignazio corre fuori dalla stanza, scende le scale, oltrepassa la porta che separa gli uffici dallo stabilimento. Ha il cuore in gola e la certezza che, se non fa qualcosa, succederà un disastro.

Non appena mette piede in cortile grida: « Fermatevi! Fermatevi subito! » Poi si avventa contro un operaio che sta prendendo a calci un sorvegliante. Lo afferra alle spalle e l'uomo impreca, poi si divincola, pronto a sferrare un pugno.

In quel momento lo riconosce. Le braccia ricadono lungo i fianchi e lui arretra, oscillando, con gli occhi spalancati. « Don Ignazio! »

Quel nome rimbalza da una bocca all'altra; è un mormorio simile a una preghiera. I pugni si sciolgono, le braccia si abbassano. Mazze e bastoni cadono a terra. I sorveglianti si allontanano di qualche passo, reggendo l'uomo ferito.

« Che cosa sta succedendo qui? » dice Ignazio. Poi si guarda intorno. Fissa negli occhi gli uomini che ha davanti, a uno a uno. Aspetta.

È un meccanico a farsi avanti. Forse ha solo qualche anno in più di lui. È un autentico marcantonio, con le braccia coperte da graffi e ustioni e il viso nero di fuliggine. « *Vossignoria n'avi a scusari* », dice. « *Ma unn'è chiù cosa di travagghiari accussì. Ni stannu ammazzannu a lignate.* »

Non ha parlato ad alta voce, ma le sue parole sembrano rimbombare.

« *Soccu successi? Chi fu?* » domanda di nuovo lui, nello stesso tono pacato. Poi scruta con maggiore attenzione l'uomo, si avvicina. Hanno la stessa altezza e gli stessi occhi scuri. Nel silenzio calato intorno a loro, Ignazio mormora: «Tu sei Alfio Filippello, vero? Il capo meccanico, no? »

L'altro annuisce, rassicurato. « *Sì, vossignoria.* » E quasi gli scappa un sorriso. Questa è la Fonderia Oretea: un posto in cui il padrone sa chi sono i suoi operai. Li conosce. È come un padre per tutti loro.

« *Cùntami* », lo sollecita. Usa il dialetto perché lo capiscano e perché si fidino.

Alfio cerca conforto nei compagni, che gli fanno timidi cenni di proseguire. « *Vossia u' sape, nuatri semu patri di famigghia. U salario ci fa assai, e puru i picciuli chi ni rate quannu facemu u travagghiu in capo 'i piroscafi. Ma accussì... accussì unn'avemu unni iri. N'avemu a purtare i cosi nuatri, e manco ni pagate chiù a jurnata... Stamatina, un picciutteddu chi stava purtanno l'attrezzi si rumpìu a' spadda. E ccà n'avemu a pigghiari i lignate si 'un travagghiamo, avemu a essere controllati si ni pigghiamo cose, quannu niscemo.* » Scuote la testa, spalanca le mani. « *Principale, accussì 'un putemu iri a nudda banna.* »

Ignazio incrocia le braccia sul petto, medita su ciò che ha sentito. Povera gente che ha davvero bisogno anche di quella miseria che prendono lavorando sui piroscafi. Un ragazzo ferito a una spalla, perquisizioni offensive, violenze e soprusi da parte dei sorveglianti, difficoltà con i soldi... « *E vuauti, com'è chi sapiti chi stu picciotto si fici male?* »

Dalle spalle di Alfio sbuca un ragazzino cencioso e sporco di carbone. Non ha più di dieci anni. « *Ju fui, don Ignazio* », dice. La voce trema, ma lo sguardo è sincero e già indurito dalla fatica del lavoro. « *Ju ci porto i cassetti du chiova e u' vitti: cariu picchì era carrico di robba. Si chiama Mimmo Giacalone.* »

Quindi era precipitato dall'impalcatura perché era carico di attrezzi, pensa Ignazio, e comincia a capire perché ci sia tanto malanimo. « *E unn'è ora?* » domanda.

« A casa. »

« E adesso? Che avete intenzione di fare? »

Il saldatore scuote la testa. « *'Un putemu travagghiare accussì.*

Ca' ni malitrattano, e un sunnu sulu 'sti disgraziati, cu rispetto parlando», protesta, indicando i sorveglianti che si sono spostati accanto a Ignazio. «*Cà c'è gente di l'ufficio chi ni tratta comu fango di n'tierra.*»

Ignazio alza la testa e trattiene l'imprecazione che sta per uscirgli dalle labbra. Ecco qual è il problema: quegli uomini possono sopportare molto, ma non di essere privati della loro dignità. Ecco il perché di quella furia, di tutto quel rancore.

Sopra di lui, i contabili e gli impiegati della fonderia osservano la scena con un misto di terrore e disprezzo. Theis è aggrappato al parapetto della finestra e ha un'aria stravolta. Si direbbe che stia tremando.

«Parlerò io ai sorveglianti, gli dirò di rispettarvi», dichiara Ignazio a voce alta, in modo che tutti lo possano sentire. Fa un passo verso gli uomini, li abbraccia con lo sguardo, annuisce. Vuole che siano certi delle sue parole, che abbiano fiducia in lui. «Ma voi tutti dovete tornare al lavoro.»

Gli operai si scambiano occhiate perplesse e intimorite. Alfio inclina la testa all'indietro, ascolta il mormorio dei compagni. Una goccia di sudore segna una riga chiara sulla fronte sporca di fuliggine.

«Non possiamo, don Ignazio», risponde alla fine. Lo fa in tono quasi di scusa, ma con una fermezza che non lascia spazio a discussioni. «*Unn'astutamu i caldaie, ma iddi*», aggiunge, e indica i sorveglianti. «*Iddi si n'hanno a' gghiri. Nuatri nun semu armali. Semu cristiani...* Non siamo bestie, ma cristiani come loro!» La voce si altera, si colma di rabbia. «*Travagghiamu tutta la jurnata e poi, 'sti... 'sti curnuti ci pigghiano a parole, ci chiuino a porta 'nta faccia si facemu tardu e 'un ci lassanu trasiri, ci levanu i picciuli di la jurnata! Ci rumpunu l'ossa a lignate!*»

Theis gli aveva detto che gli operai si lamentavano, ma si era ben guardato dal precisare come venivano trattati dai sorveglianti e cosa succedeva se arrivavano in ritardo: non li facevano entrare, li multavano e li picchiavano.

Come trascinati da quelle parole, gli altri operai si stringono addosso ad Alfio, lo circondano. Le loro voci si sovrappongono alla sua, le braccia si alzano in una selva di pugni.

I sorveglianti strisciano via, cercando rifugio verso le scale.

Ignazio osserva gli uomini, ma non si muove. Lascia che il mormorio si plachi un poco, poi fissa Alfio e dice, a mezza voce: «Voi siete la mia gente». Muove qualche passo verso la folla, adesso di nuovo silenziosa. «Voi siete la mia gente!» ripete, a voce più alta. Poi si volta, afferra i pugni di Alfio, imbrattati di polvere nera, e solleva le mani sporche verso gli operai. «La fonderia è la vostra casa. Se qualcuno si è comportato malamente con voi, vi assicuro che la pagherà. Ma davvero volete fare sciopero? Davvero volete che la vostra casa si fermi e che non ci sia più pane e lavoro?» Apre le braccia, indica il capannone. «Io non mi sono forse preso cura di voi? Non faccio in modo che i vostri figli sappiano leggere e scrivere? Mimmo Giacalone... quel ragazzo che è ferito. Si prenderà cura di lui la Società di Mutuo Soccorso che io ho fondato per voi...» Arretra e si guarda intorno. «*Io! Per voi!* E, se non è iscritto, allora sarò io in persona ad assicurarmi che venga curato. Facciamo parte di questa fabbrica, tutti noi. Io sono qui con voi... Se fosse necessario, mi toglierei questa giacca e mi metterei a lavorare qui, spalla a spalla, pur di andare avanti. L'Oretea non è solo i Florio: è anche la sua gente! Siete voi!»

È quasi sera quando Ignazio lascia la fonderia. Ha atteso che gli operai uscissero, li ha salutati dinanzi ai cancelli, assistendo ai controlli che, questa volta, sono stati assai meno offensivi. Per tutti ha avuto un gesto, una parola, una stretta di mano.

Lo hanno salutato con un: «Evviva Florio!» che è riecheggiato fino al porto.

Dopo il suo discorso, gli operai sono tornati a lavorare. I mugugni e le proteste non si sono spenti, ma per lo meno sono stati smorzati dal pensiero che le ragioni dei lavoratori sarebbero state ascoltate perché era stato *u' principale* in persona a prometterlo. E loro, di Ignazio Florio, si fidano.

Lui, del resto, non si è risparmiato. Ha visitato ogni reparto, ha ascoltato ogni lamentela e ha promesso che ci sarà più equità. Ha cercato i consigli di Giachery, si è informato della salute dell'operaio infortunato. Il vecchio amico di suo padre lo ha salutato con una pacca sulla spalla. «Sempre questione di sapere come prendere in giro i cristiani è, e nessuno sa farlo meglio di voi», gli ha detto salendo in carrozza.

Aveva lasciato per ultimi Theis e i sorveglianti.

Li aveva riuniti nel suo ufficio e si era seduto alla scrivania. Nessuno osava fiatare. Theis lanciava occhiate nervose all'intorno, sottraendosi allo sguardo indagatore di Ignazio, acceso di una collera fredda.

«Che bisogno c'è di esasperare la situazione?» aveva chiesto. Il tono distaccato aveva fatto chinare più di una testa. «Si possono fare controlli senza offendere. Non c'è bisogno di picchiare gli operai, così come si può avere un minimo di tolleranza sul ritardo, la stessa che adoperate tra voi.»

Spezzando il silenzio glaciale che era calato nella stanza, Theis aveva avuto uno scatto di esasperazione. «Don Ignazio, con tutto il rispetto, voi non capite», aveva protestato. «Prima saranno cinque minuti, poi dieci... poi pretenderanno di portarsi gli attrezzi a casa e chissà che fine gli faranno fare. Vedete, ora, quante polemiche fanno per la riduzione del quarto di campagna...»

«Lasciategliele fare, tanto non concluderanno nulla. Sui salari, io non sono disposto a trattare. Ma quello che può essere fatto senza spendere un soldo, e che può tenerli calmi, va fatto subito.»

«La severità ci vuole.»

«La severità è una cosa, il sopruso è un'altra.» Aveva chiuso le mani a piramide davanti al viso. Gli occhi si erano ridotti a due fessure. «Avete sentito quello che ho detto io, e quello che loro hanno detto a me: il problema non sono soltanto i soldi dell'indennità. È soprattutto il modo in cui vengono trattati: *comu cani di bancata*. E io ho promesso che questo non accadrà più. Ora, quindi, diminuiremo i controlli e saremo più tolleranti con gli operai per i loro ritardi, almeno nelle prossime settimane, in modo da far placare gli animi. Non faremo multe per i disordini e raccomanderete ai sorveglianti di andarci piano con i bastoni, ché non hanno a che fare con un gregge di pecore. Dopo quello che è successo oggi, basta tanto così» – e aveva stretto indice e pollice – «per far scoppiare uno sciopero e Dio solo sa quali potrebbero essere le conseguenze. I Florio hanno una parola, e una sola: nessuno, *mai*, deve umiliare gli operai. Sono loro la spina dorsale della fonderia.»

Nessuno aveva avuto il coraggio di ribattere.

Ignazio si era rivolto a Theis. «Ingegnere, confido in voi perché questi fatti non si verifichino più.»

Un colpo di tosse. L'uomo si era schiarito la voce. Poteva immaginare benissimo quali sarebbero state le conseguenze se avesse trasgredito quell'ordine. «Sarà fatto come dite voi.»

Solo ora, nella carrozza che lo riporta all'Olivuzza, Ignazio può rilassarsi. La pioggia del pomeriggio e il vento di tramontana hanno ripulito il cielo, che adesso è terso come vetro. Oltre il finestrino, Palermo è immersa nella bellezza evanescente di un tramonto ancora fragrante di sole.

Le mura cittadine stanno sparendo, demolite per far posto a nuovi quartieri, segno di un tempo nuovo, chiamato a sostituire un passato che forse non tutti amano ricordare. La gente si sposta, lascia le vecchie case del centro e cerca appartamenti più grandi e più comodi. Strade ampie e alberate s'inoltrano verso le campagne, là dove prima c'erano solo sentieri tra gli agrumeti. La carrozza passa davanti a Palazzo Steri, un luogo che suo padre conosceva bene, perché ospitava gli uffici della dogana, e che Damiani Almeyda ha ristrutturato. Adesso sono stati avviati lavori per ripulire la piazza e creare un giardino. Lì vicino, a pochi passi dalla grande dimora dei Lanza di Trabia, c'è il palazzo dei De Pace, affacciato sul mare. È lì che vive sua sorella.

Dell'imponente Castello a Mare non sono rimasti che mozziconi di pietra coperti di erbacce: su ordine di Garibaldi, il forte era stato bombardato, dato che il punto in cui sorgeva era strategico per l'accesso alla città. Meglio spazzarlo via, per evitare rischi inutili, aveva deciso il generale. I piemontesi avevano fatto il resto. E su quelle rovine, oggi, si arrampicano gli ultimi raggi di sole che s'insinuano tra le velature e i fumaioli delle navi attraccate alla Cala. Dall'altra parte, il giallo del tufo delle chiese e dei palazzi sembra rilasciare calore, stemperando il buio con una luminosità pastosa che profuma d'estate.

Ignazio si lascia trascinare all'indietro, ai suoi vent'anni.

Ognuno di quei luoghi, per lui, è legato a un'immagine, a una sensazione. La Cala gli ricorda anche le volte in cui aveva atteso l'arrivo dei piroscafi insieme con suo padre. Superata porta Felice, vede il Casino delle Dame e dei Cavalieri dove aveva conosciuto Giovanna...

Ma ci sono anche luoghi in cui Palermo pare volersi sbarazzare in un solo colpo del proprio passato e, in un certo senso, anche di quello di Ignazio: per far posto al teatro che sta sorgendo sulle rovine del bastione di San Vito e di porta Maqueda, le chiese di San Giuliano, di San Francesco delle Stimmate e di Sant'Agata sono state abbattute e un intero rione è stato sventrato. Tutto cambia, com'è giusto che sia.

Si massaggia la radice del naso. Di giugno ama quel senso di calore non ancora soffocante, l'esplosione della natura nel giardino dell'Olivuzza, il profumo delle yucche in fiore, delle rose, delle pomelie e dei gelsomini. Forse farà in tempo a concedersi una passeggiata tra i viali prima che venga servita la cena. Se c'è una cosa che ama della villa è proprio quel giardino. E non è l'unica: ormai preferisce l'Olivuzza alla Villa dei Quattro Pizzi, la casa della sua infanzia, dove l'aroma del mare la faceva da padrone e finiva per ubriacarlo; e persino alla casa di via dei Materassai, dov'erano nati Vincenzo e Ignazio.

Già, Vincenzino. È di nuovo febbricitante e Giovanna ha trascorso la notte precedente al suo capezzale. Non ha avuto notizie di lui per tutto il giorno.

Nessuna nuova, buona nuova, si dice. *Sì, dev'essere così.*

La sera ha ormai steso un velo sugli alberi dell'Olivuzza quando la vettura di Ignazio si ferma dinanzi al grande olivo accanto all'ingresso delle carrozze. Come spettri, i sorveglianti della casa si muovono oltre le siepi, avvicinandosi per controllare che non ci siano pericoli. Ignazio li scorge, fa cenno di allontanarsi.

Tutto è tranquillo in casa. Dalla vetrata che si affaccia sul giardino, sgorgano luci e risate.

«Papà!»

Non ha quasi tempo di toccare terra che due braccine gli circondano le gambe.

Giulia. Sua figlia. «*Stidduzza!*»

La bimba ride, gli prende la mano e gliela bacia, guardandolo da sotto in su. Ha le guance arrossate ed è piena di energia: l'immagine della salute. Insieme si dirigono in casa: Giulia parla di ciò che ha fatto durante la giornata, dei compiti fatti con l'istitutrice e delle corse con Pegaso, il barboncino che le è stato regalato pochi giorni prima, per i suoi sette anni.

Lui la ascolta, e guarda quei capelli scuri e lucenti come quelli di Giovanna. Giulia ha occhi dolci e delicati; ma i gesti sono sicuri, il passo è privo d'incertezze. È una Florio.

Insieme attraversano le stanze, arrivano al salotto verde. Lì, su una poltrona, c'è Vincenzino, intento a leggere un libro; accanto, la governante. Giulia va a sedersi sul divano dove giace una bambola di porcellana semisvestita.

Ignazio si avvicina al figlio. «Come stai?»

«Bene, grazie.» Il bambino lo guarda dal basso. Gli occhi sono lucidi, ma sembra sfebbrato. Si toglie dalla fronte un ciuffo di capelli, chiude il libro. «Ho mangiato il brodo di carne come ha detto il dottore, poi ho studiato. *Maman* mi ha detto che presto andremo a Napoli. È vero?»

«A Napoli o in Francia. Vedremo.» Ignazio ne studia il viso. Ha lineamenti eleganti e un'intelligenza pronta nascosta sotto un temperamento calmo; a dieci anni, sembra già molto maturo. Gli somiglia assai. Si volta verso la governante, in piedi accanto al bambino. «Mia moglie?»

Sul volto della donna, un'ombra di disappunto. «Donna Giovanna è di sopra con il signorino Ignazziddu.» Dalle labbra strette, Ignazio intuisce che il figlio deve aver combinato l'ennesima monelleria.

«Che ha fatto tuo fratello?» chiede allora al figlio maggiore.

Vincenzo si stringe nelle spalle. «Ha fatto arrabbiare il precettore perché non voleva più studiare. Quando siamo rimasti nella stanza da soli, lui ha preso i libri e li ha buttati fuori dalla finestra.» Si tortura il labbro con i denti. Sul visetto, il rimorso per un racconto che ai suoi occhi è un tradimento.

Ignazio annuisce. Tanto Vincenzino è responsabile, quanto

il suo secondogenito sembra davvero uno scavezzacollo. E dire che ha solo un anno di meno del fratello. Dovrebbe essere assennato, e invece...

Esce dalla stanza e sale le scale, illuminate da due grandi lampadari di metallo fissati alle pareti, forgiati all'Oretea, come la lampada che illumina il pianerottolo. Lì incrocia Nanài. «Verrò a cambiarmi per cena tra poco», gli annuncia. Poi, con lentezza, percorre il corridoio e arriva davanti alla stanza di Ignazziddu.

Sente la voce di Giovanna. Severa, dura. *«Ora, appena veni to patri, ci lu cuntu soccu facisti! Accussì, uno pigghia e jecca i libbra, picchì 'un voli sturiari?»*

Fermo sulla soglia, Ignazio sbuffa. Riuscirà mai a far capire a Giovanna che non deve usare il dialetto, soprattutto con i figli?

Entra e, senza neppure salutare, si rivolge subito a Ignazziddu. «Mi pare di capire che ti sei comportato molto male, oggi. Dove sono i libri?»

Giovanna è in un angolo. Lo guarda, si tira indietro.

Il bambino è seduto sul letto, con un cuscino sul petto a fargli da scudo contro il mondo. È imbronciato, con i riccioli in disordine, con gli occhi che mandano lampi di rabbia e con le dita affondate nel copriletto. «Avevo chiesto solo di giocare un poco per riposarmi, ma quello niente, non ha voluto, non faceva altro che parlare e parlare. E io mi sono stancato di ascoltarlo.»

«Così hai pensato bene di buttare i libri fuori dalla finestra? Male, molto male. C'è un tempo per il gioco e un tempo per il lavoro. È bene che ti ci abitui.»

«No! Se dico che sono stanco, sono stanco!» Colpisce il letto con la mano aperta, più volte. «Ho studiato per tutta la mattina, ho dovuto pure aiutare Vincenzo che non aveva capito delle cose di francese!» strilla. «E poi lui è qui per me. Se gli dico che voglio fermarmi, mi *deve* obbedire!»

Ignazio si avvicina. D'istinto, Ignazziddu arretra sul letto, stringe al petto il cuscino. La rabbia trascolora nel timore e poi nella paura.

Il padre gli strappa via il cuscino. «Non osare mai più parlarmi così.» Avvicina il viso a quello di Ignazziddu. La voce è bassa, una staffilata. «E non parlerai mai più in questo modo alle persone che lavorano per noi. Hai capito?»

Il bambino quasi ansima e, nei suoi occhi, si mescolano collera e paura. Il padre non lo ha mai picchiato, è vero, però sa punirlo in modi forse ancora peggiori.

Fa cenno di sì, che ha capito, ma le sue labbra non riescono a formulare la risposta e Ignazio se ne accorge. «Domani chiederai scusa al tuo precettore e a tuo fratello. Hai mancato di rispetto a entrambi.» Si raddrizza, guarda la moglie. Giovanna è rimasta immobile, a braccia conserte. Le tende la mano e lei lo raggiunge. «Andiamo», le dice. Poi indica Ignazziddu. «Stasera non mangerà. Forse lo stomaco vuoto lo aiuterà a capire come ci si deve comportare.»

Spegne le luci, mentre Giovanna lo attende oltre la soglia. L'ultima cosa che scorge, quando sta per chiudere l'uscio, è lo sguardo feroce e impotente del figlio.

Ignazio e Giovanna scendono le scale fianco a fianco, senza toccarsi. D'un tratto, Giovanna gli mette la mano sul braccio. «Ma... senza mangiare?» chiede, in tono flebile.

«Sì.»

«*Nico è. Un picciriddu...*»

«No, Giovanna. No! *L'avi a capiri chi 'un po' fari sempre chiddu ca voli. Avi a travagghiari, e i picciuli 'un s'attruovano sutta u' marune.*»

Ignazio è arrabbiato davvero, se ha usato quel tono e ha parlato in dialetto. Vuole che suo figlio capisca subito che i soldi non si trovano «sotto i mattoni», che dietro ci sono lavoro e impegno, e sacrifici, e rinunce. Giovanna si ritrae e abbassa la testa, sconfitta.

Lui si ferma, si massaggia le tempie con le dita. «Perdonami», mormora. «Non volevo essere sgarbato con te.»

«Cosa ci fu?»

«Disordini alla fonderia. Ma nulla di cui tu debba preoccuparti.» La prende sottobraccio e le riserva il primo sguardo gentile dell'intera giornata. «Andiamo a cena, che poi ho delle carte da controllare.»

Finita la cena, consumata in un pesante silenzio, Ignazio si era alzato e si era chinato su Giovanna, per salutarla con un bacio in fronte. Ma lei lo aveva guardato negli occhi, gli aveva preso la mano e gli aveva detto semplicemente: « Vieni ».

Forse era stato il profumo di Giovanna, con le sue note fruttate, lo stesso dall'epoca in cui l'aveva incontrata al Casino delle Dame e dei Cavalieri; forse era stato il suo sguardo, in cui si mescolavano affetto, apprensione e solitudine. O forse era stato il rimorso per aver trattato così duramente sia il figlio sia lei, poco prima... Ignazio non se l'era sentita di respingere quell'invito.

Così, guidati solo dalla luce della luna, arrivano in cima alla collinetta su cui sorge un piccolo tempio in stile neoclassico. Tenendosi per mano, si voltano a guardare la villa e gli altri edifici intorno a essa, acquistati e riadattati nel corso degli anni. Il profondo silenzio è spezzato solo dal vento che accarezza le chiome degli alberi.

E adesso sono seduti su una panchina a respirare l'aria della notte.

Giovanna ha gli occhi chiusi e ha appoggiato le mani in grembo. Ignazio la guarda: lei è la sua parte di vita senza sorprese, la sua compagna di viaggio, la madre dei suoi figli. Non è poco, ma è qualcosa di ben lontano dalla felicità. Il loro unico, vero litigio risale ormai a cinque anni prima. Non ne hanno mai più parlato, ma Ignazio ne ha intuito le conseguenze: è come se Giovanna avesse rinunciato a ogni illusione romantica e l'amore che prova per lui fosse diventato pietra, visibile e tangibile, ma inerte. Lo strazio non ha mai smesso di consumarla, di questo è sicuro: lo ha colto in certe occhiate astiose, in alcune risposte un po' troppo taglienti, nel venir meno dei gesti d'affetto, in una durezza che sparisce solo in presenza dei figli. Ma non può rimproverarle nulla: è attenta e sollecita, sia come moglie sia come madre. E non ha nemmeno il diritto di chiederle nulla, eppure, in quel momento, avverte un'acuta nostalgia per la giovane donna che ha sposato e che adesso non esiste più: per la sua dolcezza, per l'incrollabile fiducia che gli aveva dimostrato. Per la sua pazienza.

E allora prova a prendersi ciò che ancora rimane, e lo fa a

suo modo. Perché il senso di colpa che avverte nei suoi confronti è la misura del rimpianto per ciò che ha perduto.

Le prende il viso tra le mani, la bacia.

E lei, dopo un istante di stupore, risponde a quel bacio. Lo fa con abbandono, con una dolcezza che lo commuove.

«Vuoi restare in camera mia, stanotte?» le chiede in un soffio.

Lei annuisce. Lo abbraccia e, dopo tanto tempo, sorride.

Giorni di attesa, di voci sussurrate, di conferme a mezza bocca, di lettere che partono per Roma. Ignazio è diventato ancora più taciturno, trascorre sempre meno tempo in casa. Giovanna lo osserva, si preoccupa, ma non chiede nulla.

Arriva un'alba fresca e dorata. Il mare che lambisce gli scogli del Foro Italico, la passeggiata preferita dei palermitani, ha il suono di una carezza. Arrivando alla sede della Piroscafi Postali, in piazza Marina, a poca distanza da Palazzo Steri, Ignazio ha respirato tutta la bellezza della città, impossessandosi con gli occhi di quelle strade vuote, percorse solo da qualche operaio o dai carrettieri, oppure da serve con le ceste di frutta e di verdura che si avviano verso la Vucciria per comprare la carne per i loro padroni.

L'ufficio di Ignazio è al primo piano e si affaccia sul Cassaro, quasi di fronte alla Vicaria. Poco distante, le mura bianche e squadrate di Santa Maria dell'Ammiraglio e ciò che resta di porta Calcina. Alle spalle dell'edificio, la monumentale porta Felice con le sue volute barocche si schiude come una quinta per lasciar vedere il mare.

Arriva nel suo ufficio. Nella stanza, odore di sigari e d'inchiostro. Ignazio osserva le carte navali appese alle pareti, accanto alle immagini dei suoi piroscafi. Guarda, ma non vede. Attende.

Qualcuno bussa alla porta. È un galoppino, un giovane segaligno e già calvo. S'inchina, gli porge un fascicolo di documenti. «Da parte del notaio, don Ignazio. Sono arrivati in questo momento: il signor Quattrocchi li ha tenuti nel suo ufficio perché ieri sera hanno finito tardi con i liquidatori e voleva essere sicuro che voi riceveste tutto senza intermediari. »

Ignazio lo ringrazia, lo congeda con una moneta. Si siede alla scrivania, accarezza il dorso del fascicolo. È spesso, e reca i timbri del notaio Giuseppe Quattrocchi, che ormai stipula tutti gli atti dei Florio. Nella busta che lo accompagna, c'è un cartoncino su cui è vergata una sola parola: *Complimenti.*

Pure sulla copertina c'è scritto semplicemente:

TRINACRIA, GIUGNO 1877

Ogni altro pensiero viene cancellato all'istante.

Apre il fascicolo , scorre i nomi, una litania che ha il sapore di luoghi e di tempi lontani: *Peloro, Ortigia, Enna, Solunto, Simeto, Himera, Segesta, Pachino, Selinunte, Taormina, Lilibeo, Drepano, Panormus...*

Si lascia andare contro lo schienale della poltrona. Eccolo, il suo capolavoro, ciò che permetterà alla flotta dei Florio di fare un decisivo balzo in avanti. Tredici piroscafi a vapore, alcuni realizzati a Livorno, tutti di recente costruzione. Prende l'atto notarile della vendita privata, lo legge. Per la Piroscafi Postali era presente Giuseppe Orlando, il direttore della compagnia, con cui ha concordato la linea di azione. L'appagamento che prova è quasi fisico, e cresce a ogni pagina.

Tredici piroscafi. Suoi.

Da due anni inseguiva Pietro Tagliavia e la sua società di navigazione, la Trinacria. Era nata con molte speranze, grosse ambizioni e una base economica che si era rivelata cedevole come argilla.

Dopo nemmeno sei anni di esercizio, Tagliavia si era trovato con l'acqua alla gola e le banche con cui si era indebitato non avevano potuto – né voluto – salvarlo.

Ignazio ricordava bene il giorno in cui quell'uomo dal portamento distinto, ma con il volto segnato dalla tensione, aveva chiesto un incontro « riservato e personale » a lui e Orlando. Rammenta la calma dignità e l'orgoglio con cui l'armatore aveva parlato della sua impresa.

« Non una vendita, don Ignazio, ma una fusione », aveva dichiarato. «Una soluzione che mi permetta di uscire dalle difficoltà in cui mi hanno messo le banche, che non vogliono concedermi altri crediti, senza capire che è la crisi del carbone che ci sta mangiando vivi.»

Ignazio aveva assentito. «Vero è. L'aumento dei prezzi del carbone e del ferro ci sta facendo penare. Pure Raffaele Rubattino a Genova se la passa male.»

«Lui però è al Nord e i soldi glieli dà lo Stato.» Tagliavia gli aveva indirizzato un'occhiata eloquente. «Voi avete i soldi delle concessioni postali, molti più di me, perché avete più tratte. Il ministero ha tenuto giustamente conto delle vostre risorse e vi ha privilegiato, lasciando ad altri come me soltanto le briciole. Io ho le convenzioni postali verso il Levante, ma sono poca cosa. Armatori come Rubattino vengono salvati dall'intervento delle banche. Soltanto voi siete solido abbastanza... e poi avete amici importanti. Qui, quello con una mano dietro e una davanti, con rispetto parlando, sono io: ho il Banco di Sicilia che mi sta alle calcagna e minaccia di sospendere il fido.»

A Ignazio quell'idea era piaciuta subito, e non solo perché così avrebbe eliminato un concorrente. Conosceva l'ammontare dei debiti della Trinacria e sapeva che avrebbe potuto affrontarli serenamente. Inoltre i vapori della Trinacria erano nuovi, efficienti e non avevano bisogno di quelle continue riparazioni cui invece dovevano essere sottoposte le navi della compagnia, come l'*Elettrico* o l'*Archimede*, ferrivecchi di cui non voleva disfarsi solo perché utili sulle tratte locali.

Aveva chiesto di vedere i registri dei conti, di sapere quali dimensioni avesse l'esposizione debitoria nei confronti dei cantieri navali di Livorno che stavano costruendo l'ultimo vapore, l'*Ortigia*. E lì, Tagliavia e gli amministratori della Trinacria erano scomparsi. Lui non li aveva cercati, né aveva sollecitato altri incontri, anche perché il governo aveva deciso di aiutare la società per evitarne il tracollo.

Non erano i Florio a essere in difficoltà e a subire le minacce delle banche. I Florio non elemosinavano con il cappello in mano.

Poi, a febbraio dell'anno precedente, il disastro. Il Tribunale del Commercio di Palermo aveva dichiarato il fallimento della

Trinacria e il conseguente licenziamento dei dipendenti. La città era precipitata nel caos, con rivolte di piazza e pesanti interventi della forza pubblica.

Era stato quello il momento in cui Ignazio aveva deciso di agire.

Tra gli amministratori delegati alla gestione delle pratiche del fallimento c'era Giovanni Laganà, che più di un servizio aveva prestato alla società di navigazione dei Florio come consigliere della Banca dei Trasporti Marittimi. Un uomo che sapeva individuare chi dettava le regole del gioco e regolarsi di conseguenza e, per questo, tanto prezioso quanto pericoloso.

Erano bastate poche parole ben scelte perché i liquidatori si rendessero conto che nessun altro avrebbe potuto acquistare quei vapori. E in tempi così brevi, per di più.

Ecco come si era arrivati alla trattativa privata.

Lo sguardo calmo si anima di orgoglio. Non soltanto ha comprato navi in condizioni superiori alle sue, ma è anche subentrato nella convenzione di trasporto della posta che, alla fine, la Trinacria aveva stipulato con il Regno d'Italia. Anzi: in *tutte* le convenzioni per il trasporto della posta. E ciò significava avere soldi da Roma. Tanti soldi.

Bussano alla porta.

«Avanti», dice. Richiude il fascicolo con una punta di rammarico. Ama quei momenti di solitudine che riesce a rubare al mattino, istanti preziosi per rimettere a posto le idee o godere dei successi ottenuti.

«Sapevo che vi avrei trovato qui e con quel fascicolo in mano.» Giuseppe Orlando muove qualche passo e si siede davanti a lui. Nella stanza rivestita da boiserie, la sua figura imponente, con indosso un abito di lino chiaro, sembra portare luce.

«Tredici piroscafi praticamente nuovi.» Ignazio batte la mano sul fascicolo. «*Megghio d'accussì...*»

«*Veru è*. E il carburante e l'attrezzatura di terra, a un prezzo che non avreste mai potuto ottenere sul mercato. Materiale messo meglio rispetto al nostro.»

Ignazio apre le braccia. Poi lo guarda di sbieco. «E ovviamente grazie a Barbavara che vi ha dato una bella mano al ministero delle Poste.»

«Ovviamente.» Orlando incrocia le mani sulle ginocchia. «Tagliavia, *mischinazzo*, m'ha fatto pena. Lui ci ha provato sino alla fine...» Abbassa lo sguardo, forse per pudore. «Troppa gente era coinvolta nella Trinacria, a cominciare dai suoi parenti. Questo fallimento li ha messi tutti in ginocchio.»

«Avete fatto un buon lavoro. Buono per noi e fin troppo buono per lui.» Ignazio si alza, gli mette la mano sulla spalla. Lui non ha di queste remore. «Altri ne avrebbero fatto carne di porco.»

«Oh, questo lo so, e dobbiamo sempre ringraziare i commissari liquidatori, che sono stati molto... ben disposti verso la vostra compagnia.»

Ignazio arriccia le labbra; la barba freme, celando un sorrisetto. «A loro dimostrerò la mia riconoscenza a tempo debito. Intanto dobbiamo pensare ad aumentare il capitale sociale. Non siamo più un'impresa con quattro gusci di noce e dobbiamo avere un capitale adeguato per quello che ho in mente.»

Orlando socchiude le palpebre. «A cosa state pensando?»

Lui apre il fascicolo del notaio, indica i nomi delle navi. «Con i francesi se la sta vedendo Rubattino, che ha pure ricevuto una sovvenzione di mezzo milione per la linea di collegamento con Tunisi. No, noi ci daremo da fare per la Linea Adriatica: non oseranno cancellare la rotta su Bari, non dopo aver fatto pressione sul governo, enfatizzando l'idea che sia un porto fondamentale per tutto il Mediterraneo orientale. Ma non possiamo fermarci all'Adriatico: voglio portare le nostre navi fino a Costantinopoli, fino a Odessa e poi...»

Lo sa, Ignazio, che è il momento di guardare lontano, oltre il Mediterraneo, e pensa alle navi genovesi e francesi che imbarcano decine, centinaia di uomini e donne, fagotto in spalla e una disperata speranza nel cuore: lasciarsi alle spalle la miseria.

L'estate ha preso possesso della città. L'ha fatto con prepotenza, con un sole spietato e una calura insidiosa che odora di erba secca e arriva fin dentro le stanze, a malapena protette dalle persiane. Tra i rami degli alberi del parco dell'Olivuzza friniscono le cicale. L'aria è immobile: solo un refolo muove ogni tanto i cespugli di pittosporo e le siepi di gelsomino.

Ignazio è uscito presto, quando ancora tutti dormivano. Giovanna ha ascoltato il rumore dei suoi passi nella stanza, dei cassetti aperti e poi richiusi, il brusio del valletto. Come spesso succede, lo ha lasciato andare verso una giornata piena di carte, di conti e di affari senza neppure un saluto. Nei primi tempi del loro matrimonio, lei aveva sperato che lui la mettesse a parte di quell'aspetto della sua vita. Ormai non ha più senso chiedere perché. A lei toccano altre incombenze.

E infatti adesso, dopo colazione, mentre i figli giocano nel parco in attesa che arrivino i precettori, Giovanna si siede accanto a donna Ciccia e si sistema sulle ginocchia un piccolo scrittoio portatile.

«Quindi è confermato. Stasera ci saranno cinquantadue persone.» Inarca un sopracciglio, scorre la lista. Formalmente si tratta di una cena come tante altre. In realtà, è il suggello sociale alla fusione tra la Trinacria e la Piroscafi Postali dei Florio e, infatti, vi partecipa tutta la Palermo che conta. «Neanche uno ha declinato l'invito. Faremo servire pure il *gelo di mellone* fatto con le migliori angurie di Siracusa. Il *monsù* lo sta sistemando nelle ciotole di porcellana francese, e lo decorerà con gelsomini.»

Donna Ciccia fa una smorfia. «Sarà anche un bravo cuoco ma, conoscendolo, avrà spogliato una spalliera intera di gelsomini per tirar fuori quattro petali.»

Ridono entrambe.

Giovanna ha imparato da tempo a trarre soddisfazione dalla vita sociale: cene, ricevimenti, tè e persino «conversazioni» che si tengono nei loro salotti almeno due volte alla settimana le permettono di essere la signora di quella casa e quindi la moglie perfetta per Ignazio. Grazie a lei Ignazio era diventato consapevole che la ricchezza dei Florio non era fatta solo di numeri, navi, vino o zolfo: per essere accettati, dovevano cambiare stile di vita, aprendo la loro dimora, ricevendo amici e conoscenti, ospitando pittori e scrittori. Gli aristocratici dovevano smetterla di guardarli come *pirocchi arrinisciuti*, «pidocchi rifatti» e, perché ciò avvenisse, bisognava andare oltre il denaro, oltre il potere che i Florio avevano a Palermo.

Vincenzo prima e Ignazio poi avevano pensato che sarebbe stato sufficiente il matrimonio con una d'Ondes Trigona per ripulire il loro sangue. E, per qualche tempo, anche lei aveva sperato che tutto fosse così semplice. Poi aveva capito che il suo nobile lignaggio era soltanto il grimaldello con cui agire perché il cambiamento fosse portato a termine nel migliore dei modi. E allora, con pazienza e determinazione, si era messa all'opera: se da una parte aveva letto, studiato, imparato le lingue come le aveva chiesto Ignazio, dall'altra aveva valorizzato la sua casa, arredandola con i mobili di Gabriele Capello e dei fratelli Levera, fornitori di arredi del re. Aveva acquistato porcellane di Limoges e di Sèvres, tappeti di Isfahan, un dipinto di un grande artista seicentesco, Pietro Novelli, ma anche quadri di pittori contemporanei come Francesco Lojacono e Antonino Leto, uno dei suoi preferiti. Aveva organizzato pranzi, cene e feste, stretto o rinsaldato amicizie, mantenuto segreti, ascoltato lamentele e pettegolezzi. Aveva fatto sì che un invito a Casa Florio fosse considerato un privilegio.

Il palermitano ama sentirsi una spanna al di sopra degli altri, soprattutto tra i suoi pari, e si affanna perché nessuno lo dimentichi, mai. È un gioco di specchi, pensa, scorrendo la lista. Ed era proprio questa la differenza tra i nobili palermitani e i Florio: da una parte la convinzione – espressa, sottolineata, ribadita – di essere superiori agli altri per lignaggio, educazione, eleganza. Dall'altra i fatti, in tutta la loro indiscutibile concretezza: dalle feste alle opere di beneficenza, dall'acquisto di un soprammobile fino a quello delle Egadi, i Florio *dimostravano* di essere superiori. Lei si era assunta il compito di costruire un ponte tra quei due mondi così diversi e, con grazia e tenacia, ci era riuscita. La prova era lì, davanti a lei, in quell'elenco che racchiudeva il fior fiore dell'aristocrazia palermitana.

Che le fosse servito anche per non morire di solitudine e di disperazione era un pensiero su cui preferiva non soffermarsi molto spesso.

Giovanna scorre gli altri appunti: la domenica seguente, la loro casa si sarebbe aperta per ospitare un tè all'inglese, con un'orchestrina che avrebbe suonato sotto il piccolo tempio in cima alla collinetta e tavoli apparecchiati nel parco per permettere agli ospiti di passeggiare e di godere della frescura del giardino. Vi sarebbero stati frutta candita, pasticcini, diverse miscele di tè provenienti dall'India e dal Giappone, e cognac per gli uomini. Prevedeva di accogliere quasi ottanta persone, tra adulti e bambini.

Bellissimo sarà, si dice, e già immagina la disposizione dei tavoli sotto gli alberi, le risate dei piccoli e le chiacchiere dei grandi.

Donna Ciccia estrae dal cestino un ricamo a piccolo punto. Giovanna la guarda, vorrebbe imitarla, ma altre incombenze, meno liete, la attendono, chiuse in una cartelletta di pelle. La prende, ne estrae dei fogli e aggrotta la fronte. Perché lì, su quella carta, la città dei nobili e delle feste scompare, cancellata dalla città povera, poverissima, che si deve affidare alla carità dei potenti per sopravvivere. Tocca a lei ascoltarla, capire chi ha più bisogno e fare il possibile.

Sfoglia le richieste di sovvenzioni. C'è la lettera della Congregazione delle Dame del Giardinello che le chiedono di provvedere alla dote di una loro giovane protetta « assai indigente » e al corredino per i neonati di alcune famiglie bisognose; un'altra richiesta viene dalle mogli di alcuni marinai dei piroscafi dei Florio: desidererebbero un maestro per far studiare i loro figli, così da « impararci almeno a leggere e a metterci la firma », concludono.

Sulu i figghi masculi esistino, pensa, con una punta di amarezza. Alla gente di Palermo non interessa che le loro figlie sappiano scrivere e fare di conto. Le vogliono tenere a casa, *stritte dintra i falara*, « imprigionate nei grembiuli ». È già tanto se chiedono che i figli maschi abbiano un minimo d'istruzione.

Guarda Giulia che, seduta sul prato, gioca con una bambola. Ha sette anni, ed è molto intelligente. Ha iniziato da poco a studiare con i fratelli, e suo marito ha ordinato che impari il francese e il tedesco, come si conviene a una figlia di aristocratici. I fratelli, invece, già studiano la geografia, la matematica e hanno iniziato a prendere lezioni di violino, perché devono essere educati al bello, come accade in tutte le nobili famiglie europee. Famiglie che loro hanno conosciuto durante i soggiorni estivi in giro per l'Italia, come quello previsto di lì a poco e che li porterà in Veneto, a Recoaro. I Florio hanno preso a frequentare quella stazione termale dopo aver scoperto che era molto amata da vari esponenti della nobiltà palermitana, ma anche da parecchi industriali e politici del Nord. Ignazio ha stretto alleanze preziose, lì, suggellate non dallo champagne, ma da un bicchiere dell'acqua limpidissima che sgorga dalla fonte Lelia.

Abbassa di nuovo la testa sulle carte, osserva i fogli con i conti. Strano a dirsi, era stato il suocero, anni prima, a iniziare la tradizione delle donazioni per i poveri di Palermo. Allora lui aveva dichiarato che lo faceva perché, nato da una famiglia del popolo, sapeva cosa significava lavorare per guadagnarsi un misero tozzo di pane. Nobili lingue biforcute, però, affermavano che lo aveva fatto per cancellare con i soldi le sue origini e per farsi perdonare il fatto di aver sposato la sua amante. Un modo come un altro per comprarsi una rispettabilità sociale, insomma.

Giovanna fissa quella lunga serie di richieste e alla sua mente si riaffaccia un'idea su cui lei sta rimuginando da un po': allestire una cucina economica per i poveri del quartiere, *gentuzza* che non sa come mangiare, donne che i mariti mettono sempre incinte e poi si vedono morire i figli per fame, perché di latte ne hanno poco. Ci sarebbe da valutare come e dove, studiare quanto costerebbe...

È in quel momento che Vincenzino si sente male.

Stava giocando con Ignazziddu, ma aveva perso la palla. Il fratello lo aveva incitato, gridandogli di prendere il pallone prima che finisse nel laghetto. E lui si era messo a correre e aveva afferrato la sfera di cuoio un attimo prima che piombasse in acqua.

Poi una fitta al petto si era irradiata per la gola, trasformandosi in una morsa. Vincenzino si era piegato sulle gambe, ansimando. Adesso tossisce, piccoli colpi che diventano subito convulsi. La palla gli cade dalle mani.

La bambinaia si avvicina, gli dà delle pacche sulle spalle, ma inutilmente. Il viso del bambino diventa prima rosso, poi viola. Ignazziddu, che lo ha seguito e ha raccolto il pallone, si ferma a poca distanza da lui. Fa un passo indietro. «Che hai, Vice'?»

Vede la mano del fratello aggrapparsi al grembiule della bambinaia e torcere la stoffa, sente il sibilo dell'aria risucchiata attraverso la trachea, un'aria che non basta, che sembra scappargli. Lo vede cadere in ginocchio, gli legge in faccia il terrore di morire soffocato.

«*Maman!*» chiama allora Ignazziddu. «Mamà!»

Giovanna alza di scatto la testa, sente il panico nella voce del figlio. Subito dopo vede Vincenzo riverso a terra e la bambinaia che lo afferra e lo scuote. «Donna Ciccia!» urla. «Aiuto! Chiamate qualcuno! Un dottore! Aiuto!»

Scatta in piedi, corre verso di lui. I fogli che aveva in grembo volano via. «*U' colletto! Livatici u' colletto!*» urla, ma è lei stessa a slacciarlo. Lo fa con tanta foga che gli graffia la pelle della gola, mentre il corpo di Vincenzino s'inarca, alla ricerca di aria.

Donna Ciccia arriva di corsa, seguita da Nanài, che solleva il bambino tra le braccia e si dirige verso il salottino. «Dentro, dentro! Ho mandato a chiamare *u' dutturi!*» grida. Poi afferra Giovanna per un gomito, la costringe a rialzarsi, mentre la bambinaia trascina via Giulia, che è scoppiata a piangere.

Ignazziddu rimane solo, immerso nel sole, con il pallone in mano.

A piccoli passi incerti, segue la madre e i servitori, ma rimane fuori, davanti alla porta finestra, e li guarda. Non è la prima volta che succede: di tanto in tanto, pare che l'aria si rifiuti di raggiungere la gola di Vincenzo, rimanendo, inutile, dentro i polmoni.

Lo osserva con un misto di timore e rimorso. È stato lui a farlo correre, è vero... *Ma no*, si dice. *Vincenzo sta male da sempre. Non è colpa mia*, si ripete, con il nasino premuto contro il vetro e con l'ansia nello stomaco. Intorno a lui, una luce abbagliante e il frinire delle cicale.

Il viso del fratello adesso sta riprendendo colore. La madre gli bagna la fronte con un fazzoletto, gli posa una mano sul petto per placarlo. Lo conforta, gli bacia gli occhi pieni di spavento.

Vincenzo scoppia a piangere. Giovanna lo abbraccia, e piange con lui. Donna Ciccia li conforta entrambi, poi si alza, sparisce oltre la porta del salottino e torna dopo un po', insieme con il medico.

Attraverso il vetro, Ignazziddu sente le voci, osserva i gesti. Vorrebbe entrare, chiedere perdono al fratello perché una parte di lui continua ad accusarlo, a dirgli che è stata colpa sua se ha rischiato di soffocare. Vorrebbe abbracciarlo, promettergli che non gli proporrà più giochi che lo fanno correre, che starà attento.

Tutto pur di non provare ciò che sente in quel momento.

Non può sapere, non può immaginare che un giorno quella paura sarà di nuovo con lui.

L'inverno tra il 1878 e il 1879 era stato uno dei più rigidi che si ricordassero. Giovanna aveva dato ordine ai domestici dell'Olivuzza che i caminetti fossero sempre accesi per non rischiare che Vincenzino soffrisse il freddo. La salute del primogenito di Casa Florio era ancora incerta. Ignazziddu scalpitava come un torello. Giulia era in costante movimento. Vincenzo, invece, era sempre fermo e silenzioso.

In preda al timore, Giovanna aveva seguito il figlio a ogni passo, accorrendo al minimo colpo di tosse e mangiando insieme con lui per essere certa che non deperisse. E aveva pregato, tanto. Tutti i giorni, più volte al giorno, rosari, orazioni e suppliche perché Dio proteggesse il suo bambino, regalandogli quella salute che sembrava sfuggirgli.

Anche ora che è arrivata la primavera, il sole ha una luce di miele, ma non scalda; e pure il vento, di solito impregnato di calore, è una brezza che strappa brividi, senza profumo di fiori o di erba nuova. *Aspetteremo che l'aria s'intiepidisca*, pensa. Soltanto allora trascorrerà più tempo all'aperto insieme con i figli. Vincenzo potrà spingersi fino alla voliera al centro del parco, oppure giocare con il cerchio... E magari lei lo porterà in carrozza sul monte Pellegrino, come tante volte gli ha promesso. Ma soprattutto potranno viaggiare: trascorrere le vacanze a Napoli, per esempio, come le ha suggerito Ignazio. D'estate,

Napoli è più fresca di Palermo e l'aria nelle ville intorno alla città è più salubre. Potrebbero anche tornare a Recoaro...

Ma non è ancora il momento di pensare all'estate. Maggio è appena cominciato.

Giovanna attraversa stanze e sale, mentre il suo abito scivola, frusciando sui tappeti orientali che coprono il pavimento. Chiama i domestici perché chiudano i bauli e raccolgano i giochi dei figli. Stanno per partire, e lei prova una strana eccitazione nel cuore, una sensazione d'impazienza, effervescente come champagne.

Vedrà finalmente la casa di cui tanto ha sentito parlare, su quell'isola di cui suo marito è follemente innamorato.

Una dimora da principi, pensata per una famiglia che non ha una nobiltà antica, ma che è più ricca di qualsiasi altra. E non solo a Palermo. Nell'Italia intera.

Quando arrivano a Favignana, il pomeriggio già sfuma in un tramonto che bagna il mare di una luce di rame fuso, illuminando le basse case di tufo. L'aria, lì, sembra più calda e il vento non ha quegli accenti freddi che invece insistono a Palermo.

In attesa dello sbarco, Giovanna parla con Vincenzino e gli fa indossare una giacca pesante; dietro di lui, ci sono Giulia e la bambinaia. Ignazziddu, invece, è corso giù dalla passerella, cercando di attirare l'attenzione del padre. Ha quasi undici anni, ormai, ma stenta ad abbandonare certi atteggiamenti infantili. Ignazio lo rimprovera con una sola occhiata, poi gli fa cenno di stargli accanto, però in silenzio.

Ad attenderli, sul molo ai piedi della passerella, c'è Gaetano Caruso, l'amministratore delle tonnare di Favignana e Formica.

Ignazio si prende qualche istante per osservare la costruzione che sorge poco fuori dal paese, ai piedi della montagna, prima di scendere a terra. Capannoni squadrati di tufo dorato, così chiaro da sembrare bianco. Grandi aperture che si schiudono sul mare, racchiuse da cancelli di ferro che recano sul frontone una F, come Favignana o come favonio, il vento dell'ovest che fa sbattere le vele delle barche dei pescatori e ribollire il mare sottocosta.

F come Florio.

Sotto di lui, il mare cerca la superficie del molo, lo accarezza, bagna la patina scivolosa di alghe che ne ricopre i bordi.

Ignazio scende, poi avanza di qualche passo sulla terraferma, seguito dal figlio; osserva il verde profondo dell'acqua e i pesci che si muovono tra i banchi di posidonie, quindi solleva la testa, scruta la linea delle case, e infine alza gli occhi sulla montagna e sul forte di Santa Caterina, dove, ormai tanti anni prima, sono stati tenuti prigionieri numerosi patrioti e che ora è un carcere tra i più duri del Regno.

«Finalmente...» mormora. Respira profondamente. Lì, l'odore del mare è diverso da quello di qualunque altro luogo del Mediterraneo: mescola origano e sabbia, pesce salato e stoppie.

«Don Ignazio...» Gaetano Caruso lo ha seguito, un po' perplesso dal suo silenzio.

Ignazio si gira di scatto, osserva quell'uomo dalla fronte alta, dai grandi baffi a manubrio e con il pizzetto. «Grazie per l'accoglienza.»

«Dovere mio.» Caruso inclina appena la testa. «Ho fatto preparare la casa per accogliervi al meglio. Troverete la cena pronta e le camere in ordine per la notte. Ho anche fatto allestire le stanze per gli ospiti, visto che mi è stato detto che ne sarebbero arrivati.»

«Vi ringrazio. Davvero, non c'era bisogno che vi prodigaste tanto: siete un amministratore, non un maggiordomo.»

È una frase di cortesia. È ovvio che Caruso, pur occupandosi principalmente dell'impianto della tonnara, ha anche il compito di organizzare il soggiorno sull'isola del suo padrone.

Caruso indica la strada, Ignazio gli si affianca. Dietro di loro, Giovanna e i figli con donna Ciccia e la bambinaia, insieme con un corteo di servitori e di carretti pieni di bauli e valigie.

Giovanna è scesa dalla barca con cautela, sempre stringendo la mano del figlio. Solo alla fine, appena giunta a terra, ha spostato lo sguardo verso lo stabilimento. Eccola, dunque, la famosa tonnara, quella per cui suo marito aveva investito una parte cospicua dei capitali di famiglia, con una determinazione rabbiosa che a lei aveva ricordato quella del suocero. Dopo esserne diventato proprietario, Ignazio aveva incaricato della ristrutturazione il fidato Giuseppe Damiani Almeyda. Suo è anche il progetto del nuovo palazzo di famiglia, costruito demolendo il vecchio forte di San Leonardo, che sorgeva nelle vicinanze del porto.

E non solo.

Giovanna incoraggia il figlio ad avanzare, poi si guarda intorno, cercando donna Ciccia e Giulia. A testa bassa, cammina lungo il molo, arrancando per la leggera salita, una mano a tenere sollevata la falda dell'abito perché non si sporchi. Rallenta sin quasi a fermarsi e, al termine della stradina, scorge alcune costruzioni basse e strette. Sono i cosiddetti Pretti, dove si trovano i locali di servizio, le stalle e i magazzini.

La servitù, reclutata sull'isola, è ferma in cima alla salita, in attesa. Facce cotte dal sole, divise sghembe e guanti messi alla meglio. *Ci sarà da lavorare per renderli veri camerieri*, pensa lei, nascondendo l'irritazione. Per fortuna, la sua cameriera personale, il *monsù* e qualche domestico li hanno preceduti e hanno provveduto a istruirli. *Almeno nei limiti del possibile*, riflette Giovanna, osservandoli più da vicino. Ben presto li raggiungeranno alcuni amici, da Damiani Almeyda ad Antonino Leto. Poi arriveranno i suoi genitori e forse addirittura le sue cugine Trigona, e non vorrebbe trovarsi in imbarazzo. *Che sia il caso di chiamare la servitù da Palermo?*

Si volta per chiedere consiglio a donna Ciccia e...

Quasi le manca il fiato.

Palazzo Florio è lì, davanti a lei. Aveva visto i progetti e i disegni di Almeyda, ma la precaria salute di Vincenzino e gli impegni di famiglia le avevano impedito di andare a Favignana per seguire la costruzione. Certo, lo aveva immaginato attraverso le parole del marito che aveva provato più volte a descrivverglielo. Ma ora è sorpresa da quanto sia bello. Elegante. Forte. Sembra quasi un castello.

È un parallelepipedo massiccio, di tufo e mattoni. Le finestre sono incorniciate da archi a sesto acuto; sul lato destro, una piccola torre con un tetto spiovente. Sui balconi, spirali

116

si alternano al simbolo dell'infinito, in un continuo rincorrersi di linee, di pieni e di vuoti. Sul tetto, una cornice di merli. Il cancello di ferro è stato fabbricato all'Oretea e, sui frontoni, c'è il simbolo dei Florio: il leone che si abbevera a un torrente in cui affondano le radici di un albero di china.

È magnifico, severo e potente.

La donna guarda il palazzo, poi il marito, di spalle, che sta continuando a parlare con Gaetano Caruso. Quel palazzo somiglia a Ignazio. *No*, si corregge poi: quel palazzo *è* Ignazio. Un monolite in cui convivono linee gentili e spigoli vivi, la leggerezza del ferro e la pesantezza del tufo. Forza ed eleganza.

Vorrebbe correre da lui, fa un passo in avanti, lascia la mano del figlio, ma non può, non deve. Non è mai stato il loro modo di comunicare, quello.

Ignazio lascia che siano la moglie e i servitori a occuparsi della sistemazione nel palazzo. Si tratterranno per alcune settimane, finché la mattanza non sarà finita e i tonni – eviscerati, fatti a pezzi, bolliti – non saranno pronti per essere lavorati e inscatolati.

Non entra in casa. Manda il figlio dalla madre con una carezza che è più uno scappellotto, s'inoltra per il giardino dove i cespugli e le siepi di pittosporo faticano a mettere radici in una terra gonfia di sale.

Caruso lo segue, con le mani allacciate dietro la schiena. «La tonnara è stata calata con successo», spiega. «Tra dopodomani e la fine della settimana, contiamo di fare la prima mattanza.»

Ignazio ascolta, annuisce. «*U' rais* ha detto di quanto potrebbe essere la pesca?»

«Ancora non si pronuncia. Però sostiene che il banco che sta arrivando sia grosso e ne aspetta uno altrettanto numeroso per la prossima settimana. Ma conclude sempre con *'u' signu di Cruci e Vergine addulurata facci aviri na' bona annata'*.»

Ridono entrambi. Poi però Ignazio si rabbuia. «Sapete che non so se augurarmi una pesca abbondante o no?»

Arrivano sul retro della casa, lì dove Almeyda ha progettato una grande veranda che si affaccia sul giardino, sormontata da una pensilina di ferro battuto. Guarda verso i piani superiori, dove si trovano porte finestre racchiuse da archi neogotici. Sono gli appartamenti della famiglia, quelli. All'ultimo piano, invece, ci sono le camere per gli ospiti. Sarà bello, restare lì a guardare il mare mentre le barche, cariche di pesci, tornano al porto.

Caruso aggrotta la fronte. «Già», ammette, sconsolato. «Nell'ultimo anno, la concorrenza spagnola è diventata feroce.»

«Spagnoli, portoghesi... Loro sono proprietari di nome, ma di fatto a gestire gli impianti sono i genovesi; se loro vendono di più, gli entra di più, e senza pagare le tasse che invece siamo costretti a pagare noi, che siamo rimasti qui in Italia.» Ignazio alza il viso verso il cielo. «*Anziché pinsari a nuatri, a Roma si talìano sulu a' sacchetta. I tassi c'interessano... 'Un ci pensano chi ccà ci sunnu cristiani chi campano a famigghia cu' chistu*», sibila poi, indicando il mare, in un tono che è lama di rasoio e che non riesce a nascondere la sua collera.

«*Socc'avemu a fari?*» domanda l'altro, inquieto. Non è abituato a sentirlo parlare così.

Ignazio raddrizza le spalle, guarda verso la tonnara. «Qui, poco o nulla. Ma là...» E indica verso il Nord. «Là dobbiamo muoverci.»

Caruso capisce. «Roma?»

«Non subito e non in maniera diretta. Ai ministeri *s'hanno arriminari 'stu sangu morto chi hanno 'nta li vini*. Bisogna che vedano le cose da più punti di vista. E noi dobbiamo portarli dove vogliamo, senza però fargli capire che li stiamo... guidando.»

Caruso aggrotta la fronte. «Sì, ma per arrivare alla gente di Roma...» mormora, però poi si ferma, perché sa che non sarebbe la prima volta che Ignazio trova interlocutori *adeguati* alle loro esigenze. Si tratta di dimostrare che certi sentieri possono essere battuti in maniera *diversa*. O che possono aprirsi *altre* strade.

«Come vi ho detto, non siamo gli unici a essere interessati alla pesca del tonno. Di tonnare ce ne sono assai. Pensate a quelle più vicine: Bonagia, San Vito, Scopello... E tutte hanno lo stesso problema: un sistema di tassazione che penalizza chi ha la titolarità degli impianti di pesca in Italia. I danni di 'sta situazione non sono solo nostri, insomma. Ma il mio nome non può uscire. Capite perché, vero? »

Certo che capisce, Gaetano Caruso. Lavora con i Florio già da qualche tempo e ha compreso come il loro potere vada di pari passo con la ricchezza che possiedono. Ma il potere crea nemici. E certi nemici sono come vermi. Basta una crepa, un cedimento, e le larve attecchiscono, e trasformano un corpo sano in carne marcia.

« Comincerò con incontrare qualcuno a Trapani e Palermo: giornalisti, soprattutto... » riprende Ignazio, avvicinando la testa a quella di Caruso. « Come dicevo, non dobbiamo essere noi a mostrare le pecche di questo stato di cose, ma altri, e chi meglio dei giornali del commercio e della marineria? Ci aiuteranno a far parlare di questa situazione perché, alla fine, la cosa importante è che se ne parli, e che il governo si senta il fiato sul collo. A Roma sanno che qui prendono tanti voti e che scontentare i proprietari degli stabilimenti di sale e di conservazione del pesce sarebbe un passo falso. » Fa una pausa, guarda il mare. « Sì, saranno i giornali a parlarne per primi. A loro non potranno muovere accuse di agire per interesse o per invidia personale... Se è un giornale a dire certe cose, significa che ci sono lamentele generalizzate e di queste i ministeri dovranno tenere conto. »

Caruso sta per replicare, ma una voce dietro di loro lo interrompe. « Domando scusa. La signora chiede quando volete cenare. » Un cameriere in livrea, uno di quelli arrivati con loro da Palermo, si è fermato a pochi passi e attende una risposta.

Ignazio alza gli occhi al cielo, trattiene un improperio. « All'orario di casa di Palermo, è ovvio. Dille che verrò a cambiarmi tra poco. » Si rivolge a Caruso. « Voi cenerete con noi, vero? »

« Ne sarei onorato. »

« Bene. » S'inoltra verso il giardino. « Con permesso. Ci vediamo tra poco. »

Rimasto solo, Ignazio attraversa il paese, diretto verso la tonnara. Non vuole andare a casa, non subito.

Cammina con le mani in tasca. Unica compagnia, il suono delle onde che s'infila attraverso i vicoli, lo rincorre, lo avvolge. Passa oltre la chiesetta privata, ancora in costruzione, costeggia il mare. Scogli si alternano a linee di sabbia e posidonia secca.

Alla sua sinistra, poche case di pescatori. I bambini giocano, correndo a piedi scalzi. Qualche donna è ferma sull'uscio, altre sono andate a preparare la cena: ne intravede le sagome attraverso le logore tende di stoffa che separano le abitazioni dalla strada. Sente l'odore dei cibi, lo strusciare di sedie e sgabelli sul pavimento.

« *Assabbinirìca*, don Ignazio », lo saluta un anziano pescatore, seduto a poca distanza dall'ingresso della tonnara. Sta rammendando le reti. Passa gugliate di filo tra le maglie, le solleva per capire se vi siano altri buchi. Ha occhi a fessura tra rughe che sembrano pezzi di cuoio. Ignazio lo riconosce. È un ex tonnaroto, ormai troppo avanti negli anni per salire sulle barche. Hanno preso il suo posto il figlio e il genero.

« *Assabbinirìca* a voi, mastro Filippo. »

Prosegue, arriva allo stabilimento.

Le linee pulite dell'edificio sono quelle volute da lui e disegnate da Damiani Almeyda. Quell'architetto mezzo napoletano e mezzo portoghese ha dato alla tonnara una veste nuova, che pure ricorda la solennità rigorosa di un tempio greco.

Un tempio sul mare, pensa Ignazio. Prosegue lungo il muro di cinta, imbocca la trazzera che conduce al forte di Santa Caterina; come aveva previsto, i galeotti si sono rivelati utilissimi per i lavori di fatica nello stabilimento. La salita è impervia, ma lui non la percorre tutta. Si ferma a mezza costa a guardare il porto e l'isola, poi abbassa gli occhi sulle sue scarpe, coperte dal pulviscolo di tufo, e gli sfugge un sorriso.

A quattordici anni, la luminosità pastosa di quel materiale, che sembrava voler imprigionare il sole, l'aveva conquistato. Adesso, a quaranta, sa di aver agito non sull'onda di un'emozione, ma in base a precisi calcoli di convenienza. Per rinsaldare il potere dei Florio.

Però adesso, lì, finalmente solo, può lasciar cadere anche l'ultima barriera.

E allora Ignazio grida.

Un urlo di liberazione, che è voce insieme con il vento.

Un urlo di possesso, come se l'isola intera gli fosse entrata dentro, diventando la *sua* carne, come se il mare fosse il *suo* sangue. Come se, davanti ai suoi occhi, si saldasse il cerchio della vita, un uroboro che solo lui può vedere e che gli rivela il vero senso della sua presenza su questa Terra.

Un urlo che cancella la nostalgia del passato e l'incertezza del futuro e gli regala la felicità di un eterno presente.

L'indomani, quando si alzerà, vedrà il sole impastarsi con la pietra nelle cave, sentirà il vento salmastro entrare attraverso le tende, osserverà il verde stentato degli arbusti sulla montagna.

Ed è per questo che ora rimane immobile, in compagnia del vento e del mare, e non importa se lo stanno aspettando, se farà tardi a cena. Quest'isola che trasuda sale e sabbia, ora lo sa, è la sua vera casa.

Dopo cena, Giovanna è la prima a ritirarsi, nella camera da letto al primo piano. È arredata con mobili provenienti da Palermo, realizzati apposta per il palazzo, di gusto neogotico.

Perso nei suoi pensieri, insonne come sempre, Ignazio le ha augurato la buonanotte e poi si è allontanato verso il suo studio, che si trova subito dopo lo spogliatoio e che guarda verso l'impianto dall'altra parte del porto.

Giovanna spera che lì, su quell'isola, suo marito possa trovare un po' di riposo.

È vero, Favignana è lavoro. È *anche* lavoro, si corregge poi con un sorriso, osservandosi nello specchio mentre raccoglie i capelli in una treccia. Ci sarà tempo per stare insieme e parlarsi. Per provare a essere una coppia, almeno per qualche giorno.

Smorza il lume. Dalla finestra socchiusa arrivano lo sciabordio delle onde contro il molo e il respiro del vento tra i vicoli del paese. Giovanna scivola dolcemente nel sonno, ma si sveglia di soprassalto quando Ignazio entra nella stanza. Ha il gilet sbottonato e la cravatta allentata. Ma non c'è stanchezza sul suo volto; c'è piuttosto una sorta di allegria, qualcosa che lei non è abituata a vedere e che le regala un piacere caldo.

Lui si sfila la giacca. «Ti piace la casa?»

Lei annuisce. «*Bedda è. Nanài u' lassasti in Palermo?*» aggiunge, indicando gli abiti con il mento.

Ignazio scrolla le spalle, canticchia una canzone a bocca chiusa. «Non ne ho bisogno, di Leonardo», dice poi. «Qui ci sono meno formalità», aggiunge, lasciandosi cadere sul letto per scalciar via le scarpe.

Basta quella frase per far capire a Giovanna che Ignazio è felice. Che lì si sente libero. Forse diverso.

Lo raggiunge, appoggia la testa sulle sue spalle massicce, lo abbraccia da dietro.

Ignazio è sorpreso. Accarezza le braccia della moglie, impacciato. Sono come due gatti selvatici, gelosi del proprio spazio vitale, che raramente si concedono di toccarsi.

«Domani con un carretto ti farò girare l'isola. Voglio mostrarti quant'è bella.» Ignazio si volta, le sorride con gli occhi e le accarezza una guancia.

Guarda lei, e non un fantasma, o il lavoro, o chissà cos'altro.

Lei. Giovanna.

La donna ha un tremore dentro che le stringe le viscere e risale, supera lo stomaco, arriva al torace e le dilata le costole, costringendola a prendere aria. Sente il sangue imporporarle il viso, come se per la prima volta dopo tanto tempo si accorgesse di essere viva.

Ha aspettato tutta la vita un momento così – fragile, intenso, prezioso – e ora teme di non essere pronta. Le s'inumidiscono gli occhi.

«Che c'è?» Ignazio è confuso. «Non stai bene?»

«No, sì... non è niente», risponde lei, con le labbra che le tremano.

«Non vuoi venire a fare una passeggiata con me?»

Lei annuisce. Non riesce a parlare. Si passa una mano sui capelli, come a voler sciogliere la treccia. Poi si avvicina, prende la mano che Ignazio ha appoggiato sulla coperta, se la porta al petto e si rannicchia contro di lui.

Quando si è felici, non c'è bisogno di parlare.

Al mattino, il sole è appena velato da una manciata di nuvole basse. Oltre il mare, si scorgono la costa di Trapani e la sagoma tozza di Erice. Vicino alla costa, l'acqua riluce in maniera anomala: è di un bianco accecante, che ferisce gli occhi e costringe a distogliere lo sguardo.

«Sono le saline», spiega Ignazio a Giovanna, seduta accanto a lui, quando la vede strizzare le palpebre. «Vasche di acqua salata che evapora e lascia una crosta di sale. La crosta viene raccolta, fatta essiccare e venduta. La salamoia che usiamo per il tonno la facciamo proprio grazie a quelle saline.» Alza il braccio, indica un punto indistinto oltre il villaggio. «Di là c'è una baia dove c'è stata la battaglia navale in cui i romani hanno sconfitto i cartaginesi: 'la battaglia delle isole Egadi' è stata importante perché ha messo fine alla Prima guerra punica. Ancora oggi, ogni tanto, i pescatori tornano a casa con il frammento di un'anfora...» Gli brillano gli occhi, sembra un bambino felice.

Al riparo del suo ombrellino, Giovanna scruta il paesaggio: aspro, secco e polveroso, così diverso da quello della terraferma da causarle una sorta di disagio. Eppure, di colpo, tutto le è più chiaro. È come se l'isola le stesse finalmente consegnando la chiave per aprire il cuore di suo marito. Ne vede la bellezza segreta, ne percepisce il silenzio. «La volevi davvero tanto, quest'isola», mormora.

«Sì», replica Ignazio. «Non puoi immaginare quanto.»

Rimangono in silenzio per un po'. L'unico rumore che riempie l'aria tersa è quello prodotto dalle ruote del piccolo corteo lungo le strade sterrate: qualche calesse, alcuni cavalli e persino un asino, riservato a donna Ciccia, che ogni tanto manda strilli di paura.

Ignazio guarda la moglie: sebbene il cappello le nasconda in parte il viso, lui nota alcune rughe, soprattutto alla base del naso e sulla fronte. Segni di stanchezza, forse, o di tensione. Non importa.

Be', sarò invecchiato anch'io, pensa. Non se ne è mai fatto un cruccio, neanche quando, al mattino, gli capita di scoprire un nuovo capello bianco o un pelo brizzolato nella barba.

Sta per scrollare le spalle a quel pensiero.

Chissà come sarà lei.

È una frase che attraversa la mente, un pensiero che gli si scarica addosso con la forza di un fulmine.

Lei.

Immagina le rughe su quel volto rimasto congelato nei suoi ricordi, i capelli che trascolorano dal biondo ramato al grigio; gli occhi azzurri, un tempo luminosi, scuriti dalle occhiaie, le palpebre pesanti.

Chissà come sarebbe stato invecchiare insieme.

Da dove vengono quei pensieri, quelle domande? Quale parte del suo spirito ha abbassato le difese tanto da permettere a quell'idea di riempirgli la mente? La ricaccia indietro con rabbia, perché non vuole permettere al rammarico di dilagare.

Abbassa lo sguardo, quasi temendo che Giovanna legga i suoi pensieri, ma l'immagine di lei non smette d'inseguirlo, lo bracca, lo pungola con gli aghi affilati del rimpianto.

Digrigna i denti. *Non devo pensarci*, si ordina. E, per distrarsi, chiama Caruso, che cavalca poco dietro di loro. « Allora? Sono arrivate lettere da Palermo? »

« Aspettavate una missiva in particolare? » chiede l'altro di rimando. « Comunque no. La posta arriverà domani. »

« Solo alcune relazioni », mormora Ignazio. « E i dati di chiusura della tessoria. »

Caruso sbuffa. « Avete dato perle ai porci, don Ignazio. Gli avete offerto le case, l'istruzione, persino il forno e loro vi hanno tirato tutto dietro. »

« Sì. » Tira le redini del calesse, rallenta. Accanto a lui, Giovanna inclina la testa per ascoltare meglio. « Non è stata un'esperienza riuscita », ammette a malincuore. Non vuole pronunciare la parola « fallimento ». Ma questo è.

Si volta verso la moglie. Lei lo fissa, in attesa.

« L'avvocato Morvillo e io avevamo messo in piedi una tessoria con accanto le case degli operai, le botteghe, un forno e una scuola. Avevamo pensato addirittura a bambinaie che si occupassero dei neonati per permettere alle madri di andare a lavorare...»

Giovanna lo ascolta, aggrottando le sopracciglia e cercando di nascondere lo stupore. Mai Ignazio è stato così loquace con lei sui suoi affari. Favignana stava facendo un altro miracolo?

«E invece niente, niente!» continua Ignazio, con rabbia. «Gli uomini hanno deciso che non valeva la pena darsi da fare per ottenere qualcosa di più, che gli bastava quello che avevano, anche se ci campavano a stento. E le donne si sono impuntate: non volevano lasciare i figli alle bambinaie e mandavano a scuola solo i maschi. Che le bambine rimanessero chiuse in casa, nell'ignoranza più assoluta, non era neppure da mettere in discussione. Era sempre stato così, e così doveva essere.» Sbuffa. «Avevamo fissato il prezzo del pane a dieci centesimi in meno che in città, ma nessuno voleva pagare, quindi abbiamo dovuto chiudere il forno... Ma la cosa peggiore era il modo in cui gli operai si sono comportati con i telai e i macchinari. Invece d'imparare a lavorarci, li hanno danneggiati e poi li hanno lasciati lì, come se si potessero riparare da soli. Gli interessava solo arraffare. Alcuni hanno pure rubato le stoffe per rivendersele... Gente di fango, questo sono!»

La mano di Giovanna sfiora la sua, si ferma sul ginocchio. È un incoraggiamento, una parola di affetto non detta.

«Animo! Qui a Favignana sarà diverso, don Ignazio.» Caruso è ottimista, persino allegro. «Basta non pretendere da questa gente cose che non possono dare. Sono abituati a faticare sulle barche, a stare con la schiena curva sotto il sole, come hanno fatto i loro padri e faranno i loro figli. E poi, grazie alla quota di denaro del *migghiurato*, hanno interesse a essere più produttivi.»

«Ma infatti non mi aspetto nulla di diverso da loro. Onestà e impegno che saranno premiati con un po' di soldi in più.»

La piccola processione di carri e cavalcature avanza sul piano a nord-est dell'isola. Giovanna lascia che Caruso si allontani, prende la mano di Ignazio.

Lui la copre con la propria, senza guardarla.

« Hai fatto una cosa buona. Sono quei *cani di mannara* a non averla capita », dice, impacciata.

Ma lui arriccia le labbra in una smorfia, e non nasconde l'irritazione. « Immaginavo una fabbrica moderna, come quelle inglesi, dove gli operai e le loro famiglie hanno la possibilità di migliorare la loro condizione. Evidentemente sono stato troppo ottimista. Mi guarderò bene dal compiere di nuovo un simile passo. »

Giovanna si appoggia alla sua spalla, e lui non la allontana.

Dal calesse dietro di loro arrivano le voci dei figli. Persino Vincenzino, di solito calmo, strilla d'impazienza.

« Manca molto? » chiede lei.

« Solo pochi minuti. Questa cala è straordinaria davvero: c'è un buco nelle rocce, come un pozzo che si apre sul mare. Volevo che la vedeste. »

In verità, ormai li ha portati in giro per tutta l'isola, pensa Giovanna, con un sorriso che le ammorbidisce il viso accigliato sotto l'ombrellino. Le ha mostrato la radiosa bellezza della Cala Rossa, e le ha promesso che le farà vedere la luce del tramonto alla baia di Marasolo, sotto la montagna, a poca distanza dalle case dei pescatori.

Ignazio vorrebbe restare per sempre a Favignana, lei lo ha capito. Quel luogo lo rende sereno, lo appaga. Lo dimostrano il suo volto rilassato, la sua pazienza nei confronti dei figli, quel contatto prolungato con lei. Ma restare lì è impossibile. E allora Giovanna afferra quelle sensazioni, le nasconde in un angolo del petto per tirarle fuori quando arriveranno i giorni bui, quando il pensiero di quelle lettere maledette tornerà a morderle la carne, quando si domanderà per l'ennesima volta chi era quella donna. Quando lei e Ignazio saranno distanti, pur dormendo nello stesso letto.

In nomine Patris, et Filii, et Spiritus Sancti.

Il legno striscia contro l'intonaco grezzo con un sibilo. Il profumo dei gigli bianchi non riesce a coprire quello della polvere e della malta.

Giovanna e Ignazio sono stretti l'una all'altro. Sulle labbra pallide di Giovanna cola una goccia. Una lacrima, subito seguita da un'altra.

Lei non le asciuga.

Ignazio è pietra. Sembra quasi che non respiri, e davvero non vorrebbe respirare. Tutto, pur di non sentire lo strazio. Non proverebbe un simile dolore neanche se gli strappassero brandelli di carne a mani nude. Il respiro gli graffia la trachea, preme per uscire e allora lui socchiude la bocca, giusto perché passi quel po' d'aria che – *maledizione!* – lo terrà in vita.

Giovanna barcolla e lui la sorregge un istante prima che cada a terra. Lei si divincola, tende la mano, scoppia in singhiozzi. «No, no, aspettate!» grida. Il suo è urlo di animale. «Non me lo portate via! Non me lo mettete lì! Fa freddo, è solo, *figghiu di lu me cori, anima mia...*» Si libera dalla presa del marito, scansa gli uomini che stanno per chiudere il loculo. Si aggrappa alla bara, la tempesta di pugni, la graffia. «Vincenzo! Vincenzino mio, vita mia! *Arruspigghiati, cori meo!* Vincenzino!»

Donna Ciccia, alle sue spalle, scoppia in un pianto dirotto, cui fanno eco quello di Ignazziddu e di Giulia, tenuta per mano dalla bambinaia che poi, con gli occhi lucidi, trascina la piccola fuori dalla cappella funeraria.

Ignazio si fa avanti, strappa Giovanna dalla bara, la costringe a rimettersi in piedi. «Smettila, sangue di Dio!» sibila.

Ma la donna sembra impazzita: continua a tendere le braccia verso la cassa, circondata da ghirlande di fiori di stoffa bianca, tenta di divincolarsi, ci riesce. Artiglia la bara con tanta forza da graffiare il legno.

«Basta, Giovanna!» Ignazio l'afferra per le braccia, la scuote con violenza. È al limite del dolore; non può farsi carico anche della disperazione della moglie. Un solo grammo in più e ne finirebbe schiantato. «*Mortu è, capisti?* Morto!» le urla in faccia.

Ma lei grida più forte. «Vi state sbagliando tutti! Sta male, sì, ma non è morto... Non può essere morto! *Taliàtelo, capace che respira ancora!*» E ripete quell'ultima frase guardandosi intorno, come a chiedere conferma negli occhi dei presenti.

Allora Ignazio la abbraccia, stringendola così forte che impedisce persino ai singhiozzi di scuoterla. Il cappello con la veletta nera scivola a terra. «Ha avuto la febbre, Giovanna», sussurra poi. «Ha avuto una febbre così forte che si è consumato come una candela. Tu te lo sei abbracciato e l'hai curato sino alla fine, ma poi Dio se lo è preso. Destino era.»

Lei non lo ascolta. Adesso piange e basta, stremata. A una madre che ha perso un figlio non restano che le lacrime e la voglia di morire.

Donna Ciccia si accosta, la prende sottobraccio. «Venite con me», le dice, staccandola dolcemente da Ignazio. Poi fa un cenno alla bambinaia di Giulia, che è rientrata per portar via Ignazziddu. «Andiamo a prendere un poco d'aria, su», mormora, e le due donne la trascinano fuori, tra i cipressi che circondano la cappella dei Florio nel cimitero di Santa Maria di Gesù. È un settembre mite, quieto, in contrasto con tutta quella disperazione.

Ignazio si morde un labbro, guarda verso il portone della cappella. È incredibile che là fuori ci sia ancora tanta vita mentre suo figlio – *era solo un bambino!* – di vita non ne ha più.

Quindi si volta verso gli uomini in attesa. Trattiene il respiro, poi, in un sibilo, ordina: «Chiudete».

Dietro di sé, un rumore leggero di passi.

Ignazziddu è sulla soglia. Stringe in mano un ferro di cavallo: lo avevano trovato insieme, lui e Vincenzo, durante una gita sul monte Pellegrino, in occasione di una visita al santuario di Santa Rosalia, la *Santuzza*. Il fratello gli aveva detto che gli avrebbe portato fortuna.

Iddu se lo doveva tenere, pensa adesso.

Osserva il padre con occhi lucidi di pianto, i pugni di ragazzino di undici anni affondati nelle tasche. Prova una sensazione di vuoto, mescolata a un'altra, più profonda. Sconosciuta.

È il senso di colpa che hanno i vivi nei confronti dei morti. È una cosa da adulti, eppure Ignazziddu la sente, acuta, devastante.

È goccia di veleno. Lui è vivo, mentre il fratello è morto, fiaccato da una malattia che gli ha devastato i polmoni nel giro di pochi giorni.

Il padre gli fa cenno di raggiungerlo e lui obbedisce. Insieme guardano i muratori lavorare.

I mattoni vengono messi in fila, l'uno sopra l'altro. Lentamente, la bara di Vincenzino scompare alla vista, finché non rimane che un piccolo spazio vuoto.

Solo allora Ignazio fa cenno agli uomini di fermarsi. Allunga la mano, tocca un angolo della cassa. Chiude gli occhi.

Vincenzino avrà per sempre dodici anni. Non crescerà. Non viaggerà. Non imparerà più nulla.

Ignazio non lo vedrà farsi uomo. Non lo porterà a piazza Marina con lui. Non potrà gioire al suo matrimonio o per la nascita di un nipote.

Di Vincenzino resteranno gli spartiti abbandonati sul leggio, i quaderni aperti sulla scrivania, gli abiti appesi nell'armadio, compreso quel costume da moschettiere che amava tanto e che aveva indossato proprio nell'ultima festa in maschera, quando Ignazio aveva chiamato un fotografo perché immortalasse i suoi figli vestiti da dame e da cavalieri.

Suo figlio avrà dodici anni per sempre e lui, con tutte le sue aziende, con tutto il suo potere, con tutta la sua ricchezza, non può farci nulla.

Quando tornano all'Olivuzza, donna Ciccia aiuta Giovanna a scendere dalla carrozza. La donna barcolla, ma poi corre verso le scale. È fuori di sé: supera la porta che un servitore in lacrime ha appena aperto e comincia a girare per le stanze, chiamando Vincenzino come se lui si fosse nascosto e aspettasse solo l'arrivo della madre per palesarsi.

Ma i domestici sono stati bravi. Su ordine di Ignazio, hanno fatto sparire i giocattoli, il violino, i libri sparsi per casa. Tutto è confinato nella sua camera, unico luogo in cui il dolore avrà diritto di esistere.

D'un tratto, Giovanna si accascia a terra, davanti alla porta della stanza del figlio. Non ha il coraggio di aprirla. Appoggia la fronte sul legno e tende la mano verso la maniglia, senza avere la forza di girarla. Ed è lì che la trova donna Ciccia. Con delicatezza, la solleva e la conduce nella sua camera.

Giovanna si guarda intorno, smarrita. Il dolore le ha tolto la forza di parlare e le ha gettato sul viso dieci anni in più.

Sulla soglia, Ignazio osserva donna Ciccia che versa in un bicchiere un preparato di acqua di ciliegie nere, sciroppo di papaveri bianchi e laudano. Poi solleva la testa di Giovanna, aiutandola a bere. La donna obbedisce. Dagli occhi sgorga un pianto silenzioso.

Bastano pochi istanti. Il calmante fa effetto e Giovanna scivola in un sonno misericordioso mentre sta ancora mormorando qualcosa. Allora donna Ciccia si siede sulla poltrona accanto al letto e incrocia le mani, stringendo un rosario nero e fissando Ignazio come a dire: *Io di qui non mi muovo.* E, del resto, lei lo sa che l'*armicedda* di Vincenzino è ancora lì, e non importa che i suoi giocattoli siano spariti o che il violino sia stato nascosto. Donna Ciccia sa che rimarrà ancora in quelle stanze, trattenuto dai ricordi di sua madre, ombra tra le ombre, come sa che lei lo sentirà muoversi tra i corridoi del palazzo e che pregherà perché il suo spirito triste possa trovare pace.

Ignazio si avvicina al letto, si china sulla moglie e le bacia la fronte, trattenendo il respiro. Poi, dopo un ultimo sguardo, esce dalla camera e si avvia lungo il corridoio.

Devo andare nello studio. Devo pensare al lavoro. Devo pensare a Casa Florio.

Passa accanto alla stanza di Giulia. La sente singhiozzare mentre la bambinaia cerca di confortarla.

Poi, d'un tratto, una voce alle sue spalle lo chiama. È Ignazziddu, fermo al centro del corridoio. Lo ha sentito passare e si è precipitato fuori dalla sua stanza. «Papà...» mormora, piangendo.

Ignazio stringe i pugni. Non si avvicina. Fissa lo sguardo su un arabesco del tappeto. «I maschi non piangono. Smettila.»

Il tono è una lama di gelo.

«Come farò senza di lui?» Il bambino si asciuga lacrime e moccio con la manica della blusa nera. Gli tende le braccia. «Non ci posso pensare, papà!»

«Ma è così. Morto è, e te ne devi fare una ragione.» Lo dice con durezza, con rabbia.

Perché è dovuto accadere?

Si guarda le mani. Tremano.

Il vuoto che prova in quel momento si dilata, rinnova il dolore di altri lutti: suo padre, sua madre, persino sua nonna. Ma la cosa che lo devasta, che lo consuma dentro è un'altra. *Nessun genitore dovrebbe sopravvivere al proprio figlio*, pensa. *Non è nell'ordine naturale delle cose.*

Eppure, forse, non tutto è perduto. Tiene gli occhi bassi e parla a Ignazziddu con una voce arrochita dal dolore: «Lui non c'è più. Ci sei tu, adesso, e dovrai essere all'altezza del nome che porti».

Ignora le braccia tese del figlio e si allontana verso lo studio.

Il bambino rimane solo, al centro del tappeto, mentre una lacrima gli scende lungo la curva dello zigomo. Cosa significa quello che gli ha appena detto suo padre? Cosa ha voluto dire? Chi è lui, ora? Cosa è diventato?

Nel corridoio, tutto è silenzio.

Il tempo non ha rispetto per il dolore. Lo afferra, lo macina, lo plasma attraverso i giorni, trasformandolo in un fantasma, più ingombrante e visibile di un corpo di carne e sangue. Lo conficca nel respiro perché ogni soffio ricordi la pena del vivere.

È questo che pensa Ignazio quando si chiude nel suo ufficio a piazza Marina. Preferisce stare lontano dall'Olivuzza e dal viso impietrito della moglie o dallo sguardo triste e silenzioso dei figli. Insieme con i biglietti di condoglianze, lo attende un telegramma del ministro dell'Istruzione, Francesco Paolo Perez, un palermitano suo amico, che sta patrocinando gli interessi della Piroscafi Postali davanti al ministro dei Lavori Pubblici, Alfredo Baccarini, e che lo aggiorna sugli ultimi accadimenti.

Sì, perché il ministero dei Lavori Pubblici non ha ancora deciso cosa fare della linea di navigazione Ionio-Adriatica: prima era stata assegnata ai Florio, ma poi era stata sospesa, in attesa di un generale riordino delle rotte commerciali sovvenzionate. Un riordino che non si era mai concretizzato e adesso Ignazio freme perché altri, come il Lloyd Austriaco, si stanno facendo avanti e offrono ai passeggeri e ai commercianti servizi assai vantaggiosi. Nemmeno i francesi della compagnia marittima Valery o della potente Transatlantique stanno a guardare. Nel Mediterraneo non si combatte più con i cannoni, ma a colpi di tariffe commerciali al ribasso e di sovvenzioni alle compagnie di trasporti.

Ignazio scrive la minuta del telegramma di risposta. *Nell'estremo dolore non mi venne meno l'idea dei grandi doveri...* aggiunge, e deve farsi forza per proseguire.

Il lavoro, come il tempo, non aspetta.

« È permesso? » Oltre la porta socchiusa, un ciuffo di capelli scuri e uno scalpiccio imbarazzato.

Ignazio non risponde; forse non sente nemmeno.

« Don Ignazio... » chiama allora l'uomo.

Ignazio alza gli occhi.

La porta si spalanca e un uomo azzimato, con i favoriti spruzzati di grigio, entra nello studio.

« Don Giovanni... Prego », esclama Ignazio, alzandosi in piedi.

Giovanni Laganà è l'ex liquidatore della Trinacria e l'attuale direttore della Piroscafi Postali. Conosce e stima Ignazio Florio da molti anni. Adesso lo fissa e non riesce a nascondere la sorpresa. L'uomo che ha davanti è pallidissimo, smagrito, con i capelli scarmigliati, ma soprattutto pervaso da una stanchezza che nulla ha a che vedere con la fatica fisica. Gli va incontro. « Ho preferito non venire a casa a trovarvi. Non volevo costringere vostra moglie a subire l'ennesima visita di condoglianze. »

Ignazio lo abbraccia. « Grazie », mormora. « Almeno tu *u' capisti* », aggiunge, passando al tu riservato alle discussioni in confidenza.

Si siedono alla scrivania, l'uno dinanzi all'altro. Giovanni Laganà ha occhi a fessura e gesti sicuri. « Tu *comu* stai? »

Ignazio scrolla le spalle. « Sto. »

L'altro gli stringe il braccio. « Almeno hai *n'autru masculu* », mormora. « Non tutto è perduto. »

Ignazio abbassa gli occhi sul pavimento. «Parliamo d'altro, per favore.»

Giovanni annuisce, come a dire che sì, che ciascuno ha diritto a scegliere la propria via di fuga davanti alla sofferenza. Poi, con un sospiro, estrae dalla cartella che ha portato con sé alcuni documenti. Li passa a Ignazio, che li afferra e li scorre in fretta. Il viso spento si anima, le sopracciglia si corrugano. «Ma sono voci o le trattative sono così avanti come sembrerebbe?»

Le labbra sottili di Laganà diventano ancora più strette. «Tu che ne pensi?»

«Che i francesi della Valery ci stanno levando la sedia da sotto, e che gli austriaci del Lloyd vogliono fare altrettanto.» Posa i fogli sul tavolo, si mette a camminare per la stanza. «Dove hai saputo queste notizie?»

«Mi sono arrivate da un nostro agente a Marsiglia. Il suo compare di matrimonio lavora alla Transatlantique. E, a Trieste, abbiamo parecchi amici che confermano le voci sul Lloyd.» Fa una pausa, picchietta le dita sulle carte. «*Un' ti lu vulia diri ora, cu tutto chiddu chi successe, ma...*»

Ignazio agita una mano, come a sbarazzarsi di quella protesta. «A Roma non si rendono conto di quello che sta succedendo qui. Anzi, in realtà, non solo a Palermo, ma anche a Genova, a Napoli, a Livorno... Tutti i porti sono in difficoltà. Se il governo si permette il lusso di non prendere iniziative, mentre Parigi e Vienna agiscono e conquistano le rotte migliori, allora *unn'avemu unni iri.*» Si appoggia allo stipite della porta chiusa, le braccia conserte, la fronte accigliata e scuote la testa, pensoso.

Laganà lo osserva. Suo malgrado avverte un moto di sollievo. *È tornato*, pensa. *Il dolore non lo ha piegato, non del tutto.*

«Aspetto da mesi una risposta sulla stipula della convenzione delle tratte per l'America», riprende Ignazio. «La Piroscafi fatica assai a garantire il servizio, e lo sai meglio di me: copriamo le spese a malapena, e solo perché è l'Oretea a occuparsi delle riparazioni. Ben presto saremo costretti ad aumentare le tariffe dei noli per coprire le spese e allora sarà una *débâcle*, perché le navi estere che percorrono la stessa rotta hanno tariffe molto più basse e le loro rotte sono più numerose.» Si massaggia la ruga tra le sopracciglia. «Si riempiono la bocca con la storia che il mercato deve essere libero, mentre i francesi pigliano sovvenzioni ben superiori a quelle italiane e fanno fusioni tra loro.» Batte la mano sul muro. «Ma a Roma lo capiscono che così fanno più danno che altro?»

«Evidentemente non lo vogliono capire.»

Lui sbotta in una risata amara. «Mi sovvenzionano la linea da Ancona che ormai non serve più e non mi danno le altre per l'America. E poi il governo cosa mi chiede? Un servizio sovvenzionato per le isole greche, dove non ci va nessuno e dove ci possiamo trovare solo olive e capre. Mi dici a che pro?» Si stacca dalla parete, punta il dito sui documenti riservati che provengono da Marsiglia. «*Mentre chisti vanno facennu linee nove pi' l'America, nuatri soccu facemu?* Zara? Corfù?» Torna a sedersi alla scrivania, appoggia il mento sulle mani incrociate davanti a lui. Ha il respiro pesante e gli occhi chiusi, segno che sta pensando. «La vera ricchezza viene dai viaggi transoceanici, dai cristiani che, *mischinazzi*, se ne vanno in America *a travagghiari*. Io avevo proposto due viaggi settimanali, ma cosa devo fare contro la concorrenza degli inglesi che invece offrono tre viaggi alla settimana? No, non starò fermo ad aspettare che mi tolgano tutto quello che mio padre e io abbiamo costruito, mentre a Roma cianciano di commissioni e di opportunità da valutare... *'Sti asini!*»

«L'unica consolazione è che Rubattino la pensa come te. Tu e lui siete i più importanti armatori italiani. Ti ricordi cosa mi ha detto, quando sono andato da lui, a Genova? 'I francesi stanno facendo carne di porco di noi e da Roma non si muove una foglia.' Si era lamentato della commissione per il riordino delle rotte commerciali, che gli sembrava un'ennesima trovata per perdere tempo. E aveva concluso che dovevamo prendere provvedimenti noi stessi, sennò...»

Ignazio apre gli occhi. «Sì, belle parole, però intanto lui e noi siamo ancora qui, ad *annacari u' pupo*. L'unica sarebbe creare una compagnia forte, unica, tra Genova e Palermo. Giova', dobbiamo rivolgerci al ministro Baccarini. A lui ci arrivo io; chiederò a Francesco Paolo Perez di parlargli, perché la smetta di *critiniare*, chi, *mentre iddu dormi, l'autri ni caminano avanti.*

Dobbiamo puntare all'America, e diventare forti abbastanza da non permettere a francesi e austriaci di togliere viaggi e merci ai nostri porti. Qualcosa si deve muovere e, quant'è vero che sono un Florio, si muoverà. »

« Come sarebbe a dire che hanno cancellato la linea Palermo-Messina? Decine di lettere, di istanze, di colloqui per far ampliare le tratte di navigazione e arrivare a New York... e questa è la risposta? »

Giovanni Laganà fa un passo indietro, sorpreso dall'ira che trapela da Ignazio. È il dicembre 1880, ed è da più di un anno che cercano faticosamente di mettere al riparo la Piroscafi Postali dalla crisi dei trasporti. La compagnia è sempre più in sofferenza e arranca, inseguendo i concorrenti francesi e austriaci. Ignazio non si è risparmiato: ha fatto appello a tutto il suo potere, ha fatto leva sui suoi agganci politici, ha promesso e minacciato. Ma, a quanto pare, ha solo perso tempo. Una delle cose che lo fanno infuriare di più.

« Come? » mormora Laganà, avvicinandosi alla scrivania.

« Leggi », biascica Ignazio, e gli lancia il telegramma che è appena arrivato da Roma. Non riesce a dire altro, tanta è la collera.

L'altro lo scorre in fretta. « Secondo loro, non c'è più bisogno della tratta perché adesso c'è la ferrovia che collega le due città, e il treno farà più viaggi rispetto a quelli che assicuriamo noi con le navi. » *È ragionevole*, pensa, ma non lo dice. Si limita a sbirciare verso Ignazio.

« Ovvio, lo capisco da me che hanno ragione », dice Ignazio come se gli avesse letto nel pensiero. Mastica un insulto. « Ma *accussì* ci mandano in fallimento. I dividendi da ripartire tra i soci sono bassissimi... e adesso dovrò pure spiegare questo, senza contare le notizie che continua a portare Giuseppe Orlando dalla Francia. »

« La fusione tra la Valery e la Transatlantique? I consigli di amministrazione hanno dato parere positivo, purtroppo. »

« *Unn'è sulu cosa di carti*: la compagnia Valery praticamente non esiste più. L'ufficialità cosa di giorni è. Orlando me l'ha anticipato con un telegramma.» Il pugno di Ignazio si abbatte sulla scrivania. Il ritratto di Vincenzino, racchiuso in una pesante cornice d'argento, ha un sussulto e cade. Ignazio lo raddrizza, poi riprende, in tono più controllato: «*Rubattino ancora alliscia i pupi e nuatri semu ccà chi stamu affunnannu.* Uno cerca aiuto da chi dovrebbe dartelo e ti arrivano le porte chiuse in faccia, invece. E, nel frattempo, i francesi fanno altre linee e soppiantano le nostre».

Laganà sbuffa piano. Un lungo, lento respiro che s'insinua tra i denti con un sibilo. «Ne sei certo? Voglio dire, cosa fatta è?»

Ignazio si massaggia le tempie. La rabbia gli stringe la testa, la collera gli infiamma lo stomaco. «Sì. Ho scritto personalmente a Roussier, il nostro rappresentante francese. Mi ha confermato ogni cosa. Il prossimo passo della Transatlantique, dopo la fusione, sarà creare una linea su Cagliari e poi su altri porti italiani. *E Rubattino, che avissi a catamiarsi, cosa fa? Picchiulia.*» Un altro colpo sulla scrivania, uno schiaffo a un fascio di carte, che volano via. «Lui è il maggior armatore genovese, pure a lui i francesi danno fastidio. Dovrebbe alzare la voce, muoversi, chiedere a Roma che la sua posizione sia tutelata e invece... nulla! Non fa nulla! Io non sopporto le perdite di tempo e la confusione!»

Giovanni Laganà raccoglie da terra una manciata di fogli. Sorride. «Più passa il tempo, più somigli a tuo padre.»

Ignazio si ferma, solleva la testa. Tra i capelli sono comparsi spruzzi di grigio e anche la barba sta iniziando a sporcarsi di bianco. Sembra più contrariato che perplesso per quella considerazione. Lo interroga con lo sguardo.

«La voce, i gesti, non so dirlo. L'ho conosciuto poco, eppure me lo ricordi. Non hai la sua rabbia, ma hai lo stesso modo d'indignarti... e di dimostrarlo», spiega Laganà.

«Mio padre sarebbe già andato a Roma a pigliarli a *boffe*», bofonchia Ignazio, con fastidio. «Ma non è questo il mio stile.»

Raddrizza la schiena. Il suo ufficio è coperto da una boiserie di noce su cui sono state appese carte geografiche e attestazioni di merito della compagnia. La luce che entra dalle finestre affacciate su piazza Marina sembra attraversare le fibre lucide del legno per scivolare poi sulle librerie a muro ai lati della porta. Poltrone di pelle e lampade in cristallo di Boemia sono disposte intorno alla monumentale scrivania.

È un ufficio degno di una grande compagnia di navigazione. E lui è un armatore, il più importante armatore italiano e come tale vuole essere trattato.

Si massaggia la base del naso, riflette. Laganà aspetta in silenzio.

A passi lenti, Ignazio si avvicina alla finestra, guarda fuori. *Cautela*, si dice, respirando a fondo. *Cautela e attenzione*.

La giornata è ventosa, come spesso accade d'inverno, a Palermo. Ignazio scruta la piazza, i palazzi dalle facciate di tufo e il traffico di carretti e di passanti. Poi alza lo sguardo verso la Vicaria, va oltre San Giuseppe dei Napoletani, segue il Cassaro fin dove gli è possibile. Infine afferra l'orologio d'oro che porta al panciotto, guarda l'ora. «Va bene. Se non ascoltano noi, gli augusti ministri ascolteranno un'altra musica.»

Ha parlato così piano che Laganà l'ha sentito a malapena. «Cioè?»

Lui inclina la testa. «L'assemblea generale della società è fissata per la fine di gennaio. Poco prima ci sarà la visita della famiglia reale a Palermo e ho intenzione di chiedere un incontro con il re.» Ha il viso in ombra, scolpito dalla luce del giorno che entra dalla finestra. «Parlerò con lui. E se ancora non bastasse...» Inizia a camminare per la stanza. «Tempo fa, quando ci eravamo trovati in difficoltà con le tonnare, perché il governo non proteggeva la produzione nostrana, avevo fatto una certa manovra, andata poi a buon fine. Adesso è il caso di riproporla, ma su scala più vasta.»

Laganà si siede, rassetta la giacca. «Perdonami, Ignazio, ma non ti seguo», confessa.

«All'epoca, avevo chiesto ad alcuni amici di parlare della faccenda sui giornali. Era necessario dare rilevanza al fatto che la situazione delle tonnare era insostenibile, che bisognava tutelare la pesca anche con una politica fiscale... adeguata. Loro avevano scritto questo e altro, riuscendo a dare un'eco nazionale all'intera faccenda. Insomma quegli articoli avevano fatto *scruscio*, proprio come volevo. Ecco, ora posso dire che è stata una specie di prova generale. »

Il direttore della Piroscafi Postali apre la bocca, la richiude. « E quindi... »

« Vedrai. »

È il 4 gennaio 1881 quando i Savoia arrivano a Palermo. La città si è vestita a festa: Damiani Almeyda ha progettato un « padiglione per lo sbarco dei reali », e un piccolo esercito di operai ha spazzato le strade, ripulito le aiuole e riparato i lampioni che bande di monelli si divertono a prendere a sassate. Sui balconi del Cassaro, le decorazioni natalizie hanno lasciato il posto ai tricolori; i soldati sfilano tra ali di folla e la gente applaude, grida e agita stelle di carta su cui sono effigiati il re Umberto I e la regina Margherita o striscioni che inneggiano alla coppia reale.

Palermo brilla di luce propria, come una donna che si è riscoperta bella dopo un periodo di trascuratezza, e sceglie quale abito indossare per un ricevimento a lungo atteso.

Non potrebbe essere diversamente.

La città sta crescendo, si espande, si allarga verso il lembo di pianura che porta al mare. Una nuova generazione di architetti disegna strade, giardini, ville, ripensa gli spazi pubblici, sposta lo sguardo oltre i confini dell'isola, verso la terraferma. È arrivata la modernità: distrugge vicoli e stradine, ricaccia nei tuguri i miserabili, spinge anche gli aristocratici più conservatori a mutare abitudini e vita per adottare quelle del Continente.

Cambiano gli odori. Niente più puzzo di pesce, di alghe marce o di spazzatura. Ora c'è il profumo delle pomelie, delle magnolie e dei gelsomini. Anche l'odore del mare si attenua, coperto da quello di caffè e di cioccolata che viene da locali eleganti, alla moda, affacciati sulle strade della città nuova.

Palermo non guarda più solo se stessa: si confronta con Londra, Vienna, Parigi. Vuole sfoggiare strade ariose, sbarazzarsi di certe pesantezze barocche che sanno di vecchio. Persino nelle case: i mobili acquistano linee innovative e hanno un sapore esotico, il broccato scompare per lasciar posto alle sete cinesi e indiane. I palazzi nobiliari si riempiono di porcellane giapponesi e di avori intagliati e, insieme, di oggetti dell'artigianato siciliano: acquasantiere in argento e in corallo, tavoli in pietre dure e presepi in cera. È una gara a chi possiede i pezzi più belli, gli oggetti più ricercati.

L'anima di Palermo, fatta di mare e di pietre, impregnata dal salmastro, sta lentamente, inesorabilmente mutando. E, in quella strana metamorfosi, molte cose portano il marchio dei Florio, o a esso sono legate, a cominciare dagli edifici. Già da sei anni, infatti, la città ospita un teatro di grande eleganza, il Politeama. È stato Damiani Almeyda a progettarlo. Da cultore appassionato del classicismo, l'ha voluto con un doppio ordine di colonne e pitture in stile pompeiano alle pareti esterne. Ma, in mezzo a tanti richiami al passato, ecco la modernità: il tetto. Realizzato dall'Oretea, è un guscio di pannelli di metallo e bronzo lucido, che risplende nel sole. Poi, poco più avanti, lungo lo stesso asse viario, proseguono i lavori anche per un altro teatro, il Massimo. In verità, procedono a rilento: la prima pietra è stata posata nel 1875, cioè ben sei anni fa, e ancora non è chiaro quando sarà posata l'ultima. Giovan Battista Basile, l'architetto che lo ha progettato, ha pensato a un tempio della musica così imponente ed elegante da rivaleggiare con l'Opéra Garnier di Parigi.

Forse troppo, per questa città, pensa Ignazio accanto alla moglie, nella loro carrozza. Lascia cadere la tendina, guarda in basso, sulle dita incrociate. *Palermo sta diventando più bella, ma forse la cosa di cui avrebbe più bisogno è un po' di pragmatismo.*

La vettura sobbalza sul basolato. Infreddolita, Giovanna tira a sé un lembo della coperta, emette un sospiro che è quasi uno sbuffo. Ignazio se ne accorge, le stringe la mano guantata. «Andrà tutto bene.»

«Lo spero», replica lei, con voce resa incerta dalla tensione.

«L'ho già incontrato a Roma, qualche anno fa. È un uomo duro, ma non irragionevole. Quanto alla moglie, è una principessa di sangue reale e come tale si comporta.» Le solleva il mento. «Tu non sei da meno», conclude, inarcando le sopracciglia.

Giovanna fa un cenno di assenso, ma l'ansia non smette di

tormentarla. Mentre il marito torna a immergersi nei suoi pensieri, lei osserva il vestito nella penombra dell'abitacolo, sfiora il corpetto. È un modello realizzato a Parigi, in seta pesante, di colore grigio chiaro, in tinta con il mantello bordato di pelliccia di volpe. Sono passati quindici mesi dalla morte del figlio, quindi anche il periodo di mezzo lutto si è concluso, ma lei continua a vestirsi prevalentemente di nero. Anche i gioielli sono discreti: orecchini di perle, un anello di onice e un cammeo di madreperla, appuntato sul cuore, che riproduce le fattezze di Vincenzino.

Neanche Ignazio ha voluto rinunciare completamente ai segni esteriori del lutto e, a sua volta, continua a indossare la cravatta nera. «Era carne della sua carne, e aveva il nome di suo padre», aveva spiegato donna Ciccia a Giovanna, qualche giorno prima. «Non c'è più un Vincenzo in casa Florio. Ecco perché non riesce a lasciarlo andare.»

Vero è, riflette Giovanna. *Però ci sono Ignazziddu e Giulia, non può dimenticarsi di loro. E invece ci sono giorni in cui li ignora completamente...*

La carrozza si ferma con un sobbalzo nel cortile del Palazzo Reale.

Per abitudine, Giovanna appoggia una mano sullo stomaco, lo preme. Da anni ormai tiene sotto controllo l'impulso di vomitare, ma in quel momento si sente fragile. Spaventata.

Poi guarda Ignazio negli occhi. È un altro gesto dettato dall'abitudine: lo fa quando vuole essere rassicurata, come se fosse convinta che, in quel modo, lui potesse trasferirle la sua calma.

Lo guarda e quasi non lo riconosce.

L'espressione pensosa è stata sostituita da uno sguardo diretto, sicuro. Sulle labbra c'è un accenno di sorriso, che tuttavia non arriva agli occhi. La schiena è dritta, i gesti sono lenti ma autoritari.

Ignazio scende dalla carrozza, poi le porge una mano per aiutarla. La stretta è ferrea, le fa quasi male.

Ed è allora che lei capisce.

Ignazio si è preparato per una battaglia.

La coppia si separa. Giovanna segue le dame di compagnia della regina, Ignazio viene introdotto nello studio tappezzato di broccato rosso che è stato messo a disposizione del sovrano per gli incontri privati. Lo osserva di sottecchi: ha le spalle leggermente curve, i capelli già ingrigiti sulle tempie e baffi imponenti che gli coprono la bocca. È un uomo dai gesti solidi, Umberto, con le mani tozze e con lo sguardo di chi è abituato a cogliere ciò che non si può esprimere a parole.

«Accomodatevi», gli dice, indicando una poltrona.

Ignazio si siede subito dopo di lui.

Il sovrano afferra un sigaro dalla scatola che un attendente gli porge, ne offre uno all'ospite, poi lo accende e aspira una boccata di fumo. Non stacca gli occhi da Ignazio, come se volesse far combaciare l'uomo che ha davanti con l'idea che, negli anni, si è fatto di lui. «Dunque», esclama infine. «Ditemi.»

Ignazio si fissa le mani, quasi cercasse le parole per un discorso che, invece, è già chiarissimo. «Anzitutto voglio ringraziare vostra maestà per il privilegio di questa udienza. So che capirete perché mia moglie e io non ci siamo uniti alla città di Palermo per festeggiare il vostro arrivo.»

Umberto abbozza un sorriso senza allegria. Gli occhi scivolano sulla cravatta nera. «So che avete perso un figlio. Avete tutta la mia comprensione.»

«Vi ringrazio, maestà.»

Umberto annuisce.

Ignazio incrocia le mani sulle ginocchia. «Sono qui come cittadino, come armatore di una delle più grandi compagnie di navigazione italiane e...»

«Di una? Della più grande e basta. Non avete bisogno di fare il modesto con me», lo corregge il re, vagamente spazientito.

Ignazio non si scompone. Sa che il re è sempre diretto, quando non brusco. Un retaggio dell'educazione militare che ha ricevuto sin dalla più tenera età. «Vi ringrazio per la stima.» Appoggia il sigaro sul posacenere. «Dunque capirete perché sono io a esporvi le ragioni del malessere che affligge la marineria italiana.»

«C'è una commissione parlamentare che ci sta lavorando. Le conosco bene, le ragioni.»

« Perdonatemi, maestà, ma forse non le conoscete davvero bene, dato che non c'è stata una presa di posizione da parte del governo, né un provvedimento che la tuteli. »

« Abbassate i prezzi dei vostri noli, allora. » Il re, stizzito, si agita sulla poltrona. La cenere del sigaro si sparge per terra. « Da nord a sud, non faccio altro che incontrare gente che si lamenta perché lo Stato o fa troppo o lo fa in maniera sbagliata. Tutti saprebbero fare di meglio! Vorrei vederli davvero alla prova dei fatti! »

Ignazio lascia passare una manciata d'istanti prima di replicare. « Maestà, il problema non è *chi* fa cosa, ma *come* lo fa. » Parla con calma, a bassa voce. « Ci sono decine di piccoli armatori che sopravvivono a stento. Se la marineria italiana viene messa in scacco da francesi e austriaci, non solo non avremo più nessun potere di contrattazione, ma saremo anche schiavi di un Paese straniero per quanto riguarda i trasporti e le tariffe. » S'interrompe, come per dare il tempo al sovrano di cogliere la portata di ciò che ha detto. « Ovviamente questo colpirebbe me, e la mia compagnia, ma non solo: l'economia della Sicilia intera rischierebbe di affossarsi. Le imprese del Nord possono far viaggiare le loro merci sui treni, mentre chi lavora qui, in Sicilia, non ha altra strada che il mare. »

« Non sarete certo voi a risolvere la situazione della Sicilia con le vostre barche e le vostre tonnare. » La nota polemica nella voce del re è così forte da suscitare in Ignazio un fiotto di rabbia. « Le vostre tariffe sono care oltre ogni decenza. Se molti preferiscono trasportare le loro merci con i treni piuttosto che con le navi, ci sarà un motivo, no? » Umberto appoggia il sigaro, suona il campanello per chiamare l'attendente e chiede che venga servito un liquore.

Ignazio alza un dito. « Con il vostro permesso... Vi avrei portato in dono alcune bottiglie del miglior marsala prodotto dalle mie cantine. Sarei onorato se vostra maestà mi facesse la compiacenza di assaggiarlo. »

L'attendente sposta gli occhi verso il re, che annuisce.

Ignazio aspetta di essere di nuovo solo con il sovrano, poi riprende: « Il problema non riguarda solo i noli o le tariffe. Da più parti, in Europa, s'invocano politiche di protezione... Presto o tardi, si arriverà a mettere dazi sulle nostre merci, e allora noi saremo davvero in ginocchio. Se posso permettermi, maestà, il problema è un altro», dichiara con forza Ignazio, chinandosi verso il re. «È necessario capire che, in Italia, il Nord e il Sud hanno bisogni differenti, e che proprio per questo devono lavorare insieme. Ebbene: ciò che la mia impresa può offrire sarebbe utile a tutta l'Italia. Ed è per questo che io a Palermo e Rubattino a Genova stiamo pensando di seguire una linea comune: solo unendo le forze potremo affrontare i nostri avversari.» Si raddrizza, prende fiato. «Se l'Italia vuole continuare ad avere potere nel Mediterraneo, deve essere all'altezza della situazione. E potrà esserlo solo se il governo la aiuterà.»

Il re lo squadra con diffidenza. «So bene chi è il vostro avvocato, come so dei vostri maneggi per acquisire la Rubattino. E credete davvero che possa ignorare le relazioni personali che avete con diversi ministri?»

«L'avvocato Crispi è, prima di tutto, un amico di famiglia. Quanto alle... relazioni personali, si tratta di conoscenze fondate su rapporti di stima reciproca. Sapete come si dice qui? *A ogni gran Statu un nnimicu è troppu, e centu amici sunnu picca.*»

Entra l'attendente con un vassoio d'argento, su cui ci sono una bottiglia di marsala e due bicchieri di cristallo. Il liquore ha un riflesso di ambra e di fuoco.

Umberto beve a piccoli sorsi, poi fa schioccare la lingua in maniera poco aristocratica. «Ottimo.» Alza gli occhi su Ignazio. «In concreto, cosa mi state chiedendo, signor Florio?»

«Che non venga ostacolato il progetto di fusione tra noi e Rubattino. Che ci sia la riconferma delle tariffe agevolate e delle convenzioni per il servizio postale. Che venga data la precedenza alla nostra compagnia per i trasporti effettuati dallo Stato.»

«Chiedete tanto. Voi del Sud non fate altro che chiedere.»

«Forse altri si comportano così, maestà. Ma non è il caso mio, o della mia famiglia. Io e mio padre abbiamo sempre lottato per Casa Florio. E adesso chiedo soltanto il giusto per proteggere la mia impresa e la mia gente.»

Ignazio attende la moglie ai piedi della scalinata di marmo del Palazzo Reale. Ha un'espressione tesa. Giovanna sta scendendo le scale con estrema lentezza, appoggiandosi alla balaustra; adesso che la tensione è svanita, si sente esausta. Ignazio la sollecita con un gesto brusco, la aiuta a montare in carrozza, quindi sale e dà ordine di partire.

Giovanna si aggiusta la coperta sulle gambe, poi sfiora il cammeo con il ritratto di Vincenzino. « La prima cosa che la regina ha notato è stato questo », esordisce. « E mi ha detto: 'Non riesco neppure a immaginare cosa abbiate provato'. Mi è sembrata davvero commossa. » Cerca lo sguardo del marito, ma Ignazio si limita ad annuire distrattamente e, quando Giovanna prova a prendergli la mano, si libera dalla stretta.

« Le dame invece non hanno fatto altro che guardare com'ero vestita », continua lei. « Figurati, *taliàvano* la pelliccia del mantello e una ha chiesto sottovoce a un'altra quanto potesse costare. » Poi si ferma, sospira. « *Mischina* la regina, però. Aveva una bellissima collana di perle e sai quello che si dice, no? Che il re le regala una collana dopo ogni tradimento. E infatti lei aveva un'espressione avvilita che mi ha fatto stringere il cuore. »

Ignazio si volta di scatto e la guarda con fastidio. « Ho passato l'ultima ora a cercare di far capire al re la situazione disastrosa della marineria e mi sono trovato davanti a un muro... e tu mi parli di vestiti e ti metti a fare pettegolezzi? »

« Mi ha fatto una gran pena, tutto qui », ribatte Giovanna, piccata. « E tutti sanno che il re... »

« Gli uomini non c'entrano niente, in queste cose », scatta Ignazio. « È solo colpa della regina. » Serra le labbra. « Sguattera o sovrana, una donna deve saperselo tenere, un marito. E poi, il loro è stato un matrimonio combinato: doveva aspettarselo che lui si sarebbe preso un'amante, e anche più d'una. In casi del genere, alla moglie tocca tacere e sopportare », conclude.

Nella carrozza scende il silenzio.

Giovanna sente freddo. Poi, dalle viscere, una vampata di calore. No, non può starsene zitta. Lei *sa* come si sente la regina. Sono anni che si porta dentro il ricordo delle lettere che suo marito ha fatto sparire... L'ha negata, spinta nell'angolo più buio della coscienza, nascosta sotto le incombenze quotidiane e persino sotto il dolore per la morte di Vincenzino, ma l'ossessione di sapere chi è *quella donna* non l'ha mai abbandonata. La gelosia è stata una sua compagna di vita, minacciosa come un gatto selvatico dagli occhi gialli e affamati, una bestia sempre in agguato, pronta a mordere. Quell'improvvisa consapevolezza la atterrisce. «È così che funziona per i *masculi*, vero?» sibila. «Farsi i propri comodi mentre *i mugghieri* stanno in casa, *zitte e mute.*»

Ignazio la guarda, sorpreso. «Ma di che stai parlando?» le chiede, secco, agitando una mano come a scacciare quelle parole. «Che fisime sono queste?»

«Fisime? Una ci mette l'anima e la vita in un matrimonio e non ha il diritto di sentirsi umiliata se si vede sbattere in faccia un tradimento? Ha da stare al suo posto, in silenzio, magari pure contenta... *Ma pensi chi 'na fimmina unn'avi dignità? Chi u cori 'un ci fa mali?* »

Ignazio la fissa, interdetto. Quella non è la Giovanna che conosce, sempre riservata, composta, accomodante. Che l'ansia per l'incontro con la regina le abbia fatto saltare i nervi?

Poi vede gli occhi di lei, pieni di lacrime, e capisce.

Non è della regina che sta parlando, ma di quello che è successo tra loro.

Si porta le mani giunte davanti al viso, in un gesto che è di stanchezza e di esasperazione insieme. «Giovanna, smettila...»

«Perché, non è così?» replica lei. Afferra i bordi del mantello, li stringe.

«Certe cose accadono e basta. Se una persona è fatta in un determinato modo, tu non puoi cambiarla, e men che meno puoi cambiare il suo passato.» Glielo dice con calma, a bassa voce, per placarla.

Ma lei abbassa la testa e sussurra: «No, no, no...» Stringe i denti, ricaccia indietro le lacrime, poi alza di nuovo il capo e guarda Ignazio dritto in faccia: nella luce incerta dei lampioni, gli occhi sembrano di onice, tanto sono lucidi. «*U' sacciu*», dice. «Ma non mi puoi chiedere di dimenticare. Mi fa male, capisci? Ogni volta che penso a quelle lettere che hai conservato, mi manca il respiro. Mi fa male sapere che non sei mai stato mio.»

Ignazio si ritrae di scatto, irritato. « *Ti rissi che cosa vecchia è. E poi sono passati... quanti anni? Nove, dieci? Ancora vai pistanno acqua dintra un murtaru?* » « Pestare acqua in un mortaio », ripensare a cose che non si possono cambiare. Per lui non esiste spreco di energie più grande.

Giovanna si ritrae e il buio della carrozza sembra inghiottirla. « Tu non lo hai mai capito cosa significa stare come sto io. *Un'altra fimmina s'avissi abituato, c'avissi livato pinseri* perché non è che si può campare *accussì*. Ma io no. *Tu si' ccà dintra.* » E si batte il petto con le nocche. « *E di ccà 'un ti nni puoi scappari.* »

La voce si affievolisce sino a diventare soltanto una nuvola di fiato nell'abitacolo gelido. Giovanna appoggia il mento sul petto e chiude gli occhi. È come se si fosse tolta un peso dal cuore, ma solo per sostituirlo con il fardello assai più gravoso della consapevolezza. Perché da adesso in poi quell'amore non ricambiato – un sentimento che ferisce chi lo prova ed è privo di valore per chi lo riceve – non potrà più nascondersi sotto un velo di serenità o di rassegnazione. Sarà sempre lì, in mezzo a loro, in tutta la sua spietata concretezza.

Forse per la prima volta nella sua vita, Ignazio non sa cosa dire. È irritato con se stesso per non aver compreso lo stato d'animo di sua moglie, proprio lui che, negli affari, sa cogliere ogni sfumatura, ogni intenzione, ogni sottinteso. Poi cerca di convincersi che si tratta soltanto di uno sfogo, di una di quelle cose da *fimmine* che arrivano e passano come un temporale estivo. È solo quando la carrozza si ferma davanti all'ingresso dell'Olivuzza e Giovanna scende, appoggiandosi al cocchiere che ha aperto lo sportello, e lasciandolo solo, nel buio, che Ignazio capisce qual è il vero sentimento che sta provando.

Guarda la moglie che si allontana, con la testa incassata tra le spalle.

E la vergogna gli serra la gola.

Il 9 febbraio 1881, il *Giornale di Sicilia* pubblica la prima parte di una lunga, dettagliata indagine sulle condizioni della marineria italiana in generale e su quella di Palermo in particolare.

Parole di fuoco, scagliate con precisione, che suscitano prima indignazione, poi ansia, infine panico. Destinatario ultimo: il governo italiano.

Nel suo ufficio, Laganà chiude il giornale e solleva le labbra in un sorriso di ammirazione. Ignazio non avrebbe potuto fare di più o di meglio. Vero che il *Giornale di Sicilia* è praticamente nelle mani della famiglia, ma i dati che i giornalisti forniscono sono inconfutabili.

È il momento di forzare la mano a Raffaele Rubattino. Scrive un biglietto a Giuseppe Orlando, diventato direttore della sede di Napoli della Piroscafi Postali. Lui conosce il genovese da più tempo, sa come prenderlo.

Fusione.

Il matrimonio tra le due società di navigazione deve celebrarsi al più presto, quasi che fossero nozze riparatrici. Questo scrive Laganà a Orlando. Aggiunge che Rubattino deve smetterla di svicolare come un giovanotto reticente a prender moglie, perché se non accetta l'inevitabile, e in fretta, le sue navi spariranno dal Mediterraneo. E gli ricorda pure il disastro sfiorato nel gennaio dell'anno precedente, quando Rubattino aveva provato a concordare una tariffa con i francesi. C'era voluta tutta la calma di Ignazio per non coprire il genovese d'insulti e per spiegargli invece in quale modo, con quell'accordo, sarebbero diventati entrambi – lui e Rubattino – schiavi della Transatlantique.

Ciò che Laganà non dice è che pure la Piroscafi Postali ha *bisogno* di quella fusione, non solo per mantenere il predominio sul mare, ma anche per proteggere chi lavora con la compagnia: la Fonderia Oretea, gli operai del bacino di carenaggio, i trasportatori e gli agenti di commercio sparsi in tutto il Mediterraneo. Se la Piroscafi Postali perdesse quell'opportunità e il porto di Palermo si trasformasse in uno scalo periferico, a soffrire non sarebbe solo la città, ma l'isola intera.

«Idiota d'un genovese. Non vedo l'ora di arrivare davanti al notaio», biascica Laganà, firmando il biglietto. Poi chiama un garzone perché lo spedisca subito.

Ma Ignazio e lui dovranno aspettare fino a giugno perché le cose si mettano davvero in moto: prima con l'assemblea dei soci della Piroscafi Postali, che approvano la fusione. E poi – finalmente! – con il consenso della Rubattino, strappato a forza di contrattazioni estenuanti.

Manca solo che il governo, come un officiante, dia la sua benedizione.

Così Ignazio parte per Roma.

È il primo ministro Agostino Depretis a riceverlo, insieme con il responsabile dei Lavori Pubblici, Baccarini. Entrambi si affannano a spiegare quello che Ignazio sa benissimo da un pezzo: che, data l'importanza delle due società, è necessario presentare alle Camere un disegno di legge, perché non basta un semplice nulla osta ministeriale; che i soldi pubblici investiti sono tanti, a cominciare da quelli sborsati per le tratte di navigazione sovvenzionate di cui sono assegnatarie le due compagnie marittime, e quindi bisogna usare prudenza...

Ignazio annuisce, e alza il mento come a dire: *Certo, è ovvio.* Ma più tardi, tornato in albergo, scorre i giornali della sera e ciò che legge gli toglie l'appetito e il sonno.

Da Genova e da Venezia, si alzano le proteste dei piccoli trasportatori e degli armatori delle navi a vela: urlano al disastro, accusano il ministero dei Lavori Pubblici di favorire i colossi e di non avere a cuore la marineria. Due armatori genovesi, Giovanni Battista Lavarello ed Erasmo Piaggio, hanno addirittura presentato una petizione al Parlamento in cui manifestano « la loro legittima apprensione, di fronte alla formazione di una colossale anonima per azioni i cui titoli, attualmente in mano a nazionali, potrebbero con il tempo essere anche in parte acquistati da stranieri ».

No, la fusione non sarebbe stata cosa semplice.

Il 4 luglio 1881 arriva la discussione alla Camera dei deputati. Il disegno di legge passa il 5 luglio, viene mandato al Senato e messo ai voti quello stesso giorno. C'è fretta, una fretta dannata di togliersi di torno quella rogna.

Ignazio è in una saletta privata del Senato, in attesa. Se è teso, non lo dà a vedere. Chiede del tè, glielo portano in un elegante servizio di porcellana. Chi mai può mettersi contro di lui, amico personale di ministri e senatori? Eppure le sue mani hanno un lieve tremito di tensione. Accetta un sigaro, si gode il silenzio che regna nelle stanze del potere.

Il ministro Baccarini viene a ragguagliarlo su ciò che accade nell'aula. Tra il fumo dei sigari e il profumo del caffè che viene servito, il ministro sorride, inclinando la testa e mormora: «State sereno, signor Florio. La navigazione a vela è una cosa del passato, anche se certuni non si rendono conto che il loro tempo è finito. È il vapore, il futuro. Sono il vapore e il ferro. Voi sarete l'alfiere di questa nuova era, uno di quelli che porteranno l'Italia nel nuovo mondo».

Ignazio si siede su una poltrona rivestita di cuoio. «Ne era certo mio padre, ne sono certo anche io, e ben più di voi. Sono passati già dodici anni da quand'è stato aperto il canale di Suez e, com'era ovvio, da lì ormai passa il traffico mercantile di maggior valore. Continuare a navigare a vela è ridicolo. Ci vogliono piroscafi imponenti per solcare gli oceani.»

«E voi li avete. È per questo che il governo vi appoggerà.»

Poco dopo, il conteggio dei voti. Il disegno di legge è approvato. Ignazio sente il respiro liberarsi dalla gabbia del torace e la pressione tra le costole allentarsi.

«Mancano solo la firma vostra e quella di Rubattino davanti al notaio.» Orlando, che nel frattempo lo ha raggiunto, gli batte la mano sulla spalla. Arriva anche Francesco Paolo Perez, seguito da un commesso con una bottiglia di champagne e dei bicchieri. «Finalmente è fatta!» dichiara, e lo abbraccia.

Ignazio si permette un sorriso compiaciuto.

Ma l'orgoglio che prova è tale che pare scorrergli nelle vene al posto del sangue. Ha salvato la Piroscafi Postali da un destino di progressivo impoverimento, ha messo al riparo la sua gente, gli operai dell'Oretea e i marinai, da un futuro di miseria, e ha garantito al porto di Palermo anni di prosperità. E lui, padrone di poco meno di cento navi tra piroscafi e transatlantici, diventerà, di fatto, uno dei signori del Mediterraneo.

Eppure non è soltanto questo, a renderlo orgoglioso. È anche la consapevolezza che, se ben manovrata, la politica potrà *sempre* aiutarlo. E non importa se un re non è disposto a farlo.

La consapevolezza che il potere economico dei Florio può incidere sul destino dell'Italia.

Una cosa che suo padre, con tutta la sua ambizione, non poteva nemmeno immaginare.

La calura che ha investito Palermo alla fine dell'agosto 1881 si è impadronita dell'Olivuzza e si raggruma nelle camere da letto, rendendo l'aria quasi irrespirabile. Dalle finestre che danno sul giardino, la città appare come una sagoma avvolta dal pulviscolo portato dallo scirocco. S'intravedono le cupole delle chiese e i tetti delle case, ma sono sfocati, distanti.

Donna Ciccia è nel salotto verde. Sta rassettando il cestino da lavoro, raccogliendo i fili per il ricamo in matassine.

Giovanna apre la porta e si ferma sulla soglia. Nel suo sguardo, noia e irritazione. La fronte è cielo di tempesta e le mani sono elettriche.

Donna Ciccia legge subito il suo umore cupo. « *Chi fu? Picchì siti accussì?* »

Giovanna scrolla le spalle e si lascia cadere su una poltrona.

« *C'aviti?* » insiste donna Ciccia, infastidita da quel silenzio.

« *Me marito mi lassau sula da chiù assai di un misi e ora mi scrissi chi per stu misi 'un torna.* »

« *Maria santa! Chistu è? Mi pari d'avere davanti 'na picciridda come Giulia, e no 'na fimmina maritata* », sbuffa l'altra.

Giovanna scuote la mano, se la porta alle labbra come per fermare le parole. Poi parla in fretta. « Mi ha scritto che, da Genova, vuole andare a Marsiglia. Da sua sorella. » La sua voce è un sibilo. « In questi anni, d'estate, abbiamo viaggiato sempre insieme e ora *iddu* se ne va da solo. Certo, prima fu per l'impresa, è vero, però mai era mancato così tanto tempo, mai! »

« *Eh, sa soccu mi paria!* » Donna Ciccia alza gli occhi al cielo. « Don Ignazio, a sua sorella, non la vede da anni. Avrà pure il diritto di stare un poco con lei, no? »

« *Semu na' famigghia* », sbotta Giovanna, e sbatte i palmi sul bracciolo della poltrona. « *Chi fa, i picciriddi 'un si l'avia a purtari pi' canusciri 'sta zia?* »

Donna Ciccia incrocia le braccia sul petto generoso. « *Siti maritati di tant'anni e ancora 'un cunusciti a vostru marito? Iddu è un santo cristiano, no come certi mariti chi sunnu fimminari. Pi favuri, lassati iri certi pinseri e facitivi a tuvagghia, va'.* » Afferra una tovaglia di lino lavorata a sfilato siciliano, si alza e gliela mette in mano. Giovanna la stringe, non vede che c'è un ago e si punge. Mentre si porta il dito alla bocca, mormora: « *Ci sunnu cose chi 'un si può manco pinsarle...* » E distoglie lo sguardo, perché non vuole che la sua angoscia veda la luce del sole.

Donna Ciccia la guarda con aria interrogativa, ma neppure lei ha il coraggio di chiedere cosa la angusti.

Quel matrimonio le sembra fragile come cristallo e, se non si rompe, è perché il sentimento di Giovanna da una parte e il rispetto che Ignazio ha per lei dall'altra formano un'anomala corazza che lo difende dagli assalti della vita. Ma Giovanna ha sofferto troppo e troppo a lungo – nel corpo e nello spirito – e donna Ciccia adesso teme che basti una vibrazione per farla crollare. Al contrario, l'atteggiamento di Ignazio non ha mai – *mai!* – avuto un attimo d'incertezza. Per questo, non riesce neppure a concepire l'idea che non sia stato fedele a Giovanna, sempre e comunque.

Quell'idea, invece, ha ripreso possesso di Giovanna quando ha letto la destinazione del viaggio di Ignazio: Marsiglia. L'ossessione si è risvegliata, puntandole addosso i suoi occhi gialli. Lei cerca di respingerla, si dice che là ci sono Giuseppina, François e il piccolo Louis Auguste. Ma forse c'è anche *quella*...

Scuote la testa, cercando di scacciare il ricordo del litigio che aveva avuto con Ignazio solo qualche mese prima, dopo l'udienza con il re. Com'era accaduto dopo la scoperta delle lettere, non ne avevano più parlato, lasciando che le onde del mare dell'abitudine levigassero ogni asperità. Tuttavia lei, come sempre, aveva continuato a pensarci. Talvolta si convinceva che la sua gelosia non avesse senso e che probabilmente aveva ragione Ignazio: lei si ostinava a pestare acqua in un mortaio. Ma bastava un gesto un po' brusco, un'occhiata severa, perché la ferita si riaprisse. E allora si ritrovava a odiare quella donna che aveva avuto tutto, da Ignazio, persino il dono più prezioso che si possa fare a un amore perduto, il rimpianto. A lei era rimasto solo il vuoto di un affetto negato.

Eppure quella terribile serata le aveva fatto capire anche un'altra cosa. L'aveva letto nei suoi occhi, nei suoi gesti, persino nella durezza con cui l'aveva trattata. Per Ignazio, niente era più importante di Casa Florio. *Più di me. Ma anche dei suoi figli.* Davanti agli affari, nessun affetto contava. Neppure *quella donna* poteva essere più importante. Così, da qualche tempo, quando la gelosia minaccia di aggredirla, lei si aggrappa a quella certezza.

Afferra il cestino da lavoro. I capelli scuri, serrati in un *tuppo*, seguono gli scatti della testa. «*Me marito u' canusciu bono*», mormora, evitando di guardare donna Ciccia. E comincia a ricamare.

Marsiglia è più polverosa di come la ricordava. Più sporca, più caotica. Ma la memoria, custode bugiarda della felicità, sa come fermare le immagini di certi luoghi in un eterno presente, in una realtà impossibile eppure proprio per questo ancora più reale.

Così pensa Ignazio, con una punta di amarezza che gli annerisce i pensieri e gli lascia un retrogusto acido sul palato.

Marsiglia ha troppi ricordi per lui.

Ora, alla fine del settembre 1881, l'aria è impregnata di umidità, e il vento che viene dal mare sa già di fresco e d'autunno. Qui il Mediterraneo ha altri odori, e l'acqua sembra più scura, quasi che non si trattasse dello stesso mare che bagna la Sicilia.

Le strade intorno al porto sono ingombre di carri e carretti. Grossi vagoni trascinati da cavalli da tiro trasportano carichi di carbone fino ai piroscafi alla fonda tra il porto vecchio, ormai insufficiente, e i nuovi moli. Ignazio li ricorda quand'erano in costruzione, quindici anni prima.

Scende dal vapore a passi lenti. Ha viaggiato su una nave francese, in incognito, come un comune passeggero. Ha accorciato la barba, indossato abiti da viaggio, e la sua naturale riservatezza ha fatto il resto. Voleva valutare la qualità del servizio offerto dalla concorrenza e il risultato lo ha soddisfatto: ottimo nel complesso, ma non superiore a quello della sua compagnia, almeno per la prima classe.

Poco distante dal molo, una carrozza in attesa. In piedi, accanto ai cavalli, François Merle. «Posso abbracciarti o devo inchinarmi all'uomo più potente del Mediterraneo?»

«Ti permetto di pigliarti 'sta confidenza. Però volevo il tappeto rosso davanti alla carrozza.»

Il cognato ride, tende le braccia. Ignazio accoglie quella stretta con gratitudine.

«*Comu si'?*» chiede François in un siciliano dal sapore francese, mentre apre lo sportello.

«Stanco. Ma, una volta che ero a Genova, ci tenevo a venire qui da voi. Sono anni che non vedo mia sorella e ormai quello che doveva farsi è stato fatto.»

«E non dev'essere stato facile.»

«*Ora ti cunto.*»

L'interno della carrozza ha visto tempi migliori, ma Ignazio sembra non accorgersene. È attratto dalla città: ne osserva i cambiamenti, gli edifici costruiti nello stile che si è diffuso sotto il regno di Napoleone III.

«Quanto ti fermerai?» chiede François.

«Qualche giorno. Poi tornerò direttamente a Palermo.» Si volta a guardare il cognato. «Domani andrò a place de la Bourse. Non mi aspettano.» Ride. «Voglio vedere in che condizioni è la mia agenzia.»

«L'agenzia della Navigazione Generale Italiana, intendi.» François si massaggia le cosce, impaziente. «Avanti, raccontami com'è andata a Genova.»

«Oh, se vogliamo essere precisi, a quello bisogna aggiungere Società Riunite Florio e Rubattino. Dopo il voto di Roma, la strada è stata in discesa. Abbiamo firmato l'atto davanti al notaio a casa del senatore Orsini, che ci ha fatto anche da testimone. Con me c'era pure l'avvocato Crispi.»

Un angolo della bocca del cognato si alza in un sorriso. «*Ti purtasti 'a cavalleria.*»

«*Megghiu diri chi saccio chi diri chi sapìa.*»

Ridono. «Sei soddisfatto?»

« Abbastanza. Certo, siamo stati costretti a coinvolgere le banche nell'affare... » E qui compare una ruga tra le sopracciglia. « Ma non si poteva fare altrimenti. Il Credito Mobiliare era la banca di Rubattino e lui aveva un sacco di debiti con loro. Abbiamo dovuto inserirlo nell'atto all'ultimo minuto. »

« Se aspettavi un altro poco, te la saresti potuta prendere senza dire 'ahi'. »

L'altro scuote la testa. « Certo, però mi sarei preso una società decotta, e sarebbe stato molto più difficile farsi assegnare le linee sovvenzionate, sempre ammesso che si fosse andati al fallimento: nessuno aveva interesse a che la Rubattino finisse male. Ci lavora troppa gente. »

La carrozza rallenta. C'è un ingorgo: un carretto è di traverso per la strada, la merce sparpagliata per terra. François lascia cadere la tendina, impreca sottovoce in francese.

Ignazio soffoca uno sbadiglio. D'improvviso, sente il peso di quei giorni convulsi. Gli manca il lieve rollio del piroscafo e la terraferma gli dà una sensazione di spossatezza.

« Ora la società possiede tutto ciò che è necessario: l'Oretea, i piroscafi, i palazzi... Ma era ciò che volevo, sì. »

La vettura riprende la sua marcia. « E a Palermo come l'hanno presa? Voglio dire, è una città particolare... »

Ignazio scrolla le spalle. « Come la devono prendere? Hanno saputo e se ne sono fregati tutti, a cominciare dai miei operai. Manco una riga, un commento sui giornali... pare che la cosa non li riguardi. E sì che adesso i piroscafi sono più di ottanta! » Il tono non nasconde una punta di amarezza, stemperata dal pragmatismo. « *A iddi importa sulu d'aviri picciuli in sacchetta, e poi cu c'è c'è.* »

François sta per rispondere, ma è in quel momento che la carrozza rallenta. « *Oh, je crois que nous sommes arrivés!* » esclama lui, e salta giù mentre ancora la vettura si sta assestando. Ignazio solleva gli occhi, annuisce. Una palazzina a due piani, elegante ma non vistosa, con linee delicate e balconi di ferro battuto. Proprio come la ricordava.

Da una finestra arriva un gridolino. « *Fratuzzu!* »

Ignazio ha appena il tempo di scendere che si trova davanti

Giuseppina. La donna lo stringe in un abbraccio così energico da farlo quasi barcollare.

È lei e, nel contempo, è una persona nuova. Un po' più in carne, con i capelli diradati sulle tempie, proprio come la nonna di cui porta il nome. Ma gli occhi sono sempre espressivi e buoni e la sua stretta avvolgente non è cambiata.

Si stacca da lui, lo guarda, gli accarezza il viso. « *Sangu meo! Quanto tempo è passato?* » mormora a fior di labbra. Gli prende il volto tra le mani e glielo bacia, due, tre volte.

In quel momento, Ignazio avverte una sensazione di calore alla base dello sterno. Quell'abbraccio sa di ritorno a casa. Di pace. Di pezzi di vita che, vorticando, trovano il loro posto. « Troppo. » La stringe forte.

Sulla soglia di casa, appare un ragazzino dai lisci capelli chiari. Ha un corpo che già parla dell'adolescenza, ma sul viso c'è ancora una smorfia infantile. È Louis Auguste, il figlio di François e Giuseppina. Suo nipote.

La memoria corre subito a Vincenzino. Sarebbe stato di poco più piccolo, e avrebbe avuto, forse, lo stesso aspetto sgraziato, la stessa aria insofferente.

Non ci pensare, si dice.

« Vieni, entra! » Giuseppina lo trascina per la manica, lo guida lungo le scale fino a un salottino tappezzato di damasco blu, con poltrone di velluto e alcuni tavolini bassi di mogano. Non è un ambiente lussuoso, ma è curato, pieno di dettagli esotici, come le statuine di avorio negli angoli o il vaso cinese sul tavolo coperto da un drappo orientale.

« Che bello, qui. »

« Noi questo possiamo », considera François, aprendo le braccia.

« Se ti dico che è bello e mi piace... *Picchì ha' a fari sempre quistioni?* » chiede Ignazio, ridendo. Sprofonda nel divano, fa cenno alla sorella di raggiungerlo.

Anche Giuseppina ride e si siede accanto a lui. « Dimmi: Giovanna come sta? »

« Bene, bene. Ma, tra le carte, i notai, le mediazioni e gli avvocati, l'ho vista poco o niente. È a Palermo a prendersi cura della casa e dei *picciriddi.* L'ultima volta che ho ricevuto una sua lettera era piuttosto... » Fa una pausa, cerca la parola adatta. « ... risentita. »

Giuseppina inclina la testa. « Dev'essere rimasta molto male che tu sia venuto qui senza di lei. »

Lui giocherella con l'anello dello zio, sotto la fede nuziale. È a disagio. « Proprio in questo caso, non potevo fare altrimenti. Non era cosa che potevo lasciare agli altri, questa. Laganà e Orlando sono stati preziosi, ma a Roma volevano vedere me e parlare con me, e la firma sull'atto a Genova doveva essere la mia. E poi, una volta che ero a Genova, non mi conveniva tornare a casa per venire di nuovo. »

« *Raggiuni hai* », mormora la sorella.

François si siede su una poltrona davanti al cognato. Louis Auguste rimane in piedi, poco distante dalla porta.

« Tu. Vieni qui. » Ignazio lo chiama con un cenno.

Il ragazzino esita, guarda la madre, poi si avvicina con aria riluttante.

« Parla italiano, ma poco », interviene Giuseppina, quasi a scusarlo.

« Be', vive a Marsiglia », replica Ignazio, sorridendo e facendo una carezza a Louis Auguste, che poi scappa via. « Dovreste venire a trovarci più spesso. »

« Non è così facile, Ignazio », mormora François. « Io mi posso muovere, certo. Ma chiudere casa, venire a Palermo... Non è semplice per tua sorella. »

Lo dice tenendo gli occhi bassi, fissi sul tappeto, e Ignazio capisce qual è la vera ragione. Le differenze, ormai, sono troppe, e non è solo questione di avere una casa ben arredata o di essere ricchi. Sono mondi diversi, i loro.

Batte un palmo sulla coscia. « Insomma, io ve l'ho detto. Sarei davvero contento se veniste. Avete una casa e una famiglia che vi aspetta. » Poi si rivolge al cognato. « Quando consegneranno i bagagli? Ho portato dei regali e avrei piacere di darveli. »

« Oh. » François si agita sulla sedia. « Nel pomeriggio, credo. Ma, se vuoi, vado a sollecitare. »

« No, non ce n'è bisogno. » Si rilassa contro lo schienale del divano.

Giuseppina gli afferra la mano, gliela bacia. «Sono contenta che sei qui.» Lo dice piano, e in quelle parole c'è una traccia della confidenza che per anni li aveva uniti.

A occhi chiusi, lui fa cenno di sì, che pure lui è contento. Ciò che non dice è che, dopo tante settimane di tensione, il respiro gli circola libero nel petto, e non sente più quel nervosismo che gli impediva di lasciarsi andare al sonno.

Per il momento, può smettere di essere don Ignazio Florio per essere solamente, semplicemente Ignazio.

«Una festa?»

Era la mattina successiva al suo arrivo e, durante la colazione, Giuseppina gli aveva detto che, quella sera, era previsto un ricevimento a Fort Ganteaume e lei sarebbe stata felice di portarlo con loro. «Be', più che altro un incontro informale tra commercianti ed esponenti della marina e dell'esercito», aveva spiegato, guardandolo oltre il bordo della tazza di tè che stava sorseggiando. «Per svagarsi un po' e fare qualche pettegolezzo.»

«In fondo, sono loro che proteggono le nostre linee commerciali e gli empori all'estero. Mantenere rapporti distesi fa gioco a tutti», aveva aggiunto François, versandogli un caffè.

«Certo, capisco. Solo che non vorrei che la mia presenza fosse mal giudicata... Sai com'è: sono il principale concorrente della marineria francese, ora. La gente vede quello che vuole vedere, e spesso vede male. Non vorrei causarvi troppi fastidi con la mia presenza.»

«Suvvia, cognato. Sei qui in veste privata. Nessuno dirà nulla, e tu non sei certo uno sprovveduto.»

Così, quella sera, si era ritrovato in carrozza con Giuseppina e François.

La sorella indossa un abito azzurro che, con un gioco di panneggi, nasconde la linea appesantita. Al collo, ha la collana di perle che Ignazio le ha portato da Genova. François aveva osservato quel regalo con stupore ed era addirittura arrossito per l'imbarazzo quando aveva scoperto il dono riservato a lui: un orologio da taschino in oro, con le iniziali incise all'interno.

« *Tu es vraiment élégante, ma chère* », le dice Ignazio, guardandola con un sorriso. « La Francia ti ha fatto bene. »

« Sì, questa è la mia casa, ormai », replica lei, stringendo la mano di François e lanciandogli un'occhiata piena di affetto. « Però tu sei un adulatore e un bugiardo: sono certa che questo vestito non reggerebbe il confronto con una qualsiasi delle *toilettes* di Giovanna. »

Ridono tutti e tre, ma poi Ignazio si gira verso la tendina della carrozza, la solleva e finge d'interessarsi ai palazzi cittadini. Giuseppina non ha torto: Giovanna ha molta cura di sé, ha abiti e gioielli eleganti... ma non ha neanche un briciolo della serenità della sorella. Sua moglie interpreta un ruolo. Giuseppina no. E la cosa più amara, per lui, è la consapevolezza della propria responsabilità in quella commedia delle parti. Perché è stato lui a volere che la loro esistenza diventasse una recita in cui i personaggi avevano finito per essere indistinguibili da chi li interpretava.

La vettura dei Merle si arresta. Davanti a loro, altre carrozze attendono. Giuseppina sospira, e François le stringe la mano.

Infine un attendente in divisa apre la portiera e li aiuta a scendere. Ignazio guarda con interesse l'imponente costruzione dalla base squadrata che si affaccia sul mare, poco distante dal vecchio porto di Marsiglia. Fort Ganteaume è un edificio che parla di divise tirate a lucido e di rigore militare. Eppure quella sera, con le torce piantate per terra e le note di un'orchestrina che accorda gli strumenti in sottofondo, sembra aver perso la consueta severità per vestirsi di frivolezza.

« Mi ricorda il Castello a Mare di Palermo », dice Ignazio a François.

« Pensa che stava per fare la stessa fine. Ma poi ci si è resi conto che demolirlo sarebbe stata una follia. È troppo importante per la difesa della città. » Gli dà un buffetto sulla manica. « Vieni. Ti presento alcuni ufficiali. Per ora lasciamo perdere i mercanti, o ti ammorberanno con le loro domande sui noli commerciali... »

Il cortile è stato decorato con candelabri schermati e con cesti a forma di cornucopie che traboccano di fiori, disegnando cascate di foglie e petali. Attendenti e camerieri in livrea guidano gli invitati verso la sala, da dove giungono gli ultimi suoni dell'accordatura.

Ignazio passa alcuni minuti a conversare in francese con un gruppo di ufficiali in alta uniforme. Si sente addosso i loro sguardi curiosi. Forse sono stupiti che il nuovo signore della marineria italiana sia una persona così affabile e gentile. Taluni, però, lo studiano con palese ostilità. Uno di loro, un anziano ammiraglio con grandi baffi a manubrio, lo squadra con astio.

«Non vi rendete conto di quali danni porterà alla Francia la *vostra* fusione?»

«Già, cosa siete venuto a fare qui?» incalza un altro ufficiale, con una vistosa cicatrice lungo la guancia.

«È venuto a trovare sua sorella e suo nipote», interviene François, calmo ma deciso. «Sapete, non di solo commercio vive l'uomo. Il signor Florio è mio *ospite*.»

L'ammiraglio stringe le labbra. «Ciascuno ha le disgrazie che si merita», commenta, acido.

François sorride. «Si può sempre fare di meglio, però non mi lamento.»

Mentre tutti ridono, un cameriere serve dello champagne. Le donne si spostano sotto gli archi che circondano il cortile e qualcuna indica la sala delle armi, che è stata adibita a sala da ballo. L'orchestra ha finalmente iniziato a suonare, sovrastando il brusio degli ospiti.

François si volta, individua la moglie e la raggiunge a passi veloci, seguito da Ignazio. Entrano con Giuseppina al braccio di entrambi.

«Che hai?» chiede lei al fratello, notando la ruga tra le sopracciglia.

«Be', non mi aspettavo certo di essere portato in trionfo, però...»

È il sorriso di Giuseppina a stemperare la sua contrarietà. «*'Un fare u' santo fora da chiesa*», gli sussurra in un dialetto venato di francese che gli strappa una risata. Era un'espressione tipica della nonna per indicare che gli improvvisi cambi d'umore non le erano graditi.

Nella sala sono stati portati grandi specchi che, alternati a drappeggi, danno l'illusione di uno spazio più grande. Iris, garofani, rose e caprifogli, raccolti in vasi di bronzo, decorano gli angoli e ghirlande di fiori avvolgono i pilastri su cui sono poste lucerne che illuminano a giorno l'ambiente.

Alcune coppie stanno già prendendo posto al centro della sala. François solleva la mano della moglie e le fa un inchino. Lei annuisce, gli stringe le dita, poi scioglie il braccio da quello del fratello. «Ci scusi, vero?»

Le ultime parole sono quasi un soffio. Il marito la trascina al centro della sala e ridono insieme, iniziando a ballare una contraddanza.

Ignazio prova una fitta d'invidia, perché quello che vede sui visi di Giuseppina e François è il puro piacere di stare insieme. La loro è una complicità gioiosa, così lontana dal rapporto che lui ha con Giovanna. Un rapporto saldo nella determinazione di mantenere un'apparenza sociale impeccabile, ma senza allegria, senza abbandono, senza leggerezza. Eppure, in quel momento, la vorrebbe accanto a sé, per riempire con uno dei suoi sorrisi il vuoto che sente dentro. Per scacciare – anche solo per una sera – la tristezza che vela ogni suo pensiero.

Prende un altro calice di champagne e si guarda intorno con aria indifferente, consapevole di essere oggetto della curiosità di tutti. Osserva gli ufficiali imprigionati nelle loro alte uniformi, i commercianti che parlano a voce troppo alta e gli armatori locali, che sbirciano nella sua direzione.

Tutto gli scorre addosso, nulla lo tocca.

È allora che accade.

I capelli ricci, di un biondo che tende al rosso. Il collo lungo e bianco. Il vestito color cipria. I guanti candidi che arrivano al gomito. Il ventaglio di piume.

Di colpo, Ignazio ha freddo. Perché – ed è un istante – si rende conto che l'oblio sotto cui ha nascosto i ricordi è sottile come carta ed è un attimo lacerarlo. E, lì sotto, c'è la sua anima: nuda, esposta, fragile.

Non sente più nulla, se non un cupo, cavernoso rumore di fondo. Tutto è confuso.

Le uniche cose a fuoco sono la testa di lei, leggermente inclinata, e le sue labbra, che formano parole inudibili e che sembrano pronte a schiudersi in un sorriso che però non arriva.

Eppure con lui aveva riso.

E aveva pianto.

Una volta, suo padre gli aveva detto che la regola di vita più utile era anche la più semplice: ascolta la testa, non il cuore. Dare retta alle passioni a onta di ciò che diceva la ragione portava inevitabilmente a compiere errori. Stava parlando di affari, però Ignazio aveva seguito quella regola non soltanto nella gestione di Casa Florio, ma anche in privato. Controllo e distacco erano sempre stati i suoi alleati più fedeli, che si trattasse di chiudere una trattativa o di educare i suoi figli.

E invece adesso, forse per la prima volta, Ignazio ascolta il cuore. Obbedisce all'istinto di conservazione. Si fa trascinare dalla paura.

Deve andarsene. Subito.

Dirà che ha avuto un malessere e che ha preferito tornare a casa; sua sorella non se ne avrà a male. *Non mi deve vedere*, pensa, perché non vuole, non può incontrarla, parlarle. Arretra verso il fondo della sala. *E che tutto finisca così.*

Troppo tardi.

Camille Martin, vedova Darbon, sposata Clermont, saluta la donna con cui stava parlando e si gira verso un'altra invitata, una matrona infagottata in un abito bordeaux.

E lo vede.

Il ventaglio le scivola di mano. Le piume fluttuano per un istante prima di posarsi sul pavimento.

Lo fissa a bocca socchiusa; sembra più spaventata che incredula. Poi arrossisce con violenza, al punto che la donna anziana le si avvicina, le stringe il braccio, le chiede se sta bene. Lei si scuote, si china a raccogliere il ventaglio, lo serra tra le mani e poi fa un sorriso come di scusa.

Con quel sorriso negli occhi, Ignazio si gira e si mette a camminare a passi veloci, diretto all'ingresso della sala.

Stupido, stupido, stupido, stupido.

Come aveva fatto a non pensarci? Camille è sposata a un ammiraglio o qualcosa del genere. Doveva ricordarselo. Non sarebbe mai dovuto venire lì. E di certo, dopo tutti questi anni, Giuseppina non poteva sapere, sospettare che lui...

Quasi si mette a correre. Tornerà a casa con la carrozza e la rimanderà indietro. *Sì*, si dice, *farò così.*

Scansa con la maggior gentilezza possibile un paio di commercianti che cercano di attaccare bottone. Ferma un cameriere e gli chiede di riferire un messaggio ai coniugi Merle, perché non si affannino a tornare a casa.

Arriva sotto il portico. Ansima come se avesse corso. Poi inizia ad attraversare il cortile.

Sta scappando. Lui, Ignazio Florio, l'uomo più potente del Mediterraneo. Lui, che non ha mai tremato davanti a nessuno. E si dice, si ripete, che sta facendo la cosa più logica, più razionale, perché quella con i ricordi è una guerra da cui si può solo uscire sconfitti. Perché permettere a quel fantasma di avere un corpo significa scontrarsi con la realtà che si è faticosamente costruito a propria immagine e somiglianza. Significa cancellare tutto ciò cui lui ha attribuito valore.

«Ignazio!»

Si ferma.

Non devo voltarmi.

Un rumore di passi.

Non devo vederla.

Chiude gli occhi. La sua voce.

«Ignazio.»

Un fruscio di stoffa sul selciato di pietra.

Ora è lì, davanti a lui.

Il viso è più scavato. Intorno agli occhi azzurri ci sono piccole rughe. La bocca, un tempo piena, sembra essersi assottigliata e, tra i capelli biondi, spiccano fili argentei. Ma l'espressione – vivace, intensa, intelligente – è rimasta immutata.

«Camille.»

Lei apre la bocca per parlare, la richiude.

«Non sapevo che fossi qui.»

Lei non dice nulla. Alza la mano guantata e rimane con le dita protese nel vuoto per un istante, poi le ritira e stringe il ventaglio al petto sino a farlo stridere. «Ti trovo bene», mormora infine.

«Bene?» Apre le braccia e sorride, amaro. «Sono invecchiato e ingrassato. Tu, invece... Tu sei com'eri.»

Lei inclina la testa di lato, e sulle labbra appare quel mezzo sorriso che Ignazio ricorda così bene e che lo ferisce. «Bugiardo. Sono invecchiata anch'io.» Ma lo dice con indulgenza, come se il trascorrere del tempo fosse un dono da accettare con gratitudine. Si avvicina di un passo. L'orlo del vestito gli sfiora la punta delle scarpe. «Ti ho seguito a distanza, sai? Ho letto i giornali... E, ovviamente, ho parlato di te con Giuseppina.» Fa una pausa. «Ho saputo di tuo figlio. *Toutes mes condoléances.*»

Il pensiero di Vincenzino è uno schiaffo.

Ha una famiglia, una moglie. Perché sta parlando con *quella* donna, dopo più di vent'anni?

Perché l'ho amata più di qualsiasi altra cosa al mondo.

Ignazio fa un passo indietro. Ma, nel farlo, avverte il profumo di Camille, quell'aroma di garofano, fresco e persistente, che ha sempre associato a lei.

È una vertigine, una caduta libera nel passato.

«Camille? Che succede?» La matrona con l'abito bordeaux appare sotto il porticato. Guarda entrambi, perplessa, quindi si avvicina a passi incerti. «Temevo avessi avuto un malore. Non riuscivo a trovarti da nessuna parte...»

Camille scuote la testa. Arrossisce, muove le mani in fretta, e le piume del ventaglio svolazzano, nervose.

Lui sa che sta cercando una scusa. Incredibile come riesca ancora a riconoscere i suoi gesti.

«Ho incontrato questo mio vecchio amico e ci siamo messi a parlare», dice infine Camille, abbozzando un sorriso. «Madame Brun, vi presento Monsieur Florio, fratello della mia amica Giuseppina Merle. Madame Brun è la moglie dell'ammiraglio Brun, un commilitone di mio marito.»

Ignazio s'inchina e bacia la mano alla donna.

Questo mio vecchio amico.

« Rientriamo, volete? » La donna indica la sala da ballo. « *Il fait tellement froid...* »

Solo in quel momento, Ignazio nota che Camille ha i brividi. D'istinto le porge il braccio.

« Sì, torniamo dentro », afferma con sicurezza.

Ora è Camille a esitare. Ma poi le sue dita scivolano sulla manica di Ignazio, la avvolgono. Come se avessero trovato il loro posto, la loro sede naturale.

Entrano nella sala da ballo fianco a fianco. Fa molto caldo e l'aria è appesantita dall'odore di sudore mescolato al profumo dei fiori e dell'acqua di colonia degli invitati.

In quell'istante, l'orchestrina attacca un valzer.

Ignazio stringe il polso di Camille. La guarda.

E, nello scintillio dei suoi occhi, ritrova qualcosa che aveva dimenticato: il bisogno di sentirsi vivo, insieme con la tranquillità di non dover dimostrare nulla a nessuno.

« Vieni. »

« Ma... »

« Vieni. » Il tono di Ignazio non ammette repliche. È la voce di un uomo abituato a comandare.

Camille lo segue, affascinata, confusa, a occhi bassi.

La presa di Ignazio è sicura. Allarga una mano sulla schiena e alza l'altra a sorreggere quella di Camille. I loro corpi, alla distanza dettata dalle convenzioni.

Lei accenna un sorriso. « Devo correggermi. Sei cambiato », mormora. « Non avresti mai avuto questo coraggio, anni fa. »

« Ero poco più di un ragazzo. » *Ed ero stupido*, vorrebbe aggiungere.

« Non avevi tutte le responsabilità che hai adesso. Hai avuto una vita piena. Molte soddisfazioni. Un buon matrimonio. » Fa una pausa. Lui la fa piroettare, le cinge di nuovo la vita con il braccio. I loro corpi si riconoscono, si parlano.

Lei abbassa gli occhi. « Però hai avuto anche momenti davvero difficili, *n'est-ce-pas*? E io non... L'unica cosa che potevo fare era scriverti. Non ho avuto il coraggio di farlo per... tuo figlio, però. »

Un pensiero attraversa la mente di Ignazio.

Giovanna. La loro lite.

La rabbia gli contrae il diaframma, lo fa quasi incespicare.

«Sì, ho ricevuto i tuoi biglietti. Mi sono stati di grande conforto.»

Ignazio sente che gli argini sono fragili, che il passato si sta sovrapponendo al presente. Ogni singola frase, ogni istante, ogni stilla di sentimento che ha condiviso con quella donna sta riemergendo con una violenza che può distruggere tutto.

Un'altra piroetta. La accoglie nuovamente tra le braccia, ma stavolta la stringe di più. Ora i loro corpi si toccano.

«Ignazio.» Camille cerca di arretrare. Lui glielo impedisce, serra le palpebre come se stesse soffrendo, e forse è davvero così e lei lo sente, perché sembra provare la medesima tensione, la stessa paura.

Il suo alito le sfiora l'orecchio. «Non parlare.»

Oltre la barriera dei vestiti, un rivolo di sudore gli si condensa tra le scapole, scivola lungo la schiena.

Sono le ultime battute del valzer. Girano, sempre più veloci, più vicini, e alla fine Camille getta la testa all'indietro, con l'abito che le vortica intorno alle gambe. Ha gli occhi chiusi, e un abbandono sul viso tipico di altri momenti, che lui ricorda bene e che lo fanno tremare.

Una lacrima, impigliata tra le ciglia, scivola sulla guancia. Nessuno può vederla. Nessuno tranne lui.

La musica finisce.

Si ritrovano in mezzo alla folla, stretti l'uno all'altra.

Poi il brusio della sala. La realtà.

Si staccano di colpo, arretrano. La pelle brucia, le mani scottano. Ma i loro occhi, no, non riescono a separarsi.

È Ignazio a scuotersi per primo. «Vieni. Ti riporto da Madame Brun.»

Si congeda dalle due donne con un baciamano formale. Poi si allontana.

Camille non riesce a smettere di guardarlo.

Com'è diversa Marsiglia da Palermo, pensa Ignazio. Si è abituato in fretta alla polvere e al caos e adesso ne apprezza la modernità, la ricchezza, lo spirito vitale. Razze, voci, lingue si mescolano, e questo miscuglio si crea e si disfa, si dipana tra strade e vicoli, trasformando il porto e la zona circostante in un crogiolo di volti e di odori. «In tutti questi anni, la città è cambiata moltissimo», commenta.

François annuisce. «I soldi che arrivano dalle colonie e la voglia di rinnovamento hanno rivoluzionato il porto. Si parla di ampliarlo ulteriormente, anche dopo la costruzione dei nuovi bacini.» Sospira. «Questa città ha ciò che manca a Palermo.»

«La voglia e la forza di cambiare», annuisce Ignazio.

La Borsa di Marsiglia è imponente, con grandi colonne e una facciata che ricorda un tempio greco, ed è vicina alla Canebière, l'arteria cittadina più importante per il commercio.

Nella sede della compagnia, tutto è in ordine. Qualcuno deve averlo visto alla festa della sera precedente, perché gli uffici sono tirati a lucido e gli impiegati sono presenti al gran completo. Ignazio parla con loro, incontra il direttore, gli illustra brevemente come cambieranno le loro linee, ora che Florio e Rubattino sono una cosa sola.

Ma una parte dei suoi pensieri è imprigionata nel ricordo di ciò che è accaduto ieri.

Mentre discorre delle nuove tratte di cui l'ufficio dovrà occuparsi – ci saranno alcune linee che da Marsiglia arriveranno in America – il cognato si avvicina. «Io devo andare: mi ha appena raggiunto uno dei miei, dicendomi che ci sono problemi con la dogana per alcune bolle di trasporto che a loro risultano non pagate.» Sbuffa sonoramente.

«Certe cose succedono a ogni latitudine. Sempre burocrazia è.» Ignazio gli stringe il braccio. «Vai pure.»

L'altro alza gli occhi al cielo. «Fortuna che non devo andare molto lontano. Ti lascio la carrozza, così puoi tornare a casa, se vuoi.»

«Te la rimanderò non appena avrò finito.»

«Fa' pure. Si annuncia una giornata di rogne, questa.»

Guarda François allontanarsi a passi nervosi. Lui resta a parlare con gli impiegati, chiede i loro nomi. Da una *pâtisserie* poco distante fa portare dolci e liquori. Sa che davanti al cibo le persone parlano di più, e senza pensieri. E lui ascolta.

È passato da poco mezzogiorno quando lascia l'ufficio, accompagnato da calorosi saluti e da grandi sorrisi.

Non appena le porte si sono chiuse alle sue spalle, si rende conto che – per la prima volta da chissà quanto tempo – non ha impegni per il resto della giornata. È spaesato, si sente quasi confuso. Intorno a lui, un via vai di biciclette, di cavalli, di carrozze, di uomini in bombetta nera, di domestiche con la cesta della spesa, di donne eleganti con l'ombrellino. Tutti sembrano avere qualcosa da fare, un luogo da raggiungere...

E io? si chiede Ignazio. *Dove posso andare?* Ricorda che François gli ha parlato con accenti di puro entusiasmo del Café Turc, sulla Canebière, con la sua grande fontana e gli specchi in cui si riflettono gli avventori. In alternativa, potrebbe fare una passeggiata verso il porto...

Oppure potrei andare da lei.

«No», mormora, scuotendo la testa. «Non facciamo idiozie.» Avanza di qualche passo, si ferma, poi torna indietro, si porta una mano alla bocca.

Un passante gli lancia un'occhiata perplessa.

Basta, pensa.

Si dirige verso la carrozza che lo sta aspettando, si fa portare a casa, le mani intrecciate sulle gambe e gli occhi che guardano la città senza vederla. Niente idee strane: Giuseppina sarà felice di trascorrere un pomeriggio intero con lui, si dice.

Ma, non appena sceso dalla carrozza, si rivolge al cocchiere e gli chiede se sa dove abitino Madame Louise Brun e Madame Camille Clermont, poi domanda se Madame Merle ha un fioraio di fiducia, lasciando intendere che vuole mandare dei fiori alle due donne. Il cocchiere – magro, con un viso segnato da cicatrici profonde – risponde che sì, certo, sa dove abitano le due signore, perché sono amiche di Madame Merle. E, dopo avergli dato gli indirizzi, spiega che c'è un fioraio proprio lì vicino, uno dei più forniti di Marsiglia... vuole forse che lo porti là?

Lui fa cenno di no, che andrà a piedi, e lo ringrazia con una moneta.

La carrozza riparte per andare a prendere François. Nella

strada, per una manciata d'istanti, ristagna l'eco delle ruote sul selciato.

Ignazio solleva lo sguardo sul balcone della casa di Giuseppina. Le imposte sono chiuse, forse per schermare il sole. Nessuno alle finestre.

Appoggia la mano sul portone, la avvicina al campanello.

La ritrae.

Si allontana.

Non conosce bene la città, ma sa come tornare verso la Canebière. Lì, sale su una carrozza e dà al cocchiere l'indirizzo di Camille.

Casa Clermont si trova in una viuzza tranquilla, non lontana da Fort Ganteaume, in un quartiere di bianche palazzine a due o tre piani, che sembrano scintillare nel sole. Dal gran numero di uomini in divisa e dalle bandiere che occhieggiano alle finestre, Ignazio capisce che si tratta di una zona abitata da militari e dalle loro famiglie.

Scende dalla carrozza, che si allontana, sferragliando.

Si avvicina alla porta. Una parte di lui si augura che Camille non sia in casa. L'altra sta chiedendo a gran voce perché sia lì.

Per la seconda volta in due giorni, sta violando la regola di suo padre, la *sua* regola: ascolta la testa, non il cuore.

Bussa alla porta, fa un passo indietro, attende.

Posso ancora andarmene, pensa, ma in quel momento una cameriera attempata, in divisa grigia, apre il portone.

«Madame Clermont è in casa?» chiede Ignazio, togliendosi il cappello.

Una voce femminile giunge dal piano superiore. Allegra, il suono di una risata nella gola. Passi lungo le scale.

«*Que se passe-t-il, Agnès?*»

Camille compare sugli ultimi gradini. Indossa un abito a fiori, da casa, e i capelli sono per metà sciolti sulle spalle, segno che stava finendo di pettinarsi.

Quando lo vede, il sorriso le si congela sul volto, per poi spegnersi lentamente.

Lui abbassa gli occhi sulla soglia, dove un cane inciso nel marmo sembra pronto a mordergli le caviglie. «*Pardonne-moi d'être venu sans te prévenir*», dice.

La voce è bassa, quasi timorosa. La donna scuote la testa, si passa una mano sulle labbra.

La cameriera guarda l'uno e l'altra, confusa.

Ignazio arretra di un passo. «Scusami», farfuglia, imbarazzato. «Vedo che sei occupata. Ti auguro una buona giornata.» Si volta, rimette il cappello.

Ma Camille scende di corsa i gradini, lo blocca. «Aspetta!» Gli mette una mano sul braccio, lo trattiene. «Mi hai colto di sorpresa... Entra, su.»

La domestica si scansa per farlo entrare. Camille le parla sottovoce, e la donna si allontana in fretta.

«Vieni. Andiamo in salotto.»

È una stanza luminosa, arredata con divani di velluto scuro e stampe di nature morte e panorami marini. Ci sono anche oggetti esotici, evidentemente portati dal padrone di casa dai suoi viaggi: una zanna d'avorio cesellata, una statuina egiziana, scatole in legno e madreperla, oppure in ottone lavorato, di fattura araba. Ignazio si sofferma a osservarle mentre la domestica entra con un vassoio sul quale ci sono due tazzine da caffè e un piatto di biscotti, e lo appoggia su un tavolino di mogano.

«*Merci, Agnès*», dice Camille. «Ora va' pure a casa da tua figlia. Ti aspetto più tardi.»

La donna si congeda con un inchino. Camille si volta verso Ignazio. «Sua figlia ha avuto un bambino, stanotte, e lei deve assisterla», spiega. «Pare sia stato un parto difficile.» Un'ombra le affiora sul viso, un velo di grigiore e amarezza. «Povera ragazza, è sola. Il marito è imbarcato e chissà quando tornerà.» Una pausa. «È con mio marito sull'*Algésiras*...»

Si siede, versa il caffè nelle tazze poi, dalla zuccheriera, prende un cucchiaio di zucchero per sé. Solleva la testa. «Due, vero?»

Ignazio è in piedi davanti alla finestra. Annuisce.

Finalmente si siede davanti a lei. La osserva. Nella luce filtrata dalle tende, i capelli di Camille si riempiono di riflessi rossi.

Bevono in silenzio, senza guardarsi.

Quindi Camille appoggia la tazzina sul piattino e alza gli occhi. «Perché sei venuto?»

In quel tono c'è una durezza che Ignazio non riconosce e che lo disorienta. Un'asprezza che lo mette in allarme. *Si sta difendendo,* pensa. *Da me? Dal passato?*

«Per parlarti», ammette. Con lei, essere sincero è facile, perché è stata proprio Camille a fargli conoscere quell'aspetto di sé. E, un tempo, neppure lui avrebbe avuto difficoltà a leggere il suo stato d'animo, perché anche lei era sempre limpida, schietta, nei suoi confronti.

Ma adesso?

Si erano detti addio dopo che Ignazio le aveva confessato di non avere il coraggio di cambiare direzione alla propria vita, perché doveva essere all'altezza delle aspettative di suo padre. Era l'erede di Casa Florio e nulla e nessuno poteva cambiare il suo destino. Un matrimonio «socialmente adeguato» sarebbe stata la semplice, inevitabile conseguenza di quella scelta. *Ascolta la testa, non il cuore.*

Per molto tempo, dopo quell'addio, Ignazio si era rifiutato di aprire le sue lettere o di chiedere notizie di lei. Come pesi invisibili, il successo negli affari, il potere e la ricchezza avevano poi trascinato in fondo all'anima la sofferenza che lui aveva provato, la vergogna di aver illuso la donna che amava, il rimpianto di un'esistenza diversa. Ogni tanto, i ricordi riemergevano in superficie, e lui era quasi grato al dolore che gli provocavano, perché in esso si univano la dolcezza di un sentimento mai completamente sopito e il sottile piacere di custodire un segreto: quei ricordi – quella vita mai vissuta – erano soltanto suoi.

Ma Camille? Cos'era successo a lei?

Non sapeva nulla. Aveva *scelto* di non sapere nulla. Era andata avanti nonostante tutto, ma era stata felice? Aveva vissuto o si era lasciata vivere? Lui aveva avuto il suo lavoro – fardello e benedizione – ma lei?

«So benissimo che non dovevo venire, che ti espongo alle chiacchiere della gente. Ma oggi...»

« Oggi, cosa? » Lei posa la tazzina sul vassoio. Poi lo guarda negli occhi. « *Cosa* vuoi da me, Ignazio? »

L'immagine di Camille che piange mentre lui si allontana viene cancellata da quello sguardo feroce, da quel tono aspro. Le parole s'impigliano nella lingua. Dietro la recriminazione, c'è qualcosa che mette in allarme l'istinto di Ignazio. *Rancore, sì. Ma anche desiderio, forse?* All'improvviso, si rende conto che non riesce più a leggere le sue reazioni, che la donna davanti a lui è molto diversa da quella che lo aveva supplicato di non lasciarla. Un cambiamento che non è solo una conseguenza del trascorrere del tempo.

Certi errori sono senza perdono. Sono porte chiuse, murate, sul passato.

Quando parla, Ignazio lo fa con fatica. Perché solo in quel momento si rende conto del vero motivo per cui ha voluto incontrarla. « Oggi sono venuto perché vorrei... scusarmi per ciò che è accaduto a causa mia... anni fa. »

« Per *colpa* tua », lo corregge lei. L'azzurro degli occhi s'incupisce. « La causa è altrove. La *colpa* è tua. »

Ignazio posa la tazzina sul vassoio e una goccia di caffè trabocca, macchiando il piattino. « Colpa o causa, che differenza fa? » sibila, punto sul vivo. « Avrei potuto scegliere diversamente, è vero, ma avevo, e ho, delle responsabilità. Allora verso mio padre. Oggi verso la famiglia. »

Camille si alza, va alla finestra. Incrocia le mani sul petto. « Sai, ieri sera ho capito una cosa. » Parla a scatti, le sillabe scivolano le une sulle altre, accavallandosi. « Il potere è ciò che tu hai desiderato più di ogni altra cosa, Ignazio. Il potere, il riconoscimento sociale. Tu non hai scelto tra la felicità dei tuoi genitori e la nostra: tu hai scelto te stesso. » La voce s'incrina. Camille si toglie una ciocca di capelli dalla fronte. « Ti ho osservato: la sicurezza dei tuoi gesti, il modo in cui parlavi... E allora ho capito: il ragazzo di allora corrisponde esattamente all'uomo che sei diventato. Sciocca io ad aver pensato il contrario. Ad aver creduto, allora, che avessi bisogno di me, di essere amato per com'eri e non per ciò che rappresentavi. Tu non hai mai avuto bisogno di nient'altro che di Casa Florio. »

Poco sotto lo sterno, Ignazio avverte una sensazione dolorosa, l'eco di una perdita. *Non lei,* si dice. *Lei non può dirmi queste cose.*

Scuote la testa, prima lentamente, poi con furia. « Non è vero, dannazione. No! » Scatta in piedi, le afferra le braccia. Vorrebbe scrollarla, ma si trattiene perché ora lei sembra spaventata. La lascia andare, inizia a camminare per la stanza, passandosi le mani tra i capelli. « Ho dovuto agire così perché non avevo scelta. Non potevo fare altrimenti. Sai chi sono, cosa rappresento in Sicilia, in Italia e per la mia gente? Sai cosa significa il nome dei Florio? Mio padre ha creato la nostra Casa, ma sono stato io a renderla grande, io. »

Lei lo lascia sfogare. Poi gli va davanti, gli solleva una mano, la posa sulla guancia. Sul volto, pena. Un rammarico così profondo che spegne all'istante la furia di Ignazio. « Tu non hai *voluto* scegliere. Ma a che prezzo, *mon aimé*? »

A che prezzo.

Di colpo, come se stesse affogando, la vita gli passa davanti.

Suo padre che lo porta in ufficio. I lavoratori dell'Oretea che lo ascoltano. La prima volta che ha visto Giovanna, non bella, non ricca, ma intelligente, volitiva, e soprattutto nobile, esattamente come lui e suo padre avevano voluto. I suoi figli, che stanno crescendo in una dimora degna di un re. La sua influenza politica, i ministri che si vantano di essere suoi amici. I pittori e gli artisti che gravitano intorno all'Olivuzza.

Le navi. I soldi. Il potere.

Ma adesso, intorno a lui, c'è buio. Oltre la luce dei lampadari di cristallo e gli splendori degli argenti, Ignazio non vede altro che il suo riflesso e la sua immagine deformata, come se la solitudine che lo attraversa si riversasse all'esterno. Perché sa di non possedere altro che denaro, oggetti, persone.

Possedere. Senza nulla che sia davvero suo, che gli appartenga. A parte il ricordo di lei.

Camille gli afferra le mani, le intreccia con le proprie. « Non c'è più nulla da dire, Ignazio. Sono contenta che tu sia in buona salute e che sia ricco e potente come hai sempre desiderato. Ma non è rimasto più nulla di noi, ormai. »

Ignazio abbassa lo sguardo sulle mani unite. « No, invece. Il tuo pensiero. » La voce è roca. « Se sono andato avanti è stato anche grazie a te... al tuo ricordo. Al ricordo di noi.» Alza la testa, cerca i suoi occhi. È privo di difese, ora. «Ho pensato che potesse bastarmi per una vita intera, ma non è così, e ti chiedo perdono per averti causato tanto dolore. Tu, ieri sera, hai visto l'uomo che sono diventato. Io ora vedo la donna che sei e sei sempre stata: forte, coraggiosa. Capace di perdonarmi.»

«Non posso perdonarti.»

«Perché?»

Lei gli lancia un'occhiata gelida. «Sai bene che non è possibile.»

Ignazio la fissa, incapace di ribattere. Ha condannato entrambi alla solitudine. Lui ha ammantato la sua d'oro e di prestigio. Ma lei? Di nuovo quella domanda angosciosa, quel senso di colpa che ora non trova più vincoli o barriere. «Tu...» riesce infine a dire. «Tu come sei riuscita ad andare avanti...»

Camille gli afferra le mani, le intreccia con le proprie, poi sorride, amara. «Come una sopravvissuta. Dopo quello che è successo, dopo i mesi di convalescenza, non ho avuto più la possibilità di riprendermi davvero. Quando ho incontrato Maurice, mio marito, due anni dopo, ero ormai una donna a metà.»

Ignazio si ritrae di un passo. *Convalescenza?*

E glielo chiede, la voce bassa, le mani che si rifiutano di lasciare le sue. Si sente tremare dentro perché non sa e non capisce. Uno stato d'animo che non gli è familiare.

Camille inclina la testa di lato. Sul viso affiorano tutti gli anni trascorsi. «Dopo la perdita del bambino», dice in un soffio.

«Del... bambino?» Ignazio lascia cadere le mani. Gli sembra di essere stato schiaffeggiato. «Tu eri...»

Camille torna a sedersi. È impallidita, si copre il viso con le mani. «Ti ho scritto, raccontandoti tutto. Tu non mi hai mai risposto. Prima ho creduto che non volessi farlo e poi ho pensato che qualcuno, forse tuo padre, avesse sottratto le mie lettere...»

Le lettere.

Le lettere, maledizione, quelle che lui non aveva avuto il coraggio di aprire perché non voleva provare più dolore, perché non voleva sentire le sue recriminazioni, perché basta, era finita e che senso aveva piangerci su? Era come pestare acqua in un mortaio, no?

Le gambe non lo reggono. Deve sedersi. Il ricordo di loro insieme, dei loro corpi stretti, vicini, del suo sorriso innamorato è incenerito da quella notizia. Lui avrebbe potuto avere un figlio da lei, avrebbe potuto...

«Ho capito di essere incinta pochi giorni prima di perderlo. Non ho avuto quasi il tempo di rendermene conto che già era finito tutto. Non so perché è accaduto, forse è stato il dispiacere, forse il destino, chi lo sa. Quando l'emorragia è iniziata, ero in Provenza, lontano dalla città, e non ho potuto far nulla per impedirlo. Anzi...» Lei parla piano, non lo guarda. La bocca le si solleva in una smorfia simile a un sorriso di amarezza. «Già è tanto che sia sopravvissuta.» Si alza, gli va davanti. «Dopo, ho saputo che un'altra gravidanza mi sarebbe stata fatale. Ecco cosa mi hai fatto, Ignazio.»

Ignazio non ha la forza di alzare gli occhi. È lei che gli solleva il viso, due dita sotto il mento, come faceva un tempo, quando poi si chinava per baciarlo. «Tu mi hai tolto tutto.»

«Non sapevo... non avrei potuto. Io...» Ignazio insegue l'aria, fatica a respirare. Avverte confusamente l'odore del caffè che si è raffreddato nelle tazzine e il profumo della donna. Di colpo, gli sembrano nauseanti. «Io non volevo pensare a quello che era successo tra noi, e non ho mai aperto le tue lettere. Le ho conservate, sì, ma non le ho mai aperte. Anche per me lasciarti è stata una sofferenza.» *Ma è così insignificante il mio dolore, adesso, così minuscolo. Così inutili le mie scuse...*

Lei scuote la testa. Sembra quasi che un velo d'indulgenza le addolcisca i lineamenti, ma subito dopo Ignazio capisce che è amarezza. Delusione.

«Ormai non importa più. Anche se avessi saputo cos'era successo, dubito che saresti tornato sui tuoi passi. La tua confessione conferma ciò che ho capito da molto tempo.» Arretra. «Sei un vigliacco.»

Ignazio è attonito. Si prende la testa tra le mani.

Nulla. Non esiste nulla di ciò che aveva conservato nella sua memoria. La sua vita segreta, quella immaginata, sognata, desiderata è un mucchio di ossa bruciate, di rovine su cui è stata gettata calce viva.

Impotente, sconfitto, devastato dal senso di colpa. Così si sente quando alza la testa e si rimette in piedi, con la nausea che gli stringe lo stomaco e il petto che gli fa male. La stanza sembra aver perso luce e colore, e persino Camille pare invecchiata di colpo.

Vorrebbe dirle che l'aveva amata come si possono amare i sogni impossibili. Vorrebbe poter salvare qualcosa della sua illusione.

«Perdonami. Io non...»

Lei lo ferma. Gli mette un dito sulle labbra, poi gli accarezza il viso con una dolcezza che è tanto intima quanto feroce. «Tu. Già, sempre tu, solo tu.» Ritrae la mano, si allontana, gli indica la porta. «Vattene, Ignazio.»

Ignazio non sa dire per quanto tempo cammina dopo aver lasciato la casa di Camille. Sa solo che, all'improvviso, si trova davanti una selva di antenne e fumaioli, di vele raccolte e di carri carichi di merci.

È il porto vecchio.

Si guarda intorno, come se si fosse appena svegliato.

Cerca l'anello d'oro battuto di suo padre sotto la fede nuziale, pensa a tutto quello che rappresenta, e a cosa ha significato per lui. Prova l'impulso di disfarsene, di gettarlo in mare, lontano, di non sentire più quel peso sull'anulare. Di rinunciare a tutto.

Ma rimane immobile. È un pezzo di storia della sua famiglia, quello. Come la vera nuziale, un segno della sua scelta.

Poi si dirige verso la casa di François e Giuseppina. Basta, deve andarsene, tornare a Palermo.

Lui è Ignazio Florio, si dice, ma non può sovvertire il passato, o cambiare il proprio destino. Nemmeno gli dei hanno un simile potere. Ha sbagliato, è stato sconfitto, e adesso sta pagando tutto con gli interessi.

Non pensa a Giovanna, né ai suoi figli.

Avrebbe potuto avere un altro figlio, un'altra vita, un altro destino.

E con questi pensieri arriva a casa dei Merle.

Sale i gradini a due a due, bussa alla porta. Giuseppina gli apre, lo bacia, poi aggrotta la fronte. «Tardi sei tornato. Tutto bene a place de la Bourse?»

Gli eventi di poche ore prima gli sembrano lontanissimi. «Sì, sì», risponde, laconico. «François è rientrato? So che ha avuto qualche seccatura...»

La sorella scrolla le mani come a dire: *Nulla d'importante*, poi lo osserva. Ignazio è turbato, profondamente. Vorrebbe chiedergli per quale motivo, ma non lo fa. Lo invita a seguirlo e spera che sia lui a parlarle, a raccontare.

Ignazio la segue nel salottino. La donna scorre le lettere posate sul tavolo, ne trova alcune. Gliele porge. «Sono arrivate stamani da Palermo, insieme con un telegramma di Laganà.»

Ignazio le prende.

Tra le lettere, due: una di Giovanna, l'altra di Giulia.

Si lascia cadere sulla poltrona. Le apre.

Sua moglie gli scrive della casa, dei figli. Dice che Ignazziddu si sta comportando bene, che è diventato più responsabile e che hanno trascorso un po' di tempo alla Villa ai Colli, dove l'aria è più fresca, ospitando anche Antonino Leto. Pure Almeyda con la moglie sono venuti a trovarli. È un periodo sereno, ma senza di lui la casa sembra vuota. *Spero che tu torni presto*, conclude Giovanna. Usa il consueto pudore, quella forma di distacco che cela i suoi sentimenti e che nasconde l'amore che continua a offrirgli senza aspettarsi nulla in cambio.

Ignazio avverte una stretta alla gola.

Poi la lettera di Giulia. La sua *stidduzza*.

Con una grafia incerta, tenera, la figlia gli scrive che voleva fargli vedere com'era diventata brava a disegnare; infatti, sul retro del foglio, c'è lo schizzo a matita di uno dei barboncini dell'Olivuzza. Aggiunge che la mamma e donna Ciccia stanno provando a insegnarle il ricamo, ma senza grandi risultati. Lei preferisce osservare Antonino Leto e lo segue quando dipinge nel parco. Conclude dicendo che la mamma sente la sua mancanza. *E anch'io non vedo l'ora che torni.*

È la lettera di una bambina a un padre che adora, e che non vede da settimane.

Dentro di lui, un cataclisma silenzioso.

Avverte su di sé il peso dello sguardo della sorella. « Buone notizie da Palermo? » chiede lei.

Lui deglutisce a vuoto. Annuisce. Poi scuote la testa, come se si svegliasse da un sogno. « La prossima settimana prenderò il piroscafo per tornare a casa », annuncia. « Sono stato via anche troppo. La mia famiglia ha bisogno di me. »

Giuseppina sospira, a labbra strette. « Così deve essere. »

OLIVO

dicembre 1883 – novembre 1891

> *Cu di cori ama, di luntano vidi.*
> «Chi ama davvero guarda lontano.»
>
> PROVERBIO SICILIANO

Il 18 ottobre 1882, durante un banchetto offerto dagli elettori del suo collegio di Stradella, il presidente del Consiglio Agostino Depretis tiene un discorso che rilancia la politica del Trasformismo da lui delineata già otto anni prima, in un altro discorso, sempre a Stradella. Si sfuma quindi la divisione tra Destra e Sinistra a favore di quello che lo storico Arturo Colombo definisce «un assorbimento, prudente quanto abile, degli uomini e delle idee che appartenevano anche alle opposizioni». Il successo di questo atteggiamento emerge già nelle elezioni «a suffragio allargato» (2 milioni di aventi diritto al voto su più di 29 milioni) che si tengono il 29 ottobre: la Sinistra di Depretis ne esce vincitrice e vengono eletti alla Camera 173 deputati «ministeriali» cioè non formalmente collegabili a un partito. Inizia una stagione in cui la politica italiana si esprime non più su basi ideologiche, ma cercando di volta in volta convergenze tra necessità, favori e concessioni.

Per superare l'isolamento in campo internazionale e in risposta al cosiddetto «schiaffo di Tunisi» (l'occupazione francese della Tunisia, su cui l'Italia ha mire coloniali), il 20 maggio 1882 l'Italia sigla un patto di difesa con la Germania e l'Austria (Triplice Alleanza). Lo slancio espansionistico si orienta allora sull'Eritrea, prima con l'acquisizione della baia di Assab (1882) e poi con l'occupazione di Massaua, ma si ferma bruscamente con la sconfitta di Dogali (26 gennaio 1887). Alla morte di Agostino Depretis (29 luglio 1887), il nuovo capo del governo, Francesco Crispi, non fa mistero delle sue mire imperialiste e così, nella primavera del 1889, l'esercito italiano riprende ad avanzare verso Asmara. Il negus Menelik II firma allora il Trattato di Uccialli (2 maggio 1889), in cui l'Italia si configura come Stato protettore dell'Abissinia. L'Eritrea viene dichiarata «colonia italiana» il 1º gennaio 1890, però, nell'ottobre dello stesso anno, Menelik contesta l'interpretazione del Trattato di Uccialli in una lettera al re Umberto I. Ne nasce uno scandalo internazionale e Crispi è costretto a dimettersi.

L'entrata nella Triplice Alleanza inasprisce ulteriormente i rapporti dell'Italia con la Francia, cioè con il Paese con cui ha maggiori scambi commerciali. Ancora nel pieno della « grande depressione », il governo italiano infatti abbandona la politica del libero scambio adottata fin dai tempi della Destra Storica e, nel 1887, alza le tariffe doganali per i prodotti importati, con l'intenzione di proteggere la nascente industria (soprattutto quella tessile e siderurgica, ma anche quella navale). Scoppia una vera e propria guerra tariffaria e, a farne le spese, è soprattutto il Sud dell'Italia, che vede improvvisamente interrompersi il flusso costante di esportazioni di vino, di agrumi e di olio verso la Francia.

Il 15 maggio 1891, Leone XIII promulga l'enciclica *Rerum Novarum*, che affronta la « questione operaia », dato che è « di estrema necessità venir in aiuto senza indugio e con opportuni provvedimenti ai proletari, che per la maggior parte si trovano in assai misere condizioni, indegne dell'uomo ». Criticando sia il liberismo sia il socialismo, l'enciclica sottolinea lo spirito di carità della Chiesa e il suo diritto a intervenire in campo sociale.

P er gli egizi era un dono della dea Iside. Per gli ebrei era un simbolo di rinascita. Per i greci era sacro ad Atena, la dea della saggezza. Per i romani era l'albero sotto il quale erano nati Romolo e Remo.

L'olivo è un albero dal tronco nodoso, con foglie di un verde argentato che rilucono nel sole e un odore pungente. Il suo legno dorato e caldo è resistente ai parassiti ed è adatto a essere intarsiato o scolpito: il legno dei mobili destinati a durare nel tempo, a tramandare corredi e ricordi.

Ma non solo.

Provate a dar fuoco a un olivo o a tagliarne il tronco. Ci vorrà molto tempo – anche anni – ma prima o poi spunterà dalla terra un virgulto tenace, arrabbiato, che riporterà in vita l'albero ferito.

Per distruggere un olivo bisogna sradicarlo. Eliminarne le radici, scavando la terra finché non ne rimanga più traccia.

Ecco perché l'olivo è anche un simbolo d'immortalità.

Insieme con gli agrumi, gli olivi sono gli alberi più diffusi nelle campagne siciliane. Non c'è giardino od orto che non ne abbia uno. Certi esemplari erano poco più che cespugli nell'827, quando gli arabi avevano conquistato la Sicilia; ed erano ancora lì all'arrivo dei normanni, nell'estate 1038; erano ancora lì nel 1282, quando era scoppiata la rivolta dei Vespri Siciliani contro gli Angioini; erano ancora lì nel 1516, quand'erano arrivati gli spagnoli ed erano ancora lì nel 1860, quando Garibaldi aveva messo piede sull'isola...

Creature antiche, umili, monumentali, sacre.

Esiste – e resiste – un unico olivo davanti a un ingresso della Villa Florio all'Olivuzza. Pare abbandonato a se stesso ed è prigioniero di una vasca di cemento che lo mortifica, con rami inselvatichiti che si spingono verso un parcheggio condominiale.

Ultimo, muto testimone di una storia meravigliosa e terribile.

È il dicembre 1883 quando Ignazio incontra Abele Damiani nei
corridoi del Senato. Marsalese d'origine, ex garibaldino e oggi
deputato, Damiani è un uomo del suo tempo sotto ogni aspetto, a cominciare dai grandi baffi a manubrio e dalle sopracciglia cespugliose.

«Senatore! Posso chiamarvi *accussì*?»

Ignazio apre le braccia e si lascia andare a una risata. «Ne
avete facoltà.»

Il marmo del pavimento restituisce l'immagine del loro abbraccio, la tappezzeria delle pareti imprigiona le loro risa.

«*Mi putete chiamari comu vuliti*, Damiani.»

«Don Ignazio, allora. *Pure si ca' semu nel Continente*», replica
l'altro, allargando le mani. «Anzi nel cuore del Regno d'Italia!» aggiunge con un'altra risata.

Palazzo Madama è appartenuto alla famiglia Medici e dal
1871 è la sede della Camera Alta del Regno, a dispetto delle
numerose richieste di Crispi di unire i due rami del Parlamento sotto lo stesso tetto, in nome di una logica di contenimento
dei costi. La scelta è stata presa da una commissione che, dopo
estenuanti discussioni, si è trovata d'accordo su un edificio il
cui nome è identico a quello del palazzo che ha ospitato, a Torino, la prima sede del Senato del Regno. Nient'altro, tuttavia,
è mutato da allora: negli scranni di Palazzo Madama non siedono senatori eletti dal popolo, bensì i principi di Casa Savoia
al compiersi dei ventun anni di età insieme con quegli uomini
scelti – e nominati a vita – dal re che hanno compiuto quarant'anni e che rientrano in una delle venti categorie elencate nell'articolo 33 dello Statuto Albertino: ministri e ambasciatori, ufficiali «di terra e di mare», avvocati di Stato e magistrati. Ma
non solo: anche «persone che da tre anni pagano tremila lire

d'imposizione diretta in ragione dei loro beni o della loro industria».*

Come Ignazio Florio.

Damiani si allontana di un passo, lo guarda e spalanca le braccia. «I miei complimenti, sul serio, don Ignazio. Finalmente un uomo che conosce l'economia di questo Paese.»

Ignazio sta per compiere quarantacinque anni. Come sempre, il suo sguardo trasmette una calma che sembra impossibile da scalfire.

«Dove state andando? Se mi permettete di chiedere, intendo...» Damiani abbassa la voce, giocherella con la catena d'oro dell'orologio.

Accanto sfilano impiegati e galoppini che riservano loro una blanda attenzione. I siciliani formano una nutrita pattuglia a Palazzo Madama, e nessuno più si stupisce di sentirli parlare in quel loro dialetto rotondo.

Ignazio alza il mento verso le stanze in fondo al corridoio. «Da Crispi.»

«Ci sono stato giusto poco fa. Vi accompagno volentieri.» Abele Damiani gli si affianca. Parlano sottovoce, camminano con passi misurati. «È molto agitato per la storia di Magliani e ce l'ha con Depretis che l'ha voluto come ministro delle Finanze. *Uno chi pari chi ci ficiru agghiuttere una canna*. Datemi retta, Magliani non farà arrivare nemmeno le carte al Parlamento, figuriamoci illustrare i conti.»

«Depretis non si è scelto *a muzzo cu' avi a' travagghiari cu' iddu*.» La voce di Ignazio è un sussurro. «*Chiddu malu pisci è*.»

Damiani si ferma dinanzi a una porta. Bussa. «*Ccà sunnu tutti piscicani*, don Ignazio.»

«Avanti!» Una voce stentorea, impregnata di fastidio.

Ignazio entra, seguito da Damiani.

Crispi è alla scrivania, immerso nella lettura di un documento, e non alza lo sguardo. Nella luce fredda di dicembre, i suoi baffi appaiono più grigi e ispidi di quanto Ignazio ricordasse. Intorno a lui, faldoni e cartelle aperte, un caos di lapis,

---

* Circa 13.500 euro. Una somma relativamente bassa per i nostri standard, ma all'epoca assai elevata. (*N.d.A.*)

pennini che sgocciolano inchiostro e minute di lettere, alcune accartocciate. Davanti a lui, un giovanotto magro, barbetta riccia a punta e occhiali di metallo, a capo chino, ascolta e prende appunti.

« Che non si facciano venire in testa strane idee, questi », sta bofonchiando Crispi. « Le carte del bilancio ce le devono presentare prima di arrivare in aula. Ci manca solo... »

« Avvocato Crispi! È sempre un piacere vedervi così pugnace. »

Crispi ha un sussulto, si alza di scatto ed esclama: « Don Ignazio! Siete già arrivato? »

Ignazio si avvicina, mentre il segretario si fa rispettosamente da parte. Seguono strette di mano e frasi a mezza voce. Una cosa Ignazio l'ha imparata subito: che lì, pure le mura hanno orecchie e sentono quello che vogliono sentire.

Damiani indugia accanto ai due, registra lo sfilacciarsi delle frasi di circostanza. Capisce. « Bene. Una volta che ho salutato entrambi, prendo congedo », dice con un sorrisetto. « Don Ignazio, a disposizione di vossignoria, sempre. » Esce, ma lascia la porta aperta. Un tacito invito che il segretario non sembra cogliere, o forse attende un cenno dell'avvocato. Quest'ultimo gli lancia un'occhiata irritata.

« Continuiamo dopo, Fabrizio », dice Crispi, facendosi da parte per farlo passare.

L'uomo ripone gli appunti in una cartellina di cuoio. « Desiderate un liquore, senatore? »

« No, grazie. »

Ora la porta è chiusa. Francesco Crispi e Ignazio Florio sono soli. Per un istante, Ignazio rivede quell'uomo come lo aveva conosciuto a Palermo, subito dopo l'arrivo dei garibaldini in Sicilia, e non lo trova poi così cambiato. Eppure ne ha fatta di strada, da allora: deputato, presidente della Camera, ministro dell'Interno, figura familiare e stimata a Londra, Parigi e Berlino... E, in tutto ciò, sempre e comunque, avvocato di Casa Florio.

L'ha incontrato quand'era un combattente. Adesso è uno statista.

Forse è sempre stato entrambe le cose.

Crispi gli fa cenno di accomodarsi, e si siede sulla poltrona di pelle davanti a lui. Gli offre un sigaro, in silenzio. « Allora, *senatore?* » chiede, con un mezzo sorriso negli occhi.

Ignazio lascia che il fumo del sigaro gli invada la gola, poi lo soffia fuori. Risponde con lo stesso tono, inclinando appena gli occhi verso il basso. « Siete stato voi ad aver fatto in modo che questo accadesse. Grazie. »

Crispi aspira una boccata, poi incrocia le mani sulle ginocchia. « A prescindere dal fatto che si trattava di un vostro desiderio, era folle che un uomo *comu a vossia* non fosse senatore. Con le imprese che avete e le tasse che pagate... »

« Non sono un industriale di quelli che piacciono a Depretis, lo sapete bene. Basta leggere *La Perseveranza* per capirlo. »

« Quello è il giornale degli industriali lombardi, don Ignazio: è normale che sia contro le sovvenzioni alla marineria e alle imprese del Sud. Voi dovete tenere conto di quello che fanno per voi gli amici. »

« Oh, ma lo so. » Ignazio ripensa agli articoli di certi giornali romani come *L'Opinione* o *La Riforma*. In particolare quest'ultimo, vicino a Crispi, aveva caldeggiato le richieste di sovvenzione per le nuove linee di navigazione verso l'Estremo Oriente. « Però la situazione resta difficile. » Fa una pausa, si pizzica le labbra con le dita. « La politica, ormai, si fa più sulle pagine dei giornali che qui. *Basta tanticchia di scruscio e subito s'apprisentano atti e cani.* »

Stavolta è Crispi a guardarlo in tralice. « *Veru è puru che 'stu scruscio avi cubbaida.* Che ci sono ragioni fondate per queste lamentele, insomma. »

Le dita di Ignazio si fermano. La bocca si tira in un sorriso di sarcasmo. « Pure voi, avvocato? La storia dei battelli vecchi o quella dei noli troppo cari? Quale delle due? »

« Entrambe. Per la stima che porto a voi e alla vostra *famigghia*, posso essere schietto: alcune navi della Navigazione Generale Italiana sono autentici ferrivecchi e le tariffe sono troppo alte. *Avissivu a canciare.* »

Ignazio sbuffa. Batte piano il pugno chiuso sul bracciolo. « Allora sbrigatevi a portare in aula il disegno di legge per le sovvenzioni ai cantieri navali, così costruiremo navi nuove di zecca nei cantieri di Livorno. Da sola, la NGI non ce la può fare. Voi lo sapete cos'è successo quest'anno all'assemblea dei soci. Laganà vi ha raccontato i dettagli, no? »

« Certo. »

« Dunque sapete anche il perché di questa mia richiesta. »

Il consiglio di amministrazione della NGI sta fronteggiando un periodo difficile: il numero dei noli è calato in modo drastico, dato che altre compagnie estere fanno le stesse tratte a prezzi più bassi, o con navi più sicure, più confortevoli e meglio equipaggiate. Il carbone per le caldaie incide pesantemente sui costi di trasporto e i dazi sulle merci fanno il resto.

Crispi si liscia i baffi, lo osserva. Attende che Ignazio finisca di parlare.

« Quest'anno, i dividendi saranno solo quelli legati agli interessi e la società non può permettterselo. Sarà tanto se non assisteremo a un crollo delle azioni. Ma, per fare navi nuove, ci vogliono *picciuli* che al momento la NGI non ha. » Le rughe sulla fronte di Ignazio diventano ancora più profonde.

« *In capo 'u morto si cantano le esequie.* Pensiamo a quello che si può fare *oggi.* » Crispi gli punta contro il sigaro. « Ora siete qui, don Ignazio, e questo significa che avrete la possibilità di parlare direttamente con chi vi può tornare utile. »

« Lo facevo già prima. »

« *Unn'è 'a stissa cosa.* Ora vi devono ascoltare perché siete qui e siete come loro. Non avete più bisogno d'intermediari. »

« Per questo vi ho chiesto d'interessarvi alla mia nomina. » Ignazio si alza, inizia a camminare per la stanza. Abbandona il sigaro sul posacenere. « Casa Florio di amici ne ha tanti. *Io* ne ho assai. Ma quello che c'è qui va oltre l'amicizia. »

Crispi sa, e annuisce.

Il potere. Le conoscenze. Le relazioni.

« Voi vi siete spinto là dove vostro padre non ha mai nemmeno pensato di arrivare. »

Ignazio sa bene che suo padre sarebbe stato più brutale, più diretto. A essere diplomatico, a giocare sul filo dell'opportunità nell'elargire favori, a stringere alleanze senza scontentare nessuno, lui ha dovuto impararlo da solo. E lo ha imparato bene. « Lo so. » Sposta l'attenzione su Crispi che, a gambe accavallate, lo sta osservando. «Ma il mondo è cambiato da allora. Oggi bisogna essere molto più accorti.»

Nella stanza foderata di legno e cuoio, la voce di Crispi è un mormorio. «Oggi la politica è *chidda di canziarisi*, di stare attenti a come ci si muove ed essere... elastici. Non importa se ciò significa tradire gli amici e cambiare schieramento politico.» Lo sguardo diventa tagliente. «Avete presente Depretis, no?»

«'Se qualcuno vuole entrare nelle nostre file e trasformarsi e diventare progressista, chi son io per respingerlo?' È un suo chiodo fisso. Lo ripete da diversi anni. E ha agito non appena l'occasione è stata favorevole.» Ignazio solleva le labbra in un sorriso storto. «Non si può certo affermare che manchi di costanza. E di pragmatismo.»

«Sì.» Con un sospiro d'insofferenza, Crispi si rimette in piedi, liscia il gilet. «Devo dargliene atto: si comporta da filibustiere, ma sa il fatto suo. È un gran *crasto e cornutu*, diciamolo chiaro e tondo: prima ha brigato affinché gli industriali del Nord entrassero in Senato, poi ha capito che, per fare quello che voleva, doveva ottenere la più ampia maggioranza possibile e ha cominciato a guardarsi intorno. Con quel discorso, ha scardinato gli schieramenti nel Parlamento. E oggi chi vuole può cambiare bandiera e sentirsi legittimato a farlo.»

Ignazio si alza e si appoggia alla parete, sotto una grande stampa che riproduce l'Italia. «Voi lo ammirate», scandisce, con una punta di meraviglia e incrociando le braccia sul petto.

«Ammiro il suo acume politico, non lui. È cosa diversa.» Crispi guarda verso la finestra schermata da una tenda. «Ha dato legittimità a una prassi che vigeva da anni, le ha tolto lo stigma. In un certo senso, ha messo fine all'ipocrisia che domina questo palazzo. Non esistono più Destra o Sinistra; esistono cordate e giochi di potere.» Ha sguardo di ferro contro pietra. «E voi, don Ignazio, dovrete essere ben accorto e capire a chi legarvi.»

Ignazio scorre con lo sguardo i fogli che ingombrano la scrivania. «Io mi legherò a un solo partito. Il mio.» Quando solleva il viso, gli occhi sono specchi scuri. «Del resto, la Sicilia è un mondo a parte, avvocato Crispi. Perché qui a Roma i politici possono fare quello che vogliono, ma i siciliani decideranno sempre e comunque di testa loro, e spesso faranno *minchiunarìe* perché sembra quasi che non siano in grado di capire chi può fare il loro bene. E niente e nessuno potrà costringerli ad assumere certi atteggiamenti... finché non *sceglieranno* di farlo.»

«E voi siete tra la Sicilia e il mondo.»

«Già.» Ignazio accenna un sorriso strano, a metà tra il rassegnato e il divertito. «I miei uomini dell'Oretea non sanno nulla dell'America, eppure riparano caldaie per i piroscafi che ci porteranno i loro parenti o magari addirittura i loro fratelli. La fonderia non ha una produzione specializzata come quella delle fabbriche del Nord; fa di tutto e di più. Spedisco merci e faccio viaggiare persone da Giacarta a New York, le mie navi approdano in almeno settanta porti diversi, vendo lo zolfo ai francesi, presento il mio marsala nelle esposizioni internazionali... ma la mia casa è Palermo.»

«E a Palermo resterete.» Crispi torna a sedersi alla scrivania e chiude con disinvoltura alcune cartelle di documenti su cui Ignazio aveva appuntato la sua attenzione. «Ho saputo del fidanzamento di vostra figlia Giulia con il principe Pietro Lanza di Trabia. Me ne compiaccio. I Lanza di Trabia sono una delle famiglie più illustri e antiche dell'Italia tutta.»

È l'increspatura della ruga sulla fronte, più che il silenzio, a tradire l'inquietudine di Ignazio. Crispi se ne accorge, ma non dice nulla. Attende.

«Anche per questo sono venuto a trovarvi.» Ignazio torna a sedersi, accavalla le gambe. «Vorrei che voi vi occupaste degli accordi matrimoniali di mia figlia. In maniera del tutto riservata e informale, s'intende.»

Stavolta è Crispi a mostrare perplessità. «Cosa intendete?»

«Intendo che avrà una dote adeguata, ma il matrimonio non si celebrerà che tra un paio d'anni, dato che Giulia ha soltanto tredici anni, e mia moglie Giovanna la sta preparando a essere la moglie di un principe di Trabia... Voglio sfruttare questo tempo per darle una sicurezza economica che sia solo sua. Desidero che possa gestire denaro e proprietà.» Cerca le parole adatte. «Non c'è cosa più triste che essere prigionieri di un matrimonio infelice.»

Ignazio esita, poi decide di fermarsi. Toccare quel tasto con

Crispi è indelicato, anche se sono ormai passati diversi anni dallo scandalo che lo aveva travolto. Già: anche il temuto Francesco Crispi era stato oggetto di uno scandalo, un'imbarazzante questione di femmine che lo aveva costretto a difendersi in tribunale, causandogli non poche umiliazioni. Era pur vero che il processo per l'accusa di bigamia si era concluso con la sua assoluzione: il primo matrimonio con Rose Montmasson era stato dichiarato nullo perché il sacerdote era sospeso *a divinis*, quindi le successive nozze con la leccese Lina Barbagallo – da cui Crispi aveva già avuto una figlia – erano perfettamente valide. Ma il ricordo delle dimissioni forzate, delle urla in Parlamento, dei pettegolezzi, dei titoli dei giornali, della regina Margherita che rifiuta di stringergli la mano rimane incancellabile e Ignazio lo sa. Anche perché, per i suoi numerosi avversari, quella grottesca vicenda aveva fatto emergere la verità e cioè che Crispi era un uomo privo di scrupoli. Nella vita privata e in quella pubblica.

L'avvocato si morde il labbro inferiore, mormora un improperio. «Di tutte le trappole in cui un uomo può cadere, il matrimonio è la peggiore.»

La risposta di Ignazio è un'occhiata opaca. Ha l'impulso di replicare: «Lo so bene anch'io», ma si trattiene. Agli occhi del mondo, lui è padre e marito esemplare e tale deve rimanere. Di più: è padre e marito felice e orgoglioso. Una maschera che ha scelto d'indossare tanti anni prima e che ormai si è fusa con la sua identità, qualcosa cui non sa e non può rinunciare.

Di Camille non ha notizie da due anni. Il suo ricordo è sceso ancora più a fondo e pulsa, doloroso. Un rimpianto affogato in un lago di amarezza. Esistono molti modi per sopravvivere al dolore e lui li ha sperimentati tutti alla ricerca di un po' di pace. Alla fine, ha scoperto che il più difficile, ma anche il più efficace, è dimenticare di aver amato.

Si schiarisce la voce e riprende: «Sapete, non voglio che mia figlia si trovi in difficoltà in caso decidesse di vivere lontana dal marito, com'è consuetudine per molte coppie. Il prestigio del suo matrimonio non è sufficiente per metterla al riparo da eventuali... *dispiaceri* che possono sopraggiungere con gli anni e voglio che non sia costretta a chiedere nulla. Oltretutto sapete bene quale fama accompagni la matriarca dei Lanza di Trabia».

Crispi annuisce. Non è un mistero che Sofia Galeotti, la principessa di Trabia, è una donna dalla lingua biforcuta, che non esiterà a mettere il figlio contro la moglie, se lei non starà attenta. «Ma voi siete sicuro di voler far sposare Giulia con Pietro? Lei avrà solo quindici anni e lui ventitré...»

La risposta è accompagnata da una scrollata di spalle. «I Trabia hanno bisogno dei Florio per sistemare i conti di famiglia e per Giulia questo è il miglior matrimonio possibile. Lei è giovane, ma sa quali sono le sue responsabilità.» Inarca le sopracciglia. «Allora? Ve ne occuperete?»

«Stenderò una bozza dei capitoli matrimoniali e ve la farò vedere. La piccola Giulia avrà tutte le difese che il diritto potrà assicurarle.» Si alza, si avvia alla porta.

Ignazio lo imita e, sulla soglia, gli dà la mano.

«Quindi tornerete presto a Palermo?» chiede Crispi.

«Spero la prossima settimana. Qui a Roma ho modo di seguire la NGI, ma la cantina e la tonnara hanno bisogno della mia presenza... è obiettivamente difficile. È vero che ho ottimi collaboratori, ma non voglio restare lontano dalle mie imprese.»

«E dalla vostra famiglia.» La bocca di Crispi si piega in un sorriso appena nascosto dai baffi. «Cosa dice donna Giovanna? Si è ripresa dal parto? Dev'essere stato faticoso...»

«È ancora una donna forte.» Ignazio si addolcisce, quasi sorride. «Il piccolo sta crescendo bene. Sarà un onore per me farvelo conoscere, quando verrete a Palermo.»

«Senza dubbio.» Crispi fa una pausa. «Quindi Casa Florio ha di nuovo un Ignazio e un Vincenzo.»

«Sì. Com'è stato fin dall'inizio e come deve essere.»

Un Ignazio e un Vincenzo...

Giovanna strofina il viso sul collo del piccolo. Odore di latte, di colonia, di buono. Vincenzo gorgoglia, ride. Le tende le braccia e lei lo solleva, poi se lo stringe al petto, lo bacia. Nella stanza sono soli: di quel figlio, lei vuole occuparsene personalmente. È la sua ultima occasione di essere madre e non vuole sprecarla.

Figghi nichi, guai nichi; figghi ranni, guai ranni. «Figli piccoli, piccole preoccupazioni; figli grandi...»

Giovanna sospira: Ignazziddu ha quindici anni, fa *u' scaltro* con le ragazze più grandi di lui e ha un temperamento fin troppo focoso. Giulia, che di anni ne ha tredici, è stata promessa a Pietro Lanza di Trabia e si sta preparando a diventare una principessa. L'arrivo di Vincenzo li ha sorpresi: a seconda dell'umore, considerano il fratellino un bambolotto con cui giocare o un ospite irritante.

In fondo, è giusto così, pensa Giovanna: entrambi ormai guardano in avanti, non cercano più molto spesso la madre, e forse non ne hanno più bisogno, com'è nell'ordine naturale delle cose. Lei li ha visti crescere e cambiare, ma lo sforzo quasi disperato di apparire perfetta agli occhi di Ignazio e di farsi amare da lui aveva consumato gran parte delle sue energie. I suoi figli erano stati l'ennesima dimostrazione della sua capacità di essere all'altezza delle aspettative del marito. Ma ora non ha intenzione di fare lo stesso errore. Ora vuole che questo figlio sia, prima di tutto, *suo* figlio.

Aveva pregato tanto, Giovanna. Mentre i suoi occhi s'incupivano per la quieta indifferenza del marito, mentre il viso si trasformava e il corpo avvizziva, aveva implorato Dio che le concedesse qualcosa per quegli anni di vita che aveva davanti e che le apparivano così vuoti.

Poi era arrivato Vincenzo, e su di lui aveva riversato tutto l'affetto di cui era capace.

All'inizio, aveva pensato che l'assenza del ciclo fosse il primo segno di un fisico ormai invecchiato. Poi però erano arrivati uno strano indolenzimento ai seni e un'insolita durezza del ventre. Dopo alcune settimane, la confusione si era trasformata in sbigottimento.

Aveva chiamato la levatrice. E quando quella aveva confermato – «Sì, donna Giovanna, *siti almeno di du' misi*» –, era rimasta immobile, le gonne rovesciate sui fianchi e la mano sulla bocca.

Incinta. Lei. La sua sorpresa era stata davvero grande. E quella di Ignazio lo era stata ancora di più.

Il mio miracolo, così Giovanna chiama Vincenzo.

Un miracolo perché l'ha concepito a quasi quarant'anni, a un'età in cui le donne non fanno più figli, ma si prendono cura dei nipoti.

Un miracolo perché è un maschio e, anche se è venuto fuori prima del tempo, l'ha fatto urlando. È forte, sano. E ride sempre.

Un miracolo perché Ignazio è tornato da lei.

E forse è quest'ultima cosa che più la riempie di gioia.

Con il piccolo in braccio, Giovanna esce dalla stanza. Sulla soglia, dietro l'uscio, la attende una bambinaia.

«Volete che lo porti io, donna Giovanna?»

«No, grazie.» Vincenzo gorgoglia, tende le mani verso gli orecchini di corallo della madre. Lei ride. Ha quasi nove mesi: è nato il 18 marzo di quello stesso anno, il 1883, e ben presto si metterà a camminare: si capisce da come punta i piedi quand'è in braccio e cerca di alzarsi da solo. «Giulia e Ignazziddu dove sono?» chiede poi Giovanna, con un vago senso di colpa.

«Il signorino si sta esercitando con il professore di francese. La signorina, invece, ha già fatto conversazione di tedesco e ora aspetta con donna Ciccia *a vossia*.»

«Ha portato il lavoro che stiamo facendo?» chiede mentre scende le scale, una mano sul corrimano e l'altra che sorregge il figlio.

«*U' sfilato?* Sissignora.»

Ai piedi delle scale, Giovanna scruta severa le domestiche che stanno lucidando i mobili con la cera d'api. Poi la sua attenzione si sposta sugli addobbi natalizi del corridoio. Osserva le candele, le composizioni di fiori con nastri rossi e bianchi, le ghirlande di rami di abete delle Madonie decorate alla moda inglese. Nei vasi d'argento, posti su tavoli e credenze, tralci di agrifoglio e alloro, legati con fiocchi di velluto, si alternano a decorazioni di carta dorata.

Al centro della sala da ballo, sopra l'Aubusson dai fiori rosa, azzurri e avorio e dal bordo color crema, comprato a Parigi pochi anni prima, troneggia un gigantesco abete addobbato con palle di cristallo e festoni di raso e taffetà: una moda lanciata dalle ricche famiglie anglosassoni che vivono a Palermo da lungo tempo e che gli aristocratici locali hanno imitato. Il verde scuro dei rami si riflette negli specchi sulle pareti e si moltiplica, dando la sensazione di essere in una foresta. La stanza è piena del profumo della resina e suggerisce immagini di spazi aperti, di montagne innevate.

Ignazio non sa nulla di tutto questo. Sarà una sorpresa per quando tornerà da Roma.

La decisione di accoglierlo così è il segno più evidente della gioia di Giovanna, della consapevolezza che, dopo tanto buio, la vita è tornata a illuminare quella casa.

Lei, ora, si sente davvero una Florio, e non solo perché ha dato alla famiglia un altro erede. Lo sente perché Ignazio è pieno di attenzioni nei suoi confronti. Ha persino qualche gesto di tenerezza; per esempio non manca mai di portarle un dono dai numerosi viaggi che fa in Continente.

Vincenzo tende le braccia verso l'albero di Natale e ride.

Giovanna, invece, ricorda.

Tutto è cambiato da quand'è tornato da Marsiglia, due anni prima. Lei lo aveva accolto sulla soglia di casa, con le mani strette sul ventre e un sorriso impacciato. Giulia si era precipitata ad abbracciarlo, mentre Ignazziddu gli aveva stretto la mano.

Poi, finalmente, Ignazio l'aveva guardata, si era avvicinato un poco e le aveva preso una mano per baciarla. Negli occhi placidi, c'era una luce insolita, mista di rammarico, di solitudine e forse di dolore. Un'espressione che, a distanza di tempo, Giovanna non riesce ancora a spiegarsi.

Poi, quella notte, era venuto nella sua stanza e l'aveva amata con lo stesso ardore dei primi mesi del loro matrimonio. Era stata una notte appassionata, fatta di sospiri soffocati e di mani che esploravano i corpi senza vergogna.

Giovanna posa Vincenzo a terra, lascia che vada in giro carponi sul tappeto.

Qualcosa doveva essere accaduto, là, a Marsiglia, là dove c'era *lei*. Che cosa, le era impossibile saperlo. Ma non si spiegava altrimenti il cambiamento di Ignazio, che era diventato più affettuoso con lei, più tenero, addirittura più rispettoso, se possibile. Di una cosa soltanto era sicura: durante quel viaggio, e forse proprio a Marsiglia, qualcosa lo aveva ferito profondamente. Lo percepiva con tutta la chiarezza di una donna innamorata: era un'eco che risuonava a metà tra lo stomaco e il cuore, un'intuizione nata da quel sentimento che lei aveva nutrito da sola per troppi anni. E confermata da ciò che leggeva ogni giorno nei suoi occhi, nei suoi gesti e persino in quella passione ritrovata. Era come se la parte di sé che Ignazio aveva sempre tenuto nascosta agli occhi del mondo adesso fosse diventata definitivamente inaccessibile. Come se nel suo animo ci fosse stato un terremoto e le macerie avessero bloccato per sempre ogni apertura. Era un dolore di cui Giovanna non conosceva – e non *voleva* conoscere – nulla. Si era addirittura sorpresa a pensare che per troppi anni lui l'aveva fatta soffrire e che quindi adesso era giusto che pagasse con la medesima moneta.

Sì, qualcosa, nell'animo di Ignazio, si era disintegrato. Ma, su quelle macerie, lei poteva costruire *altro*. Qualcosa di nuovo, che sarebbe stato suo e soltanto suo. D'altronde era ciò che aveva imparato a fare meglio: accontentarsi del poco che lui le accordava e farselo bastare.

Per lei, l'unica cosa importante era riaverlo.

E infatti lo aveva accolto senza chiedere nulla.

Poi, del tutto inatteso, era arrivato Vincenzino. Quando gli aveva detto di essere incinta, Giovanna aveva visto Ignazio accendersi di un rinnovato interesse per la famiglia; poi era nato un maschio, e lui ne era stato immensamente, palesemente felice. Gli aveva dato il nome del padre, quel padre che gli aveva insegnato la responsabilità e l'onore e, insieme, aveva voluto ricordare il primogenito. Vincenzino era morto ormai da quattro anni; era tempo che ci fosse di nuovo un Vincenzo all'Olivuzza. E proprio questo aveva detto agli operai dell'Oretea, quando si era presentato alla fonderia per dare di persona la bella notizia.

A suo modo, Ignazio era tornato sereno. Talvolta, però, quando Giovanna lo osservava, mentre parlava con i figli o con qualche ospite, gli vedeva balenare in viso quella sensazione di lutto, di perdita. Era come se gli calasse addosso un'ombra solida, che nessun sole poteva dissipare.

Non poteva sapere, Giovanna, che, in quel terremoto, una parte di Ignazio era morta. E che lui si sarebbe portato appresso lo stigma di quel lutto senza cadavere per tutta la vita.

Giulia sta cercando un filo color avorio nella cesta. Lo trova. Ne taglia una parte, inumidisce un capo con la saliva, poi socchiude gli occhi per infilarlo nella cruna dell'ago.

Tra lei e donna Ciccia, un drappo di lino che, faticosamente, sta prendendo la forma di una tovaglia da tè.

Giulia sbaglia, più volte. Scuote la testa, facendo oscillare lo chignon in cui sono raccolti i capelli neri, poi sbuffa. « Perché mia madre deve infliggermi questa tortura? »

Donna Ciccia alza una mano a sistemarsi i capelli – ormai attraversati da numerosi fili bianchi –, poi la abbassa sul braccio di Giulia. « *Picchì chistu avi a sapiri a fari 'na brava fimmina maritata.* » E infila una gugliata di filo con un solo, rapido gesto.

Giulia atteggia il visino delicato a un broncio altero che quasi strappa un sorriso alla donna. È così somigliante alla madre, in certi momenti...

« Io avrò stuoli di servitori », replica. « Mio padre me lo ha promesso: non ho bisogno d'imparare a ricamare. Vorrei fare dei disegni, invece. »

« *U' ricamo puru bello è.* »

Giulia alza gli occhi al cielo. « Il mio futuro marito è un principe. Sarò io la padrona. »

In quel momento, Giovanna entra, seguita dalla bambinaia con il piccolo. Si siede dinanzi alla figlia e a donna Ciccia, le scruta entrambe.

Giulia alza appena lo sguardo. Per un istante, si chiede se la madre abbia sentito la sua ultima frase, ma poi scrolla le spalle. *Pensi pure quello che vuole, io non ho intenzione di starmene buona in casa come lei.*

« A che punto sei con l'orlo della tovaglia? » chiede Giovanna, afferrando un lembo del lavoro.

Lei spiana la stoffa, gliela mostra. La donna prende il lino, lo rigira, lo guarda con occhio critico. «Il lavoro non è abbastanza pulito», la riprende, indicando i punti in cui i fili si sono accavallati. «Ci vuole ordine e precisione *pi' stu travagghio. A' scola ci sunnu picciuttedde che sannu fare cosi d'oro.*»

Giulia vorrebbe rispondere che può tenersele, le ragazze della scuola di ricamo, poverette che non avrebbero altrimenti modo di raggranellare neanche qualche soldo. Non lo fa solo perché la madre la rimprovererebbe e lei non vuole affrontare una discussione inutile. Ci tiene moltissimo, a quella scuola, chissà perché.

Donna Ciccia le guarda entrambe e sospira. «*Chidde u fanno p' amuri e p' piaciri. Giulia unn'è cosa.*»

«Non tutte le cose si fanno per piacere, donna Ciccia. *U' sapiti megghiu di mia. E idda, chi ora è na' fimmina* che si deve sposare, lo deve capire in fretta.» Poi si rivolge alla figlia. Deve imparare in fretta che non può fare sempre e solo quello che più le aggrada, perché avrà delle responsabilità e, soprattutto, un ruolo sociale. Nella voce si mescolano premura e avvertimento. «Tu, quando riceverai gli ospiti, ti devi far trovare con un ricamo in mano. Queste sono abitudini da buona padrona di casa. Se vuoi leggere, leggi quando sei da sola. Ricordati che gli uomini temono le donne troppo intelligenti e tu, a tuo marito, *un l'ha' a fari scantari.*»

«*Na' vota, mamà. Ora unn'è cchiù accussì.*» Le labbra di Giulia fremono, i pugni si stringono intorno al lino. «E poi, io sono io, e a me piace leggere, disegnare, viaggiare. Non sono come voi, che preferite stare in casa.»

Giovanna socchiude le palpebre. «Che vuoi dire?»

Giulia brucia dalla voglia di ferirla. Le vorrebbe dire tutto quello che ha capito in quegli anni in cui ha visto lei e suo padre camminare su strade diverse. Da un lato, l'amore di lei – soffocante, invadente –, fatto di sguardi ansiosi e supplicanti, quasi patetici. Dall'altro, il distacco di suo padre, quella sua freddezza che poteva trasformarsi in astio in una manciata di secondi.

Lei: placida, testarda, così paziente da sembrare ottusa. Lui: freddo, insoddisfatto, infastidito.

Quanta pena aveva provato per il padre. Era il suo punto di riferimento, la sua certezza. E quanto disprezzo aveva provato per la madre, per quella donna che avrebbe dovuto essere il suo modello e invece non era riuscita a far altro che annichilirsi, elemosinando affetto e attenzioni. Non aveva mai avuto un briciolo di orgoglio. Non era mai stata davvero capace di prendere ciò che era suo.

Si era sacrificata sull'altare della famiglia, umiliandosi e lasciandosi umiliare.

È un giudizio feroce, quello di Giulia, che taglia carne e sangue, il giudizio di una figlia che non sa cosa hanno vissuto i suoi genitori e che si delinea in un unico, arrogante pensiero: *Io non farò la sua fine.*

«Voglio dire che le cose cambiano», replica, saccente. «Va bene che voi e *mon père* mi avete trovato un marito, ma io non sono una pupa di pezza.»

«Ma sentila! Che ti vennero in testa, idee moderne? Che ti vuoi mettere a studiare per fare l'avvocata, come quella femmina del Nord, quella Lidia Poët? Hai visto che fine c'hanno fatto fare, no? A casa l'hanno rimandata, ecco.»

Giulia gonfia le guance, getta da parte la stoffa.

Donna Ciccia interviene per calmare gli animi. «*Un' dissi chistu, donna Giuvanna... e bedda matri, chi fate?*» Le mette la mano sul braccio. «*Quannu fate accussì, mi pariti vostra matri*, che gridava sempre per farsi sentire.»

Giovanna impallidisce. Le labbra hanno un fremito, sembra quasi che stia davvero per mettersi a gridare. Ma non lo fa; trattiene la rabbia, e scuote la testa con forza. Fissa donna Ciccia, poi indica Giulia. «Lei non è nata per essere una donna comune. Deve guardare il nome che porta e il sangue che ha nelle vene.»

Giulia alza gli occhi verso la madre, ma non dice nulla.

In quello sguardo, Giovanna rivede la propria voglia di trovare un posto nel mondo, quel desiderio che le aveva fatto dannare l'anima per ottenere un po' di amore e di stima da Ignazio.

Ma Giulia non ha né l'umiltà né la pazienza che lei ha avuto.

È così diversa... Un mistero che non è riuscita a risolvere.

Per lei, per quella figlia tanto bella quanto determinata, prova tenerezza e insieme rabbia. In quei mesi l'ha preparata a essere una perfetta padrona di casa, una principessa degna del titolo che porterà, però Giulia non sembra rendersene conto. Anzi: quasi si fa gioco delle sue preoccupazioni.

Ma prova anche pena per lei perché è giovane. Non sa che dovrà difendersi da tutto e tutti, non pensa alle rinunce che dovrà fare solo perché gli altri se lo aspettano. Non può nemmeno immaginare quanto le costerà proteggere la sua anima in un mondo dove soldi, titoli e apparenza sono l'unica verità possibile.

Sono cose, queste, che ogni donna deve scoprire da sola.

Giovanna sospira, si alza. «Vado da Ignazziddu», dice, senza guardarla. Ed esce, seguita dalla bambinaia.

Per qualche istante, nella stanza c'è un silenzio assoluto.

Poi donna Ciccia avvicina il viso a quello di Giulia e mormora: «Vostra suocera *vi talierà* per vedere quali *fissarie* combinerete per raccontarle a vostro marito Pietro. Accussì funziona». La guarda, seria. «*'Sti cosi vostra matri 'un vi li rissi ancora, ma ju sì.* State attenta. *U' principe è impastato cu so' matri e chidda è fimmina putente...*» Lo dice piano, con timore, perché sa, *sente*, che Giulia passerà momenti di grande difficoltà in quella casa. È più di un presentimento: è una sensazione che la stringe alla gola e che le fa capire che la sua *picciridda* soffrirà e non poco.

«Se lei è una donna orribile, io non sarò da meno.» Giulia alza il mento. «Io lo so qual è il mio posto.»

Donna Ciccia scuote la testa e riprende a sfilare il lino. L'ha vista nascere, l'ha seguita per tutta l'infanzia e adesso Giulia è quasi una donna, troppo sicura di sé come tutti gli adolescenti... e come tutti i Florio. Non ha dubbi: imparerà a sue spese cosa significa entrare da sposa – da *estranea* – in una casata tra le più importanti d'Italia. Con un carattere del genere, ogni mortificazione sarà causa di lite. Però sa pure che nessuno in famiglia è pari a lei per determinazione e orgoglio, e questo la rassicura. Non si lascia abbattere da nulla e da nessuno, proprio come la nonna di cui porta il nome. Dalla nonna Giulia ha preso il coraggio e la capacità di sopportare il dolore; dal nonno Vincenzo ha ereditato l'impazienza, l'alterigia e l'insofferenza per ogni tentativo di sminuirla.

Ma quello che donna Ciccia non può immaginare è come il destino metterà alla prova la sua *picciridda*.

L'estate del 1884 è rovente, satura di umidità. Lo scirocco porta negli uffici della Navigazione Generale Italiana l'odore pesante delle alghe marce e i fumi di carbone dei piroscafi; riempie di sabbia i mobili e rende opachi i profili dei palazzi e delle montagne lontane.

Ignazio chiude il faldone che ha davanti e su cui c'è scritto SOCIETÀ CERAMICA. Ci pensava da un po' e adesso, finalmente, è riuscito ad aprire lì a Palermo una fabbrica di ceramiche per realizzare, tra l'altro, il vasellame da usare sulle navi della NGI. Basta acquistare piatti, tazze e zuppiere dall'Inghilterra o dalla Ginori: adesso li farà realizzare lui e avranno il marchio dei Florio. *Magari farò produrre pure qualche servizio per Favignana... Sì, chiederò a Ernesto Basile di disegnarlo*, pensa.

Si avvicina alla porta, chiama un galoppino perché gli faccia preparare la carrozza per tornare all'Olivuzza, poi va alla scrivania, si siede e si concede di allentare il *plastron*. Si massaggia gli occhi. Da qualche tempo, sono sempre irritati e i quotidiani impacchi di amamelide e camomilla alleviano il bruciore solo per un po'. *Ancora qualche giorno*, pensa con sollievo, tenendo gli occhi chiusi. Un sorriso gli affiora alle labbra: quest'anno, ha deciso di sfuggire all'afa andando prima a Napoli e poi in Toscana. Ma non è tanto la prospettiva della vacanza a rallegrarlo. Qualche tempo prima, ha acquistato una carrozza ferroviaria e l'ha fatta allestire come se fosse una vera e propria «casa in movimento», come va di moda nell'aristocrazia europea: lui e la sua famiglia viaggeranno circondati dai loro mobili, assistiti dalla loro servitù e avranno addirittura un intero vagone riservato ai bagagli. Lusso, comodità, riservatezza. Un altro modo per allontanare le preoccupazioni e dimostrare il proprio prestigio.

Riapre gli occhi, deciso a mettere fine a quella giornata che lo ha stremato. Ha ancora un'incombenza da sbrigare: occuparsi della corrispondenza personale arrivata con i piroscafi giunti a Palermo nel primo pomeriggio.

Afferra il tagliacarte. Apre le buste. La prima è una richiesta dei rappresentanti delle maestranze napoletane che gli chiedono un interessamento per ottenere salari più equi. *Voi che siete come un padre per i vostri operai*, dicono. Ci penserà domani a rispondere.

Poi una missiva di Damiani, che lo aggiorna sulle ultime sedute del Senato, e si dilunga a raccontare chiacchiere, pettegolezzi e aneddoti. Anche quelli sono importanti, e lo sanno entrambi. Ignazio la scorre e la mette da parte.

Infine una busta listata a lutto.

La rigira tra le dita, le osserva come se si trattasse di un oggetto pericoloso. Il cuore talvolta vede le cattive notizie prima degli occhi.

Marsiglia, dice il timbro postale.

Non riconosce la calligrafia. Ricorda bene l'indirizzo del mittente. E no, non si tratta di sua sorella o dei Merle.

La bocca si fa secca. Il respiro non vuol saperne di uscire dalle labbra.

Non sono sue le mani che aprono la busta, non gli appartengono quelle dita che tremano né quegli occhi che si velano di lacrime nel leggere le parole.

Giugno... Malattia... Colera... Niente da fare...

La mano accartoccia il foglio, si chiude a pugno. Colpisce la scrivania, una, due, tre volte. Un singhiozzo gli scappa dalle labbra, un altro s'impiglia sotto lo sterno, viene ricacciato indietro.

Non deve piangere.

Riprende il cartoncino, lo liscia, lo rilegge.

Parole composte di un vedovo, frasi che, sotto il velo della formalità, rivelano un dolore cocente. Lei era stata amata da quell'uomo, Ignazio ora lo sa.

La moglie, scrive l'uomo, gli aveva fatto una richiesta precisa poche ore prima di morire e lui aveva obbedito, comunicando quindi la notizia al *caro amico di un tempo*.

Per un istante, Ignazio si chiede cosa abbia provato l'ammiraglio Clermont nello scrivere quel biglietto. Camille – *Dio, quanto fa male pensare il suo nome!* – gli avrà mai raccontato quello che era successo tra loro? Oppure aveva taciuto, lasciandogli solo un sospetto? O ancora, gliene aveva parlato come di una cosa poco importante, che ormai apparteneva al passato?

Lei avrebbe avuto tutto il diritto di rivelargli il loro rapporto, proprio come quell'uomo ora ha *diritto* di vivere il suo dolore.

Lui, invece, non ha diritto a nulla.

Appoggia la fronte sul piano della scrivania. Non riesce a pensare ad altro che al profumo di lei, a quell'aroma di garofano fresco, vitale, primaverile.

Ecco cosa gli resta. Il suo odore addosso, non sul corpo, ma nell'anima. Il suo sorriso. La pena che gli ha lasciato dentro dopo quei rimproveri che ancora gli bruciano, oh, se bruciano...

Fuori, Palermo si prepara alla sera. Distanti, giungono i rumori della piazza: lo sferragliare dei carri e delle carrozze che si dirigono verso la passeggiata sul mare, l'ansimare dei piroscafi, le grida dei garzoni che vendono i giornali del pomeriggio, le voci arrabbiate delle madri che richiamano i figli a casa. I lampioni combattono la loro battaglia con le ombre che si stanno impadronendo del Cassaro e, alle finestre delle case, appaiono le prime luci. A folate, arriva un odore di mare, di cibo, di brace.

Intorno a lui, tutto è vivo.

Dentro di lui, c'è solo silenzio.

È il 3 ottobre 1885 e Giulia, al braccio del padre, sta salendo l'ampia scalinata di marmo del municipio di Palermo. La loro somiglianza è quasi incredibile: gli stessi occhi placidi e attenti, lo stesso naso importante, le stesse labbra carnose. Lo stesso distacco.

Ma quella vicinanza enfatizza anche il contrasto tra il nero *morning coat* di Ignazio e l'elegante *toilette* color crema di Giulia, con i due corsetti con stecche di balena che segnano la vita sottile, l'uno senza maniche e l'altro con maniche a tre quarti, bordati di pizzo. La gonna, sontuosa, pesante, è composta da otto strati di stoffa e si chiude con uno strascico. I capelli scuri sono acconciati in grandi onde, trattenuti da fermagli di brillanti.

Donna Sofia Galeotti, principessa di Trabia e dama di palazzo della regina Margherita, guarda la giovanissima sposa e distoglie il viso con uno scatto, ma si ricompone subito, con un sorriso falso che nasconde l'orgoglio oltraggiato da quello sfoggio di ricchezza. Per lei, quel matrimonio non è l'unione di due famiglie, bensì un'àncora di salvezza: il patrimonio dei Trabia era passato attraverso una serie di divisioni ereditarie che l'avevano fortemente compromesso e persino le residenze di famiglia – tra cui la loro dimora principale, Palazzo Butera – avevano urgente bisogno di essere restaurate. *E adesso finalmente lo saranno*, sembra pensare donna Sofia, che ora stringe le labbra e annuisce.

A pochi passi da Ignazio e Giulia, c'è donna Ciccia. È visibilmente commossa, ma anche preoccupata che l'abito non si sgualcisca. *E questo è solo il rito civile!* pensa. *Ancora devo sistemare quelle due perle che si sono allentate sul colletto dell'abito per la cerimonia in chiesa, controllare l'orlo del sottogonna, ricucire quel piccolo strappo nel merletto del velo...* Sente una stretta di angoscia; le sembra che il tempo le manchi. Un presentimento la attraversa, strappandole un brivido.

Giovanna segue il terzetto a occhi bassi, al braccio di Ignazziddu, che si guarda intorno a testa alta, con aria sfrontata. Sfoggia un paio di baffetti e una barbetta riccia, nel tentativo di togliersi di dosso quell'aria da ragazzino che, a diciassette anni, comincia a stargli stretta.

D'un tratto, Giulia scivola. Forse la suola di una scarpina di raso ha perso la presa sul marmo, forse lei ha messo male il piede, chi può dirlo. Giovanna sussulta; donna Ciccia corre ad afferrarla e nel frattempo invoca la Madonna. Ma Giulia si aggrappa al braccio del padre, accenna una risata divertita. «Solo questo ci mancava», gli sussurra, e lui risponde al suo sguardo serrandole la mano. Infine la ragazza raddrizza la schiena, alza il mento e riprende a salire.

Nonostante l'aria compassata, Ignazio prova orgoglio e sollievo: la reazione di Giulia a quel piccolo incidente è il segno che la sua *stidduzza* sa badare a se stessa e che non si perderà mai d'animo. Anche se sono passati solo pochi anni, il tempo in cui lo accoglieva al ritorno a casa, sotto l'olivo accanto alla porta delle carrozze, è ormai lontano. Ignazio non potrà più contare sulle loro chiacchierate all'alba, durante la colazione, né sul conforto che veniva dalla loro intesa, fatta solo di sguardi.

Gli mancherà moltissimo.

Era stata Giovanna a condurre le trattative con la principessa di Trabia: due aristocratiche che parlavano lo stesso linguaggio e praticavano con pari abilità la sottile arte del punzecchiarsi senza farsi male. E ne era uscita vincitrice, dimostrando una notevole maestria e una olimpica indifferenza all'atteggiamento sussiegoso e a tratti persino sgradevole della futura consuocera. Ma era stato Ignazio a indicare le condizioni patrimoniali – stilate dall'avvocato Crispi – che avevano come scopo quello di tutelare la figlia, e sempre lui aveva commissionato mobili pregiati per arredare il palazzo e acquistato oggetti che avrebbero dato lustro alla collezione d'arte della famiglia, come i puttini di Giacomo Serpotta che provenivano dalla chiesa di San Francesco delle Stimmate. I Lanza di Trabia avevano dovuto accettare e tacere.

Un investimento oculato, dato che, con quel matrimonio, Giulia avrebbe assunto un ruolo di primo piano nell'alta società italiana. Ma anche un modo per sanare una vecchia ferita. Ignazio aveva sposato Giovanna, figlia dei conti d'Ondes Trigona, esponenti di una nobiltà minore. I Lanza di Trabia, invece, erano principi di antico lignaggio, veri protagonisti della storia siciliana. E adesso si legavano ai Florio, la cui nobiltà era quella del denaro e del lavoro.

Per un momento, il pensiero di Ignazio corre al padre. Sfiora l'anello che gli apparteneva, come se potesse evocarlo. Se lo immagina davanti a sé, burbero e accigliato. *Hai visto, papà? Finalmente non ci guarderanno più come facchini. Giulia diventerà la principessa di Trabia.*

Eppure.

Si volta per cercare la moglie, perché stanno per entrare nell'edificio, poi incrocia lo sguardo di donna Sofia. Lei sta sorridendo, ma nei suoi occhi c'è una durezza che non sfugge a Ignazio e che gli procura un moto d'irritazione.

Ho fatto bene, si dice poi, sorridendole di rimando con un'espressione tanto amabile quanto gelida. *Volente o nolente, tu a mia figlia riserverai il rispetto che merita.*

Perché, quella mattina stessa, in carrozza, lui ha spiegato tutto a Giulia e lei, la sua *stidduzza*, ha capito perfettamente. Non potrà donarle la serenità, ma l'aiuterà a difendersi, in modo che il suo ruolo venga riconosciuto, in pubblico e in privato. Le ha dato le armi per farlo.

Dopo aver lasciato l'Olivuzza tra due ali di camerieri in livrea, Giulia era salita sulla carrozza, seguita dal padre. Con un'aria tesa che le irrigidiva i lineamenti, aveva guardato la città senza vederla, ignorando il profilo dei nuovi edifici sorti lungo la strada che, dalla villa, portava al centro di Palermo, concentrata solo sul profumo del suo bouquet.

Tuttavia, dopo aver superato il cantiere del Teatro Massimo, quando la carrozza aveva imboccato via Maqueda, Giulia aveva sgranato gli occhi. Sotto i balconi barocchi, sui marciapiedi di basolato e davanti ai portoni delle dimore nobiliari, una folla di popolani e di piccoli borghesi si ammassava, allungando il collo per sbirciare all'interno della vettura e cogliere un'immagine anche fugace della sposa, figlia del padrone di Palermo e futura principessa Lanza di Trabia.

Irritato, Ignazio aveva tirato la tendina per schermare il finestrino. Lei si era voltata a guardare le figure indistinte che applaudivano al loro passaggio.

«Sono qui per vedere... me?» aveva chiesto, la voce ridotta a un filo, le dita strette intorno al bouquet. All'improvviso, le era apparsa per ciò che era: una ragazzina di quindici anni, prossima a compiere un passo che le avrebbe cambiato la vita.

«Sono qui per ciò che rappresentiamo.» Ignazio si era chinato in avanti. «I Florio sono Palermo. Pietro, il tuo futuro marito, ha il rango di un viceré, tuttavia ricorda sempre che mio padre prima e adesso io ci siamo comprati le terre, gli opifici e la gente che ci lavora e tu sei mia figlia, quindi la figlia del padrone. Noi siamo ricchi perché questa città ce la siamo costruita pezzo dopo pezzo.»

Giulia l'aveva ascoltato a occhi sgranati. Non era la prima volta che suo padre le parlava così, come a un'adulta, però mai l'aveva fatto con tanta schiettezza.

Lui non aveva fatto caso a quello stupore. «Ascoltami. Tu hai una dote vincolata. Lo sai perché? Tua madre ti ha spiegato qualcosa?»

«Mia madre mi ha detto... altro», aveva biascicato lei, arrossendo d'imbarazzo.

La ruga della fronte di Ignazio si era fatta più profonda, poi si era distesa di colpo e lui aveva sorriso. «Ah. Capisco.» Aveva afferrato la mano della figlia – gelida e tesa –, stringendola nella sua. «Scordati di *quelle faccende* e ascoltami. Significa che tu hai una dote di quattro milioni di lire, una somma enorme,* ma, siccome la famiglia di tuo marito non ha imprese e io non voglio campare nobili capricciosi, allora ho posto come condizione che tu possa scegliere, d'accordo con tuo marito, in quali attività investirla. Ci ha pensato l'avvocato Crispi a mettere a punto i capitoli matrimoniali.»

Lei lo aveva fissato, più perplessa che stupita. «Cioè?»

«Cioè non voglio che i Lanza di Trabia ti privino di ciò che è tuo, perché non si è mai sicuri di quello che può succedere nella vita. Pietro m'indicherà case e terreni e io li comprerò a vostro nome, attingendo dal fondo della dote.» Si era fatto più vicino, sfiorandole il viso con le dita. «Dovrai essere accorta, *stidduzza mia*. Finché io ci sarò, non avrai nulla da temere. Ma tu, in quella casa, dovrai imparare a proteggerti e a non farti mettere un piede davanti da nessuno, fosse anche tuo marito o, peggio, tua suocera che, parliamoci chiaro, è una vipera. Pietro ha ventitré anni, ma dipende in tutto e per tutto da lei. Tu,

* Circa diciotto milioni di euro. (*N.d.A.*)

invece, sei una femmina intelligente e saprai come difenderti, come ha fatto la nonna di cui porti il nome, che è stata una donna determinata e saggia. Ricordati che soltanto i soldi ti daranno l'indipendenza e il potere di decidere, e a quelli non devi rinunciare mai. Mi hai capito? »

Giulia aveva annuito, con gli occhi lucidi. Poi, dopo qualche istante, aveva scosso la testa, mormorando: « Non voglio deluderti... »

Lui l'aveva abbracciata, con la barba che le solleticava il collo e le graffiava la pelle del viso. « La nostra famiglia non ha mai avuto paura di niente e di nessuno. Persino una rivoluzione e una guerra civile abbiamo superato. Non abbiamo una storia lunga come quella dei Lanza di Trabia, vero, però tu sei una Florio e, quanto a intelligenza e coraggio, non sei seconda a nessuno, men che meno a quei nobili saccenti. Ricordatelo sempre: chi ha i soldi ha il potere. »

Ed è con questo pensiero che Giulia sale ora gli ultimi gradini che la porteranno davanti al duca Giulio Benso della Verdura, cui è stato chiesto di celebrare il matrimonio al posto del sindaco di Palermo.

L'uomo, magro e dal volto scavato, la attende al di là del tavolo con un sorriso benevolo. A poca distanza, Pietro Lanza di Trabia: un giovane tarchiato, con la fronte segnata da una stempiatura che minaccia di allargarsi e due grandi baffi scuri.

L'ha corteggiata con eleganza, come si conviene a un nobile. Le ha donato un anello prezioso, e l'ha scortata alle feste della nobiltà palermitana. L'ha trattata come una principessa.

Le fa battere il cuore? No. È una compagnia piacevole, non certo un uomo per cui perdere la testa. Non sa se sarà un buon marito. In ogni caso, lei sa qual è il suo compito: fare figli sani e forti ed essere una principessa degna del titolo che porta.

Il matrimonio è un contratto, pensa Giulia, mentre allontana la mano da quella tiepida del padre e la posa su quella gelida e un po' tremante di Pietro. Un contratto tra famiglie, che ha come oggetto lei stessa e la sua dote.

E, quando si tratta di affari, nessuno è più abile dei Florio.

———⟨❊⟩———

«Niente, non potete neppure immaginare cosa è stato il giubileo della regina Vittoria!» Ignazziddu stende le gambe davanti a sé, il bicchiere di champagne in una mano e un sigarino nell'altra, e guarda i suoi amici: il cugino Francesco d'Ondes, detto Ciccio, Romualdo Trigona, un altro suo cugino, ma più alla lontana, e Giuseppe Monroy. I tre hanno accettato di buon grado l'invito di Ignazziddu a trascorrere qualche giorno con lui nella Villa ai Colli, poco fuori Palermo. In realtà, tutta la famiglia è lì, ma sta per partire alla volta di Favignana.

I giovani sono sulla terrazza che si affaccia sull'agrumeto, sdraiati su poltrone di vimini che i camerieri hanno disposto al loro arrivo. È sera inoltrata, e la frescura della notte sta finalmente stemperando il calore di quel giorno d'estate. Dagli alberi arriva il profumo delle zagare insieme con quello pungente della menta selvatica nei vasi allineati sulla balaustra di pietra.

«Intanto, quando arriviamo a Londra, piove a dirotto: non vi dico che inferno far scendere dal treno le valigie e i bauli. Mia madre e mio fratello erano stati malissimo per tutto il viaggio da Calais a Dover e sono andati dritti in camera a riposare. Mio padre invece se ne è voluto andare in giro per la città e io l'ho accompagnato. Per fortuna, aveva smesso di piovere. Che spettacolo! Fiori, bandiere, festoni, ritratti della regina ovunque, anche nella stradina più nascosta. E non solo: ho visto una casa davanti alla quale avevano costruito una grande piattaforma, piena di palme circondate da ombrellini giapponesi e, al centro, un enorme busto di marmo della regina circondato da ghirlande di fiori; un'altra la cui facciata era completamente coperta di bandiere e un'altra ancora con cascate di fiori appesi ai balconi a formare il numero 50. E poi la parata, il giorno dopo! Era un giorno di sole e le spade e gli elmi luccicavano così forte che pareva di guardare un fiume d'argento. La cosa che mi ha colpito di più, però, è successa davanti a Buckingham Palace, prima della parata. Come potete immaginare, c'era una folla enorme. Ma c'era anche un grande silenzio.»

«Come 'silenzio'?» chiede Giuseppe.

«Da non credersi, vero? Qui da noi ci sarebbero state grida, urrà... invece lì niente! Poi, quando sono apparsi i cavalli color crema della carrozza reale, la folla è esplosa. Ha cominciato a gridare persino più forte delle trombe che annunciavano l'arrivo della sovrana. E allora fazzoletti che si agitavano, cappelli lanciati in aria... Mi hanno detto che, al passaggio della regina, un tizio ha gridato: 'Eccola! L'ho vista! È viva!' facendo ridere tutti. Insomma i sudditi della regina Vittoria la venerano davvero, altro che noi con i Savoia!»

Gli amici ridono e fissano Ignazziddu con un misto di fascinazione e d'invidia.

Riprende a raccontare. Solo i Florio, i Trabia e pochi altri italiani erano stati invitati, dice. Lo ripete più volte, lo sottolinea. «C'erano tutte le famiglie reali d'Europa, senza contare nobili e banchieri e politici. Mio padre salutava chiunque, passava dall'uno all'altro, e mia madre sempre dietro. Sapeste come ci guardavano... Non c'era uno che non ci conoscesse o che non chiedesse di farsi presentare mio padre, il padrone della Navigazione Generale Italiana...»

«Ma poi sei andato a Parigi, vero?» lo interrompe Romualdo.

«Sì, siamo stati ospiti dei Rothschild.» Ignazziddu sorride, si china in avanti. «Ma soprattutto ho passato un pomeriggio indimenticabile allo Chabanais...»

«Ma tua madre lo sa che frequenti i bordelli?» Ciccio si versa da bere e lo osserva, sornione.

«Mia madre si è fatta portare nella stanza d'albergo il crocifisso e l'inginocchiatoio», sbuffa Ignazziddu. «Comunque mi adora; pure se mi rimprovera, finisce sempre per perdonarmi.» Vuota il bicchiere, poi si solleva sulla poltrona. «E poi era molto impegnata. Doveva scegliere dei mobili per l'Olivuzza, dei tappeti per i saloni... Senza contare che lei e mia sorella sono andate da Worth e c'hanno perso un giorno intero, a provare abiti. Nel frattempo, mio padre faceva i suoi incontri d'affari e mi ha praticamente costretto a parteciparvi. Sono riuscito a scappare solo dicendogli che andavo a visitare un museo.»

«Eh, caro mio... tuo padre lo ha capito che sei un gran *fimminaro*!» Romualdo si alza, gli dà uno schiaffetto sulla nuca.

Sono buoni amici e condividono la stessa passione per le donne e i divertimenti costosi.

«Se una femmina è bella e mi vuole e io la voglio, che male c'è?» replica lui, placido, e alza gli occhi al cielo. «In hotel, c'era una contessa russa con il marito che, credetemi, faceva girare la testa. Una vera dea, bionda, occhi verdi... Io la guardavo e lei guardava me e...» Ride, con gli occhi che luccicano al ricordo. Poi fissa il cugino. «Oh, ma mi stai ascoltando?»

Ciccio e Giuseppe hanno smesso di colpo di sorridere e Romualdo, pure lui tutto serio, alza il mento verso qualcosa alle spalle di Ignazziddu.

Ignazio è apparso nella cornice della porta finestra. Ha il volto segnato dalla stanchezza e scruta i quattro giovani con aria di rimprovero. «Signori», esordisce, le braccia incrociate sul petto e la voce bassa. «È molto tardi. Posso suggerirvi di ritirarvi nelle vostre stanze?»

Romualdo abbassa la testa. «Certo, don Ignazio... anzi scusate se vi abbiamo disturbato.» Si alza, prende per una manica Ciccio e i due scivolano all'interno della villa, seguiti da Giuseppe, che lancia un'occhiata preoccupata a Ignazziddu. Questi fa per imitarli, perché conosce bene quell'espressione del padre e sa che c'è aria di tempesta.

E infatti Ignazio lo blocca, posandogli una mano sul braccio. «Di tutti i modi in cui potevi parlare di me e di tua madre, hai scelto il peggiore. Soprattutto di tua madre, che ti accontenta sempre e ti perdona ogni cosa.»

Parole che sono uno schiaffo in pieno viso. Il ragazzo avvampa, cerca di allontanarsi. «Ma cosa ho detto mai?»

«Tu non devi parlare così e basta. Noi non abbiamo bisogno di dimostrare niente e tu non devi vantarti mai di ciò che hai o di ciò che sei. Queste cose lasciale ai *pirocchi arrinisciuti.*» Lo afferra, se lo tira vicino. «E un'altra cosa. La prossima volta che vuoi andare a divertirti, basta che tu me lo dica. Non te lo impedisco di certo. Ma devi capire che ci sono delle responsabilità, e che queste vengono prima del piacere. Tu hai troppo in testa le femmine. *Si' masculu* e sei giovane, e lo capisco. Però vantarsi di certe imprese è squallido. Ci vuole rispetto e non solo per le donne che frequenti, ma anche per te stesso.»

«Ma papà! Era una casa chiusa, e quelle erano...»

Ignazio chiude gli occhi, cerca di tenere a freno l'esasperazione. «Non m'interessa cosa o chi erano.»

«Fosse per te, dovrei campare come un monaco, tutto casa e lavoro», bofonchia il figlio.

«Maledizione! Ti chiami Florio e devi portare rispetto alla tua famiglia, prima di tutto.» Solleva la mano. «Un giorno dovrai essere degno di questo anello che è appartenuto a tuo zio Ignazio, un uomo onesto e coraggioso, a tuo nonno Vincenzo, cui dobbiamo tutto, e ora a me. Nella tua vita dovrai avere controllo e decoro. Altrimenti non andrai lontano.»

Finge di non notare la smorfia con cui il ragazzo si allontana e rientra in casa. Gli lascia l'illusione di essere più scaltro, di aver capito della vita di più di quanto possa saperne lui, che pure è suo padre. Ha capito che deve tenerselo vicino, questo figlio, e insegnargli a stare al suo posto. Perché non si diventa adulti se non si sa come muoversi e quando parlare. E, soprattutto, come e quando tacere.

L'acqua del porto di Favignana è così limpida che si vede il fondo del mare e i pesci che nuotano tra ciuffi di alghe. E la risacca ha un suono dolce: un mormorio di acqua e vento che accarezza lo scafo delle barche e si allunga fino alla riva di sabbia davanti allo stabilimento della tonnara.

Ignazio respira a fondo. Nell'aria, l'odore della posidonia secca, salato e vagamente nauseante; in cielo, sostenuti dalle correnti, pochi gabbiani, in attesa che i pescatori lancino in mare i resti di pesce rimasti impigliati nelle reti che stanno rammendando.

È sempre così in primavera, e quel maggio 1889 non fa eccezione.

Fin dal suo arrivo, in occasione della mattanza, è stato un succedersi di giornate luminose, in cui il sole si è impossessato dell'isola, rivestendola di quella luce pastosa che lui ama.

Ignazio accenna un sorriso, si scherma gli occhi con una mano, poi sposta lo sguardo verso il palazzo costruito per lui da

Damiani Almeyda. Intravede la sagoma di Giovanna in giardino con donna Ciccia, e quella di Vincenzo che gioca a palla. Ha sei anni, il suo ultimo nato, e mostra i segni di un'intelligenza vivacissima. Un fuoco vivo.

Giovanna preferisce stare lì con Vincenzo, anche perché deve occuparsi della casa e della servitù che viene da Palermo. Si è ormai arresa all'impossibilità di usare gli isolani come personale di servizio – troppo grezzi e cotti di sole – e li ha relegati agli incarichi di fatica. Tuttavia, quando arriva a Favignana, il personale di servizio dell'Olivuzza assume un atteggiamento rilassato che la irrita alquanto, così si sente in dovere di controllare personalmente ogni stanza e ogni portata che verrà servita in tavola, soprattutto se ci sono ospiti. Ormai ha concentrato tutte le sue energie sul suo rango di padrona di casa.

Ignazio invece ha scelto di stare sul *Queen Mary*, lo yacht che ha acquistato di recente dal marsigliese Louis Pratt. Il francese l'aveva chiamato *Reine Marie*, ma Ignazio ha voluto ridargli il nome con cui era stato battezzato dopo essere uscito dai cantieri di Aberdeen. Lungo trentasei metri, con lo scafo in ferro e una velatura a cutter, ha un motore *compound* a vapore e la propulsione a elica. È il piroscafo da diporto più grande registrato in Italia e probabilmente il più veloce: dieci nodi. Un vero gioiello. Solo il *Louise* dell'amico Giuseppe Lanza di Mazzarino può competere con il suo *Queen Mary*.

Ed era stato proprio Lanza di Mazzarino a dargli la spinta decisiva per acquistarlo. Il pensiero di avere uno yacht aveva stuzzicato a lungo Ignazio, ma era stato costretto a dare la precedenza agli affari, alla dote per la figlia e all'acquisto di nuovi piroscafi. Certo, si era iscritto al Regio Yacht Club Italiano di Genova, ma quello era un passo che quasi tutti gli armatori – da Raffaele Rubattino a Giuseppe Orlando a Erasmo Piaggio, diventato il direttore del compartimento di Genova della Navigazione Generale Italiana – avevano compiuto.

Poi, un giorno, Lanza di Mazzarino, che era uno dei soci promotori del club, gli aveva detto: «Non puoi stare senza una barca tua, Igna'. Non è cosa degna di te! Come, il padrone della flotta più importante d'Italia non ha manco una bagnarola?» E si era messo a ridere.

Ignazio non aveva gradito quel sarcasmo. «Ci ho pensato, ma non è il momento», aveva ribattuto, piccato. «Non potrei godermela, per ora: ho troppe cose per la testa, con la NGI e con le tonnare. Non posso permettermi di stare in giro con uno yacht mentre altri gestiscono i miei affari.» Ma l'altro aveva insistito: «Questione di prospettiva è. Fai i milioni con le tue imprese e poi ti vergogni di possedere una barca? Magari ci passi solo un giorno all'anno, però ce l'hai, è tua».

Si era reso conto che Lanza di Mazzarino aveva ragione: lo yacht sarebbe stato un simbolo – un *altro* simbolo – del potere dei Florio. Come l'Olivuzza, come la carrozza ferroviaria di famiglia. Come il matrimonio di Giulia con il principe di Trabia.

Ma adesso, lì, sullo yacht, Ignazio capisce di aver fatto una scelta che lo coinvolge nel profondo, e che ha fatto passare in secondo piano il prestigio sociale.

Sotto i piedi, oltre la suola di cuoio, il mare pulsa, respira. Lo sente: è una vibrazione che sale dalle caviglie, arriva fino alle spalle e gli inonda la testa e gli occhi.

Una volta, proprio lì a Favignana, suo padre gli aveva detto: «Noi Florio abbiamo il mare nelle vene».

Le origini della sua famiglia riaffiorano, il sangue gli canta sottopelle.

E poi, Favignana. L'unico posto in cui riesce a sentirsi completo. L'unico luogo in cui i ricordi non fanno male, in cui può permettersi di osservare i suoi fantasmi senza dolore, immaginandoli accanto a sé, sebbene nascosti in piccole zone d'ombra che sfuggono alla luce invadente di quell'isola.

I suoi genitori. Suo figlio. Camille.

«Don Ignazio.»

Si volta. Un marinaio, in divisa blu e cappello chiaro, attende di parlargli.

«Dimmi, Saverio.»

«C'è il signor Caruso che vuole parlare con voi. Vi aspetta nel salottino.»

Il salottino del *Queen Mary* è un ambiente funzionale, in cui le esigenze della navigazione sono celate dal lusso degli arredi. Alle pareti foderate di legno, quadretti a olio di paesaggi marini; il divano è in velluto, addossato contro la parete, e il tappeto persiano, un Senneh nei toni del vinaccia, è stato fissato sul pavimento perché non causi incidenti.

«Don Ignazio, che piacere vedervi.» Gaetano Caruso si toglie il cappello di paglia e si alza. Il viso affilato è percorso da rughe profonde e il pizzetto è diventato bianco. *Prima suo padre con mio padre e adesso io con lui... un'altra storia di famiglia*, pensa Ignazio, stringendogli la mano e guardandolo negli occhi. Di poche persone al mondo può fidarsi come di quell'uomo.

Caruso ha con sé una cartella piena di lettere. «Vi ho portato la posta. È arrivata la nave da Trapani giusto nel momento in cui stavo per venire qui da voi.»

Lui lo ringrazia con un cenno e lo invita a sedersi di nuovo, mentre scorre rapidamente la corrispondenza. Alcune lettere recano il timbro del Senato del Regno, altre sono di natura commerciale. Nulla che non possa aspettare.

«Allora», mormora poi, sedendosi sul divano. «Ditemi pure.»

Caruso incrocia le mani sulle gambe. Gli occhi – scuri, attenti – ora sono cauti. Ma le parole sono rapide. «Gira di nuovo voce che vogliano cambiare il direttore del carcere. Non sappiamo chi verrà e se continuerà a permetterci di far lavorare i carcerati nello stabilimento. Notizia che circola da un pezzo è, lo sapete. Ma adesso pare sia cosa di giorni.»

«*Arrè? Ma unn'hannu chiffari?*» Ignazio soffia tra i denti, stizzito. «Ma uno può stare sempre a pensare cosa vogliono 'sti *spicciafacenne* del ministero? E poi, pure sotto mattanza?» L'esasperazione cancella il senso di benessere. La ruga tra le sopracciglia si fa più scavata. «Scriverò subito a Roma; Abele Damiani si occuperà della faccenda. Già una volta ho dovuto '*nquitarlo* per una cosa simile.» Fa una pausa, scuote la testa. «Se non sapessi che l'impiego dei galeotti ci fa risparmiare un sacco di soldi, ne farei volentieri a meno. Perché qui, mattanza a parte, ci sono perdite continue.»

Caruso, sconsolato, spalanca le mani. «Don Ignazio, a me lo dite? Tra i salari dei tonnaroti e degli operai della fabbrica d'inscatolamento, le spese di riparazione delle caldaie dell'impianto e quelle per il vigneto, a Favignana abbiamo un passivo che...» Indica il paese con un gesto vago. «*Senza cuntare i picciuli p'i parrini e sacristani.*»

Lo sguardo torvo di Caruso strappa una risata a Ignazio. «Lo so che due sacrestani vi sembrano troppi per un'isoletta come Favignana, ma si occupano pure della manutenzione della chiesa, e prendersi cura della Chiesa Madre è uno degli oneri del proprietario delle isole, dato che qui il mare si mangia tutto, a cominciare dagli edifici... E poi l'ho promesso a mia moglie. Lo sapete che è una donna devota. Quanto al vigneto...» Appoggia il gomito sul bracciolo del divano, puntella il mento sul pugno chiuso. «L'aroma che ha il vino di quel vigneto è uno dei pochi piaceri che mi rimangono. Ci sento il mare dentro.»

Caruso non riesce a celare lo stupore dietro la maschera di deferenza. A volte, nel comportamento di *u' principale* – così lo chiama anche lui, come gli operai – si aprono crepe che lo riportano a una dimensione più umana. Ma si richiudono in fretta.

«Don Gaetano... quando uno è ricco, ha due scelte. O godersi la vita e fregarsene, o fare in modo che le cose vadano per il meglio per sé e per chi lavora con lui. Non ho bisogno di spiegarvi quale sia stata la mia scelta.»

«Lo so, don Ignazio. Pure se siete qui, su questa nave, *chi pariti chi vi state scialannu*, lo so che lavorate.» Si tocca la tempia. «Voi lavorate qui dentro. Non smettete mai di pensare alla NGI, alla fonderia, alla cantina...»

«Perché è il mio compito.» Lo dice con semplicità, Ignazio. «Casa Florio è la mia famiglia, e non si può trascurare *a' famigghia.*» Si alza, lo invita con un cenno a seguirlo fuori. «Ma ciò non significa che io non possa godere delle cose buone che ho.»

Sul ponte, Ignazio rivolge lo sguardo verso lo stabilimento. «Ben presto faremo parlare della tonnara, ancora più di adesso.»

Caruso strizza gli occhi nel sole. «Cioè?»

«Con Crispi stiamo discutendo di un progetto. Una cosa grossa.» Abbassa la voce, accenna un mezzo sorriso. «Un'esposizione nazionale.»

L'altro sobbalza. « Addirittura? »

« Ormai i tempi sono maturi perché si faccia un'esposizione al Sud. E dove, se non a Palermo? Abbiamo gli spazi necessari, tra la periferia della città e la Favorita, e poi... » Indica se stesso, inarca un sopracciglio. « Abbiamo i soldi e le persone adatte per progettare un evento del genere. »

« Sarebbe magnifico... » Caruso apre la bocca, si ferma, spalanca le mani. « Un'esposizione a Palermo significherebbe migliaia di visitatori e la possibilità di mettere in mostra i nostri prodotti. Sarebbe un modo per far capire a Roma e al Nord che qui non siamo solo caprai e pescatori. »

« Oh, ma quelli di Roma lo sanno benissimo. Per questo ci sono state resistenze. » Ignazio indica il mare alle sue spalle. « Se riusciamo nell'intento, chi credete si occuperà dei trasporti delle merci? E, secondo voi, le aziende che vorranno esporre a chi dovranno rivolgersi se non a chi organizza la manifestazione? » Si avvicina con la testa a Caruso, gli stringe il braccio. « Ma non sono solo io a volere questa cosa. È Crispi in persona che la vuole e il fatto che adesso sia il presidente del Consiglio, il primo uomo del Sud ad avere questo onore, può abbattere molti ostacoli. Lui sa che avrebbe il sostegno dell'intero mondo politico siciliano. Io non farei altro che mettere i *picciuli* necessari... » Si sfrega indice e pollice. « ... in modo che loro mi diano gli spazi che voglio. » Si raddrizza e socchiude le palpebre. La luce del sole sta aggravando il fastidio agli occhi che lo affligge ormai da qualche anno. « Ma è tutto in aria, ora come ora. Voi state zitto e *quartiatevi*, ché un'idea del genere è una cosa grossa. Quando si diffonderà la notizia, progetteremo un padiglione per le nostre attività e il tonno, il *nostro* tonno, sarà il protagonista della fiera insieme con il marsala. »

« *Mezza parola*, don Ignazio. » Caruso non aggiunge altro. Troppa è la sorpresa, e tante potrebbero essere le conseguenze se quell'esposizione diventasse realtà. Ignazio annuisce, poi lo accompagna alla scaletta dell'imbarcazione. « Aspetto notizie dalla fonderia in merito a certe migliorie che bisogna concordare, per tempi e modi, con il personale della nuova linea di navigazione per Bombay. »

« Ve le porterò io personalmente, non appena arrivano. »

È quello il momento in cui Ignazio scorge il figlio. Ignazziddu ha il cappello in una mano e un bastone con la testa d'argento – come vuole la moda – nell'altra, ma sta correndo come uno scapestrato, sollevando nuvolette di polvere. Infine arriva ai piedi della scaletta e si ferma a prendere fiato.

Ignazio sospira. Ci sono giorni in cui dispera di poter fare del figlio il suo braccio destro nell'amministrazione di Casa Florio. E non soltanto perché non ha il minimo interesse per le trattative in cui il padre cerca sempre di coinvolgerlo. È qualcosa di più profondo, come se Ignazziddu volesse vedere del mondo solo le cose belle. Che, guarda caso, per lui sono quelle più costose.

Caruso giocherella con la falda del cappello di paglia. «Allora vi aspetto più tardi, don Ignazio? Per fare un giro dell'impianto, u' sapiti...»

«Ci sarò. Nel frattempo manderò un telegramma a Damiani.»

Caruso e Ignazziddu s'incrociano sulla scaletta. L'uomo si tocca la falda del cappello, mormora un saluto; il giovane alza la mano in un gesto svogliato. Poi si avvicina al padre, che lo squadra, cupo. «Pare che non ti abbiamo insegnato l'educazione. Così ci si comporta?»

Ignazziddu si stringe nelle spalle. «Il signor Caruso è, papà. Mi conosce da quand'ero un picciriddu... mi devo mettere a fare salamelecchi con lui?»

«La buona creanza non ha età. Hai quasi ventun anni e dovresti saperlo. È l'educazione che fa dell'uomo un signore.» Lo sguardo scende verso le scarpe di cuoio, di manifattura toscana. «Tutto impolverato sei. Ch'hai di currere accussì?»

Il ragazzo sventaglia un pezzo di carta. «Una cosa di cui abbiamo parlato io e Giulia, e oggi lei mi ha mandato un telegramma, dandomi conferma.»

Ignazio sente il cuore allargarsi nel petto. A tre anni dal matrimonio, Giulia, la sua stidduzza, sta finalmente per renderlo nonno. L'ultima volta che l'ha vista, poche settimane prima, l'ha trovata serena, anche se molto appesantita per la gravidanza. «Cioè?»

Ignazziddu di colpo esita, cerca le parole. Si avvia lungo il ponte, un po' camminando all'indietro e un po' precedendolo. «Giulia vorrebbe riposare dopo il parto, ma ovviamente suo marito non se la sente di farla andare in giro, specie con un neonato. Sai com'è...» Abbassa la voce, accenna un sorrisetto complice. «Già è stata costretta a stare per tutta la gravidanza attaccata alla suocera. Dopo, vorrebbe starsene un poco in pace.»

Ignazio lo guarda, il viso di pietra. «Quindi? Vieni al dunque, figlio. Che vuoi dirmi?»

«Io e Giulia volevamo sapere se ci permetterai di usare il *Queen Mary* per andarcene qualche giorno a Napoli, quest'estate.» Lo dice tutto d'un fiato, con i baffetti che tremano sotto le labbra arricciate in un sorriso storto. Poi di colpo lo sguardo si fa supplice.

È allora che l'irritazione di Ignazio esplode. Un solo improperio, masticato sottovoce. Riprende a camminare, le mani allacciate dietro la schiena, le falde della giacca che si agitano nel vento. «*Tu* hai chiesto a tua sorella se voleva partire e lei, ne sono sicuro, ha colto l'occasione per allontanarsi dalla suocera, che non fa altro che criticarla e sparlare di lei con Pietro...» Si ferma, gli punta gli occhi addosso. «Già... Scommetto che hai parlato pure con tuo cognato, suggerendogli che sarebbe un modo per permettere a Giulia di riposare un po'. Ho torto?»

Il giovane si morde il labbro. Sembra quasi che stia per trattenere una risata d'imbarazzo, come quella di un bambino sorpreso a rubacchiare nella dispensa. È un atteggiamento capace di vincere ogni resistenza di Giovanna, che al figlio ha permesso sempre troppo, per non dire tutto. Ma lui non è Giovanna, e Ignazziddu deve imparare a chiedere le cose, a sudarsele, e non a pretenderle e basta.

Ignazio si ferma, gli punta un dito contro il petto. «Non puoi pensare di manovrare le persone a tuo piacimento, men che meno me: è una cosa che detesto, e lo sai. Hai fatto tutto alle mie spalle per mettermi dinanzi al fatto compiuto, così che io non possa dire di no a Pietro e Giulia, a meno di non passare per dispotico.»

Le labbra del ragazzo si raggrumano in una piega indispettita. «A te non si può chiedere mai nulla senza precisare perché, come e quando. Cosa ti costa lasciare che io e Giulia passiamo un poco di tempo con i nostri amici? Tanto tu e *maman* non usereste lo yacht e, se voleste partire, avreste pur sempre il nostro treno. »

« Amici? » Il tono di Ignazio si fa più acuto. Un mozzo che sta lucidando il corrimano alza la testa, gli lancia un'occhiata curiosa. Lui lo fulmina con lo sguardo e il ragazzo torna subito a lavorare, con la testa incassata nelle spalle. « Quanta gente hai invitato? Pensi di dirmi tutto subito o vuoi raccontarmi le cose a puntate, manco fossimo in uno di quei romanzi che legge donna Ciccia? »

Ignazziddu si passa una mano tra i capelli, li scompiglia. Poi sembra rendersi conto di quel gesto dettato dal nervosismo e li risistema. « Questo yacht può ospitare mezza Palermo, papà, e lo sai. » Alza gli occhi al cielo. « E poi non si tratta di negare qualcosa solo a me... »

Piccolo disgraziato, pensa Ignazio. *Anzi: piccolo? Grandissimo crasto e cornuto!* Sa bene che lui ha una predilezione per Giulia e non farebbe nulla per scontentarla. Le manipola bene le persone, Ignazziddu. Un'abilità che lui ha sviluppato nel tempo, ma che nel figlio è innata.

Ecco una dote da coltivare.

Il ragazzo si fa più vicino, abbassa la voce. « Ti prego, papà. » Lo sguardo è supplice, persino remissivo. Suo malgrado, Ignazio accenna un sorriso. Se deve cedere, lo farà alle sue condizioni.

« Ti farò sapere nei prossimi giorni. Una cosa, però, te la dico subito. »

Ignazziddu lo fissa. Nei suoi occhi, speranza e, insieme, un vago timore. « Dimmi. Qualunque cosa. »

« Da quest'autunno, tu verrai in ufficio con me. »

Sul monte Bonifato, il sole di settembre disegna ombre lunghe, simili a grandi onde che dalla cima discendono verso la valle, seguendo la linea dei terrazzamenti.

Ignazio scende dalla carrozza impolverata, respira con forza l'aria dolciastra e carica di vapori che avvolge la campagna. Subito dopo di lui, scende anche Ignazziddu, immusonito. È una campagna ricca, questa, dove il marrone dei campi arati da poco si alterna al verde spruzzato di grigio degli uliveti e a quello più cupo dei vigneti. Poi lui abbassa lo sguardo sulla piattaforma di metallo posta accanto ai binari: uno snodo a pochi metri dalla stazione ferroviaria. Nel centro, sul perno, una scritta:

FONDERIA ORETEA
1889
PALERMO

Nel 1885 ha acquistato quella proprietà poco fuori Alcamo, dove risiedono molti dei loro fornitori di uve e mosti per il marsala. Ci ha pensato bene, Ignazio. Ha fatto realizzare un baglio con un cortile quadrato: un impianto per la produzione del vino, con grandi vasche all'esterno per la pigiatura e forni per la cottura del mosto. L'idea gli era venuta da un colloquio con Abele Damiani, che aveva incontrato a Roma durante una seduta parlamentare. Come succedeva spesso, stavano parlando di cosa si poteva fare per rafforzare l'economia siciliana e Damiani gli aveva magnificato le possibilità di una fattoria dalle parti di Alcamo. «Potreste lavorare il mosto proprio lì, e poi farlo arrivare a Marsala», gli aveva detto. «Sarebbe una gran comodità, don Ignazio.»

«Da Alcamo a Marsala, con le strade che ci sono? E come, con i carrettini?» aveva risposto Ignazio, un po' piccato. Ma poi, in un lampo, aveva *visto* cosa avrebbe potuto fare.

Una rivoluzione.

No, non con i carrettini. Con carri molto più grandi.

Avverte, prima ancora di vederlo, l'arrivo del treno merci che sta per giungere da Palermo. Lo sente nella vibrazione che passa dal terreno alla pelle, e poi nel sibilo leggero portato dal vento. Allora dà le spalle alla ferrovia e, insieme con il figlio, attraversa il monumentale portone con la mezzaluna su cui c'è il simbolo della sua famiglia, il leone che beve sotto l'albero di china, e si dirige verso il direttore dello stabilimento e Abele

Damiani, che lo stanno aspettando. Si salutano con grandi strette di mano. Se Damiani è stupito del fatto che Ignazziddu sia lì, non lo dà a vedere. «Ve lo dicevo io, che era una buona cosa costruire qui il baglio», esclama, sorridendo.

Ignazio annuisce. «Vero è, e oggi volevo essere presente per vedere il primo carico di barili da Palermo, quelli che useremo per la raffinazione del vino. Con il binario che arriva fin qui, non ci sarà più bisogno di scaricare la merce all'esterno.»

Sì, perché questo è il suo capolavoro: aver chiesto e ottenuto che la linea della ferrovia, la linea *statale*, deviasse per portare i binari fin dentro lo stabilimento. Era una cosa straordinaria per la Sicilia. Per quel piccolo centro agricolo, poi, era quasi incredibile.

Si era confrontato a lungo con Vincenzo Giachery, facendo tesoro della sua lunga esperienza amministrativa, e infatti, nell'ultimo anno, dopo la morte del direttore dell'Oretea, aveva sentito molto la mancanza di quell'uomo così intelligente e sensibile. Ma non si era fermato e, non appena aveva esposto la sua idea a Damiani, quel politicante dall'aria furba aveva mosso mari e monti affinché il progetto andasse a buon fine; in tal modo, avrebbe potuto vantarsi di essere stato lui a convincere i Florio a portare lavoro in quelle campagne sperdute. Perché portare lavoro significava accumulare prestigio. E ottenere voti.

Ma a Ignazio tutto ciò non importa. Lui ha raggiunto i suoi obiettivi: migliorare la produzione del marsala e diminuire i costi di produzione. O, almeno, così pare. È arrivato il momento di verificarlo. Si rivolge al direttore dello stabilimento. «Le anticipazioni sulla vendemmia sono entrate tutte, quindi?»

«Fino all'ultimo grappolo. Una buona vendemmia fu, don Ignazio. Venite, vi accompagno a visitare gli uffici.»

In quell'istante, la locomotiva entra nel cortile, accompagnata da una scia di vapore nero che sporca il cielo. Il treno si arresta con un sibilo, tra le occhiate stupite degli operai pronti sulle banchine e all'ingresso dei magazzini. Tutto si ferma per qualche secondo. Poi esplodono applausi e grida di giubilo. Ignazio stringe il braccio del figlio, punta uno sguardo carico di orgoglio su quella scena e gli dice: «Ricordati questo momento. Siamo noi Florio che lo abbiamo reso possibile».

Mentre gli operai cominciano a lavorare, il gruppetto sale al piano superiore del baglio e si trova di fronte a una porta di legno a doppio battente, che dà accesso agli uffici della casa commerciale.

Sulla porta, ci sono due lettere in bronzo, grandi quanto una mano: una I e una F intrecciate; intorno a esse, una ruota dentata, sempre in bronzo, su cui è inciso un motto.

L'INDUSTRIA DOMINA LA FORZA

È una frase pensata dallo stesso Ignazio. L'ingegno, la ricerca, il lavoro sconfiggeranno l'ignoranza, la forza bruta, l'arretratezza.

La sua idea di una grande esposizione a Palermo sta lentamente prendendo forma. Ha parlato con molti politici, a Roma, e con altri grandi imprenditori in giro per l'Italia. Ha individuato nell'architetto Ernesto Basile la persona ideale cui affidare il progetto dei padiglioni. Ernesto ha una visione dell'architettura che a lui piace molto, più raffinata ma anche più moderna rispetto a quella di suo padre Giovan Battista, il progettista del Teatro Massimo. Certo, ci vorranno soldi, tempo, energie...

Ma in quel motto c'è già il senso ultimo del suo progetto.

Che gli importa di tutti gli ostacoli che si troverà davanti?

Lui li supererà, tutti.

Il progresso non si può fermare.

Poco prima del Natale del 1890, Ignazio comincia ad avvertire una spossatezza strana, che gli rende faticoso alzarsi al mattino e che lo costringe a riposarsi durante il pomeriggio, abbandonando il suo ufficio a piazza Marina, e a rinunciare alle sue visite periodiche al Banco Florio. Giovanna sembra non accorgersi del malessere del marito: una delle sue più care amiche, Giovanna Nicoletta Filangeri, principessa di Cutò, sta male.

Lei va quasi ogni giorno a trovarla, la assiste amorevolmente. Ogni giorno la vede deperire e consumarsi per una malattia le cui cause lasciano perplessi tutti i medici.

« Pare dipenda anche da un'ernia curata male, sai? » spiega a Ignazio durante la cena, pochi giorni dopo l'Immacolata. Sono soli nella grande sala da pranzo dell'Olivuzza. Ignazziddu è uscito con Giuseppe Monroy e Romualdo Trigona per andare a una festa. Vincenzo è nella sua stanza, dove ha cenato con la bambinaia.

Ignazio non risponde.

Giovanna solleva lo sguardo. Lo fissa.

Lui è immobile, con gli occhi chiusi. È pallido.

« Ma... *chi hai*, stai male? »

Ignazio agita una mano, come a scacciare quell'idea. Poi riapre gli occhi, prende il cucchiaio, lo immerge nella zuppa di pesce e guarda Giovanna, abbozzando un sorriso che però sembra più una smorfia. Da qualche tempo avverte un po' di nausea quando mangia, dice, e le rivolge un'occhiata che vorrebbe rassicurarla, ma che la fa agitare ancora di più.

È allora che lei si rende conto che Ignazio non ha mangiato quasi nulla, e che non è la prima volta che succede. Il malessere che lui avverte e che si è ostinato a ignorare adesso diventa concreto, tangibile, e quasi scivola dall'uno all'altra, le s'insinua sotto la pelle e la mette in allarme.

D'un tratto, Giovanna ha paura.

Paura perché il marito non ha mai avuto quelle occhiaie. Paura perché il viso è scavato e persino i capelli, di solito folti e brillanti, appaiono spenti. Paura perché intorno a Ignazio c'è un odore strano, sgradevole.

« Si' fatto sicco... » mormora.

« Sì, sono dimagrito un po', è vero. È stato un periodo faticoso, dormo poco... »

« Così poco hai mangiato? » chiede lei, prendendogli la mano. Indica il piatto con un cenno del mento e lui scrolla le spalle.

« Credo che domani mi farò vedere dal nostro medico », conclude Ignazio, allontanando il piatto.

La donna è sorpresa da quella decisione repentina. Non sa

bene come interpretarla, ma una cosa la sa: la spaventa. «Sì, certo. Domani non andrò da Giovanna. Resterò con te. Ti farai visitare. Forse basta un ricostituente, o dello sciroppo per dormire.»

Senza replicare, Ignazio si alza e le dà un bacio sulla fronte. «Già. Adesso però vado a coricarmi.» E si allontana. Sembra più curvo, e il passo è meno elastico, meno sicuro.

Giovanna ascolta i passi sulle scale. Poi, quand'è tornato il silenzio, congiunge le mani e comincia a pregare.

Il medico arriva nella tarda mattinata. Per distrarsi, Giovanna ha dato ordine d'iniziare a decorare la villa con gli addobbi natalizi e di predisporre il salone per l'arrivo del grande abete.

Ma l'angoscia la insegue di stanza in stanza, si arrampica sulle sue gonne, si arrotola alla base della gola come una piccola, malefica biscia, poi scende nello stomaco, e si annida proprio lì. Donna Ciccia la vede portarsi spesso le mani al ventre, e stringere il rosario in corallo e argento che poi mette in tasca. La guarda e scuote la testa senza dire niente, perché non le piace quello che sente nell'aria, e si domanda se stavolta non sia davvero il caso di rivolgersi alle *armicedde du purgatorio* per chiedere loro cosa succede.

Ignazio, spossato, è rimasto a letto, nella penombra delle persiane socchiuse.

Giovanna dà istruzioni, sposta vasi e candele, riprende aspramente le domestiche che, a suo parere, sono troppo lente. Alla fine, rimprovera Vincenzo, che infastidisce con i suoi scherzi i servitori impegnati a sistemare le decorazioni. Lo manda a esercitarsi al violino, salvo poi pentirsene e implorarlo di cessare «quello strazio».

Quindi arriva il medico. Parla con Ignazio, lo visita con l'aiuto del valletto. Giovanna capisce in fretta che qualcosa non va. Glielo legge in faccia mentre Ignazio gli spiega come si sente e ne ha la conferma nel momento in cui si spoglia, rivelando una magrezza quasi impressionante.

Esce dalla stanza a testa china. Dentro di sé, è come se qualcosa stesse passando dallo stato di vapore a quello solido. L'inquietudine sta diventando terrore.

Donna Ciccia la sta aspettando e le tende le braccia, la stringe a sé. In fondo, è stata la madre che non ha mai avuto, il conforto di cui lei ha sempre avuto bisogno. « Avanti, calmatevi. *U' dutturi ancora nenti rissi...* »

« *Ma unn'è cchiù iddu* », dice lei. Poi chiude gli occhi e posa una mano sulle labbra, come a voler mettere un ostacolo all'angoscia per impedirle di venire a galla.

Poco dopo, il medico la chiama. Donna Ciccia quasi la spinge dentro, poi chiude la porta alle sue spalle e congiunge le mani per pregare.

« Vostro marito, signora, è assai debilitato. Prenderò delle urine per fare dei controlli e caverò anche un po' di sangue. Nel frattempo, ci vuole una dieta leggera ma nutriente che lo aiuti a recuperare le forze, a ristabilirsi. E deve riposare, molto. » L'uomo alto, con i capelli scuri spruzzati di grigio sulle tempie e il naso segnato da grappoli di capillari violacei, si volta verso Ignazio e lo ammonisce con severità: « Niente viaggi e strapazzi, senatore. Non è il momento ».

Dal letto, Ignazio fa cenno di sì. Non guarda Giovanna; non vuole che si preoccupi più di quanto non lo sia già.

Ed è per questo che tace quello che il medico gli ha rivelato: che l'odore pungente del suo sudore, che la pelle tesa, fragile come carta, che il fastidio agli occhi, la stanchezza, il dimagrimento continuo e l'insonnia fanno supporre che i suoi reni siano assai affaticati e stentino a ripulire il sangue.

Ignazio lascia che il medico e la moglie prendano accordi sulla terapia. Sente parlare di bagni a vapore, di digitale, di ferro per rinforzare il sangue, di latte... Poi si volta verso Nanài e gli dice di andare nel suo studio e di portargli carta e penna. Giovanna scuote la testa, vorrebbe rimproverarlo, ma lui spiega quasi con dolcezza: « Solo qualche lettera. Non posso abbandonare del tutto gli affari... »

E così fa.

Rimasto solo, scrive all'amico Abele Damiani, raccomandandogli di seguire con grande attenzione la faccenda delle convenzioni postali; è vero che al momento sono gestite dalla Navigazione Generale Italiana, ma scadranno di lì a un anno e Casa Florio ha comunque bisogno che siano rinnovate; poi prepara un promemoria per Caruso, sollecitando notizie su alcuni ammodernamenti all'impianto di conservazione del tonno a Favignana.

D'un tratto, una voce oltre la porta.

« Papà! »

Viso tirato, inquietudine nella voce, incredulità negli occhi, Ignazziddu entra, appoggia il bastone allo stipite e lancia il cappello su una poltrona, mentre Nanài raccoglie al volo il soprabito che stava per cadere a terra.

Si ferma davanti a Ignazio, sta per sedersi sul letto, poi esita.
« Posso? »

L'altro si concede un sorriso e batte la mano sulla coperta.
« Ma certo! Vieni. Sono solo un po' stanco. »

Ignazziddu obbedisce.

« Allora? Che succede a piazza Marina? »

Dall'anno precedente, il figlio lavora con lui, e Ignazio gli ha addirittura assegnato una procura generale per gli affari di Casa Florio. Ma la sua guida – discreta, gentile, ma ferma – c'è sempre stata ed è questo che, finora, ha rassicurato entrambi.

« Nulla di strano. Laganà continua a ripetere che, per sottoscrivere i nuovi contratti di nolo, dobbiamo migliorare il servizio, rimodernare gli alloggi per i passeggeri e aumentare il salario del personale. Ma sa bene che stiamo lavorando in economia, visto che le sovvenzioni statali arrivano a stento e non riusciamo a coprire tutte le spese. E sì che le riparazioni dei piroscafi le fanno all'Oretea... »

« E la cantina? Che notizie hai? »

Il figlio abbassa la testa, giocherella con il lenzuolo. « Buone, papà, stai tranquillo. Mi è arrivata una lettera di Mr Gordon proprio oggi. Il direttore sostiene che hanno ottenuto ottimi risultati con il sigillo di Antonio Corradi, quello che abbiamo adottato per impedire che, durante i trasporti o alla dogana, si possano verificare furti di vino: mettendo il chiusino di latta sopra il tappo di sughero delle botti, queste non possono essere aperte senza che si capisca che sono state forzate.»

Ignazio si mette a sedere. Si sente già meglio. Forse ha ragione il medico: deve ridurre gli impegni, riposare di più. Insomma: delegare. «Ottimo. *P' un curnuto, un curnutu e menzu*», dice.

Ignazziddu ride.

Ignazio gli fa cenno di alzarsi, e gli chiede di passargli la vestaglia di cachemire. «Andiamo a fare una passeggiata in giardino», dichiara poi.

«Sei sicuro? Sta facendo buio...»

«Basta che tua madre non mi veda. A proposito, dov'è?»

Il giovane scrolla le spalle. «Nel salotto verde a recitare la novena dell'Immacolata con donna Ciccia e le cameriere, immagino. C'è qualcos'altro che fa mia madre, se si escludono la preghiera e il ricamo?»

«Ignazziddu...» lo ammonisce il padre. «Tua madre questa è.»

«Mia madre monaca si doveva fare.»

Ignazio ridacchia, poi guarda fuori dalla finestra: la sera sta scendendo su una giornata insolitamente tiepida per essere dicembre. Il parco – spoglio, silenzioso, messo a riposo dai giardinieri – è immerso nella penombra e solo il rumore del vento che intreccia le sue correnti tra i rami fa capire che è inverno. Già immagina la pace che proverà, camminando tra i viali che portano alla voliera con i pappagalli, le cocorite, i merli e la grande aquila reale.

Lancia un'occhiata al letto dietro di lui, e si appoggia al figlio. «*L'amuri pu' letto unn'è cosa bona.*» Mentre lo dice, però, rammenta gli accenni di suo padre alla malattia del nonno Paolo. Vincenzo non ne aveva mai parlato granché e quel poco che lui sapeva veniva da sua nonna Giuseppina, *recamatierna*. Di lui restano solo poche parole raccontate e la tomba a Santa Maria di Gesù.

Però un ricordo è vivo, incancellabile: tanti anni prima, suo padre l'aveva portato davanti a un edificio diruto, con accanto un limone inselvatichito. Era la casa in cui Paolo Florio era spirato, ucciso dalla tisi. Vincenzo, suo padre, aveva otto anni, allora. Era stato il momento in cui lo zio Ignazio aveva cominciato a prendersi cura di lui.

Ha un brivido.

Anche il *suo* Vincenzo ha quasi otto anni.

Le feste di Natale trascorrono con una parvenza di serenità. Ogni sera, l'Olivuzza – calda, accogliente – splende al centro del parco: la luce si spande dalle finestre, accarezza gli alberi, rivela le sagome delle siepi, scolpisce la linea delle palme che s'innalzano verso il cielo. Ma la luce sembra invadere anche tutte le stanze, persino le più remote, come se Giovanna avesse ordinato ai servitori di accendere ogni lampada, ogni lume per sconfiggere il buio. Gli ospiti si radunano intorno all'abete, carico di candele rosse: ci sono Giulia e Pietro – insieme con il piccolo Giuseppe, che ha un anno e mezzo, e con il fratellino Ignazio, nato il 22 agosto – e ci sono anche la sorella Angelina e il marito Luigi De Pace. Come spesso accade, invece, la famiglia Merle è rimasta a Marsiglia: dalla morte di Auguste, il suocero di Giuseppina, non è più tornata in Sicilia neanche una volta. Giuseppina, François e Louis Auguste, che ormai è un uomo fatto, hanno però mandato un baule pieno di doni.

Giovanna fa di tutto per tenere mente e mani occupate: ha provveduto alla tradizionale consegna dei doni ai poveri del quartiere e dei corredini per i neonati delle famiglie più bisognose, chiedendo a tutti di pregare per lei e la sua famiglia. Ha seguito da vicino le ragazze della scuola di ricamo, impegnate a terminare i corredi che serviranno per i matrimoni in primavera, dopo la quaresima. Ha intrattenuto gli ospiti a ogni ora del giorno, tranne che nei momenti in cui si riuniva in preghiera con le donne di casa.

Tutto, pur di non lasciar spazio all'apprensione.

Da parte sua, Ignazio alterna mattine di riposo a quelle in cui va nel suo ufficio a piazza Marina. Cerca di non farsi vedere indebolito: non renderebbe un buon servigio a Casa Florio. Nel pomeriggio, non si sottrae alle chiacchiere con gli ospiti.

Tuttavia si muove poco, mangia svogliatamente e spesso è seduto in poltrona davanti al caminetto, a leggere o a scrivere lettere sullo scrittoio portatile, in radica di noce e ottone.

Durante le feste, Giulia aveva notato che suo padre era più stanco del solito, ma non aveva avuto il coraggio di fare domande dirette. C'erano stati mormorii, sguardi, mezze parole. Ignazziddu gli era sembrato molto nervoso, quasi scorbutico, e la madre le aveva accennato qualcosa, cambiando poi subito discorso. Nel turbine d'impegni che l'aveva travolta – per i figli, per i ricevimenti a Palazzo Butera, per le visite di beneficenza – non aveva mai avuto modo di parlare direttamente con il padre, per capire se c'era davvero qualcosa che non andava.

È quindi con un'ansia alimentata dal senso di colpa che Giulia si presenta all'Olivuzza in un pomeriggio freddo e terso, bagnato da un sole che non scalda, poco dopo Capodanno. Giovanna non c'è: è al capezzale della principessa di Cutò, ormai agonizzante.

Senza farsi annunciare, entra nello studio. Ma alla scrivania non c'è nessuno. «Dov'è mio padre?» chiede, brusca, a un domestico che sta spolverando i registri custoditi nella libreria. L'altro la fissa, incerto: il senatore non sta bene, e tutti in casa lo sanno. Ma è una cosa di cui non si parla ad alta voce.

«Dov'è?» insiste Giulia.

L'uomo non ha modo di rispondere. Sulla soglia della stanza appare Vincenzino, i capelli in disordine e un album da disegno sottobraccio. Entra nello studio, la tira per il vestito. «Giulia! Sto andando da lui. Vieni con me.»

Il bambino le tende la mano e la sorella la stringe. Non si sono frequentati molto, lei e quel demonietto dagli occhi scuri: in fondo, li separano ben tredici anni. Quando lei si è sposata, lui aveva solo due anni, e per età è più vicino ai suoi figli che a lei.

«Com'è u' papà?» chiede Giulia sottovoce.

Vincenzino si stringe nelle spalle. Si aggrappa alla sua mano. «Accussì.» E, nel dirlo, allarga l'altra manina davanti a sé e la muove, simulando un'onda. Alti e bassi.

Arrivano davanti alla stanza del padre. Giulia bussa.

«Avanti», risponde una voce.

Lei esita, la mano ferma sull'elaborata maniglia di ottone, la bocca che si fa amara. La voce di suo padre è sempre stata profonda, sicura. Quella, invece, è flebile, incerta.

Lo trova in poltrona, con indosso una giacca da camera. «Hai capito, Nanài?» sta dicendo al valletto. «Alle nove in punto voglio la carrozza. E ricorda a Ignazziddu che deve venire anche lui. Laganà ci aspetta a piazza Marina e...» In quel momento, sposta lo sguardo, vede Giulia. Il volto gli si apre in un sorriso, si alza per andarle incontro.

Lei lo stringe in un abbraccio.

E capisce.

Nasconde il viso nel bavero di velluto, costruisce in fretta un argine dentro di sé, perché l'angoscia non trabocchi. Ha sentito, Giulia, quanto il suo corpo solido e forte sia diventato magro e fragile. Ha sentito un odore che il familiare profumo dell'Eau de Cologne des Princes, comprata a Parigi da Piver, non riesce a cancellare. Ha visto che le braccia di lui si sono alzate solo di poco, come se sollevarle fosse troppo faticoso.

Giulia si discosta, lo guarda con gli occhi che si stanno riempiendo di lacrime. «Papà...»

Vincenzo osserva la scena, una matita sulle labbra, gli occhi allungati che si spostano dal padre alla sorella.

Con lo sguardo, Ignazio implora Giulia di non dire nulla, poi chiama il bambino, che si è appollaiato sulla poltrona dove lui era seduto. «Perché non scendi nelle cucine e chiedi che ci portino qualcosa da mangiare, eh, Vice'?» dice.

L'altro sgrana gli occhi. «So che ci sono i taralli freschi. Poco fa ho sentito il profumo», esclama, e salta giù dalla poltrona. «Per te latte, papà?»

«Sì, grazie.»

«Taralli?» Giulia lo interrompe. «*Ma sunnu cosa duci di' Morti.*»

Vincenzino scrolla le spalle. «Me li fanno lo stesso», replica, un balenio divertito negli occhi. E sparisce oltre la porta, saltellando su un piede.

«*Sto' picciriddu* lo state viziando troppo», commenta lei, mentre Nanài le avvicina una sedia per farla accomodare.

«Tua madre è. Non gli sa dire di no.»

Nanài scambia un'occhiata con il padrone, poi si chiude la porta alle spalle.

«Allora, che succede?» chiede Giulia, mentre il padre torna a sedersi. Non nasconde più il panico nella voce. Si china verso di lui, gli prende le mani.

«Niente, niente. Sono stato male, una specie d'intossicazione dei reni... Ora sto meglio», le risponde, mettendole un dito sulle labbra per farla tacere. «Mi hanno dato dei ricostituenti e mi hanno fatto bere acqua e certi intrugli che non ti dico... e poi mi hanno dato il latte, come se fossi un *nnocente*. La dieta che mi hanno prescritto sembra fare effetto. Non ho ripreso ancora tutte le forze, ma so che questa è la strada giusta.»

Giulia gli toglie una ciocca di capelli dalla fronte, cerca affannosamente sul suo viso un segno, una traccia di verità in ciò che sta dicendo. Ma non la trova. E allora cerca ancora. Gli prende il viso tra le mani, fruga negli occhi del padre, e vi legge cos'è nascosto sotto la menzogna che sta provando a raccontare agli altri e a se stesso.

Paura. Sconforto. Rassegnazione.

Sente affiorare una sensazione fredda come un rivolo d'acqua sorgiva. La scaccia. «*Maman* che cosa dice?»

Lui scrolla le spalle. «*Scantata è*. Ma io non sono tipo di *farimi jiccare n'terra*.»

Davanti agli occhi di Giulia si materializza l'immagine di un olivo, alto e forte. Un albero che – come le ha sempre detto suo padre – non può morire neanche se viene tagliato alla radice. Invece *quell'olivo* si sta accartocciando sotto i suoi occhi, come se la sua linfa si stesse prosciugando, come se le radici non fossero più in grado di succhiare nutrimento dalla terra. «E i medici?»

«Dicono che sto migliorando. Ma poi, prima di loro, sono io che devo parlare, e dire come sto. E io mi sento meglio.» Quasi a rafforzare quell'affermazione, si batte una mano sul petto. Poi continua, cerca di mantenere un tono allegro: «Devo rimettermi in piedi al più presto: sai bene che la nostra Casa patrocinerà l'Esposizione Nazionale di novembre, qui a Palermo...» E aggiunge, con un sorriso: «Palermo come Milano e Parigi, ci pensi? Dovresti vedere i progetti che sta realizzando

Basile per noi. Sono meravigliosi. Il padiglione d'ingresso riprende l'architettura moresca e ci sarà persino un belvedere
da cui si potrà ammirare la città ».

« L'architetto Giovan Battista Basile? Ma non è troppo vecchio per un impegno del genere? » chiede Giulia. Intuisce la risposta, tuttavia le piace vedere come cambia il padre quando
può parlare con lei dei suoi affari. Lo sguardo torna a illumi-
narsi, la schiena sembra più dritta e la voce ha l'intensità di un
tempo.

« Non lui. Ernesto, suo figlio. Il padre, a quanto sembra, sta
male. *Iddu* ha disegnato dei padiglioni in stile arabo-norman-
no, con cupolette sulle porte e un grande ingresso che si affaccia sul nuovo teatro, il Vittorio Emanuele. »

Giulia abbandona le mani del padre, incrocia le braccia sul
petto. « Ho sentito dire una cosa sull'Esposizione Nazionale.
L'altro giorno è venuto a casa mia il prefetto, che ha cominciato
a confabulare con Pietro. Gli ha detto che il principe di Radalì è
molto contento dell'affare. *Che già cunta i picciuli chi c'hannu a
trasiri.* »

Ignazio la scruta in tralice e quasi sorride. Giulia, con quella
sua aria tranquilla e riservata, ha sempre saputo cogliere i messaggi davvero importanti di una conversazione. Per un lungo,
vertiginoso istante, la immagina a gestire Casa Florio, a farla
prosperare grazie all'intuito e all'acume che ha dimostrato negli anni. *Mica come Ignazziddu, che è testa all'aria...* Ma poi scuote
la testa, come a liberarsi da quell'idea assurda. « Radalì è stato
furbo, figlia mia », replica. « Ci ha concesso l'uso del *firriato* di
Villafranca, la proprietà coltivata ad agrumi, a titolo gratuito,
perché sa bene che, quando la manifestazione sarà finita, potrà
vendere i suoi terreni al prezzo che vuole. Farà davvero un
sacco di soldi. »

Giulia annuisce, contenta che il malessere del padre non sia
più al centro della conversazione. « Scimunito non è: da una
parte ha un teatro, dall'altra via della Libertà e poi, alla fine
dei terreni, gli alberghi e i nuovi giardini, con la strada che arriverà fino al Parco della Favorita. Ci potrà fare quello che vuole, lì. »

« Già. » Ignazio si distende. « Ancora una volta, Palermo a

noi deve dire grazie. È per i Florio e i loro santi in paradiso se certe cose si realizzano. Sai, a Roma nessuno voleva che l'Esposizione venisse fatta qui in Sicilia: sarebbe stata troppo lontana, dicevano, e sarebbe costato troppo il trasporto per nave... cioè il trasporto con le nostre navi, ed è questo che *certuni un'arrinescinu ad agghiuttere.*» Fa una pausa, chiede un bicchiere d'acqua. L'angoscia che, per un istante, si era stemperata torna a farsi presente. «Dei Florio sarà l'intera organizzazione. Dei Florio saranno le navi con cui arriveranno gli espositori e le loro merci. Dei Florio saranno i padiglioni più grandi, con il tonno, il marsala e le macchine dell'Oretea.» Sorride, Ignazio, e guarda il fondo del bicchiere ormai vuoto e, attraverso di esso, osserva i disegni della vestaglia. Il suo è un sorriso distante, obliquo. «E noi, a nostra volta, dobbiamo dire grazie all'avvocato Crispi», conclude.

Giulia inarca le sopracciglia, poi annuisce, lenta. Francesco Crispi è il nume tutelare di Casa Florio in generale, ma anche il suo personale; l'aveva capito cinque anni prima, il giorno del suo matrimonio, quando il padre le aveva spiegato che era stato lui a redigere i capitoli matrimoniali che vincolavano la sua dote. «*Caciettu. Ma iddu nenti putìa si 'un c'eri tu.*» La giovane donna è laconica, diretta. La volontà di quell'uomo politico sarebbe stata inutile senza i soldi dei Florio.

Ignazio sta per replicare quando arriva Vincenzino, seguito da una cameriera con un vassoio su cui ci sono latte e biscotti.

Giulia ringrazia, afferra un tarallo: un biscotto morbido, ricoperto di glassa al limone, che solitamente si prepara per il Giorno dei Morti. Ma lì, in casa, tutti sanno che Vincenzino ne è goloso e si fa volentieri un'eccezione per lui... *Forse se ne fanno un po' troppe, di eccezioni*, pensa lei, aggrottandosi. Però, non appena scorge l'altro piatto, scoppia a ridere. «*A' pignuccata!* Molto meglio!» Prende un bastoncino di pasta ricoperta di miele e se lo infila in bocca. Poi si lecca le dita, subito imitata dal fratellino.

Ignazio li guarda e sente il cuore che si allarga. Rivede Giulia bambina e, accanto a lei, per la prima volta dopo tanto tempo, il *suo* Vincenzino, quel bambino cui era stata negata la possibilità di diventare adulto. Ricorda i loro giochi nel parco, le

loro risate, il suono dei loro respiri nel sonno, le loro monelle-
rie che tanto facevano disperare Giovanna.

Nulla. Non c'è più nulla.

Quanto a *questo* Vincenzino, può solo guardarlo da lontano.
È troppo vivace, sempre in movimento e lui non può seguirlo,
impegnato com'è a recuperare le forze. Beve un sorso di latte,
si ferma di nuovo. Osserva Giulia che imbocca il fratello e gli
parla di quei nipoti che, per lui, sono più dei cugini, vista la
scarsa differenza di età. Ascolta le loro risate e si chiede quante
cose si è perso della loro vita. Dove sono finiti gli anni in cui i
suoi figli erano ancora piccoli? Lui era impegnato a far crescere
la sua impresa, a raggiungere quei vertici di ricchezza e potere
che suo padre aveva potuto solo sfiorare. Sua madre glielo
aveva detto, molto tempo prima: *Tra le cose che si perdono, l'infanzia dei nostri figli è una delle più dolorose.* Lo capisce soltanto
ora, Ignazio. Ora che non c'è più nulla da fare.

E quel dolore si somma all'altro, a quello senza nome, che
racconta di un tempo che avrebbe potuto essere e non è stato,
di una gioia cui lui ha dato le spalle e che è cristallizzata nel
regno delle cose perdute e, come tali, perfette.

Per un istante, il profumo dei taralli viene sostituito da quello dei garofani e dell'estate di Marsiglia.

Poi svanisce.

Le settimane passano, l'inverno si avvia alla fine. Ignazio si rimette in piedi, cerca di occuparsi di nuovo a tempo pieno degli
affari. Progetta persino di andare a Roma e lo scrive pure ad
Abele Damiani, l'amico senatore.

Ma il suo corpo non è d'accordo.

Se ne accorge una mattina, dopo aver trascorso una notte insonne in cui sono arrivati all'improvviso dei forti dolori alla
schiena, accompagnati da conati di vomito. Quando prova
ad alzarsi dal letto, la testa gli gira, le gambe non lo sorreggono. Si guarda le mani e le vede tremare. Barcolla fino alla specchiera, sorreggendosi prima alla sponda del letto e poi alla poltrona, si cerca nello specchio.

E non si trova.

Perché quel fantasma con le guance infossate non può essere lui, pensa terrorizzato. Quel viso scavato, quel corpo che sembra perdersi nella camicia da notte, quella pelle slavata, giallastra. Niente di tutto questo gli appartiene.

Chiama Nanài, una, due volte. Al terzo richiamo, il valletto arriva e, quando Ignazio legge il suo sguardo riflettersi nel proprio, capisce. Capisce che non c'è più tempo, che quella cosa che lo sta avvelenando è decisa a portarselo via in fretta.

«*Chiama a me' mugghiere*», mormora. «E chiama pure il medico.»

Dopo pochi istanti, la porta tra la stanza di Ignazio e quella di Giovanna si spalanca. La donna – in vestaglia e con la treccia disfatta – attraversa la camera, incespicando nelle pantofole.

Poi lo vede e si porta una mano alle labbra. «Non eri così, ieri», mormora.

Ignazio rimane immobile e non parla. Gli costerebbe troppa fatica.

Lei gli rimanda lo sguardo. È forte, Giovanna. Ma è anche spaventata. «Qualcosa... Deve essere successo qualcosa stanotte.»

Quando i due medici arrivano, lo auscultano, cavano di nuovo il sangue e prendono le urine, nella speranza che le analisi diano qualche indicazione. Ci vorrà tempo, però. Fossero stati altrove, in una città del Nord, per esempio, avrebbero avuto ben altri strumenti, ma lì...

Non appena finiscono la visita, raggiungono Giovanna nel parco, lontano da orecchie indiscrete. I due si guardano, in imbarazzo, cercano le parole esatte, le più delicate, le meno crudeli. Ma esitano.

A lei basta un'occhiata per capire.

E ha un unico pensiero: non vuole sapere.

Allora si gira di scatto, corre a cercare Ignazziddu e lo trova nello studio del padre, immerso nelle carte. Gli chiede, lo implora, di parlare lui con i medici, perché non può essere che...

Intanto i due medici in giardino si guardano sconcertati, non sanno cosa fare. Poi arriva il figlio ed è con lui che parlano.

Il ragazzo ascolta a capo chino. Gli sembra che il cielo voglia schiacciarlo, che gli alberi intorno a lui stiano per cadergli addosso, che la terra vibri. Dice che metterà a loro disposizione due stanze lì, all'Olivuzza. Non è il caso che si allontanino, non con *quel* paziente in *quello* stato.

Entra in casa, dà disposizioni ai servitori, congeda i medici con una stretta di mano, poi si rifugia di nuovo nel parco.

Nessuno lo ferma.

Cammina barcollando, vaga per i viali a braccia aperte, come se cercasse la consolazione di un abbraccio.

Piange.

Ha già perso un fratello e se lo ricorda bene, sa cosa significa seppellire un pezzo di vita e non vuole farlo di nuovo. Di quello strazio lui sente ancora l'odore, quello dei gigli bianchi che circondavano la bara di Vincenzo. Suo padre ha poco più di cinquant'anni, non può andarsene così.

È *troppo presto, troppo, troppo* presto.

Cosa farò? si chiede. Piange a singhiozzi arrabbiati, a lungo, mentre, nella sua stanza, la madre sta piangendo tra le braccia di donna Ciccia.

Ma lui riesce a pensare soltanto al dolore che gli esplode dentro.

Mentre la primavera fa il suo timido esordio, Ignazio sente la vita staccarsi dalla pelle e dalle ossa, come un abito di cui è costretto a disfarsi. È solo nella stanza, sprofondato nella poltrona accanto alla finestra. L'aria è appena tiepida, profumata di fieno e fiori. Un ronzio d'insetti viene spezzato dai versi degli uccelli della voliera o dalle grida di Vincenzino che gioca con il velocipede in giro per il parco.

È marzo, e lui lo sente: avverte il profumo della terra scaldata dal sole. Oh, ci saranno ancora giornate fredde, come sempre accade. Ma il regno dell'inverno è finito e ben presto sugli alberi spunteranno le gemme, le siepi di rose fioriranno, le pomelie si copriranno di fiori bianchi e, nel suo amato aranceto della Villa ai Colli, gli alberi daranno gli ultimi frutti.

Non gli rimane più molto tempo.

Un pensiero così crudo, così sincero, che gli causa un fiotto di disperazione.

Tutto. Sta per perdere tutto.

I suoi figli, che non vedrà crescere e che non potrà consigliare o seguire: Vincenzino, che è così piccolo, ma anche Ignazziddu, che ancora ha tanto da imparare e che non ha l'umiltà per farlo. Sua moglie Giovanna, per cui prova, se non amore, una profonda tenerezza per la dedizione generosa che gli ha sempre dimostrato. Ma anche Favignana, con il profilo ruvido di Marettimo e quello sottile di Levanzo che spuntano non appena si naviga intorno all'isola, con le barche calate per la mattanza, quegli scafi neri che spezzano il blu delle onde, poi rosse di sangue. Il bianco polveroso delle cave di tufo. L'odore del mare che si mescola con quello del tonno. E poi ancora: la cantina di Marsala, con le mura di tufo mangiate dal mare, il ferro lavorato nell'Oretea, i fumaioli delle navi della NGI...

Lui perderà tutto questo e non può farci nulla, perché sa che la morte ci vuole nudi, puri come quando entriamo in questa vita. Perché la sua volontà nulla può contro il destino.

Sente in bocca il sapore acre della bile, che pare mescolarsi con quello delle lacrime. Negli ultimi tempi piange spesso, più di quanto vorrebbe, ma come può impedirselo? Piange in silenzio, Ignazio, e avverte la disperazione che gli invade vene e ossa e lo lascia spossato, un relitto scosso da onde lievi.

Certo, continuerà a fingere, dicendo a tutti che si rialzerà, che i medici troveranno una nuova cura. Certo, lotterà sino alla fine, ma non può raccontarsi menzogne.

Sta morendo.

E questa idea – anzi questa certezza – lo annichilisce.

La sua è stata una vita di lavoro, proprio come quella di suo padre. Un'esistenza intera spesa al servizio di un'idea: che i Florio fossero più ricchi, più potenti, più importanti di chiunque altro. E così era stato. C'era riuscito.

E ora?

E adesso che l'aveva dimostrato?

E adesso che non aveva più un progetto, un ufficio, un affare cui consacrare tempo ed energie?

Ho le mani piene di roba e il cuore vuoto. Ho ancora idee e volontà,

e vorrei vivere e stare con la mia famiglia e vedere i miei nipoti e se-
guire la vita che va avanti.

E invece.

La disperazione gli trapassa la gola, gli toglie il respiro.

E adesso che me ne sto andando, cosa rimane?

Le settimane passano, arriva maggio.

Ignazio non riesce neanche più a star seduto in poltrona.

Sulla soglia, Giovanna osserva Nanài e un altro cameriere
che lo lavano. Guarda il viso immobile del marito, legge la
sua vergogna nel farsi accudire come un bambino, un imbarazzo ancora più forte del dolore fisico che di certo deve provare.

A un passo di distanza, Ignazziddu. Stringe una spalla della
madre, cerca di nascondere il disagio che prova nel vedere il
padre maneggiato così, da estranei. Distoglie il viso, poi farfuglia qualcosa. Dice che andrà agli uffici di piazza Marina a vedere che succede, e poi passerà al Banco Florio per rassicurare
tutti.

Scappa, Ignazziddu, scappa da quel dolore che gli è insopportabile.

Ignazio lo ha visto.

Scuote piano la testa, cerca di resistere alle onde di dolore.
Prega che suo figlio si scrolli di dosso la paura e diventi un
buon amministratore. Ed è questo pensiero a fargli girare il viso verso la moglie.

«Giovannina... chiama *u' nutaro*.»

Lei si limita ad annuire.

Il notaio Francesco Cammarata arriva all'imbrunire. Raccoglie le volontà di Ignazio: il patrimonio viene diviso tra i due
eredi maschi, Ignazziddu e Vincenzo. Lui sa che Ignazziddu
non è ancora pronto, che ci vogliono *i scagghiuna* per non farsi
divorare e che suo figlio, diventato primogenito suo malgrado,
forse non ha ancora la scaltrezza necessaria per gestire la Casa.
Ma non può fare altrimenti. Assegna una rendita a Giovanna e
una quota di eredità a Giulia. Provvede a legati per i camerieri
di casa e per alcuni operai.

Giovanna, seduta dietro la porta, accanto a donna Ciccia, sgrana il rosario in corallo e argento quasi senza muovere le labbra. Prega, anche se nemmeno lei sa bene perché. Forse per un miracolo. Forse per chiedere perdono di peccati che non sa nemmeno di aver commesso. Forse per trovare sollievo. Forse perché sia suo marito a trovare pace.

Quando il notaio esce, è donna Ciccia ad accompagnarlo alla porta. Giovanna rimane sulla soglia della stanza, una mano sullo stipite e l'altra che stringe il rosario sul cuore.

Ignazio gira la testa sul cuscino, la vede. Le fa cenno di avvicinarsi.

«Ci ho pensato, a te», le dice. Prova a sorridere. Le labbra sono screpolate, la barba è quasi del tutto ingrigita.

«Io pure penso a te», gli risponde, e solleva il rosario. «Devi guarire. Guarirai. *U' Signuri m'avi a fari 'sta grazia.*»

Lui le stringe la mano, indica la porta con un cenno del mento. «*U' sacciu.* Ora fammi dormire *tanticchia.* Poi, quando torna Ignazziddu, digli che mi venga a riferire cosa succede alla NGI. Bisogna anche scrivere a Crispi per ricordargli del rinnovo delle convenzioni della posta. *A' cira squagghia e 'a prucessione 'un camina...*»

Lei annuisce, inghiotte un grumo di lacrime. Stizza e amarezza si mescolano, insieme con la sensazione di aver perso, per l'ennesima volta, il primato nella vita di suo marito.

Casa Florio prima di Dio, della famiglia, dei figli. Casa Florio, sempre, prima di tutto.

Ignazio resta solo. Si assopisce, cade in un torpore dovuto alla spossatezza e al laudano che hanno cominciato a somministrargli per alleviare il dolore.

Nella penombra della stanza, il bagliore della piccola luce elettrica a parete copre tutto di una patina gialla.

È un sussurro di stoffa a svegliarlo. Un fruscio di gonne che viene dall'angolo più buio della stanza, un suono familiare e antico che gli fa accelerare i battiti.

Apre gli occhi, cerca nella penombra. Alza persino la testa per guardare meglio.

Poi la vede, e lascia ricadere il capo sul cuscino.

Poteva essere soltanto lei.

La figura avanza a piccoli, silenziosi passi verso il letto. Capelli ricci, biondi con sfumature rossicce. Pelle chiarissima. Un sorriso che non riesce a fiorire del tutto sulle labbra sottili.

Ne sente il profumo: fresco, pulito. Garofano.

Camille.

Sembra avere vent'anni. Indossa lo stesso vestito del giorno in cui si erano conosciuti, a Marsiglia, nell'estate del 1856.

Si siede sulla sponda del letto, allunga la mano verso di lui. Il materasso non si piega sotto il suo peso, né la sua mano increspa la stoffa. Ma il suo tocco è caldo, e lo sguardo – *quello* sguardo – è pieno di comprensione e di amore. Gli occhi azzurri non sono più arrossati da lacrime o dal rancore, ma sembrano illuminati da una luce di perdono che, per un istante, Ignazio pensa di non meritare. Poi capisce, e chiude a sua volta gli occhi. Comprende che l'amore, quello vero, quello che non muore, può esistere solo se è accompagnato dal perdono. Che in ognuno di noi c'è un rimorso che cerca l'assoluzione.

Assapora quel tocco, inspira quell'aroma di fiori che scaccia quello della malattia.

Non sa dire se Camille sia davvero lì o sia un fantasma imprigionato tra il sonno e la veglia. Sa, però, che ha smesso di avere paura, e che la ferita che si porta dentro da anni, quel mancato perdono per il dolore che le ha inflitto, quel vuoto dettato da un'assenza cui lui stesso si è costretto, ecco, quel vuoto adesso non c'è più. E anche il senso di colpa verso Giovanna si stempera, perché adesso Ignazio sa, ha capito che si possono provare contemporaneamente amori diversi, e che bisogna soltanto saper accettare ciò che si prova e ciò che si riceve, come un dono. Che lui, forse, ha sbagliato, ma che non c'è più tempo per rimediare, e ora deve solo perdonare e perdonarsi.

Lei, adesso, gli sta parlando.

Chiude gli occhi. Si lascia andare al suono della sua voce, che ha il suono del ricordo, a quelle parole sussurrate in francese che gli accarezzano il cuore e permettono a poche, rare lacrime di lavargli l'anima prima di scivolare giù dalle palpebre. Si permette, finalmente, di essere in pace.

All'Olivuzza, il tempo pare rallentare e, a tratti, è come se si ripiegasse su se stesso, in attesa.

Vincenzino ha interrotto le lezioni di violino. Passa in punta di piedi davanti alla stanza del padre, accompagnato dalla governante che gli impedisce di entrare perché «non bisogna disturbarlo». E lui, che ha soltanto otto anni, vive in un terrore senza nome, in una paura che si specchia nei gesti frenetici della madre, sempre più cupa e distante, sempre con il rosario in mano, immersa nelle preghiere, inseguita da donna Ciccia che la implora di mangiare qualcosa e di riposarsi almeno un poco.

L'unico che si prende cura di lui è Ignazziddu, che la mattina però sparisce per andare all'Oretea o a piazza Marina, o chissà dove, e spesso la sera esce per andare al circolo e torna tardi, molto tardi. Ma anche il fratello ha il viso tirato, e Vincenzino se ne accorge.

Vorrebbe chiedere, sapere, capire, ma non sa bene quali domande fare. Sa che qualcosa di grave sta accadendo, ma è pur sempre un bimbo e non riesce a mettere insieme tutti i pezzi.

Sa soltanto che suo fratello scappa di casa non appena può.

Poi, una sera, la governante lo viene a prendere nella sua stanza. Lui è nel letto, intorpidito dal sonno.

Gli occhi arrossati della governante sono l'ultimo tassello del mosaico che si è composto nella sua mente.

Perché, in quel momento, Vincenzo capisce.

Suo padre sta morendo.

Per lui, la morte sono le lapidi nella cappella del cimitero di Santa Maria di Gesù, dietro le quali, gli hanno detto, ci sono i nonni e quel fratello che aveva il suo stesso nome e di cui lui – nel modo inconsapevole e feroce tipico dell'infanzia – sa di aver preso il posto. Quell'altro Vincenzo per lui è un'immagine, una fotografia che la madre conserva sulla toeletta e che guarda ogni giorno. È così che se lo immagina: pallido, addormentato, coperto di polvere tra ghirlande di fiori di seta, come una bambola di porcellana.

La governante lo aiuta a indossare la vestaglia, lo accompagna nella stanza del padre. Entra. Viene aggredito dall'odore di chiuso, di sudore, di paura. Vicino al letto c'è sua madre, che tiene la mano del padre e stringe un fazzoletto nell'altra mano. Un prete, con una stola viola, sta riponendo l'olio santo e il messale.

Ignazio è poco più di una sagoma sotto le lenzuola. Resa trasparente dalla malattia, la pelle è segnata da un reticolo di vene bluastre. Sul comodino, una tazza di latte con un cucchiaio.

Vincenzino lascia la presa della donna, si avvicina al letto. Gli prende una mano e se la porta sul viso, alla ricerca di una carezza, sebbene suo padre ne sia stato sempre parco.

La mano è calda, quasi scotta.

«Papà.» È spaventato. Deve prendere aria e, nel farlo, respinge le lacrime che gli bruciano la gola.

«Vincenzo...» mormora Ignazio. «Figlio mio.» La voce è un filo, un suono roco di aria che graffia la trachea. Lo sguardo si anima, compare un sorriso di tenerezza. Gli accarezza la guancia, sale a sfiorargli i capelli. Dall'altra parte del letto, Giovanna si lascia scappare un singhiozzo.

«Come mio padre sarai. Come lui.»

Poi guarda alle spalle del figlio, e il sorriso si allarga. Il bambino sente le dita del fratello posarsi sulla sua spalla e stringerla sin quasi a fargli male.

«Un Ignazio e un Vincenzo.» Le parole di Ignazio sono un soffio. L'ultimo. «Com'è stato fin dall'inizio e come deve essere.»

Quando, il 17 maggio 1891, la notizia della morte di Ignazio Florio arriva alla Fonderia Oretea, gli operai increduli si abbracciano, scoppiando in lacrime, come se non fosse morto il padrone, ma uno di loro. I marinai della NGI scendono dalle navi, si raccolgono davanti alla fonderia e una folla di uomini e donne, con gli occhi rossi e il respiro spezzato, scivola per le strade, raggiunge la grande villa e si ferma, muta, davanti ai cancelli del parco, osservando la sfilata di carrozze: le più importanti famiglie di Palermo prima e poi quelle della Sicilia intera vanno a rendere omaggio al senatore Florio, ma loro – gli operai e i marinai – sono la sua gente.

Dentro la villa è tutto un rincorrersi di domestiche che tirano fuori dai bauli abiti di crespo nero, oscurano specchi e chiudono finestre. Solo una rimane aperta: quella della stanza da letto di Ignazio, perché la sua anima possa volare via, come vuole la tradizione e come ha ordinato donna Ciccia, che è rimasta a lungo ferma accanto al letto, una statua di carne, quasi che potesse ancora parlare a quell'uomo che la sua protetta ha amato e, lei lo sa, continuerà ad amare per il resto dei suoi giorni.

Il corpo di Ignazio è stato vestito con un completo nero di grande eleganza, realizzato da Henry Poole, il sarto più rinomato di Savile Row, a Londra, e un tempo riservato alle grandi occasioni mondane. Ma quell'abito sembra quasi non appartenergli, tanto gli è largo.

Ai piedi del letto, un prete mormora preghiere, insieme con una piccola schiera di orfanelle e novizie del monastero poco distante. Nell'aria, un odore misto d'incenso, di fiori e di cera di candela. È così forte da togliere il fiato.

Dopo la benedizione della salma, donna Ciccia ha accompagnato alla porta il prete e il suo piccolo corteo, mentre Vincenzo è tornato in camera sua. Ha avuto una crisi di pianto e la governante ha preferito restare con lui a confortarlo.

Resa ancora più esile dall'abito in *faille* di seta nera, Giovanna si aggira per la casa, le mani ossute che stringono spasmodicamente la gonna, i passi che incespicano sui tappeti. Ha lo sguardo perso. Insegue le domestiche, ordina loro di tenere lustri il parquet e i pavimenti a scacchi bianchi e neri e di spolverare ogni cosa; al maggiordomo chiede di disporre il registro di chi si presenterà a porgere le condoglianze. Non si dica mai che i Florio non ringraziano.

Ignazziddu, invece, è rimasto nella stanza del padre, in un angolo, insieme con la sorella Giulia. La giovane donna indossa un abito in crespo nero e ha sollevato sui capelli il velo da lutto. Guarda Ignazziddu. «Non ci posso credere che non c'è più.»

Il fratello scuote la testa e mormora: «Adesso devo occuparmi io della famiglia. Io. Capisci?»

Giulia si volta appena e gli punta addosso gli occhi chiari, gli stessi di sua nonna. Non può assecondare la paura del fratello, né riesce a giustificarla. Deglutisce un nodo di pianto, si raddrizza, e con voce sicura replica: «Sì, tu. Ora sei tu Ignazio Florio».

Il fratello la guarda e apre la bocca per dire qualcosa ma, in quel momento, Giovanna entra nella stanza. Li cerca con lo sguardo, li raggiunge. «Stanno arrivando le prime visite, ci sono già i cugini d'Ondes in salone, insieme con i tuoi parenti», spiega, indicando Giulia.

Lei annuisce. «Vado io a riceverli.»

Ignazziddu la segue con gli occhi. Sa bene che Giulia è sempre stata più forte di lui e vederla andar via aumenta la sua paura.

Ha paura di tutto, ora.

Detesta i funerali, detesta il dolore che lo sta corrodendo, riportando in superficie quella sensazione di abbandono che aveva provato quando suo fratello era morto. Vorrebbe nascondersi, sparire, diventare invisibile a tutto e a tutti.

Così, quando la madre lo afferra per una manica, lui, d'istinto, la stringe in un abbraccio disperato. Ma lei si divincola, gli posa le mani sulle spalle, lo allontana. Poi, puntandogli addosso gli occhi scuri, sibila: «Tu, ora, non mi devi lasciare sola».

E, con quelle parole, di colpo, Ignazio smette di essere Ignazziddu. In quella voce rabbiosa e infelice, lui legge il suo futuro.

Giovanna si volta a guardare il marito, quell'uomo che tanto ha amato, e che solo la morte è riuscita ad allontanare da lei. Si avvicina a lui, gli sfiora una manica. Infine s'inginocchia, appoggia la testa sul letto per un istante, poi gli prende la mano, fredda e rigida.

Gli toglie la fede nuziale, la bacia, se la stringe al cuore. Poi gli sfila l'anello di famiglia, quello che suo padre Vincenzo gli aveva donato il giorno delle nozze, e che era appartenuto a un altro Ignazio, e prima ancora alla bisnonna, Rosa Bellantoni.

Che appartiene a un altro tempo, quello in cui i Florio erano solo *putiàri*.

Giovanna non può saperlo. Di quel passato così remoto, così umile, nessuno, neppure Ignazio, le ha mai parlato, se non per accenni imbarazzati. Lei sa soltanto che suo marito non si separava mai da quell'anello.

Gli rimette al dito la fede nuziale e appoggia la mano sul petto immobile con un gesto che è quasi una carezza. Non toccherà più quell'uomo che lei ha accolto dentro di sé, con cui ha avuto quattro figli, che le ha donato così poco amore e così tanta pena.

Non lo toccherà più, ma non smetterà mai di amarlo. Ormai nessuno può portarglielo via.

Poi raddrizza la schiena, Giovanna. Si alza.

Raggiunge il figlio, gli prende la mano e quasi lo costringe ad aprirla. Gli mette l'anello del padre tra le dita, glielo fa indossare.

«Ora sei tu il capofamiglia.»

Ignazio non ha tempo per ribellarsi, per dire che quell'anello così antiquato gli è largo e che no, non lo vuole, che è troppo pesante, ma d'un tratto la stanza si riempie di persone che si fanno il segno della croce, mormorano una preghiera e poi si avvicinano a lui per porgergli le condoglianze.

Giovanna scorge le cugine Trigona e scoppia in un pianto dirotto quando una l'abbraccia, la bocca spalancata in un muto grido di dolore.

Ignazio resta lì, accanto alla madre che piange tutte le sue lacrime. Si sente addosso gli occhi della gente, ne coglie i sussurri, le frasi smozzicate. Tutti guardano lui, ora.

E lui non sa cosa fare.

Il 15 novembre 1891, un imponente corteo di carrozze attraversa Palermo per fermarsi nei pressi del Salone delle Feste del padiglione d'ingresso dell'Esposizione Nazionale, di fianco al Teatro Politeama Garibaldi – ribattezzato così nel 1882 – al quale, per l'occasione, sono stati finalmente dati gli ultimi ritocchi.

Dalla carrozza più grande, che sfoggia lo stemma di Casa Savoia, scendono il re Umberto I e la regina Margherita. Poi viene quella del presidente del Consiglio, il palermitano Antonio Starabba, marchese di Rudinì: da qualche mese, ha preso il posto di Crispi, ma anche lui è un uomo del Sud, ex sindaco ed ex prefetto proprio di Palermo. Dopo aver inaugurato l'Esposizione, il re e il suo seguito attraversano la piazza semicircolare, lasciandosi alle spalle le due torri con le cupole moresche poste ai lati dell'ingresso, lì dove ci sono le statue dell'Industria e del Lavoro, forgiate nel bronzo da un altro palermitano, Benedetto Civiletti.

Il corteo attraversa i padiglioni. Sono imponenti, pieni di luce, con grandi volte arabescate. Al centro dell'Esposizione, si apre un giardino moresco al cui centro c'è una fontana animata da giochi di luce; più oltre, un'altra zona verde ospita il Caffè Arabo, allestito sotto una tenda, accanto alle capanne di paglia del villaggio abissino che domina la Mostra Eritrea, in omaggio alla colonia che il Regno d'Italia è riuscito a conquistare a prezzo di grandi fatiche e di parecchio sangue, come quello sparso nella battaglia di Dogali.

Intanto, Palermo aspetta, sempre più irrequieta. Con il biglietto in mano, davanti ai cancelli, si ammassano operai e baroni, maestrine e avvocati, commercianti e sarte, uniti dalla stessa eccitazione e dal medesimo entusiasmo. Negli otto mesi necessari a Ernesto Basile per portare a compimento il progetto di quell'effimero villaggio delle meraviglie, si sono succeduti pettegolezzi, chiacchiere e indiscrezioni, spesso esagerati e quasi sempre contraddittori. Si è persino favoleggiato di un caffè con ballerine arabe discinte e di enormi fontane che buttano vino.

Così, non appena i cancelli vengono aperti, la folla si riversa nei padiglioni con la stessa irruenza di una colata di lava. A bocca aperta, con il naso all'insù e con gli occhi pieni di meraviglia, la gente si entusiasma per il Belvedere alto più di cinquanta metri e vi sale in cima grazie all'ascensore idraulico realizzato nella Fonderia Oretea. Oppure percorre l'imponente Galleria del Lavoro, attraversando i padiglioni delle Industrie Meccaniche, Chimiche e dell'Oreficeria. Gruppetti di donne vanno ad ammirare i prodotti delle industrie tessili e mobiliere; i più ricchi esplorano il padiglione delle Belle Arti, che accoglie più di settecento dipinti e trecento sculture, mentre gli sfaccendati si dirigono al Café Chantant, allestito dietro il padiglione dedicato alla ceramica e alla vetreria.

Di tutto questo, però, Ignazio ha visto ben poco. Prima ha dovuto accogliere il re e la regina e l'ha fatto insieme con la madre – una macchia di crespo di lana nera in un turbinio di colori e di abiti eleganti – accettando compostamente le condoglianze dei sovrani. Poi è rimasto imprigionato nel vortice dei festeggiamenti. Ha stretto mani, salutato amici e conoscenti, omaggiato dignitari di corte e scambiato commenti con uomini politici di vario livello, giunti da tutta Italia, senza riuscire a procedere oltre.

Così, in mezzo a quella folla che rischia di travolgerlo, frastornato dal chiacchiericcio della gente e dai rumori che vengono dai padiglioni, infastidito dal profumo stucchevole dei dolci sfornati per i bambini, Ignazio si è guardato intorno ed è riuscito soltanto a pensare a suo padre, che tanto aveva voluto quell'Esposizione e che non era riuscito a vederla ultimata. Finché aveva potuto gestire gli affari, era sempre rimasta al centro dei suoi pensieri: si preoccupava che la costruzione avvenisse nei tempi previsti, che le strutture fossero sontuose, che tutte le imprese dei Florio avessero la giusta visibilità. Quanto a lui, aveva insistito che i caffè e i divertimenti avessero uno spazio adeguato e fossero caratterizzati da quel tocco di esotismo e sensualità che tanto andava di moda. Al resto, avevano pensato gli ingegneri e, ovviamente, l'instancabile architetto Basile.

Tutti si erano congratulati con lui e con la sua famiglia, perché sì, certo, il governo aveva fatto la sua parte, ma l'impulso iniziale e i soldi... quelli erano stati i Florio a metterli. E a Palermo lo sapevano tutti: si leggeva nelle occhiate che gli lanciavano, miste di stupore, di deferenza e, più di tutto, d'invidia.

« *Lassali taliàre* », avrebbe detto suo padre. « *C'arresta a' taliàta. Nuatri avemu a travagghiari.* »

Solo che Ignazio vuole capire. Vuole *vedere* cosa hanno visto gli altri.

Così, una mattina, fa preparare il suo landò. Con la capote sollevata, per passare inosservato, attraversa corso Olivuzza, affollato di nuove ville borghesi che si alternano a piccoli giardini, e giunge così al cantiere del Teatro Vittorio Emanuele, dove da qualche tempo sono ripresi i lavori, sempre sotto la guida di Ernesto Basile.

È un genio, 'stu cristiano, pensa, nel vedere le alte colonne che si stagliano verso il cielo. È vero che in quell'opera c'è la mano del padre Giovan Battista – morto nel giugno di quell'anno –, ma Ernesto aveva messo in luce alcuni difetti strutturali e quindi aveva ridisegnato almeno in parte i progetti. Da più di quindici anni quell'edificio aspetta di essere completato. *Se non ci riesce Basile, a finire il teatro, allora rimarremo con questo rudere mozzicato per sempre*, riflette Ignazio, amaro.

Di lì ai cancelli dell'Esposizione la distanza è breve. Ignazio scende dalla carrozza ed entra a passo veloce, cercando di sfuggire agli sguardi di chi è in attesa, e che si scappella davanti a lui, elemosinando un saluto o anche solo un'occhiata. Sempre di fretta, attraversa il padiglione dell'Oreficeria e arriva in quello delle Industrie Meccaniche, oltre le cui vetrate si vede il giardino, affollato di visitatori. Abbassa la testa, si copre il viso con una mano. Non vuol farsi riconoscere.

Lì rallenta e si dirige a passi cauti verso il centro dello spazio, dove sono esposte le caldaie della Fonderia Oretea. Mostri di metallo, bocche di lucido ferro nero dalle forme massicce. Cilindri così grandi che un uomo in piedi, allungando le braccia, non ne tocca le pareti. Sono il cuore delle navi che portano merci e persone in giro per il mondo. Delle *loro* navi.

Tutt'intorno, ci sono varie presse idrauliche e, su espositori più piccoli, posate, pentole e vari oggetti per la casa. I prodotti delle altre fonderie sembrano impallidire dinanzi a quelli dell'Oretea; forse sono più evoluti dal punto di vista tecnico, più aggraziati e leggeri, ma non hanno la stessa grandezza, la stessa forza. *E poi, che importa?* si dice. *Di tutti questi oggetti, i nostri sono quelli con la maggiore visibilità. Ecco ciò che Palermo e l'Italia intera vengono a vedere, qui. La potenza dei Florio.*

Procede lento, guardandosi intorno, e si ritrova nella Galleria del Lavoro: un immenso corridoio con il tetto spiovente, da cui viene una cascata di luce e dove risuonano decine di voci, generando un brusio cavernoso.

Impossibile non vedere le altissime colonne costruite con le latte di tonno provenienti dalle sue tonnare. Latte di alluminio di ogni dimensione – da quelle rosse, enormi, per la fornitura all'esercito, a quelle per il consumo quotidiano – su cui cadono i riflessi del sole, che accendono i colori degli smalti. E poi reti da pesca, sagome in cartapesta di tonni e rami di olivo, disposti in maniera artistica per richiamare l'ambiente della tonnara. C'è addirittura una *muciara*, una delle piccole barche che si usano per la mattanza.

Prosegue verso la sezione Enologica. Nasconde il sorriso dietro il pugno chiuso, perché potrebbe raggiungerla anche a occhi chiusi, seguendo l'odore dolce e intenso del vino e dei liquori.

Ma non è preparato a quello che si trova di fronte.

Una torre alta fin quasi al tetto, composta da bottiglie di marsala e circondata da botti. Sulla sommità, su un capitello corinzio, una statua di Apollo, il dio delle arti mediche, che simboleggia le virtù curative del vino. Intorno, altre piramidi di bottiglie per le varie tipologie di marsala, dallo stravecchio alla riserva.

Un impiegato gli si avvicina. «Don Ignazio, che sorpresa! Come...»

«No.»

Secco, quasi sgarbato, Ignazio alza un dito per imporgli il silenzio, gli occhi fissi sulla torre di bottiglie e sulle piramidi di botti, sugli scaffali pieni di liquori. L'altro arretra, sconcertato.

Eccolo. Il cognac Florio in posizione d'onore.

Una produzione avviata anni prima secondo le tecniche in uso nella Charente, seguita fino all'ultimo da suo padre e adesso curata da Ignazio in persona con l'aiuto di esperti francesi. Il risultato è un liquore pastoso, caldo e delicato insieme, che porta in sé la dolcezza del miele, i colori del tramonto e una sontuosa ricchezza di sapori.

Ed è il prodotto che sta avendo il maggiore successo.

Si avvicina, rovescia la testa all'indietro per guardare meglio.

Ora riesce a vederlo. Adesso che è costretto a osservare quella torre di bottiglie alta fino al soffitto, capisce cosa può produrre la sua cantina.

La mia *cantina.*

È dei Florio e gli appartiene, perché ora lui è don Ignazio Florio. Non è più di suo padre, non è di suo fratello. È *sua.*

Come sono sue le tonnare. Com'è sua l'Oretea. E tutto il resto.

Come ha fatto a non rendersene conto fino ad allora? Perché non l'ha capito prima?

Glielo hanno tenuto nascosto, ecco perché. A cominciare da suo padre, che lo aveva sempre tenuto sotto tutela, che gli aveva sempre affidato incarichi temporanei. Non si era mai fidato *davvero* di lui.

Subito dopo la sua morte, lo hanno sommerso di rogne, d'impegni di rappresentanza, di scartoffie, di conti da pagare. Poi hanno iniziato a dargli il tormento quel seccatore di Laganà, capace solo di lamentarsi per i soldi che non ci sono, e sua madre, che non la smette di raccomandargli cautela né di evocare tra lacrime e sospiri le eccezionali qualità del padre.

Non importa più, pensa Ignazio. *Lui è morto e io sono vivo. Sono qui. E dimostrerò a tutti che posso essere altrettanto grande.*

Fa un respiro profondo e si guarda intorno. Nei suoi occhi, ci sono orgoglio e meraviglia, insieme con qualcosa di nuovo, che gli dà le vertigini, gli sale alla testa, offuscandogli la vista.

Lui non sarà mai prigioniero di un nome.

Lui non sarà come suo padre.

Lui non sarà come gli altri.

PERLE

febbraio 1893 – novembre 1893

Malidittu u'mummuriaturi,
ma chiossai cu' si fa mummuriare.
«Maledetto chi infama,
ma ancor più chi si lascia infamare.»

PROVERBIO SICILIANO

Alla caduta di Crispi (31 gennaio 1891), diventano presidenti del Consiglio prima il palermitano Antonio Starabba di Rudinì e poi, il 15 maggio 1892, il piemontese Giovanni Giolitti, che ricoprirà questo incarico per più di dieci anni complessivi tra il 1892 e il 1921. Ma il primo governo Giolitti è destinato a cadere il 15 dicembre 1893, a seguito del più grande scandalo finanziario della storia d'Italia.

Alla fine dell'Ottocento, la Banca Romana è uno dei sei istituti italiani autorizzati a emettere biglietti a corso legale e a estendere, entro certi limiti, tale emissione oltre la garanzia aurea. Nel 1889, il ministro dell'Industria Francesco Miceli, su ordine di Crispi, avvia un'indagine sulle attività della banca, facendo emergere gravissime irregolarità contabili, tra cui spiccano l'emissione in eccesso per 25 milioni di lire, la stampa irregolare di banconote per 9 milioni e cospicui finanziamenti sottobanco a imprenditori, uomini politici e persino al re. Ma i risultati di tale inchiesta non vengono resi pubblici fino al 20 dicembre 1892, quando arrivano nelle mani del deputato siciliano Napoleone Colajanni, che li legge durante una tempestosa seduta della Camera. Il 19 gennaio 1893, il governatore della Banca Romana, Bernardo Tanlongo, viene arrestato insieme con il cassiere capo, Cesare Lazzaroni, con l'accusa di peculato e di falso in atto pubblico; le due indagini – quella parlamentare e quella giudiziaria – sono però caratterizzate da reticenze e omissioni, in un turbine di documenti compromettenti che misteriosamente «scompaiono» e di accuse che rimbalzano da Giolitti a Crispi. Il 23 novembre viene letta in aula la relazione stilata dal «comitato dei sette» – cioè dal comitato parlamentare d'inchiesta – in cui emergono le responsabilità di ex ministri, deputati, amministratori e giornalisti. Giolitti è costretto a dimettersi e Francesco Crispi diventa capo del governo per la terza volta (15 dicembre 1893). Il processo a Tanlongo e Lazzaroni si chiuderà invece il 28 luglio 1894 con una sentenza «politica»: entrambi, infatti, saranno assolti.

Ma lo scandalo della Banca Romana (che favorirà la creazione della Banca d'Italia, il 10 agosto 1893), non è l'unico fatto che turba il Paese. Fin dal 1891, infatti, in una Sicilia messa in grave difficoltà dalla crisi economica e ancora prigioniera del latifondo, si formano i Fasci Siciliani dei Lavoratori, associazioni nate con l'obiettivo di ottenere una maggiore giustizia sociale. Fenomeno anzitutto urbano – e considerato quindi innocuo perché analogo alle società di mutuo soccorso –; il movimento dei Fasci sale alla ribalta nazionale quando vi aderiscono le masse contadine: il 20 gennaio 1893, a Caltavuturo (PA), cinquecento uomini e donne «occupano» i terreni di proprietà comunale, «volendo così dimostrare che quelli sono patrimonio collettivo» (*Corriere della Sera*, 21 gennaio 1893), e i carabinieri aprono il fuoco, uccidendo tredici persone. Le manifestazioni continuano nel corso dell'anno, soprattutto da agosto in poi, con scioperi e proteste nelle province di Palermo, Agrigento, Caltanissetta e Trapani.

Sebbene lontanissime, le vicende della Banca Romana e dei Fasci Siciliani sono determinanti per la storia d'Italia, come ben illustra questo intervento di Napoleone Colajanni alla Camera dei deputati (30 gennaio 1893): «Io vi ho intrattenuto nei passati giorni sulla questione bancaria, ed ora vi debbo intrattenere brevemente sui fatti dolorosissimi di Caltavuturo. Sebbene non appaia a prima vista, pure tra le due questioni c'è un intimo legame, perché, mentre nella prima si scorge la lotta sociale che si svolge in alto, tra le classi dirigenti per ottenere il massimo di godimento possibile, viceversa, nei fatti di Caltavuturo si scorge la lotta dei poveri per ottenere il minimo della sussistenza».

Splendide, le perle. E strane. Non cose inerti, ma neppure vive.

Nascono in un'ostrica il cui aspetto è simile allo scoglio cui l'ostrica stessa è attaccata, ma il loro interno è accogliente e vibra della luminescenza della madreperla. E nascono da un dolore. La loro origine è legata a un corpo estraneo che entra nell'ostrica e la costringe a reagire, a creare una concrezione di madreperla intorno a quell'elemento che ne ferisce le carni.

Dalla sofferenza nasce la bellezza, come per molte cose rare e preziose.

Le perle occupano addirittura « il primo posto e il posto più eminente tra tutte le cose di valore », dice Plinio il Vecchio nella sua *Naturalis historia* (I secolo d.C.) E spiega: « [...] le perle [sono] di vario tipo secondo la qualità della rugiada che esse hanno ricevuto. Se vi è affluita pura, cade sotto gli occhi il candore della perla; la medesima perla è di color pallido se viene concepita quando il cielo è minaccioso ». Sempre Plinio narra che Cleopatra aveva scommesso con Antonio di poter mangiare, in un'unica cena, dieci milioni di sesterzi. Si era quindi fatta portare dell'aceto in cui aveva sciolto una delle due perle che portava all'orecchio e l'aveva bevuta. Sotto il regno di Cesare Ottaviano Augusto, la passione per le perle – che, per legge, potevano essere indossate solo dai patrizi – spinge alcuni mercanti a specializzarsi nel loro commercio. Una passione che non si spegne nei secoli: Elisabetta I viene sempre ritratta con abiti adorni di perle, simbolo di purezza e verginità oltre che di potere economico; oltre al celeberrimo *La ragazza con l'orecchino di perla* (1665-1666) di Jan Vermeer, in moltissimi quadri di pittori olandesi del XVII secolo si ritrovano orecchini, collane e bracciali; nel ritratto del 1859 attribuito a Franz Xaver Winterhalter, la regina Vittoria, allora quarantenne, sfoggia una collana di diamanti di 161 carati e un braccialetto di perle ornato da un cammeo che raffigura il marito, il principe Alberto, lo stesso che Vittoria ha al polso nel ritratto realizzato nel 1900 da Bertha Müller e che si può vedere a Londra nella National Portrait Gallery: una regina anziana, affaticata, triste e vestita a lutto (sebbene Alberto sia morto da quasi quarant'anni), che però mostra quel bracciale come segno di fedeltà.

Ma tutte queste perle sono ancora naturali. È solo verso la fine del XIX secolo che un ricercatore giapponese, Kōkichi Mikimoto, mette a punto un sistema per «generare» le perle. Diventa così immensamente ricco e, da genio del marketing quale è, dichiara: «Voglio vivere fino al giorno in cui ci saranno così tante perle che ogni donna potrà comprare una collana e noi potremo donarne una a quelle donne che non potranno permettersela».

Una frase profetica: le perle coltivate, oggi, sono alla portata di tutti. Sono gioielli popolari, talvolta persino banali.

Le perle naturali, figlie del mare e di una ferita nascosta, restano un bene per pochi.

La giornata – luminosa, preda di un vento arrabbiato – è fredda. Le folate strappano improperi agli invitati che s'infilano di corsa nella chiesa di San Jacopo in Acquaviva, per evitare di essere spruzzati dalle onde che si abbattono sul molo.

San Jacopo ha linee semplici, austere. È ben diversa dalle opulente chiese barocche di Palermo, la città dei futuri sposi. Ma si affaccia sul lungomare di Livorno, proprio come se fosse per loro un approdo sicuro.

Lungo la navata, un trionfo di rose e gigli bianchi in cestini ornati da cascate di edera. Nell'aria, l'aroma dell'incenso si mescola con il profumo dei fiori. Oltre le pareti, il rombo del mare fa da contrappunto alla musica dell'organo.

Dalla porta socchiusa della sacrestia, il parroco sbircia verso i presenti che hanno preso già posto tra i banchi. Si sfrega le mani sulla tonaca, poi le porta al viso, scuote la testa. Mai si sarebbe aspettato di dover celebrare nozze così importanti. E in febbraio, poi!

Poco dopo, un uomo scosta il portone della chiesa e fa capolino. Scompare, ma solo per riapparire subito dopo; al suo braccio ha una donna vestita di nero.

Madre e figlio.

Ignazio e Giovanna.

Dietro di loro, Giulia Lanza di Trabia ed Emma di Villarosa, che tengono per mano un Vincenzino irrequieto ed eccitato.

Percorrono la navata a testa alta, belli, alteri, eleganti. Mentre Ignazio si mette di fianco all'altare, le tre donne e il bambino si siedono nella panca davanti a lui, subito raggiunti da Romualdo Trigona e da Giuseppe Monroy, i testimoni dello sposo; sorridendo, i due baciano la mano alle donne e scompigliano i capelli di Vincenzino. Poi si avvicinano a Ignazio, ridono insieme.

E chi lo avrebbe mai detto che proprio lui sarebbe stato il primo a capitolare?

Dopo qualche istante, arriva anche Pietro Lanza di Trabia, ma è scuro in volto. Fa un cenno a Giulia e lei si alza, inseguita dallo sguardo preoccupato di Giovanna.

I due si allontanano di alcuni passi.

Giulia si porta la mano al petto, quasi a calmare l'agitazione. Non ha il coraggio di parlare, di chiedere. Il suo ultimogenito, Blasco, che ha solo due anni, sta molto male e lei è stata incerta fino all'ultimo se partecipare al matrimonio del fratello. Appoggia una mano sul braccio del marito in una muta richiesta.

«Nulla di nuovo rispetto a quello che ci hanno comunicato per telegramma ieri sera», mormora Pietro, scrollando le spalle. «Sempre debole per la febbre, continua a tossire.» Trattiene un sospiro, poi le stringe un polso. «Coraggio. Ormai siamo qui.»

Giulia sbatte le palpebre, distoglie lo sguardo. Non piangerà, non oggi.

Guarda Giovanna, limitandosi a scuotere la testa. *Nulla di nuovo*, sembra dirle, e sua madre si accartoccia su se stessa, stringendo il suo rosario di corallo e argento tra le mani. Poi Giulia alza gli occhi e guarda Ignazio. Suo fratello ha ventiquattro anni, è ancora così immaturo... Eppure è tanto innamorato da essere addirittura disposto a cambiar vita.

Nonostante il dolore, Giulia sorride. No, non poteva mancare al suo matrimonio.

« E così ci siamo! » esclama Romualdo Trigona, dando una pacca sulla schiena a Ignazio.

L'altro si scansa, ma ridacchia. « Ohi, piano! »

È felice, Ignazio, come forse non lo è mai stato. Di certo non dopo la morte del padre.

Quel pensiero è un'ombra, una goccia d'inchiostro che stenta a diluirsi nell'oceano limpido della felicità.

Sta per sposare la donna più bella di Palermo. Aveva già iniziato a corteggiarla quando la malattia che avrebbe ucciso Ignazio Florio si era manifestata, ma lo aveva fatto in maniera giocosa, leggera.

E poi era cambiato tutto. Era nato un sentimento tenero, che lo aveva accompagnato con delicatezza nelle settimane precedenti la morte del padre. Sue erano state le uniche, vere parole di conforto; sue le carezze che avevano lenito il dolore di quella perdita.

Romualdo alza gli occhi verso il soffitto della navata. « Certo, 'sta chiesa proprio spoglia è, ma comunque... » Poi torna a fissare l'amico e, per un istante, una strana, curiosa serietà emerge dal suo sguardo, di solito così beffardo. « Te lo immaginavi, quando l'hai conosciuta, che te la saresti maritata? »

Ignazio inclina la testa verso l'amico. Aggrotta la fronte, poi un sorriso gli distende i lineamenti, gli riempie gli occhi di orgoglio. « No. Però ho capito subito che era una femmina speciale. »

E sì che lo è, si ripete.

Era iniziato tutto in un luminoso pomeriggio di primavera, durante una passeggiata proprio in compagnia di Romualdo nel giardino pubblico di Villa Giulia, stretto tra il mare del Foro Italico e l'Orto Botanico. Lì, tra i viali di palme e le siepi di pittosporo, avevano visto tre ragazze vestite di bianco, scortate da un'istitutrice con un forte accento tedesco. Sfrontati come al solito, le avevano seguite. Le ragazze se n'erano accorte e avevano preso a ridacchiare, parlottando fittamente tra loro. Allora lui e Romualdo si erano messi a fischiettare e a scambiarsi battute a voce troppo alta.

Poi, un colpo di vento. Un cappello di paglia era volato via, finendo nella polvere e strappando un gridolino alle tre ragazze. Era stato allora che Ignazio aveva riconosciuto Emma e Francesca, le sorelle Notarbartolo di Villarosa, una famiglia legata ai Florio da un'antica amicizia. Quelle due giovani donne erano considerate tra le più belle di Palermo.

Ma... l'altra? Chi è?

Alta, statuaria, pelle ambrata. Si era messa a correre lungo il sentiero, inseguendo il cappello che il vento continuava a spingere via. Tutto, in lei, aveva una grazia spontanea, irresistibile: dal passo elastico e leggero, alla mano stretta intorno alla gonna bianca che, sollevandosi, rivelava due caviglie tornite; dall'altra mano, portata davanti agli occhi per ripararsi dal sole, al vago sorriso in cui non c'era traccia di malizia.

Ignazio era stato più veloce: aveva inseguito il cappello, lo aveva raccolto, glielo aveva porto e si era presentato, affascinante e impudente come solo lui sapeva essere.

La ragazza aveva preso il cappello tra le mani e poi, alzando lo sguardo per un istante, aveva detto il suo nome, mentre un delizioso rossore le colorava le guance.

Franca Jacona di San Giuliano.

Sì, Ignazio ne aveva sentito parlare alla Casina dei Nobili, al Foro Italico. Durante una di quelle oziose conversazioni punteggiate dalle volute del fumo dei sigari e dal tintinnio dei bicchieri di cognac, qualcuno gli aveva detto che quella ragazza era sbocciata così, all'improvviso, e che era diventata una vera bellezza. Poi gli aveva fatto l'occhiolino.

Allora Ignazio aveva sorriso, un sorrisetto da predatore, e aveva detto che avrebbe constatato di persona quando ne avesse avuto l'opportunità.

Nessuno gli aveva parlato di quel lungo collo flessuoso,

esaltato dal colletto di pizzo; di quel seno pieno, che si alzava e si abbassava sotto i volant della camicia; di quelle caviglie eleganti che si erano rivelate durante la corsa di lei per recuperare il cappello. Di quei grandi occhi verdi, puliti e colmi d'imbarazzo, che adesso lo stavano fissando.

Erano stati quegli occhi a far perdere il senno a Ignazio. Nessuna donna lo aveva mai guardato in modo così diretto e sincero, nemmeno la più disinibita. C'era, in quegli occhi, una promessa di meraviglia che sembrava rivolta soltanto a lui.

Non frequentavano lo stesso circolo di amici né gli stessi salotti ma, dopo quell'incontro, lui l'aveva cercata senza sosta. Aveva cominciato a passare e a ripassare con il suo landò sotto i balconi di Palazzo Villarosa, dove lei viveva; le aveva rivolto lunghi sguardi da lontano; aveva fatto in modo d'incrociarla a Villa Giulia, dove lei amava passeggiare e le aveva mandato lettere appassionate. Dopo un'innocente ritrosia, Franca aveva accettato quel corteggiamento prima con una vaga incredulità e poi con un tale abbandono che Ignazio ne era rimasto turbato. Ma i pochi momenti in cui riuscivano a stare insieme, da soli, erano vissuti con il cuore che tremava e la paura di essere scoperti, dato che gli Jacona di San Giuliano mai avrebbero accettato per la loro figlia un corteggiatore come Ignazio, il più sfacciato sciupafemmine di tutta Palermo.

Ignazio l'aveva sempre saputo e, d'altronde, non poteva dar loro torto. Non era mai stato uno stinco di santo e a lui le femmine piacevano.

Piacciono assai.

Ma lei è diversa. Lei è Franca. E lui – lo sa, lo sente – la amerà per tutta la vita.

Giulia si avvicina alla madre, la aggiorna sulle condizioni di Blasco. La donna mormora uno stanco: «Sia fatta la volontà di Dio», poi suggerisce alla figlia di uscire per aspettare la sposa. Giulia annuisce e si avvia con Emma. Vincenzino approfitta di quella distrazione per scivolare via e raggiungere Ignazio.

Allora Giovanna si volta verso donna Ciccia, seduta molto più indietro, e scuote il capo. L'anziana donna si fa il segno della croce. Non hanno più bisogno di molte parole, loro due.

Sono passati meno di due anni dalla morte del marito e Giovanna indossa un abito da lutto stretto, elegante, di raso e velluto, con un giro di perline sui polsi. Una macchia cupa tra quei fiori che Ignazio ha fatto venire dalle serre di mezza Italia. Si sente avvilita e fuori posto, come se la vita fosse sfuggita al suo controllo e lei non potesse far nulla per trattenere i pezzi che scivolano via. È amareggiata, molto: quel matrimonio è così diverso da quello che lei aveva sperato per il figlio. E non solo perché la cerimonia sta per svolgersi in una città sconosciuta, lontano da Palermo e dai loro amici, e in una chiesa così spoglia che, entrando, lei aveva sentito stringersi il cuore. Si muove sulla panca, a disagio. *Pari chi semu scappati d'in casa*, riflette, e in un certo senso è così.

A Palermo non mancano mai gli occhi che scrutano e giudicano, i sussurri che s'inseguono, le parole lasciate cadere al momento giusto con disinvoltura e, proprio per questo, più pesanti di un macigno. Pensare che certe cose passino inosservate è un'illusione, immaginare di non essere notati è un'ingenuità che si rischia di pagar cara. E tanto più il pettegolezzo è succulento quanto più ingrassa l'ego macilento di chi lo sparge o lo fomenta.

Era quindi inevitabile che le voci sul corteggiamento di Ignazio a Franca raggiungessero Giovanna, anche attraversando la spessa cortina di dolore per la morte del suo amato marito. E l'avevano inquietata al punto che lei aveva pregato donna Ciccia d'informarsi per capire se davvero quel flirt non stesse per diventare qualcosa di più serio.

La rapidità con cui donna Ciccia aveva raccolto dicerie e illazioni sulla virtù di Franca aveva lasciato Giovanna senza parole. Erano stati visti, sì, più volte, e anche in atteggiamenti disdicevoli per una ragazza di buona famiglia. Ma ancor più sconcertante era stata la tranquillità con cui Ignazio aveva ammesso di essere innamorato di Franca: si vedevano da mesi, benché i genitori della ragazza fossero contrari.

Lo aveva detto con voce risoluta e con una febbre negli occhi che aveva turbato profondamente la madre, perché lei si era resa conto, una volta di più, che suo figlio era *masculu fatto* e non stava più ad ascoltarla.

Le aveva giurato che Franca era la persona giusta – «*Me lo sento, mamà: nuddu mi talìa comu idda*» – e che se la voleva sposare, che con lei si sentiva finalmente felice, leggero. Che era stanco di vivere in quella casa così lugubre dopo la scomparsa di suo padre; che voleva divertirsi, e amare e non pensare solo al lavoro e ai morti che, come fantasmi, continuavano ad aleggiare intorno a lui.

Era stato troppo, per lei. Come si permetteva di rinfacciarle il suo dolore? Giovanna aveva protestato, ricordandogli i suoi amorazzi in giro per l'Europa, i soldi – tanti, troppi – spesi in feste e viaggi, le sue frequentazioni poco dignitose, la mancanza di rispetto per la memoria del padre, l'ingratitudine nei confronti di lui e di lei stessa. Si era spinta persino a insinuare che gli Jacona si stessero approfittando di lui, dato che avevano un titolo, sì, ma erano pieni di debiti: era risaputo che gli affari del padre di Franca andavano male e che la famiglia non riusciva a pagare i fornitori. Ignazio aveva scrollato le spalle a quell'affermazione – «A Palermo tutti hanno debiti, *maman*» – continuando poi a sostenere che Franca era la donna ideale per lui. Non c'era niente da discutere.

Così Giovanna aveva reagito come sapeva o, meglio, com'era uso di mondo. Prendendo tempo, in attesa che quell'infatuazione passasse. Negando tutto, facendo circolare la voce che Ignazio era stato irreprensibile e che, se c'era qualcuno da biasimare, era quella ragazza perché si era dimostrata, se non leggera, per lo meno incauta a dare tanta confidenza a suo figlio che, si sapeva, era giovanotto dal sangue caldo.

Tutto inutile. Palermo aveva continuato a imbastire storie; i nomi di Franca e Ignazio correvano per strada, si rifugiavano nei salotti, dietro i ventagli, oltre i cappelli sollevati sui visi di chi, tra un colpo di gomito e un sorrisetto, raccontava addirittura di appuntamenti clandestini che si trasformavano in incontri audaci.

D'un tratto, però, era successa una cosa imprevedibile: la famiglia di Franca era stata costretta a trasferirsi a Livorno per qualche tempo, probabilmente a causa di creditori diventati troppo insistenti. Almeno così dicevano tutti.

Giovanna aveva tirato un sospiro di sollievo. Aveva sperato che tutto si spegnesse lì, come un fuoco cui venisse tolta la legna, e che Ignazio trovasse un'altra con cui divertirsi.

E invece.

« Certo, avrei preferito che questo matrimonio si fosse celebrato a Palermo, ma va bene così. L'importante è che Franca mia sia felice. »

Costanza Jacona Notabartolo di Villarosa, baronessa di San Giuliano stringe la mano della nipote, Francesca di Villarosa, seduta accanto a lei nell'abitacolo della carrozza. La ragazza annuisce. « Già », mormora, serrando le labbra sottili e abbassando il volto, che pare confondersi con la penombra.

Indossa un abito nero. Da lutto.

È rimasta vedova a neanche vent'anni. Aveva sposato Amerigo Gondi, un nobile toscano, ma una malattia terribile gliel'aveva portato via dopo tre mesi di matrimonio; a nulla erano valse le cure o l'aria salubre delle campagne di Palermo, dove si erano trasferiti con la speranza di un miglioramento. Sentendo avvicinarsi la fine, Amerigo aveva chiesto di morire a Viareggio, e lì era stato portato da uno dei piroscafi dei Florio, su ordine di Ignazio, ben consapevole del profondo affetto che legava Francesca e Franca. Ed è stato proprio perché Franca è come una sorella per Francesca che quest'ultima ha accettato di prendere parte alla cerimonia: il matrimonio della cugina è l'unica luce nel buio vischioso in cui lei trascorre i suoi giorni.

Si asciuga le lacrime con un gesto veloce. Non vuole che la zia la veda piangere o che la commiseri. Non vuole portare tristezza in un giorno di gioia.

Ma Costanza se n'è accorta e si morde un labbro, imbarazzata. Allora si gira verso Franz, suo figlio, e gli sistema il bavero della giacca. Il ragazzo accenna una specie di smorfia che dovrebbe essere un sorriso. La donna sospira e si rivolge alla dama di compagnia. «Asciugategli le labbra. Sta sbavando», mormora, una nota di pena nella voce.

C'è pena anche negli occhi di Francesca che segue in silenzio i gesti della donna. Sa bene cosa provi la zia per quel figlio nato già malato, e sa quanto abbia sofferto: Costanza ha perso cinque figli in tenerissima età e solo Franca e Franz sono sopravvissuti. Adesso, però, finalmente, sta arrivando un po' di gioia per lei e per la sua famiglia: ha protetto Franca con amorevole ferocia, ha pregato che almeno lei potesse essere felice. Quel matrimonio è la risposta alle sue preghiere.

Quando la carrozza si ferma davanti a San Jacopo in Acquasanta, Franca sussulta. Guarda suo padre, Pietro Jacona, poi abbassa gli occhi. Non dovrebbe essere tesa: è bellissima, e lo sa. Ne ha avuto la conferma quando si è ammirata nello specchio, poco prima di uscire per raggiungere la chiesa. Nella specchiera di legno dorato sono apparsi il viso armonioso, i grandi occhi verdi, i lunghi capelli neri pettinati a onde ampie, la figura slanciata. Ha diciannove anni, ha grazia ed eleganza, e indossa un abito magnifico, in seta, color avorio, con un lungo velo in tulle di seta. Poco importa che sia pallida o che abbia un gran freddo addosso. Sta per sposare l'uomo che ama, lei che non ha amato mai nessuno prima di allora.

Le dita le tremano e il cuore le pompa il sangue nelle vene a una velocità incredibile: ne sente il rombo nelle orecchie, così forte quasi da sovrastare il rumore delle onde che s'infrangono sul molo, un suono cupo che le spegne i pensieri. Si sente come un'eroina romantica, ma quello, si dice, non è un lieto fine. È l'inizio di una vita meravigliosa, la sua.

Poi arrivano i ricordi, quelli amari, dei momenti in cui ha sofferto, in cui aveva creduto di perdere tutto, in cui lei e Ignazio erano stati costretti a separarsi. All'inizio, quando lo aveva conosciuto, era stato come se una luce violenta avesse squarciato la penombra in cui aveva vissuto per quasi vent'anni. Fino ad allora, ben pochi avevano notato la baronessina Jacona di San Giuliano, che viveva in un appartamento appena decoroso all'interno di Palazzo Villarosa, *u' palazzo cornutu*, come lo chiamavano, forse a causa dei due comignoli che sormontavano la facciata, o forse per via delle numerose relazioni extraconiugali del suo committente, Francesco Notarbartolo, duca di Villarosa. Poi era arrivato Ignazio Florio, con le sue attenzioni e il suo corteggiamento, e una città intera si era accorta di lei. Era finita sulla bocca di tutti. Non potendo prendere di mira la sua indiscutibile bellezza, le critiche – talvolta feroci – si erano anzitutto appuntate sul modo in cui Franca camminava, parlava, si vestiva. Ma quelle critiche avevano avuto vita breve: benché ora fossero in difficoltà economiche, gli Jacona di San Giuliano non si erano mai risparmiati, quando si era trattato della loro figlia, e non solo le avevano dato una formazione impeccabile, affidandola a un'istitutrice tedesca, ma l'avevano cresciuta nell'amore del bello e dell'eleganza. Allora, sull'onda delle accuse nei confronti di Ignazio – sciupafemmine, farfallone, scostumato –, le chiacchiere si erano orientate sui racconti che la bollavano come «ormai compromessa». Merce avariata, femmina troppo incauta per essere considerata ancora rispettabile, svergognata peccatrice.

A quel punto, lei aveva dovuto affrontare l'ira del padre, che prima l'aveva chiusa in casa e poi l'aveva trascinata a Livorno, insieme con la madre e il fratello. E a niente erano valse le sue proteste di essere *davvero* innamorata di Ignazio Florio: come un'onda di liquame sgorgata da Palermo, chiacchiere e malignità avevano sporcato anche Livorno, unendosi ai commenti crudeli sul padre e sui suoi crediti insoluti.

Franca scruta il portone della chiesa. L'ansia è una cappa di ghiaccio. Riuscirà a essere all'altezza della sua nuova famiglia? I Florio possiedono la più grande flotta navale italiana, sua suocera conosce le teste coronate di mezza Europa, sua cognata è una principessa. Lei diventerà una di loro, non la moglie di un barone di provincia o di un marchese di mezza tacca.

Una Florio.

Se ne rende conto adesso che tutto sta per cambiare, e quel pensiero le causa un capogiro, una vertigine. D'un tratto, il corpetto sembra mozzarle il respiro.

E Ignazio? La amerà davvero per sempre, come ripete, o si stancherà di lei?

Paura.

Perché proprio adesso?

Il padre la osserva, accigliato, e sembra leggerle in viso quel timore, quell'insicurezza che le fa chiudere gli occhi. Avvolte nella barba, le sue labbra sono una linea dura. Sin dall'inizio si era opposto a quell'unione. Aveva provato a dissuadere la figlia in tutti i modi, prima con parole ragionevoli, poi con rabbia e infine con dichiarazioni crudeli: Ignazio era inaffidabile, privo di spina dorsale, troppo viziato per assumersi la responsabilità di una famiglia... Un uomo incapace di essere fedele, votato solo alla ricerca del piacere.

Ogni accusa si era infranta da un lato contro le lacrime di Franca e, dall'altro, contro la determinazione del giovane che aveva dato prova di una tenacia inaspettata, e che li aveva inseguiti fino in Toscana. A un certo punto, Pietro aveva dovuto capitolare. Tuttavia non si era rassegnato del tutto, e dentro di sé temeva il giorno in cui la figlia si sarebbe accorta che quel suo rifiuto aveva solidi motivi. Adesso, però, può solo sperare che le cicatrici lasciate da quella lotta si rimarginino.

«Stai bene?» le chiede.

Lei prova a rispondere, non ci riesce. Poi si schiarisce la voce e mormora: «Sì».

Lui le stringe una mano. «Stai sempre attenta, Checchina. *Iddu è fimminaro* e, anche se dice che ti vuole bene, tu tieni sempre gli occhi aperti.»

La ragazza alza la testa di scatto, fissa il padre. Ogni traccia di paura è scomparsa. «Lui non avrà bisogno di cercare altre donne. Lui ha me», scandisce, determinata, quasi rabbiosa. «Me lo ha promesso, che lui vorrà solo me.»

Senza attendere che il cocchiere apra lo sportello della carrozza, Pietro si china in avanti e lo spalanca. «Lo so che dice di volerti bene, Franca mia, e non dubito che sia così», ribatte, aiutandola ad alzarsi. «Però l'uomo è cacciatore...» aggiunge, ma a voce più bassa, e il vento si porta via quella frase.

Francesca ed Emma la aiutano a scendere dalla carrozza, reggendo l'abito perché non si sporchi. Costanza cerca invano di trattenere il velo, maltrattato dal vento. Pochi passi e sono sulla soglia della chiesa.

Le cugine ridono, la baciano, e si affannano a mettere in ordine le pieghe della gonna. Alcuni passi indietro, Costanza prova a trattenere le lacrime, si copre il viso con le dita, ma poi esclama: «*Chi si' bedda figghia mia!*» e l'abbraccia, ridendo e piangendo insieme, suscitando le proteste di Emma e di Francesca che dicono che no, non si piange a un matrimonio perché porta male.

La madre le prende il viso tra le mani, la bacia in fronte e mormora: «Ti stai maritando con uno che ha smosso mari e monti per averti, lo sai?» Ma non può aspettare la risposta della figlia: le due nipoti quasi la spingono dentro ed entrano in chiesa, lasciando Franca sola con il padre.

Lui si avvicina, le stringe una mano e poi la posa sul suo braccio, e lei glielo stringe. In silenzio. Tra loro, in un lampo, corre il ricordo delle parole dette, quelle urlate, quelle taciute. Ma sono ormai solo l'eco di un passato lontano, che lascia il posto all'affetto, e alla speranza.

Il portone si spalanca. Le note della marcia nuziale raggiungono Franca, la avvolgono, quasi la risucchiano dentro la navata piena di fiori. I primi passi sono incerti, tanto che Pietro la scruta con un'occhiata perplessa. Tuttavia, nel momento in cui scorge Ignazio davanti all'altare, Franca si trasforma: allenta la presa sul braccio del padre, raddrizza la schiena e avanza sicura, a testa alta.

Si accorge a malapena di Giovanna, tutta in nero, rigida e con il volto colmo di pena; di Vincenzino, che la sta fissando con aria sbalordita e inclina la testa per vederla meglio; di Giulia, che le rivolge un sorriso pieno di dolcezza. La madre e le cugine hanno gli occhi lucidi e stringono i fazzoletti. Non c'è quasi nessun altro.

È un matrimonio molto diverso da quello che Franca aveva immaginato nei suoi sogni da adolescente: un cielo cupo, un vento gelido, una chiesa sconosciuta, nessun paggetto, pochi invitati.

Ma lei non avrebbe voluto altro, e di nessuno lei ha bisogno se non del suo Ignazio.

Tutto ciò che desidera, ora, è davanti a lei.

Pietro mette la mano di Franca su quella di Ignazio, e lui la porta alle labbra. «Sei bellissima», sussurra, con il respiro corto.

Lei vorrebbe ridere e gridare di gioia. Sente la vita danzarle nel petto. È la più fortunata e amata delle donne, si dice, e ringrazia il cielo per questo.

Invece riesce a dire una parola, una sola, che cancella l'attesa, le sofferenze, i pettegolezzi, le maldicenze, i dubbi, la lontananza, i litigi. Franca fissa l'uomo che sta per diventare suo marito ed esclama: «Finalmente!»

L'atmosfera, al pranzo di nozze, è serena e rilassata. Franca e Ignazio si tengono per mano, ridono. Sono nel loro mondo, immersi in una felicità difficile da immaginare: sembra quasi che l'aria all'intorno sia piena di luce. Giulia, la sorella di Ignazio, li guarda e abbassa la testa sul piatto di porcellana, ancora pieno di cibo che lei ha soltanto assaggiato. A lei non era stata concessa la possibilità di scegliere chi amare, dato che il suo era stato un matrimonio combinato. Lascia scorrere lo sguardo sugli invitati, Giulia di Trabia, e considera come la sua vita, all'apparenza invidiabile, sia assai diversa da ciò che appare: ha un figlio gravemente malato, forse in pericolo di vita, una suocera che la detesta e un marito che la tratta con rispetto e niente più. Non ha mai provato quel fuoco che adesso scorge sul volto di Franca.

A poca distanza, Pietro la osserva. Giulia è bella, intelligente e raffinata, sì; ma con gli anni sta finendo per somigliare troppo alla madre, la baronessa Giovanna d'Ondes. Ne ha le labbra, dure e severe, la ruga tra le sopracciglia, perennemente aggrottate, e anche il carattere... In quel momento, lo sguardo gli cade proprio sulla suocera, che sta lisciando una piega inesistente della tovaglia, con gli occhi persi nel vuoto. Pietro non riesce a trattenere un brivido d'inquietudine: sua moglie diventerà così?

«*Amunì*, che è 'sta faccia triste?»

Romualdo Trigona non aspetta che il cameriere gli porga

una sedia. Ne afferra una, si mette accanto a Pietro e si siede, accavallando le gambe, con la disinvoltura che lo contraddistingue. Poi alza il mento verso gli sposi e incrocia le mani sulle ginocchia. « Ancora Ignazziddu non lo sa cosa lo aspetta », mormora, con una risatina sarcastica.

Romualdo gli fa eco: « Innamorato è... »

« Lo so. E ha la testa solo a questo, ma non può durare assai. Anche perché *malutempu sta acchianannu...* »

L'altro aggrotta la fronte. Chiede a un cameriere che gli porti un bicchiere di champagne e poi domanda all'amico: « Che intendi? »

Pietro si avvicina, abbassa la voce. « Sai, dopo l'arresto di Bernardo Tanlongo, il governatore della Banca Romana, e di quel Cesare Lazzaroni, il capo cassiere... Be', insomma, dopo le porcherie che hanno combinato... »

Romualdo annuisce. « Be', ma già a dicembre si era capito che stava succedendo qualcosa di grosso, con quel putiferio sollevato da Colajanni alla Camera dei deputati, quando aveva chiesto perché il governo non avesse reso pubbliche le indagini delle commissioni parlamentari sugli istituti di credito... »

« ... indagini fatte anche nel periodo in cui Crispi era presidente del Consiglio », conclude Pietro. Fa una pausa, inclina la testa verso Ignazio. « I Florio non se ne sono curati granché, anche perché Ignazio nostro aveva e ha la testa ad altro... ma il fatto che sia coinvolto pure Crispi è grave assai. La verità è che purtroppo nessuno è esente da colpe, in questa faccenda. » Gli batte la mano sul braccio, assume un'espressione tesa. « Se Crispi non ha denunciato la situazione, posso capirlo: erano coinvolte troppe persone e troppe banche. Ti ricordi del Banco di Napoli e del processo al direttore Cuciniello, che faceva prestiti a destra e a manca a gente che non aveva titolo di chiederli? » Si china in avanti. « E negli uffici della Banca Romana hanno trovato l'iradiddio. Documenti falsi, matrici per la stampa e carte firmate da gente importante, che ora ha paura. Tanlongo gestiva la cassa della banca come se fosse stata sua. »

Romualdo annuisce, beve un sorso di champagne, poi si porta una mano davanti alla bocca e sussurra: « Già. In pratica, lui e Lazzaroni conservavano le matrici delle banconote che dovevano essere distrutte e le stampavano di nuovo, falsificando la data e la firma del vecchio cassiere. Banconote con la carta nuova, ma con numeri di serie vecchi, insomma, che consegnavano a chi chiedeva prestiti senza poter offrire garanzie, ad amici e parenti o semplicemente a gente che non voleva comparire sui registri della banca... o che non doveva apparire ».

Pietro apre la bocca per parlare, la richiude per un istante, poi mormora: « In Parlamento, ormai si dice che tutto il sistema è fradicio. Tutto. E circolano voci persino sul coinvolgimento del re. »

L'altro alza una mano a fermarlo, distoglie lo sguardo. « Molto si dice, e tu lo sai meglio di me come funziona. In mezzo a tante voci, da qualche parte è nascosta la verità. »

Pietro si limita ad annuire, ma non commenta. È siciliano e rispetta la regola aurea che in Sicilia tutti imparano presto: *a' megghiu parola è chidda ch'un si dice*. Poi alza il viso e l'espressione seria scompare in fretta, cancellata da una risata. Si sta avvicinando Ignazio, sottobraccio a Giuseppe Monroy. « Eccolo qua lo sposino! »

Romualdo ferma un cameriere, ordina che venga portato altro champagne. In quel momento, arriva il suono di una risata: è Franca che, poco lontano, sta chiacchierando allegramente con le cugine e la cognata; persino Giulia sorride, come se la sua angoscia l'avesse abbandonata almeno per qualche istante.

Ignazio toglie la bottiglia dalle mani del cameriere, dichiara che vuole stapparla lui stesso, ma è agitato, sghignazza, e parte del liquido schizza lui e gli amici. Ridono.

Mentre bevono, Ignazio passa il braccio intorno alle spalle di Romualdo. « Allora? Di cosa stavate parlando? Avevate una faccia che pareva il 2 novembre... »

« Di quello che è successo a Roma e del fatto che gente come Crispi si trovi invischiata in questo disastro », risponde Pietro. Essere deputato del Regno gli ha aperto gli occhi su tante, troppe faccende oscure e, anche se non può scendere nei dettagli, ci tiene a mettere in guardia gli amici.

« Ma perché a Roma hanno dato troppa mano libera a Tanlongo e a gentaglia come lui. Com'è possibile che da anni nessuno facesse controlli sulla banca? L'occasione fa l'uomo ladro... e falsario, in questo caso», proclama Ignazio. Rifila una specie di scoppola a Romualdo e quello gli fa posto sulla sedia. Restano in bilico, come due ragazzini.

«Non so. Io, al posto tuo, sarei stato più accorto.» Il cognato ora è serio. Ignora il nuovo scoppio di risa che viene dalle donne alle loro spalle, e guarda Ignazio con un'espressione in cui si mescolano rimprovero e preoccupazione. «Non avrei concesso al Credito Mobiliare di aprire una filiale negli stessi locali del Banco Florio. Anche loro non sono esenti da ombre. Sarebbe stata consigliabile una maggiore prudenza.»

Non molti anni separano Pietro dal cognato, eppure il suo modo di fare è quello di un uomo assai più anziano. Talvolta è così cauto e pacato che Ignazio si domanda come faccia sua sorella a non morire di noia. Scrolla le spalle. «Loro potranno avere magagne e *cosi di ammucciare*, ma il Banco Florio è solido e non ha nulla da nascondere. Mio padre ha lavorato con loro sin dai tempi della fusione con Rubattino. Il Credito Mobiliare è una grande banca, amministrata da gente perbene. In più, mi hanno dato il posto di vicepresidente della sede di Palermo e faccio parte del loro consiglio di amministrazione... se qualcosa non stesse andando per il verso giusto, l'avrei già saputo, non credi? Mi hanno offerto garanzie a sufficienza. Comunque a Palermo i cristiani lo sanno che siamo istituti differenti.»

«Sarà...» bofonchia Pietro.

Giuseppe si volta, scrolla Ignazio per la spalla. «Vedi che tua moglie ti sta cercando. Lascia perdere gli affari, ché non è giusto trascurare una sposina così bella per parlare di cose tanto noiose.»

Ignazio si gira, incontra lo sguardo di Franca, innamorato e adorante. Le soffia un bacio sulla punta delle dita, poi si volta a parlare con gli amici. «La porterò a Firenze e Venezia e poi andremo a Parigi, sapete? Voglio farle vedere i posti più belli... Se lo merita, anzi ce lo meritiamo entrambi, specie dopo tutto quello che abbiamo passato per poterci sposare, dopo tutti i pettegolezzi con cui ci hanno infangato. Tutto pur di allontanarmi da Palermo.»

Romualdo si alza, aggiusta la cravatta. «Bene. Partite, divertitevi e tornate con un marmocchio, possibilmente *un masculu*: c'è bisogno di sangue nuovo in famiglia.»

Ignazio e Giuseppe ridono, Pietro sbuffa. Franca si alza, va verso di loro. Prende la mano del marito e lui la stringe, la bacia davanti a tutti.

Fuori, oltre le finestre, il vento continua a soffiare.

È a Parigi, durante il viaggio di nozze, che Franca capisce *veramente*.

L'ha letto negli occhi del commesso di Cartier che si è fatto avanti con un inchino, mettendosi a loro disposizione. L'ha visto nel secco, quasi sgarbato, gesto di diniego di Ignazio, seguito dall'ordine: «*Appelez-moi le directeur, s'il vous plaît*». L'ha sentito nel tono ossequioso e venato di preoccupazione del direttore, che si è scusato fino alla nausea per non essere stato lui ad accoglierli e si è profuso in congratulazioni, auguri e apprezzamenti per l'eleganza della giovane moglie e la fortuna del giovane marito.

Franca ha capito che Ignazio parla una lingua universale, che apre ogni porta: la lingua dei soldi.

Erano stati accompagnati in una saletta arredata con specchi e divani di velluto, era stato loro offerto dello champagne – che lei aveva sorseggiato, felice di gustare quel vino che, fino a pochi giorni prima, le era del tutto sconosciuto – e poi era cominciata la sfilata dei gioielli: un continuo aprirsi di grandi astucci che rivelavano una meraviglia dopo l'altra. Franca aveva fatto qualche commento nel suo francese incerto. Ignazio l'aveva ascoltata sorridendo, aveva corretto la sua pronuncia e le aveva sfiorato il collo con carezze che le avevano strappato più di un sospiro.

«Scegli tutto quello che vuoi», le aveva sussurrato contro l'orecchio. E lei, con le dita che le tremavano per l'emozione, aveva sfiorato un giro di perle che brillava sul velluto rosso. Adorava le perle e, fino ad allora, non aveva potuto permettersi che un filo sottile.

A Franca girava la testa, ma non per lo champagne. Era stato quel susseguirsi di brillanti, smeraldi, rubini e perle a turbarla. Perché erano il segno incontestabile e prepotente di una nuova consapevolezza: la famiglia Florio era enormemente ricca. E la famiglia Florio, adesso, era la *sua* famiglia.

Ignazio aveva acquistato un paio di splendidi orecchini di perle, ma soprattutto una collana degna di una principessa: tredici fili di corallo «pelle d'angelo» proveniente dal Giappone, sfere appena rosate che spiccavano sulla pelle di miele di Franca. E aveva dato indicazioni per realizzare, su misura per il collo da cigno della moglie, un *collier de chien* di perle fermate da barrette di diamanti e con giro di perle più grosse alla base.

E scene simili si erano ripetute da Houbigant, il profumiere della regina Vittoria e dello zar; nell'immenso negozio di rue du Faubourg Saint-Honoré, Franca aveva scoperto il nome del profumo di Ignazio – Fougère – e aveva potuto scegliere la sua colonia personale. Da Worth, il creatore degli abiti da sera dell'imperatrice Eugenia e di Elisabetta d'Austria, che l'aveva accolta al pari di una sovrana mostrandole i modelli che più esaltavano le sue forme statuarie. Da Lanvin, dove aveva acquistato decine di sciarpe per sé e per la madre. Da Mademoiselle Rebours, che le aveva mostrato i ventagli più belli, tra cui quello in piume di struzzo che aveva realizzato per Maria di Sassonia-Coburgo-Gotha, novella sposa del principe ereditario di Romania.

«Per me?» chiedeva, con i grandi occhi verdi che traboccavano di stupore. E Ignazio si sentiva allargare il cuore, le accarezzava il viso o una mano, annuiva e la invitava a scegliere.

Questo è un sogno, aveva pensato Franca, sfiorando i gioielli che il marito le aveva donato. E poi c'era Parigi, con le sue luci, i suoi boulevard, i suoi palazzi, le sue donne eleganti e le sue carrozze tirate a lucido. Ogni cosa era fonte di meraviglia, le riempiva il cuore e gli occhi di una tale bellezza che, in certi momenti, si sentiva scoppiare di gioia. Così era per Ignazio che, attraverso Franca, vedeva quella città in maniera nuova, e si emozionava per l'ingenuità della moglie, per la sua sorpresa, per il suo entusiasmo.

Proprio com'è stato un sogno il suo arrivo alla villa dell'Olivuzza. Al ritorno a Palermo, gli sposi si erano sistemati nella Villa ai Colli, ma solo finché non sarebbero stati completati i lavori all'Olivuzza. Ignazio aveva rivelato pochissimo su cosa stessero facendo gli operai, spiegando solo che quella casa gli era sempre sembrata troppo cupa, che ormai era necessario ampliarla e far entrare più luce nelle stanze. Ma ogni volta aggiungeva, con un sorriso: «Vedrai, vedrai cosa ti aspetta...»

Finalmente il momento è arrivato.

La carrozza si ferma diversi metri prima del corpo principale dell'Olivuzza, davanti a un grande portone di ferro battuto che dà accesso all'ala che Ignazio ha riservato per sé e per sua moglie.

Aiuta Franca a scendere, poi la prende per mano, la fa entrare e la conduce lungo uno scalone di marmo rosso. Attraversano un giardino d'inverno, pieno di piante lussureggianti e avvolto nella luce calda che piove dal soffitto di vetro, seguiti da una schiera di domestici e da Giovanna, che ha un sorriso indulgente sul viso, e tiene per mano Vincenzo. Franca si guarda intorno, più intimidita che sorpresa, il viso scolpito dalla meraviglia.

Poi, dopo aver percorso un corridoio, Ignazio si ferma davanti a una porta. «Voi aspettate qui», ordina ai servitori. Giovanna si fa da parte, e un'espressione triste, come di rimpianto, le addolcisce per un istante il volto pallido.

Franca si gira per guardarli: facce sorridenti, sguardi maliziosi... Quasi è indispettita dal fatto che tutti sanno cosa la aspetta, tutti tranne lei... ma Ignazio si porta alle sue spalle e le copre gli occhi con le mani. «*'Un taliàre nenti. Teni l'occhi chiusi*», le sussurra, aprendo la porta e guidandola nella stanza.

Un po' ridendo, un po' incespicando, Franca obbedisce e muove qualche passo.

Quando riapre gli occhi, ha l'impressione di essere sospesa tra cielo e terra.

Sopra di lei, un cielo azzurro e, sulla cornice del soffitto, puttini che sorreggono ghirlande di rose. Davanti ai suoi occhi, un baldacchino color avorio che sovrasta un grande letto e mobili in piuma di mogano con intarsi dorati. Ai suoi piedi, piastrelle di maiolica color avorio coperte da petali di rosa, come se quei petali lanciati dai puttini sul soffitto si fossero sparsi per terra.

È il suo personale angolo di paradiso.

« Per la mia rosa. Tutto per te », le mormora Ignazio all'orecchio.

Franca si gira, lo guarda. La felicità è così grande che le impedisce di parlare.

Si baciano davanti a tutti.

Il primo scirocco di primavera a Palermo è uno schiaffo in pieno viso. È calore, è aria che si fa pesante, è insofferenza. Si avverte sin dal mattino, quando le coperte sembrano schiacciarti e un velo di sudore sulla schiena ti costringe a scoprirti e a fare aria con le lenzuola. Poi, spalancate le finestre, si percepisce un'atmosfera nuova, calda. Il cielo sembra velato, l'aria è immobile.

Nell'abitacolo della carrozza che lo sta portando a piazza Marina, Ignazio avverte quella calura e sbuffa. Si fa aria con il fazzoletto, poi si asciuga il sudore. Detesta il caldo, lui.

Una giornata del genere, con quel vento, quella temperatura, sarebbe da dedicare al mare, magari sul *Fieramosca*, lo yacht che aveva comprato poco tempo dopo la morte del padre. Non poco gli era costato – « Un acquisto da incosciente », lo aveva definito sua madre – ma ne era valsa la pena. È vero, di yacht ne avevano già uno, il *Sultana* – enorme, con lo scafo bianco – su cui aveva portato la sua bellissima moglie, che si era dimostrata entusiasta. Con questo, Ignazio aveva rimpiazzato il *Queen Mary*, che considerava ormai datato e che aveva venduto a un marchese toscano.

In verità, si era fatto costruire anche l'*Aretusa*, una lancia a vapore in acciaio, ma soprattutto aveva comprato il *Valkyrie*, uno yacht da regata dalla prua slanciata e dallo scafo sottile: filava come il vento, un vero gioiello. Gli era stato venduto dal cugino dell'imperatore Francesco Giuseppe, l'arciduca d'Austria Carlo Stefano d'Asburgo-Teschen, e con esso aveva intenzione di partecipare alle più importanti coppe veliche del Mediterraneo. Non può vivere di soli affari, ma questo né sua madre, né Giovanni Laganà né Domenico Gallotti sembrano capirlo.

I due che – appunto – lo avevano chiamato in ufficio «con urgenza».

Miii, chi camurria sunnu chisti!

Laganà e Gallotti non lo avevano lasciato in pace neanche mentre era in giro per l'Europa in viaggio di nozze: lettere, biglietti, telegrammi... Possibile che non si rendano conto che lui ha bisogno di altro, che non riesce a stare sempre chiuso in quell'ufficio? Lui vuole sentirsi libero. Vuole vivere. Non vuole fare la fine di suo padre, morto a poco più di cinquant'anni dopo una vita di lavoro, si dice con una punta di stizza.

Talvolta prova una sorda collera nei suoi confronti: non avrebbe dovuto ammalarsi così presto, non avrebbe dovuto costringerlo ad assumere quel ruolo, a prendersi quelle responsabilità, perché così gli ha impedito di vivere *davvero*. È una cosa che non riesce a sopportare.

Inquieto, scosta la tendina della carrozza: sta attraversando le stradine del Borgo Vecchio e operai e uomini di fatica lo salutano con deferenza. «*Assabbinirìca*, don Ignazio», risuona tra i vicoli e oltre le porte dei *catoi*. Facce povere, scavate, donne precocemente sfiorite, bambini dagli occhi grandi e affamati che giocano per strada. L'odore di pesce andato a male offende le narici e si mescola con quello della spazzatura, che fermenta agli angoli delle strade e nei canali di scolo, lì dove si accumulano fango, stracci e scarti di cibo.

Quella gente, però, non sembra farci caso. Alcuni di loro lavorano per i Florio, si dice Ignazio, eppure lui non saprebbe riconoscerli. Suo padre, invece, li conosceva tutti, uno per uno, e da loro era stimato e apprezzato.

Ma a che pro? si chiede, e ricambia con un saluto svogliato. Non gli piace quel quartiere, così misero e pieno di disperazione. Non gli piace Palermo, *quella* Palermo, a dirla tutta. A lui piacciono le ville eleganti che sorgono ai margini della città, le sale da ballo dei palazzi aristocratici e i foyer dei teatri. Lui ama Londra e Parigi, la Costa Azzurra e la tranquillità delle montagne austriache.

Ama sentire il vento sul viso quando passeggia sulla tolda degli yacht.

Non quell'aria stantia, che puzza di marcio.

Non ricorda – o forse non vuole ricordare, Ignazio – che, poco meno di un secolo prima, suo nonno Vincenzo abitava in un posto simile e che, prima di lui, lo zio di cui lui porta il nome e l'anello era arrivato dalla Calabria per sfuggire a una vita povera e amara. Entrambi avevano lottato per emergere in quella città così ostile, così sgradevole. E c'erano riusciti perché si erano conquistati la stima della gente semplice, del popolo.

Ma i suoi genitori avevano fatto in modo che quella memoria venisse quasi cancellata, che in casa venisse evocata il meno possibile. Perché, se non si parla del passato, quello finisce per scomparire. E, se scompare, è come se non fosse mai esistito.

È il presente che lo aspetta, oggi. E sarà una giornata pesante, Ignazio lo sente.

Sale le scale, saluta gli impiegati che lo incontrano, poi raggiunge l'ufficio al primo piano. Domenico Gallotti, presidente della Navigazione Generale Italiana, ha un viso tondo, con folti favoriti, e un corpo tozzo, con un ventre che tradisce la passione per il buon cibo. Lo attende già da venti minuti, passeggiando per la stanza, le mani allacciate dietro la schiena.

«Vi chiedo scusa per il ritardo», dice Ignazio, entrando.

«Vi chiedo scusa io se vi ho fatto fretta, ma ci sono cose che non possono più aspettare.» Nessun preambolo, nessun convenevole. Gallotti non fa nulla per nascondere la sua impazienza, anzi: rimane in piedi e tamburella le dita su una cartelletta che ha posato sulla scrivania.

«Mi avete scritto lettere molto preoccupanti durante il mio viaggio di nozze», replica l'altro, sedendosi alla scrivania del padre. Si ferma, osserva il gran numero di fogli, disposti sul piano di lavoro, che attendono la sua firma. Poi, dopo alcuni istanti di silenzio, fa cenno all'uomo di accomodarsi.

Gallotti si siede e lo guarda attraverso le palpebre socchiuse. «Mi rendo conto di essere apparso alquanto insistente, ma è un periodo delicato, questo. La faccenda della Banca Romana sta portando alla luce molti problemi del nostro sistema bancario... e vi assicuro che 'problemi' è un eufemismo. Dall'altra parte, ci sono questioni spinose che riguardano Casa Florio da vicino, a cominciare dal rinnovo delle convenzioni marittime. Vostro padre, che Dio lo abbia in gloria, aveva stipulato una convenzione decennale e presto, prestissimo, si deciderà il rinnovo... e dobbiamo essere certi che tale rinnovo sia vantaggioso per noi. Ricordatevi sempre, don Ignazio, che le sovvenzioni statali sono una voce importante della Navigazione Generale Italiana, anzi oserei dire fondamentale, perché ci consentono di effettuare tratte che altrimenti sarebbero antieconomiche e sostengono il nostro bilancio.»

Ignazio si muove sulla sedia, a disagio. Lo infastidisce essere trattato come un *picciriddu*. «So benissimo quanto sono importanti, signor Gallotti. Piuttosto ditemi come procede l'iter parlamentare.»

Gallotti apre la cartella, ne tira fuori un promemoria. «Ostacoli, don Ignazio. Ostacoli soprattutto in Parlamento, perché Giolitti e gli industriali a lui vicini non vedono di buon occhio un rinnovo a nostro favore. Chiederanno una verifica dello stato di salute della compagnia, a cominciare dalle condizioni della flotta che in tanti anni, lo sapete meglio di me, non è mai stata ammodernata.»

«A questo possiamo porre rimedio.» Ignazio liquida l'obiezione con un gesto infastidito della mano. «Faremo le riparazioni più urgenti e per il resto prenderemo tempo. C'è il nome dei Florio che garantisce la solidità della NGI. Non c'è nulla da temere da un'eventuale ispezione.»

«Vero. *Ma i cristiani sentono e si scantano* e le incertezze del rinnovo non aiutano. Qualche giorno fa, i rappresentanti dei lavoratori della marineria di Palermo, tramite il Consolato Operaio di cui fanno parte, hanno dichiarato al *Giornale di Sicilia* che quattromila famiglie rimarrebbero senza lavoro, se le convenzioni marittime non fossero rinnovate. C'è già stata una manifestazione sotto Palazzo Villarosa, ai Quattro Canti di campagna, e c'è il rischio che scoppino disordini. O, peggio, che vengano proclamati degli scioperi. È bene tenerlo a mente.»

«Gli operai dello scalo d'alaggio e dell'Oretea sono sempre stati teste calde, e infatti so che vorrebbero scioperare, ma non lo faranno. Mio padre sapeva parlarci; lo farò anche io. Gli scioperi non ci servono, specie se dobbiamo occuparci di quello che succede a Roma. »

« Ecco, appunto. » Dalla cartella spunta un plico di fogli. Gallotti lo allunga verso di lui.

Ancora? Cos'altro c'è? pensa Ignazio mentre si sporge in avanti. Li prende. È una relazione parlamentare a firma di un deputato del Nord Italia, Maggiorino Ferraris. « 'Potrebbe a più d'uno parere un giorno non disgraziato per il nostro Paese quello in cui la Navigazione Generale cessasse, per fatto proprio, di esistere' », legge a voce alta. « *E che minchia vulissi 'sto Ferraris?* » esclama stizzito. « Secondo lui i commerci marittimi italiani sarebbero migliori assai se non ci fossimo noi? Ma ha idea di cosa sta dicendo? »

Gallotti arriccia le labbra in una smorfia. « I parlamentari nostri amici, vicini all'avvocato Crispi, sono insorti. Questo è un ragionamento che poco ha a che fare con l'economia e molto con le amicizie politiche di Ferraris e soprattutto del presidente del Consiglio. »

« Con tutte le rogne emerse dalla Banca Romana, mi sorprenderei se Giolitti durasse ancora a lungo. Crispi mi ha parlato di lui in una lettera. È un burocrate senza esperienza e senza arte di governo. Uno che è rimasto al calduccio a Torino, a studiare, mentre gente come Crispi combatteva per l'unità d'Italia... »

« Sarà, ma adesso è il presidente del Consiglio e, per parlar chiaro, ha da proteggere le imprese del Nord perché sono quelle che lo hanno votato, come Crispi e i suoi hanno interesse a tutelare i loro elettori, che sono del Sud in generale e della Sicilia in particolare. Le parole di Ferraris sono lo specchio dei pensieri di molti altri, don Ignazio. È così che funziona per questi settentrionali: i cafoni che zappano la terra e stanno al di sotto di Roma non portano loro voti. Quanto ai nobili, che le terre le possiedono, non hanno interesse a lavorare con le industrie né a occuparsi dei commerci. »

L'aria sembra diventare improvvisamente immobile. Ignazio fissa Gallotti a bocca socchiusa, in attesa.

« Leggete ancora », lo invita quindi Gallotti, e indica un passaggio sul testo. « Ferraris si lamenta del fatto che i nostri piroscafi sono di manifattura estera e suggerisce di favorire le imprese che usano navi costruite nei cantieri italiani... ovviamente toscani e liguri. In più, chiede che vengano indette aste per le singole linee postali e di trasporto, abolendo le convenzioni come le ha volute vostro padre. »

Ignazio sente la collera montare dal ventre verso la gola. «Ci vogliono tagliare le gambe. Se ci tolgono le convenzioni, *putemu chiuiri putìa.* » Emette un lungo respiro tra le labbra sottili. Poi guarda fuori dalla finestra. Si chiede cosa avrebbe fatto suo padre, come avrebbe reagito, a chi si sarebbe rivolto.

« Andiamo a Roma », decide alla fine. « Andiamo io, *vossia* e Laganà. Nessuno deve metterci un piede davanti. *Nessuno* », ripete. Si passa una mano sulla fronte. « E ora bisogna far sapere agli operai che non devono andare in agitazione... 'sti *capuzzelli* che fanno propaganda hanno *maluchiffari.* »

Ignazio si alza, infila le mani in tasca e si dirige verso la finestra. Il dialetto – Gallotti almeno questo lo sa – è un indiscutibile segno d'irritazione. « Prima mio padre e adesso io abbiamo assicurato loro tutto quello che serve: le cure se si *struppiano,* uno stipendio che altri operai a Palermo si sognano, le case in affitto vicino alla fonderia o allo scalo d'alaggio... Mio padre gli aveva persino proposto di far studiare i loro figli dopo che avevano finito di *travagghiare,* ma loro non hanno voluto. Però hanno continuato a gridare che vogliono diritti, diritti, diritti! Ora si sono pure fatti quell'associazione... i Fasci Siciliani dei Lavoratori. » Lo dice come se avesse in bocca qualcosa di marcio. « Vanno *abbanniannu* dai giornali che dobbiamo diminuire le ore di lavoro, aumentare i *picciuli... Chi stannu diciennu? L'abbunnanza unn'ha fattu mai carestia, chistu è. Si scurdaru di soccu sugnifica circare travagghiu a journata a piazza Vigliena* e a destra e a manca. »

Gallotti annuisce. « Avete ragione, don Ignazio, i Fasci potrebbero essere un problema, perché hanno raccolto sotto un'unica bandiera molte società operaie e di mutuo soccorso, dicendo: 'Un bastone tutti lo rompono, ma un fascio di bastoni chi lo rompe?' Sapete che il loro capo, Rosario Garibaldi Bosco, ha partecipato persino alla fondazione del Partito dei Lavoratori Italiani, vero? Per non parlare di quei tredici contadini di

Caltavuturo che volevano occupare le terre e che sono stati uccisi dai soldati del Regno, una tragedia che ci ha fatto puntare
addosso gli occhi dell'Italia intera. C'è fermento, senza dubbio.
Però...» Abbassa la voce, Gallotti, e si avvicina a Ignazio. «Mi
sento di consigliarvi di mettere da parte la questione, per adesso. Grazie a Dio, pochi dei nostri operai dell'Oretea hanno ade-
rito ai Fasci: la maggior parte sa di essere privilegiata perché
un altro lavoro fisso non lo si trova *accussì*. Credete a me, se
lo ricordano cosa significa aspettare di essere assunti a giornata a piazza Vigliena. Ora pensiamo alle convenzioni, *si no ccà,
di travagghiu, unn'arresta pi' nuddu.*»

«E sia. Comunque voglio sentire anche Laganà. Mi aveva
assicurato che non ci sarebbero stati problemi in Senato...»
Lo dice in fretta, Ignazio, e accompagna quella frase con una
scrollata di spalle.

Ciò che non vede – o non vuol vedere – è lo sguardo scettico
che Gallotti gli ha rivolto. E infatti, subito dopo, il presidente
della NGI non si trattiene dall'aggiungere, in tono tagliente:
«Sono ben altre le cose che Laganà dovrebbe assicurare».

Ignazio corruga la fronte. «Che intendete?»

Gallotti fa una pausa, si morde il labbro. Non sa bene come
comportarsi. Con il senatore non avrebbe avuto remore a parlare, ma con quel figlio così arrogante, così insofferente, è incerto. Alla fine, però, è proprio il rispetto per la memoria del
padre a farlo decidere. La fedeltà a quell'uomo che è morto
troppo, troppo presto. «Ecco, don Ignazio, se mi posso permettere... Diciamo che avrebbe potuto tenere un atteggiamento meno collaborativo con i nostri rivali.»

Ignazio lo fissa, attonito. La sua perplessità affiora nello
sguardo, si trasforma in un'espressione di sospetto. Poi si ricorda vagamente di alcune battute sentite a Livorno subito dopo il suo matrimonio. Le aveva messe in uno sgabuzzino della
memoria, pensando che non fossero importanti. Con un brivido d'inquietudine che gli fa arricciare la pelle delle braccia, ar-
rischia un: «Ecco, sì, mi è giunta qualche voce poco lusinghie-
ra nei suoi confronti...» Vorrebbe capire, chiedere, ma sono
troppe le cose che non sa o che ha trascurato e ha paura di sembrare superficiale, o, peggio, poco scaltro.

Gallotti fa una smorfia, accompagnata da un sospiro che è quasi uno sbuffo rabbioso. «Sono ben più che voci, don Ignazio. Vi hanno detto che Laganà è molto vicino a Erasmo Piaggio, il quale avrebbe tutto l'interesse a spostare una buona parte dell'attività della NGI a Genova?»

Ignazio resta immobile. *Laganà?* Quel Laganà che suo padre stimava e apprezzava al punto di nominarlo direttore generale della NGI adesso si comporta così? Certo, era sempre stato insistente, a volte fastidioso, ma da qui a far sorgere sospetti sul suo operato...

Gallotti sembra leggere la sua incertezza. «Non mi fraintendete; riconosco i suoi meriti. Tuttavia vi assicuro che si sta comportando in maniera per lo meno ambigua. E non è nuovo a questi giochetti, don Ignazio. Voi eravate troppo giovane, ma chi ha i capelli bianchi come me ricorda bene cosa ha fatto quand'era amministratore della Trinacria. E infatti vostro padre, che lo conosceva bene, lo trattava come si farebbe con un cane da guardia particolarmente aggressivo, e cioè lo teneva al guinzaglio.»

Lentamente, Ignazio dice di sì, di ricordare qualcosa anche lui. Quando la Trinacria era fallita, suo padre aveva atteso le mosse di Laganà prima di acquistarla. Poi, da curatore fallimentare, era stato sempre Laganà a permettergli di comprare attrezzature e piroscafi a un prezzo irrisorio. *Gli ha fatto fare la spia e gli ha promesso un posto nella nostra compagnia,* comprende in un guizzo d'intuizione.

E ora... ora stava facendo lo stesso gioco sulla *loro* pelle?

«Parlerò io con Laganà», dice, indignato. «Mi deve una spiegazione, anche soltanto per tutto ciò che questa famiglia gli ha dato.»

Gallotti fa un gesto che sembra voler dire: *Non mi aspettavo niente di meno.* Poi apre la cartelletta e ne estrae alcuni fogli, che allunga a Ignazio per farglieli firmare. Infine si alza e prende congedo. «Verrò a Roma con voi, ma prima parlate con Laganà. Assicuratevi che sia leale.»

Folate di vento portano nella villa il profumo delle zagare e della terra smossa e agitano le tende bianche che velano le grandi porte finestre che danno sul giardino. In un angolo del salotto verde, immersa nella luce rosata della primavera, Franca, in un vaporoso abito bianco e con il *collier de chien* di Cartier al collo, è accomodata su una sedia dallo schienale alto, in posa per un ritratto.

« Vi prego, state ferma, signora », l'ammonisce con un sospiro il pittore, quando lei si agita sulla sedia. Ettore De Maria Bergler ha radi capelli neri, un naso importante e un viso da corsaro su un corpo snello. Tiene una sigaretta in bocca e ha un'espressione assorta, con qualche scatto d'impazienza dovuto alla modella indisciplinata.

« È vero che vostro marito mi ha chiesto di ritrarvi nella maniera più naturale possibile, ma così rischio di dipingervi una smorfia sul viso. Il destino dona alle dee e a poche donne fortunate una bellezza come la vostra. Ma non dovete muovervi o non riuscirò a catturarla », le dice, tornando a concentrarsi sul disegno con il suo carboncino.

« Sarò immobile come una statua greca », promette lei, con un sorriso da bambina.

« Oh, stento a crederlo... » borbotta il pittore, mentre goccioline di sudore gli bagnano l'ampia stempiatura. « *Vous êtes si pleine d'esprit et d'élégance!* È una sfida fissarli sulla tela. »

Lei gli lancia un'occhiata di ringraziamento, poi s'inumidisce le labbra, sente un sapore dolce e ha un brivido di piacere. Ogni mattina, il *monsù* prepara i croissant. Lei e Ignazio giocano a imboccarsi, ridono, e i baci dopo la colazione sanno di desiderio e di zucchero a velo.

« Donna Franca, buongiorno. Scusate il disturbo, ma donna Giovanna ha chiesto di voi. »

Franca si gira verso Rosa, che si occupa con Giovanna d'Ondes della scuola di ricamo, la ringrazia e poi rivolge un'occhiata di scuse al pittore.

« Non lo finirò mai... » De Maria Bergler è irritato. « E adesso chi lo sente, vostro marito? »

« Gli dirò che è tutta colpa di sua madre. » Franca si alza, poi, d'un tratto, porta la mano al collo. «Siate gentile, maestro, aiutatemi a togliere questo...»

Il pittore la raggiunge, apre il fermaglio della collana e gliela porge. Franca la accarezza con una sorta di tenerezza, poi la fa scivolare in tasca. Vuole poterla toccare, sentirla addosso: quel gioiello le ricorda il viaggio di nozze.

«Vostra suocera non ama i gioielli?» chiede il pittore, mentre ripone lo schizzo in una grande cartella.

«Mia suocera è in lutto e, in generale, non ama lo sfarzo. Io voglio portare rispetto al suo dolore. Dovrei anche cambiarmi d'abito, ma non ho tempo...»

De Maria Bergler annuisce. Non può sapere che, dopo il primo incontro con Giovanna, Franca sta sempre molto attenta ai gioielli che indossa in presenza della suocera.

Era successo all'Hotel Excelsior dell'Abetone, una località più vicina a Siena che a Livorno, scelta dagli Jacona di San Giuliano perché tranquilla e discreta. Giovanna era arrivata in carrozza con il figlio, e le due famiglie si erano accomodate in un salottino per il tè. Franca era rimasta in silenzio, a occhi bassi, intimorita e rispettosa, consapevole del fatto che, senza il consenso della madre, Ignazio non l'avrebbe mai sposata. Aveva ascoltato gli scambi di cortesie, le chiacchiere banali – «Com'è stato il tempo a Livorno? Ah, fresco pure lì?» «E u' picciriddu, Blasco, com'è?» – notando la guerra silenziosa che le due madri stavano combattendo: Costanza armata di una nobiltà antica, ma sepolta dai debiti; Giovanna di una ricchezza imponente, ma con un nome che era, nonostante tutto – nonostante lei –, ancora quello di una famiglia di mercanti.

La conversazione si era protratta per un tempo che le era sembrato infinito. Poi, d'un tratto, Giovanna le aveva fatto cenno di avvicinarsi. Incerta, lei aveva obbedito, mentre Ignazio si agitava sulla sedia e Costanza tratteneva il respiro.

Giovanna l'aveva studiata da sotto in su. A lungo. A Franca era sembrato che quello sguardo le frugasse nell'anima, alla ricerca delle qualità che potevano renderla una vera Florio, ed era atterrita all'idea che non ne trovasse nessuna. D'istinto, aveva portato una mano al filo d'oro che aveva al collo, da cui pendeva un elegante cammeo.

Donna Giovanna aveva seguito quel gesto e aveva avuto un sussulto quasi impercettibile. Al collo di Franca, seminascosto dal cammeo, c'era l'anello di suo marito. Quello che lei aveva dato al figlio il giorno in cui Ignazio era morto, e che era nella famiglia Florio da generazioni.

Franca aveva capito. Nella sua mente, il timore di avere in qualche modo offeso donna Giovanna si era sovrapposto all'imbarazzo per aver indossato quell'anello senza che lei lo sapesse. Poi però aveva rivisto Ignazio nel momento in cui glielo aveva dato: le aveva detto quanto fosse importante per lui e per la sua famiglia, e che rappresentava la sincerità del suo impegno. Era stato il segno concreto del suo amore, ben più prezioso di qualsiasi gioiello.

Allora aveva puntato i suoi grandi occhi verdi in quelli di Giovanna. Sicura, orgogliosa, innamorata.

Nello sguardo dell'altra, era affiorata una tristezza infinita: quella di una donna che aveva perso il marito e che adesso si vedeva sottrarre un figlio così amato.

Giovanna aveva allentato la stretta delle mani che teneva poggiate sul ventre, e con un gesto l'aveva invitata a sedersi accanto a lei. La tristezza non era sparita, ma a essa si era unita una sottile minaccia: *Io te lo lascio, ma guai a te se non sei degna di lui e del nome dei Florio.*

Ricordando quello sguardo, Franca si sente inquieta. Giovanna non ha mai smesso di scrutarla in quel modo. Finirà mai la diffidenza della suocera nei suoi confronti? si chiede. *Ah, se almeno Ignazio non fosse partito, proprio adesso che...*

Ignazio è a Roma per occuparsi delle convenzioni navali. Le ha spiegato che non poteva rimandare quel viaggio e che, trattandosi di affari, era meglio se lei fosse rimasta a Palermo. Franca ha annuito, rassegnata, cercando di capire come mai il suo adorato, sorridente marito fosse di colpo così turbato.

Camminando verso gli appartamenti della suocera, che si trovano nella parte più antica dell'Olivuzza, si guarda intorno, chiedendosi se mai riuscirà ad abituarsi a quelle stanze che sembrano senza fine, arredate con mobili di lusso – dai cassettoni in noce Luigi XVI alle specchiere francesi in stile Impero con i piani in marmo, dai tavoli di legno intagliato e dorato ai monetieri in ebano con placche in pietre dure e avorio –, con statue di porcellana di Capodimonte, argenteria cesellata, bronzi e marmi antichi, preziosi tappeti persiani, indiani, cinesi e con quadri di ogni dimensione, dalle piccole vedute marine ai ritratti seicenteschi, appena macchiati di luce, dalle raffigurazioni mitologiche ai paesaggi siciliani così luminosi da sembrare finestre aperte sul mondo. È tutto straordinario per lei.

Le porte si aprono davanti a lei come per magia, rivelando stuoli di domestici che s'inchinano al suo passaggio e poi sembrano sparire nei meandri della casa.

A volte, però, avverte un disagio che la impensierisce: non può neanche dir loro cosa fare, dato che tutti conoscono i loro incarichi e li svolgono al meglio; non deve vestirsi o pettinarsi da sola perché ha Diodata, la sua cameriera personale, una ragazza dai grandi occhi neri, timida e silenziosa, sempre in attesa di un suo cenno; non deve mettere a posto gli abiti perché se ne occupa la guardarobiera; non deve pensare a come disporre i fiori perché c'è un domestico che si occupa solo di quello e provvede a sostituire le composizioni ogni giorno. Non deve nemmeno scegliere il menù per i ricevimenti, perché il *monsù* conosce i gusti degli ospiti e li asseconda alla perfezione. E allora preferisce tacere, perché ha paura di sbagliare, di essere fuori posto, dimostrando così a tutti – a sua suocera per prima – di non essere all'altezza del nome che porta.

Talvolta ha la sensazione di essere un'ospite in casa propria.

«*Ah, ccà sì'.*»

Giovanna solleva la testa dal telaio che troneggia al centro del salotto in cui lei trascorre le sue giornate, ricamando e pregando. Franca rimane per un istante sulla soglia, poi avanza in quella penombra impregnata dal profumo dei fiori. Dietro la porta, c'è una casa enorme, luminosa, in piena attività. Lì, invece, tutto è immobile. Anche le grandi porte finestre sono accostate.

Da un angolo della stanza, quasi invisibile, donna Ciccia la saluta. Franca sa che l'ha presa a benvolere, eppure non riesce a sentirsi del tutto a suo agio con lei.

Si avvicina alla suocera, la bacia sulla guancia.

Giovanna nota l'abito bianco di Franca, arriccia le labbra. Poi afferra una perlina di corallo, la infila nella gugliata di filo e dà un punto. «Stasera faremo dire messa per *l'animuzza santa di Blasco, u' picciriddu* di Giulia. *Tu comu si'?* Verrai, vero?»

Franca trattiene il respiro. Sa benissimo che nessuna donna di casa Florio si permetterebbe di mancare a una messa in suffragio per un congiunto, specie per il terzogenito di Giulia, morto subito dopo il matrimonio suo e di Ignazio. La sta mettendo di nuovo alla prova.

«Certo... Povero piccolo. Non ha avuto il tempo di diventare grande», mormora.

Le mani di Giovanna si fermano sulla tela. «*Ju u saccio chi significa virisi moriri un figghio*», dice. «*T'ascippano i carni di l'ossa. U' cori pari ca ti scoppia, ci vulissi dari tu a vita. E mischina me figghia chi ci sta passannu.*»

«*'Un ci pinsate. Sunnu du' angiuliddi ora*», interviene donna Ciccia con un sospiro.

Giovanna annuisce. Si asciuga una lacrima e tace.

Franca fa un passo indietro e un brivido le corre lungo la schiena. Furtiva, si porta una mano al ventre, poi si guarda intorno. Ovunque, immagini incorniciate del suocero. Sul muro, poi, c'è un suo ritratto a olio, accanto a quello, ancora più grande, di Vincenzino, il fratello di suo marito, morto anni prima.

Più che una stanza sembra un tempio alla memoria, pensa. Arretra verso la porta quasi senza rendersene conto. Si sente indifesa dinanzi a un'angoscia così grande, ha paura che la sofferenza di Giovanna possa attaccarsi addosso a lei come un'ombra o, peggio, come una *magarìa*. *Se una persona è così infelice, probabilmente non riesce nemmeno a immaginare che gli altri siano sereni; anzi è possibile che viva la gioia altrui come un'ingiustizia.* Se lo dice mentre raggiunge la porta, mentre il senso di oppressione che ha percepito entrando nella stanza le stringe il ventre. Confusamente intuisce che tutto ciò accade quando la sofferenza passa ogni limite e rende incapaci di tollerare anche solo una piccola luce di speranza.

Perché Ignazio non è qui a proteggermi da tutto questo?

Franca.

Il suo pensiero – la bocca semiaperta, gli occhi accesi dalla passione, il corpo flessuoso – distrae Ignazio, ma solo per un istante; è un raggio di sole che scompare subito. Lì, a Roma, ci sono solo nuvole grigie, uomini severi e bianchi palazzi ministeriali.

Davanti a lui, seduto alla scrivania, c'è Camillo Finocchiaro Aprile, ministro delle Poste e dei Telegrafi; un uomo dall'aria pacata, con baffi sottili e un pince-nez dorato che rende i suoi occhi ancora più piccoli di quanto non siano. Da palermitano, condivide con l'ormai ex presidente del Consiglio Crispi sia il passato garibaldino sia, ovviamente, un occhio di riguardo per tutti coloro che rappresentano la Sicilia e i suoi interessi; primo fra tutti Ignazio Florio.

La stanza – austera, tappezzata di rosso con pesanti mobili di mogano – è satura dell'odore di colonia maschile. Accanto a Ignazio c'è il vertice della Navigazione Generale Italiana: il presidente Gallotti e il direttore generale Laganà. Nonostante le raccomandazioni di Gallotti, Ignazio non aveva trovato il momento giusto per un confronto a quattr'occhi con Laganà e le voci che aveva raccolto su di lui erano contraddittorie: da un lato, pareva che avesse davvero «rapporti molto amichevoli» con vari armatori liguri, dall'altro nessuno negava che si era dato molto da fare per l'apertura degli sportelli del Credito Mobiliare presso il Banco Florio, portando quindi lustro alla Casa. Insomma: non c'era dubbio che sapeva come muoversi. Alla fine, Ignazio si era convinto di saper giudicare le persone meglio di chi, come Gallotti, avrebbe voluto fargli da balia, e l'aveva portato con sé a Roma. Ma la tensione tra i due uomini era palpabile.

Anche perché la situazione è estremamente delicata. Non è affatto scontato che le convenzioni verranno rinnovate alla NGI. Troppi remano contro, a cominciare dalle imprese di navigazione liguri che vorrebbero partecipare al ricco banchetto delle sovvenzioni pubbliche e che sono sostenute da un compatto blocco politico.

Ma come pensano di competere con la NGI? si chiede Ignazio, passandosi le mani tra i capelli. Loro hanno la flotta più grande d'Italia, quasi cento piroscafi.

«La vostra flotta è una delle più vecchie e malandate del Mediterraneo: ci sono imbarcazioni che risalgono al tempo di vostro nonno, *recamatierna*. Dovete riconoscerlo», considera Finocchiaro Aprile, inarcando le sopracciglia.

Ignazio fa un gesto di stizza. Domenico Gallotti si schiarisce la voce e protesta: «Poca cosa, nulla che non si possa sistemare con qualche riparazione o acquistando nuovi vapori, soprattutto se otterremo i soldi delle sovvenzioni. Ma da qui a negarci il rinnovo... non diciamo fesserie!»

«Voi dite?» chiede il ministro. Nella voce, una punta di provocazione. «Perché non ci avete già pensato, allora?»

Laganà si limita a scuotere la testa. Sta per parlare, ma Ignazio lo ferma. «Perché costa, e voi lo sapete bene. La Navigazione Generale Italiana va avanti grazie alle sovvenzioni, che però le servono soltanto per stare alla pari con le flotte francesi e austriache, non certo per guadagnare. Ecco perché avevo chiesto aiuti per la realizzazione di un cantiere navale: per poter *costruire* i nostri piroscafi, dato che per le riparazioni abbiamo già lo scalo d'alaggio dove lavorano gli operai della Fonderia Oretea. Ma il comune non aveva *picciuli* neanche a piangere e, da Roma, manco un cenno è arrivato, niente. Che fine ha fatto questo progetto? Da parte mia, non è certo mancata la volontà di portarlo a termine.»

Il ministro storce la bocca, gli occhi fissi sul bordo della scrivania.

«Aiutateci. Dateci i soldi e rimoderneremo tutto», insiste Ignazio, e ora nella voce c'è quasi una nota di preghiera, che pure contrasta con lo sguardo ardente e le mani strette a pugno sulle ginocchia.

«*Sì, ma accussì 'un si po' fari nenti*», mormora Finocchiaro Aprile. «Abbiamo una maggioranza davvero troppo risicata per far approvare il rinnovo.» Si alza, apre la finestra. I rumori del traffico romano irrompono nella stanza. Grida, ruote che girano sul selciato, persino un organetto. L'uomo è infastidito, avvicina le imposte, poi si volta e chiede a bassa voce: «Avete parlato con Crispi?»

Già. Crispi.

I tre uomini si scambiano occhiate tese.

Aveva ricevuto Ignazio nel suo studio e l'aveva guardato a lungo, senza parlare, come se stesse sovrapponendo l'immagine del padre a quella del figlio, forse nella speranza di avere di fronte un interlocutore attento e acuto come il senatore. O forse perché doveva fare i conti con il passare del tempo, perché quello era il terzo membro della famiglia Florio che si rivolgeva a lui. Tutti davanti gli erano passati: prima Vincenzo, rude e temibile, poi Ignazio, tanto raffinato quanto spietato. E adesso questo, che era poco più che un ragazzetto e che lui non sapeva ancora come inquadrare.

A sua volta, Ignazio aveva visto un uomo molto diverso da quello – energico, sagace, con una luce ribelle nello sguardo – che aveva conosciuto a Roma, tanti anni prima. Erano nell'imponente atrio dell'Hotel d'Angleterre, immersi nel lusso ovattato di quell'albergo pieno di viaggiatori stranieri. Rammentava come l'avvocato Crispi si fosse chinato a fare il baciamano a sua madre; poi suo padre lo aveva familiarmente preso sottobraccio, allontanandosi con lui a grandi passi verso un sofà in disparte. Erano rimasti lì a parlare, mentre lui accompagnava la madre e la sorella a fare un giro in carrozza.

Ignazio non si era potuto trattenere dal pensare che quel settantenne pallido e affaticato non avesse più l'energia per reggere il timone della nave della politica, perennemente in balia di qualche tempesta.

Forse non aveva più nemmeno l'influenza per farlo.

Crispi lo aveva fatto sedere e lui stesso si era faticosamente accomodato. «C'è troppa confusione in giro, don Ignazio. I miei nemici strillano e protestano e il clima è pesante», aveva esordito, tra un tiro di sigaro e l'altro, con voce arrochita dal fumo. «Però questo vi posso dire: vero, per ora il gioco lo conducono Giolitti e gli amici suoi del Nord, ma non è che durerà ancora assai. Con questo suo modo di fare da *parrino spugghiato, sta ammugghiannu i carti*. Insomma si dà arie da brava persona, ma è una carogna peggiore di altre, e confonde le carte perché è in mezzo ai guai. Le porcherie successe con la Banca Romana sono la prova che nessuno è innocente. Lui ha coperto persone a tutti i livelli e, prima o poi, *ci fanno satari i vermi... Ma, ora comu ora, c'è iddu ddrocu*, e io posso fare ben poco. *Aviti a parlari cu' Finocchiaro Aprile. Iddu palermitano è.* Vi aspetta. »

« Ci avevo già pensato », aveva risposto Ignazio. « Ma prima volevo il vostro parere. Voi siete stato l'avvocato di Casa Florio per tanti anni e conoscete bene la mia famiglia. »

Francesco Crispi aveva socchiuso le palpebre, uno sguardo da vecchio segugio, con un sorriso di sufficienza che gli aveva fatto brillare gli occhi. « *Caciettu chi a' canuscio*, don Ignazio. *Pi' chistu u' discurso di Ferraris 'un fici assai danni.* Se non ci fossi stato io, altri avrebbero parlato dopo di lui e le conseguenze sarebbero state assai peggiori. Ho fatto in modo che le sue parole... venissero dimenticate, mettiamola così. »

« E io vi ringrazio per questo. »

Crispi aveva agitato una mano chiazzata da macchie di vecchiaia. « Io ho fatto quello che ho potuto. Però adesso tocca a Finocchiaro Aprile. »

E sono queste le parole che Ignazio ripete al ministro. « Crispi ha fatto il possibile per limitare i danni », risponde, piccato. « Sapete meglio di me che, al momento, di più non gli si può chiedere. »

« *Nuatri 'un putemu aspittari.* Nessuno davvero può sapere quando cadrà questo governo. Le alleanze politiche sono dettate dalla convenienza del momento, lo sapete anche voi. » Domenico Gallotti trattiene a stento la sua frustrazione. Laganà annuisce, sempre silenzioso.

« Io purtroppo ho le mani legate », dice il ministro. « Ci sono troppe proteste per la gestione delle tratte della Navigazione e... »

Ignazio si alza, cammina per la stanza. « Dannazione, ci servono le convenzioni, lo capite? C'è una città intera che campa con i soldi che porta la NGI. Se non venissero rinnovate, cosa accadrebbe? » Quasi grida, e non riesce a nascondere la sua profonda irritazione.

Finocchiaro Aprile sospira. Non può più nascondersi, non sotto lo sguardo appuntito di quei tre uomini. Incrocia le braccia sul petto. « *U sacciu.* Ma io posso fare assai poco in questo momento. I deputati del Nord vicini a Giolitti sono più dei nostri, e più compatti. » Gli rivolge uno sguardo eloquente. « *Aviti a esseri vuatri, don Ignazio, a smoviri i carti ch'i cristiani in Paliemmu. A farli spaventare.* Sapete bene che non c'è nulla di più... convincente della paura. »

Ignazio capisce. Finocchiaro Aprile gli sta chiedendo di prendere una realtà difficile e di dipingerla con colori ancora più foschi, agitando lo spettro di un nemico infido, di una crisi economica devastante, così da smuovere l'opinione pubblica.

L'idea gli piace. Il sorriso che gli piega le labbra è lieve e tagliente insieme.

Finocchiaro Aprile si rilassa appena sulla sedia, Gallotti sbatte le palpebre, poi parla anche lui. « Manifestazioni, intendete? »

Il ministro apre le braccia. « Proteste, cortei... i vostri operai dell'Oretea sono tra i più attivi, e a Palermo è forte la presenza dei Fasci Siciliani, quei mezzi politicanti che dicono di difendere i diritti dei lavoratori... »

« Agitatori che non ne vogliono sapere di *travagghiare* », mugugna Laganà.

Gallotti lo fulmina con un'occhiata.

« Sono operai che hanno a cuore il loro posto di lavoro. Se hanno paura, faranno *scruscio*. » Ignazio punta lo sguardo su Finocchiaro Aprile. Questi annuisce, e aggiunge: « Voi sapete con chi parlare, o chi far parlare al vostro posto. Fate in modo che si spaventino, e fatelo sapere a tutta l'isola, perché, se il porto di Palermo smette di lavorare, l'economia della Sicilia intera crolla ».

Ignazio ricorda cosa aveva fatto suo padre quando si era trattato di agitare le acque così da agevolare la fusione con Rubattino. Una manovra perfettamente riuscita. *E certe cose non cambiano*, si dice. *La paura è paura.*

In quel momento, bussano alla porta e una faccia tonda appare sull'uscio. « *Che c'è permesso?* »

Un silenzio imbarazzato scende nella stanza. Ignazio distoglie lo sguardo. Il ministro fa cenno all'uomo di entrare. « Non vi aspettavamo, don Raffaele. Questa è una riunione riservata », aggiunge, non appena la porta si è chiusa.

« Lo immaginavo. Per questo ho atteso fuori. Non volevo

mancarvi di rispetto», dichiara Raffaele Palizzolo, in tono ossequioso. «Sono venuto come siciliano onesto, ma anche come parente di don Ignazio. Sua moglie, donna Franca, è nipote acquisita di mia sorella, la duchessa di Villarosa, lo sapete, vero?» Porge la mano a Ignazio, che gliela stringe con una certa esitazione, poi, senza essere invitato, si accomoda sulla sedia accanto a lui. «E comunque sono qui per dare il mio contributo, perché Palermo non può perdere le convenzioni.»

Nella stanza, il disagio si fa quasi palpabile. Da anni, a Palermo, Raffaele Palizzolo ha fama di uno cui piace infilarsi sotto la coppola del Padreterno: ascolta tutto, osserva ogni cosa e poi sa sempre come trarre vantaggio da quelle informazioni. Un'abilità che di certo gli è servita anche a Roma, almeno da quando è diventato deputato. Da qualche tempo, però, su di lui si è allungata un'ombra lunga e minacciosa, legata a un delitto che ha scosso nel profondo l'intera città: il primo febbraio di quell'anno, Emanuele Notarbartolo, ex direttore del Banco di Sicilia, uomo integerrimo e stimato da tutti, è stato ucciso con ventisette pugnalate sul treno che lo stava portando da Termini Imerese a Palermo. E si mormorava con insistenza che Palizzolo fosse coinvolto nell'omicidio, dato che aveva 'u carbuni vagnato, «il carbone bagnato»: come e più di tanti altri, cioè, aveva pasticciato con le finanze del Banco, e Notarbartolo – dicevano sempre i bene informati – lo aveva scoperto. Sebbene fossero soltanto voci – ovviamente non c'erano testimoni dell'omicidio – era difficile per i presenti scrollarsi di dosso la sensazione di trovarsi nella stessa stanza con un delinquente.

Il silenzio che segue l'affermazione di Palizzolo viene infine rotto da Laganà. «Certo, su questo siamo d'accordo tutti. Il problema è come intervenire senza far danni.»

«Ascutàte a mia», dice Palizzolo, chinandosi verso la scrivania del ministro, con una confidenza che nessuno gli ha concesso. «A chisti, l'avemu a fari scantari. Voi lo sapete, signor ministro, a me alla Camera dei deputati mi ascoltano. Basterebbe un mio intervento.»

Il ministro alza la testa, si accarezza il mento. Lo guarda e Palizzolo china la testa, annuisce. Gli sta implicitamente chiedendo il permesso di agire perché, prima di essere politici, questi uomini sono siciliani e quindi si muovono solo dopo che la persona giusta è stata informata delle loro intenzioni e ha dato il suo assenso.

Il ministro, ora, lo ascolta. «*Chi vulissi fari?*»

«*Per ora in Paliemmu c'è rivugghio. Basta chi gli facemu viriri cosa può succedere.*» Il viso di Palizzolo s'incupisce. Poi lui guarda Laganà e Gallotti. «Ma ci pensate che cosa succederebbe se arrivasse la notizia che le convenzioni non sono state rinnovate? Come minimo ci sarebbero le barricate per strada. E quale governo può permettersi una rivolta popolare? Certo non *questo* governo, con tutti i disastri che già deve affrontare.»

Ignazio scambia un'occhiata con Gallotti e questi alza gli occhi al cielo: sì, Palizzolo deve aver origliato la loro conversazione.

Laganà si muove, si appoggia alla scrivania del ministro. Parla senza nascondere l'irritazione. «Stavamo dicendo proprio questo prima della vostra interruzione, ma immagino che già lo abbiate intuito. Che si potrebbe sollecitare la manovalanza dell'Oretea e dello scalo d'alaggio a protestare.»

Palizzolo scuote la testa. Se è infastidito da quel rimprovero nemmeno tanto velato, non lo dimostra. «Lo sciopero, bisogna minacciare. Ci vuole qualcosa che faccia *scantare a tutti.*» Si volta verso il ministro. Ignora l'espressione perplessa di Finocchiaro Aprile e prosegue, le mani sulle cosce, il busto inclinato in avanti: «*Vossia palermitano è, e sapi che intendo: Giolitti 'un voli pigghiari stu' focu. E nuatri, invece, ci l'avemu a fari pigghiari*».

Ignazio si osserva la punta delle dita. «In pratica, vorreste farlo spaventare e metterlo sotto pressione al punto di costringerlo a ignorare le richieste dei suoi.»

A mo' di conferma, Palizzolo allarga le mani. «Una cosa che qua, a Roma, non hanno ancora capito è che a Palermo ci sono le viscere dell'Italia. Qualunque cosa si decida a Roma, prima di là deve passare.»

Gallotti annuisce, si volta verso Finocchiaro Aprile. «Voi che ne dite, signor ministro?»

Quest'ultimo scrolla le spalle. «Certo, è più rischioso di quello che io avevo pensato, ma può funzionare. Voi dovrete stare attenti a non perdere il controllo della situazione in Sicilia; io farò quello che posso qui. Qualunque aiuto avremo servirà, da qualunque parte esso venga », conclude, eloquente. La sua voce è rintocco di pendolo in una stanza vuota.

Ignazio, soddisfatto, annuisce. Si alza, tende la mano al ministro. « La NGI e Palermo vi saranno riconoscenti per ciò che potrete fare. » Lo guarda con intensità. « La famiglia Florio ve ne sarà grata personalmente. »

Camillo Finocchiaro Aprile capisce. E sorride appena.

Incerta, Franca si porta una mano alle labbra. L'abito in raso verde scuro esalta la linea del seno. Le sembra quasi di vedere nello specchio la suocera che la guarda con disappunto. Ne sente persino la voce: « Troppo scollata sei, *figghia mia*, specie nelle tue condizioni ».

Le sue condizioni.

La mano ingioiellata le corre al ventre che sta cominciando ad arrotondarsi. È incinta di quasi quattro mesi. Sorride. Certo, con l'arrivo del caldo di giugno, sopportare la gravidanza è diventató più pesante, ma la gioia che prova l'aiuta a superare ogni disagio. E poi c'è la felicità di Ignazio, che la copre di attenzioni e di regali splendidi, come gli orecchini di smeraldi e brillanti apparsi come per magia sulla sua toeletta il giorno successivo a quello in cui lei ha annunciato di aspettare un bambino.

Li indossa, infila al polso alcuni bracciali, poi chiama Diodata e indica uno scialle nell'armadio. È di Lanvin, in seta color avorio: se lo fa drappeggiare sulle spalle, coprendo almeno in parte la scollatura.

Ignazio la attende all'ingresso delle carrozze, accanto al grande olivo. Con lui, ci sono Giovanna e donna Ciccia. La madre bacia il figlio, gli passa una mano sul petto. « *'Un faciti tardi* », gli raccomanda. « Non deve stancarsi. »

« *Maman*, Franca sta diventando la più grande esperta dei migliori sofà di Palermo. Da quando si è saputo che aspetta un bambino, le padrone di casa si contendono l'onore di non farla stancare. E donna Adele de Seta è la più sollecita di tutte. »

Giovanna ignora le facezie del figlio e squadra Franca da capo a piedi. Lei non riesce davvero ad abituarsi a quello sguardo severo e triste, e d'istinto abbassa gli occhi. Ma, quasi in risposta, la suocera le si avvicina, le aggiusta lo scialle. « Vero è che fa caldo, ma tu *accuppunati*. »

Sta' coperta. E non solo per il freddo.

« *Ne vous inquiétez pas, maman* », risponde lei, chinandosi per baciarla sulla guancia.

Ignazio la aiuta a salire in carrozza, una mano dietro la schiena che scivola in maniera impercettibile verso il basso. Nell'abitacolo, la attira a sé, la bacia. « Dio mio, sei uno splendore. La gravidanza ti rende ancora più bella », mormora, lasciando scorrere la mano sui fianchi torniti, liberi dal busto.

Lei arrossisce nel buio, ricambia l'abbràccio. Le avevano detto che, una volta rimasta incinta, Ignazio avrebbe smesso di frequentare il suo letto per « non far male al bambino ». Non era successo... ma neppure quell'ardore era riuscito a farle dimenticare che, durante i ricevimenti cui erano stati invitati, suo marito si era spesso comportato in modo un po' troppo disinvolto nei confronti di alcune ospiti. È per questo che, sebbene sia stanca, preferisce accompagnarlo: perché vuole ricordare a tutti – e a lui per primo – che Ignazio Florio non è più uno scapolo in cerca di divertimenti.

Quando arrivano al palazzo dei de Seta, i saloni sono già gremiti. Tra pettegolezzi sussurrati e occhiate indagatrici, la Palermo delle donne si mette in mostra in un turbinio di sete e di gioielli e quella degli uomini – con maggiore discrezione – intreccia nuove relazioni o consolida vecchie alleanze. Una recita di cui ormai Ignazio e Franca sono protagonisti. Sembra che maldicenze e chiacchiere su di loro siano state spazzate via dalla loro evidente felicità e dalla notizia della gravidanza di Franca. Da quando sono tornati dal viaggio di nozze, sono passati da una festa all'altra, ma hanno dovuto rimandare un ricevimento all'Olivuzza per via dello stato di Franca. Ormai la stagione è quasi finita e la festa dei de Seta è uno degli ultimi eventi mondani: ben presto le famiglie lasceranno le residenze cittadine per raggiungere le stazioni balneari francesi oppure i villaggi alpini in Austria o in Svizzera; altri si ritireranno nelle ville in campagna. Quanto a Ignazio e Franca, li aspetta il loro yacht preferito, il *Sultana*, per una crociera nel Mediterraneo.

È di questo che sta parlando Ignazio con Giuseppe Monroy. «Non c'è ragione di non partire», gli dice. «Il *Sultana* è solidissimo e il medico di bordo avrà tutto il necessario per le cure di Franca.»

Giuseppe annuisce e solleva il bicchiere in un brindisi. «Del resto, aspetta l'erede di famiglia. È giusto essere prudenti.»

«Eh, non lo dire a me. Anche se mia madre protesterà e...» Ignazio s'interrompe, distratto da una ragazza in abito rosa chiaro che sta passando davanti a loro, scortata da una donna anziana, probabilmente la madre.

«E questa chi è? Vorrei sapere dove le tengono nascoste», sibila Giuseppe, ridacchiando.

«Be', l'importante è che vengano fuori... al momento giusto», conclude Ignazio.

Poi, di scatto, si alza e comincia a camminare dietro la ragazza, mentre Giuseppe, divertito, lo osserva e scuote la testa.

Dopo qualche passo, la donna si ferma a chiacchierare con un'amica e la ragazza si gira a guardarlo. E non è un'occhiata distratta, tutt'altro. Lui ha modo di notare gli occhi scuri e allungati, la bocca generosa e il seno latteo che sembra voler scappare dal corsetto. Si domanda se sia sodo oppure morbido e un po' cadente. Troppe volte è stato tratto in inganno da un vestito «sostenuto» nei punti giusti...

Lei continua a fissarlo, adesso in modo quasi sfacciato. Ignazio ha un fremito, ma esita. *Prima dovrei sapere chi è*, si dice. *Dio non voglia che sia una parente della marchesa de Seta, magari una nipote...*

In quell'istante, qualcuno gli passa accanto e, dopo avergli assestato una pacca sulla spalla, gli sussurra: «Tua moglie ti sta cercando, Igna'...»

Lui si volta di scatto. Franca sta venendo verso di lui, con il suo sorriso luminoso e con il suo passo elastico. Lo prende per un braccio, intreccia le dita con le sue. «Caro, aiutami a sfuggire a donna Alliata. Vuole raccontarmi cos'è successo durante i parti suoi e delle figlie, e io ho già abbastanza paura di mio.

Invitami a ballare, ti prego: sono incinta, non malata, e mi posso permettere un giro di valzer con mio marito. »

Ignazio le prende la mano, la porta al centro della sala proprio mentre l'orchestrina sta iniziando a suonare. Le cinge la vita con il braccio e lei ride, ride forte, rumorosamente, come le hanno insegnato a *non* fare.

E invece lo fa. *Che mi vedano bene*, pensa Franca, puntando gli occhi su quella sfacciata con l'abito rosa, perché ha notato come guardava suo marito, eccome se lo ha notato, e la cosa le ha dato non poco fastidio.

La ragazza si volta, le dà le spalle, si allontana.

Allora Franca osserva le matrone sedute intorno alla sala e, come in risposta al loro muto rimprovero, sorride. Sa cosa stanno pensando: una donna nel suo stato non dovrebbe nemmeno partecipare a una festa, figuriamoci ballare. Ma a lei non importa. Continua a volteggiare, lanciando adesso sguardi di sfida alle altre, alle donne ancora belle e desiderabili, e immagina i loro pensieri: sono convinte che ben presto Ignazio troverà qualcun'altra con cui sfogarsi. Perché questo fa un marito quando la moglie rimane incinta.

Io ho tutto quello che voi non potete più avere e forse non avete mai avuto, dice con lo sguardo alle matrone. Poi si appoggia a Ignazio e gli accarezza il collo in una muta dichiarazione di possesso. E, dentro di sé, dice: *I vostri mariti si comportano così. Ignazio no. Lui è mio e mi ama. E io gli basto.*

Luglio a Palermo è come un bambino dispettoso; alterna giorni limpidi con altri carichi di un'umidità che si attacca alla pelle e rende faticoso il respiro. Poi arriva lo scirocco, che porta con sé la sabbia del deserto e trasforma le cime delle montagne in macchie scure contro un cielo di avorio.

Quel giorno, però, luglio ha deciso di comportarsi bene: la giornata è limpida, ventilata, e invita a stare all'aperto. Così Franca ha dato ordine di preparare il tè nel parco dell'Olivuzza, sotto le palme accanto alla voliera.

Attende l'arrivo di Francesca ed Emma di Villarosa, che verranno a trascorrere il pomeriggio con lei per tenerle compagnia. È seduta nel salottino accanto alla sua camera da letto, e sta leggendo *Marion artista di caffè-concerto* di Annie Vivanti, un romanzo che la cognata Giulia le ha prestato, dicendole però di non farlo vedere alla suocera perché «ci sono cose un po'... sconvenienti». Ormai la gravidanza è visibile, lei si sente sempre stanca e, soprattutto, è sola. *Ignazio è stato ingiusto*, pensa, sfogliando nervosamente le pagine. Prima le aveva promesso che avrebbero fatto una crociera sul *Sultana*, poi, con la scusa che lei doveva riguardarsi, le aveva fatto capire che sarebbero rimasti insieme a Palermo. Infine aveva cambiato idea, ed era partito per un viaggio in Africa, sostenendo che aveva davvero bisogno di riposo dopo l'estenuante attesa per il rinnovo delle convenzioni.

Un rinnovo che era stato finalmente approvato: per altri quindici anni, cioè fino al 1908, la Navigazione Generale Italiana avrebbe mantenuto il monopolio dei servizi sovvenzionati. Un risultato ottenuto grazie a un intervento infuocato di Raffaele Palizzolo alla Camera dei deputati – «... Noi vedremo in un giorno seimila famiglie restare senza pane... sarebbe un disastro nazionale» –, allo schieramento compatto del manipolo di onorevoli siciliani accanto a Crispi, che aveva così dimostrato di essere ancora un alleato prezioso, e alla pressione sociale generata dagli articoli del *Giornale di Sicilia*, che avevano dipinto a tinte fosche il destino non solo di Palermo, ma della Sicilia intera se le convenzioni non fossero state rinnovate. Atterrita all'idea di perdere il lavoro, la gente si era riversata in strada e aveva dato vita a chiassose dimostrazioni quotidiane, che si erano trasformate in veri e propri festeggiamenti all'arrivo della buona notizia. Allo scalo d'alaggio e alla Fonderia Oretea, la gioia era stata tale che pareva fosse arrivata la pioggia dopo mesi e mesi di siccità. Certo, c'era un pegno da pagare, perché la NGI avrebbe dovuto far ammodernare i vecchi piroscafi e acquistarne altri tre, ma non si trattava di problemi insormontabili.

All'Olivuzza, Ignazio aveva voluto brindare con il miglior champagne, mentre raccontava a Franca com'erano andate le cose, imitando ora la voce di Crispi ora quella di Palizzolo. E

Franca aveva ridacchiato quando lui le aveva detto che adesso Finocchiaro Aprile avrebbe finalmente potuto comprare quel baglio su cui aveva messo gli occhi da tempo. Al che Giovanna aveva scosso la testa, invocando più discrezione.

Ma l'euforia era evaporata in fretta dopo la partenza di Ignazio, e Franca e l'Olivuzza erano cadute in un torpore silenzioso che poco aveva a che fare con la calura.

Quando la cameriera annuncia l'arrivo delle cugine, lei si alza, va loro incontro.

«Franca, cara, sei sempre più bella...» Emma, cappello di paglia e vestito bianco di cotone, la bacia sulle guance.

Dietro di lei, composta, seria, Francesca le fa un cenno di saluto. Era sempre stata la più vivace delle tre, invidiata da tutti per la sua bellezza. Ora, invece, è... spenta. La vedovanza precoce l'ha relegata in un limbo da cui fatica a uscire anche perché molti la trattano come se fosse la più disgraziata delle donne.

Franca cerca di scacciare quel pensiero, apre la porta finestra. «Venite, andiamo in giardino. Ho fatto preparare il tè accanto alla voliera», dice con un'allegria un po' forzata.

Le due sorelle si scambiano un'occhiata perplessa. «Ma... non salutiamo tua suocera?» chiede Francesca.

«Ma no, non disturbiamola. Starà ricamando nel suo salottino. Andremo dopo da lei», esclama Franca con impazienza. Afferra Emma per una mano e quasi la trascina per i viali del giardino. Negli ultimi giorni, oltre ad avere nostalgia di Ignazio, si sente irrequieta, in preda a pensieri sgradevoli, e ha bisogno di muoversi.

Giunte alla voliera, trovano Vincenzino che sta giocando con il cerchio sotto lo sguardo pigro della governante. Il ragazzino saluta le tre donne, fa un baciamano alle due sorelle con una serietà che strappa un sorriso persino a Francesca e poi scappa via saltellando.

Proprio come accadeva un tempo, Franca si siede in mezzo alle cugine.

«*Comu si'?*» le chiede Emma prendendole la mano.

«Il bambino ha iniziato a muoversi e la notte mi costringe a dormire su un fianco. E tu? Come stai, cuore mio?» chiede a Francesca.

« Io? Sto abbastanza bene », replica l'altra, e nella sua voce si avverte una vaga eco dell'accento toscano.

Franca le prende la mano chiusa nel guantino di pizzo nero, ricevendone in cambio una stretta. « In verità, vorrei stare più in giro ma, tra il caldo e l'assenza di Ignazio, non ho molte occasioni di uscire... Per mia suocera, uscire significa solo andare in chiesa, quindi mi annoio, ecco. »

Emma accenna un sorriso, allunga la mano verso la sua pancia, poi esita. « Posso? » chiede.

Franca annuisce, anzi prende anche la mano di Francesca e le posa entrambe sul ventre.

« L'altra sera ero a casa di Robert e Sofia Whitaker », riprende Emma. « C'era un gruppetto che parlava di voi due, di te e Ignazio. »

Francesca la fulmina con lo sguardo, ma Franca sorride. « Cos'hanno inventato, stavolta? Che Ignazio ha una nuova amante? Qualche tempo fa, mi è arrivata all'orecchio la voce che sul *Sultana* c'era una cantante spagnola... » Alza gli occhi al cielo. « Incredibile! È così difficile credere che mi voglia bene e che abbia messo la testa a posto, ora che sta per diventare padre? »

Francesca stringe le labbra. « In verità, Robert ha sostenuto che era stato davvero molto abile nell'ottenere il rinnovo delle convenzioni e Giuseppe Monroy si è sperticato in lodi. Poi, certo, i pettegolezzi non mancano mai. Sono il sale di queste serate che altrimenti sarebbero oltremodo noiose. Ma tu sai meglio di me che sono storie di fumo. »

Franca annuisce, improvvisamente seria. « Sì, e infatti di solito non ci do peso. Però... » Abbassa la voce. « Talvolta ho la sensazione di dover rendere conto di ogni gesto, e non solo a mio marito o a mia suocera, ma a una città intera. »

« È inevitabile che tutti ti osservino, data la tua posizione », replica Francesca. « La cosa importante è che tu non hai nulla da rimproverarti. Ti sei sempre comportata in modo esemplare. »

« Ma, se sei incinta e vuoi ballare un valzer con tuo marito, finisci sotto processo », mormora Franca.

« Diceva sempre il mio precettore: 'Come la ruggine consuma il ferro così l'invidia consuma gli invidiosi' », commenta Emma.

Franca getta la testa all'indietro e fissa la voliera. « E poi, sì, con voi lo ammetto: mi ha irritato il fatto che Ignazio sia partito senza di me. D'altra parte, devo riguardarmi. Non sia mai che... »

Emma agita una mano per scacciare quel pensiero, mentre Francesca stringe le spalle di Franca e le dà un bacio. « Non dirle neanche, certe cose, *ma chère*. E ricordati sempre che gli uomini hanno bisogno della loro libertà... o quantomeno dell'illusione di essere liberi. Così poi tornano a casa più felici di prima. » Le scocca un sorriso malizioso, il primo da molti mesi a questa parte.

Franca le sorride, le dice che ha ragione. Si china in avanti, versa il tè freddo alle cugine, offre loro dei biscotti. Ridono e scherzano come se fossero ancora adolescenti.

Eppure il pensiero, *quel* pensiero, è un seme maligno che sta crescendo. *Perché Ignazio è comunque partito?* pensa. Persino sua madre aveva cercato di dissuaderlo: non era il caso di lasciar sola una moglie in quelle condizioni. E, anche se il capitolo delle convenzioni si era chiuso, non era saggio trascurare gli affari. *Perché?*

Giovanna guarda la nuora allontanarsi con le cugine lungo i viali del giardino. Ha sentito il rumore delle ruote della carrozza sul selciato, poi le voci che diventavano via via più flebili.

Avrebbe gradito che fossero venute a salutarla subito e invece sua nuora le aveva trascinate via. Sbuffa piano. *Sperta idda*, pensa. Se le avesse portate subito da lei, non le avrebbe permesso di restare in giardino, non con quel caldo.

Tamburella le dita sullo stipite della finestra e donna Ciccia solleva un sopracciglio. « *Chi fu?* » chiede, infilando una gugliata di filo.

« Non doveva partire, mio figlio », mormora. « Non era cosa di andarsene, con quello che sta succedendo. Gli operai sono ancora troppo agitati... » Vero che lei non capisce granché di politica e di affari – quelle sono cose da *masculi* – e che Ignazio le aveva detto più volte di stare tranquilla perché teste calde da loro non ce n'erano e pure quei Fasci dei Lavoratori che, un paio di mesi prima, avevano tenuto a Palermo un congresso – *un congresso! Manco fossero deputati!* – avrebbero avuto vita breve. Ma Giovanna, proprio come faceva quand'era vivo il suo Ignazio, legge il *Giornale di Sicilia* e notizie rassicuranti non ne ha trovate. Anzi, da qualche tempo, era venuta fuori questa storia complicata delle banche che stavano fallendo perché non avevano più *picciuli...* o così le era sembrato di capire. Aveva provato a parlarne con Ignazio, ma lui, ridendo, le aveva detto che il Credito Mobiliare e il Banco Florio erano solidissimi e nulla e nessuno potevano toccarli.

E la situazione a Palermo non è l'unica cosa che la preoccupa.

Torna a guardare verso il giardino; sente le voci delle tre donne, portate da un refolo di vento, e scorge Vincenzino che corre e ride. Suo malgrado, è costretta ad ammettere che Franca si sta comportando da brava moglie, mangia e si riposa. Ignazio invece...

Una biscia d'inquietudine si arrampica lungo le gambe magre, si arrotola intorno alla vita. Giovanna si strofina il viso con le mani, massaggiandosi le rughe diventate più profonde dopo la morte del marito.

Di colpo, si ritrova donna Ciccia accanto. È ormai anziana, ha tutti i capelli bianchi e il viso, che è sempre stato severo, adesso sembra addirittura scolpito nella pietra. « *'Un vi 'scantati chi u' Signuri ci pensa. 'U sapiti, ju i sacciu certi cosi. Iddi si vonnu bene, e Ignazziddu chi avi a' stari attento a 'un fari fissarie.* »

Donna Ciccia non ha bisogno di spiegare a quali stupidaggini si riferisce: la passione di Ignazio per le sottane è ben nota, e lui non l'ha mai nascosta. È vero, si è sposato e pare sinceramente innamorato di Franca. Ma è davvero cambiato? O è solo l'euforia di quei primi mesi di matrimonio?

Giovanna scuote la testa; donna Ciccia sospira e allarga le mani come a dire: *Qui siamo.*

Anche lei vuol bene a Ignazio; l'ha visto nascere, crescere e diventare adulto. Viziato, protetto e difeso dalla madre, è cresciuto come una pianta pronta a inselvatichirsi se trascurata.

Ma come si poteva farne una colpa a Giovanna? La morte di Vincenzino era stato un colpo da cui non si era mai ripresa del tutto. Era rimasta sola con il suo dolore, e aveva reagito attaccandosi a Ignazziddu. Aveva riversato tutto il suo amore su quel figlio che, con gli anni, era diventato un giovane elegante e altezzoso. E, dopo la morte del padre, anche immensamente ricco.

Ignazio è abituato a essere il primo in tutto. Nella vita, negli affari, con le femmine. *Ma, adesso che sta per diventare padre, cosa accadrà?* si domanda donna Ciccia, tornando a sedersi davanti al telaio da ricamo.

Quando Giovanna le aveva detto che Ignazio voleva farle incontrare gli Jacona di San Giuliano all'Abetone, « per spiegare il fidanzamento », donna Ciccia aveva sentito un brivido d'incertezza. Per lei, Ignazio era una testa pazza e ancora troppo giovane per infilarsi in un matrimonio.

Allora, dopo averci pensato su, aveva deciso di chiedere alle *armicedde du purgatorio* quale fosse il destino di quel matrimonio. Sapeva che, se si domandava con purezza d'animo e con semplicità, loro rispondevano sempre, per il bene o per il male, e non potevano mentire. E pazienza se Giovanna non voleva che facesse « quelle cose ».

Così, una notte d'estate, era uscita da una porta del giardino e si era diretta verso l'incrocio all'ingresso della villa, perché lì, come a tutti gli incroci, s'incontravano bene e male, vita e morte, Dio e il diavolo. Era passata accanto a un sorvegliante, ma quello si era limitato a rivolgerle un cenno del capo. C'era un vento fastidioso, radente, e lei si era tirata lo scialle sulla testa perché foglie e sabbia non s'infilassero tra i capelli. Raggiunto l'incrocio, si era segnata e aveva detto un *Pater*, un *'Ave* e un *Gloria* perché il Signore non doveva *siddiarsi*, non doveva adirarsi se le anime dei morti venivano chiamate per dare risposta a una domanda dei vivi.

« *Armuzzi di li corpi decullati, tri 'mpisi, tri ocisi, tri annigati...* » aveva mormorato, continuando poi in un soffio, perché sapeva che quelle erano cose che non tutti dovevano ascoltare.

Quindi aveva atteso. E la risposta era arrivata.

Sulle prime, le era parso di sentire alcuni rintocchi di campana, anche se non avrebbe saputo dire da dove venivano. Poi, da una delle strade, erano spuntati tre gatti. Tre femmine, a giudicare dai colori. Avevano attraversato l'incrocio, quindi si erano fermate a guardarla con quell'aria di sfida e d'indifferenza che solo le gatte selvatiche hanno.

Era stato allora che donna Ciccia aveva capito: un matrimonio, sì, ma anche femmine, tante, che si sarebbero messe in mezzo. Era rientrata a capo chino, adesso indifferente al vento che le scompigliava i capelli. Era rimasta incerta sul da farsi, ma alla fine aveva deciso di non rivelare nulla a Giovanna.

Poi era stata tentata d'interrogare di nuovo le *armicedde du purgatorio* per chiedere cosa ne sarebbe stato di quel bambino che aspettava di venire al mondo, ma qualcosa l'aveva frenata.

Guarda Giovanna. Le vuole bene come se fosse figlia sua e, in un certo senso, è così. Aveva meno di vent'anni quando ha cominciato a occuparsi di lei. Adesso Giovanna ne ha cinquanta e lei settanta. E il fatto di essere vicina alla fine del sentiero della vita la spaventa, ma non per se stessa: perché sente che, quando lei non ci sarà più, altre tempeste arriveranno e Giovanna non riuscirà ad affrontarle senza soffrire forse più di quanto non abbia già sofferto.

Il ritorno di Ignazio alla villa porta un grande scompiglio. L'Olivuzza è invasa da valigie, casse e bauli, ma anche da animali scuoiati che finiranno su qualche parete oppure verranno trasformati in tappeti, come la pelle di tigre che farà bella mostra di sé nel salottino del *Sultana*. Nella calura di fine luglio, l'afrore delle pelli degli animali scatena forti nausee in Franca – arrivata ormai quasi al sesto mese – e Giovanna dà subito ordine che siano portate via.

Ignazio è tornato dal viaggio carico di energia: entra ed esce di continuo dalla casa, sale e scende le scale, canta. Si muove tra le stanze inseguito da Saro, il suo valletto, che ha preso il posto di Nanài, e dà istruzioni, indicando dove mettere casse e valigie; ogni tanto, si ferma vicino a Franca, seduta nel salottino accanto alla camera da letto, le dà un bacio sulla fronte.

Dai bagagli spuntano statuine di osso, pietre scolpite o strani cofanetti di legno intagliato che lui le mostra, raccontandole dove li ha comprati o cosa ha fatto in quei giorni. Franca lo ascolta con la gioia che le danza negli occhi: è felice di averlo di nuovo accanto, e ammira quegli strani oggetti rigirandoli tra le mani, sentendo il profumo del legno o l'aroma speziato delle essenze.

È in tarda mattinata che Ignazio prende la paglietta e dice con un sospiro: «*Avissi a gghiri all'ufficio...*»

Lei annuisce. «Torna presto, amore mio. Devi continuare a raccontarmi del tuo viaggio», mormora, dandogli un bacio.

Sulla soglia di casa, però, c'è Giovanna che lo aspetta con le mani incrociate sul grembo e l'aria severa. Ha visto la carrozza di Romualdo Trigona ferma davanti all'entrata e ha compreso le vere intenzioni del figlio.

«Tu non ci stai andando, alla Navigazione», lo rimprovera, seguendolo.

Senza rallentare il passo, Ignazio si limita a sventolare una mano. «Ma certo che ci vado, *maman*. Domani, con più calma. Che differenza vuoi che faccia un giorno? Adesso vado al circolo con Romualdo: mi aspettano», spiega, e si allontana, ansioso di raccontare agli amici le sue avventure africane e di essere aggiornato su cos'è successo a Palermo durante la sua assenza.

Giovanna si ferma e scrolla la testa, perplessa. Suo marito si sarebbe precipitato a piazza Marina e non sarebbe tornato a casa se non dopo aver controllato ogni registro, ogni transazione. Suo figlio, invece... Ma cosa può farci, lei? *È fatto così, Ignazziddu*. A capo chino, rientra in casa, dirigendosi verso i suoi appartamenti. In quel momento, però, dal piano superiore, giunge un rumore di bauli spostati e di passi frettolosi. Giovanna alza gli occhi al soffitto e sospira. Lasciare la moglie per correre dagli amici non è mai un buon segno.

Nella stanza da letto di Ignazio è quasi impossibile muoversi, tanti sono i bauli e le valigie. Da una parte abiti e scarpe, dall'altra camicie e cravatte inglesi appallottolate alla meglio. Saro sta gettando la biancheria sporca in un grande cesto, ormai così pieno che Diodata lo prega di fermarsi, altrimenti non riuscirà a portarlo in lavanderia. Lui fa un passo indietro e la donna solleva il cesto, inarcando la schiena con un gemito, poi fa per dirigersi verso la porta, ma inciampa in una piega del tappeto e finisce a terra.

« Cielo, che capitombolo... Ti sei fatta male? » Franca la raggiunge, seguita da Saro. Mentre Diodata si profonde in mille scuse, con il viso imporporato di vergogna, il valletto raccoglie le camicie sparpagliate all'intorno.

Ed è lì, in mezzo al bianco, che appare una macchia rosa.

Franca la vede, il valletto pure. E prova a coprire quella macchia con il piede, ma invano: un lembo spunta da sotto la scarpa.

Pizzo.

Franca non capisce subito. Avverte una sensazione straniante, una stretta allo stomaco che le toglie il respiro. « Spostati », ordina.

Saro è costretto a farsi da parte.

Franca si china, raccoglie l'indumento.

Rosa. Di seta. Una sottoveste trasparente. Stoffa che mostra più che nascondere. Roba vistosa, da femmina che vuole esporre la mercanzia. E il profumo... Tuberosa. La disgusta, le fa girare la testa.

Barcolla.

Dietro di lei, Diodata si mette una mano sulla bocca. Saro afferra una poltroncina per far sedere la padrona, che adesso sta tremando in modo incontrollabile.

« Cosa alla dogana dev'esserci stata, donna Franca », si affanna a spiegare il valletto. Prova a sottrarle quel mucchietto di seta, ma lei lo stringe tra le mani, e lo guarda, attonita.

« Alla dogana hanno aperto tutti i bagagli, *li misiru ri sutta n'capo*. Avranno mischiato la biancheria di don Ignazio con quella di qualche signora. » Saro allunga la mano di nuovo.

Franca alza gli occhi, lo fissa e fa cenno di no.

Lei vorrebbe aggrapparsi a quell'idea, ma qualcosa le frana nel petto.

Un presentimento.

Le parole le si affollano in testa, diventano demoni. Quelle di suo padre, da sempre avverso a Ignazio. Quelle di Francesca e di Emma, discrete ma chiare. Quelle di sua suocera, punteggiate da sospiri spazientiti. E poi si alza il coro di Palermo: i sussurri delle pettegole che si nascondono dietro i ventagli, le frasi allusive delle matrone che le lanciano occhiate di compatimento e quelle delle giovani donne, accompagnate da sguardi arroganti; i mormorii insinuanti degli uomini che, al suo passaggio, sorridono e si danno di gomito. Voci acute, dissonanti, che però raccontano la medesima storia.

Franca guarda la sottoveste che ancora stringe tra le mani, la solleva davanti a sé. Non ha mai posseduto cose del genere, lei: roba da *cocotte*, da donna scostumata, direbbe sua madre. Ha sempre pensato che, per Ignazio, la sua bellezza e il suo amore fossero sufficienti. E invece...

Abbassa lo sguardo sul ventre, che adesso le sembra enorme. Ha le mani gonfie, il volto arrotondato. Si sente mostruosa, deforme. Tutto ciò che di bello le ha portato la gravidanza adesso le sembra il segno di una trasformazione irreversibile.

Forse anche Ignazio mi vede così, e allora...

Si porta le mani al viso e scoppia in lacrime, senza vergogna.

«Andate via. Via!» grida con una voce così acuta che non sembra neanche la sua. Mentre Saro e Diodata escono in silenzio, Franca si abbandona a un lungo pianto, scossa nel profondo da quell'emozione violenta. Impiega diversi minuti a calmarsi. Allora si asciuga le lacrime con gesti rabbiosi e poi, con le mani serrate intorno a quel mucchietto di seta rosa, si siede nella poltroncina, raddrizza la schiena e, con la mascella rigida, fissa la porta, in attesa. *Deve* sapere. Ne ha il diritto.

Ed è così che la trova Ignazio al suo rientro, all'imbrunire. Entra canticchiando nella stanza da letto, invasa da ombre lunghe e lievi, nota che è ancora in disordine e si chiede vagamente il perché. Poi scorge la moglie, sorride, e la raggiunge.

«Franca, amore mio, che ci fai qui? Non ti senti bene? E cos'è questo caos? Avevo raccomandato a Saro di...»

Lei si limita a tendere la mano in cui stringe la sottoveste. «*Questa*. Di chi è questa?»

Ignazio impallidisce. «Non lo so... cos'è?»

«*Cosi di fimmina!*» grida Franca, e la voce le trema. Poi si solleva dalla poltroncina, gli si para davanti. «Era arrotolata in mezzo alle camicie! Che ci faceva nella biancheria tua, eh?»

«Ma... dev'esserci stato un malinteso. Calmati», dice Ignazio, e arretra di un passo. «Sicuramente una confusione in albergo, o magari le cameriere hanno mescolato la mia biancheria con la tua...»

«Come? Io non possiedo queste cose da... da...» La voce di Franca si alza ancora e, come in risposta a un richiamo, Saro esce dallo spogliatoio e si precipita nella stanza.

«Signora, vi prego! Ve l'ho detto, è stato un pasticcio alla dogana», esclama.

«Ma sì, è vero, *accussì è!*» gli fa eco Ignazio. «Hanno aperto i bagagli di tutti, c'era una gran confusione.»

«Non ti credo», dice Franca. La voce s'incrina di nuovo. Sta per ricominciare a piangere. «Tu... Tu...» balbetta, e protende ancora quel mucchietto di stoffa rosa, ma la mano adesso trema.

Poi lo vede.

Lo sguardo che Saro e Ignazio si sono scambiati. Uno sguardo da complici, di maschi uniti nella menzogna.

Capisce.

Lascia cadere a terra la stoffa, si volta, afferra dalla toeletta il flacone di Fougère e lo scaglia contro Ignazio. «Tu! Schifoso bugiardo! Traditore!»

Lui si piega di lato, lo evita; il flacone cade a terra e si frantuma, liberando nella stanza un profumo penetrante, in cui la lavanda si mischia con note speziate. Ignazio non fa in tempo a raddrizzarsi che viene colpito al braccio da una spazzola d'argento; poi è la volta di un barattolo di brillantina, che si fracassa ai suoi piedi. «Ma che fai, amore mio? Calmati! Ti sembra il modo di comportarsi?» Cerca di afferrarle le braccia, ma lei si sottrae e gli sferra un pugno sul petto.

«Maiale! Come hai potuto?»

«Farai male al bambino, Franca, calmati!»

«Disgraziato!»

Grida forte, Franca. Gli ormoni della gravidanza e la rabbia si sono impossessati della sua mente, la paura e la vergogna fanno il resto. L'ha tradita, è vero, e lo sanno tutti. Hanno *sempre* saputo che lui la tradiva. L'umiliazione è velenosa, terribile, e seppellisce ogni cosa, persino l'amore, persino la gioia della maternità.

Rumore di passi nel corridoio. Sulla soglia appare Giovanna; accanto a lei, Vincenzino, in camicia da notte, osserva la scena con uno sguardo da monello. «Che fa, *si sciarriano?*» chiede, ridacchiando. La donna lo blocca sulla porta, poi entra e raggiunge Franca.

«*Chi fu?*» domanda con voce bassa, severa.

«*Iddu!*» grida Franca, indicandolo. «Mi ha tradito! A me, che sono incinta di suo figlio!» I singhiozzi si fanno più forti, il viso è quasi deformato dall'ira.

Giovanna si volta di scatto verso il figlio. Ignazio cerca di parlare, apre le mani come per scusarsi, ma lei lo zittisce con un'occhiata che è uno schiaffo in pieno viso e che dice: *Taci, se non vuoi fare altri danni.* Poi si rivolge a Saro, che si è rintanato in un angolo della stanza. «Tu, vieni qui. Accompagna il signorino Vincenzo nella sua stanza e rimani con lui fino al mio ritorno.»

Mentre il ragazzino viene trascinato via, Franca si lascia cadere sulla poltroncina, in lacrime. *Piange che fa male il cuore sentirla*, pensa Giovanna, mentre chiude la porta a chiave. Poi sospira a lungo, la mano poggiata sullo stipite. Sapeva che quel momento sarebbe arrivato.

Ignazio è fermo al centro della stanza, con le braccia abbandonate lungo i fianchi, e guarda alternativamente la madre e la moglie con l'aria di chi sa di essere condannato, ma ignora quale sia la pena che gli toccherà scontare.

Giovanna si volta, incrocia le mani davanti a sé e scruta entrambi. Fin dai primi tempi di quel matrimonio, aveva intuito che Ignazio e Franca non avrebbero mai avuto la forza d'animo necessaria per essere davvero uniti. Perché quei due si erano sposati senza aver mai fatto esercizio di pazienza, senza rendersi conto di cosa fosse lo spirito di sacrificio. Avevano creduto che «per sempre» significasse viaggiare per tutta la vita lungo un fiume ampio e placido. E invece voleva dire schivare le rocce, evitare i gorghi e i mulinelli, cercare di non finire mai in secca. Ci si riusciva solo se si remava entrambi nella stessa direzione, se si guardava il medesimo orizzonte.

Lei l'aveva desiderato tanto, aveva sacrificato tutto a quell'ideale di amore. Ma, alla fine, si era dovuta rassegnare al fatto che, in una coppia, non è raro che uno ami per entrambi. Perché c'è chi non vuole amare o, semplicemente, non sa farlo. E allora aveva imparato che l'amore può continuare a vivere anche se l'altra persona dimentica di nutrirlo. Aveva imparato che, per non cadere nella disperazione, si può anche accettare di pagare ogni giorno il prezzo di una bugia. Aveva imparato che accontentarsi delle briciole è meglio che morire di fame.

Adesso era il loro turno d'imparare. Di capire come farsi bastare quel poco che avevano in comune.

Il figlio le va accanto. «Mamà, diteglielo voi che dev'esserci un errore. Lo giuro, non le farei mai una cosa del genere...»

«Oh, ma statti zitto!»

Sbalordito, Ignazio fa un passo indietro. Sua madre non gli ha mai parlato con quel tono. È sempre stata dalla sua parte, lo ha sempre difeso. E ora che sta succedendo?

Giovanna si china, prende la sottoveste tra indice e pollice, la solleva, poi la lascia cadere e ci cammina sopra.

«Ho sempre pensato che vi siate sposati senza capire quello che stavate facendo. Ora ne ho la certezza.»

«Io lo sapevo benissimo, *maman*», ribatte Franca, irritata. «Invece lui...»

«Sta facendo una scenata per nulla, si tratta solo di un...» Ignazio quasi strilla.

«Silenzio. Entrambi.» Giovanna fissa la nuora, le solleva il volto con due dita. «Figlia mia, guardami. È ora che tu ti renda conto che tocca sempre alle femmine portare il peso più grande.» Lo dice con un tono quieto, quasi dolce. «È legge di natura, almeno finché il mondo non andrà alla rovescia e a portare i pantaloni in casa saremo noi. Devi stare muta e, se è il caso, fingere di non vedere. Qualunque cosa accada, ormai

sei sua moglie e così è. Non importa se il cuore ti sanguina: ci
sono cose più importanti del tuo orgoglio, e una di queste è il
nome della famiglia. L'altra è tuo figlio. »

Franca si porta una mano sul ventre, come se volesse difendere il bambino da ciò che sta succedendo. Voltarsi dall'altra
parte? Accettare? Subire in silenzio? Nemmeno sua madre oserebbe dirle cose del genere. Vorrebbe ribellarsi, dire che lei ha
una sua dignità, ma poi alza lo sguardo, legge *qualcosa* negli occhi di Giovanna.

Quella donna non sta semplicemente difendendo le apparenze; le sta spiegando come *lei* è riuscita a sopravvivere al dolore di essere messa da parte, di non contare tanto quanto conta un uomo, all'umiliazione di non essere *davvero* considerata.
È una sofferenza lontana, eppure ancora viva, bruciante. E
Franca la sente, la capisce. La riconosce.

« Io l'ho sposato perché lo amo, *maman*, e non per il nome, lo
sapete », mormora allora, asciugandosi le lacrime con il dorso
della mano. Si raddrizza. « Io voglio il rispetto che merito. »

« Lui non è in grado di dartelo », replica Giovanna, secca.
« Mio figlio deve far vedere a tutti che le *fimmine* gli cadono
ai piedi. Non lo sai quante volte suo padre lo ha rimproverato,
e quanto ci ha fatto spendere. Ti vuole bene, e si vede, altrimenti avrebbe già preso la porta e se ne sarebbe scappato al
circolo. Perché lui è uno che scappa », continua, mentre Ignazio la fissa, sbalordito, a bocca aperta. « Se sta qui a cercare di
convincerti che non ti ha tradito è perché *tu si' so mugghieri*. Ma
non pensare che smetterà di andar dietro alle sottane *picchì si
maritò*. Lui questo è, e non puoi cambiare la sua natura. »

Ignazio non riesce a credere a quelle parole. Certo, è bene
che la madre rammenti a Franca come si deve comportare
ma, nel contempo, mai avrebbe pensato che avesse una stima
così bassa di lui, o che lo potesse smascherare con tanta facilità.
« No, no e poi no! » protesta, aggirandosi per la stanza. « Mamà, voi parlate di *minzogne chi i cristiani dicino e pure ora ci date
cunto?* Voi non sapete cosa provo... D'altronde, come potete saperlo? Voi e mio padre non vi siete mai voluti bene. Vi pare
che non lo so? Che non vi vedevo come ci andavate dietro e
lui manco vi guardava? »

Giovanna sembra trattenere il respiro; le guance pallide si chiazzano di rosso. « Che ne sai tu di me e tuo padre? » La voce è diventata un graffio. È amara, satura di livore. La donna mette una mano sul petto del figlio, sembra che voglia spingerlo via. Nella stanza cala il silenzio. « Nessuno di voi due sa cosa significa stare accanto a qualcuno per tutta la vita », riprende Giovanna. « Siete solo due *picciriddi* con la bocca ancora lorda di latte. Amore! » Ride, ma è una risata fatta di pietre e di vetro. « Vi riempite la bocca con questa parola e manco sapete che significa. Tu », dice al figlio, puntandogli il dito contro, « hai avuto sempre tutto e non hai mai fatto nulla per meritare qualcosa. E *idda* », continua, indicando Franca, « è una *picciridda* vissuta sotto una campana di vetro, protetta da tutto e da tutti... L'amore va bene per i *cunti* di Orlando e Angelica, perché quello è: un *cunto*, una favola. Voi non lo sapete che è penitenza e sacrificio. Tu di fare rinunce non ne sei capace, e manco *to' mugghieri*, da quello che dice. » Abbassa la voce, come se parlasse tra sé. « Questo è stato l'errore nostro: non ti abbiamo insegnato che uno, le cose, prima se le deve guadagnare e poi se le deve pure mantenere. »

Si avvicina a Franca. « Te lo sei sposato. Lui così è e non ci puoi fare niente », le dice, a un palmo dal viso. « Puoi portare scandalo in questa casa, e allora mi avrai come nemica, e non ti darò pace. Oppure puoi essere forte e sopportare, perché *iddu*, a modo suo, ti vuole bene. » La voce si fa soffio. « Una sola cosa è importante. Fattelo dire come se fossi tua madre: lui sempre da te deve tornare. Non importa come o dopo quanto tempo. Se vuoi tenertelo, deve sapere che tu lo perdonerai sempre. *Attuppati l'occhi e l'aricchi e, quannu torna, statti muta.* »

« Con tutto il male che mi ha fatto? » Anche la voce di Franca è sussurro, ora. Le lacrime riprendono a scorrere. « Dopo aver visto... quello? » aggiunge, indicando il mucchietto di seta rosa sul pavimento.

Giovanna si china, lo prende, lo nasconde tra le mani. « Ora non c'è più », mormora, con una nota quasi di complicità nella voce. Poi, inaspettatamente, le fa una carezza: il primo, vero gesto di affetto da quando Franca è entrata in quella casa. « *Figghia mia*... Tu ancora non lo sai cosa significa essere sposata a un Florio. Quando te ne renderai conto, ti ricorderai di tutto quello che ti ho detto e capirai.» Si raddrizza. «Vado a buttare quest'immondizia», dice, agitando la sottoveste. «Non date più motivo di parlare ai *cammareri*, ora. E tu non fare più danni di quanti ne hai fatti», conclude con un cenno del mento verso il figlio.

Ignazio annuisce, mugugna un sì.

Giovanna apre la porta ed esce dalla stanza. Si sente esausta, come se quel presentimento d'infelicità adesso si fosse trasformato in qualcosa di concreto. La sofferenza, la *sua* sofferenza, torna a morderle le carni.

Cammina lungo il corridoio. La seta tra le mani sembra rovente. Non vede l'ora di liberarsene e sperare che con essa vadano via certi ricordi.

Aveva amato Ignazio, il *suo* Ignazio, in modo cieco, come quei cani che tornano dai padroni pure se sono stati bastonati. E, dopo molti anni, quando *quell'altra* era sparita forse anche dai suoi pensieri, pure lui le aveva voluto bene: un affetto semplice, certo, fatto di confidenza, di complicità. Affetto, e non amore, ma a lei era bastato perché aveva capito che solo quello poteva avere, e che Ignazio altro non poteva darle. C'erano voluti tempo e lacrime, ma aveva capito.

E adesso può soltanto sperare che anche quei due capiscano qual è il loro destino. E lo accettino.

Quella sera, Ignazio, solo nello studio di suo padre, dà un'occhiata alle carte che si sono accumulate durante la sua assenza. Dalla cantina di Marsala arrivano rendiconti che parlano di una diminuzione della produzione di uve a causa di alcuni focolai di fillossera. Lui scrolla le spalle, pensando che ancora non ci sono notizie di contagio nella zona di Trapani, ma che bisognerà stare attenti, perché sarebbe davvero un brutto colpo. Poi legge le rimostranze avanzate dai proprietari delle miniere di zolfo: chiedono d'intervenire perché si applichi un ulteriore abbassamento dei dazi. Alla fine, con la pelle che gli

formicola per l'ansia e il nervosismo, sbotta in un: «*Cartazze!*»
Si alza e comincia a camminare per la stanza. Suo padre aveva
creato una società per raccogliere i produttori di zolfo e li aveva aiutati a ottenere una tassazione più favorevole ma, a quanto pareva, a quelli non bastava ancora. Si lamentavano di quello e dei costi eccessivi a fronte del ricavo della vendita del prodotto. Eppure...

Ignazio si risiede e rilegge i fogli con più calma. No, il mercato italiano non è sufficiente ad assorbire lo zolfo siciliano: forse gli converrebbe dare in affitto qualche miniera, come quella
di Rabbione o quella di Bosco... Oppure potrebbe rivolgersi al-
l'estero, ai francesi e agli inglesi, soprattutto. Questi ultimi hanno pure messo a punto un sistema più rapido ed economico per
la produzione dello zolfo... Potrebbe prendere contatti con
Alexander Chance, l'industriale che ha brevettato il procedi-
mento in Gran Bretagna. Non è da escludere che sia interessato
a rilevare la loro produzione a un prezzo vantaggioso.

Troppe sono le cose di cui tenere conto e troppe sono le domande che gli vengono poste. Per l'ennesima volta, si chiede
come facesse suo padre a non lasciarsi scappare nulla... Ma subito dopo pensa che, in fin dei conti, non ha niente da rimpro-
verarsi, perché sta agendo nel miglior modo possibile. *E poi, comunque, che problemi ci sono? Nulla di serio.* Non sente scricchiolii né vede segni di crisi. La sua casa commerciale è solida, sal-
da come la casa costruita sulla roccia di cui parla il Vangelo.
Per di più, ha le spalle coperte anche dal Credito Mobiliare,
con cui ha stretto un sodalizio assai fruttuoso: ha uno sportello
presso il Banco Florio, una partecipazione nelle azioni della società ed è disposto a garantire al governo che la compagnia ri-
modernerà le navi e comprerà piroscafi nuovi. Insomma, i *picciuli* ci sono.

Certo, le banche sono ancora scosse da continui terremoti. Il
processo ai responsabili della Banca Romana è appena iniziato
e le accuse sono pesantissime: dal peculato alla corruzione,
dallo spaccio di moneta falsa all'appropriazione indebita. Si
sussurra persino che, a casa di Bernardo Tanlongo, siano stati
trovati dei pagherò con la firma del re, che aveva bisogno di

denaro per soddisfare i capricci delle sue «amiche». È inevitabile che un simile scandalo abbia qualche conseguenza, ma di lì a preoccuparsi per l'avvenire di Casa Florio...

Ignazio si alza di nuovo. Prima va alla finestra, scosta le tende e rimane per un po' a guardare la piazza deserta. Poi si volta di scatto e va allo stipetto dove, su un vassoio d'argento, sono allineate bottiglie di cognac, armagnac e brandy, alcuni di sua produzione. Si versa un dito di cognac, lo assapora.

Ma il vero motivo di quell'inquietudine non si smorza.

Idiota, si dice, e batte piano il palmo sul muro.

Avrebbe dovuto essere più accorto con i bagagli. Ma come diamine aveva fatto la sottoveste di *quella donna* a finire tra le sue camicie?

Quella donna.

La rivede nella hall dell'hotel di Tunisi. Un semplice ricordo che gli dà un brivido di piacere: capelli biondi, pelle chiarissima e due occhi azzurri e gelidi che si erano fissati su di lui, pieni di promesse ampiamente mantenute.

Aveva passato con lei due giorni di follia e leggerezza, facendosi servire pranzo e cena in camera e bevendo champagne. Era uscito dalla stanza solo una volta, per tornare nella zona del bazar in cui c'erano i gioiellieri e dove aveva comprato per Franca una collana formata da una fila di cuori d'oro legati da un filo e, per *lei*, un bracciale, sempre d'oro, con uno smeraldo incastonato al centro.

Ecco, probabilmente è stato allora che si è cambiata e la sottoveste è finita in mezzo alle mie camicie. Il giorno della partenza avevo così fretta che ho buttato tutto alla rinfusa nei bauli, senza neanche farmi aiutare da Saro. Ma che importa? Perché dovrei sentirmi in colpa per un'avventura senza importanza? Non ricordo più nemmeno il suo nome.

Beve un altro sorso di cognac. Non bastano le responsabilità legate all'azienda, ci manca pure che sua moglie si metta a fare i capricci. Eppure dovrebbe capirlo, dannazione, che lui ha delle esigenze. *Le donne incinte sono sempre così delicate, neanche fossero tutte Madonne*, riflette, arricciando le labbra. E lui ha bisogno di sentirsi libero. Di fare quello che vuole, di divertirsi, di essere leggero.

Lei rimane comunque sua moglie, no? È la sua casa. La regina del suo cuore. La madre dei suoi figli. Alla fine, lui tornerà, sempre. E lei dovrà perdonarlo.

Ignazio ha indossato il completo di Meyer & Mortimer e la cravatta di seta, fermata da una spilla di brillanti, e adesso sta facendo colazione con caffè e croissant nella sala da pranzo che si affaccia sul giardino d'inverno, al primo piano dell'Olivuzza. Quella notte è piovuto e la balaustra risplende di gocce d'acqua, la cui luce grigia sembra voler impastare gesti e pensieri. Novembre si è scrollato di dosso l'oro dell'autunno e l'ha nascosto sotto una coltre lattiginosa.

Entra Giovanna, avvolta in uno scialle nero. Dà ordine al cameriere di rinforzare il fuoco del caminetto, poi chiede la colazione: tè con un po' di pane sbriciolato dentro. Franca non c'è. *Forse sta ancora dormendo*, considera Giovanna. *E fa bene, visto che ogni giorno ormai potrebbe essere quello buono.* L'ha osservata con attenzione, negli ultimi tempi. Anzi ha osservato lei e il marito, per capire quali erano state le conseguenze del loro litigio. Lui le aveva riservato attenzioni e premure: mazzi di fiori, piccoli gioielli, un pomeriggio intero trascorso insieme... Lei era stata spesso di buon umore, serena, ma a Giovanna non erano sfuggite certe occhiate a Ignazio, talvolta semplicemente un po' tristi, altre volte severe, quasi di biasimo. *Bisogna darle tempo*, si era detta.

Mentre un cameriere porta un bricco con il tè, Nino, il maggiordomo, si avvicina a Ignazio con un vassoio su cui c'è un biglietto da visita. Assorto nella lettura del giornale, sulle prime lui non se ne accorge. Poi, d'un tratto, vede il cartoncino color crema. Lo prende, aggrotta la fronte. «Gallotti? A quest'ora?» esclama. «Sì, fatelo passare.»

Giovanna alza lo sguardo sul figlio, poi torna a bere il tè.

Domenico Gallotti appare nel vano della porta: ha i capelli in disordine, la cravatta annodata in maniera sciatta e sembra turbato. Ignazio lo scruta con aria perplessa: Gallotti non è mai stato trascurato nel vestire e il suo comportamento è sempre stato contraddistinto da una composta signorilità.

«Che succede, signor Gallotti?... Accomodatevi pure. Gradite un caffè?»

L'altro scuote la testa nervosamente. È come se insieme con lui fosse entrata una nebbia cupa che si rintana negli angoli e riempie di ombre la stanza. «Don Ignazio, perdonate, ma ho notizie urgentissime e...» Si volta, quasi sembra accorgersi solo in quel momento di Giovanna. Di colpo sembra incerto, poi abbassa la testa in segno di saluto. «Donna Giovanna, non vi avevo visto. Buongiorno», mormora, e rivolge uno sguardo esitante a Ignazio.

Ma lui agita una mano, come a dire: *È mia madre, può rimanere.* «Su, sedetevi, Gallotti, e raccontatemi cosa accade. È affondato un piroscafo? Ci fu un terremoto, un incendio?» aggiunge con un sorriso ironico, mentre il cameriere scosta la sedia per far accomodare il presidente della Navigazione Generale Italiana.

Davanti a Gallotti viene messa una tazza di caffè e lui la fissa come se fosse qualcosa di disgustoso. Poi si passa la mano sulla fronte. Non sono gocce di pioggia; è sudore. «No, don Ignazio. E permettetemi di aggiungere che sarebbe stato meglio.»

Ignazio afferra un croissant, ne stacca una punta e la intinge nel caffè. «Addirittura?»

«Sì.» Una pausa, lunga, pesante.

Ignazio, ora, lo guarda con attenzione.

«Ieri sera ho incontrato Francesco La Lumia... Sapete, uno dei cassieri del Credito Mobiliare, un bravo picciotto. L'ho visto crescere... Gli ho trovato io quel lavoro dopo la morte di suo padre, un uomo integerrimo che mi onoravo di conoscere fin dall'infanzia. E lui persona fidatissima è, uno che sa cosa dice...»

Ignazio lo incalza con un'occhiata. L'agitazione è arrivata anche a lui e si sta trasformando in ansia. «Venite al punto, Gallotti. *Chi fu?*»

«Lasciate che vi racconti. Ieri pomeriggio, sul tardi, mi è venuto incontro all'uscita della NGI, a piazza Marina, dicendomi che aveva urgente bisogno di parlarmi. Me l'ha chiesto con una voce che mi ha sorpreso assai, perché è persona molto posata. Ho pensato che avesse combinato qualche guaio, quindi ho accettato. Sono rientrato, ho avvisato il custode che avrei pensato io a chiudere la porta... e Francesco mi veniva dietro con una faccia che faceva paura, credetemi... Non appena siamo entrati nel mio ufficio, poi, è scoppiato in un pianto dirotto. E mi ha detto che... che... » Si passa la mano sulla fronte. Le dita gli tremano.

« Madre Santa, pare che state raccontando un romanzo a puntate. Cos'è successo? » Ignazio spinge via la tazza con malagrazia. Le briciole si spargono all'intorno, mentre Giovanna, che fino ad allora era rimasta immobile, alza la testa e fissa Gallotti.

L'uomo deglutisce, si porta le mani al viso. « Entro la fine del mese, il Credito Mobiliare chiuderà tutti gli sportelli. Nei prossimi giorni dichiarerà fallimento. »

Ignazio si porta le mani alla bocca, come per voler soffocare un grido. « Come... fallimento? » dice invece, con un tono quasi lamentoso.

Giovanna, spaventata, guarda il figlio, poi il presidente della NGI. Non capisce. Fallimento? E loro cosa c'entrano?

« Tutta colpa di quel megalomane di Giacinto Frascara! » Gallotti si alza di scatto, quasi grida. « Che infatti, ora, vuole dare le dimissioni da amministratore delegato perché ha paura, lui. E alla povera gente che manda in rovina, cosa dirà? È stato lui a voler espandere le operazioni, perché aveva deciso di far diventare il Credito Mobiliare la banca più grande di tutte. Francesco mi ha detto che è una voce che girava da un po', che avevano cominciato a negare prestiti perché non c'era liquidità, ma nessuno immaginava che la crisi fosse tanto grave. *Iddu*, Frascara, è andato a parlare con tutti, da Giolitti a Gagliardo, il ministro delle Finanze, e ha cercato pure di coinvolgere la Banca Nazionale... Ma il problema è che *picciuli* non ce ne sono più. Se va bene, otterrà una moratoria, ma nient'altro. »

Anche Ignazio si alza. Ma lo fa lentamente, quasi temesse che le gambe non possano sorreggerlo, e si guarda intorno. All'improvviso, quella stanza dai pesanti mobili in mogano, in stile neorinascimentale, che lui ricorda sin dall'infanzia, gli sembra un luogo sconosciuto. Si avvicina alla madre che ora lo fissa, spaventata, le accarezza una guancia. Poi va alla finestra. « Lo sportello... Ho fatto mettere i loro uffici accanto ai nostri... » mormora, e la voce trema, gli si spezza. « *Porta cu' porta*, letteralmente. La gente andava a depositarci i *picciuli* perché, pure se c'era scritto Credito Mobiliare, nostri erano gli uffici. Avevo sentito qualche voce preoccupata, con tutte le porcherie che hanno fatto a Roma... Ma non pensavo che loro fossero così esposti. Mi sono sempre detto che non c'eravamo messi troppo in mezzo... e invece... » Si passa una mano sul viso. « La gente si è fidata del nostro nome, perché siamo i Florio. *Sulu che arristammu fregati puru nuatri*. E sì che io avevo investito nel Credito Mobiliare, credendolo solido... »

Il silenzio che segue è gelido come vento invernale. *E questo è*, pensa Ignazio.

Quasi in risposta a quel pensiero, arriva un improvviso, violento scroscio di pioggia. Le persiane cigolano, le porte sbattono. I camerieri si affrettano a chiudere le imposte, ma è troppo tardi, il freddo è penetrato nella stanza.

Tutto sembra cigolare intorno a lui.

Giovanna si volta, fa un cenno ai domestici. Nino annuisce, indica ai camerieri di uscire e poi chiude la porta alle sue spalle. « Quindi ora i cristiani penseranno *chi sunnu i Florio a manciarisi i picciuli* e leveranno anche i depositi dal nostro Banco, che pure *unn'avi nenti a chi fari*. » La voce di Giovanna è acuta, limpida. Le mani accarezzano la tovaglia che lei stessa ha ricamato anni prima. « *Accussì è*. »

Gallotti si risiede lentamente, rivolgendole uno sguardo stupito. Annuisce. Mai avrebbe pensato che donna Giovanna Florio conoscesse certi meccanismi degli affari.

Ignazio, invece, si aggira per la stanza con lo sguardo perso nel vuoto. « Non posso permettere che il nostro nome finisca nel fango per colpa di questi *chi si manciaru puru i chiova di lu muro. Chistu m'abbrucia chi u' justo avi a pagari pu' piccaturi*. » Si sfrega gli occhi, come se volesse svegliarsi da un brutto sogno. Torna verso la sedia e dà un colpo con la mano aperta sul tavolo. L'argenteria e le porcellane di Limoges sobbalzano. « 'Sti disgraziati... me lo avevano detto di non darci troppa corda, che sbagliavo, ma io che ne potevo sapere? Chi poteva saperlo?»

Gallotti lo fissa e scuote la testa. *A quanto pare, tutti sapevano, tranne voi*, vorrebbe rispondere. Ma non può. Non servirebbe a nulla ormai.

Ignazio si copre il viso con le mani. «E ora? Che devo fare?» chiede.

Non ottiene in risposta che il silenzio, rotto solo dal rumore della legna che crepita nel caminetto e da quello della pioggia che bussa alle finestre.

Giovanna respira in fretta; Ignazio quasi ansima.

Gallotti si alza, facendo stridere la sedia sul pavimento. Quindi si passa una mano tra i capelli. «Don Ignazio, se permettete, io farei visita a un paio di amici che forse sanno qualcosa di più», dice, imbarazzato. «Così potremo capire quanto tempo abbiamo.»

Ignazio alza la testa, gli fa cenno che sì, può andare. Non ha la forza di rispondere. Gallotti apre le mani, rassegnato, poi accenna un inchino verso Giovanna.

Lei lo ringrazia, gli chiede di far avere loro notizie al più presto, ma rimane immobile finché la porta non si è chiusa alle sue spalle. Poi si alza di scatto, afferra il figlio per il braccio, lo scrolla.

«Basta, ora. *'Un ti scantari*», gli dice. È perentoria. «Tu ora vai al Banco Florio. Senti gli impiegati, calcola i danni. Sono conti loro, non nostri; vedi se ci sono debiti con loro, e quanti sono. *Talìa tutti cosi cu' l'occhi toi.*» Fa una pausa, si china verso di lui. «*To' patri accussì avissi fatto*», conclude. Non è un rimprovero, ma un'esortazione, un richiamo all'orgoglio. «Levati 'sta faccia di *cani vastunato. Nuautri semu i Florio, e sulu chistu cunta.*»

Ignazio emette un respiro pesante. Si puntella sul tavolo, si alza. Giovanna lo lascia andare quando vede che, finalmente, il panico è sbiadito, che lui sta tornando padrone di sé. Solo allora si permette di accennare un sorriso. «Va bene, mamà», replica lui. «Ma se Franca...»

322

Giovanna annuisce, lo incoraggia con lo sguardo. « Ti mando a chiamare, sì. Non ti preoccupare. »

Quando la porta si chiude alle spalle del figlio, Giovanna si affloscia di nuovo sulla sedia. Il pensiero corre al suo Ignazio. Con lui, nulla di questo sarebbe accaduto, ne è certa. Gli occhi le si riempiono di lacrime, perché ora più che mai sente la mancanza della sua stretta forte, del suo sguardo calmo e freddo.

« Cosa faremo, *cori meo*? » chiede, con il viso rivolto alla finestra. « Come faremo? »

Il Credito Mobiliare chiude gli sportelli il 29 novembre 1893.
Qualche giorno prima, Franca partorisce.
Giovannuzza.
Una femmina.

COGNAC

marzo 1894 – marzo 1901

Abballa quannu a fortuna sona.
«Danza quando la fortuna suona.»

PROVERBIO SICILIANO

Alla fine del 1893, la situazione in Sicilia si aggrava: a Giardinello (PA), il 10 dicembre, una manifestazione contro le tasse finisce in tragedia, con undici morti e numerosi feriti; in un'analoga manifestazione a Lercara Friddi (PA), il 25 dicembre, muoiono sette persone. E numerose altre proteste scoppiano in tutta l'isola, spesso soffocate con la violenza. Il 4 gennaio 1894, quando i morti sono ormai più di mille, Francesco Crispi decreta lo stato di assedio della Sicilia e nomina Regio Commissario Civile Straordinario il generale Roberto Morra di Lavriano, ex prefetto di Palermo, al quale conferisce pieni poteri militari e civili. La repressione – attuata grazie a quarantamila soldati – è brutale: i processi sommari si concludono con durissime condanne e, come dice lo stesso generale nella sua relazione, sono aboliti « la libertà individuale, l'inviolabilità del domicilio, la libertà della stampa, il diritto di riunione e di associazione ». Ovviamente i Fasci vengono sciolti, ma le rivendicazioni economiche e sociali – che hanno unito operai e braccianti, artigiani e zolfatari, e persino impiegati pubblici e insegnanti – vanno ben oltre i confini dell'isola (si scatenano proteste e tumulti dalla Puglia all'Emilia, da Ancona a Brescia, ma soprattutto in Lunigiana, dove sono arrestate 250 persone) e confluiscono – almeno in parte – nel Partito Socialista dei Lavoratori Italiani, nato ufficialmente nel 1893 (e che, il 13 gennaio 1895, diventerà il Partito Socialista Italiano, con Filippo Turati come segretario).

È dunque in una situazione di profondo disagio sociale che Sidney Sonnino, ministro delle Finanze e del Tesoro, annuncia in Parlamento (21 febbraio 1894) la necessità di aumentare le tasse per superare le difficoltà economiche del Paese. Incontra una decisa opposizione – e infatti si dimette –, però Crispi non si arrende: il 4 giugno cade il suo terzo governo, ma già il 14 giugno è pronto un nuovo esecutivo. Aiutato anche dall'enorme eco suscitata dal fallito attentato alla sua vita per mano dell'anarchico Paolo Lega (16 giugno 1894), il 20 luglio Crispi riesce a far approvare una serie di provvedimenti economici, tra cui l'aumento del dazio sui cereali e del prezzo del sale, ma soprattutto l'aumento del 20 per cento dell'imposta sulla rendita.

Il governo Crispi cade il 10 marzo 1896, travolto dalla disfatta di Adua (1º marzo 1896), una battaglia in cui 14.500 italiani hanno cercato invano di fronteggiare l'assalto dei centomila soldati del negus Menelik II (i morti italiani sono almeno seimila). Il deputato liberale Bernardo Arnaboldi Gazzaniga così riassume la disastrosa esperienza africana: «In dodici anni di politica coloniale siamo riusciti [...] a spendere circa cinquecento milioni senza alcun frutto, [...] seminando povertà e il malcontento nelle popolazioni» (intervento alla Camera, 19 maggio 1897).

A Crispi succede Antonio Starabba di Rudinì, che sarà presidente del Consiglio fino al 29 giugno 1898 (in quattro governi diversi). Anche a causa degli altissimi costi sostenuti per finanziare l'impresa coloniale, la situazione economica del Paese è molto difficile ed è aggravata da raccolti insufficienti (i mesi di settembre e ottobre 1896 fanno registrare gravi inondazioni, soprattutto in Piemonte e in Calabria), uniti all'aumento del costo dei cereali d'importazione e quindi del prezzo del pane, che passa in media da 35 a 60 centesimi al chilo. Il profondo malcontento popolare – che ha ormai assunto i tratti di una vera coscienza sociale (nel 1895 sono entrati in Parlamento 15 deputati socialisti, tra cui Leonida Bissolati e Filippo Turati) – si concretizza in una serie di proteste che infiammano l'Italia intera a partire dai primi mesi del 1898 (Firenze, Ancona, Roma, Foggia, Napoli) e di scioperi che culminano, l'8 maggio, a Milano, in piazza del Duomo: investito dei pieni poteri, con ventimila uomini al suo comando, il generale Fiorenzo Bava Beccaris ordina di aprire il fuoco sui manifestanti, provocando almeno un centinaio di morti. Nei giorni immediatamente successivi, Bava Beccaris ordina l'arresto di circa duemila persone, la chiusura di quattordici periodici e lo scioglimento della Camera del Lavoro. Con un regio decreto, il re lo nominerà Grand'Ufficiale dell'Ordine Militare di Savoia «per rimeritare il grande servizio che Ella rese alle istituzioni ed alla civiltà».

I moti popolari tuttavia continuano: il 9 maggio, viene dichiarato lo stato d'assedio per la Toscana e per la provincia di Napoli e l'11 maggio tocca a Como. Dopo le dimissioni di di Rudinì, il re chiama al governo il generale Luigi Pelloux (29 giugno 1898) che, nel febbraio 1899, cerca di far approvare un disegno di legge che propone la militarizzazione dei dipendenti delle ferrovie e delle Poste, limita fortemente la libertà di associazione nonché il diritto di sciopero e propone la censura preventiva dei giornali. L'opposizione della Sinistra è violentissima e, dopo una lunga serie di scontri parlamentari, Pelloux si dimette anche dal suo secondo mandato (14 maggio 1899 – 24 giugno 1900). Al suo posto, viene chiamato il moderato Giuseppe Saracco, che rimane in carica fino al 15 febbraio 1901.

Il 4 giugno 1899 Umberto I concede l'amnistia a tutti i condannati per i cosiddetti «moti del pane», ma ciò non basta a fermare l'anarchico Gaetano Bresci che, il 29 luglio 1900, a Monza, uccide il re con tre colpi di pistola e dichiara: «L'ho fatto per vendicare le vittime pallide e sanguinanti di Milano... Non ho inteso uccidere un uomo, ma un principio». Bresci verrà condannato all'ergastolo il 29 agosto e morirà – forse suicida – il 22 maggio 1901.

Il trentenne Vittorio Emanuele III sale al trono il 10 agosto 1900.

È una faccenda di terra, legno, pazienza e mare, il cognac. Come per il whisky. Come per il marsala.

Se ne parla già nel XVII secolo ma, dal primo maggio 1909, per decreto governativo, il resto del mondo si deve rassegnare a produrre del «semplice» brandy, perché l'unica, vera culla del cognac viene identificata con il dipartimento della Charente, nel Sud-ovest della Francia. Una terra gessosa, ricca di sedimenti marini, coperta di vitigni come l'Ugni Blanc – un clone del Trebbiano, impiantato in Francia dopo i disastri compiuti dalla fillossera alla fine dell'Ottocento –, il Colombard, dai delicati acini gialli, e il Folle Blanche, dai grappoli compatti. Per poter diventare cognac, il vino deve essere composto almeno dal 90 per cento di queste tre uve, sole o miscelate. Per il restante 10 per cento si può ricorrere ad altre uve: Montils, Semillon, Jurançon Blanc, Blanc Ramé, Select, Sauvignon.

Ma non basta: c'è il periodo fissato per la vendemmia, di solito da ottobre fino ai primi geli. E poi ci sono le botti: il legname deve venire dalle querce delle foreste del Limousin e di Tronçais. Le doghe maturano all'aria, quindi vengono unite solo tramite cerchi di ferro, perché né i chiodi né la colla alterino il sapore. Infine vengono tostate – cioè surriscaldate all'interno – a lungo e con cautela. E, prima di finire nelle botti, il vino deve essere distillato, rigorosamente nell'alambicco tradizionale *charentais*, per ben due volte, prima a 25-27° e poi a 70-72°.

Soltanto allora arriva il riposo. Perché così è: per tutto ciò che è bello e prezioso ci vuole tempo. Calma. Pazienza. Sono ingredienti non scritti eppure essenziali. Bisogna attendere, e attendere ancora perché nulla di buono può nascere prima del tempo cui esso appartiene.

Per il cognac, quel tempo è almeno di due anni, ma può arrivare a cinquant'anni e talvolta anche oltre. In quelle cantine, impregnate dell'odore dell'Atlantico, dove l'evaporazione avviene lentamente, mescolando l'aroma dell'alcol con quello del legno e della salsedine, il cognac prende i sapori di vaniglia, tabacco, cannella e frutta secca che lo caratterizzano e assume un colore ambrato e una consistenza setosa. Certo, a ogni anno che passa, si riduce in volume del 3-5 per cento. Ma i francesi sanno che quella è la *part des anges*, la «quota degli angeli». D'altronde, nella cantina, c'è anche un luogo chiamato *Paradis* per le damigiane che ospitano i cognac di almeno cinquant'anni.

Una femmina, purtroppo.

Il sorriso di Ignazio si era affievolito quando la levatrice gli aveva comunicato la notizia. Aveva accolto i complimenti e gli auguri con un semplice cenno del capo. Poi Diodata aveva aperto la porta della camera da letto di Franca, l'aveva fatto entrare e gli aveva messo tra le braccia una *cusuzza nica*, tutta rossa e piangente, avvolta nelle coperte per difenderla dal freddo novembrino.

Franca era distesa nel letto, con gli occhi chiusi e le mani sul ventre. Il parto era stato lungo e difficile.

Lui si era avvicinato. Nel sentire i suoi passi, lei aveva aperto gli occhi.

«Femmina è. Mi dispiace.»

A quelle parole pronunciate con un tono accorato, un'onda di tenerezza aveva travolto Ignazio. Si era seduto accanto a lei e le aveva baciato la fronte. «Nostra figlia Giovanna», aveva risposto, affidandole la neonata. Erano una famiglia, adesso, e non più una coppia che cercava, faticosamente, il suo equilibrio.

Dopo tre mesi, Giovannuzza è entrata nel suo cuore. Franca ne è sempre la regina, ma lei è la sua principessa.

Il maschio arrivare deve. È questione di tempo. Casa Florio ha bisogno di un erede. Il medico ha detto che ben presto lui potrà tornare a frequentare la stanza della moglie, e questa è una delle poche buone notizie di quel periodo.

Sì, perché il gennaio 1894 è stato un mese difficile. Poche feste, tranne quelle in famiglia, poche occasioni di svago. Si rimane chiusi in casa, con un'adeguata sorveglianza, perché nessuno venga a *'ncuitare* la gente perbene.

Palermo non è più sicura.

Nei primi giorni dell'anno, nell'isola è stato dichiarato lo stato d'assedio. Colpa delle agitazioni promosse dai Fasci Siciliani, l'organizzazione che raccoglie braccianti agricoli e operai, uomini e donne, tutti ugualmente scontenti per il peso delle tasse e per le angherie che spesso sono costretti a subire. Inarrestabili come un contagio, le proteste si sono diffuse dalla città alla campagna. E si sono trasformate in vere e proprie rivolte. A Pietraperzia, Spaccaforno, Salemi, Campobello di Mazara, Mazara del Vallo, Misilmeri, Castelvetrano, Trapani e Santa Ninfa, la gente ha bruciato i caselli del dazio e, armi in pugno, ha preso d'assalto gli uffici pubblici e le carceri, liberando i detenuti.

Il caos si è impadronito dell'isola, tanto da richiedere l'intervento dell'esercito per riportare l'ordine. I piemontesi, come li chiamano i vecchi, sono arrivati al comando del generale Morra di Lavriano, investito dal governo dei pieni poteri, hanno spianato i fucili e si sono messi a sparare a tutti, anche alle donne. Nulla è stato fatto contro coloro che hanno angariato i contadini e gli operai, riducendoli alla fame e alla disperazione. Anzi: ogni protesta ha avuto una quota di morti, feriti e arresti con relativi processi. A delusione si è sommata delusione, visto che il governo in carica, ora, è quello di Crispi, un siciliano, un ex garibaldino, succeduto a Giolitti dopo lo scandalo della Banca Romana.

Adesso regna una calma pesante, dettata dalla paura, mantenuta grazie a continui arresti e a sentenze durissime. C'era da dar ragione a donna Ciccia quando bofonchiava che di *chiddi* non ci si poteva fidare e che sembrava di esser tornati sotto i Borbone.

È sera; poche luci rischiarano le stanze e il giardino. Riflessi caldi accendono il cognac nel bicchiere che Ignazio ha tenuto tra le mani fino a poco prima. Il suo aroma – speziato, dal vago sentore di miele – riempie la stanza.

Qualcuno bussa alla porta. «Avanti!» bofonchia Ignazio, strappato alla lettura delle caratteristiche del *Britannia*, il cutter del principe di Galles che sta per essere completato in un cantiere di Glasgow, e contro cui, a giugno, il suo *Valkyrie* si confronterà nella Channel Race.

La porta si apre e spunta il viso di Franca. «Non sei ancora pronto?»

«Non ancora, mia cara. Piuttosto, Giovannuzza come sta?» chiede lui, mettendo da parte le carte. «Oggi pomeriggio la mia *picciridda* piangeva assai, perché?»

«La balia mi ha detto che ha avuto una brutta colica. Le ha massaggiato a lungo il pancino.»

Il pensiero di quel corpicino soffice e profumato la riempie di una tenerezza che non immaginava di poter provare. All'inizio, dopo le sofferenze del parto, aveva temuto di sviluppare una sorta di rifiuto per la figlia: troppo era stato il dolore, troppo faticosa era stata la ripresa. E invece quella bambina l'aveva conquistata con una sola occhiata, le aveva donato un amore caldo, totale, che escludeva il resto del mondo e la proteggeva da ogni bruttura.

Franca gli va accanto. Dopo la nascita di Giovannuzza, il suo corpo è diventato – se possibile – ancora più voluttuoso. Ignazio non resiste: l'abbraccia e la bacia sul collo. «Una dea sei», le mormora contro la pelle.

Franca ride e lo lascia fare, anche se Diodata ha impiegato quasi due ore per sistemarle i capelli. Ignazio è troppo teso, ultimamente, e lei ha la sensazione di non riuscire a dargli quella serenità di cui ha bisogno. E vuole evitare che la cerchi tra altre braccia.

Certo, con quello scandalo della Banca Romana era successo di tutto. Per vari giorni, nello studio dell'Olivuzza, c'era stato un via vai di uomini dall'aria severa e Ignazio aveva passato molto più tempo del solito a piazza Marina. Franca aveva pure sentito che, dopo la chiusura degli sportelli del Credito Mobiliare, Ignazio aveva dovuto pagare cinque milioni,* una cifra che le era sembrata, alternativamente, enorme e piccolissima. Ma cosa ne capiva, lei? I conti della sarta e della modista arrivavano prima a sua madre e ora direttamente a Ignazio... Aveva provato a chiedere, ma sia Ignazio sia Giovanna l'avevano liquidata con parole vaghe e con un generico invito a «non preoccuparsi».

«Dobbiamo proprio andare? Non possiamo salire nella tua camera?» chiede lui, con il viso affondato nei capelli di Franca. Le infila le mani sotto la vestaglia, trova il bustino, le accarezza il seno.

Lei si divincola, ride e lo allontana con una mano. «Mai avrei pensato di dover convincere mio marito ad andare a teatro e a un ricevimento!» Chiude la vestaglia, lo guarda in tralice. «Ora vado a finire di prepararmi... e dovresti farlo anche tu.»

Ignazio sorride. «Ne parliamo al ritorno», le dice, e la lascia andare solo dopo averle baciato il polso.

Il pomeriggio del 4 marzo 1894, la carrozza dei Lanza di Trabia si ferma dinanzi all'ingresso dell'Olivuzza. Ne scendono prima Pietro, poi Giulia e infine un uomo dagli ondulati capelli scuri, con una fronte ampia, uno sguardo vivace e due folti baffi. Il maggiordomo li accoglie, indirizzandoli verso la scalinata di marmo rosso, decorata con cascate di fiori. In cima, Franca è in attesa. Tende subito le braccia verso Giulia e Pietro, li bacia, dice loro di accomodarsi nel giardino d'inverno. Poi, rivolgendosi all'altro uomo, sorride. «Benvenuto, maestro. La vostra presenza qui ci fa onore.» Infine solleva l'orlo della gonna. «Venite con me, vi prego. I nostri ospiti vi attendono con impazienza.»

Giacomo Puccini la segue, occhieggiando con la massima discrezione possibile le belle forme della padrona di casa. È ve-

* Circa 22 milioni di euro. (*N.d.A.*)

nuto a Palermo per una rappresentazione di *Manon Lescaut*, il cui debutto è avvenuto un mese prima a Torino, e la città gli ha riservato una magnifica accoglienza: applausi a scena aperta, chiamate al proscenio per lui e per i cantanti e un'ovazione finale che ha fatto vibrare l'intero Teatro Politeama. Franca e Ignazio l'hanno conosciuto la sera prima durante la cena in suo onore a Palazzo Butera, e lo hanno invitato per un tè, così da completare il suo trionfo.

Franca rallenta, gli si accosta. «Sapete, maestro, la vostra *Manon* è un'opera che tocca davvero l'anima. Ieri non ho avuto il coraggio di confessarvelo, ma ho pianto a calde lacrime.»

Puccini sembra confuso. Quel complimento pronunciato con tanto trasporto lo emoziona. Si ferma, prende la mano di Franca, la bacia. «Le vostre parole, signora, valgono più di tutti gli applausi di ieri sera. Sono commosso e onorato», esclama.

Franca esita, poi aggiunge, in un soffio: «Ma perché la grande musica fa soffrire così?»

Puccini spalanca i grandi occhi scuri e, avvicinandosi all'orecchio di Franca, mormora: «Perché comincia là dove finiscono le parole. Proprio come la bellezza... Sono certo che voi sapete cosa intendo». E le bacia di nuovo la mano.

Franca arrossisce, sorride, poi prende sottobraccio Puccini e riprende a camminare.

«Ignazio!» Il senso del richiamo a mezza voce di Giovanna è inequivocabile.

Anche lei ha assistito alla scena: per ben due volte, Puccini si è chinato a baciare la mano di Franca e le ha pure sussurrato qualcosa all'orecchio. Una confidenza – un'intimità? – che ha di certo mandato su tutte le furie Ignazio, in attesa dell'ospite accanto alla porta del giardino d'inverno. Lo conosce fin troppo bene: è geloso, possessivo, e poco importa che sia infedele, perché, proprio come un bambino viziato, non tollera che qualcun altro s'interessi ai suoi giochi.

Ormai Franca e Puccini gli sono davanti e Ignazio riesce a sfoderare un sorriso. «Maestro, benvenuto!» esclama, con voce un po' troppo acuta. Poi si frappone tra la moglie e l'uomo e guida quest'ultimo verso Giovanna che, insieme con donna Ciccia, sta intrattenendo un gruppo di anziane donne vestite di nero.

È stata proprio Giovanna a occuparsi di ogni dettaglio di quel ricevimento pomeridiano: ha scelto i fiori, la biancheria da tavola, l'argenteria, le tazze, l'ampia scelta di miscele di tè nelle scatole di legno e persino quali dolci dovevano essere preparati. È tutto così perfetto ed elegante da sembrare dipinto. *Non si fida ancora di me*, pensa Franca, guardandosi intorno.

Una risata la strappa a quei pensieri. È l'inconfondibile voce di Tina Scalia Whitaker, la moglie di Joseph Isaac Whitaker – che tutti chiamano semplicemente Pip –, nipote di quel Ben Ingham che aveva avuto un ruolo determinante nella vita di Vincenzo Florio, il nonno di Ignazio. Forse la coppia più in vista di Palermo, Pip e Tina non potrebbero essere più diversi: mentre lui prosegue la tradizione di famiglia legata alla produzione e al commercio del marsala, alternandola con le sue vere passioni – l'archeologia e l'ornitologia –, Tina, figlia di un generale garibaldino, è una donna colta e intelligente che vive e si nutre di mondanità: nessuno si sottrae alle sue frecciatine e al suo sarcasmo.

Franca si volta verso il gruppetto di donne della famiglia Whitaker, che stanno chiacchierando in un misto d'inglese e di siciliano, e incrocia proprio lo sguardo di Tina. Per un istante, le due donne si fissano e Franca legge negli occhi dell'altra qualcosa che sta tra la compassione e lo scherno. Sa che Tina la considera bella e un po' stupida, un'elegante bambola da esibire, niente di più. Allora stringe le labbra, sfiora il collier di topazi e perle come per farsi forza e poi si limita a un cenno di saluto con il capo.

È un'altra voce a distrarla, quella di Ignazio.

«Il Teatro Politeama è assai nobile, ma non ha un'acustica ideale», sta dicendo a Puccini e alla piccola folla che li circonda. «Confido che il Teatro Massimo sia pronto tra non molto. Lo dico con un certo orgoglio, dato che pure la copertura di questo edificio è opera della fonderia di famiglia.»

«E io ringrazio il mecenate che sta creando un tempio per la lirica a Palermo... e anche la sua fonderia!» esclama Puccini, suscitando una risata in tutti i presenti.

Nel silenzio che segue, una giovane donna dall'aria seria si fa avanti. «Maestro... è un tale privilegio poter parlare con voi... Posso farvi una domanda?»

«Ditemi pure», replica Puccini con un sorriso.

«Come... scrivete la vostra musica?»

«Il lavoro di un musicista non è un vero e proprio lavoro, e soprattutto non conosce mai pause», risponde Puccini. «È più un... obbligo dello spirito. Anche adesso che sono qui con voi, nella mia mente... nella mia anima, le note si compongono, si legano. È un torrente che non ha pace finché non raggiunge il fiume. Per esempio...» Si avvicina al pianoforte che il piccolo Vincenzo tormenta due volte alla settimana durante le lezioni di musica.

Il chiacchiericcio s'interrompe, le tazze vengono posate e anche i camerieri s'immobilizzano.

Nell'improvviso silenzio, Franca si avvicina allo strumento e fissa Puccini, come a incoraggiarlo.

Le mani dell'uomo si posano sulla tastiera e, d'un tratto, una melodia riempie la stanza.

« Che gelida manina, se la lasci riscaldar
Cercar che giova?
Al buio non si trova.
Ma per fortuna è una notte di luna,
e qui la luna l'abbiamo vicina...»

Puccini suona e canta, e l'aria profumata di vaniglia e di tè cattura le note, sembra restia a lasciarle svanire. Alla fine, l'uomo si ferma, le dita sospese sulla tastiera, il viso imporporato dall'emozione.

Mentre scoppiano gli applausi, lui si alza, e si china verso Franca. «Sono felice che voi abbiate ascoltato un frammento della mia prossima opera. Ricordando questo momento, mi sarà più facile completarla.»

Franca arrossisce, mentre Ignazio ordina che venga portato dello champagne per brindare «al futuro trionfo del maestro

Puccini. Nella speranza che torni a Palermo per rappresentarlo qui!» Gli uomini annuiscono, mentre le donne sospirano, dicendosi che sì, quella è davvero una musica divina.

Ma Puccini, dopo aver brindato, si avvicina di nuovo a Franca.

«Siete stato magnifico. Grazie per questo dono insperato», dice lei, emozionata.

Per tutta risposta, Puccini le prende le mani e se le porta entrambe alle labbra. Le occhiate dei presenti diventano affamate, i sussurri sfacciati. *Non starà dando troppa confidenza a quell'uomo? Crede forse di essere al di sopra delle regole, lei?*

«Grazie alla vostra famiglia, per avermi aperto le porte di questa magnifica dimora», risponde lui. «E grazie a voi, signora. Avete una luce straordinaria dentro, una luce preziosa. Spero che possiate conservarla per sempre.»

A quelle parole, Franca sorride. Ma i suoi occhi, per un istante, s'inumidiscono.

E una persona se ne accorge.

Sua cognata Giulia.

Palazzo Butera, la dimora dei Lanza di Trabia, è addossato alle mura della città, a pochi passi da porta Felice. Il giardino d'inverno è affacciato su un mare color dell'acciaio che riflette le nuvole grigie di quel giorno insolitamente cupo per essere l'inizio di maggio. Nell'aria, c'è un profumo di foglie secche, di terra umida e di fiori in boccio. Sedute nel salottino in vimini, tra i limoni in vaso e i piccoli banani, Franca e Giulia possono parlare liberamente, mentre i bambini – Vincenzo e i figli di Giulia – giocano a poca distanza da loro, sotto gli occhi attenti delle governanti.

«Allora? Perché hai voluto vedermi?»

Franca stringe il manico della tazzina di porcellana di Sèvres decorata con lo stemma dei Lanza di Trabia. Si domanda quando Giulia sia diventata così brusca, così diversa dalla giovane donna che le aveva scritto lettere affettuose quando lei era entrata a far parte della famiglia. Ma non vuole giudicarla: i rapporti tesi con la suocera e la morte del piccolo Blasco l'hanno indurita. Questa è stata una tragedia di cui può comprendere davvero la portata solo adesso che è diventata madre.

Da qualche parte, tra gli alberi, Vincenzo lancia un gridolino, cui Giuseppe, il primogenito di Giulia, risponde con una risata. Scalpiccio di piedini, il rumore di una palla che rimbalza. È strano osservare quei bambini, che hanno undici e cinque anni, e pensare che siano zio e nipote.

Giulia accenna un sorriso, il primo da quando Franca è arrivata, poi fissa la cognata, come a invitarla a parlare.

« Voglio un consiglio », dice allora Franca. « Uno sincero, *comu si tu fussi vero me' suoro.* »

Giulia inarca le sopracciglia, poi lo sguardo si appunta sulle sue dita. Tremano.

Le sfila la tazza per metterla sul tavolino, si lascia andare contro lo schienale. « Perché tremi? » Abbassa la voce. « Tu ancora *ti scanti* per ogni cosa, vero? Hai paura del giudizio di tutti. »

Franca sbatte le palpebre. Annuisce, sorpresa, e abbassa lo sguardo sulle dita ingioiellate.

« Mi domandavo quando avresti capito *chi accussì 'un po' iri avanti. Mi pari n'armicedda du purgatorio.* »

Le mani di Franca si stringono intorno alla gonna e la voce le si spezza. « Non credere che sia un'ingenua. Ignazio... Ho sempre pensato che fosse soprattutto lui al centro delle dicerie, delle chiacchiere, e mi sono imposta di non starle a sentire perché, alla fine, torna da me, ed è di me che è innamorato. E invece è pure me che criticano. Sento commenti, battutine ogni volta che usciamo... Ieri sera, poi, a casa dei de Seta, lui ha fatto il cascamorto con la padrona di casa in un modo davvero volgare. Mi sono sentita così mortificata! A casa, mi sembra di essere un'ospite perché non ho nemmeno bisogno di parlare: tutti si rivolgono a tua madre. Mi pare addirittura che *i cammareri mi talìano strana. To' matri, poi, che vero è na' santa cristiana, 'un mi fa manco dire né ahi né bai.* » È uno sfogo che adesso ha l'irruenza di un fiume in piena. Un singhiozzo le sfugge dalle labbra. « Ha sempre qualcosa da rimproverarmi, e non solo lei. Tutti, tutti, tutta la città! *Si parlo picca, si parlo assai, comu mi vesto... comu fazzu sbaglio e un sacciu come m'ha' a moviri.* »

Giulia scuote la testa, mentre sul suo viso passano emozioni che Franca ha difficoltà a interpretare. Un sopracciglio s'inarca. «Tu sei troppo buona, Franca mia. Troppo. *Ha' a nesciri i scagghiuna ca' si nno, ti spurpano e lassanu l'ossa n'terra. E chistu vali puru pi' me matri.*»

L'altra spalanca gli occhi verdi. È un linguaggio forte, quello che adopera Giulia, quasi arcaico nella sua brutale sincerità. «Veramente?» chiede con un singhiozzo.

«Già.» Giulia si alza, si dirige verso le vetrate. «Pensi che non abbia notato come stai?»

Non aspetta che la cognata la segua, e Franca deve affrettarsi per raggiungerla.

«Tu, ora, sei donna Franca Florio. Non mia madre, che è vedova e che ormai pensa solo a far dire messe per l'anima di mio padre. Tu sei la moglie di Ignazio, il capofamiglia, e devi prenderti ciò che ti spetta, a cominciare dal rispetto.» Le afferra le braccia, le parla a pochi centimetri dal viso. «Quando mi sono sposata, mio padre mi ha fatto capire che nessuno, *mai*, doveva mettermi un piede davanti. Dovevo essere io per prima a difendermi, altrimenti la famiglia di mio marito mi avrebbe soffocato. Ed è quello che io adesso dico a te.» La fissa con intensità. «Voglio bene a mio fratello, ma lo conosco: testa persa è; troppe femmine gli girano intorno. Lui è preso da se stesso e non capisce che sei in difficoltà, che la gente ti critica anche a causa sua. Lo conosco, non è cattivo, ma è così... è superficiale. Nemmeno capirebbe come stai, perché manco ci fa caso alle cose che ti dicono dietro... *Sì, sangu meo, l'antisi puru ju chidde ca ti sparlano.*»

Giulia le solleva il viso che Franca ha abbassato, pallida per la vergogna. Ignora le ciglia bagnate dalle lacrime, l'afferra per le spalle, la scuote.

«*Talìami!* Sei tu che devi proteggerti, perché so cosa dice il mondo di noi, femmine Florio. Che ci spendiamo troppi soldi addosso in vestiti e gioielli, che ci facciamo forti dei *picciuli* della famiglia, ma che abbiamo la testa vuota. E che siamo così arroganti da non stare al nostro posto.» La mano di Giulia si chiude a pugno. «A me non interessa quello che dicono. Nemmeno a te deve interessare; se dai ascolto a *loro*, dai a *loro* il potere. Sono miserabili che, parlando così, rivelano soltanto la loro invidia. Noi abbiamo tutto quello che loro non hanno ed è per questo che ci sparlano e che continueranno a farlo.»

È schietta, Giulia. Feroce.

Franca sa a malapena delle difficoltà che la cognata ha dovuto affrontare. Ignora che pure lei ha dovuto subire pesanti umiliazioni, specie all'inizio, quando sua suocera non faceva altro che rinfacciarle davanti a tutti la sua origine borghese. Per anni, poi, non ha perso occasione per ricordarle come quel matrimonio fosse poco più di un contratto. Dal canto suo, Pietro non aveva mai preso le sue difese, né l'aveva aiutata. In nessun modo.

Quegli anni, però, avevano insegnato a Giulia a non arrendersi, a non piegare mai la testa. Le avevano fatto crescere dentro una rabbia simile a quella che suo nonno Vincenzo si era portato addosso per tutta la vita; lui l'aveva usata per dominare una città che voleva umiliarlo; lei se n'era servita, prima còme scudo e poi come arma, per conquistarsi il rispetto dei Lanza di Trabia. E ora era davvero la signora di quella casa e di quella famiglia. E c'era riuscita anche rammentando la regola fondamentale di suo padre: nulla è più prezioso della lucidità, della padronanza di se stessi. Anche a lei, il padre Ignazio aveva detto più volte: «Ascolta la testa, non il cuore». L'immagine che dava di sé era quella di una donna altezzosa e respingente, ma quell'immagine se l'era costruita da sola, per proteggersi.

No, Franca non può conoscere sino in fondo il prezzo che sua cognata ha pagato per diventare ciò che è: una donna determinata, intoccabile, fiera.

Ma è proprio questo che vuole dimostrarle Giulia. Che Franca deve conquistarsi il suo posto tra i Florio e a Palermo perché così deve essere. Non ci sono alternative. E può farlo solo trovando dentro di sé la forza e il distacco necessari. Deve lasciarsi scorrere addosso tutto quello che la fa soffrire. Deve costruire mura di cinta intorno alla sua anima.

Franca guarda Giulia in viso, si asciuga nervosamente una guancia. Riflette.

Per la suocera, essere una Florio significava assecondare il marito in tutto, non dargli mai occasione di biasimo o motivo di lamentarsi, brillare in ogni evento sociale, essere all'altezza di qualsiasi situazione. E, se lui sbagliava, era suo preciso compito perdonarlo.

Le parole di Giulia, invece, dipingono una realtà in cui Ignazio è in secondo piano. C'è solo lei, Franca, separata – libera? – dal suo ruolo di moglie. Deve essere, prima di tutto, se stessa. Deve essere orgogliosa, superiore. Intoccabile. Nessuna critica dovrà mai ferirla e, se anche accadesse, la ferita dovrà rimarginarsi subito.

Si libera dalla presa di Giulia, si allontana di un passo. È tutto così lontano da quello che Giovanna le ha detto, così lontano dal modo in cui è stata cresciuta: è sempre stata una figlia obbediente, una moglie rispettosa, e ora... «Ma io... mi sono comportata bene. Non ho protestato, non ho pianto quando lui...» mormora, con la voce satura di dolore. «Anche quando ho saputo che lui mi tradiva, io... Sono stata una brava moglie o, per lo meno, ho cercato di esserlo.»

«E questo è stato il tuo errore: cercare di compiacere tutti. Tu non devi comportarti bene: devi prendere ciò che è tuo di diritto e farlo senza paura di essere giudicata. Non sei più una *picciridda* che cerca l'approvazione della madre. Non basta avere un cognome importante. E non basta neppure aver dato un figlio a tuo marito per guadagnarti il suo rispetto. Né puoi sperare che mia madre si faccia da parte di sua spontanea volontà. Lo farà quando vedrà che sei all'altezza del nome che porti e, credimi, non sarà una cosa né semplice né rapida. Ricordati che *chi po' fari e 'un fa, campa scuntento.*» La voce le si addolcisce, si trasforma in una carezza. «A Palermo, nessuno ti concede nulla.» Indica la città oltre le mura del palazzo, in direzione del Cassaro. «In questa città, tutti, dal carrettiere al principe, campano di pane e invidia. Certuni si farebbero ammazzare piuttosto che ammettere di essere mediocri. Quando senti una critica, pensa che tu sei una Florio, e loro no. Se ti dicono che i tuoi gioielli sono vistosi, pensa che i loro valgono la metà dei tuoi. Se ti mettono in croce per come ti vesti, pensa che loro non hanno il fisico né tantomeno i soldi per indossare i tuoi abiti. Ricordatelo quando li sentirai parlare alle tue spalle. Tienilo a mente e ridi, ridi di loro e della loro mediocrità.»

Franca ascolta.

Le parole di Giulia aprono stanze inesplorate, le donano una nuova visione sulle cose. È come se si guardasse per la prima volta in uno specchio, scoprendo pregi che non aveva mai immaginato di avere. Rivelando le infinite possibilità che la vita le può offrire.

Giulia la osserva. E capisce. Fa un passo indietro, accenna un sorriso. Sul viso della cognata ha visto accendersi una consapevolezza autentica, qualcosa che, finalmente, la renderà simile a lei. «Non devi avere paura. Tu sei nata per essere una Florio.» Le accarezza il viso. «Non sei solo bella: sei anche intelligente e hai fascino ed eleganza. La tua forza è tale che il mondo non potrà ignorarla. Non aver paura di essere ciò che sei. Ricordati, però: un figlio è sempre una cosa buona, ma un figlio maschio è una benedizione. Tu devi restare incinta al più presto.» La voce si abbassa, si riempie di sottintesi. «Sarà più facile, con un maschio. E tu sarai più libera.»

Quando esce da Palazzo Butera, seguita dalla governante, con Vincenzino che saltella ancora, eccitato per i giochi, Franca ha un passo leggero. Guarda davanti a sé, indifferente al cielo che minaccia di scaricare su di lei un acquazzone primaverile.

Sì. Era stata silenziosa, discreta, paziente, remissiva.

E invece adesso deve imparare.

A non avere incertezze.

A prendersi quello che le appartiene.

A diventare donna Franca Florio.

Il pensiero è così nuovo da farle girare la testa.

A diventare me stessa.

Un tuono lontano.

Ignazio alza la testa dalle carte, va alla finestra, la apre. Lo scirocco di quei giorni sta lasciando il posto a un cielo grigio e gravido di sabbia che minaccia la Cala e le lucide carrozze nere dirette al Foro Italico. Uomini in redingote e donne nei loro abiti di *faille*, taffetà e mussolina affollano l'ultimo tratto del Cassaro per farsi vedere ed essere visti. È una Palermo nuova, questa. Nei suoi ricordi di ragazzino, Palermo era elegante, discreta. Adesso è diventata irriverente, sfacciata: una volta guardava attraverso gli scuri delle finestre e commentava in privato; adesso ti pianta gli occhi in faccia, pronta a malignare sul modo in cui ti vesti, sulla vettura che possiedi o sul tuo circolo di conoscenti. E quest'insolenza irrita profondamente Ignazio.

Il suo sguardo si appunta su una lavandaia che porta un mucchio di panni in un cesto e si trascina appresso un *picciriddu* scalzo. Ai margini del corso resistono ancora catapecchie abitate da famiglie poverissime, con donne dall'aria sfatta e in perenne attesa dei loro uomini, al lavoro, in fabbrica, o imbarcati su qualche nave. Queste persone Palermo preferisce non vederle e basta. *Lui* non vuole vederle, sebbene sua madre insista perché s'impegni in qualche attività caritatevole. Sì, lo sa bene che è importante per il nome della famiglia e infatti i Florio hanno una cucina per la distribuzione dei pasti ai poveri, e Franca appartiene alla Congregazione delle Dame del Giardinello ed è sempre generosa soprattutto con le ragazze abbandonate... Lui è un imprenditore: dà lavoro e pane ai dipendenti della NGI, agli operai dell'Oretea, a quelli che lavorano allo scalo d'alaggio. Per non parlare di tutte le altre attività, anche al di fuori di Palermo...

Soprappensiero, Ignazio si passa le mani tra i capelli, poi si ferma, cercando di non rovinare la piega del ciuffo. Nel riflesso della finestra aperta, contempla la sua immagine. I baffi impomatati, il garofano all'occhiello, la cravatta perfettamente annodata e fermata da una spilla di brillanti. Impeccabile.

Ma quelle carte sulla scrivania – che aspettano una firma, una lettura, una decisione – rovinano tutto.

A volte, quando resta solo in quell'ufficio, gli sembra di sentire dei rumori, quasi che il palazzo si lamentasse per un dolore che lo affligge. È come se dietro la boiserie si stessero lentamente aprendo delle crepe. Un'idea assurda – lo sa – ma che lo mette a disagio.

Ignazio si allontana dalla finestra, si volta a guardare il quadro che suo padre aveva commissionato ad Antonino Leto e che ritrae la cantina di Marsala. Lì, davanti all'edificio, l'acqua è verde, calma; la luce è calda, pastosa.

Di quella calma lui avrebbe bisogno, ora.

Al mare, i Florio devono la loro ricchezza. Con questo pensiero lui sta combattendo da settimane. Come condizione essenziale per il rinnovo delle convenzioni gli è stato chiesto un radicale ammodernamento dei piroscafi per il trasporto dei passeggeri. Lui ha fatto resistenza, ha detto che avrebbe provveduto, ha rimandato. E adesso non può più sottrarsi a quella richiesta.

Ma con quali soldi? La faccenda del Credito Mobiliare – *Che siano maledetti!* pensa con rabbia – l'ha costretto a intaccare i depositi di liquidità della casa commerciale. Per salvare il nome dei Florio, ha rilevato i libretti di risparmio e gli assegni dei depositari palermitani della banca, ripagandoli di tasca propria e accollandosi i titoli in perdita. Ha svolto anche le pratiche per insinuarsi nel passivo del Credito Mobiliare e recuperare i soldi, oltre alle quote del capitale personale che aveva investito, ma senza speranze. Ha salvato il buon nome della famiglia, è vero, però adesso non ha quasi più contante: solo una marea d'inutili titoli di credito.

Carte, carte, carte. Sempre e solo carte.

Non c'è soluzione: dovrà chiedere un'apertura di credito alla Banca Commerciale Italiana per avere liquidità che gli consenta di far fronte alle spese immediate. Lui che non ha mai chiesto dovrà piegarsi a chiedere. Soldi, fiducia, credito.

E non solo. C'è una cosa che lo amareggia profondamente, anche se non la confesserà mai a nessuno. È troppo orgoglioso per ammettere anche con se stesso di aver compiuto un clamoroso errore di valutazione. In tanti, a cominciare da Gallotti e da suo cognato Pietro, gli avevano suggerito di essere più accorto, di non fidarsi delle rassicurazioni dell'amministrazione di quella banca.

E invece.

Pensa a suo padre, a cosa avrebbe fatto se si fosse trovato in quella situazione. Non sarebbe mai arrivato a quel punto, ammette. Non si sarebbe fidato ciecamente degli altri, come ha fatto lui.

Quasi è sollevato al pensiero che lui non possa vedere l'errore che ha compiuto ma, nello stesso tempo, avverte una delusione cocente, generata dalla consapevolezza che sì, se fosse stato vivo, lo avrebbe guardato con biasimo e lo avrebbe messo alla porta.

È troppo, per Ignazio. Si aggira per la stanza, cerca nella memoria chi lo ha spinto a prendere quelle decisioni, chi ha caldeggiato quegli impegni, perché no, non può essere solo colpa sua. E decide che quell'errore ha un nome e un cognome.

Giovanni Laganà.

Giovannuzza gorgoglia, balbetta, alza gli occhi e ride. Davanti a lei, in ginocchio sul tappeto, sua madre le tende le braccia. Sorretta da Mademoiselle Coudray, la bambinaia, accenna un passo, poi un altro. È un'esperienza nuova, per lei, e ce la sta mettendo tutta: lo si vede dal suo sguardo concentrato e da come stringe le labbra.

« Vieni qua, *cori meu* », la incoraggia Franca, e batte le mani.

Nel momento in cui la sente sicura, la bambinaia la lascia andare. Caracollando, Giovannuzza raggiunge la madre e ride, svelando dentini simili a piccole perle.

« Brava la mia *picciridda*! » Franca l'abbraccia, le riempie il collo di baci.

« Non dovresti stare per terra. Non è dignitoso. »

Quasi fosse un fantasma apparso improvvisamente nella stanza, Giovanna adesso è alle sue spalle.

D'istinto, Franca stringe di più la bambina e guarda la suocera da sotto in su. « Sono con mia figlia nella sua camera. Stiamo giocando. Nessuno ci guarda », ribatte in tono pacato.

Giovanna alza il mento verso Mademoiselle Coudray, che arrossisce, accenna un inchino e fa per andarsene, ma Franca la ferma e le mette tra le braccia Giovannuzza. « *S'il vous plaît, emmenez-la dehors, qu'elle puisse respirer de l'air frais* », le dice.

« La stai viziando », mormora Giovanna, non appena Mademoiselle Coudray e la piccola si sono allontanate. « Le bambine hanno bisogno di fermezza. Più dei maschi. »

« Fermezza? » esclama Franca, alzandosi, con una risata amara. « Ma se vostro figlio ha sempre fatto tutto ciò che ha voluto e ancora oggi si comporta peggio di un *picciriddu* capriccioso! »

Giovanna inclina la testa, sorpresa da quello scatto. « Che intendi? » replica, irritata.

« Vostro figlio, mio marito, è un bambino viziato che non si cura delle conseguenze di ciò che fa. E non fingete di non sapere, ché ne stanno parlando tutti, a Palermo. Da quand'è arrivata in città quella *chanteuse*... » Fa una smorfia. « ... tutta scollacciata, lui ogni sera va all'Alhambra, un café chantant al Foro Italico. Si siede sempre in prima fila. E poi l'aspetta dopo lo spettacolo. »

« Ah. »

Una sillaba.

Franca fissa la suocera con aria di ribellione.

L'altra non abbassa lo sguardo. « Te l'ho detto già una volta, figlia mia », replica. « Devi imparare a voltarti dall'altra parte. »

« Mi sono voltata, infatti. Ma ciò non significa che lui abbia il diritto di comportarsi così. Né dà a voi il diritto di criticare l'educazione di mia figlia. »

Giovanna ha un fremito. Non è abituata a essere contraddetta. « Devi lasciarti guidare da chi ha più esperienza di te, anche come madre... »

« Una madre che riconosce al proprio figlio la libertà di calpestare il vincolo del matrimonio? Io non mancherò mai di rispetto a lui e a questa famiglia, sia chiaro. Però voglio che mia figlia si senta amata e impari subito quanto è importante difendere la propria dignità. L'onore del nome viene dopo. »

Giovanna è troppo attonita per rispondere subito. Si fissa le mani rugose e accarezza la fede del marito, trattenuta dalla sua. « A volte, un nome è l'unica cosa che ti permette di sopravvivere », mormora infine.

Ma Franca non può sentirla; è uscita di fretta e l'ha lasciata lì, sola, al centro della stanza.

Così è, si dice Giovanna. Il nome dei Florio – la definizione del loro ruolo sociale, della loro importanza, del loro potere – era stato l'àncora del suo matrimonio, la sua ragione di vita. E continuava a esserlo, anche se, dopo la morte di Ignazio, davanti a lei si era spalancato un vuoto, a malapena colmato dalle preghiere.

Il suo abito nero cattura la luce della finestra, la imprigiona. Dal parco arrivano il profumo degli ultimi fiori e il rumore delle cesoie dei giardinieri che tagliano via i rami secchi.

Giovanna fissa la porta oltre la quale Franca è scomparsa.

E pensa: *Hai ancora molto da imparare, figlia mia.*

Franca appoggia la fronte sullo stipite, una mano sulla chiave, l'altra sul cuore per placare la tensione. Respira a fondo.

Dal guardaroba si affaccia Diodata, che accenna un inchino. «La signora ha bisogno di me?»

«No, grazie. Ho mal di testa e vorrei riposare un po'. Non far entrare nessuno.»

Diodata annuisce. «Volete che chiuda le porte dei balconi?»

«Sì, per favore.»

Finalmente sola, Franca scalcia via le scarpe e si stende sul letto, un braccio sugli occhi. La camera è immersa nella penombra; nell'aria, l'aroma dei suoi profumi. È il suo rifugio, quello; ogni volta che qualcuno – la suocera, Ignazio, Palermo – intacca la sua serenità, le basta entrare in quella stanza e guardare le rose sul pavimento e gli affreschi del soffitto per ritrovarla.

Non ha mai smesso di pensare a quello che le ha detto Giulia, qualche mese prima. Che deve farsi forza, che deve mettere se stessa al primo posto. Ma com'è faticoso combattere contro chi la giudica, la critica, la accusa. Quanto è difficile farsi apprezzare per quello che si è e non soltanto per ciò che si rappresenta.

Franca scivola in un sonno leggero che la avvolge, la consola e le sfila di dosso i brutti pensieri.

Un sonno che però viene interrotto da un rumore fastidioso. Qualcuno sta bussando alla porta.

Geme, si gira dalla parte opposta, coprendosi con un cuscino. «Ho detto che non voglio essere disturbata!» esclama.

348

«Cara, sono io, Ignazio. Aprimi!» Bussa di nuovo, più insistente di prima. «Ho una sorpresa per te.»

Una sorpresa.

L'amarezza invade Franca, sostituisce la serenità che il sonno le aveva donato. Solo un anno prima, quella frase l'avrebbe fatta correre subito da lui. Ora, invece, ha capito che quello è un segno, una tacita ammissione di colpa. È il modo in cui Ignazio si lava la coscienza: un dono alla moglie, solitamente un oggetto prezioso, dopo averla tradita e aver soddisfatto i capricci dell'amante.

Un risarcimento non richiesto.

Scende dal letto, va ad aprire la porta. Non lo degna di un'occhiata; si siede alla toeletta e inizia ad armeggiare con le forcine per sciogliersi i capelli e pettinarli.

Ignazio le sorride nello specchio e le accarezza il collo. Le mormora un complimento, poi le mette in grembo un astuccio di pelle. «Per la mia regina.» Con il dorso della mano, le sfiora la guancia. «Aprilo.»

Lei sospira. Afferra l'astuccio, lo rigira tra le dita. «Chi è?»

«Cosa? Ma che...»

Lei lo interrompe: «È quella *chanteuse* che si esibisce all'Alhambra quasi nuda?»

«*Mon Dieu*, Franca, ma cosa dici?» Ignazio ha un'aria sbalordita. «Non posso fare un regalo a mia moglie così, senza motivo? Perché queste insinuazioni? Non è da te!»

Finalmente lei apre l'astuccio, rivelando un anello con uno zaffiro tagliato a *cabochon* e circondato da brillanti. Poi si volta e fissa Ignazio. «Un regalo 'senza motivo'?» chiede, gelida. «Più grosse sono le tue stupidaggini, più grosso è il tuo regalo, questa è la verità. Lo sanno tutti che mi hai tradito. Di nuovo.» Ricaccia indietro le lacrime. Non piangerà, non deve. «Quei debosciati del circolo lo hanno raccontato alle mogli e loro... Loro lo hanno detto a me!»

Ignazio arretra. Nello sguardo, sorpresa e disappunto. «E tu dai retta a...»

«Oh, non perdere tempo a negare. So tutto, fin nei minimi particolari: dalle serate che passi con lei, al brindisi con i membri del circolo per festeggiare la tua conquista, persino che ti sei vantato di quanto lei sia... compiacente. Non mi è stato risparmiato nulla.» Stringe tra le mani l'astuccio, alza la voce. «E sai cosa ho ribattuto a quelle vipere, dopo che mi avevano raccontato ogni cosa? Che i loro mariti sapevano tutto perché erano in compagnia del mio!»

Ignazio è interdetto. Le volta le spalle, biascica: «Grandissimi pezzi di *crasti e cornuti*...» Poi si gira di nuovo, sorride, cerca di abbracciarla.

Ma lei si divincola, lo allontana.

«Tesoro mio, ma quelle donne ricamano sul niente... Certo, ho assistito a qualche spettacolo e questa... donna mi ha dedicato attenzioni e sorrisi. Ma niente di più.» Sbuffa. «Certi uomini sono più invidiosi delle femmine e inventano...»

«Invidia?» Franca ride, amara, e getta la testa all'indietro. «Certo che t'invidiano! Ti porti a letto le donne più belle, le copri di soldi... Si può dire che in tua compagnia non indossino altro!»

«Non essere volgare, adesso», ribatte Ignazio.

«Ah, sono volgare io? Io?» Scatta in piedi, gli tira contro l'anello, che rimbalza sul pavimento. «Non lo voglio, maledizione! Sono tua moglie, non una femmina che puoi comprarti! E adesso vattene! Vattene da quella sgualdrina che ti aspetta con le gambe aperte!»

Ignazio arretra ancora, raccoglie l'anello. Poi squadra Franca, stravolta dalla collera. «*Chista è l'ultima!* Credi più ai pettegolezzi delle femmine che alle parole di tuo marito», mormora, in un tono che vorrebbe essere sprezzante. «Tornerò quando sarai più ragionevole.»

Franca rimane immobile, le braccia lungo i fianchi, gli occhi chiusi.

Sente la porta che si apre e poi sbatte con violenza.

Le lacrime adesso le bagnano le guance arrossate. Piange, e sente quel peso, quell'angoscia nel petto che si gonfia e pare respirare, come se fosse una cosa viva.

Ma non piange perché è stata tradita. Piange perché lo perdonerà. Sì, lo farà, e non perché Giovanna le ha detto di perdonarlo *sempre*.

Lo perdonerà perché lo ama, lo ama davvero. E spera con

tutta se stessa che quell'amore lo cambi, gli faccia capire che non troverà mai un'altra donna che lo ama come lei. Ma ogni tradimento è un'incrinatura dell'anima in cui s'insinuano disillusioni e amarezze. E allora Franca piange ancora più forte e prega, prega disperatamente che quelle incrinature non la mandino in frantumi.

Alla fine, si asciuga il volto con un gesto stizzito, si gira verso lo specchio e fissa la propria immagine. Non avrebbe dovuto permettere alla collera di prendere il sopravvento: ora è stravolta e ha gli occhi arrossati. Una donna magnifica, ma con il viso deformato dall'angoscia.

E adesso? si chiede. *Quanto mi costerà stavolta andare avanti?*

Passi secchi e decisi annunciano l'arrivo di Giovanni Laganà nell'ufficio di Ignazio, nella sede della Navigazione Generale Italiana di piazza Marina.

Entra con piglio sicuro. Non saluta Ignazio che è fermo dinanzi alla finestra, anzi. Quasi sbatte la porta e, senza essere invitato, si siede davanti alla scrivania.

« Mi avete fatto sapere che non desiderate più avvalervi della mia opera », esordisce, senza preamboli. « E sia, è nel vostro diritto. Ma non me lo potete dire per lettera come se fossi l'ultimo dei cafoni che lavora alla fonderia. Non me lo merito, non dopo tutto quello che ho fatto per voi e per la vostra famiglia. » L'ostilità è solo la scorza di una collera trattenuta a malapena. « Voglio sapere perché. Sapere cosa vi ha portato a questa scelta. In faccia, me lo dovete dire. »

Ignazio si avvicina lentamente alla scrivania, si siede. Lo squadra di rimando, con alterigia. « Se voi siete furioso, io sono addolorato. Perché, mi chiedete. Perché avete tradito la mia fiducia e quella della mia famiglia. Volevate più potere e più denaro e, siccome qui da noi non potevate averlo, allora l'avete chiesto ad altri, mettendo in cattiva luce me e la mia casa commerciale. Lo avete fatto anche quando mi avete spinto a fidarmi del Credito Mobiliare... Ricordo bene quanto avete insistito sull'affidabilità della banca, e guardate quanto mi è costato! Lo negate?» Non gli dà tempo di rispondere. «E adesso... Volete vedere le carte che mi sono arrivate da Genova? Le lettere scritte di vostro pugno!» Indica una cartelletta beige, l'unica che campeggia sul piano della scrivania.

Laganà la afferra, la apre con gesti rabbiosi, scorre i fogli.

«Pensavate che sarei rimasto all'oscuro della vostra intenzione d'impedire i miglioramenti alle navi in modo che il governo non rinnovasse *a noi* le convenzioni?» Ignazio gli punta un dito contro. «Siete non solo falso e bugiardo, ma pure millantatore. Sono io che decido quali ammodernamenti fare, io insieme con il consiglio di amministrazione. Avete pensato d'imbrogliarmi come se fossi l'ultimo degli idioti. Chi vi credete di essere?»

Laganà sembra non ascoltarlo. Lascia cadere sul piano della scrivania i fogli, scuote la testa, poi si guarda le mani: ha dita massicce, la pelle macchiata dall'età. Ignazio tace, attende che le sue parole facciano effetto. *Si è visto scoperto e ora chiederà scusa*, pensa. *Si dichiarerà innocente, mi chiederà di spiegare...*

Invece, quando l'uomo alza gli occhi, quasi trasalisce.

Sul suo viso c'è un'unica emozione: disprezzo.

«Il vostro problema, don Ignazio, è che credete a tutto quello che vi dice la gente. Non so se siete ingenuo oppure un grandissimo pezzo di scimunito. In ogni caso, siete un incompetente.»

Ignazio resta immobile, attonito.

Fuori, le ruote di carri e carrozze scricchiolano sul basolato, e quei rumori riempiono il silenzio della stanza. «Siete stato un amministratore infedele, avete tradito la fiducia di Casa Florio e adesso... voi insultate *me*?»

Sotto i baffi spruzzati di grigio, le labbra di Giovanni Laganà sono una linea dura. «Sì. Voi. Ho lavorato con dedizione per vostro padre, l'ho seguito in ogni impresa, l'ho sempre consigliato per il meglio. La mia fedeltà a Casa Florio non è mai stata messa in discussione e voi invece mi accusate di svendere le rotte per favorire i nostri concorrenti... sulla base di cosa? Di dicerie? Di chiacchiere riferite?» Afferra le carte, le accartoccia e le getta via.

«Avete trattato con i nostri rivali!»

Allora Laganà ride. Una risata cupa, cattiva. «Ora l'ho capito. *Siti 'un fissa!*» Sbarra gli occhi, quasi incredulo. «Siete debole, don Ignazio. Casa Florio è senza *picciuli* in cassa, *e senza dinari 'un si canta missa*. Vi rendete conto che non avete abbastanza soldi per sistemare la flotta? E voi, anziché ringraziarmi perché tratto con i vostri concorrenti per limitare i danni, per evitare che vi saltino addosso e facciano di voi carne di porco, puntate il dito contro di me, che vi ho sempre servito. Che vi ho difeso!»

È una minaccia, pensa Ignazio. Stringe le dita sul bracciolo della poltrona appartenuta a suo padre. *È una minaccia e questo farabutto vuole spaventarmi... e umiliarmi.*

La sua convinzione che Laganà sia un bugiardo e un manipolatore si rafforza.

Cerca di apparire autorevole. Vuole, deve esserlo. «E io vi ringrazio per il lavoro che avete fatto. Anche mio padre, se fosse stato qui, vi avrebbe ringraziato ma, come me, non avrebbe tollerato nemmeno l'ombra di un sospetto sulla vostra fedeltà a Casa Florio.» Unisce le mani davanti a sé. «In nome di quello che c'è stato, io vi porto ancora rispetto. Vi offro la possibilità di andarvene senza polemiche e con una liquidazione adeguata. Fate voi il passo. Non costringetemi a licenziarvi, mettendo in piazza le ragioni per cui lo faccio.»

Laganà gli lancia un'occhiata di commiserazione. «Voi, di vostro padre, portate solo il nome. Ben presto quel nome non avrà più nessun potere. E sarà solo colpa vostra. State attento a come agite e a chi date retta: questo è l'ultimo consiglio che vi do. Voi non riuscite a vedere né a capire quale danno state facendo alla NGI. Tutto quello che accadrà a Casa Florio, d'ora in poi, sarà il frutto delle vostre scelte.» Si alza. Le dita sfregano la falda del cappello. «Riceverete le mie dimissioni domani stesso. Sono io, ora, che non voglio più lavorare per voi. Dopo tanti anni, essere messo alla porta così... No, non me lo merito.» Si china in avanti e, per un istante, Ignazio ha quasi timore che voglia aggredirlo. La furia nello sguardo di Laganà è lava incandescente. «Però mi dovrete pagare, e tanto, perché il mio lavoro e la mia fedeltà hanno un prezzo.»

Ignazio rimane in silenzio. Dalle pareti sembrano arrivare

degli scricchiolii, come se la boiserie si stesse contraendo. O forse sono i rumori di una Palermo indifferente.

Laganà raggiunge la porta, si ferma sulla soglia, si volta. «Non finisce qui, *signor* Florio», dice. «Perché tutto nella vita ha un prezzo, anche l'ingratitudine. E tempo ci vuole, ma quello che vi siete guadagnato grazie a me lo dovrete tornare indietro.»

La porta si chiude alle sue spalle con un tonfo.

Tutto nella vita ha un prezzo. È così ovvio, si dice Ignazio, stizzito. Pensava forse di farla franca, Laganà? Che lui, Ignazio, fosse da meno di suo padre? *Ma non scherziamo!*

Chiuso nella carrozza che lo sta riportando a casa, Ignazio riflette su quello che è accaduto, senza quasi rendersi conto che il sole è ormai calato e che la temperatura si è abbassata. Ottobre ha portato con sé giorni brevi, come se le folate di vento volessero rubare la luce.

Mentre i cancelli dell'Olivuzza si aprono e la carrozza arriva accanto al grande olivo, però, i suoi pensieri sono già diversi. Ha voglia di risate, di champagne, di musica, di chiacchiere allegre. È stata una giornata troppo pesante per trascorrere la serata in casa o in qualche piccolo ritrovo. Chiederà a Franca quali inviti hanno ricevuto e sceglierà quello più eccentrico.

Trova la moglie nella stanza di Giovannuzza. È in piedi davanti a Mademoiselle Coudray e alla piccola, che stringe tra le mani un cucchiaino d'argento. Franca lo saluta, sorride. «Guarda che brava la nostra *picciridda*», gli dice poi in tono orgoglioso. «Sta imparando a mangiare da sola.»

Ignazio si avvicina al seggiolone. Giovannuzza s'illumina, poi allunga le braccine, facendo schizzare all'intorno il semolino. «Papapaà», balbetta.

«Mangia», le dice lui, ridendo e indicando il piatto.

La bimba lascia cadere a terra il cucchiaino e batte le mani.

Per un momento, le angosce vengono cancellate, Laganà, le carte, i conti che non tornano... tutto sembra perdere d'importanza. Ma è solo un attimo. Mentre Mademoiselle Coudray pulisce la bocca di Giovannuzza, Ignazio mormora a Franca: «Vorrei uscire, stasera. Ho bisogno di distrarmi».

Lei si arrotola una ciocca di capelli intorno alle dita. «Preferirei rimanere a casa, Ignazio. Diodata mi ha detto che ci sono state altre proteste e una carrozza è stata presa a sassate, e sono preoccupata.»

«Ma no, sono chiacchiere da cameriera. Va' a prepararti, su.»

Franca fa cenno di no. «Ti prego, restiamo a casa. Solo per stasera. Siamo sempre fuori e io avrei voglia di passare qualche ora solo con te e nostra figlia.»

«A casa? Come dei morti di fame che non possono permettersi di partecipare a una festa o di accettare un invito?» Ignazio scuote la testa, si allontana verso la porta. «Non posso credere che tu, proprio tu, mi stia dicendo questo!»

Franca lo insegue per il corridoio, lo prende per un braccio. «Non capisco... Per una sera... Credevo ti facesse piacere...»

«Io voglio uscire! Non ce la faccio più a star sempre chiuso qui dentro!»

Franca lascia la presa, abbassa la testa.

«Tu fai pure la governante, visto che ti diverte tanto.» La supera con passo rabbioso. «Io me ne vado da Romualdo e poi al circolo... o altrove, se mi va. Non aspettarmi alzata.»

«Beati gli occhi che ti vedono! Non ti facevi vivo da una settimana. Ho avuto un invito per una serata di carte, vieni con me?»

La casa di Romualdo Trigona, in piazza della Rivoluzione, non ha neppure una stilla della modernità dell'Olivuzza, ma Ignazio ama respirare quell'afflato di libertà che emanano le stanze di uno scapolo. Davanti allo specchio della sua camera, Romualdo si sta vestendo con la sua tipica flemma. Intorno a lui, sul letto, sul cassettone di mogano e sulle sedie, giacche e cravatte gettate alla rinfusa.

«Hai più vestiti di una femmina, cugino!» esclama Ignazio.

«Parla quello che, quando va dal suo sarto, a Londra, ordina giacche e completi come se dovesse vestire un esercito», commenta l'altro. Indossa un gilet damascato, ci appoggia sopra una cravatta di seta *moiré* rossa e chiede a Ignazio un parere con lo sguardo.

«Così sembri un divano, *curò*», ridacchia Ignazio, e gli fa cenno di sostituire la cravatta. «Meglio quella di raso liscio.»

L'altro sorride per quell'appellativo buffo e un po' affettuoso che Ignazio usa solo con lui, accetta il consiglio, si annoda il *plastron* e nel frattempo lancia occhiate sghembe all'amico. «Che hai, Igna'? Hai un *malutempu* addosso...»

Lui scrolla le spalle. «Rogne alla Navigazione. E mi sono *sciarriato cu' Franca.*»

«Che, ha scoperto qualche peccatuccio? O sono andate a riferirle storie?»

«No, stavolta no. Ma si è comportata in una maniera che mi ha fatto *siddiare.*»

Romualdo non chiede altro. Le liti tra quei due non sono più una novità. «Secondo te, perché ancora non mi marito? *Accussì* mi risparmio sfuriate e porte sbattute in faccia.»

«Ma non hai un mezzo accordo...»

«... con il padre di Giulia Tasca di Cutò, sì. Ma lei ancora è una *picciridda* per i miei gusti e io mi voglio divertire.»

Ignazio appoggia la testa allo schienale della poltrona. «Non me ne parlare. Franca diventa isterica ogni volta che viene a sapere di certi fatti. Poi, stasera che volevo uscire con lei, le è venuto in testa che dovevamo stare a casa a *taliàrci* negli occhi, noi con la *picciridda*. Ma ti pare cosa? Uno lavora tutto il giorno e poi deve stare a casa come un *puvireddu*?»

Romualdo scrolla le spalle mentre si pettina. «*Fimmina* è», considera con distacco. Osserva la linea della riga, perfetta, lucida di brillantina. «E le femmine, dopo un poco, vogliono stare in casa a fare le madri di famiglia.»

«Va bene, è giusto. Ma Franca non può mettermi la catena al collo.» Sospira. «Insomma deve capire che un uomo ha certe esigenze... È così da che mondo è mondo. Non è che, se io mi diverto o se ho un'amante, voglio meno bene a mia moglie: una cosa è Franca, un'altra sono le altre donne. E poi io a lei non faccio mancare niente.»

« Le donne si stanno mettendo in testa 'ste idee, che i maschi devono dare loro conto e ragione... » borbotta Romualdo, e agita la mano come a dire: *Follie*.

Ignazio scuote la testa. « Ma no, è che lei ha paura che non la guardo più, e la cosa mi dà i nervi perché non è che in questo modo mi toglierà dalla testa certe cose. Io ho bisogno delle altre femmine. Voglio divertirmi, voglio lasciarmi affascinare da loro e prendere quello che mi offrono. Specie se sono le più ambite, le più desiderabili. Non accetto che mi dicano di no. È peccato? Be', ho tutta la vita per confessarmi e pentirmi. »

« E infatti le femmine ti dicono di sì... e soprattutto lo dicono ai tuoi *picciuli*. » Romualdo si accende una sigaretta e soffia via il fumo, ridendo sotto i baffetti curati. « Comunque tutto questo parlare di femmine mi ha fatto venire voglia di fare una passeggiata. Lasciamo perdere le carte e andiamo alla Casa delle Rose. Mi hanno detto che sono arrivate ragazze nuove. »

Velluti rossi, alcove, vestaglie di pizzo che si aprono per svelare corpi morbidi e sodi. Di colpo, Ignazio immagina tutto questo e quasi avverte l'odore della cipria e dei profumi. La Casa delle Rose è un luogo raffinato, ben diverso dai postriboli che si trovano dalle parti di piazza Marina o nelle vicinanze della Fonderia Oretea. Lì un uomo può lasciare alla porta il suo fardello di stanchezza e di angustie e trovare un po' di pace, e perché no, anche di allegria.

« *Raggiuni hai*. Andiamo, *curò* », dice, e scatta in piedi. Romualdo spegne la sigaretta, prende la redingote dall'armadio e ride tra sé. Basta davvero poco per far cambiare l'umore di Ignazio.

È passata la mezzanotte quando Ignazio torna all'Olivuzza. Ha diversi bicchieri di champagne in corpo e barcolla leggermente. Sorride appena, in preda all'ebbrezza. La serata è stata assai divertente, e la ragazza con cui si è accompagnato era un fiore, una autentica bellezza napoletana, con occhi di giaietto e una bocca che...

« Non dovresti rientrare a quest'ora. »

Giovanna, in vestaglia, lo attende in cima allo scalone rosso.

«*Maman*, è tardi», sospira Ignazio, improvvisamente irritato. «Di qualunque cosa dobbiamo parlare, non possiamo farlo domani? Ho mal di testa.»

Lei scende alcuni gradini, gli si para davanti. «Puzzi di vino e di puttane come un debosciato», lo apostrofa. Freme di sdegno, Giovanna, e di collera. Lei non ha educato così suo figlio. Non lo riconosce. Suo marito, che Dio lo abbia in gloria, è sempre stato rispettoso nei confronti suoi e del nome che portava e ora pare che suo figlio stia facendo di tutto per disonorarli.

«Non vi permetto di parlarmi così, pure se siete mia madre.»

Ignazio alza la mano, fa per spostarla, ma Giovanna sembra di marmo. Gli posa una mano sul petto, lo inchioda con un'occhiata feroce. «Ti stai comportando da irresponsabile. Ho saputo quello che hai fatto alla Navigazione: buttare fuori Laganà in quel modo è stato gravissimo. Lui ora è furibondo e non ha torto, perché certe cose si devono saper fare. E ora? Chi chiamerai al suo posto?»

«Non sono affari vostri!» Ignazio quasi strilla. «Che è, volete spiegarmi pure come comportarmi sul lavoro? Vi volete mettere i pantaloni e andare in ufficio al posto mio? Fatelo. A me un favore fate!»

Giovanna rimane immobile. Ci sono cose che vanno dette e sa che nessuno può farlo se non lei. Per un istante, quasi rimprovera il marito per averla lasciata sola a gestire quel figlio così immaturo. «Tu stai sbagliando tutto, Ignazio. Dovresti stare con tua moglie, che è un *ciure* e invece le urli contro e scappi. Sono passati già molti mesi da quando avete avuto la *picciridda* e dovresti pensare a fare un *masculu* anziché andare in giro come un...» Si ferma, una mano sulle labbra per trattenere un insulto. «Hai una moglie *bedda* e fedele che ti aspetta; invece di perdere tempo e soldi con le altre femmine, pensa a quello che hai già.»

Ignazio avvampa. È perfettamente lucido, ora. «Pure in camera da letto vi volete infilare, ora?»

«Non mi interessa quello che fai.» La voce di Giovanna è una rasoiata. «Le uniche cose che m'interessano davvero sono

358

questa famiglia e il suo futuro. » Si fa da parte, gli dà le spalle e comincia a salire i gradini di marmo rosso. « Tu, io, non contiamo. Conta solo il nome dei Florio e tu devi esserne all'altezza. E ora va' a lavarti. »

Lo lascia lì, sulle scale, immobile, con gli occhi sbarrati e un'improvvisa nausea. Ignazio avverte un conato, si porta una mano alla bocca e fa appena in tempo a precipitarsi fuori dalla porta d'ingresso prima di vomitare.

Poi, con la fronte appoggiata al muro, gli occhi appannati dal malessere, il corpo sudato e scosso da brividi, guarda la mano con l'anello d'oro di suo padre. Franca glielo aveva restituito durante il viaggio di nozze, dicendogli che era giusto che lo portasse lui, perché era il capofamiglia.

Suo padre... Lui sì che era stato un vero capofamiglia. Sobrio, e attento, e discreto. Aveva difeso a ogni costo l'onore dei Florio. Non aveva mai umiliato sua moglie né messo alla porta un collaboratore senza dargli la possibilità di spiegarsi.

E lui, invece? Lui chi è?

La sala da ballo è illuminata a giorno. I lampadari in cristallo di Murano colorano d'oro le modanature delle porte, le specchiere che sovrastano le consolle francesi e il damasco delle tende color avorio; lungo le pareti, divani e pouf attendono gli ospiti che arriveranno tra poco.

Delle due sale da ballo dell'Olivuzza, Franca ha scelto questa, anche se si trova nella parte più antica, perché è più grande e più riccamente decorata. Il primo ballo della stagione palermitana del 1895 non è il primo per lei e per Ignazio, ma forse è il più importante perché sarà la pietra di paragone per tutti gli altri.

Sul lucido parquet a spina di pesce, i passi di Franca risuonano appena, coperti dalle note dell'orchestrina che sta accordando gli strumenti: inizieranno con un valzer e saranno lei e Ignazio ad aprire le danze. Accanto alle porte finestre che si aprono sul giardino, camerieri in livrea attendono, impettiti come una guardia reale. Franca alza gli occhi sul soffitto chiaro, circondato da cornici in gesso dorato, e ricorda come si era sentita piccola, la prima volta in cui era entrata in quell'ambiente così sfarzoso, e com'era stato emozionante vedere, oltre le grandi porte a vetri, le torce che illuminavano il giardino.

Raggiunge il terrazzo: sotto il gazebo di ferro battuto, coperto da un telone bianco, sono stati sistemati i lunghi tavoli per i rinfreschi. Limonata e spremute di frutta sono già pronte dentro caraffe di cristallo Baccarat o di Boemia. Champagne e vino bianco, invece, sono in *glacettes* d'argento così grandi che ci si potrebbe fare il bagno a un bambino. Nei grandi vassoi tirati a lucido, si specchiano calici di vetro finemente lavorato.

Franca annuisce tra sé, poi rientra nella sala da ballo e si dirige verso la stanza del buffet, affrescata da Antonino Leto quand'era ancora vivo il suocero. Lì trova Nino che parla con il *sommelier* di casa. I camerieri stanno terminando di disporre sui tavoli le bottiglie del miglior marsala di Casa Florio, insieme con il cognac, il porto e i brandy.

Dall'altra parte della sala, una cameriera sta sistemando la posateria d'argento accanto ai piatti e alle tazzine in porcellana di Limoges. Non appena scorge la padrona, la ragazza arrossisce e accenna un rapido inchino. «Ho finito, signora», borbotta, a mo' di scusa. E quasi corre via.

Franca trattiene un sospiro stizzito mentre la osserva allontanarsi in direzione del piano inferiore. Durante le feste da ballo, le domestiche *devono* rimanere in cucina. Anche perché hanno il loro bel daffare, dato che, a differenza di altre famiglie nobili, i Florio non si limitano ad avere un *monsù* con un pugno di aiutanti, ma dispongono di un'intera brigata di cuochi, che si occupano anche della pasticceria. Per quella sera, Franca ha ordinato che venissero preparate tartellette alla frutta, sfoglie alla crema Chantilly, torte Savarin e alla panna, ma anche bavaresi e spongate. Poi ci saranno il *gelo di mellone*, vari sorbetti e coppe di frutta candita.

Sul grande tavolo, sono disposte anche le antiche caffettiere d'argento, di manifattura napoletana, con i manici in ebano e in avorio, che lei ha scelto tra i numerosi servizi custoditi nei grandi stipi e nelle credenze dell'Olivuzza. Accarezza il lino della tovaglia di Fiandra, di un bianco abbagliante, rivestito da un copritavola di raso con lunghe frange che sfiorano il pavimento, e sorride tra sé, soddisfatta, poi fa un cenno a Nino. «Avevo ordinato che i cestini per i *cotillons* fossero decorati con i gigli della serra. Avete provveduto?»

Il maggiordomo annuisce. «Così è stato fatto, donna Franca. Abbiamo sistemato i fiori nella stanza del ghiaccio per tenerli freschi e, quando sarà il momento, li metteremo insieme con i doni per i vostri ospiti.»

«Bene. Non appena la sala sarà piena per metà, iniziate a servire lo champagne. Voglio che gli ospiti inizino subito a divertirsi e a danzare.»

Congeda l'uomo, poi attraversa una serie di stanze per raggiungere il salotto cremisi dove, in accordo con Ignazio, ha fatto preparare vari tavoli da gioco, insieme con una abbondante scorta di sigari toscani. Un cameriere sta sistemando bottiglie di brandy e cognac Florio nel mobile dei liquori, intarsiato in tartaruga, avorio e madreperla e sormontato da un quadro di Antonino Leto, che raffigura alcune barche a vele spiegate.

Il salotto riservato alle dame, lì accanto, è ormai pronto: sulle *étagères*, vasi di porcellana cinese e giapponese sono ricolmi di fiori del giardino e i lumi, schermati da sete orientali stampate, diffondono una luce delicata, rivelando la bellezza dei quadri, tra cui spiccano le opere di Francesco De Mura, Mattia Preti e Francesco Solimena che Franca ha scelto apposta per quella stanza.

Ed è lì, nella penombra, su un divanetto, che Franca trova Giovanna, una sagoma nera che spicca sul velluto rosa. La suocera la osserva da sotto in su, poi sorride. «*Tutti cosi boni faisti*», le dice, e le tende la mano. Franca, sorpresa, la prende e si siede accanto a lei.

«Mi sembra di essere tornata ai tempi di quando Ignazio mio era vivo, con le stanze tutte addobbate e i saloni pieni di gente che ballava.» Giovanna accenna un sorriso incerto. «Mia zia, la principessa di Sant'Elia, diceva che nessuna festa stava al pari con le nostre.» Il ricordo di una gioia antica le addolcisce lo sguardo. Ritrae la mano. «Vai ad accogliere i tuoi ospiti, ora.»

Mentre attraversa l'ultimo salone, Franca si sofferma davanti a uno specchio e scosta una ciocca di capelli dalla guancia. L'abito scollato è in satin color pesca, ornato da un pizzo avorio, ed è stato disegnato per lei da Worth. Tra le dita ingioiellate, un ventaglio con inserti di madreperla. Al collo, le sue amate perle.

Sì, tutto è pronto.

Tra i primi ad arrivare ci sono i Tasca di Cutò: Giulia, che è diventata una cara amica di Franca, accompagnata da Alessandro, il giovane erede, e dalla sorella minore, Maria. La famiglia Tasca di Cutò è di casa all'Olivuzza ed è una delle poche che Giovanna riceve con piacere, in ricordo dell'amicizia che la legava alla madre di Giulia, la principessa Giovanna Nicoletta Filangeri, morta pochi mesi prima di Ignazio.

Franca saluta tutti, poi prende sottobraccio Giulia. «Cara, dov'è Romualdo?»

L'altra fa un gesto vago. «Il mio futuro marito si è fermato con Ignazio ad accogliere mio cognato Giulio e sua moglie Bice.» Fa una smorfia di stizza. «Lo sai com'è: quando arriva mia sorella, tutti cadono ai suoi piedi.»

Franca non commenta, ma nei suoi occhi passa un lampo di comprensione: neppure Ignazio è immune al fascino di Beatrice Tasca di Cutò, moglie di Giulio Tomasi, duca di Palma e futuro principe di Lampedusa. Anche perché Bice sa benissimo come «usare le sue grazie», a quanto dicono.

Ma Giulia, pragmatica per carattere, non indugia in riflessioni simili. «Vorrei chiederti un consiglio sul vestito per la cerimonia civile... Mi puoi accompagnare dalla sarta, domani? Mi fido solo di te e del tuo gusto.»

Franca annuisce e le stringe le mani.

«Adesso però vorrei portare i saluti di mio padre a donna Giovanna. Sai dov'è?»

«Nel salotto delle dame. Vai, parliamo dopo.»

La guarda sparire oltre le porte foderate di velluto trapuntato, poi saluta gli altri ospiti: prima sua cognata Giulia e il marito Pietro, poi un'altra cara amica, Stefanina Spadafora, che la scruta da capo a piedi e si lascia andare a un'esclamazione di meraviglia per l'eleganza del suo vestito.

Franca sorride di nuovo. Quel sorriso, il vestito e i gioielli sono ormai il suo scudo, la proteggono dai timori, dalle chiacchiere e dall'invidia. E questa sera sono più forti che mai. Perché il primo ballo della *season* palermitana *deve* essere indimenticabile.

« Che hai, *curò*? Non ti diverti? » chiede Romualdo Trigona, sedendosi accanto al cugino.

L'altro si stringe nelle spalle. « *Camurrie*, lo sai. »

« Guarda là... le signore sono tutte insieme. Secondo me, ci stanno mettendo in croce », considera Romualdo, ridacchiando, senza aspettare la risposta di Ignazio. Poi afferra al volo un calice di champagne. Lo assapora a occhi chiusi, li riapre e vede Pietro Lanza di Trabia che lo osserva, divertito.

« Ah, temperatura perfetta! Ma quanti *carritteddi* di ghiaccio hai fatto arrivare dalle Madonie, Igna'? »

Ma questi non l'ha neppure ascoltato. Ha un'aria assorta, la fronte solcata da rughe.

« Oh, Ignazio, non mi dirai che non ti piace più il Perrier-Jouët! » ride Pietro, imitato da Romualdo. « Ah, ma forse ho capito! Sei triste perché *non puoi taliàre fimmine picchì c'è to' mugghiere.* »

Finalmente Ignazio si scuote. « No, no. » Esita, poi continua: « Non riesco a togliermi dalla testa 'sta storia di Laganà e di suo figlio ».

D'un tratto serio, Pietro si volta appena, percorre la sala con lo sguardo. Coppie ballano al ritmo vivace di una mazurka, il rumore dei tacchi contro il parquet è così sonoro che quasi copre la musica. « Non qui. Andiamo fuori. »

Raggiungono il grande balcone che si affaccia sul giardino, a poca distanza dai tavoli dove vengono serviti dolci e gelati. Il parco dell'Olivuzza è un mare scuro punteggiato da decine di piccole torce disseminate lungo i sentieri. Qui e là, si scorgono coppie che passeggiano, seguite dagli chaperon.

« Ha fatto candidare Augusto, suo figlio, come deputato, e cerca di ottenere per sé un seggio al Senato », spiega Ignazio, quand'è sicuro di essere lontano da orecchie indiscrete. « Briga per entrare in politica, perché, dice, lui ne ha diritto più di altri per come ha servito Casa Florio e il Paese.» Nella sua voce si mescolano amarezza e irritazione. «E poi ha la faccia tosta di venire da me a chiedere i soldi che gli devo come indennizzo.»

Pietro guarda lui, poi Romualdo. «Aspetta, ci sono delle cose che non so. Che è 'sta storia del Senato?»

Romualdo si tasta la giacca, cerca il portasigari con i cerini. «La conseguenza del pasticcio che ha fatto tuo cognato quando ha licenziato Laganà o, meglio, quando lo ha buttato fuori in malo modo dalla Navigazione Generale Italiana. Ora quello cerca soddisfazione.» Si passa una mano sulle labbra. «Ha fatto un macello, ecco cosa.» Aspira una boccata, guarda il cielo. «Un vero macello.»

«*E iddu ora voli i picciuli e va faciennu scruscio*», dice Ignazio a Pietro in tono infastidito. Romualdo guarda il bicchiere vuoto, fa cenno a un cameriere sulla soglia del balcone perché gliene porti un altro.

Pietro increspa le labbra in una smorfia di disappunto. Ultimamente Romualdo beve un po' troppo e si comporta di conseguenza.

«Ha contattato vari deputati, che poi mi hanno subissato di lettere, raccomandandomi di agire 'con prudenza'. Ma vi rendete conto che vorrebbe dirmi come mi devo comportare? Gliel'ho promesso e glielo darò, quell'indennizzo, ma dovrà sudarselo. Senza contare che, al momento, in cassa non ce li avrei neppure, tutti quei soldi.»

«Ma da chi hai saputo che candida il figlio?» domanda Romualdo, ignorando quell'ultima frase. «Voglio dire... è una voce che gira, ma credevo fosse solo una congettura.»

Ignazio s'infila le mani in tasca. Studia la linea perfetta delle sue scarpe inglesi. «No, purtroppo. Abele Damiani mi ha confermato tutto: Laganà è andato da lui, ha spalato fango su di me e gli ha chiesto di parlare con Crispi perché sia lui in persona a portare avanti la pratica per farlo diventare senatore. Era pure in imbarazzo a raccontarmelo.»

Romualdo agita una mano. «Damiani in imbarazzo non me lo immagino proprio, ma...»

«Oh, non mi interrompere sempre!»

Pietro e Romualdo hanno un sussulto. Ignazio non ha mai simili scatti di rabbia. Si liscia i baffetti, poi sfrega i palmi l'uno contro l'altro.

Pietro riconosce i segni dell'imbarazzo. «Laganà è uno squalo, Ignazio. Dovevi saperlo.» Un rimprovero, quello del cognato, fatto a ragion veduta.

«'Sta storia della sua entrata in Parlamento è vergognosa», sibila Ignazio. «*Iddu surci di cunnutto è*: un topo di fogna. Non deve diventare senatore.»

Romualdo beve in un sorso quasi tutto lo champagne che gli è stato portato. «E suo figlio?»

«Augusto Laganà? *Iddu* è portato da Crispi in persona.»

Pietro si guarda intorno, prende due sedie e ne offre una a Romualdo. «Non ti conviene metterti contro *iddu*, Igna'. Sempre Crispi è.»

«Ed è stato pure il nostro avvocato, quindi dovrebbe dimostrare un po' di gratitudine. Però...» Ignazio rovescia la testa all'indietro. Per un istante si lascia andare ai suoni della festa, alle voci e alle risate che arrivano a ondate dalla porta finestra aperta. Un mondo cui lui appartiene di diritto. Alza una mano per escludere la luce che esce dalla sala. Sopra di lui, oltre le volute del gazebo, il cielo notturno. «Però ormai ha quasi ottant'anni e la sua parabola discendente è cominciata da un pezzo. Lasciare il carro attaccato a un cavallo mezzo morto è il modo migliore per non andare da nessuna parte. No, c'è bisogno di una forza nuova, che abbia voglia di farsi avanti.»

«Cosa vuoi dire?» chiede Pietro, perplesso.

«*Iddu porta Laganà? E ju ci porto* Rosario Garibaldi Bosco.»

«Il socialista? Quello messo in prigione proprio da Crispi per le rivolte dei Fasci?» Pietro spalanca gli occhi.

«Sì, lui. I socialisti hanno tanti simpatizzanti tra gli operai e i marinai delle mie imprese. Basta che si agitino un po', che facciano pressione su quelli più in alto. Ho pensato a tutto. *Ca' ti pari chi sugnu scimunito?*»

Pietro continua a osservarlo con aria poco convinta. «Rischi di passare per socialista come quella testa calda di Alessandro Tasca di Cutò.» Romualdo spalanca le mani, non commenta.

«Io? Figurati. Qui non si tratta d'idee politiche, ma di capire chi può tutelare gli interessi di Casa Florio. Crispi e gli amici suoi pretendono d'impormi certe regole, ma è un modo di agire vecchio, ormai, e la loro politica è superata dai fatti. Non basta più avere soldi e titoli per contare in Parlamento. Se la forza della mia famiglia sono le fabbriche e la gente che ci lavora, allora devo cercare sostegno in chi ha interesse che queste imprese continuino a lavorare e prosperare.» Parla lentamente, Ignazio, e a voce bassa, perché gli altri capiscano che non sta scherzando.

«Cioè negli operai.» Romualdo inclina il bicchiere verso di lui in un brindisi.

Ignazio annuisce. «Se la politica è un mercato, allora posso permettermi di scegliere a chi dare il mio sostegno.»

Mezzanotte è passata da poco. Le donne più anziane si sono radunate nel salotto a loro riservato, per riposarsi e chiacchierare in pace; nel salotto cremisi, invece, parecchi uomini stanno giocando a carte, avvolti in una densa nuvola di fumo. Eppure la sala da ballo è ancora affollata e, nonostante le finestre spalancate, caldissima.

Franca, insieme con Emma di Villarosa e Giulia Tasca di Cutò, è ferma all'ingresso della sala da buffet e osserva i ballerini. Lo sa, lo sente: se pure ci sono stati commenti malevoli, non hanno attecchito. Tutto è stato assolutamente perfetto: sotto i suoi occhi, Palermo ha mangiato, ha ballato, ha spettegolato, si è divertita.

«Davvero una festa magnifica, Franca. Complimenti.»

Franca si volta. Davanti a lei, matronale e severa, c'è Tina Whitaker, accompagnata dal marito Pip. Lui ha gironzolato tutto solo per i salotti, ammirando la collezione di statuine di Capodimonte e soffermandosi per cinque minuti buoni sul grande gruppo in porcellana di Filippo Tagliolini, con Ercole schiavo della regina Onfale; Tina invece è stata, come sempre, al centro dell'attenzione, e ha sfoggiato tutto il suo repertorio di commenti arguti e di frecciatine.

«Grazie, Tina», replica Franca, sbalordita dal fatto che la

donna più schietta di Palermo non abbia nient'altro da dire sul ballo. « Avete preso qualcosa dal buffet di dolci, vero? »

« Sì. Il vostro *monsù* si è superato. Quel gelato al gelsomino è una vera delizia! Adesso, però, è ora che mio marito e io ci ritiriamo. »

« Davvero? È ancora molto presto, non è nemmeno l'una! » Franca protesta, ma conosce le abitudini di Tina.

L'altra le batte una mano sul polso mentre Pip, a disagio, si fissa la punta delle scarpe. « Voi, Franca, siete una donna fatta per la mondanità. Io invece ritengo che non sia bene rimanere a casa di un'ospite oltre una certa ora. »

Franca apre le mani in un gesto rassegnato. « E sia. Permettetemi almeno di lasciarvi un ricordo di questa serata. » Fa un cenno discreto a Nino, che è alle sue spalle. Quello si dilegua per ricomparire, un istante dopo, con un cesto di vimini decorato con gigli bianchi. Alcuni ospiti, incuriositi, si avvicinano.

« Ecco a voi », dice Franca, porgendo a Tina un astuccio. A Pip, invece, consegna un oggetto oblungo, avvolto in una carta marezzata. « Per le signore, abbiamo pensato a un ciondolo realizzato dai gioiellieri Fecarotta: una melograna, in onore dell'autunno che sta per arrivare », spiega poi, mentre Tina solleva il ninnolo. È in oro, con granati che simulano i chicchi. « Per gli uomini, invece, un portasigari in argento. » Si china verso Pip, gli parla a voce più bassa. « Sono sicura che voi lo apprezzerete. »

Joseph Whitaker arrossisce.

Tina alza gli occhi al cielo, ripone il gioiello nell'astuccio e lo fa scivolare dentro la borsetta di raso. « L'ospitalità dei Florio si conferma inarrivabile, carissima Franca. » Poi, mentre le stringe la mano, rivolge un'occhiata alle coppie che stanno ballando un'altra mazurka, borbotta: « *Ma chisti unn'hanno case e letti?* » e si allontana con Pip sottobraccio.

Franca sospira, imitata da Emma e Giulia, che commenta: « È più forte di lei. Deve comunque buttar fuori un po' di veleno, quella donna ».

In quel momento, Ignazio rientra nel salone dal terrazzo, vede Franca e le fa un cenno con la mano.

Anche lei lo vede, sorride e poi gli va incontro.

Un altro valzer con lui sarà il suggello di una serata perfetta.

« Arrivò? »

« Tra poco, tra poco... Quando viene qua dobbiamo portarlo in trionfo! »

« *Chistu si firriò tutti i carceri del continente e ora deputato è, e grazie ai Florio!* »

« Finalmente anche i padroni si sono resi conto che devono parlare con noi che siamo gli operai... »

« Ecco il piroscafo! *Ccà è!* »

« Evviva Rosario Garibaldi Bosco! Evviva i Florio! »

Sono le tre del mattino, eppure al porto di Palermo sembra mezzogiorno. Il molo e le banchine sono gremiti di operai dei mandamenti di Castellammare e dei Tribunali, in attesa del loro deputato, di quel Rosario Garibaldi Bosco condannato più di due anni prima, nel febbraio 1894, perché colpevole di aver guidato la rivolta dei Fasci Siciliani, di cui è anche uno dei fondatori. Non è un operaio, ma un ragioniere, le sue mani non sono sporche di grasso di motore, né i suoi polmoni sono impastati di fuliggine, eppure fin dall'adolescenza ha lottato perché trionfasse la giustizia sociale: da liceale, leggeva agli operai analfabeti gli opuscoli di propaganda, poi, come giornalista, aveva scritto lunghi articoli nei quali immaginava una Sicilia in cui i lavoratori non fossero angariati da quei padroni che si facevano forti della complicità di un governo repressivo.

Benché in carcere, è stato candidato alla Camera della Sinistra, e ha vinto ben tre ballottaggi, compreso quello contro Augusto Laganà, il figlio di Giovanni. E, quando, nel marzo 1896, è arrivata l'amnistia per lui e i suoi compagni, finalmente è potuto rientrare a Palermo.

Il piroscafo *Elettrico*, di proprietà della Navigazione Generale Italiana, si accosta al molo con una manovra lenta. Dopo qualche minuto, Rosario Garibaldi Bosco appare in cima alla scaletta. Lo accolgono applausi, grida di giubilo e uno sventolio di bandiere dei Fasci e del Partito Socialista.

La lunga prigionia lo ha provato assai: ha solo trent'anni, ma ne dimostra molti di più, come se fosse invecchiato di colpo. È magrissimo e si muove con lentezza. Scende, saluta i compagni, poi abbraccia a lungo il padre, che non riesce a trattenere le lacrime.

Mentre l'uomo, accompagnato da una fiumana di gente, si avvia verso casa, una carrozza si mette in movimento, lo segue e poi si ferma in una strada adiacente. Passa un'altra mezz'ora prima che la folla si disperda e vengano accostate le imposte del balcone cui Garibaldi Bosco si è affacciato più volte per ringraziare di quell'accoglienza.

Soltanto allora Ignazio e un altro uomo, con il volto seminascosto da un cappello, scendono dalla carrozza, aprono il portoncino della casa e salgono le scale di pietra. Quando Ignazio bussa alla porta, il vocio festoso all'interno dell'abitazione s'interrompe di colpo.

È Rosario in persona ad aprire. «Voi qui?» esclama, sbalordito.

È in maniche di camicia e, sui baffi, ha briciole di biscotti. Una bimbetta gli si attacca alle gambe e gliele stringe. Sembra impaurita.

Lui la prende in braccio. «Calmati, *nica mia*. Non sono poliziotti», le dice con un sorriso. La bacia, poi la rimette a terra. «Vai dalla mamma, vai», la incita con un buffetto sulle spalle. «Dille che sto parlando con degli... amici.» Quindi si rivolge ai due uomini. «Perdonatemi, ma non vi aspettavo così presto. Entrate», mormora, facendo strada verso una stanza chiusa da una porta a vetri.

Mentre Rosario accende il lume a petrolio, gli altri due si siedono su un divano. È Ignazio, un po' a disagio, a parlare per primo. «Non volevamo dare nell'occhio. Capite bene che non gioverebbe né a voi né a noi se si venisse a sapere che ci siamo incontrati», dice, a mo' di scusa. «Vero, Erasmo?»

Il genovese Erasmo Piaggio ha preso da qualche tempo il posto di Giovanni Laganà come direttore generale della NGI: è un uomo severo, determinato, abile e con pochi scrupoli. Posa il cappello sulle ginocchia, si liscia la punta dei baffetti e annuisce. Poi fissa Rosario, in attesa.

L'uomo si sfrega le mani sulle cosce, cerca le parole giuste. «Non so come esprimervi la mia gratitudine. Ho saputo che avete fatto pressioni per l'amnistia, che avete aiutato la mia famiglia e che avete permesso ai miei compagni di fare campagna elettorale anche nell'Oretea e nello scalo d'alaggio. Che abbiano messo in carcere me e i miei compagni è una cosa assurda. Il Tribunale Militare non ha capito che, se avessimo voluto, avremmo potuto scatenare una rivolta nell'intera isola.»

«Forse invece l'ha capito benissimo», commenta Piaggio, in tono pacato.

Rosario annuisce e abbassa la testa. «Già. Sono troppe le cose storte in questa terra, cose che chiedono giustizia, ma lo Stato sembra sordo e cieco.» Fa una pausa. «Comunque lo sapete bene che ormai i simpatizzanti del Partito Socialista sono moltissimi.»

«Lo so, eccome», replica Ignazio. «Alessandro Tasca di Cutò è stato arrestato per le vostre stesse idee politiche», precisa. Nel settembre dell'anno precedente, si era dovuto sorbire le interminabili lamentele di Romualdo, interrogato a lungo dalla polizia sulle «frequentazioni sovversive» del cognato. «Io, come potete immaginare, non condivido molte delle vostre idee. Tuttavia mi ritengo una persona intelligente e credo che operai e contadini debbano contare di più. In altre parole, che la loro voce debba essere ascoltata dai nostri politici, a Roma.»

Rosario s'irrigidisce. «Se gli operai si sentono tutelati, allora sono anche collaborativi, ed è così che un'impresa può prosperare. È questo che intendete?»

«Sì, proprio questo.» Ignazio abbozza un sorriso. «Voi avete ottenuto il nostro aiuto per una serie di motivi, non ultimo fermare l'ascesa di un uomo disonesto, figlio di colui che ha cercato in tutti i modi di danneggiare Palermo e la sua marineria.»

«Il figlio di Laganà. Augusto. Si è candidato contro di me nello stesso mandamento...»

«Infatti. La sua sconfitta rientrava nei miei interessi, certo, ma anche in quelli dei lavoratori. Perché significava impedire che alla Sicilia fosse sottratta la quota di tratte statali e di com-

messe per le riparazioni che tengono in vita sia l'Oretea sia lo
scalo d'alaggio. »

Piaggio si raddrizza e punta gli occhi su Rosario. «Ciò che
vi chiediamo, signor Bosco, è di essere la nostra voce presso gli
operai. Così che capiscano bene quali vantaggi possono trarre
dal... collaborare con noi», dice con tranquilla fermezza.

Rosario non replica subito. Si siede su una poltrona e il suo
sguardo passa da Piaggio a Ignazio. «Sono in debito con voi, è
vero», dice infine. «E, sì, nel caso di Laganà, il vostro interesse
è coinciso con il mio. Ma non crediate che io e i miei compagni
siamo pronti a rinunciare ai nostri sacrosanti diritti in cambio
dell'elemosina del padrone.»

«Ma nessuno vi sta chiedendo di...» dice Piaggio.

«Parliamoci chiaro: i tempi sono cambiati», lo interrompe
Ignazio, stizzito. «Un tempo, potevamo contare su Crispi,
ma ormai lui è vecchio e, dopo il disastro di Adua, i suoi nemici sono sempre di più. E non farei troppo conto neppure sul
nuovo presidente del Consiglio: vero che di Rudinì è palermitano, ma è un conservatore nell'anima. No, la Sicilia ha bisogno di uomini nuovi, che sappiano ascoltare sia i politici sia
gli operai. E agire di conseguenza. Questo è il futuro.»

«Crispi ha fatto sempre e soprattutto gli interessi di chi lo
ha votato e lo ha fatto votare.» Rosario ha abbassato la voce,
ma non c'è incertezza nelle sue parole.

«Vero.» Ignazio allarga le braccia. «Lui deve molto alla mia
famiglia, come molto i Florio devono a lui. Ma rappresenta il
passato. Non può nemmeno immaginare come e perché il mondo stia cambiando. Voi invece lo sapete e avete a cuore gli interessi della nostra terra. Insieme, possiamo impedire che la Sicilia sia messa ai margini della vita economica del Paese. Siete disposto ad aiutarci?»

«Caro Giovanni, sai come si dice nella mia città? *Si voi pruvari
li peni di lu 'nfernu, lu 'nvernu a Missina e l'estati 'n Palermu.* Ma
sono convinto che tu a Palermo ti ci troverai benissimo, nonostante lo scirocco.» Con un sorriso, accarezzandosi la barba, il

marchese Antonio Starabba di Rudinì aveva concluso: « E farai un ottimo lavoro ».

Il conte Giovanni Codronchi Argeli aveva sorriso di rimando al primo ministro. Ma, dietro il sorriso affabile, si celava la consapevolezza che quella carica dal nome altisonante – Regio Commissario Civile Straordinario per la Sicilia – era in realtà un incarico delicatissimo, irto d'insidie.

Sì, perché l'isola era una polveriera. Troppi i disordini, dai Fasci in poi; troppo estesa la corruzione, troppo diffuso il malaffare. Di Rudinì sapeva bene che era necessario rivedere i bilanci, riorganizzare dazi e tributi, ispezionare gli uffici amministrativi e sostituire i funzionari compromessi. Ma, per fare tutto ciò, doveva affidarsi a un politico immune a condizionamenti e a pressioni, senza interessi personali da difendere, con le mani libere.

A un non siciliano, insomma.

E il serio, cauto, riflessivo Giovanni Codronchi – sindaco della sua città natale, Imola, per ben otto anni – era il candidato ideale. Senza contare che sarebbe stato utile pure per indebolire ulteriormente l'influenza di Crispi, limitando nel contempo la diffusione delle idee socialiste. In sintesi, per rafforzare la posizione della Destra nell'isola.

Un disegno ambizioso che, per essere completato, aveva bisogno di alleati importanti. Di personalità in vista.

Come Ignazio Florio.

Che infatti viene invitato a un colloquio con il Commissario all'inizio del giugno 1896. È da quando ha parlato con Rosario Garibaldi Bosco che Ignazio aspetta questo momento. Tenere sotto controllo – per quanto possibile – le istanze degli operai era stato solo il primo passo; adesso bisognava convincere il governo che l'unica strada possibile per evitare proteste e ribellioni – se non peggio – era dare lavoro e darne tanto. Aveva discusso a lungo con Piaggio ma, alla fine, la soluzione più valida gli era ancora sembrata quella di avviare la costruzione di un cantiere navale da associare al bacino di carenaggio, ampliando l'attuale scalo d'alaggio. Un'idea che si era infranta, tre anni prima, contro la mancanza di denaro del comune.

L'ha fatto aspettare, Codronchi. L'ha fatto aspettare due

mesi. Ma adesso Ignazio è lì, davanti a lui, nel suo studio privato a Palazzo Reale. E scruta quell'uomo robusto, dalle guance paffute e con due grossi baffi grigi, con tutta la sicurezza di chi conosce Palermo e i suoi abitanti come il palmo della sua mano e non soltanto per sentito dire.

Dalle finestre aperte arrivano i rumori della città: grida di ambulanti, bambini che si rincorrono, la musica di un organetto. I due uomini hanno bevuto un caffè, scambiato qualche chiacchiera. Alla fine, il segretario porta via le tazzine e li lascia soli, chiudendosi la porta alle spalle.

«Dunque.» Giovanni Codronchi si asciuga l'ampia fronte imperlata di sudore, segno che di Rudinì aveva avuto ragione, sull'estate a Palermo. «Personalmente sono molto favorevole al vostro progetto, don Ignazio. La costruzione e la riparazione di piroscafi garantirebbero commesse di lunga durata e ciò significherebbe una maggiore tranquillità sociale.»

Ignazio, gambe accavallate e mani sulle ginocchia, annuisce. «Sono lieto che siate d'accordo», dice, e si china verso la scrivania. «Palermo ha bisogno di certezze: c'è una crisi che fa incattivire la gente e la fa andar dietro a certi pifferai che raccontano storie di salari favolosi per tutti. Gli operai della mia fonderia...»

«... l'Oretea.»

«Proprio loro. Protestano perché i salari sono fermi da anni, ma soprattutto perché ci sono stati licenziamenti, tanti. Ma credetemi, non è possibile fare diversamente: sono un imprenditore, devo provvedere alla buona salute della mia impresa. Non possiamo mantenerli tutti.» Aggrotta la fronte, sospira platealmente. «Credono che qui, in Sicilia, si possano avere gli stessi *picciuli* del Nord, come se noi avessimo le stesse strade, le stesse commesse. Ma la verità è che, qui, il denaro non gira; se non fosse per noi Florio, e per pochi altri, l'isola si sarebbe già spopolata, perché tutti se ne sarebbero andati in America o altrove. D'altra parte, il governo dovrebbe capire che tenere tanta gente inoperosa è pericoloso, perché si rischia che certe teste calde ne approfittino, *appricandosi* a ogni pretesto.»

«Certo, certo.» Codronchi si appoggia a un bracciolo e tamburella con l'altra mano su una cartellina davanti a sé. « A mio avviso, questo progetto toglierebbe forza proprio a quei facinorosi. È ciò che sta a cuore al governo, soprattutto al nostro presidente del Consiglio, che è palermitano come voi. Sarà mia cura caldeggiarlo personalmente, ma... » Si raddrizza sulla poltrona, incrocia le dita davanti al viso. « Sapete meglio di me che la cantieristica navale italiana, in questo momento, non gode di buona salute: Livorno e Genova sono in difficoltà, e le commesse per le costruzioni delle navi spesso finiscono all'estero, in Inghilterra... »

« Il lavoro crea lavoro, signor Commissario, lo sapete bene. Da tempo si chiede alla Navigazione Generale Italiana di ammodernare i propri piroscafi: se avessimo un cantiere a disposizione potremmo farlo, senza dover andare a Genova o addirittura a Southampton o a Clyde e tenere bloccate le navi per un tempo indefinito. E poi, parliamoci chiaro: è voce di Dio che i genovesi remano contro Palermo, e che stanno facendo di tutto per ostacolarci. Invece, se riuscissimo a costruire navi qui, daremmo lavoro a nuovi operai e avremmo commesse sia per il bacino di carenaggio sia per la fonderia. Per questo abbiamo bisogno dei fondi dello Stato: Casa Florio può mettere a disposizione molto, ma non tutto. Possiamo allestire il cantiere navale, però abbiamo bisogno di sgravi fiscali e di usare l'area che adesso appartiene al demanio e che confina con la manifattura dei tabacchi. »

Codronchi annuisce, si massaggia le labbra. « Voi sapete che chi è vicino a Crispi non appoggerà questo progetto, vero? » domanda, cauto. « E che pure all'interno del governo troveremo ostacoli... »

Ignazio si appoggia allo schienale e incrocia le mani sul ventre. « Crispi ha fatto il suo tempo, Commissario. Non è più l'uomo stimato da mio padre... » Abbassa la voce, parla con distacco. « Ormai le nostre posizioni sono lontane, se non addirittura incompatibili. Abbiamo altre necessità, oggi. Se riuscissimo a dare lavoro a operai, falegnami e muratori, leveremmo il terreno da sotto i piedi a socialisti e anarchici, che non potrebbero più approfittare del malcontento per scatenare disordini. Dobbiamo far spazio a forze nuove, lungimiranti, che abbiano a cuore lo sviluppo economico della Sicilia e che abbiano una visione del futuro in cui istituzioni e imprese riescono a collaborare. »

Da politico navigato qual è, Codronchi sa leggere tra le righe. Annuisce. «Siete un industriale e un finanziere che sa come mettere al servizio della collettività ingegno e risorse. Inoltre avete uno sguardo attento verso il futuro», dichiara.

La bocca di Ignazio si piega in un sorriso lento, sicuro, da uomo di mondo. «Finanza e politica devono lavorare in armonia», conferma. «E tocca a gente come noi far sì che ciò accada. »

«Mamma mia che confusione! » esclama Giulia, abbracciando la cognata.

Franca l'ha aspettata ai piedi dello scalone che si affaccia sul giardino, circondata da un nugolo di giardinieri e domestici che si stanno affaccendando a mettere in ordine dopo la visita dell'imperatore di Germania e Prussia, Guglielmo II, dell'imperatrice Augusta Vittoria e dei loro figli Guglielmo ed Eitel-Federico: il giorno prima, infatti, la famiglia reale è stata ospite dei Florio per un tè.

«Sì, è stata una settimana impegnativa: preparare l'Olivuzza, decidere cosa servire, attenersi al protocollo... Ma per fortuna è andato tutto bene. Il Kaiser ha apprezzato particolarmente i pasticcini alle mandorle, l'imperatrice ha ammirato molto i pappagalli della voliera e le grandi yucche, mentre Vincenzino ha parlato a lungo con il giovane Guglielmo, che è suo coetaneo...» Sorride. «Ha fatto un bel po' di errori di grammatica, ma la sua pronuncia tedesca è stata perfetta!»

«E tu adesso sei stanchissima, si vede», commenta Giulia, diretta come sempre.

«Un poco, sì», ammette Franca. «Ma soprattutto avevo bisogno di parlare un po' con qualcuno che...» Abbassa lo sguardo, poi solleva un piede. «Ecco, che non racconti a tutta Palermo che ho le scarpe impolverate perché non ho avuto tempo di cambiarmi...»

Giulia ride. «Così mi hai mandato a chiamare. Vieni, facciamo una passeggiata in giardino. Così anch'io m'impolvero le scarpe! »

La prende sottobraccio e si avviano. Il sole sta calando e non manca molto prima che le ombre scendano sul parco.

« Allora... sembra che pure dai Whitaker, ieri, sia andato tutto meravigliosamente », esclama Giulia, tutta allegra. « Tina mi ha mandato un biglietto in cui mi ha raccontato tutto. »

« Sì, ha scritto anche a me. E ci ha tenuto a sottolineare che il Kaiser ha molto apprezzato la sua esibizione canora », dice Franca, giocherellando con il filo di perle che porta al collo.

Giulia se ne accorge, le stringe il braccio. « Sono nuove? »

Franca abbassa la testa e annuisce.

« Ignazio ne ha combinata un'altra delle sue? » le chiede sottovoce. « Per questo mi hai fatto venire? »

« No... cioè sì. Mi ha regalato queste perle, e tu sai cosa significa. » Fa una pausa carica di amarezza. « Si dice che le perle portino lacrime. Non ci ho mai voluto credere, perché per me sono tra le cose più belle che esistano. Eppure me ne hanno portate, sì. Non so neppure chi sia, stavolta, la... prescelta. » Sospira, si raddrizza. « E sì che ormai so come vanno certe cose in un matrimonio. Pure Romualdo ha un'amante, anche se si è sposato da pochissimo. »

Giulia si stringe nelle spalle. « Romualdo e mio fratello sono della stessa pasta, purtroppo. » Si ferma, guarda Franca negli occhi. « Tu hai conquistato una notevole padronanza di te, sai come reagire... Ma non puoi fare a meno di pensarci, lo so. » Poi la abbraccia. Vorrebbe tanto affrontare il fratello, imporgli di essere più discreto, dirgli chiaro e tondo che sta tormentando Franca, ma sa che non servirebbe a nulla.

Per cui si scioglie dall'abbraccio e cambia bruscamente argomento. « Adesso che pure il Kaiser ha lodato la sua voce, dovremo sorbirci per l'ennesima volta la storia di Wagner che va in sollucchero quando sente Tina cantare il *Lohengrin*! Però bisogna capirla: madre natura, con lei, è stata generosa in voce e in arguzia, non certo in bellezza... »

Le labbra di Franca s'increspano in un sorriso malizioso. « Per fortuna, le figlie sono più graziose di lei e non hanno velleità artistiche. »

Ridono e camminano per un po' nel silenzio del giardino, rotto soltanto dalla voce di Vincenzino che gioca con il velocipede, sotto lo sguardo di donna Ciccia e di Giovanna. Si avvicinano a loro: Giulia vuole salutare la madre e il fratello.

D'un tratto, poco oltre le siepi, tra gli alberi, Franca scorge un uomo. Sembra un contadino: indossa una giacca marrone e un paio di scarponi logori. La guarda, le fa un cenno di saluto portandosi la mano al cappello, poi sparisce.

La donna aggrotta la fronte e si ferma.

« Ma è proprio necessario avere quella gente in giro? » chiede a Giovanna, che adesso le è accanto.

L'altra osserva l'uomo tra gli alberi. È poco più di una sagoma nell'ombra, ormai. Abbassa gli occhi, annuisce a labbra strette. « *Raggiuni hai*. Dirò a Saro di parlargli, perché siano più discreti... » mormora. « Ma sempre meglio averli vicini, questi, ché non si sa mai cosa può succedere. » Guarda il figlio. « Tu non ti muovere », gli ordina, mentre torna alla villa.

Il ragazzo aspetta che la madre sia lontana abbastanza per scappare tra i viali, verso la voliera.

« Vincenzo! Torna qui! » gli grida dietro Giulia.

Lui agita una mano e sparisce oltre un cespuglio di rose.

Giulia apre le braccia, esasperata. « Ora mia madre s'infurierà. Vincenzo è troppo viziato, non sta a sentire nessuno. L'altro giorno mi ha detto che ha intenzione di sparare ai pappagalli e che... »

Franca non l'ascolta. L'uomo si è allontanato, ma lei sa che è ancora lì. Sente il suo sguardo che la scruta attraverso gli alberi, ne percepisce la presenza. « *Cet homme m'inquiète et m'effraie.* »

« Ti capisco. Neanche a me piace avere intorno questi... cafoni, ma non si può fare diversamente », mormora Giulia. « Qui o in campagna, a Trabia o a Bagheria, c'è sempre qualcuno che ci guarda le spalle. Pietro è atterrito dai rapimenti. »

« Lo capisco, però... » Si guarda in giro. Non vuole parlare a voce troppo alta. « Lo sai che poco tempo fa hanno rapito Audrey, la figlia di Joss, il fratello maggiore di Pip Whitaker, e che lui ha dovuto pagare, e tanto, per riaverla indietro? Che tristezza! »

Giulia annuisce. «Sì, ho sentito. Povera stella, pare abbia avuto gli incubi per giorni. Mi hanno detto che è successo alla Favorita; pare fossero in quattro e hanno malmenato il palafreniere che la accompagnava. Se succedesse una cosa del genere ai miei figli, non so cosa farei.»

«Pagheresti, come ha fatto Joss. Gli hanno chiesto centomila lire e lui, zitto e buono, gliele ha date. Il prefetto ha provato a intervenire, ma loro, i Whitaker, muti. *Si scantaru boni boni.* Hanno preferito non fare *scruscio.*»

Dalla voliera arriva il grido dell'aquila, seguito dalla voce di Vincenzino. Giulia s'incupisce. «Mio Dio! Se prendessero mio fratello, mia madre ne morirebbe.»

Franca abbraccia la cognata. «Non succederà», dichiara, ma dalla sua voce non emerge la sicurezza che lei vorrebbe avere.

Ricorda che, tanto tempo prima, aveva rimproverato Francesco Noto, il capo giardiniere, perché aveva potato male le rose che lei aveva fatto venire dall'Inghilterra. Ignazio aveva aspettato che Franca rientrasse in casa, poi l'aveva presa da parte e, abbracciandola, aveva sussurrato: «*Mon aimée*, mi raccomando, tratta sempre quel cristiano con rispetto, e pure suo fratello Pietro, il guardaporta. Sono... amici che ci aiutano a mantenere la tranquillità».

Da allora, Franca aveva notato che nessuno si rivolgeva a quei due senza fare, prima, un cenno di deferenza. Nessuno. Ma non si era fatta troppe domande: era vissuta nella bambagia, certo, però sapeva come andavano certe cose.

In quel momento, scorge Saro, il valletto di Ignazio, che si sta dirigendo verso le scuderie a passo veloce. È nervoso, quasi non la saluta.

Giovanna esce dalla villa una manciata di secondi dopo e fa un cenno di assenso con la testa.

Franca annuisce in risposta. Prende Giulia sottobraccio e chiama Vincenzino perché rientri in casa con loro.

Dà le spalle al giardino, Franca. Non vuole vedere.

Il 10 agosto 1897 è luminoso e caldo. Palermo sonnecchia, con gli occhi ancora semichiusi e la luce dell'alba che entra di prepotenza attraverso le persiane e le porte accostate.

Una cameriera sta attraversando la teoria di saloni, salotti e stanze al piano terra dell'Olivuzza; trema, quasi incespica, si volta a guardare Giovanna, che cammina dietro di lei con le mani strette a pugno sul ventre, la schiena rigida e il volto di pietra. Al suo passaggio, per un istante, gli specchi sembrano riflettere l'immagine della giovane combattiva che era entrata in quella casa trent'anni prima e non quella di una donna anziana, stanca e infelice.

La cameriera quasi si precipita nella sala da buffet e indica una delle credenze con le ante spalancate. «Taliàte», mormora, costernata.

Vuoto. Il mobile è vuoto.

Spariti i vassoi d'argento, le brocche e le teiere. Il grande bacile di argento sbalzato, quello che lei ha comprato a Napoli quand'era ancora vivo il suo Vincenzino, non c'è più. I fiori che conteneva sono per terra, sotto il tavolo in mogano, calpestati da piedi che hanno lasciato orme di fango.

«Cos'altro manca?» La voce di Giovanna è un sibilo.

La cameriera si mette la mano sulla bocca, poi indica la stanza successiva. «Due di quelle cose con il nome francese che servono per mettere la frutta...» Esita, imbarazzata e impaurita. Dio non voglia che donna Giovanna pensi che *lei* c'entri qualcosa.

«Le due *épergnes*?» La voce di Giovanna è stridula. Poi, alza gli occhi verso il soffitto, quasi che lì potesse vedere le immagini di ciò che è successo quella notte. Cerca di placare la sua ira, respira profondamente. In tono più controllato, chiede: «Dov'è Nino?»

Quasi evocato dalle sue parole, il maggiordomo appare sulla soglia della sala da pranzo. Giovanna si fida ciecamente di quell'uomo che ha lavorato a lungo a Favignana, nel loro palazzo vicino alla tonnara, e ormai è da quattro anni all'Olivuzza. Mai come in quel momento, lei ha bisogno della sua calma, del suo occhio cui nulla sfugge.

«Qui sono, donna Giovanna.» Si avvicina. «Sembra che

manchino pure i vasi francesi di alabastro e alcune delle tabac-
chiere d'oro di vostro figlio. » Fa una pausa, si schiarisce la voce. Sul viso, indignazione e timore. « E non è tutto. Pigliarono
pure i giochi della signorina Giovannuzza. Ci sono le impronte
delle scarpe per tutto il corridoio. »

Giovanna sente il respiro abbandonarle di colpo il petto.

La bambina.

Sono arrivati alle loro stanze da letto. Nella loro intimità.

Un furto in casa dei Florio.

Spreggio, questo è. Un insulto al loro potere. Ladri, in casa
sua. Ladri che prendono le sue cose, quelle che lei ha raccolto,
scelto, custodito. Ricordi, e non solo oggetti, proprio come quei
due vasi di alabastro antico che lei aveva acquistato a Parigi insieme con il suo amato Ignazio da un antiquario in place des
Vosges.

Come hanno osato? Si guarda intorno, Giovanna, e avverte una sensazione sgradevole, che va oltre la paura. Oltre lo
sdegno.

Nausea.

Guarda quelle impronte di fango – *piedi incritati*, pensa con
disprezzo –, le ditate sulla superficie lucida del mogano, i fiori
calpestati. È come se avesse quei segni addosso, sul corpo, sui
vestiti.

« Pulite tutto », ordina alla cameriera. « Tutto! » ripete a voce
più alta, senza curarsi di nascondere la collera. « E voi, Nino,
fate un elenco dettagliato di tutte le cose che mancano. Fatevi
aiutare dalle *cammarere*. Devo sapere cosa *s'arrubbaru sti' disgraziati*. »

Si volta, esce dalla stanza, scende le scale che portano al
giardino. L'aria fresca non le porta nessun beneficio, anzi.
Scorge altre impronte di fango sui gradini, segno che i ladri devono essere entrati e usciti da lì.

Dovrebbe chiamare Ignazio, ma sa che sta ancora dormendo. È rientrato da poco da una crociera sull'Egeo a bordo del
suo nuovo yacht, che porta l'antico nome di Favignana: *Aegusa*. Una vacanza meritata; un anno prima, la creazione della
Anglo-Sicilian Sulphur Company, che aveva coinvolto imprenditori inglesi e qualche francese, era riuscita grazie all'o-

pera di mediazione di Ignazio e finalmente adesso stava cominciando a rendere molto bene. Di recente, poi, c'era stata la visita di Nathaniel Rothschild, arrivato a Palermo sul suo yacht *Veglia*: una serie continua di ricevimenti, di visite, di giri per la città e d'incontri di lavoro. Così, quando l'ospite illustre se n'era infine andato, Ignazio aveva proposto all'intera famiglia quella crociera, ma lei non se l'era sentita di lasciare Palermo: si era detta che i figli dovevano potersi divertire senza avere una donna anziana tra i piedi ed era rimasta lì, con l'unica compagnia di donna Ciccia e del ricamo.

Mai aveva avuto paura di rimanere sola all'Olivuzza. Mai, in tutti quegli anni.

Entra nel salotto verde e si ferma al centro di quella stanza dove ha trascorso tanti momenti sereni. Si aggira tra i mobili, accarezza le fotografie del marito, prende alcuni oggetti, come a sincerarsi che siano ancora lì, poi si guarda le mani. La pelle è coperta da macchie di vecchiaia, le dita sono secche e contratte. Alza gli occhi: su un tavolo, ci sono il cesto da lavoro, il messale e il crocifisso in avorio, le candele nelle bugie d'argento e la scatolina in *vermeil* per i fiammiferi. Nella vetrina d'angolo, alcune statuine di porcellana. Sul tavolino accanto al divano, il vaso in cristallo con i fiori freschi e le foto del suo Vincenzino e di Ignazio nelle cornici d'argento. Tutto sembra intatto.

È un mondo in cui non ha mai nutrito il minimo timore. Il nome dei Florio è sempre stato temuto e potente. È sempre bastato a difenderla.

Ora invece è stato calpestato, proprio come quei fiori al piano di sopra.

Ed è questo a spaventarla davvero.

Dopo aver svegliato Ignazio, Giovanna va nella stanza della nuora. Quando entra, Franca alza la testa di scatto. Diodata le ha raccontato quello che è accaduto e lei non riesce a nascondere la paura. Dopo aver aiutato la padrona a indossare la veste da camera, Diodata esce, bofonchiando insulti all'indirizzo di «*Sti' sdisonorati e farabutti che unn'hanno né Signuri né famigghia*».

Sul letto, un mare di gioielli. Franca ha svuotato la borsa in maglia d'oro che li contiene per essere sicura che non manchi nulla. Molti sono doni di Ignazio: bracciali, anelli e collane d'oro e platino con diamanti, zaffiri e smeraldi. E poi perle, tantissime perle che brillano nella luce del mattino. Seduta sul letto, Giovannuzza, lunghi capelli neri e occhi verdi, è ancora in camicia da notte e gioca, indossando gli anelli che però sono troppo grandi per le sue dita e cadono tra le lenzuola.

«Non hanno toccato nulla da me», conferma Franca, abbracciando la figlia. «Hanno preso solo dei giochi di latta dalla stanza di...» Non riesce a pronunciare il nome della bambina. «Signore mio! Se fosse finita come con Audrey Whitaker...»

Giovanna lascia vagare lo sguardo sul pavimento decorato con i petali di rosa. Non ha mai amato quella stanza e ha sempre pensato che invece si addicesse benissimo a Franca. «Ma non è successo», dice, atona.

E la guarda dritta in faccia, gli occhi che raccontano più di mille parole.

Franca lascia andare la figlia. «Ignazio non chiamerà la polizia, vero?» mormora.

Giovanna scuote la testa. «*Chisti 'un sunnu cose di sbirri.*»

Non c'è da fidarsi della polizia: sono ufficiali forestieri e non sanno niente di Palermo; entrano in casa, cominciano a parlare con quel loro accento cantilenante, fanno domande che non dovrebbero nemmeno essere pensate e trasformano le vittime in colpevoli. Certe cose si possono risolvere in fretta e senza *fari cchiù pruvulazzo* del necessario. «Sta già parlando *cu' Noto. Nuautri u pagamu, e puru bonu.*» La voce è roca, ha un rumore di pietra contro pietra. La rabbia che prova è lì, sotto le frasi, appena celata dal tono severo. «*Gli diamo picciuli, gli abbiamo pure offerto un travagghiu e iddu soccu fa?*»

«Com'è stato possibile?» grida Ignazio, furibondo. Batte un pugno sulla scrivania. Il calamaio tintinna, le penne rotolano sul piano. Poi abbassa la voce, e la sua ira sembra trasformarsi in una stilettata. «Vi paghiamo per la sorveglianza, *a vossia e a vostru frate*, e non due lire... e ora devo scoprire che certa gentaglia entra in casa mia e *s'arrobba tutti così*?»

Francesco Noto, capelli pettinati all'indietro e viso spigoloso, ha il cappello in mano, ne tortura la falda. Sembra più a disagio che contrito, forse persino infastidito: non è abituato a sentirsi apostrofare in quel modo, lui. «Don Ignazio, mi addolorate a sentirvi parlare così. *Mai avissi pututu diri chi...*»

«E invece il vostro compito era proprio quello d'impedire che *certi cani di mannara trasissiro dintra a' me casa e si pigghiassero* le cose mie e di mia madre. Sono entrati pure nella stanza della mia *picciridda*! Cosa faranno la prossima volta, si porteranno via pure lei, o mio fratello? Se *vossia* non è in grado di occuparsene, basta dirlo. Il mondo è pieno di gente che farebbe a cambio con voi.»

Lo sguardo infossato dell'uomo si fa tagliente. Sotto la linea delle sopracciglia cespugliose appare un'espressione guardinga. «Ora non dovete sbagliare a parlare, don Ignazio. Noi vi abbiamo sempre portato rispetto.»

Ma Ignazio non sembra aver colto la nota di avvertimento nella voce. Oppure la ignora volutamente. «*U' rispetto lu porta cu l'avi purtato*. Lo sapete meglio di me che si misura con le azioni, don Ciccio. *Vuatri, d'unni eravate?*»

L'uomo esita prima di rispondere. Ma non è un silenzio imbarazzato, il suo: è quello di chi sceglie cosa dire e come dirlo. «Qualcuno vi ha offeso per nostra mancanza e di ciò vi chiedo scusa. Sarà cura mia e di mio fratello fare in modo che vi sia ridato ciò che vi è stato tolto, fino all'ultima spilla. Un galantuomo come voi non può avere i ladri in casa che turbano vostra moglie e vostra madre, che è una santa donna.» Alza appena gli occhi, con lo sguardo inchioda quello di Ignazio. «Faremo in modo che nessuno infastidisca più né voi, né la vostra famiglia.»

Quelle parole per Ignazio sono neve sul fuoco, hanno il suono di una promessa. Il suo respiro, che si era fatto corto per la rabbia, si distende. «Spero davvero sia così, signor Noto.»

Signor Noto e non *don Ciccio*. Un segno inequivocabile.

Francesco Noto stringe appena le palpebre. « Cosa fatta è. Non temete. »

Un colpo di tosse, poi un altro.

« Non mi piace », sospira Giovanna, e sgrana il rosario tra le dita. Di solito lo recita insieme con donna Ciccia, ma oggi è sola perché lei è rimasta a letto. Da qualche tempo, soffre di dolori alle gambe, spesso molto forti.

Seduta su una panchina, Giovannuzza sta giocando con la sua bambola di porcellana preferita, Fanny – un regalo della zia Giulia –, nel placido sole di una mite giornata di ottobre. È magra, pallida, e spesso è tormentata da una tosse stizzosa. Le lunghe giornate di mare a Favignana prima e in giro per l'Egeo dopo non le hanno giovato. E Giovanna è preoccupata.

Vorrebbe parlarne di nuovo con Franca per chiederle di fare qualcosa. Pensa che magari Giovannuzza dovrebbe ripetere quella cura di pastiglie al catrame di pino marittimo che avevano fatto arrivare direttamente da Parigi e che sembravano aver portato qualche beneficio. Certo, avevano dovuto fare di tutto per fargliele ingoiare: Giovannuzza si era ribellata, aveva stretto la bocca e una volta aveva persino vomitato sulla gonna della bambinaia.

Ma sua nuora è uscita con Giulia Trigona per andare dalla modista. Le ha sentito dire che poi sarebbero andate a trovare sua figlia a Palazzo Butera, per pranzare tutte insieme. Dovrà attendere il pomeriggio per parlarle. E, allora, dovrà sopportare di essere considerata una vecchia troppo ansiosa.

Forse sarebbe meglio riportare Giovannuzza in casa, si dice, ma non ha cuore di farlo: il giorno è dolce e profumato, con l'aroma dei fiori di yucca che si mescola con quello dei gelsomini che ancora fioriscono lungo il muro di cinta dell'Olivuzza. *E il sole fa bene a entrambe*, pensa, accarezzandole il visetto.

Giovannuzza dà un altro paio di colpi di tosse. Ma si ferma solo un istante prima di riprendere a rivestire Fanny con gli abiti in miniatura che la madre le ha regalato e che sono identici ai suoi.

Poco distante, Vincenzino sta provando a salire su un nuovo velocipede, aiutato da un cameriere. Alla fine ci riesce e ride, felice.

A volte, Giovanna vede in lui *l'altro* Vincenzino, il primogenito che dorme ormai da diciotto anni accanto a suo padre e al nonno nella cappella del cimitero di Santa Maria di Gesù.

Le manca. Tutti i suoi morti le mancano. In quelle giornate in cui la luce si fa di miele e i profumi del giardino saturano l'aria, le sembra di risentire le loro voci portate dal vento: quella di sua madre, morta da più di venticinque anni, arrochita dalla malattia; quella di suo figlio, che non ha fatto in tempo a diventare bassa come accade ai ragazzini che diventano adulti; quella di Ignazio, pacata e ferma.

La sua è la voce che le manca di più. Le mancano il suo calore, le sue mani, i suoi gesti. Di lui, a volte, sente ancora addosso lo sguardo o le sembra di udirne la risata. Ha conservato i suoi vestiti in una soffitta dell'Olivuzza e ogni tanto ci va, apre i bauli, accarezza le stoffe, le annusa, cerca una traccia, un segno. Ma ormai anche la memoria, come quelle stoffe, si è sbiadita.

Sono passati sei anni dalla sua morte. Anni dolorosi, in cui Giovanna ha sentito il cuore avvizzire, farsi cartapecora tra le costole. L'amore ha cessato di farle male solo quando si è sublimato in un ricordo di cui lei è l'unica proprietaria.

È ingiusto, si dice, tirando fuori dalla manica un fazzoletto. *Dovrebbe essere qui con me, con tutti noi.*

Se fosse stato ancora vivo, Ignazio avrebbe avuto cinquantanove anni; l'età ideale per essere ancora il sovrano di Casa Florio, ma anche per liberarsi almeno in parte delle responsabilità e godere di un po' di pace accanto a lei. Al suo fianco, Ignazziddu avrebbe avuto modo di fare esperienza, di capire, di... crescere. Sospira. Suo figlio ha ventinove anni ma, in certe cose, è sventato e immaturo come un ragazzino.

Uno scalpiccio di piedini. Giovanna alza lo sguardo. Davanti a lei, Giovannuzza, la nipotina dagli occhi verdi così simili a quelli della madre, ma più dolci e innocenti.

«Cosa fai, *Oma*?» domanda.

Alle sue spalle, la bambinaia tedesca sta raccogliendo i giochi. È stata Franca a volerla, mentre lei avrebbe preferito una bambinaia inglese.

«Sto pregando», risponde, sollevando il rosario.

«Perché?»

«A volte, pregare è ricordare. È l'unico modo per tenere accanto a te le persone che più hai amato e che non ci sono più.»

Giovannuzza la guarda con curiosità. Non ha capito, ma, con l'intuizione tipica dei bimbi, sente che la nonna è triste, molto triste. Le prende la mano. «Io però sono qui, e non devi ricordarti di me. *Kommst du?*»

La donna annuisce. «Vengo, *nica* mia», le dice. Poi però stacca la mano dalla presa della nipote e aggiunge: «Tu vai avanti a chiamare Vincenzino».

La bimba corre via, tenendosi stretta al petto Fanny e chiama a gran voce quello zio da cui la separano soltanto dieci anni.

Giovanna alza gli occhi verso la casa. Dopo la morte di Ignazio, l'Olivuzza le era sembrata immensa, come se l'assenza di lui avesse reso inutili quegli spazi così grandi. Solo con il tempo, lei aveva imparato a occuparli, o almeno a non esserne schiacciata. Il suo sguardo percorre la facciata e si ferma sulla finestra della camera da letto di suo marito.

La scorge in un battito di ciglia. *Un'ombra.*

D'istinto, si fa il segno della croce, poi distoglie gli occhi, e s'incammina a testa bassa. Sola.

I suoi fantasmi, come sempre, la seguono.

Ed è sempre la preoccupazione per la nipote che tiene sveglia Giovanna, qualche giorno dopo. Si aggira per le stanze dell'Olivuzza in vestaglia e scialle, l'immancabile rosario in mano, e lo sguardo triste. Dorme poco, ormai, come accade ai vecchi, e il suo sonno è inquieto, tormentato da preoccupazioni e ricordi.

Dalle cucine arrivano il tintinnio delle stoviglie e il chiacchericcio delle cameriere che si stanno preparando a pulire le stanze. Nonostante le sue proteste – «L'aria di quella città le farà male, per non parlare dell'umidità...» – Franca si è intestardita a portare Giovannuzza con sé a Venezia. Ignazio è a Roma, insieme con Vincenzo, per una faccenda di lavoro. Roba di tasse, le ha detto.

A passi lenti, Giovanna si dirige verso le cucine: quel giorno riceverà per un tè un gruppo di nobildonne. Vuole coinvolgerle in varie iniziative di beneficenza, soprattutto nella sua scuola di ricamo, e ha deciso di chiedere al *monsù* di preparare le cialde alla belga con la marmellata di uva spina, magari insieme con le focaccine all'inglese e i panini al burro con la marmellata di arance.

D'un tratto, però, qualcosa la colpisce, la costringe a fermarsi. Torna sui suoi passi, si guarda intorno, sbatte le palpebre.

I vasi di alabastro, quelli acquistati a Parigi con suo marito e rubati all'inizio di agosto, sono lì, davanti a lei, proprio sulla mensola dove li aveva collocati più di vent'anni prima.

Giovanna esita. È confusa, persino spaventata. Poi si avvicina, li tocca.

Nessun dubbio. Sono veri. Sono i *suoi* vasi.

La frenesia s'impossessa di lei. I passi corrono sul pavimento a scacchi, sfiorano il parquet della sala da ballo, arrivano alla stanza del buffet. Apre le credenze, gli stipi, gli armadi, spalanca cassetti e ante. Tocca l'argenteria, incredula: è lucida, pulitissima. Afferra una caffettiera, la rovescia e, con le labbra che tremano per l'emozione, cerca il marchio di Antonio Alvino, l'argentiere napoletano. Eccolo, inconfondibile. Richiude la credenza con un gesto lento e annuisce tra sé.

L'ultima stanza è quella di Giovannuzza. Nella cesta sul pavimento, i giocattoli di latta della piccola.

Tutto ciò che era stato rubato è tornato al suo posto.

Francesco Noto si è fatto rispettare.

Giovanna prende il campanello per chiamare Nino. Ma lo posa subito dopo. *Sarebbe inutile*, pensa. *Nessuno della servitù dirà nulla. Saranno solo sollevati per come la faccenda è stata risolta.*

L'emozione è stata violenta; ha bisogno d'aria fresca. Ma fa solo qualche passo lungo un vialetto del parco quando vede un uomo, fermo sotto una palma. È il capo giardiniere ed è evidente che la sta aspettando.

Francesco Noto si toglie il cappello, abbozza un inchino. «Donna Giovanna, *assabbinirìca*...»

Lei annuisce. «Devo ringraziarvi a nome mio e della mia famiglia, don Francesco», mormora, avvicinandosi. L'orlo della sua veste nera sfiora le scarpe impolverate dell'uomo.

«Me ne compiaccio.» Lui non la guarda in viso; i suoi occhi sembrano vagare nel giardino, dove dovrebbe trovarsi suo fratello Pietro, il guardaporta. «Sono stati due della borgata, due cocchieri. Vi chiedono perdono per lo sgarbo.»

«Chi? I nomi.»

«Vincenzo Lo Porto e Giuseppe Caruso. Li abbiamo allontanati dall'Olivuzza.»

Giovanna annuisce di nuovo. Quello le basta.

Ciò che non sa, Giovanna, è *come* la faccenda è stata risolta.

Ignora che le famiglie di Lo Porto e Caruso stanno disperatamente cercando i due uomini perché sì, sono stati allontanati dall'Olivuzza, ma non sono andati in America o in Tunisia come qualcuno ha detto.

Nel quartiere lo sanno tutti. Non si può andare contro i fratelli Noto, metterli in cattiva luce con i Florio, e pensare di farla franca.

Certo che pure i Noto di fesserie ne avevano fatte assai, non ultima quella di chiedere un *regalo* al fratello maggiore di Pip, Joss Whitaker, senza poi dividerlo con Lo Porto e Caruso, loro amici.

E che, *accussì* ci si comporta, con gli amici?

Qualcuno dice che i due cocchieri abbiano fatto quello sgarbo ai Florio per riequilibrare le cose con i Noto. Altri che i due vorrebbero scalzare i Noto. Ne girano tante, di voci...

Solo che i Noto, un simile sgarbo, non potevano tollerarlo.

No, Giovanna non le sa, queste cose, e manco le vuole sapere.

Però le viene a conoscere alla fine di novembre, mentre sta per salire sulla carrozza che la porterà al convento delle Suore della Carità per la Tredicina in onore di santa Lucia. Scortata da donna Ciccia, sempre più curva e lenta, si sta facendo aiutare dal valletto a salire sulla vettura quando, accanto a lei, appaiono due donne, avvolte in scialli scuri che le riparano dal vento di tramontana.

388

«Donna Giovanna! Signora, voi ci dovete ascoltare!» urla la più giovane. Ha capelli raccolti in un *tuppo* severo, abiti umili ma puliti. La pelle sugli zigomi è tirata e gli occhi sono grandi, affamati, scuri di dolore. «Voi ce lo dovete», ribadisce, aggrappandosi allo sportello della carrozza.

Colta di sorpresa, Giovanna fa un passo indietro. «*Chi vuliti di mia? Cu' site?*» chiede in tono rude.

«Siamo le mogli di Giuseppe Caruso e Vincenzo Lo Porto», risponde l'altra. Sembra coetanea di Giovanna, ma in realtà è molto più giovane: dispiaceri e vergogna l'hanno fatta invecchiare di colpo. Indossa un abito che forse non è neppure suo, perché le sta corto e largo. «*Ni taliàsse, donna Giovanna: semu fimmine, matri comu a vossia. Avemu figghi e nuddu chi ni duna pani.*»

Giovanna si fa di pietra. «Venite a chiedermi soldi perché dovete crescere i vostri figli che hanno fame? Con i vostri mariti dovete prendervela, a loro dovete chiedere. Dovevano pensarci quando sono entrati in casa mia a rubare! E invece sono scappati come vigliacchi.»

È la moglie di Vincenzo Lo Porto ad avvicinarsi. «Mio marito non se ne è andato da nessuna parte», le sibila, con gli occhi rossi di pianto. «*Manco ci posso portare una cannila, manco un ciure. Pi' vuatri, ju arristai senza capo.*»

Giovanna rimane immobile. Sente donna Ciccia dietro di lei che s'irrigidisce, poi avverte il suo respiro pesante.

Allora guarda la moglie di Giuseppe Caruso, che tiene le mani strette sul ventre. Quella annuisce. «Pure mio suocero lo sa: ha chiesto giustizia, ha detto che sarebbe andato fino a Roma se non gli avessero detto che fine aveva fatto suo figlio. *Ci ficiru attruvare un cane ammazzato* davanti alla porta di casa.» Le prende il polso, glielo stringe. «Lo capite adesso?» le sussurra, disperata.

«Lo sapete che altri volevano pigliarvi ben più di quattro pezzi d'argenteria?» Il viso della moglie di Lo Porto ora è a un palmo dal suo. «Che volevano rapire vostro figlio o vostra nipote? È già successo ad altri, lo sapete...»

Per Giovanna è troppo. Fa un passo indietro, si divincola, quasi le spinge via. «*Lassatimi iri*», ordina. In quel momento, il cocchiere afferra una donna per le braccia, la tira indietro. Lei ne approfitta, riesce a salire in carrozza, sebbene l'altra cerchi di strattonarla. Donna Ciccia le dà uno schiaffo sulla mano.

«Via!» ordina Giovanna, con il fiato corto e il cuore agitato. Si mette una mano sul petto. «Via, andiamo via!» ripete a voce più alta, mentre le due donne urlano e danno calci e pugni allo sportello.

Finalmente la carrozza si mette in moto. Le grida vengono coperte dal rumore delle ruote sull'acciottolato e dal respiro affannoso di donna Ciccia.

Lei, Giovanna, non riesce quasi a parlare. Si stringe le mani guantate di nero.

«Ma voi lo sapevate?» chiede donna Ciccia.

Giovanna deglutisce a vuoto, cerca conforto in un'*Ave Maria* mormorata in fretta, ma non ne trova. Un grumo di senso di colpa e nausea le stringe l'addome. «No.»

«Avete visto, vero? I vestiti.»

Lei annuisce, una sola volta, gli occhi che guardano fuori dal finestrino senza vedere.

Nero. Le due donne erano vestite a lutto. Come le vedove.

E vedove lo saranno ufficialmente, quando, alcune settimane dopo, verranno trovati i cadaveri dei loro mariti dentro una grotta, in un fondaco poco fuori città.

Erano stati uccisi pochi giorni dopo il furto. Non si erano mai allontanati da Palermo.

Questa vicenda arriverà alle orecchie di un questore che giungerà dal Nord l'anno successivo. Un uomo inflessibile, abituato a schiacciare i suoi nemici, come ha fatto qualche anno prima, mettendo in carcere i duecento membri della Fratellanza di Favara, un'associazione criminale responsabile di una lunga serie di omicidi.

Il suo compito, quello che gli ha affidato il governo, è stroncare la mafia, quell'organizzazione criminale di cui tutti parlano e che sembra sottrarsi a qualsiasi legge. Non solo: deve affondare le mani nella pozza di fango in cui si mescolano potere politico e malaffare prima che l'intero sistema sia compromesso. Un sistema in cui i malavitosi sono al servizio di senatori, nobili e notabili «che li proteggono e li difendono per essere poi, a loro volta, da essi protetti e difesi », come scriverà il questore nel suo lunghissimo rapporto. Verrà quindi a sapere che i Florio hanno subìto un furto. Cercherà d'interrogare donna Giovanna, ma senza riuscirci; proverà a parlare con i Whitaker per far luce sul rapimento di Audrey e sull'estorsione, ma otterrà solo silenzio.

Capirà molte cose della mafia, quell'uomo dalla mascella squadrata e dalla barba bionda che si chiama Ermanno Sangiorgi. L'organizzazione, per esempio: il sistema di famiglie, i capi mandamento, i picciotti, il giuramento di fedeltà... Una struttura che si ritroverà, praticamente immutata, quasi cento anni dopo nelle dichiarazioni del « boss dei due mondi », Tommaso Buscetta, fatte prima a Giovanni Falcone, durante un interrogatorio segreto durato mesi, poi durante il primo, vero processo alla mafia, durato in tutto sei anni, dal 1986 al 1992. E che sarà responsabile degli attentati che costeranno la vita allo stesso Falcone e a Paolo Borsellino, rispettivamente quattro e sei mesi dopo la fine del processo.

Sì, capirà molte cose della mafia, Ermanno Sangiorgi.

Riuscirà a provarne pochissime.

Il marzo 1898 è insicuro, muove passi incerti come un bimbo. Anche nelle giornate di sole, c'è spesso un vento gelido che scuote il giardino dell'Olivuzza, facendo ondeggiare le cime degli alberi.

Dalla finestra del salottino accanto alla camera da letto, Franca osserva le ombre che si disegnano sotto le palme e ascolta il rumore delle foglie. Le ricorda lo sciabordio del mare contro lo scafo dell'*Aegusa* e la crociera che Ignazio aveva organizzato l'estate precedente nel Mediterraneo orientale. Ricorda l'aspra bellezza delle isole dell'Egeo, le acque trasparenti della costa turca; il fascino di Costantinopoli, sottile come veleno; le stradine di Corfù che lei e Giulia avevano attraversato ridendo, mentre Giovannuzza trotterellava loro dietro insieme con la bambinaia; quel vento che sapeva di origano e di rosmarino...

Sospira, il cuore pesante di nostalgia. Vorrebbe rivedere i tramonti sull'Egeo, bere un altro bicchiere di Nykteri, il « vino della notte », perché l'uva viene raccolta prima dell'alba, sentire le braccia di Ignazio che la avvolgono. Che stringono lei e soltanto lei.

Ma non può, non nel suo stato.

Si accarezza il ventre. Non manca molto al parto.

Matri sant'Anna, fa' che sia un maschio. È la preghiera che l'ha accompagnata da quando ha scoperto di essere incinta. *Un maschio per Casa Florio, per me. Per Ignazio, che magari smetterà di cercare altrove quello che io posso dargli.*

Perché così è. Ignazio continua a collezionare *fimmine*: basta che siano giovani e belle e poi non importa se sono nobili o donne di malaffare. È un miracolo che non abbia preso qualche malattia: su questo – è chiaro – è senza dubbio prudente.

D'altronde perché essere riservato se, a Palermo, tra i loro conoscenti, non c'è neppure una coppia che possa dirsi fedele? Con un misto di rabbia e pena, Franca ripensa a ciò che le ha rivelato poche settimane prima Giulia, la moglie di Romualdo Trigona. Che suo marito ormai ha un'amante fissa e che lei ha deciso: non starà più a guardare. Non le importa di ciò che pensa la gente: vuole essere libera di vivere la sua vita, e di amare, e di essere felice.

Eppure la gente trova *ancora e sempre* il modo di ferire.

L'ultima volta era successo solo qualche giorno prima. E per fortuna era arrivata Maruzza...

Da qualche tempo, Franca ha una dama di compagnia, la contessa Maruzza Bardesono, una donna di mezz'età, dai lineamenti aspri e dall'aria severa. Cresciuta in una famiglia agiata, alla morte del fratello si era ritrovata sola e senza mezzi di sostentamento. Qualcuno aveva detto a Franca che stava cercando lavoro e lei l'aveva incontrata, più per dovere che per convinzione. Ma era rimasta colpita dai suoi modi signorili, dalla sua cultura e dall'aura di sicurezza che emanava e le aveva subito offerto quel posto. Non se n'era mai pentita.

Quel giorno, Maruzza era andata nella camera da letto di Franca per restituirle la sua copia dell'*Amuleto*, l'ultimo romanzo di Neera, un'autrice che entrambe amavano molto. L'aveva trovata in lacrime, con la testa appoggiata sulla toeletta e un foglio stretto in pugno. Per terra, spazzole, pettini, flaconi, creme e profumi, gettati via in un impeto di rabbia.

« Cosa avete, donna Franca? Vi sentite male? » aveva chiesto, posando il libro sul letto.

Continuando a singhiozzare, lei aveva alzato il foglio.

Mentre la donna scorreva la lettera, il suo viso era diventato di porpora. « Che gente di fango », aveva esclamato. « Le lettere anonime sono lo strumento dei vigliacchi... e poi mandarle a una donna incinta? Vergogna! »

« Io non so chi sono, queste femmine con cui si accompagna, e non lo voglio nemmeno sapere », aveva mormorato Franca. « L'ho sempre accettato, perché so che mi ama e che torna da me. » Si era alzata e aveva fissato la donna negli occhi. « Però da qualche tempo mi chiedo sempre più spesso se non farei meglio ad andarmene. Io e mia figlia, da sole. »

Maruzza l'aveva presa per le braccia. « Donna Franca, io ormai vi conosco un po'. Posso parlarvi con schiettezza? »

Lei aveva annuito.

« Voi avete tutto ciò che una donna può desiderare. La salute, la bellezza, una figlia che è un angelo ed è affettuosa e intelligente. E... tutto questo. » Con un ampio gesto del braccio, aveva indicato la camera da letto. « State per diventare madre di nuovo, lo avete forse dimenticato? »

« Ma... »

« Siamo tutti soli, donna Franca, uomini e donne. E non importano i soldi, i titoli o il rango sociale. Cerchiamo tutti qualcosa che non abbiamo, che ci manca. Ma a un uomo vengono date le armi per combattere le sue battaglie. Una femmina, invece, se le deve guadagnare, quelle armi e, se le ottiene, le paga a caro prezzo. Voi siete fortunata perché di armi ne avete tante, e avete pure imparato come usarle. Molte *fimmine* non ne hanno e basta. *Cose inutili sono*, proprio come quella che ha scritto la lettera... »

Aggrottando la fronte, Franca aveva abbassato lo sguardo sul foglio, quasi a cercarvi una conferma dell'ultima affermazione di Maruzza.

« Sì, certo che è stata una donna », aveva continuato l'altra.

« Vedete, certe donne manco le cercano, le armi. Perché, per trovarle, dovrebbero cambiare troppe cose, a cominciare dalla loro testa. Dovrebbero smettere di contarsi favole. Proprio come dice Neera...» Riprende il libro, lo sfoglia, arriva a una pagina. «'Non avendo lena di cercare ciò che potrebbe essere il loro vero vantaggio, si appigliano alla lezione più comoda e più vicina'», legge. « *Si scantano* di vivere, così si trasformano in *cristianedde* che hanno paura di tutto e si sentono forti solo se giudicano gli altri. Ma l'amarezza che provano si trasforma in bile, le soffoca e loro devono buttarla fuori, in qualche modo, anche attraverso lettere come questa. Sono persone infelici, donna Franca. Certo, v'invidiano i soldi, i vestiti, i gioielli... Ma, credetemi, vi attaccano soprattutto perché vedono che donna siete. Voi avete coraggio. Sapete cosa fa vostro marito, ma andate in giro a testa alta, non vi nascondete, non vi rendete lo stesso servizio, non permettete a nessuno d'intaccare la *vostra* dignità. Siete sempre consapevole del nome che portate. »

Franca era tornata a sedersi. « Quindi secondo voi dovrei compatire chi ha scritto questa lettera? »

« Sì. Poi ci sono le altre donne... »

« Le... altre? »

« Quelle debosciate che vostro marito copre di gioielli. Hanno poche armi, certo... ma le sanno usare pure troppo bene!» Maruzza aveva riso, ma senza allegria. « Pensateci: anche loro sono da compatire. Credono di essere importanti, e invece non si rendono conto che gli uomini le usano per divertirsi e basta. Amanti di poche settimane, che finiscono abbandonate senza il minimo rimpianto, messe da parte come bambole vecchie. »

Franca non era riuscita a nascondere la sorpresa che quelle parole così sgradevoli, eppure così vere, avevano suscitato in lei. Nella sua mente, l'immagine di Maruzza si era accostata a quella di sua cognata Giulia. Due donne molto diverse che però le avevano detto la stessa cosa: lei era una pianta dalle radici salde e non doveva aver paura di fiorire, di cercare il cielo con i rami. Era destinata a crescere, a diventare sempre più forte.

Eppure.

« Ma perché deve fare ancora così male, dopo tanto tempo? » aveva chiesto, più a se stessa che a Maruzza.

L'altra aveva sospirato. Poi, con un sorriso amaro, aveva risposto: «L'amore, donna Franca, è una bestia ingrata: morde la mano che lo nutre e lecca quella che lo picchia. Amare per sempre, amare davvero, significa non avere memoria».

Una fitta alla schiena. È violenta, la scuote tutta.

Franca quasi sobbalza sulla poltrona del salottino, prende fiato. *Che sia una contrazione?* pensa. Allunga la mano verso il campanello, chiama una domestica, che appare subito sulla soglia.

«Dite, donna Franca.»

«Chiama la contessa Bardesono, per favore. Dille che venga subito.»

Un'altra fitta. Dalla loro conversazione sulla lettera anonima, un mese prima, il legame con Maruzza è diventato più profondo, più intimo. A Franca è venuto istintivo fare il suo nome e non quello della suocera.

Passi veloci risuonano sul ballatoio. Una porta si apre. Franca alza la testa, incontra lo sguardo gentile di Maruzza. Ma subito dopo deve chinarsi in avanti e trattiene a stento un gemito; impallidisce, respira a fatica.

La donna le appoggia una mano sulla fronte, la ritira. «Sono iniziati i dolori? Volete che chiami il medico? Vostra madre?»

Vostra madre, non *donna Giovanna*. Sì, Maruzza la conosce.

«La levatrice e il medico... e mia madre, sì. Può stare qui per qualche gior...»

Un'altra fitta al ventre. Le dita di Franca avvolgono il polso della donna.

«Sono troppo ravvicinate», mormora, con un velo di panico negli occhi. «Sono iniziate così, all'improvviso...»

Maruzza agita una mano. «Il secondo figlio arriva sempre più in fretta, rispetto al primo. Volete che chiami vostro marito?»

Ignazio. Franca lo vorrebbe al suo fianco. Sapere che lui aspetta lì, in casa, le darebbe forza, certo. Ma dove sarà? Alla sede della NGI oppure in giro? È uscito senza dirle nulla. L'ha salutata con un frettoloso bacio lanciato a fior di labbra e lei ha avuto a malapena il tempo di vederlo scappar via, vestito come al solito in maniera impeccabile e con l'abituale garofano all'occhiello.

« Fatevi dire dov'è da Saro », mormora.

Con una mano poggiata sul braccio di Maruzza e un'altra sulle reni, Franca si alza e muove qualche passo. Il letto è stato rifatto, gli abiti sono stati riposti nell'armadio. Dalla finestra entra una luce pastosa, e tutto è immerso nella quiete, in attesa. Ci sono fiori bianchi sulla cassettiera, e il loro odore la nausea.

« Fateli portar via », dice a Maruzza, indicandoli. Poi un'altra fitta s'irradia dal basso ventre e si estende a tutto l'addome. Non ci sono dubbi: il secondogenito sta per venire al mondo.

Concentrarsi, un respiro dopo l'altro. Sentire il sangue che accelera nelle vene mentre si viene invasi da ondate di un dolore che si ritrae solo per colpire di nuovo, con più ferocia. Il corpo si ribella, si apre. La mente si annulla perché non riesce a tollerare quelle spinte, quella sensazione che il ventre stia per essere squarciato in due.

Poi, con le ultime spinte, arriva la calma. È una sorta di cupa rassegnazione. *Sì, sto per morire*, pensa Franca, immersa nel sudore, nel sangue e nel liquido amniotico, e quasi si augura che sia così perché è esausta e non riesce più a tollerare la sofferenza. Scuote la testa, si lascia scappare un singulto.

« Non ce la faccio », mormora alla madre, che le tiene la mano. « Non ci riesco. »

Sudata anche lei, Costanza le serra la mano, le asciuga la fronte. « Ma sì che ce la fai », la incoraggia. « Ce l'hai fatta con Giovanna! E con lei sì che è stato difficile, ti ricordi? »

Davanti a lei, china tra le sue gambe, la levatrice emette un suono a metà tra una risata e uno sbuffo. « La signorina Giovanna era messa male. L'ho dovuta girare io! Questo invece è messo bene, ma è grosso assai. Avanti, e che sant'Anna ci aiuti. »

Franca non risponde. Avverte la pressione di un'altra spinta, si curva in avanti, reprime un conato di vomito. Ora deve liberarsi, permettere che la sua creatura venga al mondo. Spinge.

«Basta... fermatevi...» La levatrice le mette una mano sull'addome, raddrizza la schiena. La accarezza una mano. «Ora sta per uscire. Quando ve lo dico io, spingete e poi fermatevi. Ora!»

Franca grida. Avverte qualcosa che sguscia via da lei, come se le stessero togliendo un organo vitale. Allunga la mano, ma è stremata, non ha la forza di chiedere, di sapere. Si lascia ricadere sui cuscini, a occhi chiusi.

È finita. Qualunque cosa sia stata, è finita.

Passano lunghi istanti.

Poi un vagito.

Apre gli occhi, vede la madre. È felice, ride e piange insieme, con le mani sulla bocca, annuisce.

«*Masculu è!*»

È ancora attaccato a lei, sporco di sangue, ricoperto dal velo biancastro del sacco amniotico. Ma è maschio, è sano, è vivo, ha occhi grandi e la bocca stretta in un pianto che racconta tutto il dolore del primo respiro.

È un maschio. È l'erede.

«*Masculu è!*» Il grido risuona per tutta la casa. È stata Giovanna a dare la notizia a Ignazio, in attesa in un salotto al piano terra, in compagnia di Romualdo Trigona, di Giulia e del cognato Pietro. Da anni, forse addirittura dall'infanzia, Ignazio non aveva visto sul volto della madre un sorriso così luminoso come quando lei gli aveva detto: «È un maschio, figlio mio! Finalmente!»

Ignazio ordina subito che venga portato dello champagne e che tutti i servitori ne bevano un bicchiere, poi brinda con gli amici e con i parenti, li abbraccia, alza le braccia al cielo. La bambinaia porta Giovannuzza dal padre per festeggiare e lui la solleva, la fa girare in aria e le stampa un bacio in fronte, poi bacia sua sorella Giulia.

È felice. Dopo cinque anni, finalmente è arrivato l'erede! I problemi economici? La crisi della navigazione, i soldi che non bastano mai? Tutto lontano. Le rivendicazioni degli operai della fonderia? Poco importa. Adesso c'è un nuovo Ignazio... perché così si chiamerà. Come suo padre, porterà avanti il nome della famiglia e continuerà la loro storia.

Dopo un altro bicchiere di champagne, chiama Saro.

L'uomo si ferma sulla soglia, s'inchina. «Felicitazioni vivissime, don Ignazio.»

Ignazio gli va incontro, raggiante. Lo prende per le spalle, lo fissa. «Mi servono delle bottiglie di marsala. Ma non bottiglie qualsiasi: voglio quelle di mio nonno, quelle conservate in fondo alla cantina. Manda qualcuno a prenderle e portale di sopra, svelto.»

Saro sgrana gli occhi, sbalordito, poi si allontana. Ignazio si guarda intorno, quindi solleva il bacile d'argento al centro del tavolo, lo rovescia per liberarlo della composizione di fiori secchi e, battendoci sopra come se fosse un tamburo, attraversa il palazzo e arriva fino allo scalone rosso che porta agli appartamenti suoi e di Franca. Sghignazzando, Romualdo lo segue lungo le scale. Invece Pietro ha un'aria perplessa e, prima che metta un piede sul primo gradino, viene fermato da Giovanna e da Giulia, che ha preso in braccio Giovannuzza.

«Ma che sta facendo mio fratello?» chiede Giulia, confusa.

Pietro apre le braccia. «*E chi nni sacciu?* Ha ordinato a Saro di portare del marsala.»

Giovanna scuote la testa, alza gli occhi verso il soffitto. «*Sa soccu avi n'testa...*»

Giulia affida Giovannuzza alla governante, poi afferra la gonna e inizia a salire le scale a passo di carica, seguita dalla madre. *Ci manca solo che faccia svenire Franca con una delle sue alzate d'ingegno*, pensa. Lei sa cosa significa affrontare un parto, e sa pure che i maschi non possono nemmeno immaginarlo. Le due donne attraversano il corridoio, poi si fermano in mezzo alle piante del giardino d'inverno. D'un tratto, alle loro spalle, sentono un respiro pesante e un tintinnio di vetri. È Saro, carico di bottiglie impolverate.

«Ma cosa fai?» Giovanna è scandalizzata.

«Don Ignazio *mu' disse...*» Saro si ferma, prende fiato.

«Saro!» La voce di Ignazio rimbomba all'intorno. «Saro, dove sei?» Lui si affaccia dalla stanza di Franca, con gli occhi che brillano per l'eccitazione, fa cenno di raggiungerlo e scompare all'interno.

La singolare processione si rimette in marcia e arriva davanti a Franca: è seduta nel letto, pallida ed esausta, ma sorridente. Sua madre tiene in braccio il neonato, in attesa che la balia finisca di preparare le fasce per vestirlo.

Allora Ignazio posa il bacile sulla toeletta, poi afferra le bottiglie di marsala e le svuota dentro. La stanza si riempie del sentore pungente dell'alcol che si mescola a quello salino del sudore e a quello più sottile e ferroso del sangue.

Alla fine, Ignazio si volta verso la suocera e tende le braccia. Costanza non sa cosa fare e guarda la figlia; ma Franca sta ridendo, fa cenno di sì, perché ha capito, ed è felice. E ha capito anche Giulia, che afferra la mano del fratello. «Aspetta!» grida, ridendo. Prende la caraffa dell'acqua preparata per il bagnetto e versa il liquido nel bacile, sotto gli occhi esterrefatti degli altri. «Devi diluire il marsala o potrebbe fargli male! È appena nato!»

Nudo tra le braccia del padre, il neonato apre gli occhi. Ignazio si ferma per un istante, lo guarda. È una creatura dal viso grinzoso, dalla pelle arrossata. Ed è suo figlio. Suo e della sua adorata Franca.

Quindi, reggendolo sull'avambraccio, lo abbassa sopra il bacile, raccoglie in una mano un po' di liquido e gli bagna la testa. Poi lo immerge completamente.

Dietro di lui, grida scandalizzate.

«*Ma chi è? Lu stai vattiannu?*» strilla Giovanna, perché quella specie di battesimo per lei è un sacrilegio.

Giulia ha una mano sulla bocca, incerta tra il riso e l'indignazione. Giovannuzza, da dietro la zia, guarda quella scena con occhi sgranati.

Ma Ignazio non vede e non ascolta nessuno. Cerca Franca con lo sguardo. Lei ride e batte le mani. Sul viso, una dolcezza che lui si porterà dentro per tutta la vita.

La vita, sì. Quella che lui ha sempre inseguito, che per tanto tempo è sembrata sfuggirgli. È stato perseguitato dalla morte fin da quando suo nonno è spirato quasi nello stesso giorno in cui lui nasceva. Poi dalla morte del fratello Vincenzo. E poi ancora da quella del padre. Ha cercato di dimenticare quella sofferenza con Franca, ma non solo.

Anche con tante, troppe donne. Anche con i capricci e con le pazzie che la sua enorme ricchezza gli ha permesso di fare.

Eppure soltanto ora sa di poter trovare un po' di pace. Perché tra le sue braccia c'è la vita. C'è il futuro suo e di Casa Florio.

Il bambino spalanca gli occhi, scoppia in un pianto dirotto, ma Ignazio gli bagna le labbra con un dito sporco di liquore. «Questo sapore devi ricordare. Questo, ancor prima di quello del latte.» Se lo appoggia sul petto, incurante del fatto che anche lui puzzerà di liquore. «Questo ci ha fatto ciò che siamo: i Florio.»

«Don Ignazio... gli operai ci sono.» Saro è entrato nello studio e adesso scruta la piazza attraverso le tende della finestra. Ignazio, alla scrivania, scambia un'occhiata perplessa con Erasmo Piaggio, seduto in poltrona davanti a lui, poi si alza e sbircia oltre la spalla del valletto, imitato dal direttore della NGI. In effetti, una decina di operai è in attesa davanti all'ingresso e sta parlando con Pietro Noto, il guardaporta.

«Cosa sono venuti a fare?» borbotta poi.

«Mah! Forse a chiedere conto per i ritardi dei lavori?» ipotizza Piaggio.

Ignazio si risiede alla scrivania. «Vaglielo a spiegare che, da quando Codronchi ha lasciato l'incarico, l'anno scorso a luglio, le cose si sono complicate assai. E c'è solo da sperare che questa Società Cantieri Navali, Bacini e Stabilimenti Meccanici Siciliani che abbiamo deciso di creare», dice, battendo l'indice sulle carte davanti a sé, «faccia ripartire le cose...» Si alza di scatto. «Spero proprio che non siano qui per chiedere un altro aumento salariale! Con che coraggio, con quello che è successo a gennaio! Dovremmo tornare a parlare con Garibaldi Bosco: è l'unico che può dir loro di darsi una calmata. Che noia, queste continue proteste... »

« Sono venuti a porgere i loro omaggi per la nascita del *nico*. » Giovanna è sulla soglia. È apparsa senza fare rumore e ora guarda il figlio con aria di rimprovero. « Ho detto di farli accomodare », spiega. Si rivolge a Saro. « Fai portare qui altre sedie, poi disponi biscotti e vino sulla scrivania. Sono i nostri lavoratori e dobbiamo accoglierli con garbo », aggiunge, prevenendo l'obiezione del figlio, che infatti ha spalancato gli occhi. « Tuo padre avrebbe fatto così », mormora. E, mentre si allontana, pensa con amarezza che il suo Ignazio sarebbe andato di persona ad annunciare la nascita dell'erede agli operai dell'Oretea, proprio com'era accaduto per la nascita di Vincenzino.

Poco dopo, i passi pesanti degli operai risuonano nei corridoi dell'Olivuzza, impolverano i tappeti e segnano il parquet. Vestiti con gli abiti della festa, gli uomini si guardano intorno, intimiditi dagli enormi quadri, dalle elaborate composizioni di fiori, dagli ori e dagli stucchi ma, soprattutto, da quella casa che sembra non avere fine. Non si aspettavano di entrare; il guardaporta aveva detto loro che avrebbe riferito il messaggio a don Ignazio e che potevano tornarsene a casa. Poi era arrivata donna Giovanna, la vedova di *u' principale – recamatierna*, gran signore – che aveva detto semplicemente: « Benvenuti. Venite », e si era avviata verso lo studio che era stato del marito, e che adesso è di Ignazio.

Passano davanti al salotto verde e scorgono donna Ciccia che, seduta in poltrona, sonnecchia a bocca aperta. Qualcuno ride, ma è solo un istante: subito dopo scorgono il ritratto di Ignazio nella cornice d'argento. Allora si fermano e si fanno il segno della croce.

Giovanna li osserva, sente gli occhi inumidirsi. Un operaio avanti negli anni, con grandi baffi grigi, la guarda di sottecchi. « Era un vero padre per tutti noi. Il Signore se lo chiamò troppo presto », le dice.

Lei annuisce in fretta, poi dà loro le spalle, continua ad avanzare verso lo studio. Ignazio è sulla soglia, insieme con Piaggio. Sulla scrivania, sgombrata da carte e cartelle, bottiglie di vino e vassoi di biscotti. Accanto, tovagliolini di lino ricamato con le iniziali di Ignazio e Franca.

Gli operai si dispongono lungo le pareti della stanza e l'operaio con i baffi grigi si avvicina a Ignazio. «*Voscenza*, noi siamo qua per farvi le nostre... i nostri...»

«... felicitazioni», suggerisce un giovane in fondo alla stanza. Ha occhi intelligenti, e sembra quello meglio vestito.

«Sì, felicitazioni. La nascita del *picciriddu* è una cosa buona non solo per voi, ma per tutta Casa Florio e siamo contenti assai che abbiate deciso di chiamarlo come *u' principale*, vostro padre, che *u' Signuri* ci pensa.»

«Amen», sussurra Giovanna dal fondo della stanza.

«Grazie. Siete stati veramente gentili a venire fin qui.» Ignazio cincischia, infila i pollici nelle tasche del panciotto. «Posso offrirvi un piccolo rinfresco? Immagino siate venuti a piedi.»

«A piedi e con la scorta.»

È stato di nuovo il giovane a parlare e a nessuno è sfuggita la nota di sarcasmo nella sua voce. Piaggio inarca le sopracciglia, si avvicina alla finestra e scorge, in un angolo della piazza, un gruppetto di carabinieri. Poi, mentre gli uomini si avvicinano alla scrivania per prendere un calice di vino o un biscotto, si rivolge al giovane. «Voi siete...?» chiede.

«Nicola Amodeo. Tornitore dell'Oretea.»

«Be', signor Amodeo, la scorta mi sembra una precauzione necessaria, considerate le proteste di gennaio davanti alla sede della NGI.» A Piaggio è bastato un istante per capire che non è un semplice operaio, quello. Tiene la testa alta e ha voluto definire il suo ruolo. *È un sindacalista, o peggio.* «Sono state scelte dolorose anche per noi, sapete? Licenziare non è mai un piacere ma, finché non verranno avviati i lavori del cantiere navale, la fonderia non può permettersi di occupare più persone di quante siano strettamente necessarie.»

Ignazio si è avvicinato ai due, annuisce.

«Voi non vi rendete conto di quanto sia stato infausto, questo mese di gennaio, per la povera gente di Palermo.» Amodeo scuote la testa. «I licenziamenti degli apprendisti sono stati un duro colpo. Avevano chiesto solo un aumento, perché tutto è cresciuto di prezzo, a cominciare dal pane, e invece sono stati messi alla porta e segnalati alla polizia. E adesso nessuno li vuole assumere, perché si sono fatti la nomea di anarchici.»

«Via, che esagerazione!» esclama Piaggio. «Si trattava solo di apprendisti, di teste calde, d'ingrati che avevano fatto picchetti così, senza ragione. E poi, lo avete detto voi stesso, sta aumentando tutto ovunque. Le tasse, per dirne una!» Fa un cenno a un cameriere, che si avvicina con un vassoio su cui ci sono vari bicchierini di marsala. «Se foste stato al nostro posto, avreste fatto lo stesso. Punire alcuni serve a ricordare a tutti chi comanda.»

Amodeo rifiuta il vino. «Li avete licenziati senza dar loro il tempo di spiegarsi», commenta, secco.

«Dopo le proteste che hanno inscenato cosa dovevamo fare? Riassumerli?» interviene Ignazio. «Certi facinorosi sono come topi in un granaio: in un momento, si mangiano tutto.»

Amodeo abbassa la testa. «Voi, don Ignazio, non capite che qui c'è fame, fame assai, e la fame pericolosa è. Alle proteste di gennaio non c'eravamo solo noi della fonderia o dello scalo d'alaggio: c'erano anche falegnami, muratori, scalpellini... C'era gente del mandamento dei Tribunali, di Monte di Pietà, di Castellammare, persino della Zisa e di Acqua dei Corsari. Palermo ha bisogno di lavoro.»

«Credete che non lo sappia?» Ignazio alza la voce, e una smorfia esasperata gli piega le labbra. «Finché c'è stato Codronchi, la pratica del cantiere navale è stata mandata avanti... Sembrava che i lavori dovessero iniziare da un momento all'altro. Sono andato pure a Roma a spingere, a pregare e a brigare... Ora tutto si è arenato al ministero, di *picciuli* non se ne deve parlare, e nessuno vuole adoperarsi per noi. Senza contare che ci sono proteste in tutta Italia e il governo ha ben altro cui pensare. Non dipende da noi!»

L'operaio scuote di nuovo la testa, fa un sorriso sconfortato. «Don Ignazio, dipende anche da voi.»

«Io...»

È Giovanna a interromperlo. Gli posa una mano sul braccio, lo fa voltare. «Ecco Franca con il *picciriddu*. Vieni», gli dice. Ignazio alza la testa. Sulla soglia, è apparsa sua moglie, sorretta da Maruzza. Dietro di loro, la bambinaia stringe il fagotto di pizzi e merletti in cui è avvolto il loro bimbo.

Gli operai li accolgono battendo le mani, mormorando una benedizione – «*U' Signuri vi l'avi a taliàre e a pruteggiri sempre*» – e qualche complimento al piccolo e alla madre.

È ancora pallida, la sua Franca, pensa Ignazio; sono passati pochi giorni dal parto e lei stenta a riprendersi. Un'ondata di tenerezza gli scalda il petto. Organizzerà un viaggio in estate per lei e per tutta la famiglia, magari con il loro treno, così che non debbano affaticarsi e possano avere tutte le comodità delle carrozze personali. Sì, torneranno a Parigi e magari anche in Germania, si dice, e il pensiero gli strappa il primo sorriso della giornata.

L'importante è allontanarsi da Palermo e da tutta quella miseria.

Ignazio cammina nervosamente avanti e indietro, cercando di sfogare il malumore.

La sala da pranzo al primo piano dell'Olivuzza non è mai stata una delle sue stanze preferite; troppo grandi e cupi i mobili in mogano, troppo massicci e antiquati i candelabri d'argento. E ha sempre detestato i due antichi pavoni in corallo e rame che fanno la ruota sulla mensola del caminetto nonché il gigantesco parascintille. Ma è passato un anno dalla nascita di Ignazio – che tutti chiamano Baby Boy – ed è ora che lui e Franca tornino a essere il cuore della vita mondana di Palermo. Anche se ciò significa ricevere con tutti gli onori certi personaggi a lui particolarmente odiosi, come quella sera.

Si ferma accanto al tavolo. «Uova alla Montebello? Per una cena di dopo teatro?» sbuffa, guardando il menù.

Franca entra in quel momento, avvolta in un abito di pizzo nero e in una stola di seta avorio. Non indossa collane, ma solo due bracciali e gli orecchini di perle di Cartier che Ignazio le ha regalato durante il viaggio di nozze. Ancora una volta, la sua figura è tornata sinuosa come prima della gravidanza. Le creme più costose – dalla Veloutine di Charles Fay alla *cold-cream* di Pinaud et Meyer –, i bagni freddi per favorire la tonicità della pelle, i massaggi regolari l'hanno aiutata, ma lei adesso sta pensando di sottoporsi, a Parigi, a un trattamento che dovrebbe «porcellanare» il viso con smalto liquido. Le hanno però detto che è molto doloroso e che lei, a ventisei anni, non ne ha *ancora* bisogno.

«Devi sapere, mio caro, che d'Annunzio adora le uova», commenta con voce flautata. «Però, come vedi, ci sono anche l'aragosta in salsa tartara, gli asparagi in salsa spumosa e per finire il trionfo di gola.» Si volta, sospira. «Che uomo affascinante e singolare... Sai, abbiamo parlato a lungo durante l'intervallo fra il terzo e il quarto atto.»

«Ah, quando sono arrivati i fischi è venuto da te...»

«Ma cosa dici? È stato un trionfo! Otto chiamate solo nel primo atto... A far chiasso erano quegli stupidi studenti, in loggione. Mi hanno detto che hanno persino rotto i vetri della bussola del teatro. E poi le opere di Gabriele sono sempre audaci, fanno discutere. E questa meravigliosa *Gioconda* non fa eccezione. Certo, anche grazie alla Duse e a Zacconi che sono...»

«Lo chiami pure per nome», la interrompe Ignazio, gelido. «È un *fimminaro* e non ha timore di fare il cascamorto.»

Franca concentra l'attenzione sul corpetto dell'abito, soffia via un'invisibile pagliuzza. «Vi fiutate tra simili, eh?» Poi fa un cenno al cameriere e gli porge la stola, chiedendogli di portarla a Diodata.

Ignazio spalanca gli occhi. «Sei troppo scollata!»

Franca gli scocca un'occhiata in cui si uniscono freddezza e incredulità. «Credo sia la prima volta che dici a una donna una cosa simile. Oppure lo suggerisci anche alle tue... amiche?»

«Ma che c'entra? Lo sanno tutti che d'Annunzio è un uomo molto *sensibile* alle belle donne», esclama, mentre le si avvicina. «Tu lo sei, e ambisce ad averti tra le sue conquiste. Oh, non negarlo! Me ne sono accorto da come ti guardava stasera, da come ti parlava...»

«Immagino tu riconosca certi atteggiamenti da maschio cacciatore.»

Ignazio si fa torvo in viso. «Non scherzare, Franca.»

Lei agita la mano, infastidita. «Mi ha chiesto un 'talismano' per la sua nuova opera teatrale, e gli ho promesso che gliene avrei dato uno. Pensavo a un grano di corallo... E poi, se fossi stato davvero attento, avresti visto che stavamo parlando con Jules Claretie.»

«Ma è il direttore della Comédie Française e ci scommetto che è un mezzo pederasta come tanta gente di teatro. Franca, non sto scherzando: stai alla larga da d'Annunzio.» Ignazio le afferra il polso.

Lei si divincola. «Io so tutto di te. Tutto. So quanto spendi per le tue amanti, dove andate, persino che profumo usano perché te lo sento addosso. Le chiacchiere su di te sono così prevedibili che ormai non le sto più neppure a sentire. E tu ora fai il geloso solo perché ho parlato con un uomo davanti a un intero teatro? Sei ridicolo!»

«Non ho intenzione di passare per cornuto davanti a tutta Palermo.»

Franca getta la testa all'indietro, ride forte. «Bene! Cosa si prova a stare dall'altra parte, per una volta? A vedere che altri desiderano ciò che tu hai e di cui non ti curi?» Si accarezza il collo, le dita scendono lungo la scollatura. È decisa a provocarlo. «Secondo te, cosa pensano gli altri uomini quando ti vedono fare il cretino con le loro mogli?»

«Come ti permetti...» Ignazio è paonazzo.

«Sono tua moglie e mi permetto eccome. Adesso basta, però. O vuoi renderti ridicolo davanti a tutti?»

Un colpo di tosse, discreto ma perentorio, li interrompe. Mastro Nino è sulla soglia. «Sono arrivati i conti Trigona e Monsieur Claretie. Li faccio accomodare?»

Franca solleva una falda della gonna. «Vengo io ad accoglierli», dichiara e, dopo un'ultima occhiata gelida a Ignazio, gli passa davanti con la sua falcata elastica ed esce dalla stanza.

«Tua moglie stasera è uno splendore, *curò*. Se ne sono accorti tutti, a cominciare dal nostro poeta. Ha guardato più lei dello spettacolo», sussurra Romualdo, alzando il mento verso Franca, che sta animatamente discutendo in francese con Giulia e con Monsieur Claretie.

Giuseppe Monroy ride sotto i baffetti sottili. « *Non ci dire accussì a Ignazziddu nostro. Non lo vedi che già è nirbuso?* »

« *Teste di cucuzza* che non siete altro », sibila Ignazio.

« Però dicono che la Duse sappia... usare le redini, con lui. » Giuseppe afferra una bottiglia di champagne e si versa da bere da solo, sotto gli occhi attoniti del cameriere. « Un gran pezzo di femmina, quella. Che occhi, sembrano mandare fiamme! E che portamento, che petto! »

In quel mentre, passi risuonano nel corridoio, insieme con alcune voci maschili e con una risata femminile profonda, di gola. Franca e Giulia si scambiano un'occhiata, si avvicinano alla porta. Gabriele d'Annunzio è il primo a entrare e lo fa a suo modo, con le braccia spalancate e i palmi rivolti verso l'alto. Punta lo sguardo su Franca, le afferra le mani, se le porta prima alle labbra e poi al cuore. « Donna Franca, questa casa è degna cornice del vostro splendore. »

« Vi ringrazio, maestro », replica lei con un sorriso. Poi indica la donna accanto a sé. « Posso presentarvi la contessa Giulia Trigona, una mia cara amica? »

Giulia, in un abito rosso fiamma, accenna una buffa riverenza.

D'Annunzio sorride di rimando, fa un inchino. « *Enchanté*, Madame. Palermo può dirsi città invero felicissima se la bellezza delle sue figlie rivaleggia con quella della voluttuosa Actea, ninfa delle rive. Siete leggiadre come un soffio etèsio, respiro meridiano del grande Mediterraneo. »

« Suvvia, smettete di adularci », esclama Franca. « O i nostri mariti, da uomini gelosi quali sono, si sentiranno in dovere di sfidarvi a duello. »

« Non sarebbero i primi! » tuona d'Annunzio. « Ho già ascoltato altre volte il rombo della morte... »

Sulla soglia della sala da pranzo, avvolta in una cappa di raso grigio chiaro, ricamata con cannette di vetro in gradazione dal bianco all'argento, una donna osserva la scena, con un sorriso tra l'ironico e l'amaro. Si avvicina a Franca. « È più forte di lui. In presenza di una bella donna deve mettersi in mostra. »

Le tende la mano. «Sono Eleonora Duse. È un piacere conoscervi, donna Franca.»

Franca ha un attimo di esitazione. Da vicino, senza il trucco teatrale, con i lunghi capelli neri sciolti sulle spalle, la Duse non è semplicemente bella o sensuale. È magnetica. È l'incarnazione dell'eleganza dei gesti unita a un corpo armonioso, una bellezza così perfetta da sembrare irreale. «L'onore e il piacere sono miei», dice infine. «È stato un privilegio assistere alla vostra interpretazione di stasera. Avete dato voce al tormento interiore di Silvia, ma siete riuscita a trasmettere una cosa anche più difficile: la sua sofferenza fisica. Con un semplice battito di palpebre...»

«Solo una donna sensibile sa quanto sia stretto il legame tra l'amore e la sofferenza», replica la Duse.

Franca sorride e le fa cenno di accomodarsi. In quel momento, nel vano della porta, appare un uomo trafelato, dai lineamenti insieme dolci e decisi e con uno sguardo vivace.

«Oh, ecco il mio scultore!» esclama d'Annunzio.

Ermete Zacconi, che nella *Gioconda* interpreta lo scultore Lucio Settala, il marito di Silvia, fa un inchino a Franca, le stringe la mano. «Donna Franca, è un onore», dice poi. «Perdonate il ritardo ma, dopo lo spettacolo, ho sempre bisogno di un momento di pace...»

«Posso immaginare, signor Zacconi. Il vostro personaggio è... così intenso che mi ha strappato più di una lacrima.»

«Spero non fossero di orrore!» D'Annunzio le è corso accanto, le stringe una mano, le rivolge un'occhiata fintamente umile.

«Di pura e autentica emozione, ve lo garantisco, maestro.»

Lui le bacia la mano e sorride.

Ignazio cerca lo sguardo di Franca per lanciarle un muto rimprovero, ma lei gli volta le spalle e, con un gesto, invita tutti ad accomodarsi a tavola.

Non appena Franca e Ignazio si siedono ai rispettivi capitavola, con il poeta alla destra di Franca e la Duse alla destra di

Ignazio, i camerieri servono i piatti coperti dalle *cloches* d'argento. Il profumo delle uova e del pane appena sfornato invadono la stanza.

«Uova alla Montebello? Ma voi mi viziate!» esclama d'Annunzio, assaporando un boccone, senza staccare gli occhi da Franca.

Ignazio freme. Giuseppe scambia occhiate con Romualdo, che ridacchia.

Poi, nella pausa tra l'aragosta e gli asparagi, il poeta incrocia le mani sotto il mento, la osserva. «Avete un collo di cigno, mia signora. Gli orecchini che indossate lo accorciano e distraggono dalla vostra miracolosa bellezza.» Agita una mano verso i *pendants* di Cartier. «Via, toglieteli.»

«Davvero?»

«Sì.»

Obbediente, Franca ne sfila uno, poi si specchia nella superficie della caraffa d'argento che ha davanti. L'uomo le si fa più vicino, quasi le sfiora la guancia. «Vedete? Voi dovreste indossare solo collier e *corsages* che esaltino la linea della vostra gola.»

Franca annuisce. Toglie anche l'altro orecchino, torna a guardarsi.

«Avete ragione», conferma, ammirandosi nel riflesso.

Dall'altra parte del tavolo, Ignazio, esasperato, pensa solo a quando si ritroverà da solo con la moglie. No, non può sopportare tutta quella confidenza. Ed è convinto che Franca si approfitti delle attenzioni di d'Annunzio per vendicarsi di lui. *Se ne accorgerà! Crede di aver diritto solo lei a fare scenate?*

Si riscuote solo quando coglie l'occhiata di Romualdo che sta cercando di fargli capire come il suo malumore sia ormai evidente a tutti. Allora dà ordine che venga versato del vino bianco, un Pinot, e si alza. «Vorrei fare un brindisi ai nostri ospiti e al loro successo...» annuncia. «Ma soprattutto alla signora Duse, il cui talento supera persino il suo fascino.»

L'attrice gli rivolge un sorriso grato, poi fissa la padrona di casa. «Per una donna, veder riconosciuta la propria intelligenza è tanto importante quanto ricevere un complimento per la propria bellezza. Non trovate anche voi, donna Franca?»

Lei annuisce. «Gli uomini spesso pensano che la nostra sensibilità sia più un limite che una risorsa, e che ci ponga in una condizione d'inferiorità. Vediamo e comprendiamo tutto, e spesso scegliamo di tacere, ma loro sembrano non accorgersene.»

Giulia Trigona inclina la testa, fissa un ricamo della tovaglia di lino. «O, peggio, credono che la condizione di mariti e padri li ponga al di sopra di ogni limite, e che questo permetta loro di umiliare e di mortificare le proprie mogli davanti a tutti», mormora.

Romualdo Trigona impallidisce e abbassa la testa sul piatto.

«La mia musa non può essere soffocata dalle dense caligini della quotidianità.» D'Annunzio guarda la Duse, solleva il bicchiere verso di lei. «Per questo ho respinto le innumerevoli miserie giornaliere e scelto di vivere al di là di esse, sciolto dalle reti e dai lacciuoli che una società mediocre come la nostra serra intorno all'individuo. Per me la libertà è sacrosanta e vale tanto per l'uomo quanto per la donna.»

La Duse scuote la testa, posa la forchetta. «Ciò significa pure sottrarsi a qualsiasi obbligo che derivi da un legame. In altre parole, non assumersi la responsabilità morale delle proprie scelte.»

«Al contrario: onorare come unica dea la libertà individuale significa assumersi *tutte* le responsabilità che derivano da tale scelta.» Il poeta indica il direttore della Comédie Française. «Monsieur Claretie potrà sicuramente confermare che, in Francia, grazie al divorzio, il vincolo matrimoniale non è più un supplizio eterno... Segno, appunto, di ammirevole indipendenza di pensiero.»

Claretie annuisce, poi si asciuga le labbra. «Lungi da me disconoscere l'importanza del matrimonio», dice in tono pacato. «Tuttavia penso che gli artisti dovrebbero rifuggire dai legami. L'arte esige libertà, anche perché spesso genera mutamenti interiori che possono causare sofferenze al prossimo.»

«Paradossalmente il teatro, con le sue maschere, svela l'ipocrisia dei rapporti umani», interviene Zacconi. «Puoi permetterti di dire tutto e il contrario di tutto attraverso le parole di un poeta.»

«Via, ora non esageriamo! Il matrimonio è il fondamento di una società virtuosa. Si definiscono i ruoli, si educano i figli, si segna il confine tra il lecito e l'illecito. Negarne l'importanza è pura follia.» Ignazio ha parlato con voce un po' troppo acuta e puntando lo sguardo su Franca.

Lei inarca le sopracciglia. «Davvero?» Posa il calice di vino, ne accarezza la base. «Secondo me, è il comportamento che parla per noi; sono le nostre azioni e non le parole o i proclami. È una questione di dignità, di amor proprio e di correttezza, perché spesso forma e sostanza coincidono. Voi, signor Zacconi, la definite 'ipocrisia', ma io preferisco credere sia autentico rispetto per gli altri, a cominciare dai propri familiari e dal nome che si porta.»

Eleonora Duse la studia. Poi, lentamente, le sue labbra si piegano in un sorriso. Alza il calice al suo indirizzo. «Come darvi torto, donna Franca?»

Franca ricorderà quella sera e quelle parole ancora molti anni dopo, nel buio di una sala cinematografica, guardando una donna anziana, fragile e intensa, interpretare la parte di una madre che ritrova, da adulto, il figlio che aveva abbandonato. Nel volto segnato da rughe profonde e nei capelli bianchissimi cercherà inutilmente quella Duse che lei aveva conosciuto e ammirato. E non potrà fare a meno di chiedersi se, proprio come il suo corpo, anche il suo spirito, alla fine, non fosse diventato, come il titolo del film, cenere.

Perché quello era un destino cui non si sottraevano neanche le donne più combattive e intelligenti. Franca lo sapeva bene.

È un inverno mite quello che accompagna l'ingresso del nuovo secolo a Palermo. E la città che un cronista del *Corriere della Sera* ha definito «la più bella d'Italia» lo festeggia mettendosi in mostra, rivelando finalmente a tutti la sua anima sofisticata. Ville e palazzine con graziose inferriate in ferro battuto e giardini curati sorgono nello spazio occupato dall'Esposizione Nazionale del 1891, strade silenziose si snodano da via della Libertà, la nuova, grande arteria cittadina che ricorda un boulevard parigino. E proprio alla capitale francese guarda Palermo: lo si vede nei negozi con le insegne di vetro dipinto, nelle gioiellerie che espongono spille e anelli ispirati a quelli di Cartier, nelle modisterie che riprendono i figurini della *Mode Illustrée* o della *Mode Parisienne*, e ovviamente nei café chantant, sempre più numerosi, pieni di luci e specchi, con grandi banconi di zinco e tavolini con le poltrone in velluto. Accanto alla storica pasticceria Gulì, alla confetteria del Cavalier Bruno o al Caffè di Sicilia, dove gli uomini discutono di politica e di affari, vengono aperte sale da tè riservate alle donne: stanze decorate con pitture floreali e arredi dal gusto orientale o arabeggiante, dove le signore possono prendere il tè o gustare granite e sorbetti senza timore di essere importunate dai bellimbusti. Il Teatro Massimo, finalmente terminato, al momento è chiuso, ma il suo primato di terzo teatro più grande d'Europa, dopo l'Opéra di Parigi e la Staatsoper di Vienna, non è ancora stato intaccato e i palermitani possono comunque trovare sfogo al loro desiderio di mondanità negli stabilimenti balneari che sorgono all'Acquasanta, al Sammuzzo e all'Arenella.

E proprio a metà strada tra Palermo e l'Arenella, dove sorge la Villa dei Quattro Pizzi – che i Florio frequentano ormai raramente –, c'era la villa della famiglia Domville, una dimora in stile neogotico che Ignazio ha comprato, trasformandola poi radicalmente. L'ha ribattezzata Villa Igiea e il suo intento è farla diventare il sanatorio più *à la page* di tutta Europa. Una struttura con grandi spazi aperti, ariosa, traboccante di luce, con duecento stanze affacciate sul giardino e quindi sul mare. Alle spalle del complesso, poi, c'è il monte Pellegrino, da cui arriva un sentore di terra misto a quello della ruta e dell'origano. Il contrasto di colori e profumi è tanto insolito quanto corroborante.

« *And this is the terrace: 3000 square meters... Almost 32.300 square feet.* Siamo in inverno eppure qui, all'aria aperta, la temperatura è piacevolissima e l'aria è balsamica, assai utile per curare le affezioni di bronchi e polmoni. »

Ignazio spia le reazioni dei suoi ospiti davanti alla splendida terrazza e alla magnificenza del golfo di Palermo illuminato dal sole di gennaio. Gli uomini annuiscono, commentano a bassa voce, ma sembrano restii a sbilanciarsi. Eppure lui è orgoglioso di quel luogo e ha speso una cifra considerevole per far venire quegli undici medici inglesi in Sicilia, così che assistessero all'inaugurazione della villa. Com'è possibile che non siano esaltati dalle sue potenzialità?

«Forse avrete notato che i pavimenti sono in linoleum. L'intero edificio è a prova d'incendio ed è riscaldato da stufe in maiolica e da caminetti...»

«Se don Ignazio me lo permette, vorrei aggiungere che i servizi di disinfezione e di lavanderia, ma anche i laboratori, sono collocati a una certa distanza dal complesso principale così da non disturbare il soggiorno dei pazienti e garantire una maggiore salubrità.»

A parlare è stato un uomo magro, dagli occhi di un nero profondo e dai grandi baffi grigi. È Vincenzo Cervello, professore di Materia Medica e Farmacologia all'Università di Palermo, e sarà il direttore sanitario di Villa Igiea, dove avrà modo di applicare il suo innovativo metodo di cura per le malattie polmonari: tenere i pazienti per due-tre ore al giorno in una stanza piena d'igazolo, cioè di vapori di formaldeide con cloralio e iodoformio. Un trattamento tanto innovativo quanto controverso: quel gruppo di medici inglesi ha ascoltato le sue spiegazioni con evidente perplessità e ha cercato più volte di porgli domande imbarazzanti. Ma Cervello ha sempre difeso con vigore l'efficacia del suo metodo.

«... soggiorno che, come avete visto, abbiamo concepito prestando attenzione a ogni dettaglio per assicurare comodità e discrezione», completa Ignazio. «E ora, signori, vi lascio liberi per qualche ora. Se volete, sono a vostra disposizione alcune carrozze per la visita della città. Vi ricordo che stasera ci sarà la cena di gala e sarà mio enorme piacere avervi come miei ospiti.»

Finalmente qualche sorriso affiora sui volti degli uomini. Alcuni si guardano intorno, sbirciano tra le siepi e gli alberi del giardino. C'è un istante di esitazione. È il più giovane del gruppo a chiedere timidamente: «*And your wife... She will be there, won't she?*»

Ignazio sorride a denti stretti. «*Of course*. Mia moglie non vede l'ora di conoscervi, signori.»

Un mormorio di soddisfazione accompagna il gruppetto che si allontana.

Con un sospiro, Ignazio si appoggia alla balaustra che si affaccia sul mare. «Grazie al cielo, è finita. Siete sicuro che non sono arrivati alle camere del primo piano?» sussurra al professor Cervello.

«Sicurissimo. E, della cucina, hanno visto solo l'ambiente principale. In più, hanno visitato soltanto un laboratorio e una delle sale per la terapia.»

Ignazio annuisce. I lavori sono ben lontani dall'essere terminati; passeranno settimane prima che il sanatorio possa accogliere i pazienti. I soliti ritardi dovuti a operai pigri, al materiale che non arriva, alla lentezza della burocrazia nel rilascio dei permessi. A ciò poi si aggiungono i costi di mantenimento, che sono già elevatissimi, come aveva acutamente ipotizzato uno degli ospiti, in un tête-à-tête con Ignazio davanti a un bicchiere di brandy, qualche sera prima.

Lui aveva sorriso con diplomazia, evitando di rispondere.

Ma non importa. Per quei luminari, tutto deve apparire perfetto e Villa Igiea pronta all'apertura. Così consiglieranno ai loro facoltosi pazienti quel luogo elegante, baciato dal sole e dal mare e dotato delle attrezzature più moderne. E, una volta lì, l'efficacia delle cure del professor Cervello farà il resto.

Nel momento in cui i due uomini rientrano nell'edificio, un domestico, poco più di un ragazzino, spunta dal fondo del corridoio e corre dritto verso Ignazio.

«Piano, dannazione!» lo rimprovera aspramente lui. «Qui devono regnare la tranquillità e il silenzio!»

«*Mi scusasse*, don Ignazio. Ma un telegramma arrivò e...»

Ignazio glielo strappa di mano e gli fa cenno di allontanarsi. Il ragazzino si avvia quasi in punta di piedi.

Ignazio legge in fretta, poi si ferma, stringe il braccio del professor Cervello. «Oh, Signore, ti ringrazio! Non viene! Il ministro Baccelli non può essere presente all'inaugurazione di Villa Igiea! Dobbiamo rimandare!»

Il professor Cervello sorride, incredulo, si copre la bocca

con la mano. «Abbiamo tempo di finire i lavori! E aprire in primavera...»

I due uomini si stringono la mano.

«Che colpo di fortuna! Lo annuncerò stasera alla cena di gala. Oh, avrò un'aria afflitta, mi profonderò in scuse...»

«Mi è parso di capire che ben pochi vi ascolteranno, comunque. Credo che il principale obiettivo di questi inglesi sia incontrare vostra moglie», commenta il professor Cervello, reso audace da quella notizia.

Ignazio appallottola il telegramma, lo infila in tasca. «Che guardino pure la mia Franca. Tanto c'è una cosa che noteranno subito.»

«E quale?» domanda il professor Cervello, incuriosito.

Ignazio sorride. «Mia moglie è di nuovo incinta.»

«Carissimo Ettore!» esclama Franca.

Ettore De Maria Bergler, un sigarino stretto tra le labbra, è intento a mescolare in una ciotola diverse tonalità di verde. A quella voce, alza subito la testa e si gira con un sorriso. Per un istante, tra i due passa il ricordo di una primavera di molti anni prima, di un ritratto a carboncino, quando lei era una giovane ingenua, convinta che Ignazio non vedesse neppure le altre donne. Le tende una mano sporca di vernice, le bacia le nocche. «Donna Franca, che piacere vedervi! Siete venuta a vedere come procedono i lavori?»

Lei annuisce e incrocia le mani sul ventre.

Il suo terzo figlio nascerà tra un paio di mesi: dopo la sua adorata Giovannuzza e Baby Boy, un altro maschietto la riempirebbe di gioia. Per allora, quel salone dovrà essere pronto, dato che lì accoglieranno gli ospiti per il battesimo del piccolo.

«Be', siamo a buon punto. Michele Cortegiani e Luigi Di Giovanni, poi, sono quasi più avanti di me.»

Franca alza lo sguardo su due uomini che, seduti su un'impalcatura, stanno dando gli ultimi ritocchi a un serto di rose. «Salute, signor Cortegiani! Salve, signor Di Giovanni!»

«I miei rispetti, donna Franca», dicono entrambi.

Sopra di lei, danzano ninfe avvolte in abiti impalpabili. «Magnifico», mormora, girando su se stessa per guardare gli affreschi che stanno prendendo vita. «C'è qualcosa di... magico, in queste creature.»

«Sono convinto che l'arte sia una magia che deve essere vissuta senza pregiudizi. Non trovate?»

Lei sospira, annuisce. È amica di scrittori e pittori e sa bene quanto è importante che ogni opera sia avvolta da un'aura di mistero. Però ormai ha imparato a riconoscere le loro piccole e grandi ossessioni, le meschinità e soprattutto i timori, ritrovandoli persino nelle lettere che Puccini e d'Annunzio le scrivono. «Già. Voi artisti siete creature tanto potenti quanto fragili.»

Il pittore inarca le sopracciglia, poi tira fuori dalla tasca un fazzoletto con cui si asciuga un rivoletto di sudore. «Il problema di oggi è che non c'è umiltà. Certa gente vede un solo quadro o ascolta un'unica opera lirica e si sente in diritto di muovere critiche feroci.» Passa la ciotola a un garzone e gli ordina di continuare a impastare il colore, poi si pulisce le mani con uno strofinaccio. «Venite, andiamo in giardino», dice infine, sorridendo. «È un aprile clemente, questo, e non voglio che vi affatichiate più del dovuto.»

Attraversano il corridoio, scendono le scale dalle linee sinuose e arrivano alla grande terrazza che si affaccia sul mare, dove sono stati sistemati gli arredi in ferro battuto. Franca si siede con un sospiro di sollievo. La stanchezza della gravidanza si fa sentire.

Eppure De Maria Bergler non sembra notarla. «Avete un'aria così... radiosa», esclama. «Ah, come vorrei dipingervi ora, con questa luce primaverile!»

«Siete sempre molto buono con me», replica Franca. Però sa che il pittore ha ragione: negli ultimi mesi, Ignazio ha ricominciato ad amarla con passione e le voci sulle sue «distrazioni» sembrano diminuite. La sua ritrovata serenità è evidente. Non pensa quasi più alle altre donne: loro possono pure avere le attenzioni di Ignazio, ma lei è la madre dei suoi figli. Loro hanno le briciole; lei ha il banchetto. E poi, soprattutto, è fiera di sé: la sua immagine esterna non si è mai incrinata, neppure per un istante.

« Allora? Come state? »

« Il piccolo scalpita come un demonietto », mormora Franca, accarezzandosi il ventre. Il bambino sembra quasi risponderle con un piccolo calcio sul fianco.

« Per la sua nascita, avremo ultimato i lavori. Lo sentite questo odore d'impregnante, di olio e di colla, ma soprattutto di legno? Viene dai mobili disegnati dal vostro caro amico Ernesto Basile; li hanno appena consegnati i facchini della fabbrica di Vittorio Ducrot, sono ancora imballati. Se volete, dopo ve li mostrerò. Vedrete, alla fine sarà come essere in un giardino in primavera. »

« O in un luogo di sogno, fuori dal tempo », dice Franca, sorridendo. Perché è quello che lei ha in mente. Un hotel esclusivo, riservato all'aristocrazia mondiale, davanti a quello che Goethe aveva definito *des schönsten aller Vorgebirge der Welt*, « il più bel promontorio del mondo ». Un rifugio per rigenerare la mente e il corpo.

E l'idea era stata sua.

Quando Ignazio aveva compreso che Villa Igiea non sarebbe mai diventata il sanatorio di lusso che lui aveva immaginato – troppi ostacoli burocratici, troppi soldi e, soprattutto, troppi dubbi sull'efficacia del metodo di cura del professor Cervello –, si era chiuso per giorni in un silenzio rabbioso, da cui era uscito soltanto per lanciarsi in invettive contro la malasorte, dichiarandosi vittima della maledizione di vivere su un'isola tanto arretrata.

Franca l'aveva lasciato sfogare. Poi, una sera, aveva ricordato in tono nostalgico i loro soggiorni a Saint-Moritz, Nizza e Cannes e, con un sospiro, aveva aggiunto che sarebbe stato così bello avere anche lì, a Palermo, un albergo lussuoso come quelli che loro frequentavano abitualmente...

Ignazio l'aveva guardata a occhi spalancati, poi aveva esclamato: « Ma certo! Franca mia, vero è! Al diavolo il sanatorio! La *nostra* Villa Igiea può diventare l'hotel di lusso più bello d'Europa! » Poi le aveva preso le mani e l'aveva baciata.

Insieme con il loro buon amico Ernesto Basile, avevano trascorso pomeriggi interi a parlare di come immaginavano quel luogo: dagli arredi delle camere e dei saloni ai campi da *lawn tennis*, uno sport che Ignazio praticava con entusiasmo; dal giardino panoramico, con ponti e scalinate, alla stazione telegrafica; dalla possibilità di mettere a disposizione degli ospiti alcune barche, e forse persino uno dei loro yacht, all'eccellenza della cucina che – Franca era stata irremovibile – doveva essere gestita da uno chef e da una brigata francesi, come francesi sarebbero stati pure il *maître* e il *sommelier*. Grazie alla mitezza del clima siciliano, poi, l'hotel sarebbe stato aperto sempre, anche d'inverno. Ignazio aveva allora raccontato come uno dei medici inglesi a un certo punto avesse dichiarato: «Qui in Sicilia, gennaio è come un caldo giugno in Inghilterra!» E se n'era andato a fare un bagno in mare, imitato da altri colleghi.

Avevano riso tanto insieme, lei e Ignazio. Erano stati complici come mai prima. Franca aveva suggerito e spiegato; e lui l'aveva ascoltata. Si era sentita – e ancora si sente – parte di quel progetto. E poi, ama quel luogo lontano dalla città, ne ama i suoi profumi di fiori e di alghe, e il modo in cui il sole si riflette sul mare e lungo la costa della città, irrorandola di oro e bronzo. Lo ama tanto che ha deciso di riservare un piano intero di Villa Igiea per sé, per Ignazio e per i loro figli.

Le dita corrono alla collana in oro e corallo di Sciacca. «Sapete, vorrei tanto trasferirmi qui al più presto. L'Olivuzza sembra un porto di mare... c'è sempre una tale confusione, tra gente di servizio e ospiti che vanno e vengono! Ora più che mai, avrei proprio bisogno di tranquillità.»

«Certamente! Del resto, quale luogo migliore di questo, che porta il nome della dea della salute?»

Franca ride. «Ah, sapeste... All'inizio, quando ancora mio marito pensava di far diventare questo complesso un sanatorio, si è torturato per settimane, incerto se Igiea dovesse esser scritto con la 'i' o senza. Alla fine, è stato il caro d'Annunzio a confermargli che il nome della dea della salute è proprio Igiea.» Il viso le si addolcisce. «Se sarà una femmina, mio marito vorrebbe chiamarla così. Ma io desidero tanto che sia un maschio.»

«Sarà ciò che il destino vuole. L'importante è che sia sano. E vostra suocera, donna Giovanna, come sta?»

«Bene, vi ringrazio. Ha deciso di rimanere all'Olivuzza»,

aggiunge, benché il pittore non gliel'abbia chiesto. Ma il sollievo per la scelta della suocera di restare nella villa insieme con il figlio minore è così grande che Franca non riesce a nasconderlo e trapela dalla sua voce, oltre che dal viso. Da quando lei è arrivata all'Olivuzza, ormai sette anni fa, Giovanna non ha mai cambiato il suo modo di vivere, scandito da preghiere e da ricami, da malinconia e da rimpianti. Il velo di dolore e di tristezza dei suoi appartamenti è ormai un'ombra che nessuna luce riesce a scacciare.

No, molto meglio il sole, la vita e il calore che si respirano in quel luogo.

« Qualche giorno fa, ho sentito vostro marito parlare con Ernesto della possibilità di realizzare una casina nel parco dell'Olivuzza per vostro cognato », riprende il pittore.

« Ah, sì. È un progetto di cui parla da un po'. Io non sono molto d'accordo, perché significherebbe stravolgere il giardino e distruggere il tempietto, ma tant'è. Quando si tratta di suo fratello, lui non dà retta né a me né a sua madre. Vincenzo ormai ha diciassette anni e gli ha chiesto *più spazio e più libertà* », spiega, calcando sulle ultime parole.

Il pittore nasconde un commento pungente dietro un sorriso diplomatico. In realtà, il più giovane dei Florio si sta *già* prendendo tutto lo spazio e la libertà che vuole: da un lato, con la sua passione per le automobili, di cui si vanta di conoscere ogni bullone e ogni cinghia; dall'altro, con la sua collezione di conquiste femminili, non dissimile da quella del fratello. *Come due scapestrati simili siano venuti fuori da una coppia morigerata come quella di Ignazio e Giovanna Florio rimane un mistero*, si dice De Maria Bergler, ma si guarda bene dal formulare quella considerazione ad alta voce.

Si alza. « Mi dispiace assai, ma devo tornare al lavoro, donna Franca. Posso però dirvi una cosa, prima? Al di là del mio contributo, sono certo che Villa Igiea diventerà un luogo straordinario, che tutti c'invidieranno. Non credo che sarebbe stato così per il sanatorio. Per fortuna vostro marito ha cambiato idea... »

« Solo le persone prive di fantasia non cambiano idea. E gli stupidi », replica Franca con un sorriso. « E sì, sono d'accordo con voi. Forse il mio ottimismo nasce dalla gioia per questa nuova gravidanza, ma sono convinta anch'io che Villa Igiea svelerà al mondo la straordinaria bellezza di Palermo. »

In quella domenica d'aprile, il sole è già brillante e dà la caccia alle ombre degli alberi di piazza Marina, mentre il libeccio alza nuvole di polvere sulle *balate* del Cassaro. Di buon mattino, Ignazio è dovuto andare a Villa Igiea per discutere con il capomastro delle rifiniture dei parapetti affacciati sul mare. E sarebbe rimasto volentieri a passeggiare nel giardino, ma aveva un appuntamento importante.

Adesso è nel palazzo della Navigazione Generale Italiana, e sta rileggendo una lettera.

È la bozza della missiva che ha mandato quasi un anno prima al *Giornale di Sicilia*; un lungo, minuzioso elenco di tutto ciò che sarebbe stato necessario fare per risollevare l'isola dalle sue eterne difficoltà: un « Progetto Sicilia », così lo aveva chiamato, che suggeriva di trasformare le colture estensive in intensive, di costruire oleifici, di rilanciare l'estrazione dello zolfo, di coltivare in via sperimentale sorgo e barbabietola, di ripiantare le viti intaccate dalla fillossera, di fare propaganda tra gli agricoltori per spiegare la necessità d'innovare le coltivazioni, di agevolare le riforme legislative... Era il piano d'azione di quel Consorzio Agrario Siciliano che lui aveva fortemente voluto, raccogliendo intorno a sé diciottomila tra nobili, intellettuali e politici uniti dall'idea che fosse arrivato il momento di agire per svecchiare l'economia dell'isola.

Ma il governo, generoso a parole, non lo era stato altrettanto nel mettere mano alla sacchetta. Il progetto si era afflosciato su se stesso. Dalle ceneri della delusione era nata però una nuova idea che lo aveva subito infiammato: fondare un giornale.

Ci aveva pensato bene. Dalle colonne di un giornale, gli interessi di Casa Florio avrebbero avuto ben altra visibilità. E poi un giornale era ormai un indispensabile strumento di pressione sull'opinione pubblica. Per esempio per criticare le decisioni di un governo che stava scontentando tutti, perché imponeva tasse e non dava aiuti. Quando i politici capiscono che la gente comune non li segue più, anzi è loro ostile, non possono far altro che cambiare linea d'azione.

Infine un giornale era il modo migliore per mostrare a tutti quale poteva essere il futuro.

Un giornale avrebbe dato voce al malcontento e alla speranza.

Alla *sua* voce.

Non è più il tempo di suo padre, quando un uomo solo poteva cambiare il destino di un'intera città. E suo padre, per anni, aveva comunque avuto Crispi a guardargli le spalle. Tramontato Crispi, tramontato pure di Rudinì, adesso a capo del governo c'è quel Luigi Pelloux che nulla sa della Sicilia e pensa di risolvere tutto con i carabinieri e i loro fucili. Ignazio ha un moto di stizza. Pochi giorni prima – l'8 aprile – Pelloux ha fatto addirittura sospendere le agevolazioni per le costruzioni navali, mettendo in seria crisi il completamento del cantiere di Palermo. *Con questi politici del Nord non ci si può più parlare. Non le capiscono, certe cose, e allora bisogna chiamare un esercito, e affrontarli, e farli* scantare. *Bisogna coinvolgere il popolo,* pensa, quasi con rabbia.

Alza gli occhi, si guarda intorno. L'edificio è silenzioso. Nessun cigolio, nessuno scricchiolio, oggi. Persino le crepe sembrano sparite.

Qualcuno bussa alla porta. Un'imponente figura maschile compare sulla soglia.

«Avanti, caro di Rudinì, avanti!»

Carlo Starabba di Rudinì, primogenito dell'ex primo ministro, è un uomo massiccio, con grandi favoriti scuri, elegantemente vestito.

«Allora, siete pronto?» gli chiede Ignazio.

«Sono onorato, soprattutto. Essere il proprietario di un nuovo giornale non è cosa da poco. Il direttore ci aspetta in sede, vero?»

«Morello dovrebbe già essere arrivato, sì.» Annuisce, Ignazio, e fissa la sua attenzione su un portolano appeso alla parete che raffigura la costa calabrese e lo stretto di Messina. «Sapete, è di Bagnara Calabra, come il mio bisnonno. Che strane coincidenze.»

«Pensavo fosse di Roma. Scriveva per *La Tribuna*, non è vero?»

«Eh, sì. Bene, è tempo di andare.»

All'interno della vettura, il buio è fresco, confortante. Ignazio giocherella con i gemelli di brillanti – due grosse pietre che illuminano il polso – e trattiene un sospiro, poi incrocia le dita per nascondere la tensione.

«E vostro padre, come sta?»

«Bene, grazie. Sempre arrabbiato con Pelloux», risponde di Rudinì con una scrollata di spalle.

«Lo capisco e ha tutte le ragioni per esserlo. Voi sapete che l'ho appoggiato con convinzione e che in me lui ha sempre trovato un alleato fedele», replica Ignazio. «E capisco perché sia in contrasto con l'attuale governo, percorso da una smania di normalizzazione che certo non aiuta la Sicilia e il Meridione tutto. Come se la Sicilia fosse uguale al Piemonte o alla Toscana! Siamo sopravvissuti ai Borbone, ma non riusciamo a liberarci dei vincoli e dei dazi scellerati che c'impone il governo di Roma... mentre le imprese del Nord hanno mano libera, è ovvio!»

Carlo di Rudinì piega le labbra in una smorfia carica di amarezza. «Quand'era al governo, mio padre ha sempre fatto in modo di proteggere gli interessi del Sud Italia, e della Sicilia in particolare. Siamo una nazione ancora troppo giovane, che viene da governi differenti. Tutta l'unificazione è stata fatta troppo in fretta. L'Italia, caro don Ignazio, è nata già divisa», commenta in tono disincantato. «Chi ha fatto l'Italia, quarant'anni fa, non si è reso conto di quanto il Sud e il Nord fossero diversi, e ora noi ne piangiamo le conseguenze.»

Ignazio annuisce. «È così: dopo l'unificazione, la Sicilia e i siciliani sono stati messi da parte come una scarpa vecchia. Nessun progetto, nessuna innovazione; solo accuse di essere dei mangiasoldi senza arte né parte, di essere dei... cafoni.» Quasi sputa quella parola. «È uno dei motivi per cui avevo fondato il Consorzio Agrario, perché avevo fiducia che si potesse fare qualcosa di concreto, di moderno. Certo, mentre altrove i proprietari terrieri sono una forza politica ascoltata e aiutata, qui da noi sono visti alla stregua di poveri idioti.»

Di Rudinì lo osserva in tralice, scettico. Di sovvenzioni, Casa Florio ne ha avute tante, e anche gli aiuti politici non sono mai mancati, dalle convenzioni navali in poi. Ignazziddu Florio, però, non ha né l'autorevolezza del nonno né la tempra del padre. È dotato di buona volontà e ha idee brillanti, certo, ma è incostante: *'na bannera di cannavazzo*, una banderuola che va dove tira il vento. E, quanto alle attività produttive, non brilla certo per innovazione: dovrebbe spendere di più e meglio per le sue imprese, che invece arrancano, come l'Oretea, e non riescono a tenere il passo con le aziende del Nord Italia. Tuttavia, oltre a riconoscergli una singolare sensibilità per le questioni sociali, sa che è un uomo potente, ricco e con una estesissima rete di conoscenze. È per questo che si è lasciato coinvolgere nella fondazione del giornale.

Ignazio sembra leggergli nel pensiero, perché si china in avanti, gli stringe il braccio. «Sono certo che, grazie a questa iniziativa, riusciremo a fare *scruscio*. L'informazione libera sarà la bandiera di questo giornale! Sfrutterò i miei contatti con l'estero per avere notizie da ogni parte del mondo, ci scriveranno firme importanti: Colajanni, Capuana... persino il grande d'Annunzio mi ha assicurato che collaborerà con noi. Il *Giornale di Sicilia* ha fatto molto, ma è ora che qualcuno difenda davvero gli interessi dei siciliani. Questo è un punto su cui si trovano tutti d'accordo. Lo è persino Filippo Lo Vetere, un socialista, mica un nobile *assittato supra u trono*: è inutile farci la guerra tra proprietari e contadini, dice. Nessuno ci aiuterà; ci dobbiamo aiutare da soli.»

Ignazio vorrebbe aggiungere che ha pensato pure a come attirare i lettori, offrendo agli abbonati dei premi, vasi o servizi da tavola della sua fabbrica di ceramiche, ma non fa in tempo. La vettura è arrivata in via dei Cintorinai, alla sede del giornale il cui primo numero uscirà proprio in quel giorno, e che farà strada, molta. Per tante generazioni racconterà la vita amara di Palermo con sincerità e coraggio; alle sue scrivanie si forme-

ranno alcune delle più importanti firme del giornalismo siciliano e italiano. E, prima di essere chiuso, vedrà morire alcuni
suoi giornalisti per mano della mafia.

L'Ora.

Corriere politico quotidiano della Sicilia.

Costanza Igiea Florio nasce il 4 giugno 1900. Verrà chiamata
semplicemente Igiea e accolta dalla sua famiglia come una promessa di felicità per il nuovo secolo.

Ma stavolta la gioia non è condivisa dagli operai di Casa
Florio. Nessuno di loro si presenta all'Olivuzza per festeggiare
la nascita. Non si può far festa quando manca il lavoro.

Perché, tra giugno e novembre, le sovvenzioni per la costruzione di nuove navi vengono tagliate. Un provvedimento che
danneggia i cantieri navali del Nord – che però hanno già le
loro commesse – e mette letteralmente in ginocchio quelli del
Sud, primo fra tutti il cantiere di Palermo, ancora incompiuto.
La Navigazione Generale Italiana deve far interrompere i lavori. E Ignazio è costretto a licenziare centinaia di operai.

In una situazione resa ancora più difficile dall'attentato in
cui perde la vita il re Umberto I, appare inutile rivolgersi a Roma, da cui vengono solo vuote rassicurazioni o segnali di paura per una possibile rivolta e quindi inviti a sorvegliare i pos-
sibili provocatori; ad arrestarli subito, se ce n'è bisogno. A Palermo viene negata addirittura l'elemosina: il prefetto chiede
una sovvenzione per le famiglie in difficoltà, ma il governo
si oppone; alla fine è lo stesso prefetto che ritira la richiesta, temendo che costituisca un precedente pericoloso.

Le famiglie di disoccupati crescono. All'inizio del 1901, sono quasi duemila.

Crescono anche le tasse municipali, nel maldestro tentativo
di sanare un bilancio ormai in deficit cronico.

E, sull'onda lunga, interminabile, della fame, della disperazione, dell'incertezza, rimbalza un'unica frase, sussurrata da
tutti, dagli operai dell'Oretea, dagli impiegati, dagli artigiani,

dai facchini e dai marinai del cantiere navale. Una frase che è un'accusa senza remissione.

Ignazio Florio è un bugiardo.

Il cantiere avrebbe portato il benessere in città, aveva detto. L'economia avrebbe avuto un nuovo impulso, aveva affermato. Ci sarebbero stati pane e lavoro per tutti, aveva promesso.

E invece ora Palermo è inerte, e può solo guardare da lontano quel mastodontico cantiere incompiuto, che sta diventando obsoleto senza nemmeno essere entrato in funzione.

E la colpa è di Ignazio Florio.

L'alba del 27 febbraio 1901 è da brividi, da scialli gettati sulle spalle, con le montagne spruzzate di neve e un cielo di piombo. Solo a febbraio fa davvero freddo in Sicilia.

E quel freddo arriva all'Olivuzza, travalica i muri e le finestre chiuse con le pezze di lana per tenere a bada gli spifferi, smorza il calore degli scaldini e raggiunge Ignazio sotto le coperte.

Cosa strana per lui, è già sveglio. Anzi, in realtà, non ha quasi dormito. Ha trent'anni, ma, in quella mattina, se ne sente addosso il doppio.

Rabbrividendo, si alza dal letto, indossa la vestaglia e va nello studio. Chiede un caffè e un cognac, poi ordina di non essere disturbato.

Guarda la pila di cartellette sulla scrivania: fogli che non vuole nemmeno sfiorare. Eppure sono lì, e gli stanno chiedendo conto e ragione. Debiti verso le banche, prima fra tutte la Banca Commerciale Italiana, che gli ha fornito la liquidità quand'era venuto fuori quel brutto pasticcio del Credito Mobiliare. Si è indebitato, allora, ed è stato costretto a dare in garanzia una quota delle sue azioni della NGI.

E ora ha saputo che le commesse per le navi militari, quelle su cui lui contava dopo che il governo aveva cancellato i fondi per la costruzione dei piroscafi civili, sono state affidate ai cantieri di Napoli e Genova. Palermo e i Florio sono stati esclusi. Per loro nulla, nemmeno le briciole.

Quindi adesso quelle azioni valgono poco, pochissimo, e le banche vogliono altre garanzie, altre certezze.

Suona il campanello. «Chiama Morello al giornale, subito!» ordina al cameriere che appare sulla porta. Poi si siede alla scrivania. Ha la sensazione che gli manchi il terreno sotto i piedi e che non ci sia nulla cui aggrapparsi per non cadere.

D'un tratto, sente un vago rumore, come un gemito sommesso.

Eccoli, gli scricchiolii che annunciano il cedimento.

Ignazio batte un pugno sulla scrivania. Se solo avesse indagato più a fondo la solidità del Credito Mobiliare, anni prima, anziché conferirvi i capitali. Se solo avesse ascoltato chi gli diceva di prendere le distanze da quell'istituto bancario quando imperversava lo scandalo della Banca Romana. Se solo non avesse ripianato le perdite dei risparmiatori, mettendo i soldi di tasca propria...

E invece, ormai da quasi otto anni, Casa Florio si porta addosso le conseguenze di quelle scelte.

Gli aiuti da Roma erano stati pochissimi e, ormai lo ha capito, sarebbero stati sempre meno. La politica era diventata una continua scommessa, con alleanze tanto precarie quanto mutevoli; il governo cambiava faccia di continuo – a Luigi Pelloux era succeduto l'anziano Giuseppe Saracco e adesso, da qualche giorno, c'era Giuseppe Zanardelli, un altro politico del Nord – ed era quasi impossibile stringere un rapporto continuo e *proficuo* con un ministro o con un sottosegretario, che si limitavano ad arraffare quello che potevano e a proteggere gli interessi propri e di quelli che avevano fatto loro dei favori.

Sì, ormai erano gli industriali del Nord ad avere tutto il potere politico. Loro avevano le fabbriche, e i cantieri navali, e le industrie siderurgiche all'avanguardia. Loro avevano la possibilità di caricare sui treni i propri prodotti e di farli arrivare ovunque in un baleno. Infischiandosene delle difficoltà del trasporto per nave.

Per un momento, l'aria preme contro lo stomaco, come se fosse diventata polvere di ferro precipitata alla base dei polmoni. Poi, di colpo, lui la butta fuori con un suono rauco, a metà tra un grido soffocato e un singhiozzo.

Come siamo arrivati a questo punto? Come ci sono arrivato io? si chiede, lo sguardo fisso sul quadro che ritrae il suo *Valkyrie*, una tela che aveva commissionato poco prima di venderlo e che gli riporta alla memoria momenti felici. Ricorda quando aveva il tempo e la mente sgombra per dedicarsi alle regate, ai tornei e al *lawn tennis*. Ormai gli rimane ben poco: le feste, certo, e quelle piccole... distrazioni che ogni tanto si concede.

Ha sempre amato la vita, lo sport, l'avventura. E invece è inchiodato dietro una scrivania – proprio come suo padre –, deve trovare il modo di uscire da quell'impasse e nessuno, *nessuno*, sembra disposto ad aiutarlo. Nemmeno Alessandro Tasca di Cutò, che è diventato un influente socialista, vuole starlo a sentire. L'ultima volta che si erano parlati, gli aveva detto che il destino del cantiere era stato segnato dalle sue manie di grandezza e che sarebbero stati i lavoratori a pagare le conseguenze delle sue azioni irresponsabili. Poi, ormai sulla porta, lo aveva ammonito: «La gente ha paura di perdere tutto, Ignazio. E dalla paura nasce il caos. Ricordalo». E se n'era andato senza salutare.

La gente?

Sono io *che ho paura di perdere tutto.*

Perché, adesso, il cantiere navale di Palermo rischia di non essere mai finito.

E *lui* rischia di fallire.

«No», dice a mezza voce, e sbatte le mani aperte sul tavolo. «Non può essere», ripete.

Deve reagire. Ma come? A chi chiedere aiuto?

Come hanno potuto fare un simile affronto a me? Ai Florio?

Il 28 febbraio 1901, l'editoriale dell'*Ora* a firma di Rastignac – cioè di Vincenzo Morello – ha un titolo durissimo: «Dimenticata».

La Sicilia è dunque dimenticata!... A Palermo si è fatto un trattamento speciale; ma per escluderla da tutti i benefici goduti o da godere delle altre regioni... Nelle leggi e nelle disposizioni la dimenticata è sempre la Sicilia, mentre la crisi nell'isola è più intensa che altrove, mentre negli stabilimenti di Palermo il lavoro è sospeso da molto tempo.

È benzina sul fuoco per le paure di una città che si è vista negare tutto: il proprio passato glorioso, la possibilità di contare qualcosa nel presente dell'Italia unita, un futuro di speranza e di progresso.

È così che Palermo alza la testa. Lo fa con rabbia e con una furia che nasce sì dalla paura, ma soprattutto da una dignità violentata.

Il risultato concreto è il primo, vero sciopero cittadino. Non una manifestazione degli operai della Fonderia Oretea o di quelli del cantiere navale, no. Certo, lo sciopero parte dal comitato di associazioni sindacali del mandamento Molo, dove si trova il cantiere navale, ma a partecipare sono braccianti, cocchieri, sarti, pescatori, barbieri, giardinieri, fruttivendoli, muratori, fornai, ebanisti... Perché tutti sanno che, se il cantiere di Florio non riprende a lavorare, crolla tutto e al governo mica gli interessa se a Palermo non c'è né pane né lavoro, ché quelli guardano solo a farsi gli affari loro. L'hanno sempre fatto.

Il Cassaro si riempie di gente: donne e bambini sono in testa ai cortei e sfilano insieme con gli operai. Passano di fronte alla Navigazione Generale Italiana e arrivano fino al Palazzo Reale; un torrente che, a ogni strada, a ogni incrocio, aumenta la sua portata, diventa fiume in piena. I carabinieri pattugliano le strade, inseguono i capi della rivolta; la polizia fa retate tra gli operai che aderiscono al sindacato.

Ma i palermitani non ci stanno, e gridano, e reagiscono, e dagli sputi si passa ai pugni, dai calci alle spranghe e lo sciopero si trasforma in una guerriglia, con le forze dell'ordine che braccano i manifestanti e questi ultimi che prendono d'assalto le caserme e i negozi; devastano e si abbandonano ai saccheggi perché così è, perché la fame è fame e la paura è paura.

Semu fangu d'in tierra, pensano i palermitani: gente da nulla, da reprimere con la frusta, da incarcerare come i delinquenti, da spararci. E allora lo scontro si esacerba, le violenze aumentano ancora: un assalto alla baionetta dei bersaglieri è contrastato a sassate, i tabelloni per le affissioni vengono accatastati e incendiati, spuntano pugnali, sciabole, pistole. I sindacati, che pure avevano dato il via alle proteste, temono ormai di non riuscire più a contenere la furia popolare.

E infatti, dopo un ultimo messaggio di Zanardelli, fitto di rassicurazioni vaghe e di promesse improbabili, prendono paura, capitolano e dichiarano la fine dello sciopero.

Ma nulla è cambiato.

Il 3 marzo 1901 un Ignazio teso e provato sta guardando fuori dalla finestra della sede dell'*Ora*. Per due giorni ha sentito vibrare la città, come se fosse prossima a esplodere. Ha avvertito la tensione che cresceva per le strade, il malessere che si nutriva della sua stessa disperazione. Ha assistito agli scontri, maledicendo i socialisti, ma anche i politici di Roma e i loro telegrammi ufficiali: quello di Crispi – inutile e retorico proprio come il mittente – nonché quelli di Giovanni Giolitti, il ministro dell'Interno, e dello stesso Zanardelli. Il capo del governo gli aveva addirittura mandato un telegramma personale, chiedendogli di adoperare la sua influenza per calmare le acque.

Ora parla con me, ora che ha paura, si era detto.

Morello segna le ultime correzioni al testo del suo editoriale, poi lo raggiunge alla finestra. «Stanno già arrestando le persone a decine. Se a Roma si ostinano a non capire cos'è successo davvero qui e continuano con la repressione, allora sono dei criminali. Giolitti e Zanardelli avranno sulla coscienza dei morti», dice. Poi si mette a cercare il portasigari nella tasca della giacca.

Ignazio gli accende il sigaro, rifiuta l'offerta di uno per sé e si morde un labbro.

«Ah, poi un mio... amico mi ha fatto avere il telegramma che due deputati palermitani, Pietro Bonanno e Vittorio Emanuele Orlando, hanno mandato a Zanardelli: accusano voi di aver istigato lo sciopero perché siete in difficoltà e volete far leva sul ricatto. E mi indicano come vostro complice.» Morello scuote la testa. «Ne ho viste tante, don Ignazio, sin dai tempi della *Tribuna*, e di tanto ho parlato, e senza paura.» Soffia fuori una boccata di fumo, si allontana dalla finestra per sedersi su una poltrona di pelle, davanti alla scrivania. «Mi hanno accusato di molte cose: di essere un servo del potere *e* di osteggiare l'ordine costituito», dice, con una nota di divertimento nella voce. «Fesserie. L'idea di essere l'istigatore di uno sciopero mi riempie di orgoglio e non di vergogna o paura, come vorrebbero quei due.»

«A onta delle calunnie di Bonanno e Orlando, i parlamentari palermitani si sono schierati a favore dello sciopero e contro l'esclusione delle commesse: il barone Chiaramonte Bordonaro, il principe di Camporeale e ovviamente mio cognato Pietro. Poveri e ricchi insieme. Mai come oggi la città è stata compatta.» A passi lenti raggiunge l'altra poltrona, si lascia cadere davanti a Morello. L'aroma caldo del suo sigaro lo raggiunge.

«Pure il prefetto de Seta ha cercato d'intervenire a favore delle richieste degli scioperanti...»

«E il questore ha deciso di opporsi. Lo Stato contro se stesso, a questo siamo... e poi accusano me di aver fatto speculazioni con i soldi pubblici, di avere 'manie di grandezza', come dice Tasca di Cutò.» Fa un gesto di stizza, inizia a battere il piede sul pavimento. Dalla strada giunge uno scoppio di grida rabbiose, subito placato. «Se anche fosse vero, il problema non sono io o le mie perdite: sono gli operai che siamo costretti a licenziare perché non abbiamo più ragione di mantenerli, se non c'è lavoro. È questo che mi fa infuriare: si guarda ai Florio come se fossimo la causa di tutti i mali, dopo tutto quello che abbiamo fatto, che *io* ho fatto per questa città... e sono certo che quei *crasti e cornuti* del *Giornale di Sicilia* riprenderanno simili assurdità e gli daranno pure fiato!»

«Fanno il loro lavoro, don Ignazio, come io faccio il mio.» L'inarcarsi di sopracciglia di Morello è eloquente. «Voi, piuttosto, pensate a sfruttare questo momento. Avete un nome da spendere e l'appoggio della maggioranza dei politici palermitani. Non di tutti, certo, ché i socialisti e quei due fanno storia a sé, ma in fondo non importa. Fate pressione, muovetevi adesso. A Roma saranno costretti a cedere qualcosa, se non vogliono che, di qui a poco, scoppi una guerra civile. La gente

vi ridarà fiducia. Le malelingue saranno costrette a rimangiar-
si tutto. E gli operai vedranno che *'u principale* sa farsi rispettare.»

Ignazio annuisce. Eppure dentro di lui una paura sta prendendo consistenza, gli risale dallo stomaco. Perché non sa più
quanto potere abbia il suo nome a Roma, perché un tempo,
certe critiche, i giornali non le avrebbero nemmeno pensate, figuriamoci scriverle.

Voi, di vostro padre, portate solo il nome. Ben presto quel nome
non avrà più nessun potere. E sarà solo colpa vostra. Così aveva
profetizzato Laganà, pochi anni prima.

Ignazio inghiotte a vuoto; quel giorno, anche se non riesce a
dirselo, è arrivato.

«Questo?»

«Be', il velluto verde scuro richiama i tuoi occhi, Checchina,
ma l'abito non mi sembra... adeguato.» Francesca è diventata
una donna affascinante e disinvolta. Ha superato il dolore per
la morte di Amerigo, si è risposata da qualche anno e adesso
divide il suo tempo tra Palermo, Firenze e Parigi insieme con
il marito, Maximilien Grimaud, conte d'Orsay.

«Aspetta...» A parlare è stata Stefanina Spadafora. Si è sposata da poco con Giulio Cesare Pajno e ha interrotto i preparativi del viaggio di nozze per aiutare Franca in quella difficile
scelta. Aspira dal bocchino di ebano stretto tra le dita, lascia
uscire uno sbuffo di fumo. «No, Francesca ha ragione: non
ci siamo», dice infine.

«Stai per posare per uno dei pittori più famosi d'Italia, se
non d'Europa, *ma chère*. Non puoi presentarti come un'educan-
da.» Giulia Trigona è abbandonata sulla sponda del letto, la testa puntellata contro la mano, un'aria vagamente annoiata. La
gonna le risale lungo le caviglie e rivela le lunghe gambe tornite.

In vestaglia e camiciola, Franca allontana da sé l'abito, indica la scollatura e lancia uno sguardo eloquente alle amiche, ma
Stefanina agita la mano come a dire che no, è inutile insistere,

non va bene. Poi si alza, attraversa la stanza, calpestando i petali di rosa delle piastrelle, curiosa tra i profumi della toeletta, apre un flacone. « Che autentica sinfonia di note speziate! Che colonia è? »

Franca non si volta, ma annuisce. Si chiama La Marescialla, è stata creata dell'Officina Farmaceutica di Santa Maria Novella, ed è un regalo di sua madre, spiega, mentre passeggia per la stanza, pensierosa, sotto lo sguardo dei puttini sul soffitto.

« L'abito rosso granato? » suggerisce Francesca, sfilandosi le scarpe e sedendosi sulla poltrona lasciata libera da Stefanina. « Puoi permettertelo. Hai un corpo invidiabile pure dopo tre gravidanze. »

« No, sarebbe una scelta scontata », replica Franca. « Ci vuole qualcosa... » dice, e picchietta la punta delle dita sulle labbra. Poi raggiunge il grande armadio alla sinistra del letto, lo apre e, con le mani sui fianchi, lo passa in rassegna. *Sì, ci vuole qualcosa che stupisca.* Che ricordi a tutti che lei è « l'Unica », come l'ha definita d'Annunzio, e che nessuna donna potrà competere con lei, nemmeno quella Lina Cavalieri che suo marito ha deciso di far venire a Palermo nonostante tutto, persino nonostante gli scioperi e le manifestazioni che hanno messo a soqquadro la città intera.

Per carità, Ignazio è preoccupato. E infatti è a Roma, per parlare con i ministri e con i politici siciliani, così da sistemare la faccenda del cantiere navale, che ancora si trascina. Ma quando tornerà – e Franca avverte una fitta di rancore – andrà dritto al Teatro Massimo per assistere alle prove della *Bohème*, e non certo dalla sua famiglia o dai suoi operai all'Oretea.

Ha pure avuto la faccia tosta di giustificarsi, prima di partire: « Sono l'impresario e devo controllare che tutto sia a posto ».

Sciocco.

Franca tamburella le dita sull'anta dell'armadio. Davvero pensa che lei sia all'oscuro di tutto? E sì che gliel'ha anche detto, una volta: « Io so sempre tutto, Ignazio ». Ormai dovrebbe aver capito che certe cose più sono fatte in segreto e più si vengono a sapere, soprattutto se a farle è un pavone come lui.

Le basta un segno – un nuovo completo inglese, un impegno improvviso a tarda sera, una cura speciale nei baffi – per capire che c'è una conquista all'orizzonte, un nuovo amorazzo da mantenere.

Quanto alla gente – che continua a sussurrare, ridacchiare, alludere – ormai Franca sa che il pettegolezzo è un animale sempre affamato e, se non trova nuove carogne da spolpare, rimastica quel che c'è. Così offre loro una risposta ironica e li osserva mentre la sbranano, oppure fa sfoggio di un nuovo gioiello, sapendo bene che loro cercheranno di capire com'è l'altro.

Già, perché anche in questo Ignazio è tanto sfacciato quanto prevedibile: dopo l'ennesima avventura, si presenterà a lei con un dono – un anello di zaffiri, un bracciale di platino, una collana di diamanti – a mo' di risarcimento. E, spesso, sarà assai simile a quello che lui ha donato alla fiamma del periodo.

I gioielli arrivano sempre: talvolta durante il tradimento, altre volte quando la storia è appena finita. Ormai lei ha imparato a capire l'importanza che Ignazio attribuisce alle donne con cui la tradisce dal valore dell'oggetto che le regala. Ma il suo, lo sa, è un rimorso che ha la consistenza della cenere.

Con Lina Cavalieri, però, è diverso.

Lina, la figlia della sarta, la venditrice di violette, la piegatrice di giornali che ha conquistato prima Roma e Napoli e poi le Folies Bergère di Parigi e l'Empire di Londra. Ha una voce argentina, certo, ma soprattutto è bellissima, con un viso da Madonna in cui spiccano due occhi scurissimi, e un corpo da peccatrice che muove con sfacciata sensualità. Gli uomini impazziscono per lei: Franca ha sentito dire che, una volta, sono stati necessari ben otto carretti per portar via i fiori che le avevano lanciato sul palcoscenico. E lei sa come usare la loro pazzia: quell'aspetto innocente – si presenta sempre senza trucco e senza gioielli – nasconde un'anima di ferro. L'anno prima, Lina aveva deciso di diventare una cantante lirica: aveva esordito a Lisbona, in *Pagliacci*, ed era stato un tale fiasco che chiunque altro si sarebbe ritirato in silenzio, schiacciato dalla vergogna. Chiunque ma non lei. Coraggiosamente, aveva continuato a esibirsi e adesso – dopo aver riempito i teatri di Varsavia e di Napoli – arrivava a Palermo, ammirata, attesa, desiderata.

È la prima volta che Ignazio sfoggia la sua amante davanti a tutta la città, mettendola in diretto confronto con Franca. C'era andato vicino qualche anno prima, quando si era portato a letto Agustina Carolina del Carmen Otero Iglesias, che tutti conoscevano semplicemente come «la Bella Otero». Un'altra cantante e ballerina dagli oscuri natali, una donna che sapeva usare il proprio corpo con disinvoltura e una buona dose di cinismo. Ignazio non si era trattenuto dal vantarsi di quella conquista – e delle sue generose grazie – con gli amici del circolo, scendendo anche in particolari da taverna che erano arrivati alle orecchie di Franca, facendola fremere di sdegno.

Ma quello era il suo solito atteggiamento da *masculu* vanitoso.

Questo è un insulto.

Anni prima, Franca avrebbe sofferto sciogliendosi in lacrime, struggendosi per l'umiliazione. Ma ormai è cambiata e ha imparato a convertire il dolore in rabbia. Ha scoperto il potere dirompente del rancore, la forza che scaturisce dalla consapevolezza del proprio valore. Non si macera più nell'imbarazzo, non si chiede più se è lei ad aver sbagliato qualcosa. Ha imparato a pensare a se stessa e a proteggersi dal dolore che lui le causa. È un sentimento strano, un misto di gelosia e di affetto, di umiliazione e di rammarico, quello che adesso prova per Ignazio. Rimpianto per ciò che erano e per ciò che è stato buttato via.

No, Ignazio non è uno sciocco. È soltanto un egoista, incapace di amare veramente.

È questo pensiero che le ha fatto accantonare le ultime remore e accettare di posare per Giovanni Boldini, il più acclamato e discusso ritrattista del momento. Il pittore è loro ospite: Ignazio lo ha invitato all'Olivuzza perché vuole che le faccia un ritratto, come ha già fatto a diverse nobildonne dell'*high society* europea. E, con l'arroganza che gli è tipica, ha chiesto al pittore che il ritratto di Franca venga esposto a Venezia, alla mostra che lui terrà in estate.

Franca scuote la testa, riflette sull'incapacità di Ignazio di pensare alle conseguenze, di andare oltre la superficie delle cose: lui ha pensato soltanto al prestigio sociale e all'invidia che susciterà quella moglie così affascinante. Non si è accorto che Boldini ha un modo di dipingere che sembra mettere a nudo l'anima, e ritrae le donne come creature di carne e di desiderio. Le sue sono femmine che hanno appena fatto l'amore, soddisfatte per il piacere che ne hanno ricavato.

Lei non vorrebbe apparire così, nuda, esposta. Eppure, nel contempo, è tentata di lasciarsi andare, di rivelare quello che può essere. Sensuale. Piena di passione.

È tentata di mostrare al mondo, e a suo marito, chi è veramente.

Afferra un abito color crema, lo guarda per qualche istante, lo rimette a posto.

In quel momento, qualcuno bussa alla porta. È Giovannuzza, seguita dalla governante e da un paio di carlini che, più che correre, sembrano rotolarle dietro.

«*Maman*, è arrivato il pittore? Posso vedere anche io?» chiede la bambina, gli occhi fissi sui vestiti. Affascinata, allunga la manina e sfiora le stoffe. «Belli...» mormora.

Franca non le risponde. Adesso osserva un capo appeso nella parte più lontana dell'armadio, un abito che non ha ancora indossato perché Ignazio lo considera troppo audace.

Lui. Geloso. Ci sarebbe da ridere, se quel pensiero non la facesse infuriare.

«*Maman?*» insiste la bambina in tono supplichevole.

La governante sta cercando di far uscire i cagnolini, che hanno cominciato a leccare le scarpe delle ospiti, strappando loro gridolini di protesta.

«No, tesoro mio. Non è cosa per bambine, questa.» Con un sorriso soddisfatto, Franca si volta e le fa una carezza. «Farò fare anche a te un ritratto, quando sarai più grande. Ma adesso *geh und spiel im anderen Zimmer*, su.»

Giovannuzza sbuffa, poi mette il broncio. «Loro però possono...» protesta, indicando le due donne.

«Loro sono adulte, Giovannuzza. E non si manca di rispetto alle persone grandi.»

A capo chino e labbra strette, la bambina esce. Non saluta nessuno, neppure Francesca, che pure l'ha sempre viziata.

Ed è proprio lei a parlare. «Poteva rimanere...»

« No. » Franca si muove con lentezza per la stanza. Da un posacenere prende un bocchino con una sigaretta, ne aspira una boccata. È un'abitudine che ha preso dal suo ultimo viaggio in Francia. Trova il fumo molto rilassante.

Le amiche la guardano, in attesa.

È Giulia Trigona a leggerle sul viso qualcosa che le altre non scorgono. Lei che, come Franca, patisce le intemperanze di un marito infedele e, si sussurra, violento. « Che hai in testa, Franca? »

Lei non risponde. Si sfila la vestaglia, resta in mutandoni e camiciola, si guarda nello specchio. Poi si dirige verso l'armadio, prende l'abito che aveva individuato, lo tira fuori con l'aiuto di Diodata.

Un mormorio di meraviglia corre tra le amiche. L'abito nero, di velluto di seta lavorato a intaglio con un panneggio di stoffa che accentua la vita sottile, sembra fatto per renderla ancora più alta, per darle un'aria regale. È accompagnato da una pettorina, disegnata apposta per evidenziare il lungo collo e per rendere il vestito sobrio, coprendone la scollatura.

Franca prende la pettorina, la fissa, poi la getta sul letto.

No.

Non vuole essere una posata signora della buona società. Vuole farsi guardare.

Si studia nello specchio. Scuote la testa e i lunghi capelli neri, sciolti, si muovono sulle spalle. C'è ancora qualcosa che non la convince.

Allora sfila via il vestito per metà, libera il torace dalla stoffa. E poi toglie la camiciola. Il seno – bianco, pieno – è quello di una ragazza e non di una donna che ha avuto tre figli. Stefanina si china in avanti, esplode in una risata. « Così? » le chiede, gli occhi sgranati, mentre Francesca si porta le mani alla bocca, mormorando: « *Mon Dieu!* »

Giulia ridacchia. « A Ignazziddu verrà un colpo, quando tornerà a Palermo », dice. *Se lo merita*, sembra sottintendere.

Franca ignora le loro reazioni, tira su il corpetto e chiede a Diodata di chiudere la fila di bottoncini.

Quasi le manca il respiro. Ma è ciò che vuole. Quello è il suo modo per combattere la cieca stupidità di Ignazio. E l'invidia dei palermitani.

Non è un vestito, quello; è un'armatura.

Ancora sul letto, Giulia la osserva con un vago sorriso. «Certo che, se vuoi far passare un quarto d'ora d'imbarazzo a tuo marito, quello è l'abito adatto. Sai cosa diranno, vero?»

Mentre Diodata inizia ad acconciarle i capelli, Franca scrolla le spalle. «Lui ha chiesto a Boldini di farmi un ritratto. Dovrà accettare la mia scelta della *mise*», ribatte, passandosi un tocco di rosso sulle labbra. Indica all'amica l'anta del comodino. «Potresti prendere la borsa dei gioielli, per piacere?»

Giulia obbedisce, depone la pesante borsa tra la seta degli abiti e le lenzuola e la apre.

Sul viso delle tre amiche passa un lampo d'invidia pura. Nessuna può vantare una simile collezione di anelli, collane e bracciali, di quel peso e di quell'eleganza.

Franca socchiude le palpebre, separando mentalmente i regali di Ignazio – quei gioielli che hanno un nome di donna – dai suoi. Da quelli che ha scelto con attenzione, quasi con amore. Sì, perché, dopo i suoi figli, non ha nulla di più caro. Quei gioielli sono il segno di ciò che Franca Florio è agli occhi del mondo: bella, ricca e potente.

Si alza, fruga tra gli astucci e i sacchetti di velluto. Eccole, le sue perle. Le fa scorrere tra le dita, accarezzandole. Poi unisce una collana all'altra e, per ultimo, inserisce il vezzo con le due perle gemelle, grandi come ciliegie. Infine la indossa: come una cascata di luce, le perle scorrono sul vestito nero.

Franca si volta per un'ultima occhiata nello specchio. Cerca di calmare il respiro.

«Andiamo.»

Piccolo, tarchiato, con una voce sgraziata, Giovanni Boldini ha scelto un salottino dalle pareti chiare, appartato, con una luce obliqua, per illuminare la pelle d'ambra della padrona di casa. Una luminosità piena di verde e di primavera, calda come l'aria che entra attraverso l'imposta socchiusa in quel marzo tumultuoso. Intorno a loro, poltrone di damasco scuro; sul pavimento, un enorme tappeto persiano.

Le amiche seguono Franca, parlottano e scelgono dove sedersi, mentre lei dice alla cameriera che non vuole essere disturbata. La porta si chiude. Il pittore, che ha già preparato la base sulla tela, resta a guardarla per alcuni istanti con le mani giunte sul petto.

«In fede mia, donna Franca, siete una visione.» Nella sua voce c'è un vago accento francese, dato che vive a Parigi da ormai trent'anni.

Lei sorride, ma solo con gli occhi. «Non vi ho consultato sulla scelta dell'abito. Siete soddisfatto?»

Lei apre le braccia per farsi ammirare, ma il pittore la ferma. «Quasi...» Le afferra il polso, sembra accennare un passo di danza. «Ci vuole un altro po' di luce.» Fa un passo indietro, le mani sui fianchi. Franca cerca d'immaginare come lui la veda; poi lo intuisce, e questo la mette a disagio.

Stefanina le si accosta. «Un altro vezzo?» suggerisce. Boldini annuisce, quasi saltellando. «Sì, qualcosa che dia luce alla scollatura... una spilla o un pendente.»

Franca posa la mano sulla spalla dell'amica. «Ricordi i bracciali d'oro che ho comprato a Istanbul? Ecco, prendi quelli, per favore. E anche la spilla di brillanti e platino a forma di orchidea, quella che Ignazio mi ha regalato per il primo anniversario di matrimonio.»

Stefanina sparisce dietro la porta, mentre le altre donne si accomodano sulle poltrone. Boldini sta riflettendo, guida Franca per la stanza, cerca la luce migliore, le accosta le perle al viso e poi le lascia ricadere, le avvolge quindi le lascia andare e, nel frattempo, mugugna frasi in un misto di ferrarese e francese. È quasi buffo vedere quell'uomo così basso accanto a lei, bella e slanciata.

«Mmh... è davvero difficile trovare l'angolazione giusta per voi. Siete così...» Fa un gesto che potrebbe essere volgare, ma che lui riesce a trasformare in un apprezzamento. Nel frattempo, Stefanina arriva con i gioielli e Franca li indossa. I bracciali no, non sono adatti: la manica dell'abito li copre. Meglio la spilla, invece, che dà ancora più luce al gioco di panneggi del velluto.

Boldini si avvicina alla grande tela. Il ritratto rispetterà le proporzioni, e Franca emergerà in tutta la sua altezza. Sposta gli occhiali sulla punta del naso, inizia a tracciare i contorni della figura ma, arrivato alla linea delle spalle, si ferma, il pennello a mezz'aria. Guarda Francesca. «Perdonate, signora... Potreste dare a donna Franca il vostro scialle?»

«Il mio... Oh, ma certo, ecco!»

Ridendo, Francesca passa lo scialle a Franca, che però non sa bene cosa farsene, e ride anche lei.

Serissimo, Boldini le chiede di muoverlo intorno al corpo perché la stoffa bianca illumini le spalle nude. I capelli neri brillano nella luce primaverile, mentre Franca gioca con lo scialle, lo drappeggia come se volesse avvolgersi.

Poi muove la testa, perché Giulia ha detto qualcosa e lei non ha capito. Ed è allora che il pittore la blocca. «Così! Rimanete ferma così!» ordina, con gli occhi spalancati. Sale sulla pedana che usa per dipingere e traccia furiose, lunghe pennellate, cercando di catturare la luce.

Franca obbedisce. Colta di sorpresa, le labbra socchiuse, lo sguardo assorto, l'anca sporgente in un movimento sensuale che parte dal braccio, simile a un'onda.

Non sa che in quel momento sta nascendo un quadro che la trasformerà in una leggenda.

PORCELLANA

aprile 1901 – luglio 1904

Li malanni trasino du sfilazzu di la porta.
« Le sventure entrano dalle fessure della porta. »

PROVERBIO SICILIANO

La fine del secondo governo Pelloux (24 giugno 1900) segna anche la conclusione di un'epoca dominata da uomini politici «reazionari» come Crispi (che muore l'11 agosto 1901) e di Rudinì. Il nuovo re chiama infatti a formare il governo un esponente della Sinistra liberale, Giuseppe Zanardelli, che, come ministro della Giustizia sotto il primo governo Crispi, ha elaborato il nuovo codice penale (1889), abolendo la pena di morte e affermando il diritto di sciopero (fino ad allora considerato un reato). Zanardelli sceglie come ministro dell'Interno Giovanni Giolitti, che decide di non assumere un atteggiamento repressivo contro l'ondata di scioperi del 1901 (più di 1500, tra industria e agricoltura), del 1902 (un migliaio in tutto) e neppure durante il primo sciopero generale italiano (15-20 settembre 1904), convinto che «il moto ascendente delle classi popolari [...] è un moto invincibile perché comune a tutti i Paesi civili, e perché poggiato sul principio dell'eguaglianza tra gli uomini» (discorso alla Camera, 4 febbraio 1901). Il 1º dicembre 1903, Giolitti diventa capo dell'esecutivo (Zanardelli si dimette il 3 novembre e morirà circa un mese dopo) e presenta in Parlamento il proprio governo, sostenendo che «è necessario iniziare un periodo di riforme sociali, economiche e finanziarie» dato che «il miglioramento delle condizioni delle classi meno agiate della società dipende soprattutto dall'aumento della prosperità economica del Paese». Si apre così l'«età giolittiana», caratterizzata da un'opera di mediazione del governo in campo sociale e politico, con l'intento di rafforzare lo Stato liberale grazie all'apporto sia dei cattolici sia dei socialisti. Con i primi, Giolitti agisce con pazienza e determinazione per superare di fatto, se non ancora ufficialmente, il blocco del *non expedit*; con i secondi cerca un dialogo e infatti tratta a lungo con Flippo Turati, ma un governo di coalizione con i socialisti non vedrà mai la luce.

Giolitti può contare anche su una favorevole congiuntura economica, che segue la ripresa internazionale cominciata nel 1896 e che in Italia si rafforza anche grazie alle commesse statali, al proseguimento della politica protezionistica (soprattutto nei settori siderurgico e tessile), a un aumento della manodopera (dovuto all'incremento demografico) e agli investimenti esteri nel settore bancario (già nel 1894 è nata la Banca Commerciale Italiana, con capitali tedeschi, svizzeri e austriaci), che tesse rapporti sempre più stretti con il mondo imprenditoriale. Uno sviluppo che tuttavia si concentra nel «triangolo industriale» (Torino, Milano, Genova), che non intacca il primato dell'agricoltura e che esclude di fatto il Sud dell'Italia, i cui problemi non vengono mai affrontati in modo organico, ma solo con «leggi speciali» che si rivelano inadeguate. Una delle conseguenze è l'aumento del flusso migratorio (cominciato dopo l'Unità): i trecentomila emigranti del periodo 1896-1900 diventano infatti mezzo milione tra il 1901 e il 1904 (il 60 per cento ha come destinazione il continente americano).

In politica estera, il 28 giugno 1902, ancora sotto il governo Zanardelli, Italia, Germania e Austria firmano il quarto trattato della Triplice Alleanza (già rinnovato nel 1887 e nel 1891), cui viene aggiunta una dichiarazione nella quale l'Austria afferma di non avere interesse a ostacolare eventuali azioni italiane in Tripolitania (l'attuale Libia occidentale): ormai dimenticata la fallimentare impresa coloniale di Crispi, l'Italia sta infatti mirando a occupare un territorio con cui ha importanti scambi commerciali. E in questa prospettiva anche i rapporti con la Francia si distendono: dopo l'accordo che, nel 1898, ha chiuso la «guerra doganale», il ministro degli Esteri italiano, Giulio Prinetti, e l'ambasciatore francese Camille Barrère raggiungono un'intesa in cui l'Italia garantisce sostegno diplomatico alla Francia in Marocco e, da parte sua, la Francia dichiara di non opporsi a un intervento italiano in Tripolitania.

Il 20 luglio 1903, a 93 anni, muore papa Leone XIII. Gli succede, il 4 agosto, il patriarca di Venezia, il cardinale Giuseppe Sarto, che prende il nome di Pio X. L'11 giugno 1905, con l'enciclica *Il fermo proposito*, Pio X concede ai cattolici – in caso di «stretta necessità pel bene delle anime» – la possibilità di essere dispensati dal *non expedit*, giacché devono «prepararsi prudentemente e seriamente alla vita politica, quando vi fossero chiamati».

È alto poco più di dieci centimetri, bianco, ornato da fasce di motivi floreali. È il vaso che, nel 1295, Marco Polo portò con sé dalla Cina e che adesso è custodito nella basilica di San Marco, a Venezia. Ma è soprattutto il segno concreto di un'ossessione iniziata in Oriente addirittura nel Neolitico e destinata a diffondersi nel mondo intero: quella della porcellana. Per lunghi secoli, infatti, questo materiale delicato e resistente, talvolta così sottile che, attraverso di esso, si può vedere «lo scintillio dell'acqua», come scrisse Abū Zayd al-Sīrāfī già nell'851, rimane un mistero per l'Occidente. A detta di Marco Polo, per esempio, coloro che realizzano tazze e piatti «raccolgono una certa terra come di una miniera et ne fanno monti grandi et lasciare lì al vento, alla pioggia, et al sole per trenta et quaranta anni che non li muovono». E, ancora nel 1557, l'erudito Giulio Cesare Scaligero sostiene che «quelli che fabbricano [le porcellane] si servono di gusci d'ovi e di conchiglie sottilissimamente macinate, spolverizzate e macerate nell'acqua [...] Che forma li vasi si seppelliscono sotto terra [e non] si cavano fuori, se non in capo a cent'anni». E sì che proprio in quel periodo, sotto l'egida di Francesco I de' Medici, a Firenze, si arriva a creare la «porcellana tenera» che però, invece di essere un impasto contenente caolino e feldspato, viene realizzata con un 15-25 per cento di argilla bianca e quarzo: in apparenza simili alla porcellana, gli oggetti così realizzati sono invece molto più fragili (infatti rimangono solo 64 manufatti) e con diverse imperfezioni. Poco dopo, comunque, i portoghesi prima e gli olandesi poi cominceranno a importare in Europa la porcellana «originale», che diventa subito un oggetto del desiderio, così costosa da essere considerata l'«oro bianco».

Alla ricerca della formula segreta è anche il conte Ehren-fried Walther von Tschirnhausen che, all'inizio del XVIII seco-lo, sta studiando il punto di fusione di alcune sostanze, tra cui il caolino. Ma non approda a nulla, e allora il re Augusto II co-stringe l'alchimista Johann Friedrich Böttger ad affiancarlo. Nel 1708, i loro esperimenti hanno successo: anche l'Occidente può infine produrre la «sua» porcellana. Von Tschirnhausen muore poco dopo, ma il re trasferisce il laboratorio di Böttger nel castello di Albrechtsburg, vicino a Meissen e, nel 1710, la fabbrica è già in piena attività: grazie allo scultore e capo mo-dellatore Johann Joachim Kändler raggiunge altissime vette ar-tistiche (uno dei doni di nozze di Elisabetta II è stato un servi-zio di porcellana di Meissen).

Il segreto della porcellana non è più tale e rivelarlo può es-sere molto redditizio. Così, nel giro di pochi anni, nascono le manifatture di Höchst (caratterizzate dalle figurine di Johann Peter Melchior), di Vienna (con disegni in stile barocco), di Sè-vres (dove viene messo a punto il «rosa Pompadour» in onore dell'amante di Luigi XV nonché patrona della fabbrica), quelle intorno alla città di Limoges (favorite dalla scoperta nelle vici-nanze di un giacimento di caolino) e molte altre, anche in Da-nimarca, la cui produzione si contraddistingue per l'uso pecu-liare del blu cobalto, e ovviamente in Inghilterra, dove Josiah Spode crea il *bone china*: aggiungendo polveri di ossa di anima-li nell'impasto, la porcellana diventa incredibilmente leggera e trasparente.

In Italia, nel 1735, il marchese Carlo Ginori apre la manifat-tura di Doccia (che rimane di proprietà della famiglia fino al 1896 e si specializzerà nella produzione di stoviglie e oggetti di uso quotidiano) e, nel 1743, Carlo III di Borbone e la moglie fondano la Real Fabbrica di Capodimonte: grazie alla scoperta di un giacimento di caolino in Calabria, la sua produzione ar-riverà a superare per gusto artistico e raffinatezza sia quella te-desca sia quella francese. A Capodimonte, infatti, si realizzano soprattutto piccoli gruppi scultorei, in cui emerge l'abilità dei modellatori e si esalta la particolare tonalità lattiginosa della porcellana.

Con la Rivoluzione francese e i successivi sconvolgimenti, si chiude questo primo, glorioso periodo della porcellana in Europa. Scomparse le corti che sostenevano – finanziariamente, ma non solo – le attività delle manifatture, s'impone la legge del profitto, che fa passare in secondo piano l'arte ed esalta l'uso. Sembra la conclusione triste di una bella storia, ma non lo è. Perché il fatto che la porcellana sia ormai un oggetto quotidiano rende forse ancor più affascinante il suo *vero* mistero, quello che Edmund de Waal ha espresso così nel suo *La strada bianca*: «La porcellana è bianca e dura, ma lascia passare la luce. Com'è possibile?»

Questa sera, Palermo è cortigiana in cerca di amanti: femmina sensuale e invidiosa, con gli occhi stretti che cercano di nascondere il veleno, donna che vuole vedere ed essere vista. Per questo si mette in mostra senza risparmio: abiti a calice o dalle linee morbide, da indossare senza il busto, come esige la nuova moda francese; ventagli di piume, guanti di pizzo, binocoli di madreperla, gioielli luminosi, sorrisi, baci lanciati dalla punta delle dita, complimenti.

E il Teatro Massimo è – letteralmente – il suo palcoscenico, dove tutto si manifesta in piena luce, pur sotto il velo di un'elegante ipocrisia.

Ma di tutti gli spettacoli che si stanno recitando in platea e nei palchi – gesti furtivi di amanti, madri che espongono figlie in età da marito, mormorii sull'ultimo scandalo, occhiate severe che ricordano debiti non pagati – in questo 15 aprile 1901 ce n'è uno che non è ancora cominciato e che tutti aspettano con impazienza. Uno spettacolo che potrebbe essere un dramma. Oppure una *pochade*.

Ne vedremo delle belle, pensa l'architetto Ernesto Basile, con il pince-nez sul naso aquilino. È seduto in platea accanto alla moglie e, come sempre prima di ogni rappresentazione, si è incantato ad ammirare la grazia formale di quella sala che lui stesso ha progettato. E, proprio mentre guarda il palcoscenico, scorge – per un solo istante – Ignazio affacciarsi da un angolo del sipario. Alza lo sguardo sul palco dei Florio. È ancora vuoto.

L'amante di Ignazio Florio sta per fare il suo debutto a Palermo nella *Bohème*, ovviamente nel ruolo di Mimì. E Franca Florio non manca mai a una prima.

Le luci si abbassano. Con un fruscio di stoffe, gli spettatori raggiungono i loro posti, mentre l'orchestra apre gli spartiti e il primo violino dà la nota per l'accordatura.

Un mormorio. Nel palco dei Florio è comparso Vincenzo. Ha ormai diciotto anni, un'aria sensuale e maliziosa e un atteggiamento scanzonato che fa impazzire le donne. È raro vederlo a teatro, perché preferisce di gran lunga le attività sportive. Sua è la FIAT 12 cavalli ferma davanti al Massimo, una vettura con cui scorrazza per la città, sollevando nugoli di polvere e proteste dei passanti.

Mentre il ragazzo si guarda intorno con aria curiosa, arriva Giovanna, vestita di seta nera. Ha la fronte leggermente aggrottata e le labbra serrate. Vincenzo la bacia sulla guancia, la fa sedere davanti a sé e poi si accomoda.

Il mormorio in platea si fa più intenso. Alcuni spettatori fingono di parlare con i vicini e intanto sbirciano verso il palco; altri alzano lo sguardo senza ritegno.

La grande tela del sipario – su cui Giuseppe Sciuti ha voluto raffigurare il corteo dell'incoronazione di Ruggero II – ondeggia lentamente. Sembra quasi respirare.

Franca appare come dal nulla, avvolta in un magnifico abito color corallo. Per qualche istante, rimane immobile e fa scorrere lo sguardo sulla platea, ne accoglie gli sguardi, indifferente a quelle manifestazioni di curiosità. Poi sorride a Vincenzo che le ha scostato la sedia e si accomoda accanto alla suocera. Il viso è composto, sereno, quasi inespressivo. Gli occhi fissano il palcoscenico, in attesa. Come se, quella sera, *La Bohème* andasse in scena solo per lei.

Palermo ammutolisce.

Persino il direttore d'orchestra, che nel frattempo è arrivato sul podio, sembra attendere un suo cenno. Dal retropalco, un battito di mani dà l'avvio a un timido applauso. Il direttore s'inchina. Il sipario si apre.

Dal suo angolo dietro le quinte, Ignazio la vede.

Collera e nervosismo lo attraversano. Sì, aveva sperato che trovasse una scusa per non essere presente, quella sera, e invece Franca è lì. È una sfida, ne è certo.

Anzi: è una vendetta.

Hanno litigato aspramente, quand'è tornato da Roma. Tutta colpa di quel pittore da strapazzo e del suo ritratto così volgare, che fa sembrare Franca una ballerina che si esibisce in un café chantant. Quel maledetto Boldini aveva visto cose di sua moglie che solo lui aveva il diritto di vedere, a cominciare dalle sue lunghe gambe, e le aveva pure fissate sulla tela, sotto gli occhi di quelle pettegole di Stefanina Pajno, Francesca Grimaud d'Orsay e Giulia Trigona. Ma il colmo era stato quando Franca gli aveva detto con assoluta calma che, secondo lei, invece, quel ritratto era un «*tableau fascinant*». *Che svergognata!*

Ignazio dà una manata sulla parete e poi si mette a camminare nervosamente avanti e indietro, scansando attrezzisti e un costumista con le braccia ingombre di abiti.

«Che succede, Ignazio? Dovresti essere qui per tranquillizzarmi. Invece...» Lina Cavalieri lo ha raggiunto, gli posa una mano sul braccio.

Lui fa un profondo respiro. «Ma no! Sarai meravigliosa: li incanterai tutti come hai fatto con me.»

Quella donna gli ha proprio infiammato l'anima, oltre che le vene. Fin dalla prima volta che l'ha vista, ha desiderato averla nel suo letto, e c'è riuscito. Poco importa che i suoi capricci siano dispendiosi e che lo costringa a seguirla in giro per l'Italia. Li vale tutti, quei soldi.

«Oh, lo so», replica Lina, drappeggiandosi sulle spalle lo scialle del costume di scena. Apre un bottone della camicia, rivelando un lembo di pelle color latte, poi fissa Ignazio con un misto d'innocenza e di sensualità. Quindi intreccia le dita con le sue e lascia che lui le baci la mano. Infine solleva la testa, guarda i palchi. «Tua moglie è qui?»

Ignazio annuisce. «Non manca mai a una prima.»

«Immagino sappia...»

Lui esita prima di dire: «È una donna che sa stare al mondo». Il tono è leggero, dissimula bene la collera.

«Lo spero», replica Lina, però l'ansia le offusca gli occhi scuri.

Ignazio le carezza il viso. «Sia come sia, pensa questo: sei in uno dei teatri più belli d'Europa, pieno di gente che desidera soltanto sentirti cantare.»

Lina vorrebbe rispondere che sono lì per vederla, che le sue doti canore sono secondarie, ma non c'è tempo: il direttore di scena le fa cenno di avvicinarsi. Ignazio la spinge via con dolcezza e la guarda incedere sul palcoscenico. Più che una sartina timida e ingenua, Lina sembra una nobildonna decaduta. Ma ha una presenza scenica così forte da mettere in ombra anche un tenore come Alessandro Bonci, amatissimo dal pubblico per i suoi virtuosismi. Canta con una sorta di abbandono sensuale, con una fisicità che compensa la voce fragile. Si muove con eleganza, sorride a Rodolfo come se fosse l'unico uomo al mondo, arrossisce persino.

Altro di me non le saprei narrare.
Sono la sua vicina
che la vien fuori d'ora a importunare...

È alla fine dell'aria di Mimì che cominciano i fischi.

Uno, due, dieci, cento.

L'orchestra si paralizza. In platea corre un brivido; gli spettatori si scambiano sguardi increduli. Alcuni scattano in piedi ad applaudire, ma dal loggione piovono grida e insulti, e a questi si uniscono le proteste che vengono dai palchi. Tra urla, spintoni e strilli, i commessi cercano affannosamente di riportare la calma tra gli spettatori e arrivano persino a minacciare i più scatenati di buttarli fuori. Ma è tutto inutile.

Nella confusione generale, Lina si volta verso Ignazio, le sopracciglia aggrottate, la mano stretta in quella di Bonci, che è pietrificato dall'orrore e ha lo sguardo smarrito.

Ignazio cerca di rassicurarla a gesti, ma la sua mente è attraversata da un unico, tagliente pensiero. Ancora una volta, Palermo si rifiuta di dargli ragione. Nessun artista – mai! – era stato accolto in modo così ostile. Com'è possibile che quella città non capisca quale onore abbia ricevuto? Lina Cavalieri è contesa dai teatri e dalle corti di tutta Europa, inseguita dagli impresari, onorata da principi e magnati e loro, i palermitani, cosa fanno?

La fischiano.

Adesso la annusa nell'aria, l'ostilità. Ha l'odore secco della pirite e, come la polvere da sparo, ha preso fuoco, generando il caos. E dire che lui si era dato da fare per essere certo che Lina ricevesse la giusta quantità di applausi. Aveva allungato discrete somme di denaro ai commessi del teatro, pagato una folta claque...

Ma non era stato l'unico ad aver avuto quell'idea.

Il pensiero è sorprendente.

Avanza di un passo, cerca il palco della sua famiglia con lo sguardo. Mentre Vincenzo nasconde gli sghignazzi dietro una mano e sua madre tiene gli occhi bassi per l'imbarazzo, Franca fissa il palcoscenico con aria impenetrabile, lo spettro di un sorriso sulle labbra.

Ignazio segue la linea del suo sguardo, come se fosse un filo. All'altro capo, c'è lo sguardo di Lina.

Con un brivido, si rende conto che sta assistendo a una lotta tra leonesse per il dominio sul territorio, a una guerra silenziosa tra due creature feroci che stanno valutando l'una la forza dell'altra, indifferenti a ciò che sta loro intorno.

Franca.

C'è lei dietro quella valanga di fischi. Oh, non direttamente, non è stato necessario. *Ha così tanti amici e ammiratori disposti a compiacerla che le sarà bastata una parola per scatenare l'inferno.*

E per far capire a tutti chi comanda davvero.

Mentre l'orchestra finalmente riprende a suonare, Ignazio rimane immobile. Tra poco finirà il primo quadro e dovrà consolare Lina. Ma non sarà difficile: pianti e recriminazioni non sono da lei. È una donna coraggiosa, che si è fatta strada prendendo a schiaffi la vita, e ricevendone altrettanti. È anche questo coraggio, quest'orgoglio, che Ignazio ammira in Lina.

Però, fino a quella sera, non aveva capito quanta strada avesse fatto sua moglie. Da donna onorata, fedele, madre di famiglia, certo, ma non era quello il punto.

Il punto era che, nel loro matrimonio, era lui la parte debole. E lo sarebbe sempre stato.

La grande sala della Corte d'Assise di Bologna è gremita e avvolta nella caligine del fumo di sigaretta, che sgrana i volti dei presenti. Con il cappello e il bastone in una mano, Ignazio entra e si guarda intorno. Davanti a lui, ci sono i lunghi banchi che ospitano i giornalisti e gli avvocati mentre, sopra gli scranni dei giudici, in una tribuna, siede il pubblico. In molti lo hanno riconosciuto: lo capisce dal mormorio che ha attraversato l'aula e dagli sguardi incuriositi che si sono appuntati su di lui.

«Signor Florio, da questa parte.» Un cancelliere gli fa cenno di raggiungerlo e Ignazio avanza, incerto, sforzandosi di fissare i giudici e non il gabbiotto in cui, tra due gendarmi, su una panca di legno, è seduto Raffaele Palizzolo. Ma, per un istante, gli occhi dei due uomini si trovano e Ignazio ha un sussulto: Palizzolo appare molto sciupato in viso e dimagrito al punto che l'abito, comunque di buona fattura, gli cade addosso. Ma la schiena è dritta e lo sguardo è tranquillo. Abbassa leggermente la testa, in segno di saluto a Ignazio, e abbozza addirittura un sorriso.

Otto anni sono passati dal delitto di Emanuele Notarbartolo: otto anni in cui la giustizia ha cercato di non affondare nelle sabbie mobili delle false piste, delle reticenze e dei depistaggi. Due anni prima, a Milano, si era celebrato un processo confuso, ai limiti della farsa: gli imputati erano due ferrovieri che, trovandosi a bordo del treno su cui era stato ucciso Notarbartolo, *dovevano* essere complici degli assassini. Ma, proprio durante quel processo, sul banco dei testimoni, era salito il figlio della vittima, Leopoldo, che, con notevole coraggio, aveva tracciato il fosco ritratto di una Palermo prigioniera di legami clientelari, in cui c'era gente disposta a tutto – anche a uccidere – per mantenere i propri privilegi, e aveva indicato Palizzolo come mandante dell'omicidio di suo padre. Nel putiferio che si era scatenato, la Camera aveva dato l'autorizzazione a procedere e, l'8 dicembre 1899, il questore Ermanno Sangiorgi aveva fatto arrestare Palizzolo. Qualche giorno dopo, il processo di Milano era stato sospeso. Ed è ripreso a Bologna da due mesi, il 9 settembre 1901.

Ignazio si siede al banco dei testimoni, accavalla le gambe e posa le mani sulle ginocchia. Prova un disagio untuoso, difficile da scrollarsi di dosso. Fino ad allora, è riuscito a tenere sotto controllo l'imbarazzo che quella situazione gli provoca, ma lì, in quell'aula, non è semplice. Non ha mai avuto a che fare con la giustizia, e soprattutto non riesce ad accettare che il suo nome – insieme con quello di molti altri esponenti della buona società palermitana – sia associato a quella vicenda. È così nervoso che, il giorno prima, ha persino litigato con Lina, che si era offerta di accompagnarlo a Bologna, pur rimanendo ovviamente ben lontana da quell'aula.

È il presidente, Giovanni Battista Frigotto, a iniziare l'interrogatorio. « Voi siete il signor Florio Ignazio del fu Ignazio? »

Lui annuisce.

« E la vostra professione è... »

Ignazio si schiarisce la voce. « Sono un industriale. »

Il presidente inarca un sopracciglio. « Non possedete anche un negozio? »

« Il vecchio esercizio commerciale di famiglia, sì. Gestisco una cantina per la produzione di marsala, la Navigazione Generale Italiana e... »

« Non vi abbiamo fatto venire fin qui da Palermo per conoscere le vostre ricchezze », commenta seccamente Frigotto. Scruta Ignazio come se fosse un cafone arricchito che non sa come ci si comporta davanti alla legge.

« Siete voi che mi avete chiesto delle mie attività, che comunque sono di pubblico dominio », replica Ignazio, innervosito.

« Forse dalle vostre parti, signor Florio. Qui siamo a Bologna e non tutti sono tenuti a conoscere nei dettagli chi siete o cosa fate nella vita. »

Il pubblico rumoreggia; si sentono persino risate di scherno. Tra la folla, Ignazio individua un giornalista di Catania che conosce di vista: sta parlottando con un collega e ha stampato sulle labbra un sorrisetto ironico. Ma, quando si accorge che Ignazio lo sta guardando, l'uomo allora abbassa di scatto la testa e si mette a scrivere sul suo taccuino.

«Dunque, signor Florio... Siete stato chiamato qui in veste di testimone a discarico. Conoscete l'imputato, Raffaele Palizzolo?»

Lui annuisce.

«Parlate, signore.»

Un colpo di tosse. «Sì.» Si volta, lo guarda. Palizzolo sfoggia un sorriso mite, quasi si stesse scusando per l'incomodo che gli ha procurato. Ma nello sguardo c'è un avvertimento che solo un altro siciliano può cogliere e Ignazio sente un brivido lungo la schiena. Torna a fissare il presidente, che invece ha un'aria severa, forse per intimidirlo.

«Signor Florio, avete mai sentito parlare della mafia?»

A quella domanda, lui quasi sobbalza. «No.»

«Ve lo ripeto: avete mai sentito parlare dell'associazione criminale chiamata mafia?»

«E io vi ripeto di no.»

Frigotto fa una smorfia. «Strano. Nei dispacci di pubblica sicurezza che arrivano da Palermo si legge che voi, come molti altri, vi avvalete di... certe persone per garantire la sicurezza delle vostre proprietà. E che tali persone fanno parte del sodalizio criminoso cui pure apparterrebbe l'imputato. La mafia, appunto.»

Ignazio si muove sulla sedia. «Si tratta di lavoratori che recluto nella borgata in cui vivo. Sono persone onestissime, galantuomini. Quanto al deputato Palizzolo...»

«Al *signor* Palizzolo», lo riprende Frigotto.

«... è una persona di grande rilievo a Palermo, sempre disponibile ad aiutare chi si rivolge a lui nel momento del bisogno.»

«Devo ricordarvi che siete sotto giuramento, signor Florio?»

Lui incrocia le braccia sul petto. «Lo so benissimo. La mia famiglia conosce da lungo tempo Raffaele Palizzolo, che è pure imparentato con mia moglie e...»

«... che ha brigato e maneggiato per farvi ottenere favori in Parlamento. Suvvia, non assumete quell'espressione offesa; è cosa nota che voi siciliani vi aiutate sempre tra voi e non state certo a guardare se fate le vostre richieste a uomini onesti o a gente di malaffare.»

Un mormorio si leva dalla sala. Questa volta sono i cronisti meridionali a protestare per quelle illazioni. Persino uno degli avvocati di parte civile, Giuseppe Marchesano, manifesta ad alta voce il suo sdegno.

Incoraggiato, Ignazio si protende in avanti. «Vedete, signor presidente, un 'negoziante' come me deve pensare al futuro delle sue imprese e sa che bisogna avere una voce forte per far arrivare certe istanze alle istituzioni. Il deputato Palizzolo ha avuto sempre a cuore gli interessi della Sicilia...»

«E dei Florio!» grida una voce dal pubblico. Ignazio si volta di scatto e riconosce il giornalista: è un palermitano che scrive per *La Battaglia*, il giornale socialista di Alessandro Tasca di Cutò.

Marchesano si alza. «Signor Florio, vi abbiamo fatto venire per chiarire un fatto preciso. È vero che Raffaele Palizzolo vi ha offerto l'acquisto della proprietà chiamata Villa Gentile al fine di costruirvi case per i vostri operai?»

Ignazio aggrotta la fronte. «Sì, ma io non ho accettato.»

«Perché?»

«Mah, non ricordo.»

«Se il Palizzolo vi avesse chiesto in prestito una somma considerevole, voi gliel'avreste data?»

«Potendone disporre, certo. Come ho già detto, è persona da me conosciuta, per non dire di famiglia...»

«Ritenete che il Palizzolo sia capace di commettere un omicidio o di esserne il mandante?»

Ignazio sbarra gli occhi. «No, assolutamente no!» quasi grida. «D'altronde, in questa brutta faccenda, il suo nome è venuto fuori soltanto dopo quello strano processo di Milano e...»

454

«Grazie», lo interrompe Marchesano. «Signor presidente, non ho altre domande.»

«Potete andare, signor Florio», dice Frigotto, senza neppure guardarlo.

L'irritazione di Ignazio è tale che lui quasi non si accorge della fitta nebbia che lo accoglie all'uscita della Corte d'Assise. Attraversa la piazza a grandi falcate, alzando e abbassando il bastone. *Ma come si permette, quel giudice, di trattarmi così? E poi, cosa ne sa lui di certe faccende?* pensa con rabbia. *Bisogna viverci, in Sicilia, per capire. Devi mangiarne il sale e la polvere, inghiottire se non vuoi essere masticato, farti cane se non vuoi finire rosicchiato come un osso...* Si ferma di colpo, respira profondamente l'aria fredda. Quella nebbia che gli nasconde la città, che rende fantasmi gli edifici, i passanti e le carrozze gli strappa un sospiro sconfortato. *No, nulla sapete, voi del Nord. Vi credete santi e non avete capito che si arriva al paradiso soltanto se si conosce cos'è il peccato. E, in Sicilia, il peccato cui nessuno sfugge è quello di sapere e non poter parlare.*

«Donna Franca...» La cameriera è sulla soglia, la mano sullo stipite, immobile. «Perdonate il disturbo, ma vostra figlia non sta bene. Ha la febbre.»

Franca è seduta alla toeletta della sua camera da letto di Villa Igiea. Solleva gli occhi dalla borsa in maglia d'oro in cui sta riponendo i gioielli che ha usato la sera precedente alla cena dai Lanza di Mazzarino. Non si fida delle cameriere, neanche di Diodata; preferisce occuparsene personalmente.

La stanza è ingombra di valigie e bauli e la guardarobiera vi sta sistemando abiti da giorno e da sera, vestaglie e scarpe. L'indomani, Franca, sua madre, Giovanna e i bambini partiranno per la Baviera, dopo aver trascorso il mese di luglio a Tunisi. Prima ancora, a maggio, sono stati a Favignana per assistere alla mattanza, insieme con i Trigona e i duchi di Palma

– Giulio e Bice –, il fratello del duca, Ciccio Lampedusa, Carlo di Rudinì, Francesca Grimaud d'Orsay e altri parenti e amici, come i cugini d'Ondes ed Ettore De Maria Bergler. Erano stati giorni molto piacevoli, scanditi da passeggiate sull'isola o da escursioni in barca, ma anche da lunghe, pigre chiacchierate e da cene informali.

Almeno finché non era arrivata l'imperatrice Eugenia, la vedova di Napoleone III. Malinconica e gentile, l'anziana donna si era conquistata l'affetto di tutti e aveva osservato la mattanza con grande interesse, lanciando pure qualche grido di sorpresa. Franca aveva ovviamente curato ogni dettaglio del suo soggiorno, organizzando anche una superba cena e ne aveva ricevuto in cambio non poche lodi. Ma l'imperatrice si era soprattutto congratulata con lei perché, solo poche settimane prima, era stata nominata dama di corte della regina Elena.

Ignazio, però, non essendo di nobili origini, non era stato nominato gentiluomo del re e la cosa lo aveva irritato non poco. Un'irritazione che si sommava sia a quella più recente dell'esito del processo a Palizzolo, finito con una pesantissima condanna a trent'anni di carcere, sia al fatto di aver dovuto ritardare la partenza per Favignana, giacché doveva partecipare alle solenni cerimonie in ricordo della morte di Francesco Crispi, avvenuta esattamente un anno prima, l'11 agosto 1901. Così, sotto un sole a picco, Ignazio si era unito al corteo dei rappresentanti della Camera e del Senato e, raggiunto il cimitero dei Cappuccini, aveva dovuto non solo ascoltare un interminabile discorso commemorativo, ma anche assistere all'esposizione della salma, che era stata di recente imbalsamata.

Mummia eri diventato e mummia rimarrai, aveva pensato allora Ignazio, lanciandogli un'ultima occhiata e asciugandosi il sudore.

Era quindi arrivato a Favignana di pessimo umore e si era sfogato mettendosi a ronzare intorno a Bice, sotto gli occhi del marito di lei e di Franca. E Bice non lo aveva certo respinto.

Al solito, Franca si era voltata dall'altra parte. Essere riconosciuta come dama di corte le aveva donato un nuovo orgoglio, unito a un forte senso di rivalsa. Non era più soltanto la bella moglie e la madre dell'erede di una delle più ricche famiglie europee: adesso poteva ospitare a pieno titolo i sovrani nelle sue dimore, godeva della loro stima. Che differenza faceva, per lei, un amorazzo in più o in meno?

Prima della partenza, l'imperatrice aveva voluto salutare anche i bimbi. Con un sorriso di tenerezza, Franca ricorda i visetti insonnoliti di Giovannuzza e di Baby Boy, insieme con il piccolo Giuseppe Tomasi, il figlio di Bice, vestiti di tutto punto alle sette del mattino per essere presentati all'ospite reale prima che salisse sul suo yacht. Igiea, invece, era rimasta a dormire nella sua culla.

Si riscuote. «Chi non sta bene? Igiea o Giovannuzza?» domanda, con una nota di contrarietà nella voce. Se una delle sue figlie sta male, dovranno rimandare la partenza, almeno di qualche giorno, e lei ha proprio voglia di fuggire dalla calura palermitana. E da Ignazio, la cui presenza, in quel periodo, le è a malapena sopportabile. Ha bisogno di aria fresca, di gente, di allegria.

«La signorina Giovannuzza.» La cameriera intreccia le dita, in attesa. Sembra nervosa.

«Vengo.»

Franca attraversa le stanze in vestaglia, la seta che vortica intorno alle caviglie, i passi attutiti dai tappeti. Arriva nella camera di Giovannuzza, entra. La bimba è nel letto, le guance rosse di febbre, gli occhi gonfi e socchiusi. Come spesso accade, Franca pensa che dimostra più dei suoi otto anni, forse per via di quell'aria malinconica che ha sempre avuto o forse perché è esile e slanciata, proprio come lei.

«*Maman...*» mormora Giovannuzza con voce roca, e le tende la mano.

«Tesoro mio, cosa ti senti?»

«Mmh. Mi fa tanto male la testa e... *ich habe Durst...*»

Franca guarda il comodino, cercando la bottiglia d'acqua. La governante, sollecita, va verso il tavolo al centro della stanza, versa dell'acqua in un bicchiere e glielo porge. Poi torna ai piedi del letto.

Franca aiuta Giovannuzza a sollevarsi sui cuscini. La piccola beve un sorso, ma poi tossisce con violenza e sputa il liquido sulle lenzuola.

«Mi fa male tutto, mamma», mormora poi, e scoppia in un pianto lamentoso.

Franca le asciuga il viso con un fazzoletto, glielo accarezza. È calda. Troppo.

Qualcosa, dentro di lei, ha un fremito. La salute di Giovannuzza è sempre stata fonte di preoccupazione, ma questa non sembra una delle sue solite febbriciattole.

«Chiamate il medico. Non il nostro; impiegherebbe troppo tempo ad arrivare qui. Quello dell'hotel», dice alla governante. Poi bacia la bambina, la stringe in un abbraccio. «Sono qui», mormora, cullandola. «*Hab keine Angst, mein Schatz...* Non avere paura, tesoro mio...»

Il medico è un uomo magro e serio, con il viso segnato dagli anni e dall'esperienza. Arriva poco dopo. Franca si è cambiata e assiste alla visita con ansia crescente. Il medico sorride a Giovannuzza, la tratta con grande delicatezza, ma è teso, glielo si legge in volto.

Escono dalla stanza, fermandosi dietro la porta. In quel momento, arriva Maruzza.

«Allora?» chiede Franca, tormentando un fazzoletto.

«Temo si tratti di febbre tifoide», risponde il medico. «Ha gli occhi gonfi, la febbre alta, i riflessi rallentati... Tutti sintomi che parlano di un'infezione in atto.»

Franca si porta le mani alla bocca e fissa la porta chiusa. «Cosa... come ha potuto prenderla?»

L'uomo allarga le braccia. «Potrebbe aver bevuto acqua infetta o mangiato qualcosa di contaminato. Chi può saperlo? Ormai domandarsi come l'ha presa è inutile. Pensate semmai a isolarla dagli altri e a tenerla sempre pulita. Dite alle domestiche di bollire la biancheria che usano per la bambina.»

Maruzza stringe il braccio di Franca, che continua a fissare l'uomo, attonita. «Ci penso io», le dice.

«Intanto posso praticarle un salasso per alleviare il dolore

alla testa, e le somministrerò venticinque gocce di tintura di iodio in un bicchiere di latte, giacché pare che sia...»

Franca non lo sta ascoltando. Nonostante il caldo, ha la sensazione di essere coperta da uno strato di ghiaccio. «La mia
bambina...» mormora. «Giovannuzza mia...» E tocca la porta,
come se la sua carezza potesse arrivare alla figlia.

Il medico abbassa la testa. «Dovete saperlo subito, donna
Franca: sarà una malattia complicata da affrontare. Il mio consiglio è portare la bambina in un luogo meno afoso, dove possa
respirare meglio, senza l'umidità del mare.»

Franca si riprende, si schiarisce la gola. «Non può viaggiare, vero?»

Il medico scuote la testa.

«Ma... se la portassimo alla nostra villa fuori Palermo, ai
Colli?»

«Sarebbe meglio, sì.» Le stringe la mano, le sorride. «Fate-
melo sapere.»

È in auto che Giovannuzza viene trasferita da Villa Igiea alla
Villa ai Colli. A guidare è Vincenzo, che scherza con la nipotina e cerca di farla ridere. Quella bimba dai grandi occhi scuri
ha un posto speciale nel suo cuore e lei ha sempre ricambiato
l'affetto di quello zio dal cuore buono. Adesso, però, avvolta in
un nido di coperte e lenzuola, Giovannuzza riesce solo a fare
qualche debole sorriso. Per gran parte del viaggio è immersa in
un torpore affannato, e ogni tanto si lamenta e stringe a sé la
sua amata Fanny, vestita di rosa. Si addormenta a metà del
viaggio. Franca le rincalza la coperta, le toglie il giocattolo.

Che cos'hai? Che ti è successo, nica *mia?* pensa, e sente il cuore
contorcersi in una morsa di ansia.

Con uno sbuffo e una nuvola di polvere, la vettura si ferma
davanti all'ingresso della villa.

«Qui starai meglio», dice Vincenzo a Giovannuzza, pren-
dendola in braccio per portarla in casa. «Non appena guarisci,
ti porto a fare un giro. Andremo così veloce che ti farò volare

via il cappellino, e arriveremo fino a capo Gallo, a vedere i pescatori che tornano dal mare.»

«Grazie, zietto», dice lei. Poi allunga la mano e gli tira i baffi sottili, un gioco che fanno da quando lei è riuscita ad arrampicarsi sulle sue ginocchia. Quindi si volta, cerca la madre con gli occhi e Franca le si avvicina. «Che c'è, tesoro mio?»

«Fanny...»

Franca si gira verso Maruzza, che regge un'altra coperta e un cesto di giocattoli da cui spunta la bambola di porcellana. La passa a Giovannuzza, che la abbraccia. «Pure Fanny ha tanto, tanto freddo...» mormora.

Le domestiche in attesa davanti alla villa la sentono e, senza neanche aspettare l'ordine di Franca, corrono a scaldare il letto della bambina.

Quella sera, Ignazio apre la porta della stanza in cui è stata sistemata Giovannuzza. L'aria greve di aromi balsamici, che dovrebbero aiutare la figlia a respirare meglio, lo colpisce come uno schiaffo.

Il viso della piccola è una chiazza arrossata sul cuscino. Quello di Franca è di marmo.

Si avvicina alla figlia, si china, la bacia e lei apre appena gli occhi. «*Oh, daddy*», gli dice. «Mi sento tanto male...»

«Lo so, cuore mio», replica lui, appoggiandole una mano sulla guancia, ma ritraendola subito, tanto è calda la pelle. Alza la testa, cerca Franca. È seduta dall'altra parte del letto e lo osserva con occhi colmi d'angoscia. Per la prima volta dopo tanto tempo, gli sta chiedendo aiuto per chiudere le ferite che si stanno aprendo nel suo cuore. Si capisce che vorrebbe essere lei al posto della figlia, per non vederla più soffrire così.

La domanda che Ignazio legge in quegli occhi atterrisce anche lui. Per qualche istante, rimangono immobili a fissarsi. Poi lui le fa cenno di uscire dalla stanza e Franca lo segue.

Non appena chiude la porta, scoppia a piangere. «Sta molto male, Ignazio, e io non so cosa fare. Dio mio, aiutaci tu...»

Ignazio non risponde. La stringe a sé, le accarezza i capelli.

Un gesto che non fa da molto tempo, un gesto che era stato d'amore e che adesso è solo di conforto, ma che almeno per un istante placa l'ansia di entrambi. Franca, con un sospiro, lo accoglie e si lascia andare contro il suo petto.

« Ho paura », gli dice in un soffio.

Ho paura anch'io, pensa lui, incapace di parlare. Perché quell'odore gli ha riportato alla memoria la stanza in cui è morto suo fratello Vincenzo, e poi quella in cui è spirato suo padre. È questo che gli stringe lo stomaco, che lo fa ammutolire: quel tanfo acido di un corpo che cerca di proteggersi dalla malattia, imprigionato in un'immobilità che somiglia molto, troppo, alla morte.

Che sua figlia possa morire, che il suo destino sia simile a quello del suo fratellino, lui non riesce nemmeno a concepirlo.

Quindi, il giorno dopo, mentre Giovannuzza scivola in un torpore profondo e, a tratti, nel delirio, Ignazio usa le armi che ha: il potere e il denaro.

Chiama Augusto Murri, docente di Clinica Medica all'Università di Bologna. Un genio della medicina, autore di trattati fondamentali sulle febbri e sulle lesioni cerebrali, ammirato in Italia e all'estero. A detta di tutti – amici, conoscenti, medici – è il migliore. L'unico che può salvarla.

Così, mentre tutta la famiglia si riunisce nella Villa ai Colli, Ignazio lo fa venire a Palermo. Gli mette a disposizione un treno speciale fino a Napoli e, da lì, un piroscafo per raggiungere la Sicilia. Infine un'automobile per arrivare alla villa.

Nel frattempo, fuori dai cancelli, Palermo attende. È una bambina a stare male, un'anima innocente. Dissapori, invidie, maldicenze vengono messi da parte: arrivano servitori che chiedono notizie per i loro padroni, portano biglietti d'auguri di pronta guarigione o comunicano che si stanno recitando rosari per Giovannuzza. Ma le notizie sono sempre peggiori. La piccola ha lunghi periodi d'incoscienza, non mangia, quasi non riconosce più nessuno, se non la madre e la nonna di cui porta il nome.

Quando il dottor Murri arriva, Giovannuzza ha perso conoscenza da diverse ore. Franca è accanto al suo letto. È pallida, sfatta, con i capelli neri che le cadono a ciocche intorno al volto, gli occhi gonfi di pianto e un fazzoletto sporco tra le mani. Più volte ha provato a svegliare la figlia, a darle qualche sorso di latte, a bagnarle le labbra screpolate con acqua fredda, ma la bambina, la *sua* bambina, non reagisce più.

Augusto Murri è un sessantenne che cammina leggermente curvo in avanti. Emana un'aria di quieta sicurezza. È stempiato e ha un folto paio di baffi bianchi, a manubrio. Fa un cenno a Franca per chiederle di uscire, ma lei si limita a fissarlo e a raddrizzarsi sulla sedia. Ignazio le va accanto.

Non si muoveranno da lì.

Allora Murri ausculta il petto della piccola, controlla i riflessi, cerca di stimolarla. Sente un groppo alla gola, il medico, perché vede lo sguardo di quei genitori di cui persino lui ha letto qualche vicenda nelle cronache mondane. Ma i viaggi, i gioielli, le feste favolose adesso non contano più nulla. Ora sono soltanto un padre e una madre, uniti da una paura che li divora.

Alla fine, mentre le cameriere rassettano il letto, l'anziano medico fa cenno a entrambi di seguirlo fuori. Nel corridoio, ci sono Giovanna e Costanza, le due nonne, con le mani strette intorno alle corone del rosario. Accanto a loro, Maruzza.

L'uomo si schiarisce la voce. Quando parla, lo fa lentamente, a occhi bassi. «Mi spiace, signori. Secondo il mio parere, non è tifo.» Fa una pausa, lunga, pesante. «È meningite.»

«No!» Franca barcolla. Prima che Ignazio possa soccorrerla, Costanza le va accanto, le circonda la vita con un braccio per impedirle di cadere a terra. Accorre anche Maruzza. Le donne rimangono aggrappate, testa contro testa, incapaci di parlare. Lacrime scorrono silenziose sul volto di Franca, che ha gli occhi sbarrati ed è terrea.

Quella parola è una pietra che precipita nel fondo della sua coscienza. *Meningite, meningite, meningite...* Inizia a tremare e la madre la abbraccia ancora di più, scoppiando in singhiozzi.

Ignazio è rimasto immobile. Si sente preso in una spirale che risucchia l'aria, le persone, le cose, persino la luce. «Ma allora...» dice. Però non riesce a continuare. Guarda fuori dalla finestra che si apre sul giardino e, per un istante, gli sembra di

462

veder passeggiare suo padre, insieme con Vincenzino, nell'a-
ranceto che amava tanto.

La voce del medico lo riscuote. «Somministreremo le cure
necessarie», dice Murri con voce ferma. «Ci sono ancora margini per intervenire e faremo il possibile per darle aiuto e sollievo. Ma, come non ci sono due cose uguali, così non ci sono
due malati uguali, quindi la piccola Giovanna va seguita momento per momento, con estrema attenzione. Tuttavia devo
essere onesto: le probabilità di una guarigione sono molto basse. Anche se si riprendesse, potrebbe essere gravemente offesa
nella parola o nel movimento.» Guarda Franca, che sembra sul
punto di svenire. «Dovrete essere molto forte, signora. Vi
aspettano giorni difficili.»

Franca allunga la mano, cerca quella di Ignazio, la trova.

Ha bisogno di sentirsi accanto a lui, al padre di sua figlia.
Nonostante tutto ciò che è accaduto in quegli anni, vuole avere
la certezza che possono essere ancora uniti. Che possono fare
un altro tratto di strada insieme. Che l'amore non si è consumato del tutto. Che affronteranno fianco a fianco quel dolore.
Che lui non la lascerà sola nei momenti più bui. Che il vuoto
che si sta spalancando sotto i loro piedi non li inghiottirà.

Un filo di speranza rimane, ed è a questo che lei si aggrappa. A quel filo sottile. La malattia avrà delle conseguenze? Le
affronteranno, poco importa. Starà con Giovannuzza, la aiuterà a diventare la donna che lei ha sempre immaginato.

Non vuole e non può capire che il confine tra illusione e
speranza è labile e che l'amore, quando si unisce alla disperazione, è capace di partorire la più dolorosa delle bugie.

È quasi l'alba del 14 agosto 1902 quando Franca, che si era appena assopita a fianco di Giovannuzza, si sveglia. Dal giardino
della villa arriva il cinguettio degli uccellini che salutano il
giorno e la luce che filtra attraverso le tende bianche è ancora
tenera.

La stanza è fresca; un delicato profumo di erba ha scacciato
quello dei suffumigi.

La bambina, immobile, le dà le spalle. È appoggiata su un fianco, le trecce nere sul cuscino. Franca si sporge a guardarla, la sfiora: le sembra più fresca e anche il rossore pare diminuito. La governante si è appisolata sulla sedia, e così dorme il resto della casa, immerso nel silenzio.

Per un istante, Franca pensa che forse le cure abbiano avuto effetto. Che la febbre sia diminuita e che Giovannuzza potrà svegliarsi. Che importa se sarà zoppa o parlerà in maniera strana? Cercheranno i medici migliori per curarla, la porteranno in Francia o in Inghilterra. Faranno lunghi soggiorni a Favignana, dove potrà respirare l'aria di mare e curarsi, rimanendo lontana da occhi indiscreti. L'importante è che sia viva. Viva.

Allunga di nuovo la mano, la posa sulla guancia.

E allora capisce che la sua bambina non è fresca, ma fredda. Che non è pallida, ma cinerea. Che tutti i sogni, i desideri, le aspirazioni che aveva avuto per lei sono andati in frantumi. Che Giovannuzza non diventerà mai adulta, che lei non la vedrà vestita da sposa, che non le sarà accanto mentre diventa madre.

La sua bambola di porcellana, Fanny, è finita in fondo al letto. Franca la solleva, poi la depone tra le braccia della bambina. L'accarezza di nuovo, le mormora un: «Ti voglio bene» che non avrà nessuna risposta, perché la sua piccola non le getterà mai più le braccia al collo, dicendole: «Anch'io, mammina!»

Una crepa si spacca nell'anima e il dolore adesso esce a fiotti, dilaga, la soffoca.

Giovanna Florio, sua figlia, è morta.

Ed è allora che Franca inizia a gridare.

Nei giorni di strazio che seguono la sepoltura di Giovannuzza, Ignazio cerca di aiutare Franca nell'unico modo in cui è capace: cercando di portarla via da Palermo, di tenerla lontana dai luoghi in cui è radicata la memoria della loro primogenita. Ma quando le ha chiesto dove voleva andare – a Londra? A Parigi? In Baviera? Magari in Egitto? – Franca l'aveva guardato a lungo con aria assente. Poi aveva detto soltanto una parola: « Favignana ».

Così salgono sul *Virginia*, la lancia a vapore che usano per raggiungere l'isola, e si ritrovano soli nel grande palazzo davanti al porto, a poca distanza dalla tonnara. Franca esce la mattina presto e torna a casa soltanto nel pomeriggio inoltrato; dice che va « a camminare » e la sera è così stanca che spesso si ritira senza neppure cenare. Ignazio cerca di riempire le giornate con le lettere che arrivano da Palermo e che riguardano l'andamento dell'Oretea. Ma è preoccupato.

E, una mattina, decide di seguirla nelle sue peregrinazioni.

La figura della moglie, resa ancora più esile dal vestito nero, si muove come un fantasma lungo i sentieri che portano verso la montagna, dietro la tonnara. La donna cammina, gesticola, a volte ride. Ogni tanto si ferma, guarda il mare, torna indietro. Ancora e ancora.

È solo quando le si avvicina un poco che Ignazio capisce.

Sta parlando con Giovannuzza: le dice che la sua mamma le vuole bene, che le sue bambole l'aspettano, che la prossima estate faranno il bagno tutti insieme, che le regalerà un vestito di seta per il suo compleanno. La chiama sottovoce, come faceva quando la piccola giocava a nascondino con i figli dei loro ospiti.

È voluta venire a Favignana perché lì era stata felice con Giovannuzza.

È un modo – disperato, straziante – per restarle accanto.

Ignazio torna sui suoi passi con il cuore stretto e con le lacrime che gli pungono le palpebre. La morte non gli ha portato via solo una figlia, ma gli sta sottraendo anche la serenità e la bellezza di sua moglie, e lui non può permetterlo, non può. Troppe cose gli sono già state rubate e non vuole nemmeno pensare a cosa accadrebbe se Franca impazzisse. Meglio, mille volte meglio, tornare in città.

Ma, una volta a Palermo, Franca si chiude per ore nella camera della bambina all'Olivuzza. Ha dato ordine che nessuno la tocchi; non vuole neppure che i vestiti vengano tolti dall'armadio. C'è ancora il suo odore, un misto di borotalco e violetta, e ci sono le sue spazzole sulla toeletta. Se chiude gli occhi, la sente camminare per la stanza, con quel suo passo leggero. Si siede sul letto, una mano sul cuscino e l'altra a stringere una bambola di porcellana. Non Fanny. Fanny è con lei, nella bara.

È così che la trova la suocera, un pomeriggio di ottobre. Giovanna ha fatto pregare i bambini per la sorellina «che è andata in cielo con gli angeli» e poi ha giocato un po' con loro: sia Baby Boy, che ha quattro anni e mezzo, sia Igiea, che ne ha due e mezzo, soffrono molto dell'assenza della madre e sono capricciosi e irrequieti.

In silenzio, Giovanna si siede accanto a Franca. Entrambe vestite di nero, una rigida nel suo dolore nuovo che le morde la carne, l'altra curva, piegata dal peso degli anni. Franca abbassa gli occhi, stringe più forte la bambola. Non vuole sentirsi dire che deve reagire, che deve essere forte perché ha due figli e bisogna pensare a loro e che comunque può averne altri... Gliel'hanno detto in troppi, a partire da Giulia e da Maruzza. L'unico risultato ottenuto è stato rendere più profonda la sua rabbia.

Perché non si può morire a otto anni. E non si fa un figlio per sostituirne un altro.

Giovanna ha il suo rosario di corallo e argento in una mano e una fotografia stretta contro il petto. Gliela mostra. «Forse non hai mai visto questa immagine del mio Vincenzino. Aveva dodici anni.» Tra le dita, la fotografia di un bambino vestito da moschettiere, lo sguardo dolce e timido. «Era un *picciriddu* bellissimo. *Sangu meo, duci duci era.* Stava crescendo per diventare il capo di questa famiglia, e mio marito, *recamatierna*, lo faceva studiare, lo incoraggiava sempre. Ma lui era troppo fragile, troppo.» La voce si spezza.

Franca apre gli occhi, si volta.

Guardare Giovanna è come guardarsi in uno specchio.

La ascolta, anche se non vorrebbe. Il suo dolore, pensa, è unico, e appartiene a lei soltanto. Posa la bambola sul letto, chiede: «Come siete stata, dopo?»

«Come una cui hanno levato la pelle.» Giovanna fa strisciare la mano sul letto, accarezza il viso della bambola, come se fosse quello della nipotina. «*U' Signure a mmia avia a pigghiari, no a idda*», dice. «Io sono vecchia e ho finito la mia esistenza.

Ma *idda... idda era un ciure.* » Alza la testa. Su quel viso di vecchia, dalla pelle ingrigita e dalle guance rugose, la nuora legge l'amarezza di una vita priva di amore e di tenerezza, unita a una rassegnazione che forse è ancora più dolorosa della sofferenza. E si rende conto che non ha mai visto la suocera sorridere *davvero* se non quand'era con i suoi nipoti. Soprattutto con Giovannuzza.

« Ci penserai sempre. A tutto quello che poteva fare e non farà mai, al fatto che non la vedrai crescere, che non riuscirai mai a sapere come sarebbe diventata. *T'addumannirai soccu fa,* e poi solo dopo penserai che è morta. Vedrai vestiti, giocattoli... *cose che ci vulissi accattari* e poi ti ricorderai che non puoi. *Chiste sunnu i cutiddate vere, e 'un passanu, picchì, pi ttia, ccà, è sempre viva.* »

« Non finirà mai, allora? » Franca parla in un soffio.

Giovanna risponde allo stesso modo. « Mai. A me è morto pure il marito e solo Dio sa se gli ho voluto bene... Ma un figlio è una cosa che non si può capire. » Alza la mano davanti a sé, la stringe a pugno. « *Comu si t'ascippassero u cori.* »

Come se ti strappassero il cuore. Sì, è così che si sente. Per un istante, Franca rivive il momento del parto della sua bambina, quando l'aveva sentita sgusciare via da sé. Forse è stato già allora che ha iniziato a perderla.

La suocera le batte la mano sulla spalla, si alza. La aspettano per cena, dice con dolcezza. Può non presenziare alle visite di condoglianze, ma deve nutrirsi per chi ancora resta.

Franca fa cenno di sì, che verrà a mangiare. Ma, quando resta sola, lentamente scivola sul letto, si raggomitola su se stessa. La lampada che la suocera ha lasciato accesa illumina il suo profilo affilato. Si passa una mano sugli occhi. Vorrebbe non vedere più, non sentire più, non doversi più occupare di nulla e di nessuno. Vorrebbe essere vecchia come Giovanna, vecchia e rassegnata, per non provare più nulla se non i dolori di un corpo incapace di ribellarsi al trascorrere del tempo. Invece ha ventinove anni e le è stata tolta la creatura che più amore le aveva dato in tutta la sua vita. E deve andare avanti.

«Scusate, don Ignazio...» Un cameriere attende sulla soglia del salotto verde. «Il principe di Cutò è arrivato. Posso farlo accomodare?»

Ignazio alza la testa di scatto dalle carte che stava leggendo. Aveva dimenticato quell'impegno. Si passa la mano sul viso stanco. «Certo.»

Poco dopo, appare Alessandro Tasca di Cutò. Si ferma nel vano della porta, in attesa, tormentando la falda del cappello, e fissa lo sguardo su Baby Boy che, sul tappeto, sta giocando con un trenino di latta.

«Entra. Grazie per essere venuto», dice Ignazio, alzandosi dal divano.

Alessandro si avvicina. «Sono venuto a porgerti le mie condoglianze. Ho già parlato con tua suocera e avrei voluto incontrare anche tua moglie...»

«Franca è ancora molto provata e non riceve nessuno», replica Ignazio, atono. Passa una mano tra i riccioli biondi del figlio, che subito alza la testa e allunga le braccine. È più inquieto del solito e cerca in ogni modo di attirare l'attenzione del padre, da cui si separa a fatica.

«Lo so», risponde Alessandro in fretta. «Mia sorella Giulia me l'ha detto. Ed è per questo che ho lasciato passare così tanto tempo, e me ne scuso.»

Ignazio si volta verso il tavolino su cui aveva appoggiato alcuni documenti, chiude con una manata una cartella su cui c'è la scritta CAPRERA, poi dice: «Vieni, andiamo in giardino, così faccio correre un po' il *picciriddu*. E credo che pure a te faccia piacere stare... all'aria aperta».

Alessandro fa una smorfia, ma non replica. È ormai abituato a simili frecciatine. È stato rinchiuso per cinque mesi nel carcere dell'Ucciardone, in seguito alla condanna per diffamazione dell'ex sindaco di Palermo, Emanuele Paternò, che lui aveva accusato di aver mal gestito l'amministrazione comunale. Una condanna che aveva suscitato numerose manifestazioni di solidarietà nei confronti di quello che ormai veniva chiamato da tutti «il principe rosso» per via delle sue idee socialiste.

«*Come on, Baby Boy*. Andiamo fuori, dai», dice Ignazio al piccolo, che gli afferra subito la mano e lo strattona verso la porta finestra. Una volta in giardino, Baby Boy corre in avanti, gridando che vuole salire sul velocipede che gli ha regalato lo zio Vincenzo. Con un cenno, Ignazio chiede a un cameriere di seguire il figlio.

I due uomini camminano per un po' in silenzio, sotto un cielo sporcato da nuvole grigie. È Alessandro a parlare per primo. «Sono lieto di vedere che almeno tu stai reagendo», dice.

«Ci provo.» Ignazio distoglie lo sguardo dalla panchina di pietra davanti alla voliera, dove Giovannuzza si sedeva spesso insieme con la madre. «C'è comunque molto da fare. E Casa Florio non si ferma.»

«Ah, certo, gli affari non guardano in faccia a nessuno, purtroppo. Ho visto che ti stai occupando del nuovo piroscafo, il *Caprera*... quando pensi di vararlo?»

Ha l'occhio lungo, il principe rosso, pensa Ignazio, irritato. Ma non intende sbottonarsi. E certo non vuole rendere pubblica la tensione che si è creata tra lui ed Erasmo Piaggio né il fatto che la sua fiducia nei confronti dell'amministratore genovese si sia incrinata, a causa dei suoi molti – troppi? – interessi al Nord... La Navigazione Generale Italiana ha il suo cuore a Palermo, e a Palermo deve restare. «Spero l'anno prossimo», risponde infine. «Ma prima dovrò risolvere certe... questioni.»

«E il consorzio degli agrumi come va? So che hai fatto buoni contratti di vendita.»

«Non abbastanza da coprire i costi... Ma è una faccenda secondaria, almeno per me. Ciò che mi interessa è che il cantiere navale sia finalmente quasi completato: la costruzione del *Caprera* sarà appunto la dimostrazione che noi possiamo competere alla pari con i cantieri toscani e liguri. Ma è così difficile convincere chi non ha intenzione di ascoltarti... Roma *in primis*, ovviamente.»

«Tra gli operai c'è un cauto ottimismo, in effetti. Dopo i licenziamenti dell'anno scorso...»

«Ancora con questa storia?» sbotta Ignazio. «Non vi siete stancati di raccontarvela? Oppure non sapete come passare le serate in quella Camera del Lavoro che avete tanto voluto, voi socialisti? »

Alessandro s'irrigidisce. «Sai bene che la Camera del Lavoro è stata *voluta*, come dici tu, soprattutto da Garibaldi Bosco. Che non è certo ostile né a te né a casa Florio. Anzi...»

«Già, tu invece sei convinto che la colpa di ciò che non funziona in Sicilia sia da attribuire agli imprenditori come me, pieni d'idee sbagliate, e che basti chiamare all'unità la gente comune per cambiare le cose. Lo hai scritto e ripetuto fino alla nausea sulla *Battaglia*.»

«Non riesci a sopportare che un giornale sbugiardi *L'Ora* almeno una volta alla settimana? Mi sono spesso chiesto cos'hai fatto per spingere Morelli a tornare alla *Tribuna* e affidare la direzione del giornale a quel sardo, Medardo Riccio...»

In quel momento, un fragore metallico spezza la pace del giardino. I pappagalli nella voliera si agitano, e un piccolo stormo di colombi si alza dalle palme. Sul vialetto compare un'automobile nera, che, sollevando una nuvola di sassolini e polvere, si ferma davanti ai due.

Vincenzo, berretto di tela e occhiali antipolvere, scende dalla vettura e stringe la mano ad Alessandro. Se coglie la tensione tra l'ospite e il fratello, non lo dà a vedere. «Sono di ritorno dalla stazione. È tutto pronto per la partenza, finalmente.»

Ignazio aggrotta la fronte. «Dove vai?»

«In Costa Azzurra. Palermo mi annoia. E l'Olivuzza, dopo quello che è successo alla *nica*, è troppo cupa.»

Alessandro abbozza un sorriso tra l'ironico e il triste. Nemmeno un grave lutto può mutare le abitudini gaudenti del giovane Florio.

Ignazio indica qualcosa alle spalle del fratello. «E dei lavori per quello chi se ne occuperà?» chiede, in tono irritato.

Passandosi una mano tra i capelli per sistemarli, Vincenzo si gira e guarda l'edificio che sta sorgendo in mezzo a un caos di assi, pietre, mattoni e secchi per la calce. È più simile a un palazzo delle fiabe che a una villa, con due sinuose scalinate e merletti di ghisa che ornano i balconi e il tetto, al di sopra del quale si erge una torretta. «Oh, già, il villino!» esclama poi.

« Basile ha superato se stesso, non trovi? » chiede ad Alessandro. « E non gli ho certo reso la vita facile... » Ridacchia. « Volevo qualcosa che ricordasse un castello, che avesse elementi barocchi ma anche romanici, tipici del Sud ma anche nordici... Per non parlare degli interni: gli ho chiesto di poter salire al piano superiore direttamente dalla rimessa delle automobili, senza uscire all'aperto e lui mi ha accontentato! Insomma, è riuscito a creare qualcosa di davvero originale, proprio come desideravo. » Guarda il villino con orgoglio. « Ma ormai è quasi finito e non credo che quegli uomini sulle impalcature abbiano bisogno di me. »

« Con il costo di un edificio del genere, si potrebbero sfamare decine di famiglie di... *quegli uomini* per un anno », borbotta Alessandro.

« Molto probabile. Ma, in tutta sincerità, m'importa assai poco di loro », replica Vincenzo, e sorride nel vedere l'espressione scandalizzata del principe.

« Niente, sempre *picciriddu* resti », sospira Ignazio.

« La vita questo è: inseguire subito un piacere nuovo quando il precedente ti è venuto a noia. » Vincenzo torna a guardare il fratello. « E io non voglio perdermene neanche uno. »

Dopo che Alessandro Tasca di Cutò si è congedato, Ignazio torna in casa, rimuginando sull'ultima frase del fratello. Sì, quello scavezzacollo ha ragione. Forse è proprio un po' di leggerezza che lui deve dare a Franca. Qualche sorriso, qualche occasione di allegria. Se ne convince quando arriva nei suoi appartamenti e li trova immersi in una penombra dolorosamente simile a quella che ristagna nelle stanze di sua madre. È come se le pareti trasudassero tristezza, esalassero un respiro malato.

In quella casa, la vita è diventata un peso.

La Costa Azzurra, il sole, il mare, il tepore, gli amici... Sulle prime, ne è sicuro, Franca farà resistenza. Allora lui scriverà ai Rothschild, che hanno l'abitudine di svernare in Riviera, e chiederà loro di aiutarlo a convincerla. Sì, gli ci vorrà un po' di tempo, ma alla fine ci riuscirà: saliranno sul loro treno, arriveranno nell'albergo di Beaulieu-sur-Mer che piace tanto a Franca, l'Hôtel Métropole, e passeranno lì le feste di Natale.

Anche lui ha bisogno di tornare a vivere.

Cullata dal treno, Franca si è addormentata sul divanetto di velluto blu, con la testa sulla spalla di Ignazio. Da qualche giorno, è come se lei lo stesse cercando, come se l'unica cosa che possa darle un po' di sollievo sia il contatto con suo marito. Anche a letto, non riesce a prendere sonno se non è abbracciata a lui. Ignazio è confuso. Non è mai stato bravo a leggere i sentimenti delle donne. Ne capisce i desideri, ne sa intuire le voglie, ne coglie i messaggi sensuali, ne anticipa i malumori, ma, il bisogno di affetto, quello no; si esprime in un alfabeto che lui non conosce.

Però sente che la scomparsa di Giovannuzza – la primogenita, quella che li aveva resi una famiglia – rischia di aprire tra loro una voragine. Non può sopportare quell'idea; sarebbe un'altra dimostrazione di debolezza, un ennesimo fallimento. Privato e non pubblico, certo, però ormai lui ha un disperato bisogno di aggrapparsi alle poche certezze che ha. E Franca, nel bene o nel male, è una certezza. Allora risponde alle sue richieste di affetto. Si fa trovare, le dedica tempo, attenzioni, tenerezze. *Ha proprio ragione d'Annunzio: mia moglie è unica,* pensa. Tutto quel dolore non le ha tolto né la bellezza né la grazia. E lui la ama, nonostante tutto. A suo modo, ma la ama.

Così, una sera, poco dopo il loro arrivo all'Hôtel Métropole, Ignazio si ritrova a osservarla come non faceva da tempo. Franca è seduta alla toeletta; ha mandato via Diodata e si sta sfilando le forcine dai capelli. Il collo a scialle della vestaglia copre appena la nuca. Il volto è serio, ma lo sguardo è tranquillo, assorto. Hanno cenato in camera, soli, e Franca ha anche mangiato un intero piatto di zuppa di pesce, cosa che non faceva da tempo. Le va dietro, le mette le mani sulle spalle e la accarezza fino alle braccia, le abbassa la vestaglia fino ai gomiti. Dove passano le sue dita, la pelle s'increspa. Franca socchiude le labbra, si ferma, le mani chiuse sul pettine.

Ignazio esita, poi le appoggia le labbra sul collo.

La desidera come non gli accadeva da tempo.

Franca ha un tremito. È spaventata? Ignazio non saprebbe
dirlo. È come se lui, consumato seduttore, non sapesse più come comportarsi con quella creatura fragile in cui si è trasformata sua moglie. Alza la mano, le sfiora il viso e lei si abbandona a quella carezza a occhi chiusi. Sembra incerta, come se
avesse paura di lasciarsi andare. Poi è lei a voltarsi, a cercare le
sue labbra, a lasciare che lui l'aiuti a scacciare con l'amore il
dolore della morte. E a ridarle un po' di vita.

Dopo quella sera, Franca sembra più serena. Hanno fatto qualche escursione con Vincenzo, che però ha il vizio di andare
troppo veloce con la sua adorata automobile, e hanno trascorso
l'ultimo dell'anno con i bambini: Baby Boy ha voluto bagnare
le labbra nello champagne e poi ha fatto una smorfia disgustata che ha fatto ridere tutti; Igiea, aggrappata alla madre, ha
guardato con gli occhi sgranati i fuochi d'artificio e, dopo qualche urletto di spavento, ha riso e battuto le manine.

Adesso sono nel giardino del Métropole, un enorme parco
di palme e di agrumi che arriva fin quasi al mare. Nel sole di
gennaio, Franca sta leggendo, allungata su una sdraio, l'abito
nero bordato di pizzo raccolto intorno alle gambe; Baby Boy
insegue i piccioni, e Ignazio si muove all'intorno con una Verascope in mano. È un dono di Vincenzo, che da qualche mese
si diletta di fotografia; lui spera che sia un modo per regalare
alla moglie un sorriso.

Franca ogni tanto alza gli occhi dal libro e osserva il marito
che, sempre più accigliato, sembra incapace di decidersi a scattare una foto. Improvvisamente Baby Boy gli si aggrappa a una
gamba e prende a strillare che vuole anche lui la macchina *totografica*. Da quando Giovannuzza non c'è più, fa spesso i capricci ed è sempre nervoso. Ignazio lo lascia fare per un po'
ma, quando il figlio si butta a terra e comincia a pestare i pu-

gni, lo sgrida. Neanche Franca, subito accorsa, riesce a calmarlo. Allora, con uno sbuffo d'impazienza, Ignazio chiama la bambinaia perché lo porti via, così che non infastidisca gli altri ospiti. La ragazza arriva di corsa, con le trecce bionde che sobbalzano.

« *Occupez-vous de lui, s'il vous plaît. Peut-être qu'il a faim...* » dice Franca.

La bambinaia scuote la testa. « *Il vient de manger, Madame Florio. Mais il n'a pas beaucoup dormi...* » Si china e prende in braccio Baby Boy. « *Que se passe-t-il, mon ange? Allons faire une petite sieste, hein?* » Poi si allontana insieme con il bambino, che continua a divincolarsi e a strillare.

Franca torna alla sdraio seguita da Ignazio, che le si siede accanto e le prende una mano. I grandi occhi verdi non sono ancora del tutto sereni, ma la disperazione sembra scomparsa.

Forse la voragine tra noi si sta chiudendo, pensa Ignazio. *Forse abbiamo ancora una speranza.* Se lo ripete spesso, mentre cerca di non fissare troppo a lungo le affascinanti ospiti dell'albergo.

Franca gli fa cenno di avvicinarsi. « Abbiamo ricevuto un invito dei Rothschild per stasera », dice. « Una cena e una partita a carte, una cosa per pochi intimi. »

« Tu vorresti andare, Franca mia? Te la senti? »

« Solo se lo vuoi anche tu. »

Lui le sfiora la fronte con un bacio e annuisce. Dopo i primi, sereni anni del loro matrimonio, a poco a poco Franca aveva smesso di affidarsi a lui. Talvolta aveva fatto esattamente il contrario di ciò che lui avrebbe voluto, com'era accaduto con il ritratto di Boldini. L'aveva sentita allontanarsi e non aveva fatto nulla per trattenerla, anzi: l'aveva sostituita con donne che gli erano sembrate più passionali, più libere, più... fresche. Come suo fratello, lui aveva sempre bisogno di novità, di emozioni forti, di sentirsi sciolto da qualunque legame. Adesso però si rende conto che, oltre all'amore, Franca gli ha sempre dato un'altra cosa: il rispetto. Quel rispetto che il mondo si ostina a negargli o, meglio, che riserva soltanto al nome che porta o alle sue ricchezze. Qualunque cosa abbia fatto o detto, Franca è comunque rimasta al di sopra di ogni meschinità. A differenza degli altri, e nonostante tutto, si è fidata di lui e si fida *ancora*. Sebbene lui sia stato così duro, così... ingrato nei suoi confronti.

È con quella consapevolezza che Ignazio si allontana per andare a scrivere un biglietto ai Rothschild, accettando il loro invito.

Poi, d'istinto, si volta. E trova nel suo sguardo un po' di quell'amore che temeva di aver perso per sempre.

Quella sera, Franca indossa un semplice abito nero e un lungo filo di perle. Mentre Diodata le sistema i capelli, coglie nello specchio lo sguardo di Ignazio e vi legge un'ammirazione che le scalda il cuore.

Prima di andar via, passano dalla stanza usata come nursery. Igiea è seduta sul tappeto con una bambola, ed è evidente che ha sonno, ma non può dormire, perché Baby Boy continua a fare i capricci. Butta i giocattoli a terra, rifiuta di mettersi la camicia da notte, strilla che vuole andare al mare, si divincola dalla presa della bambinaia, abbraccia le gambe della madre. Franca si china su di lui, lo accarezza, cerca di placarlo, ma il bambino non sente ragioni.

«Ora basta, Ignazino!» interviene suo padre. Il bambino scoppia a piangere.

Rossa in viso, la bambinaia lo solleva, gli parla dolcemente. Poi si rivolge a Franca. «Non ha nemmeno voluto mangiare, *alors*...» mormora, esasperata.

Franca scuote la testa. «Provate a raccontargli una storia. Di solito lo calma.» Si china su Igiea, le dà un bacio. «Noi dobbiamo andare. Si sta facendo tardi.»

Ignazio la segue oltre la porta, le porge il braccio e, in silenzio, attraversano i lussuosi corridoi del Métropole, poi scendono le scale sotto lo sguardo ammirato degli ospiti. Ignazio s'irrigidisce, ma Franca sembra indifferente. In auto, però, Ignazio le prende la mano e la trova fredda. Allora si rende conto che era nervosa come lui.

«Stai bene?» le chiede.

Lei fa cenno di sì, poi intreccia le dita con le sue e lei gliele stringe.

La tenerezza, quella dolcezza antica che gli scalda il petto, è lì, una fiammella che ancora resiste. Si stanno ritrovando. Più forti di prima.

La serata scorre tranquilla, tra chiacchiere e pettegolezzi sullo scandalo del giorno: la principessa Luisa d'Asburgo, moglie del principe ereditario di Sassonia, madre di sei figli e incinta del settimo, è infatti fuggita con André Giron, l'affascinante precettore del suo primogenito, causando un profondo sconcerto in tutte le corti d'Europa. Dopo cena, Franca e le donne giocano a faraone, mentre Ignazio segue gli uomini nel fumoir. Lì, l'argomento di conversazione è il duello avvenuto due settimane prima a Nizza, nel giardino della villa del conte Rohozinski: due maestri francesi avevano dichiarato la superiorità della loro scuola schermistica e due maestri italiani, offesi, li avevano sfidati. Ignazio viene tempestato di domande, perché tutti sanno che Vincenzo ha prestato ai duellanti e ai padrini le automobili che hanno permesso loro di sottrarsi alla polizia, che voleva impedire la sfida. Ma lui non conosce nessun retroscena e minimizza la faccenda, sostenendo che gli unici duelli che lo interessano sono quelli in mare.

È quasi mezzanotte quando arriva un valletto del Métropole. Si ferma sulla porta, ansimante, con le mani che tremano. Chiede dei Florio, dice che devono tornare subito in albergo.

Ignazio arriva, aggrotta la fronte. « Di che si tratta? »

Ma il valletto scuote la testa. « *Retournez à l'hôtel, je vous en prie, Monsieur Florio. Vite, vite!* » quasi grida. Poi, dopo un ultimo: « *Vite, vite!* » fugge via.

Franca, che nel frattempo è arrivata accanto a Ignazio, lo guarda, perplessa. « Ma... cos'è successo? »

« Non lo so », le risponde lui.

Mentre gli ospiti e i padroni di casa li raggiungono, preoccupati, viene chiamata l'auto per riportarli al Métropole.

In macchina, nessuno dei due parla. Nella mente di Ignazio

si affastellano ipotesi: un incidente d'auto in cui è stato coinvolto Vincenzo? Un furto, un incendio all'Olivuzza? E se fosse accaduto qualcosa a sua madre, ormai anziana e provata? Oh, sarebbe uno strazio, saperla sola e lontana... Potrebbe essere successo qualcosa a una delle sue imprese? *Ma no, è notte fonda...*

Via via che si avvicinano all'hotel, sente l'angoscia montare. Tortura l'anello di suo padre, apre e chiude a pugno le mani. Franca, accanto a lui, è pallidissima, smania sul sedile, stringe i guanti.

Quando scendono dall'auto, il direttore del Métropole corre loro incontro sulla lunga passatoia rossa. Afferra le mani di Ignazio, dice qualcosa.

La maggior parte di quelle parole lui non riuscirà, nemmeno dopo anni, a ricordarle. Perché certi ricordi sono così dolorosi che si depositano nel fondo dell'anima, nascosti da una misericordiosa cortina di buio anche a chi li possiede.

Una disgrazia.

« Che disgrazia? » chiede lui, mentre Franca comincia a tremare.

« Una disgrazia tremenda, Monsieur Florio! C'è un medico, è arrivato subito, abbiamo tentato di rianimarlo, ma... »

« Chi? » grida lui, ed è come se sentisse qualcun altro fare quella domanda, perché davanti ai suoi occhi sta calando una nebbia nera e nella sua gola non c'è più voce. Franca si accascia vicino a lui, ma Ignazio non ha la forza di soccorrerla.

Gli manca l'aria, eppure riesce a ripetere: « Chi? » mentre oltrepassa l'uomo.

Si ritrova davanti la bambinaia di Baby Boy. La riconosce a malapena. Ma vede che sta urlando e piangendo.

Con violenza, la spinge di lato. La donna cade a terra.

Baby Boy.

Ignazino.

Inizia a correre, supera i camerieri, divora le scale, il cuore che gli esplode tra le costole.

Il lungo corridoio, il tappeto rosso, le luci che tremano, la porta spalancata, un uomo e un poliziotto accanto al letto.

Suo figlio.

Immobile.

Ignazio barcolla.

Raggiunge il letto, crolla di schianto in ginocchio, allunga una mano. Il bambino ha gli occhi aperti e un filo di bava all'angolo della bocca. È in camicia da notte, i capelli biondi sparsi sul cuscino.

Ignazio lo scuote. « Baby Boy », lo chiama, con una voce che sembra venire da molto lontano. « Baby Boy... Ignazino... »

Una mano si poggia sulla sua spalla. Non la sente nemmeno.

Tutto. È finito tutto.

Perché non è morto soltanto suo figlio. È morto il futuro di Casa Florio.

Tornano a Palermo, i Florio, accompagnati da una bara bianca. Baby Boy dormirà accanto alla sorellina, morta da nemmeno sei mesi, al riparo dei cipressi del cimitero di Santa Maria di Gesù. Porta con sé un mistero che nessuno riuscirà mai a svelare. Il referto medico dice soltanto che il cuore si è fermato. Ma quella bava sulle labbra...

Ignazio non ha neppure voluto che si facesse l'autopsia. « Almeno non questo insulto », ha biascicato, quando il medico legale ha chiesto il permesso. Una caduta? Una dose letale di sonnifero che la bambinaia gli ha somministrato per starsene in pace o per andarsene a un convegno galante? Sono pensieri di filo spinato che solo a toccarli ci si ferisce. E allora vengono messi da parte.

Tanto non cambia nulla.

Tanto suo figlio è morto.

Tanto lui non è neppure capace di aiutare se stesso.

Un cuore si è fermato. No, due cuori: il suo e il mio, pensa Ignazio nel suo studio, a notte fonda, mentre prende la bottiglia di cognac, una delle ultime. È stato costretto a interrompere la produzione sia del cognac sia dei vini da pasto. I costi troppo alti, uniti a una grave infestazione di fillossera dei vigneti della Sicilia occidentale hanno messo in ginocchio la cantina di Marsala. E non solo la sua: anche i Whitaker hanno lo stesso problema.

Le crepe si allargano. Gli scricchiolii sono diventati più forti. Se li sente rimbombare nella testa.

Dà una manata sulle carte del tavolo, poi si affloscia sul piano della scrivania. Appoggia la testa sulle braccia, gli occhi chiusi, il rimbombo del cuore nelle tempie.

Vorrebbe piangere, ma non ci riesce.

Che senso ha tutto questo? si chiede. Perché ostinarsi a combattere se non c'è nessuno che potrà continuare la sua lotta? Cosa rimane se quello che suo nonno e suo padre gli hanno lasciato è destinato a finire con lui? A cosa può aggrapparsi la sua famiglia, adesso? Un figlio è un ramo che si allunga verso il cielo. Ma, se si spezza, da lì non potrà nascere nessun'altra foglia.

Ed è così che si sente Ignazio. Secco. Spezzato.

Nei giorni successivi alla morte di Baby Boy, nella casa immobile e silenziosa, Ignazio ha anche pensato che forse era meglio arrendersi. Farla finita.

Si è avvolto in quella rabbia come in un mantello. Sofferenza e rimorso gli tolgono il sonno; per la prima volta, ha paura di non poter sfuggire da quella casa in cui il numero dei fantasmi ormai supera quello dei vivi.

Il vuoto, il buio, il silenzio. L'oblio è diventato attraente, e di certo meno crudele di quello che c'è lì, all'Olivuzza. Si è quasi ubriacato di quella sensazione, della possibilità di sparire senza dire nulla a nessuno, di lasciarsi andare. Ma poi ha pensato che tutti – forse addirittura anche Franca – l'avrebbero considerato un vigliacco, un mezzo uomo, incapace di combattere per quel poco che ancora gli resta. Un debole, a differenza di suo nonno e di suo padre.

Allora ha continuato a vivere. Anzi: si è lasciato vivere.

Passano alcune settimane.

Vuote, mute, inutili.

Ma poi forse qualcuno, in cielo, vede Franca e Ignazio e decide che hanno sofferto abbastanza.

Sì, dev'essere così. Perché avviene un miracolo.

Franca scopre di essere incinta. Dopo un primo momento d'incredulità, arriva la gioia: grande, inattesa, e per questo assoluta. Si abbracciano, mescolano le lacrime e i sorrisi, stringono a sé l'unica figlia che resta, la piccola Igiea.

Forse possiamo essere ancora una famiglia felice, si dice Ignazio. *Forse il destino ci sta dando un'altra possibilità.*

«Un viaggio a Venezia?»

«Più un lungo soggiorno che un viaggio, in verità.»

«Donna Franca, siete molto debole. Sconsiglio ogni spostamento, specie nelle vostre condizioni. Siete solo di quattro mesi e...»

«Starò attenta. Rimarrò in albergo il più possibile, mi riposerò. Mia madre e Maruzza saranno sempre con me. Vi prometto che mi comporterò bene, dottore. Vi prego...»

Il medico scuote la testa. Alla fine, un sorriso indulgente si schiude sulle labbra severe. «E sia. Mi raccomando, però...»

L'idea di un soggiorno a Venezia è venuta a Ignazio, convinto, come sempre, che allontanarsi da ciò che fa soffrire serva a cancellare la sofferenza. La verità è che ha sopportato fin troppo l'atmosfera opprimente dell'Olivuzza e vuole avere una scusa per non occuparsi degli affari.

Quindi Venezia. Hotel Danieli, un ristretto gruppo di amici che facciano star bene Franca e che diano un po' di sollievo a lui. A loro si uniscono Stefanina Pajno, le sorelle di Villarosa con i loro mariti, Giulia Trigona e l'altra Giulia, la sorella di Ignazio, oltre ovviamente a Costanza, la madre di Franca, e a Maruzza.

Sono mesi di quiete. Franca fa brevi passeggiate in compagnia delle amiche o della madre, si concede dei giri in gondola per ammirare Venezia che si specchia sull'acqua, osserva rapita quell'intonaco ocra che si alterna alla pietra bianca del Carso e al marmo delle finestre. Talvolta cerca Ignazio con la mano, gli dedica l'ombra di un sorriso stanco, mentre la loro immagine si riflette nell'acqua scura dei canali. La sera gioca a carte nella suite; spesso, dai loro palazzi, arrivano anche le gemelle

Vera e Maddalena Papadopoli, figlie del senatore Niccolò, un ricchissimo banchiere di origine greca con la passione per la numismatica.

Costanza ha subito guardato quelle due donne con sospetto: troppo belle, con zigomi alti e occhi alteri, sicure di sé, disinvolte. Lo sa, lo ha visto negli anni, pur restando in silenzio perché non si è mai immischiata nel matrimonio della figlia. Suo genero perde la testa fin troppo facilmente per donne così. *Non mi piacciono*, si ripete, ogni volta che le osserva salire le scale del Danieli con quell'aria da regine.

Ma Franca ride ai loro pettegolezzi, apprezza la loro conversazione brillante e arguta. Entrambe poi sono sempre gentili con lei: le portano mazzi di fiori, fragranti *zaleti* da inzuppare nel vin santo oppure cestini di *bussolai* appena sfornati dal loro cuoco.

In un luminoso pomeriggio di fine settembre, Costanza si prepara per uscire, come fa ogni volta che può, dato che quel riposo forzato le ha procurato fastidiosi dolori alla schiena e alle gambe, aggravati dall'umidità veneziana. Franca dorme, una mano sul ventre, l'altra distesa sul cuscino. Le rimbocca le coperte come quand'era bambina, poi chiede a Diodata di lasciarla riposare.

Con un passo lievemente claudicante, Costanza si dirige verso la libreria sotto le Procuratie Vecchie. Franca ha ordinato *Elias Portolu* di Grazia Deledda, di cui tutti dicono meraviglie, e lei vuol farglielo trovare al risveglio.

È all'imbocco delle Mercerie, sotto la Torre dell'Orologio, che lo vede. È seduto a un caffè in piazza San Marco e davanti a lui c'è una donna così bella ed elegante che sembra nata per farsi ammirare: capelli ramati, pelle d'avorio, occhi penetranti, labbra piene. Ignazio la sta ammirando, e non solo. Si china verso di lei, le solletica un orecchio da cui pende un orecchino d'oro e di corallo, poi si china a baciarle la mano. La donna ride: una risata acuta, che trabocca di allegria e sensualità. Poi scompiglia i capelli di Ignazio con una mano guantata, gli accarezza rapidamente una guancia, abbassa gli occhi e nasconde un sorriso.

Costanza è pietrificata. La gente le passa accanto, la urta, ma lei non riesce a muoversi. Si appoggia a un pilastro, cerca conforto nella solidità della pietra. Il turbamento è tale che Costanza deve trattenere un conato di vomito.

La sfrontatezza di Ignazio ha passato ogni limite. Sua moglie è lì, a pochi passi, incinta, dopo aver subito la perdita di due figli. E lui fa il cascamorto. *In pubblico.*

Ignazio alza gli occhi, la vede. Di colpo impallidisce, abbassa la testa, lascia andare la mano della donna.

E allora Costanza Jacona Notarbartolo di Villarosa, baronessa di San Giuliano, fa una cosa che mai, in quasi sessant'anni di vita, aveva fatto.

Fissa Ignazio, ruota leggermente la testa di lato e poi sputa per terra.

Non ci vuole molto, a Costanza, per scoprire che si chiama Anna Morosini, per tutti «la dogaressa», anche perché, da quando il marito se n'è andato a vivere a Parigi, si è trasferita nel Palazzo Da Mula e ha fatto mettere sullo scalone lo stemma dei Morosini con sopra il corno dogale. È la regina incontrastata della mondanità veneziana: i suoi balli sono avvenimenti cui non si può mancare, le sue feste sono leggendarie, nei saloni del suo palazzo s'incrociano politici e intellettuali, dal Kaiser all'immancabile d'Annunzio. Anna somiglia a Franca in molte cose, a cominciare dai magnetici occhi verdi e dal corpo statuario. È persino dama di corte. Ma, nel contempo, non potrebbe essere più diversa: è libera, vivace, allegra, sfacciata.

E Ignazio ne è terribilmente attratto.

Non importa come. Forse una battuta delle gemelle Papadopoli, forse una frase sentita durante una passeggiata, forse un'imprudenza di Ignazio che, la mattina, canta davanti allo specchio e si cura particolarmente la barba. Fatto sta che, verso la metà di ottobre, Franca scopre il nuovo amorazzo del marito.

Di ritorno da una delle sue passeggiate, Costanza la trova seduta in poltrona, in vestaglia, a massaggiarsi il ventre rigido e gonfio.

«Manco davanti a suo figlio si ferma...» mormora Franca,

482

trattenendo a stento le lacrime. « È appena uscito e sapete cosa mi ha detto? 'Vado a fare un giro in barca con alcuni amici.' Amici! Gli ho gridato di risparmiarsi le menzogne, tanto lo sapevo che andava dalla Morosini, che non ha nemmeno la dignità di nascondersi. Non mi ha neanche risposto. È corso via, sbattendo la porta. Non sa far altro che scappare, lui. »

Costanza abbraccia la figlia. «Coraggio», le mormora all'orecchio, stringendosela al petto. «*Masculu è, ma tu si' fimmina.* Lo sai che è così, e sei tu che devi reagire, e non per lui, ma per il *picciriddu.* Sai com'è fatto *iddu... 'un c'ha' a fari bile,* che non serve a niente. *Lassalu iri.*» Le prende il viso tra le mani, la costringe a guardarla. «Le femmine sono più forti, vita mia. Più forti di tutto perché conoscono la vita e la morte e non hanno paura di affrontarle. »

Ma Franca adesso si sente cristallo sul punto di andare in pezzi. Ricambia l'abbraccio della madre, però avverte un grumo caldo di emozioni, un insieme di rabbia, dolore e delusione. Ancora una volta, Ignazio ha tradito la sua fiducia ed è fuggito, lasciandola sola con i suoi ricordi e con il peso della morte di due figli. Fuggito da quella stanza, da lei, dal loro matrimonio. E questo Franca non può più sopportarlo, non ci riesce, non dopo tutto quello che è successo, non dopo le promesse di rimanerle accanto, di aiutarla. Si è sempre detta che Ignazio la ama a suo modo, ma adesso quel modo non le basta più.

Costretta a stendersi sul letto da dolori al basso ventre e alla schiena, Franca guarda dalla finestra la chiesa di Santa Maria della Salute e prega, supplica che sia un maschio. Che nasca sano. Che Ignazio si ravveda. Che la sua vita smetta di scivolare lungo quella china, perché lei non riesce più a reagire, non ce la fa.

Perché le uniche cose che vorrebbe avere sono un po' di amore e un po' di serenità.

Allora manda un messaggio al marito. Inghiotte fiele e umiliazione mentre lo scrive e lo indirizza a Palazzo Da Mula. Gli chiede di raggiungerlo, così che possano trascorrere un pomeriggio insieme, perché lei non vuole stare sola, e non le bastano più sua madre e Maruzza.

È suo marito, ha delle responsabilità verso di lei.

Quando il cameriere torna, le porge a occhi bassi la busta, ancora intatta. «Mi hanno detto che... il signor Florio è uscito... con la contessa per un giro in barca.»

Franca prende la busta, congeda il ragazzo con un cenno. Non appena resta sola, la getta nel camino acceso.

Il pomeriggio si ripiega su se stesso, andando incontro al buio. La luce dorata di ottobre scalda le mura e i mattoni di cotto di Venezia prima che vengano inghiottiti dalla bruma che si leva dai canali. Franca passeggia per la stanza sotto gli occhi della madre e di Maruzza, che si scambiano sguardi preoccupati. Per distrarla, le due donne parlano delle polemiche intorno al suo ritratto: Boldini lo ha esposto lì a Venezia in occasione della Biennale, ma non ha trovato l'accoglienza sperata, anzi le critiche sono state feroci. Franca risponde con una scrollata di spalle. A lei, quel quadro continua a piacere, dice. Ma non aggiunge che a lei piace soprattutto l'immagine di se stessa che quel ritratto ha fissato per sempre: un donna bella, sensuale, sicura di sé. Da quanto tempo non si sente così?

Alla fine è lei a congedarle. Starà bene, le rassicura. Andrà a letto a riposare, certo.

Solo che...

Il soffitto della suite del Danieli – un cielo azzurro da cui si affacciano dei puttini – ha su di lei un effetto quasi irritante. La luce che filtra dalle finestre trasforma quelle figure in piccoli demoni che la deridono per la sua ingenuità, per la sua debolezza.

Perché così è diventata, così si sente. Fragile. Solo di notte certi pensieri vengono fuori in tutta la loro tagliente chiarezza, solo di notte può guardarli in faccia e ammettere di aver sbagliato tante, troppe cose della sua vita. Un matrimonio con un uomo inaffidabile, un ragazzo che si è sempre rifiutato di crescere e che lei non ha saputo controllare. L'attenzione spasmodica alla mondanità – i vestiti, i gioielli, le chiacchiere, i viaggi – che ha riempito le sue giornate, facendole dimenticare ciò che era davvero importante. Il tempo rubato ai figli dalle feste e dai ricevimenti quando lei pensava di avere tutto il tempo del mondo per star loro accanto. Invece il tempo era finito, quei figli non c'erano più. E il senso di colpa diventava un macigno.

Aveva sperato che il suo amore avesse la forza di entrare nel cuore di Ignazio, di occuparlo per intero. Aveva creduto che i suoi bambini fossero in buone mani, che non avessero poi così bisogno di lei. E poi, santo cielo, aveva sempre avuto i suoi doveri sociali da assolvere: essere donna Franca Florio significava soprattutto quello! Ma non è abbastanza per ottenere l'assoluzione di cui avrebbe bisogno la sua anima. *Quante bugie ci si racconta per allontanare i pesi dal cuore*, pensa adesso, mentre il rimorso si trasforma in un groppo in gola. *Altrimenti si finirebbe schiacciati, non si vivrebbe più.*

Si stringe le braccia intorno al ventre, e le lacrime premono contro le palpebre per uscire. *Con te non farò gli stessi errori*, promette a quel bambino che sente muoversi dentro di lei. *Ti starò sempre vicina*, gli sussurra.

Si appisola così, rannicchiata sul letto, in attesa. È il rumore della chiave nella toppa che la strappa al sonno. Lancia un'occhiata all'orologio sul comodino: sono le tre.

Ignazio si aggira cautamente nella stanza, lasciando una scia profumata di iris.

Lei accende la luce di scatto. « Ti sei divertito in barca? » Gli occhi di Franca si socchiudono, diventano lame. « Immagino di sì. Con la contessa Morosini è difficile annoiarsi. Lo dicono tutti. »

Ignazio, che sta trafficando con i gemelli d'oro, sussulta. Uno dei gioielli cade a terra, lui si china a raccoglierlo e, nel frattempo, maledice certe pettegole che non riescono proprio a stare mute. Aveva sperato di rimandare l'inevitabile scontro alla mattina dopo. Aveva anche già visto nella vetrina di Missiaglia un bellissimo pendente con uno smeraldo...

« La gente parla *ammatula*, Franca mia. Volevo già dirtelo oggi, ma sarebbe stato inutile, eri così agitata... Sì, la contessa Morosini è molto bella, è vero, e conosce tutti, a Venezia. È impossibile andare in giro senza incontrarla. E oggi ci ha offerto la sua barca per un giro in laguna. » Arrotola le maniche sui polsi, si avvicina, le sfiora il viso con una carezza. « Ti ho portato qui perché tu fossi più serena. Davvero credi che potrei essere così insensibile da farti una cosa del genere? »

Franca distoglie il viso con una smorfia di fastidio. « Va' a rinfrescarti, per favore», gli dice. «Hai il suo profumo addosso.» E lo allontana, premendogli una mano sul petto.

Ignazio non sopporta di sentirsi in trappola. Le afferra il polso, la costringe a guardarlo. «Calmati! Ora che è, non posso manco andarmene un po' in giro? Dovrei vedere solo uomini?»

Franca non riesce più a trattenere le lacrime. «Tu!» Lo colpisce di nuovo sul petto, con violenza. «Non t'importa niente di come sto io», grida. «Abbiamo perso due figli, io sono incinta e tu non fai altro che... che...»

Lui l'afferra per le braccia, la scuote. «Ma che dici? Amore mio, ti prego...»

«Non cambi mai, vero? Per te è impossibile! Devi sempre scappare da tutto. Dalle responsabilità, dalla paura, pure da me, perché non ce la fai a sopportare troppo dolore, eh? Sei un vigliacco...»

«Come osi?» Ignazio è sconvolto. Perché Franca ha ragione. Le parole della moglie lo hanno colpito là dove fa più male, in quella zona grigia dell'anima che lui non ha il coraggio di sfiorare. E a esse si sovrappone il senso di colpa perché, maledizione, è tutto vero.

«Sì, questo sei: un vigliacco.» Franca lo ribadisce sottovoce. È una constatazione che non ammette repliche.

Lui si alza di scatto, si allontana. Sente lo stomaco in fiamme, forse per il troppo champagne o forse per quelle parole che lo stanno aprendo in due. Non è una parte della sua coscienza che lui guarda spesso. Anzi la tiene ben nascosta e, se gli capita di pensarci, si ripete la stessa cantilena di sempre: che lui è un uomo, che certe esigenze sono naturali, che non ha mai fatto mancare niente a sua moglie, che comunque sta sempre attento... be', quasi sempre. D'altronde, lo fanno tutti, perché mai lui dovrebbe essere diverso? *Maledetti! Perché se la prendono con me? Non si rendono conto che possono fare del male al bambino? Gente senza testa!*

Franca singhiozza con violenza. «Sai come mi sento io? Umiliata! Messa da parte perché sono incinta di tuo figlio!» grida, stringendo le lenzuola. A fatica si alza dal letto, gli va davanti, mentre lui, a mani spalancate, cerca di placarla. «Tu, quella donna, devi lasciarla perdere», gli dice, puntandogli il dito contro, gli occhi pieni di collera. «Lasci stare lei e le altre, se ce ne sono, e smetti di dare spettacolo», lo incalza. «Non voglio più sentire una parola su di lei. Me lo devi, Ignazio. Lo devi a me e a tuo figlio.»

D'un tratto, Ignazio ha paura: non ha mai visto Franca così alterata durante un litigio e teme per la sua salute. Le prende le mani tremanti, fa cenno di sì con la testa. «Te lo prometto. Ma ora calmati, ti prego.» Le bacia le palpebre. «Su, mettiti a letto.» Poi le bacia le nocche, la abbraccia piano. «Sei stanca, cuore mio...» le dice. «Il medico te l'ha detto che devi stare a riposo, che non devi prendere dispiaceri...»

A rispondergli sono i suoi singhiozzi.

Si mettono a letto, lui semivestito, lei in vestaglia. Si addormentano.

Franca si sveglierà di soprassalto, la mattina dopo, in preda a forti dolori al ventre. Li riconosce subito: sono le contrazioni.

Ma è presto, troppo presto.

Giacobina Florio nasce il 14 ottobre 1903, quasi due mesi prima del tempo.

Il parto è stato difficile. La neonata è magra, cianotica.

Muore quella stessa sera, dopo poche ore di agonia.

Silenzio.

Franca alza la testa, strizza gli occhi. La luce è aggressiva, le lenzuola troppo ruvide.

Per un istante si chiede dov'è. Perché prova quella sensazione di oppressione al petto. Perché è sola.

Ma è giusto un istante. Tutto le torna indietro, le chiude il respiro in gola.

Dalla finestra socchiusa arriva, lieve, lo sciabordio delle onde del porto. La stanza – semplice, quasi monacale rispetto a quella all'Olivuzza o di Villa Igiea – è nel palazzo di Favignana.

Diodata, Maruzza e una governante si aggirano per le stanze, stando ben attente a non disturbarla, ma seguendola passo passo, come ha ordinato don Ignazio. «Statele vicina», ha detto a Maruzza, quando si è congedato da loro, dopo averle portate sull'isola con il *Virginia*. «Mia moglie è... sconvolta. State attenta che non faccia qualche follia.»

Avevano parlato sottovoce, ma lei aveva sentito tutto.

Non è un'idea così peregrina, aveva pensato Franca con distacco. Anzi. Le darebbe sollievo. Pace.

Afferra la vestaglia, la indossa, scrolla la testa e i capelli le cadono sulle spalle in grandi onde. Si aggira per la stanza. Sulla toeletta, tra le spazzole e i gioielli, una boccetta di calmanti a base di laudano. La sua ombra dorata si allunga sul piano di marmo, colpisce quella del bicchiere pieno per metà di acqua. Poco distante, il flaconcino di avorio con la cocaina che il medico le ha prescritto per combattere l'astenia e la depressione.

Ride amara, Franca.

Come se un po' di polvere e delle gocce potessero placare ciò che si porta dentro.

Tre figli morti in poco più di un anno.

Fruga tra gli oggetti, trova il bocchino e una sigaretta. Fuma lentamente, gli occhi verdi che si specchiano nel mare turchese di Favignana. È una giornata insolitamente tersa per essere febbraio.

Tersa e fredda. Solo che lei il freddo esterno non lo sente. Ha un gelo dentro che sembra assorbire tutto. Le forze. La luce. La fame. La sete.

Forse è morta e non sa di esserlo. Del resto, non riesce più a piangere, non sa come fare. Le lacrime si arrestano tra le ciglia, si rifiutano di cadere, come se si pietrificassero. *Ma no, non è così*, si dice, spegnendo la sigaretta nel posacenere pieno di mozziconi. Se fosse morta, non proverebbe tanta sofferenza.

O forse sì e questo è il suo inferno.

Chiama Diodata.

Beve un po' di caffè, ma non tocca i biscotti. È dimagrita moltissimo nelle ultime settimane e quasi non c'è bisogno di stringere il bustino. Ignazio le scrive, le manda telegrammi per sapere come sta... ma non riesce più a starle vicino, e forse nemmeno lei lo vuole accanto a sé. Con Baby Boy, il suo Ignazino, hanno perso la gioia, il futuro. E, se si può vivere senza gioia, non si può fare nulla senza futuro. Con Giacobina è morta la speranza.

Qualcosa si è spezzato.

Prende lo scialle e il cappello, entrambi neri. Sul petto, un medaglione con i ritratti dei figli.

Fuori, l'isola è percorsa da un vento gentile ma freddo. Alcuni isolani la osservano, un paio di donne accennano un inchino. Franca non guarda nessuno. Segue la stradina che costeggia la villa, arriva quasi davanti al municipio e poi piega verso il mare. La stessa strada, ogni giorno, gli stessi passi lenti.

Cammina, e il bordo dell'abito s'impolvera, si colora del bianco dorato del tufo. Nei pressi della tonnara, alcuni uomini si scappellano, la salutano. A loro riserva un'occhiata e un cenno del capo.

Sente i loro sguardi di commiserazione, avverte la loro pietà, ma non gliene importa. Non prova più nulla, neanche fastidio o risentimento. Nell'anima ha un territorio nero, lavico, dove non esiste più traccia di vita, né possibilità che la vita rinasca.

Cammina intorno alla tonnara, da cui arrivano i suoni e gli odori del lavoro: un urto di martelli, un fruscio di reti che vengono riparate, il fumo acre dei fornelli della pece per le chiglie che devono essere calafatate. Mancano ancora mesi alla calata della tonnara, ma già uomini e cose si stanno preparando per quei giorni di maggio, dopo la festa del Crocifisso. Da quando si sono sposati, lei e Ignazio non sono mai mancati a quella strana festa di morte e di vita, dove il profumo del mare si mescola con l'afrore del sangue dei tonni.

Volta l'angolo. Si ritrova davanti a una piccola conca, con una lingua di scogli che digrada verso il porto. Lì l'acqua è pulita e subito profonda. A destra, c'è l'attracco per i vascelli, ancora chiusi nei magazzini.

L'acqua.

È così azzurra, così limpida.

Dev'essere freddissima, pensa, mentre cerca di scendere tra gli scogli per toccarla. Ma è calma, e lo sciabordio contro le rocce sembra placarla almeno un po'.

Come sarebbe bello se potesse smettere di provare quel dolore. Quell'oppressione al petto che non la lascia mai. Se riuscisse a prendere le distanze dalla vita, a essere immune da rabbia, invidia, gelosia, angoscia. Significherebbe anche non provare più nessuna gioia, ma che importa?

Cosa è una vita senza amore? Senza la gioia dei figli? Senza il calore di un uomo?

E poi, quale giovamento le verrebbe dal sentire? La vita non dà niente per niente: lei è stata favorita dalla sorte in bellezza e ricchezza e fortuna, ma quella stessa fortuna le si è rivoltata contro. Ha vissuto un grande amore e ha avuto in cambio solo tradimenti. Ha avuto la ricchezza, ma i suoi gioielli più belli, i suoi bambini, le sono stati strappati. Ha avuto ammirazione e invidia, e ora ha solo pietà e rammarico.

La felicità è un fuoco fatuo, un fantasma, qualcosa che ha solo la parvenza del vero. E la vita è bugiarda, ecco qual è la verità. Promette, ti fa assaporare gioie e poi te le sottrae nella maniera più dolorosa possibile.

E lei non ci crede più, nella vita.

Studia le sue mani spoglie, prive di gioielli. Solo la fede nuziale e l'anello di fidanzamento. Talvolta, quando vuole torturarsi, pensa a quelle lapidi bianche, a quelle corone di mughetti di seta appese ai lati delle tombe. Ricorda la mussola in cui sono stati avvolti. Rivede i dettagli dei loro abitini, ricorda le manine gelide e rigide. Sono morti e si sono portati via ogni cosa.

Torna a guardare il mare. *Non è giusto*, si dice. Se la sorte doveva accanirsi su di lei perché non l'ha colpita direttamente invece di prendersi i suoi figli? Erano tre innocenti.

È come se sentisse il peso di una maledizione, Franca, di una *magarìa* antica, di un'ingiustizia che non è stata riparata e che solo adesso trova soddisfazione. Ma lei quella soddisfazione non vuole dargliela. Se la vita vuole accanirsi contro di lei, glielo impedirà. Si tirerà fuori dal gioco.

Avanza fin quasi al mare.

Se lo immagina bene, cosa potrebbe accadere. Il solo pensiero è consolatorio e le riscalda il petto, le dà sollievo.

All'inizio, l'acqua sarebbe così gelida da toglierle il respiro. Il sale le accecherebbe gli occhi, le irriterebbe la gola. Proverebbe a risalire, ma a quel punto gli abiti, pesanti d'acqua, la trascinerebbero in basso. Le farebbe male il petto, certo, e avrebbe paura, ma poi il gelo l'avvolgerebbe, la porterebbe a fondo in un abbraccio simile a quello di una madre che porta il proprio figlio a letto, a dormire.

Sì. La morte può essere madre.

Le hanno detto che chi sta per annegare, alla fine, prova una sorta di strano benessere, una profonda pace. E forse è questo ciò che ha provato suo padre, otto anni prima, quand'è annegato nelle acque davanti a Livorno. Non Giovannuzza, che la febbre ha cullato verso la morte. Non Ignazino, con quel piccolo cuore che ha ceduto di schianto. Non Giacobina, che non ha avuto neanche modo di aprire gli occhi. Se pensa ai suoi tre figli, il primo ricordo che le viene in mente è un corpicino stretto contro il suo che diventa sempre più freddo nonostante lei provi a infondergli calore.

Il freddo. Quanto ne ha addosso. Non se ne va mai.

E allora forse è davvero questa la speranza che mi resta, considera, mentre si spinge ancora più avanti. Si sfila il cappello, getta da parte lo scialle. Non le serviranno, si dice. Cancella pure l'idea che ciò che pensa di fare sia un peccato mortale, o che sarà uno scandalo.

Non le importa più di niente.

Persino respirare le costa fatica. Vuole solo smettere di stare male. Sparire.

«*Me figghiu murìu quannu avia tririci anni. Murìu cu so patri, aviano nisciuto a piscari e un turnaru cchiù.*»

La voce la raggiunge quando il mare le ha già bagnato gli stivaletti.

Si volta. In alto, dietro di lei, una vecchia vestita di nero, raggomitolata in uno scialle di lana. Parla senza guardarla. È piccola come una bambina, eppure ha una voce forte e chiara.

«Vostro figlio...?»

«*Era la vita mia, l'unicu masculu ch'avia. Me marito mi lassò cu du figghie fimmine e ju a idde pinsai. Idde sule m'arristavano.*» La donna cammina a fatica sulle pietre. «*U' Signuri duna, u' Signuri pigghia.*»

A Franca sfugge un singhiozzo. Scuote la testa, irritata. Come si permette, quella sconosciuta, di parlarle così? I suoi non erano i figli di un pescatore! Vorrebbe risponderle che lei non può capire, che tutta la sua vita e la sua famiglia stanno andando in pezzi, ma un groppo alla gola glielo impedisce.

La vecchia, ora, la guarda con attenzione. «*Chistu n'attocca*», prosegue, la voce arrochita dagli anni. «*E di ccà 'un putemu scappari.*»

Si sente nuda. Distoglie lo sguardo, mentre avverte le lacrime sfuggire oltre le palpebre. È come se quella sconosciuta avesse compreso la sua intenzione e la stesse mettendo dinanzi alla verità; che non si può fuggire quando esiste ancora una responsabilità da affrontare.

«La mia bambina», mormora Franca. Igiea è rimasta a Palermo con la governante e la suocera. La immagina in quelle stanze ormai troppo vuote. Si copre la bocca con le mani, ma non riesce a trattenere i singhiozzi. E allora piange, Franca. A lungo, finché il colletto dell'abito non è zuppo, piange tutto il dolore che ha dentro e che non aveva ancora trovato la strada per uscire. Piange per se stessa, per l'amore perduto dei suoi bambini, per il dolore cocente di ciò che non è stato e non potrà essere mai più, per quel matrimonio in cui lei aveva creduto e che si è svuotato da dentro. Piange perché si sente un nome, un oggetto, e non una persona.

E si allontana dal mare. Ma non smetterà mai di sentire il suo richiamo.

Quando Franca torna all'Olivuzza, alcune settimane dopo, Palermo la spia con un misto di sospetto e di pietà. La osserva, cerca di leggerle in viso le tracce del dolore. La città vuole sapere, vuole vedere.

E lei si dà in pasto alla città. Si mostra, splendida, in occasione di una nuova visita del Kaiser e della moglie: indossa le sue leggendarie perle, fa visitare loro il villino del cognato, ormai finito, e si fa fotografare ai piedi della scalinata del capolavoro progettato da Ernesto Basile. Accoglie a Villa Igiea il principe Filippo di Sassonia-Coburgo, per cui dà una festa indimenticabile, come fa pure per i Vanderbilt, giunti a Palermo sul loro yacht *Varion*. Partecipa all'inaugurazione della statua di Benedetto Civiletti dedicata a Ignazio Florio, accanto a Giovanna, che non trattiene le lacrime, e in mezzo agli operai venuti apposta da Marsala. Assiste al varo del *Caprera*, il primo piroscafo uscito dal cantiere navale. Insieme con l'intera città, festeggia il ritorno a casa di Raffaele Palizzolo, assolto in Cassazione, per insufficienza di prove, dall'accusa di essere il mandante dell'omicidio di Emanuele Notarbartolo. E, in occasione del festino di Santa Rosalia, trasforma un piroscafo della Navigazione Generale Italiana in un vero e proprio giardino galleggiante da cui gli ospiti possono assistere ai fuochi d'artificio.

Mai un cedimento, mai una parola fuori posto, mai una traccia del dolore che l'ha bruciata dentro. Ma il sorriso le è scomparso dagli occhi, sostituito da uno sguardo distaccato.

Come se nulla potesse più toccarla. Come se, davvero, fosse morta.

MUGHETTO

maggio 1906 – giugno 1911

Cu prima nun pensa, all'ultimu suspira.
« Chi prima non pensa, poi sospira. »

PROVERBIO SICILIANO

Il terzo governo Giolitti si insedia il 29 maggio 1906 e durerà fino all'11 dicembre 1909. Il « lungo ministero », come verrà definito, porta anzitutto altre riforme in ambito sociale. Se già nel 1902 è stata approvata la Legge Carcano (divieto di far lavorare i minori di dodici anni, limite di dodici ore giornaliere per il lavoro femminile; istituzione del « congedo di maternità »), nel 1904 si definisce l'obbligo di assicurare gli operai contro gli infortuni; nel 1907 si proibisce il lavoro notturno delle donne, si stabilisce che i lavoratori hanno diritto a « un periodo di riposo non inferiore ad ore 24 consecutive per ogni settimana », mentre nel 1910 si istituisce la « cassa di maternità ». Intanto, il 29 settembre 1906, è nata la Confederazione Generale del Lavoro, con 250.000 iscritti e, il 5 maggio 1910, viene istituita la Confederazione Generale dell'Industria.

In ambito economico, Giolitti nazionalizza le ferrovie (15 giugno 1905) e, seppur parzialmente, i servizi telefonici (1907), ma il risultato più rilevante viene dalla « grande conversione » della rendita (1906), voluta soprattutto dal ministro delle Finanze Luigi Luzzatti, da un consorzio di banche straniere e dalla Banca d'Italia (nella persona del suo direttore, Bonaldo Stringher): la rendita al 4 per cento netto dei titoli del debito pubblico (che ammonta a circa otto miliardi di lire, cioè a oltre 32 miliardi di euro) viene convertita al 3,75 per cento (1° luglio 1907) e poi al 3,5 per cento (1° luglio 1912). Il risparmio nel pagamento degli interessi si attesta, nel 1907, intorno ai 20 milioni. Il bilancio dello Stato si chiude in attivo, la reputazione internazionale dell'Italia si consolida e la lira viene quotata addirittura al di sopra dell'oro.

Dopo la crisi economica internazionale del 1907 – causata dalla sconsiderata attività speculativa degli anni precedenti e, in Italia, superata grazie a un'azione di concerto tra il governo e la Banca d'Italia – Giolitti deve affrontare una delle più grandi tragedie della storia italiana: il 28 dicembre 1908, alle 5.20 del mattino, un terremoto di magnitudo 7.2 distrugge Messina e Reggio Calabria e devasta un'area di circa seimila chilometri quadrati, provocando tra le ottantamila e le centomila vittime. Mentre il governo viene accusato di eccessiva lentezza nei soccorsi, il re e la regina Elena arrivano a Reggio Calabria già il 30 dicembre e s'impegnano concretamente ad aiutare la popolazione. L'8 gennaio 1909 viene approvato lo stanziamento di 30 milioni per la ricostruzione delle zone terremotate.

Vinte le elezioni del 7 marzo 1909 – che vedono entrare per la prima volta i cattolici in Parlamento – Giolitti si dimette il 2 dicembre, forse in seguito alle accuse cui il socialista e meridionalista Gaetano Salvemini dà voce prima in un articolo sull'*Avanti!* (14 marzo 1909) e poi nel saggio *Il ministro della mala vita* (1910); secondo Salvemini, l'arretratezza del Sud Italia nasce infatti da una precisa volontà di Giolitti che, in tal modo, può contare su brogli e su violenze elettorali per mantenere il potere.

Il 30 marzo 1911 Giolitti però forma il suo quarto governo, che durerà fino al 21 marzo 1914. E, il 29 settembre 1911, darà sfogo alle mire espansionistiche dell'Italia, dichiarando guerra all'Impero Ottomano per la conquista della Tripolitania e della Cirenaica (Libia orientale). Questa volta, l'impresa africana – appoggiata in patria da liberali, cattolici e nazionalisti e presentata come la conquista di una sorta di Eldorado – ha successo: l'11 ottobre Tripoli cade in mani italiane e il 18 è la volta di Bengasi. Con il Trattato di Losanna (18 ottobre 1912), l'Italia ottiene la sovranità della Libia... cioè di uno «scatolone di sabbia» secondo la celebre definizione di Gaetano Salvemini.

Una pianta delicata, il mughetto. Piccola, con fiori bianchissimi, a forma di campanella, e con un profumo così caratteristico da dare il nome alla pianta stessa, dato che «mughetto» viene dal francese *muguet*, che a sua volta deriva da *muscade*, «dall'odore di muschio». Se n'è di certo ricordato d'Annunzio quando, nel suo dramma *Il ferro*, fa dire a Mortella: «Come sei fresca! Sai d'acquazzone, di bossolo e di mughetto».

Una pianta nata dal dolore, almeno secondo le leggende: dalle lacrime di Eva cacciata dal Giardino dell'Eden oppure da quelle della Madonna sotto la croce. Ma anche dalle lacrime che versa Freja, la dea norrena della fertilità e della forza, mentre è prigioniera ad Ásgarðr, ricordando con nostalgia la primavera della sua terra.

Una pianta che porta fortuna, almeno in Francia. Il 1º maggio 1561, a Carlo IX viene offerto uno stelo di mughetto come dono benaugurale e il re decide che ogni anno, in quello stesso giorno, avrebbe regalato dei mughetti alle dame di corte. Smarrita nelle pieghe della Storia, questa tradizione riemerge il 1º maggio 1900, a Parigi: le grandi case di moda organizzano una festa e regalano mughetti sia alle operaie sia alle clienti. Così, il 24 aprile 1941, quando il maresciallo Pétain istituisce «la festa del lavoro e della concordia sociale», sostituisce la rosa canina, simbolo della giornata internazionale dei lavoratori fin dal 1891, proprio con il mughetto. Ancora oggi, soprattutto nella regione parigina, si regalano mughetti il 1º maggio. E Christian Dior adotta il mughetto come fiore-simbolo, arrivando persino a dedicargli la collezione primavera-estate 1954.

Una pianta legata all'idea di un amore puro, virginale, e per

498

questo usata nei bouquet delle spose. Soltanto di recente si è compreso che questa tradizione ha un fondamento scientifico: il profumo del mughetto deriva infatti da un'aldeide aromatica chiamata *bourgeonal*, che non solo fa raddoppiare la velocità degli spermatozoi dei mammiferi, ma li attira a sé come una sorta di calamita. Inoltre si tratta dell'unico profumo al mondo per cui i maschi hanno una sensibilità superiore a quella delle femmine.

Una pianta utile. Già a metà del Cinquecento, lo scienziato senese Pietro Andrea Mattioli, nelle sue annotazioni alle opere di Dioscoride, sostiene che il mughetto serva a fortificare il cuore, soprattutto se si soffre di palpitazioni. Alla fine dell'Ottocento, il medico francese Germain Sée ne conferma l'azione benefica sul cuore e ne evidenzia l'efficacia diuretica.

Una pianta infida. L'ingestione accidentale può causare stati confusionali, alterazioni nel battito cardiaco e forti dolori addominali anche per diversi giorni.

Una pianta tanto soave e delicata quanto pericolosa. Proprio come l'amore.

Il profilo delle Madonie si staglia contro il cielo chiaro dell'alba. Il sole si arrampica sulle cime, cancella l'oscurità, le colora di sole, mentre dal mare spira un vento fresco che porta con sé l'odore del salmastro e dell'erba.

Ma quell'aroma non riesce a cancellare altri odori, più forti, nuovi per quelle terre a metà strada tra il mare e la campagna.

Olio motore. Carburante. Fumi di scarico.

Nel vento s'inseguono frasi, incoraggiamenti, improperi gridati in inglese, francese, tedesco. O in italiano, con un forte accento del Nord. Su tutto, però, aleggia il concerto stonato di motori che borbottano, tossiscono, rombano.

Meccanici. Piloti. Automobili.

Sono solo le cinque del mattino, ma la piana di Campofelice, ai piedi delle Madonie, è già piena di gente. Sono arrivati treni speciali da Palermo, Catania e Messina e qualcuno ha passato addirittura la notte all'addiaccio, pur di essere presente. Adesso la folla in attesa preme contro la staccionata, che però non la difenderà né dalle nuvole di polvere né dai sassi schizzati dalle automobili lanciate a quasi cinquanta chilometri all'ora.

A lato della spianata, invece, lungo un tratto di strada coperto di catrame, sorgono l'ufficio telegrafico e la tribuna di legno dei commissari e della stampa. Di fronte, ce n'è un'altra, adorna di festoni e gagliardetti e destinata agli ospiti più importanti. L'eccitazione è palpabile anche qui, persino tra coloro cui interessa poco la gara: le donne vogliono soprattutto farsi vedere ed essere viste; certi uomini guardano con sospetto quelle macchine sferraglianti e pericolose. Tutti sanno che non possono mancare a un evento di cui si parla ovunque, in Italia e all'estero.

Un evento. Perché tale è – ed è sempre stata – nella mente di Vincenzo Florio questa corsa. Un'occasione preziosa di visibilità, di affermazione, di modernizzazione. Per sé, per la sua famiglia, per la Sicilia intera. Dato che il futuro tarda ad arrivare nella sua isola, ha deciso di portarcelo lui. Non è la prima volta che accade, per un Florio. Il nonno di cui porta il nome aveva fatto una cosa molto simile.

Per questo ha lottato senza fermarsi davanti a nessun ostacolo: ha ordinato di spianare campi e di rimettere in sesto trazzere, mulattiere e sentieri a proprie spese, spruzzando persino bitume lungo il circuito per evitare che la polvere riducesse la visibilità dei piloti; ha pagato sia i pastori, perché tenessero lontane dalla strada le loro pecore, sia certi «galantuomini» perché nessun danno venisse arrecato alle vetture e agli equipaggi; ha fatto in modo che lungo il percorso ci fossero carabinieri, agenti di polizia e persino una compagnia di bersaglieri ciclisti per il servizio di staffetta; si è affidato ai cronometristi dell'Automobile Club di Milano; ha chiamato un cineoperatore per riprendere la partenza e l'arrivo; ha allestito in un chiosco il «totalizzatore» per le scommesse; ha messo a disposizione un lussuoso piroscafo, l'*Umberto I*, in modo che piloti e meccanici, dopo la gara, possano raggiungere in fretta prima Genova e poi Milano, dove si terrà la Coppa d'Oro, un'altra importante competizione. E adesso è pronto a celebrare il suo trionfo con medaglie, coppe e trofei creati dal grande orafo Lalique, che ha disegnato pure il premio del vincitore: la Targa Florio.

Per questo ha coinvolto la famiglia intera; persino Franca si è lasciata convincere a percorrere una parte del circuito in automobile insieme con altre signore, così da mostrare a tutte l'aspra bellezza delle Madonie. Ma Vincenzo ha soprattutto fatto appello alla sua abilità nel gestire le occasioni mondane ed è stato così che ha vinto la sua diffidenza. Feste, cene, buffet, escursioni: ogni cosa è stata organizzata da Franca con la consueta eleganza. Più difficile è stato coinvolgere Ignazio, che in fondo è un pigro e ha in testa solo le femmine. Ma, siccome per lui sempre di avere il meglio si tratta, Vincenzo ha fatto leva proprio sul suo costante desiderio di apparire; ed è stato così che, pur tra *rummulii* e lamentele, suo fratello gli ha dato i soldi necessari per quell'impresa. Ed è riuscito pure – ma senza fatica, perché lei lo adora – a trascinare in quel *tourbillon* la piccola Igiea, la quale gli ha annunciato che, da grande, vuole fare « la pilota ».

È un manipolatore, Vincenzo. Lo sa, e lo sanno pure i suoi familiari, che accettano però quel lato del suo carattere con un sorriso indulgente.

È quindi con aria soddisfatta che Vincenzo, in abiti sportivi e scarpe inglesi, adesso cammina tra i piloti e i meccanici. Si è fatto un bell'uomo: i tratti del viso sono fini, i baffetti sottolineano il naso ben disegnato, e la bocca, spesso piegata in un sorriso, è morbida, quasi femminile. Nella luce sempre più forte, osserva le vetture che si svelano, acquistando forma e consistenza. Sono auto diverse da quelle che circolano ormai numerose anche a Palermo: quelle sono più simili a carrozze, con sedili come divani e un volante che pare il timone di una nave. Queste, invece, sono strette, affusolate. Anche da ferme, gli comunicano il brivido della velocità.

Fa un cenno di saluto a Vincenzo Lancia, che è già al volante della sua FIAT, poi arriva di fianco a un uomo dai folti baffi, che indossa una tuta e ha in testa una cuffia di cuoio; sta discutendo animatamente in francese con un meccanico, indicandogli la pedaliera.

Vincenzo sorride. « *Avez-vous encore des problèmes, Monsieur Bablot?* »

Paul Bablot si volta, si pulisce una mano sporca di olio e grasso sulla tuta, poi la porge a Vincenzo, che la stringe.

« Mah... il viaggio non è stato una passeggiata. L'umidità ha fatto ingolfare il motore e ora stiamo facendo un'ennesima messa a punto. Davvero, questa vostra corsa è una sfida, Monsieur Florio. Il percorso è quantomeno... insolito. »

« Lo abbiamo pensato così io e il conte di Isnello, ispirandoci a quello della Gordon Bennett Cup. Volevamo un percorso che esaltasse non solo le doti delle auto, ma anche quelle dei piloti. E doveva essere un circuito, così che gli spettatori potessero assistere a più di un passaggio. Qui non hanno mai visto tante macchine tutte insieme... Sono certo che qualche contadino non le ha proprio mai viste. Oh, sarà un'esperienza che non dimenticherete. E, comunque, almeno voi siete riuscito ad arrivare... pensate a chi non è potuto nemmeno partire. »

Vincenzo ha un sorriso venato di stizza e lancia un'occhiata a un gruppo di uomini in abiti sportivi che stanno osservando le vetture con aria critica. Alcuni parlano a voce alta, in francese, e non fanno nulla per nascondere la loro rabbia. *E come potrebbe essere diversamente?* considera. Uno sciopero della NGI a Genova ha bloccato le loro auto, che quindi non sono arrivate in tempo per le prove regolamentari e le verifiche. Così, da protagonisti della corsa, ora si trovano a essere semplici spettatori. « Abbiamo investito tanto in questa gara, e alla fine siamo stati appesi alla volontà di quattro *portarrobbe... quatre porteurs* senza arte né parte », sibila, visibilmente irritato. « In Italia non c'è rispetto per nulla, purtroppo. Questa è una manifestazione che può svecchiare la Sicilia, farla entrare nella modernità, ma loro se ne fregano, accidenti! »

Bablot si stringe nelle spalle. « Comprendo il vostro disappunto ma, per me, meno concorrenti ci sono e meglio è », esclama, salendo sulla vettura. « Anche se, a dirla tutta, non ho grandi timori: la mia Berliet è straordinaria! » Fa cenno al meccanico di allontanare le mani dai cilindri, prova a dare gas e il motore risponde con un rombo.

Vincenzo annuisce, gli fa un cenno di saluto e si volta a

guardare un'altra auto, una Hotchkiss da 35 cavalli, che ha il numero 2 sul radiatore. A bordo, china sulla pedaliera, c'è una donna che porta i capelli neri raccolti in uno chignon. D'un tratto, con un movimento fluido, la donna scende dall'auto e si mette a controllare il radiatore, pulendosi le mani sul grembiule indossato sopra un abito che le arriva alle caviglie. Solo a una seconda occhiata, Vincenzo si rende conto che si tratta di un paio di pantaloni molto ampi.

Tutti, nell'ambiente delle corse, conoscono e rispettano Madame Motan Le Blon, e sono abituati a vederla sempre insieme con il marito Hubert: una coppia singolare, unita da una travolgente passione per le auto.

Ma lì una donna meccanico non può passare inosservata.

E infatti, mentre Vincenzo le è quasi accanto, gli arriva all'orecchio un commento: «*Talìa, 'na fimmina chi travagghia comu un masculu!*» seguito da una risata ironica.

Vincenzo si volta, accigliato, ma è impossibile capire chi abbia pronunciato quella frase. Quando poi riporta lo sguardo su Madame Le Blon, vede che sta sorridendo.

«Li sento, anche se non li capisco», gli mormora la donna, scrollando le spalle. «Certe occhiate non hanno bisogno di spiegazioni: si domandano come mai una donna stia a trafficare con un carburatore invece di rimanersene a casa, a badare ai figli.» Si sfila il grembiule, lo posa e poi indossa un foulard, legandolo sotto il mento. «Se le chiacchiere mi infastidissero più del dovuto, avrei smesso da un pezzo. E invece correre con mio marito è una delle cose che mi rende più felice e niente e nessuno m'impedirà di farlo. Anzi vi dirò una cosa...» Abbassa ancora di più la voce, gli si avvicina. Emana un vago sentore di sudore, olio e sapone alla lavanda. «So pilotare come e meglio di lui. Ho già guidato una Serpollet a vapore a Nizza. Un'esperienza meravigliosa.»

«Mia moglie non ha paura della velocità e il suo controllo sulla vettura è davvero notevole. Potrebbe far mangiare la polvere a certi piloti di mia conoscenza...» Hubert Le Blon si avvicina alla moglie, le posa una mano sulla schiena e le bacia con tenerezza una guancia.

Vincenzo saluta l'uomo e bacia la mano a Madame Le Blon,

pensando che non gli spiacerebbe affatto competere con quella donna.

«Signor Florio, ci siamo quasi!»

A parlare è stato un giovane dalle sopracciglia e dai baffi cespugliosi, con due penetranti occhi scuri. Una volta, scherzando, Vincenzo ha chiesto ad Alessandro Cagno se la sua balia lo avesse allattato con olio motore, tale è la sua passione per le auto. Ha ventitré anni – la stessa età di Vincenzo – e corre ormai da cinque, dopo essersi fatto le ossa come meccanico nell'officina di Luigi Storero, a Torino, e poi nella FIAT di Giovanni Agnelli, di cui è anche l'autista. Ha partecipato come meccanico nel 1903 alla Parigi-Madrid, la «corsa della morte», fermata a Bordeaux per i troppi incidenti, tra cui quello che aveva provocato la morte di Marcel Renault; nel 1904 e nel 1905 si è distinto nella Gordon Bennett Cup e ha da poco vinto la prestigiosa corsa in salita del Mont Ventoux.

«Signor Cagno, buongiorno! Ma è vero che a Torino hanno scritto una canzone su di voi?»

Cagno sembra imbarazzato. «Veramente parla anche di Felice Nazzaro e di Lancia...»

«E della vostra Itala no?»

«L'Itala la faccio cantare io, oggi, e vedrete come gorgheggerà», replica Cagno, calcandosi in testa il berretto.

Vincenzo esplode in una risata e agita la mano in segno di saluto. Poi si volta verso le tribune, cercando suo fratello e Franca, che alloggiano insieme con i Trabia e i Trigona al Grand Hotel delle Terme, a Termini Imerese, un edificio dalle linee eleganti disegnato da Damiani Almeyda e scelto per ospitare i piloti e la buona società palermitana. Non li vede e sbuffa, scuotendo la testa. Non sono ancora arrivati. Vorrebbe salutare almeno Ignazio, condividere con lui quel momento.

Poi, d'un tratto, scorge una macchia rosa che si muove tra le auto, e appare e scompare tra la folla di piloti e meccanici. Sorpreso, la segue con gli occhi. Solo quando la macchia si ferma accanto alla Berliet di Monsieur Bablot, la riconosce.

«Annina!» chiama.

Anna Alliata di Montereale – Annina, come la chiamano tutti – è la sorella minore di una delle più care amiche di sua cognata Franca, Maria Concetta Vannucci, principessa di Petrulla. Ha un paio d'anni meno di lui e si conoscono da sempre.

La giovane donna si volta, lo riconosce, gli va incontro, tenendo con una mano il cappello. Ha lo sguardo acceso d'entusiasmo, le guance arrossate.

«Annina, ma cosa ci fai qui? Ti sporcherai tutta!»

«Oh, pazienza! È così bello stare in mezzo alle automobili, così divertente! Mi piacerebbe comprarne una, sai?» Abbassa gli occhi sull'orlo di pizzo dell'abito, schizzato di fango, e sugli stivaletti che ormai hanno ben più di una macchia d'olio. Scuote la testa. «Però *maman* dice che non sono cose per donne.» Sbuffa. «Che sciocchezze!»

Vincenzo non sa bene come rispondere. Hanno fatto conversazione, Annina e lui, durante i balli o le cene, però sempre in occasioni formali. Ha sempre pensato che fosse una giovane donna vivace e intelligente, ma la passione che le accende il viso in quel momento è una scoperta. «Tua madre è prudente», considera, impacciato. «Da che è rimasta vedova, ha dovuto occuparsi di tutta la famiglia...»

«Ma no, non è questo. È che lei ha idee così... antiquate.» Lo sguardo di Annina si colora di fastidio. «Dovrebbe capire che non è più tempo di tiri a quattro e di carrozze per le passeggiate. Che il futuro è già qui.»

«Non è facile passare da un tempo a un altro», commenta Vincenzo, il pensiero rivolto a sua madre. È rimasta all'Olivuzza, sostenendo che doveva assistere donna Ciccia, che ormai non si muove quasi più, ma lui sa che mai e poi mai sarebbe venuta lì.

In quell'istante, in mezzo alla folla, scorge alcuni addetti all'organizzazione. Forse lo stanno cercando. Allora si volta, dà loro le spalle. *Non ora*, pensa. *Non adesso*. «Sai, all'inizio, mia madre diceva che, quando correvo tra i viali dell'Olivuzza, le rovinavo il giardino e le facevo morire di crepacuore gli uccelli della voliera. Ma è una donna anziana, bisogna capirla. Invece Ignazio, che non è certo vecchio, mi ha dato dell'incosciente più di una volta. Solo perché lui è uno *scantulino*, un fifone nato. Figurati che non vuole nemmeno andare a cavallo, perché ha il terrore della velocità eccessiva.»

Annina ride, lo guarda di sottecchi. «Però... un po' incosciente lo sei, vero?»

Lui sorride. «Un po'», risponde, con insolita schiettezza. Ma non le dice che la velocità è qualcosa che gli fa cantare il sangue nelle vene, lo fa sentire vivo, gli dà i brividi. E che la sua risata ha avuto su di lui lo stesso effetto.

«Don Vincenzo!» Uno dei meccanici gli sta andando incontro a grandi passi. «Vi stavamo cercando, signore.»

Vincenzo fa cenno di sì, dice che li raggiunge subito. Poi torna a guardare Annina. «Vai in tribuna. Sono sicuro che tua madre è preoccupata...»

«Va bene. Però mi devi promettere che mi porterai a fare un giro su una delle tue macchine.»

Lui sorride. «Sì, te lo prometto. Presto.»

Annina si volta, fa un passo, poi si gira di nuovo e appoggia una mano guantata su quella di Vincenzo. La sua voce è un sussurro che il rombo dei motori dovrebbe cancellare e che invece risuona, limpido. «Oggi, qui, ho avuto la certezza che è inutile aspettare che i sogni si realizzino. Bisogna fare il primo passo. Bisogna sognare in grande. Grazie per avermi dimostrato che è possibile realizzare i propri desideri.»

Ignazio segue la preparazione della gara dalla tribuna, avvolto in un paltò inglese comprato l'anno prima. Quest'anno non ha rinnovato il guardaroba. Non ha avuto il tempo, ma soprattutto non vuole avere altre fatture da saldare oltre a quelle che già sono sulla sua scrivania: sua madre, Franca e persino Igiea – *una bambina di sei anni, dannazione!* – sembra non facciano altro che comprare cappelli, vestiti, guanti, scarpe e borse in giro per l'Europa. Ha chiesto diverse volte a Franca di non esagerare, ma lei lo ha sempre ascoltato con un'aria indifferente, quasi senza degnarlo di uno sguardo.

Solo una volta gli ha risposto: «Immagino che alle altre donne tu non chieda di economizzare sui gioielli o sugli alberghi». Una battuta pronunciata con calma, senza collera, e accompagnata da un'occhiata così gelida da metterlo a disagio.

Lui ha bofonchiato un: «*Chi dici?*» di cui ancora si vergogna.

Il gelo con Franca non fa che rendere ancora più pesante il carico delle cose che lo angustiano. A partire da quel maledetto cantiere navale in cui aveva riposto tante speranze: sì, era stato completato però la mancanza di commesse, la riduzione dei premi e gli scioperi avevano minato il progetto dalle fondamenta. Alla fine, era stato costretto a cedere la sua quota azionaria della Società Cantieri Navali, Bacini e Stabilimenti Meccanici Siciliani ad Attilio Odero, il genovese proprietario dei cantieri di Sestri Ponente e della Foce a Genova. Però neanche così era riuscito a ripianare i debiti – soprattutto i due milioni che doveva alla Banca Commerciale Italiana proprio per il cantiere – e aveva dovuto licenziare operai e impiegati, sia al cantiere sia all'Oretea. Si era ridotto a chiedere che gli venissero ripagati certi crediti... lui, che di solito non si occupava di queste minuzie.

Sul fronte politico, poi, la situazione era ancora peggiore: Giolitti era potente, fin troppo. E difendeva interessi che andavano contro quelli del Meridione, e della Navigazione Generale Italiana in particolare. Ben presto si sarebbe dovuto discutere dei rinnovi delle convenzioni marittime: una strada tutta in salita, disseminata di oppositori, a cominciare da quell'Erasmo Piaggio in cui aveva riposto fiducia e speranze, ma che si era rivelato un infimo approfittatore come tutti gli altri. Lo aveva costretto alle dimissioni e quello era andato via sbattendo la porta, giurando di fargliela pagare per la sua presunzione. Una scena fin troppo simile a quella avvenuta con Laganà.

E poi c'era la cantina...

A quel pensiero, la schiena s'irrigidisce, la bocca si fa arsa. Seduto accanto a lui, Romualdo si volta a guardarlo. Lo conosce fin troppo bene per non accorgersi del suo malumore.

«Che hai?» gli chiede.

Ignazio si stringe nelle spalle. «*Camurrie.*»

Ma Romualdo non si può accontentare di quella risposta, non detta con quel tono. Afferra per un braccio Ignazio, si dirige verso un angolo tranquillo delle tribune. Si conoscono da sempre, non hanno bisogno di tante cerimonie. «*Chi fu?*»

Un sospiro. «La cantina.» Scocca all'amico un'occhiata in

cui si mescolano rammarico, rimpianto e vergogna. È un pensiero che lo schiaffeggia da giorni, per l'esattezza da metà aprile, quando ha dovuto firmare la cessione del marchio con il leone.

La cantina era stata una delle prime imprese della sua famiglia, creata da quel nonno che se n'era andato proprio mentre lui nasceva. Suo padre non avrebbe mai permesso che tutto andasse in malora; benché sia morto ormai da quindici anni, Ignazio sente con chiarezza le parole di biasimo e delusione che gli avrebbe detto, lo sguardo di rimprovero con cui lo avrebbe inchiodato. A suo padre non sarebbero mai mancati né i soldi, né la stima, né il rispetto.

A suo padre nessuno avrebbe mai chiesto «maggiori garanzie».

«La cantina? Cioè?» domanda Romualdo, perplesso.

«Diverso tempo fa ho firmato il contratto di cessione degli immobili della cantina e degli stabilimenti di Marsala e ho creato con alcuni soci la SAVI, la Florio & C. – Società Anonima Vinicola Italiana, per poter realizzare liquidità, distribuire i costi, e avere un po' di respiro. Lo sapevi, no? Ecco: il mese scorso ho ceduto gli impianti di Alcamo, di Balestrate e Castellammare, pure quello per il cognac, che tanto non usiamo più.» Fa una pausa, s'inumidisce le labbra. «Noi, ormai, non siamo più proprietari nemmeno di un mattone, abbiamo solo delle azioni. E, nonostante tutto, gli interessi per i prestiti mi stanno mangiando vivo, vivo!»

D'improvviso, Romualdo scorge sul viso dell'amico rughe profonde e si rende conto di non averle mai viste prima. «Io pensavo che fossi rimasto proprietario della cantina, ma...»

«No, no. Tutto gli avevo ceduto, tranne lo stabilimento di Marsala, e loro mi pagavano un canone. Adesso ho dato anche quello. Mi sono tenuto solo la palazzina e il marsala già pronto per essere venduto.» Sospira. «Ho bisogno di *picciuli*. Di *picciuli* e di tempo. Sai cosa è successo l'altro giorno? Fecarotta mi ha mandato una lettera per sollecitare un pagamento. Ed è la seconda volta che accade. Non ci potevo credere.»

«Fecarotta? Che c'avevi preso, un gioiello per lei?» chiede Romualdo, alzando il mento in direzione di Franca.

Ignazio scuote la testa. «No. Per Bice», mormora, e distoglie gli occhi. «Mi fa uscire pazzo, quella femmina.»

Bice. Beatrice Tasca di Cutò.

Romualdo mastica un improperio. «Sono pericolose, le Tasca di Cutò. Lasciatelo dire da me che me ne sono sposato una», afferma. «*Curò*, non potevi fare altrimenti, con tutti i cristiani che ti campano addosso. La SAVI ti ha permesso di tirare il fiato e, certo, hai dovuto fare dei compromessi... Che è, colpa tua se adesso il mercato del vino è in ginocchio?» Gli posa una mano sul braccio. «Prima la fillossera, poi la crisi e le tasse statali sull'alcol...»

«Quella una mazzata è stata. Ci hanno provato per anni, a tassare i vini liquorosi, a Roma, e alla fine ci sono riusciti.» Ignazio batte una mano sulla balaustra. «Io ho cercato nuove strade... anni fa con il cognac, poi con i vini da pasto, ma niente. E ora sembra che il marsala non vada più bene, che sia *troppo* alcolico! E dire che i medici lo consigliano come ricostituente...» Fa uno scatto con la testa, si porta una mano alla tempia, ha il fiato corto. Adesso è in preda alla collera, un sentimento facile, che chiede solo di uscire e di ricevere sollievo. Non si nutre d'idee o di pensieri. E, come sempre, Ignazio la accoglie, la abbraccia, la fa sua. «Pure l'Anglo-Sicilian Sulphur Company non c'è più. Non che ci guadagnassi granché, ma è l'idea, capisci? Gli americani sono riusciti a sfruttare i loro giacimenti di zolfo con un processo nuovo, quindi fine delle esportazioni negli Stati Uniti, per noi. E scommetto che tra poco venderanno la loro produzione pure in Europa, quindi addio anche al commercio con la Francia. Non c'è niente, niente che vada per il verso giusto! Ma ti rendi conto?»

«*U' sacciu*», annuisce Romualdo.

Restano vicini senza parlare. Alla fine, è Ignazio a farlo, e lo fa piano, quasi avesse difficoltà a mettere le parole di seguito. «Comunque dello zolfo mi è sempre importato poco. Invece la cantina... Ha firmato pure Vincenzo, anche se non so cos'abbia capito... Ha sempre la testa a divertirsi, lui.» Sbuffa. «E, con la fabbrica, se n'è andato anche il marchio del leone. Tutto, tutto loro è ormai... Non ci sono rimaste che...» Fa un gesto eloquente.

Briciole.

Romualdo guarda Ignazio a occhi spalancati, incredulo. Non sa cosa dire. Certo, tutto è sempre stato sulle spalle dell'amico, sin da quando aveva poco più di vent'anni, e lui si è dato da fare senza risparmiarsi, anche se talvolta si è lanciato in imprese che non si capiva bene dove lo avrebbero portato. Quanto a Vincenzo, è solo un *picciriddu* che gioca con le macchine. Che ne sa lui di responsabilità e di scelte da fare? Ma... Casa Florio senza la cantina? Senza il marsala? Gli sembra impossibile. «Non ne abbiamo parlato... Cioè, che c'è stato questo accordo è fatto noto, ma non che avreste dovuto...»

Ignazio abbassa gli occhi. «Almeno così ci abbiamo ricavato qualcosa», replica. C'è tanto di non detto in quel suo sguardo sfuggente, in quelle parole lasciate a metà.

Impotenza, pena, umiliazione.

«Ci ho provato, Romualdo. Ci ho provato con tutte le mie forze, ma i debiti erano davvero troppi. Le banche per ora succhiano via tutto... e le tasse! Le tasse che dobbiamo pagare!»

Romualdo fissa l'amico a occhi spalancati. Per un lunghissimo istante, tutto intorno a lui si ferma. La folla, le auto, le chiacchiere e i rumori scompaiono, assorbiti da un bianco accecante. Rimangono soltanto loro due, immersi in una sensazione che né l'uno né l'altro riesce a spiegarsi sino in fondo.

Ma che somiglia alla consapevolezza che sia arrivata la prima scossa di un terremoto.

Franca guarda Ignazio e Romualdo parlare fittamente. Stringe le labbra. Due uomini che si rifiutano di crescere, anche se ormai hanno fili bianchi tra i capelli e le palpebre pesanti. Niente di buono è mai venuto fuori dalle loro chiacchiere. E quella volta non farà eccezione.

Si aggiusta il soprabito bordato di pelliccia, poi stringe il polso di Giulia Trigona, seduta accanto a lei, e indica i due uomini con un gesto del capo.

Giulia rivolge loro un'occhiata infastidita. «Staranno parlando di qualche femmina », mormora. « Franca mia, abbiamo sposato due uomini proprio... noiosi. »

L'altra fa un sorriso amaro e sta per replicare quando Annina Aliata di Montereale le si siede di fianco. È rossa in viso, ha gli occhi che brillano, è irrequieta. Si aggiusta il vestito, si china in avanti per vedere meglio la linea di partenza, si sistema il cappello.

Sua sorella, Maria Concetta, si accomoda accanto a lei con un sospiro. « Annina, ti prego, un po' di contegno. Prima sparisci per un'ora, poi arrivi qui sporca di fango e tutta agitata. Una signora non dovrebbe mai essere così... colorita. Franca, Giulia, diteglielo anche voi che non ci si comporta così... »

La giovane donna alza gli occhi al cielo. Ignora la sorella, guarda Franca. « Non pensate anche voi che sia uno spettacolo bellissimo? Che peccato per lo sciopero che ha bloccato gli equipaggi francesi... »

Franca sorride. L'entusiasmo di Annina le piace, benché la renda anche un po' triste. « Sì, un vero peccato. Per non parlare del terribile incidente che ha avuto Jules Mottard. »

« Un incidente? Davvero? » esclama Annina.

« Nelle prove, a una curva, la macchina si è sollevata, impennandosi come un cavallo, poi è ricaduta, contorcendo le ruote. Lui si è fatto male alla spalla sinistra e... »

« Ecco, vedi, Annina, che ho ragione quando ti dico che guidare è molto pericoloso? » borbotta Maria Concetta. « E tu che insisti per avere un'auto... »

« Se si sa guidare e si è prudenti, certe cose non succedono », dichiara la ragazza, piccata. « Sono convinta che andare in auto non sia più pericoloso che cavalcare. »

Anche Giulia Trigona è scettica. « Forse per un uomo sì. Ma una donna... rischierebbe troppo. Potrebbe compromettere la possibilità di avere figli. »

Annina inarca le sopracciglia. « Questione di tempo è. Sarà normale vedere una donna alla guida di una macchina veloce, e perché no, gareggiare con gli uomini », dichiara.

Franca ride con indulgenza. « Mi sembra di sentir parlare mio cognato », dice. Poi guarda la strada, finalmente sgombra da meccanici e curiosi. I giudici di gara stanno per dare il via. I motori vengono accesi, l'aria si riempie di scoppi e di grida. Sulle tribune, tutti si alzano in piedi, mentre la fanfara suona il via, seguita da un colpo di cannone.

Quell'anno, ad arrivare prima – nove ore e mezzo per fare i 450 chilometri del percorso – è l'Itala di Alessandro Cagno, che fa pure il giro più veloce: quasi quarantasette chilometri all'ora. La seconda classificata, un'altra Itala, taglia il traguardo dopo dieci ore. Paul Bablot è terzo, mentre Madame e Monsieur Le Blon, a causa di una serie di forature, arrivano oltre il tempo massimo, fissato in dodici ore. Meglio comunque di altri concorrenti – come Vincenzo Lancia o l'americano George Pope su un'Itala – che non riescono nemmeno a completare il percorso.

La profezia di Annina si avvererà nel 1920, in occasione dell'undicesima Targa Florio, quando la baronessa Maria Antonietta Avanzo parteciperà alla corsa su una Buick; purtroppo romperà lo *chassis* durante il secondo giro. Ma ci sarà anche Eliška Junková, «Miss Bugatti», che arriverà quinta nell'edizione del 1928; sempre galante, Vincenzo Florio, scusandosi con il vincitore Albert Divo, dirà che Eliška è la vincitrice morale della competizione. Tra gli anni '50 e '70, ci saranno Anna Maria Peduzzi e Ada Pace, che parteciperanno cinque volte, ma anche Giuseppina Gagliano e Anna Cambiaghi.

Per settant'anni, la gara sarà un palcoscenico ambito dai più grandi piloti: da Felice Nazzaro a Juan Manuel Fangio, da Tazio Nuvolari ad Arturo Merzario, da Achille Varzi a Nino Vaccarella. Il giovanissimo Enzo Ferrari gareggerà per cinque volte, dal 1919 al 1923, arrivando secondo nel 1920, su un'Alfa Romeo. E ci saranno gli anni bui, con pochissimi partecipanti, gravi incidenti o tragedie come quella del conte Giulio Masetti, il «Leone delle Madonie», morto nel 1926 a bordo della sua Delage contrassegnata dal numero 13, che, da allora, non sarà più dato a nessuna vettura in corsa. Infine arriverà il 15 maggio 1977: Gabriele Ciuti perde il controllo della sua Osella e travolge alcuni spettatori, uccidendone due. La gara viene sospesa al quarto giro. «È morta la Targa», strillano i giornali e, per una volta, non esagerano. Il «piccolo circuito delle Madonie» sarà abbandonato per sempre.

Ma nulla di tutto questo c'è ancora, in quell'umida mattina

del 6 maggio 1906. Nessuno può sapere quale segno – profondo, esaltante, indelebile – lascerà la Targa Florio nella storia dell'automobilismo non solo italiano, ma anche mondiale.

Eppure una scommessa è già stata vinta. Quel giorno, tutti, italiani e stranieri, piloti e spettatori, si sono innamorati. Delle Madonie, delle automobili, di un modo nuovo di correre, di un'esperienza vibrante, piena di emozione.

Vincenzo Florio ha portato il futuro in Sicilia. E la Sicilia non lo dimenticherà mai.

«Oh, hai la Poudre Azurea di Piver, la mia cipria preferita! Posso usarla?» chiede Giulia, sedendosi accanto a Franca.

«Certo. Fa' pure.»

Nella stanza di Franca, a Villa Igiea, la luce del sole sta spazzando via anche gli ultimi scampoli di penombra di quel mattino di fine aprile. Igiea è accanto alla toeletta e osserva le due donne con un'espressione difficile da decifrare, un misto di curiosità e di malinconia.

Giulia si gira, le solletica il naso con il piumino da cipria e riesce a strapparle un sorriso. Poi torna a guardarsi nello specchio. Lei ha trentasei anni e Franca ne ha trentatré: sono entrambe belle ed eleganti, eppure sui loro volti c'è un velo, steso dal dolore che entrambe hanno provato e dall'amarezza che ha messo radici nel loro cuore, come una pianta impossibile da estirpare.

Negli occhi verdi di Franca compare una lacrima, che lei è lesta a cancellare con il dorso della mano.

«Stai bene?» chiede allora Giulia.

Franca scrolla le spalle. «A Baby Boy sarebbe tanto piaciuta questa gara...» mormora. Si riscuote, avvolge una ciocca di capelli intorno a un dito e la fissa nella forcina da cui era sfuggita, nonostante le cure di Carmela, la cameriera che ha preso il posto di Diodata, sposatasi qualche mese prima. Poi, con un cenno, chiama la governante e le chiede di portar via Igiea e di preparare le valigie della piccola. Assisterà alla sfida dei «canotti a motore» dalla finestra della sua stanza e poi, come succede sempre più spesso, andrà a stare per qualche tempo con la nonna, all'Olivuzza.

Quando la bambina si è allontanata, riprende: «Sai, ha fatto proprio bene Vincenzo a organizzare questo nuovo evento una settimana dopo la Targa Florio. In tantissimi si sono fermati e altri sono arrivati apposta da tutta Europa, c'è molta allegria e anche Ignazio è un po' meno cupo».

Giulia annuisce. «Ho provato tante volte a parlargli, a chiedere: ma la cantina? E lo zolfo? E il cantiere? Ma lui niente, muto. Oppure mi ha detto che devo farmi i fatti di casa Trabia, e non i suoi. Come se fossimo due estranei.»

Franca rimane in silenzio e Giulia le lancia un'occhiata in tralice. «Non dice nulla nemmeno a te né a mia madre, immagino.»

«Oh, sai, la gestione di Villa Igiea mi tiene molto occupata e non ho voglia di star dietro alle sue rogne d'affari. Quanto a tua madre, in questo periodo non vuole vedere nessuno. L'ho convinta a fatica a tenersi Igiea per qualche settimana.»

«A causa di donna Ciccia?»

Franca annuisce.

«Povera donna Ciccia. Certo, ormai era anziana e non si muoveva più, però andarsene così, all'improvviso, per una polmonite... Ricordo che una volta, mentre cercava inutilmente d'insegnarmi a ricamare, mi aveva detto: '*Picchì chistu avi a sapiri a fari 'na brava fimmina maritata*'. Come sono cambiate, le cose!»

«Per noi, sì», commenta Franca. «Per tua madre, invece, non sono cambiate affatto. E sta vivendo la scomparsa di donna Ciccia in modo troppo... intenso, quasi fosse un lutto di famiglia. Come se non ne avessimo avuti abbastanza, di lutti, noi Florio.»

Giulia sospira. Prende dalla toeletta il flacone della Marescialla dell'Officina Farmaceutica di Santa Maria Novella, se ne versa alcune gocce sui polsi, lo passa alla cognata, poi si alza di scatto e va alla finestra. «Ah, il cielo si sta coprendo, ma non saranno certo due nuvole a fermare Vincenzo e la sua gara!» esclama, cercando di alleggerire l'atmosfera. «Sai, ieri sera Pietro e io ne abbiamo parlato a lungo con Ludovico Potenziani, mentre sua moglie Madda chiacchierava con Ignazio della Targa Florio. Mi è sembrato che entrambi fossero entusiasti di queste sfide sportive.»

«Be', in effetti, hanno detto tutti che la seconda edizione è stata ancora più bella della prima. E, sì, Madda ci ha tenuto a confidarmi che si è emozionata molto e che tornerà di sicuro. Sai che ci hanno invitato nella loro villa di San Mauro, a Rieti?» Franca si alza, indossa un anello con un grande smeraldo che s'intona perfettamente all'abito verde.

«Delle gemelle Papadopoli, ti confesso di preferire Vera. La trovo più... composta. Sono donne intelligenti che hanno sposato uomini non troppo svegli, e questa è stata la loro fortuna.» Un commento secco, che taglia carne e ossa. «So che sono tue amiche e che ti sono state vicine... a Venezia, ma non godono della mia simpatia. Le trovo un po' troppo disinibite.»

Franca respinge il ricordo di Venezia e di Giacobina, di quella bimba nata solo in tempo per morire, portando con sé tutte le speranze. Non vuole che il dolore la trascini di nuovo giù, impedendole di gioire dei piaceri che la vita le offre. Ha compreso che, se vuole essere serena, deve dimenticare, ignorare, non vedere. Che la consapevolezza della propria infelicità spesso è la peggiore delle condanne.

«Mi sembra di sentir parlare mia madre», mormora alla cognata, mentre scendono le scale.

Giulia alza gli occhi al soffitto. «Donna Costanza è un'ottima osservatrice», chiosa, alzando l'orlo della gonna. «A me sembrano due *sante appizzate o' muro.*»

Franca sorride. «Hanno due visi angelici, certo... ma credo che sappiano bene cosa ottenere da un uomo.»

Giulia ridacchia. «Be', anche tu hai il tuo stuolo di ammiratori, mi pare. D'Annunzio stravede per te e poi c'è quel marchese che, quando sei a Roma, ti manda mazzi di fiori ogni giorno...»

«Li lascio sognare», commenta Franca.

Al piano terra sono accolte da un brusio che cresce d'intensità via via che attraversano i saloni. Decine di ospiti sono venute ad assistere alla gara di «canotti a motore» che Vincenzo Florio ha organizzato sul modello di quelle di Montecarlo e di

Nizza. Ma la Perla del Mediterraneo – così si chiama la competizione voluta dal giovane Florio – è una corsa ben più seria e meglio organizzata di quelle francesi, che pure ormai sono appuntamenti imperdibili per gli appassionati di motonautica.

Ignazio è seduto in giardino e, intorno a lui, ci sono i Potenziani e il primogenito di Giulia, Giuseppe, che sta per compiere diciotto anni. È un bel ragazzo, con un'aria sfrontata che ricorda un po' quella dello zio Vincenzo.

Il principe Ludovico Potenziani, viso lungo e affilato, indossa un cappello per ripararsi dal sole. «Certo che, per essere solo il 28 aprile, fa davvero molto caldo», sta dicendo.

Madda arriccia le labbra in una risata. Ha un volto soave e capelli chiari e luminosi, molto diversi dalle chiome scure di Franca e Giulia. «Su, non lamentarti sempre. Siamo in Sicilia, la terra del sole, e sono quasi le due del pomeriggio! E poi senti l'odore del mare! È tutto così meravigliosamente vivo, qui», esclama, e si sporge in avanti per prendere una tartina che un cameriere le offre. La scollatura dell'abito si apre, rivelando un seno perfetto nonostante le due gravidanze. Sia lo sguardo di Giuseppe sia quello di Ignazio si soffermano un istante più del dovuto su quel lembo di pelle.

Giulia dà le spalle al gruppetto e sibila a Franca: «Che ti avevo detto?»

Tutti si alzano e si dirigono verso il tempietto greco che si protende sul mare, dove sono state disposte numerose poltrone, sormontate da grandi teli per schermare il sole. Franca, Giulia e Madda si accomodano in prima fila. Ignazio chiama un cameriere perché siano serviti limonate alle signore e vino bianco agli uomini. Ludovico Potenziani si sistema su una sdraio all'ombra. Giuseppe Lanza di Trabia si siede alle spalle del gruppetto.

«Vera dov'è?» chiede Franca a Madda. «Non ricevo una sua lettera da settimane.»

«A Venezia con Giberto, credo. È uno di quei mariti che tengono molto all'unità della famiglia.» Madda si guarda intorno, posa una mano sul braccio di Franca. «Che luogo bellissimo è Villa Igiea.» Sorride, offre il viso al sole. «Non si può che essere felici, qui. Tu e Ignazio siete molto fortunati. E avete avuto ospite da poco Edoardo VII! »

« Con la moglie Alessandra e la figlia Vittoria, sì. Sono rimasti affascinati sia da Villa Igiea sia dall'Olivuzza e in particolare dal villino di Vincenzo. Ignazio ha offerto loro la nostra Mercedes e l'Isotta Fraschini che ha comprato da poco, e ne hanno approfittato per visitare Palermo in tutta comodità. È un vero peccato che non si siano potuti fermare per assistere alla gara... »

« Ludovico è così noioso », commenta a bassa voce Madda, lanciando un'occhiata al marito. « Lui non ha mai voglia di nulla. Si lamenta per ogni cosa, detesta le novità. Non è come il tuo Ignazio, che è un entusiasta, e cerca sempre di stare in compagnia. È un uomo così divertente! »

« Un tratto abbastanza tipico degli uomini siciliani, e dei Florio in particolare », interviene Giulia. « Trovano sempre il modo di fare qualcosa, nel bene e nel male, e sanno affascinare, ben sapendo quand'è ora di tornare all'ovile. » E scocca a Madda un'occhiata di fuoco.

In quell'istante, dal molo, arriva la voce di Vincenzo, amplificata da un megafono in ottone, che saluta gli ospiti e, tra gli applausi, annuncia i nomi dei concorrenti: prima quelli della categoria *racers* – il *Flying Fish* di proprietà di Lionel de Rothschild, il *Gallinari II*, con motore Delahaye, e il *New-Trèfle III* di Émile Thubron – e poi quelli della categoria *cruisers*: il *C.P. II*, costruito a Napoli, l'*Adèle* di Zanelli e l'*All'Erta*, con scafo Gallinari e motore FIAT.

Un colpo di cannone dà poi il via alla gara, che diventa subito un appassionante duello tra l'*All'Erta* e il *Flying Fish*, mentre l'*Adèle* rimane indietro. Sarà il *Flying Fish* a trionfare, tagliando il traguardo dopo dieci giri – cento chilometri in tutto – in due ore e diciotto minuti.

Franca e Giulia hanno seguito ogni istante della sfida con attenzione ed entusiasmo, facendo continue domande a Ignazio e a Ludovico sui timonieri, sugli scafi e sulla velocità dei canotti. Madda, invece, dopo i primi giri, ha sospirato che tutto quel rumore le aveva fatto venire mal di testa e che quindi andava a fare una passeggiata.

Ma, quando Giulia si è voltata per cercare Giuseppe, ha visto che la poltroncina del ragazzo era vuota.

E allora non è riuscita a trattenere una smorfia di disappunto.

L'inverno è un fantasma nella villa dell'Olivuzza. Ha passi senza suono, indossa un velo di polvere dorata, simile al tulle con cui talvolta si coprono i morti. Si nasconde nelle ombre che si allungano tra le stanze, fa ondeggiare le tende di velluto, scivola sui pavimenti a scacchi bianchi e neri e porta con sé l'eco dei giorni in cui quella casa era piena di voci di bambini e di risate. È un fantasma triste, ma Giovanna ormai lo conosce bene. E le fa compagnia in quelle stanze a lei così familiari.

Finché, l'8 febbraio 1908, il destino non spariglia le carte.

È notte fonda quando Giovanna viene svegliata dalle urla della servitù, da un tramestio di passi, da un violento rumore di porte che sbattono. È confusa, per un istante si domanda cosa sia quell'odore acre che le invade le narici e la fa tossire. Poi capisce. Sente, più che vedere, il fuoco. Un incendio.

È vicino, si dice, gettando le gambe fuori dal letto. Arriva alla porta, la spalanca: il corridoio del primo piano è avvolto in una nube di fumo nero, che sembra arrampicarsi sulla tappezzeria e sulle porte di legno dorato. Allora afferra uno scialle, si precipita fuori dalla stanza, diretta al piano superiore, dove dorme Igiea. Ma, sulle scale, trova la bambinaia, che ha in braccio la piccola e che sta correndo per metterla in salvo, seguita da due cameriere scalze e in camicia da notte.

Le donne si precipitano fuori dalla casa, e alcuni domestici corrono loro incontro, avvolgono Igiea in una coperta, gridano, chiedono, pregano. Poi, mentre danno a Giovanna una brocca di acqua per calmare la tosse, le spiegano che diversi uomini sono rimasti dentro e stanno cercando di evitare che le fiamme si propaghino al resto dell'Olivuzza.

Ma è solo nell'istante in cui sopraggiunge il carro dei pompieri che Giovanna si volta. Il tepore del fuoco sembra accarezzarle la pelle, togliendole di dosso il freddo di quella notte di febbraio e della paura. Indifferente alle urla della servitù e ai singhiozzi di Igiea, lei osserva le fiamme che avvolgono la sua casa, ascolta lo schiocco delle travi che si spezzano e lo stridio dei vetri delle finestre che vanno in pezzi. E riesce solo a pensare che, quando quella luce rossa sarà spenta, quando quel calore infernale sarà scomparso, lei finalmente potrà tornare nella sua stanza, nel suo letto, a dormire. Potrà tornare alla sua vita, circondata dai ricordi, protetta da ciò che le è più caro, vegliata dai suoi fantasmi. *Tutto sarà come prima*, si ripete.

Rimane così, immobile, con le mani strette sul ventre, finché non arrivano Franca e Ignazio: lei era a un ricevimento dai Trabia e, quando le è stata data la notizia, aveva avuto un malore; Ignazio invece si trovava con Vincenzo al Teatro Politeama, ad assistere a un incontro di lotta, ed è stato avvertito dai carabinieri. Franca avvolge Igiea nel suo mantello di volpe, poi si avvicina alla suocera e le prende la mano, in un gesto di tenerezza. Ma Giovanna non reagisce e rimane ferma anche quando Ignazio le mette sulle spalle il suo paltò.

È lui a decidere. Chiama l'autista, dà ordine di portare tutte le donne a Villa Igiea. Devono riposare e comunque non c'è nulla che possano fare, lì. Nulla, almeno finché le fiamme non saranno spente.

Seduta tra Franca e la bambinaia, Giovanna si stringe nel paltò del figlio. Poi, quando l'auto si mette in moto, chiude gli occhi e si copre il viso con le mani.

È Ignazio, il giorno dopo, a entrare per primo nelle stanze devastate. È stato un incendio accidentale, gli hanno detto i pompieri; forse un camino che non era stato spento, forse una scintilla caduta su una tenda o su un tappeto... Ma che importanza ha, ormai?

Con il cuore pesante, Ignazio si aggira tra i muri anneriti, passa le dita sui brandelli di tappezzeria crepati dal calore, scavalca mobili ridotti in cenere, frammenti di preziose porcellane annerite e quadri sfigurati. Infine arriva nella camera da letto della madre.

Di quella stanza, di vari salotti e, soprattutto, della meravigliosa sala da ballo, non sono rimaste che le pareti. Le altre camere al piano terra – compreso lo studio – sono miracolosamente intatte. E per fortuna l'incendio non si è esteso alla parte più nuova dell'Olivuzza; la stanza sua e quella di Franca, la sala da pranzo, il giardino d'inverno e il salotto verde infatti si sono salvati.

Seduta in una poltrona nel giardino di Villa Igiea e avvolta in un grande scialle, Giovanna ascolta il resoconto del figlio; per quanto addolorato, Ignazio sa che sarebbe inutile nasconderle la verità. Parla lentamente, cercando di non far trapelare l'amarezza, ma Giovanna la sente, la percepisce sulla pelle, quasi fosse un'eco del calore della sera precedente.

Poi lui estrae qualcosa dalla tasca della giacca. «Ecco, questo ho trovato sul pavimento della vostra stanza», dice, porgendole un collier di diamanti tutto sporco di fuliggine. «Mi dispiace. Temo che le perle e i cammei si siano rovinati. Proveremo a cercarli comunque», mormora.

Giovanna prende il collier. L'oro è stato deformato dal calore e le pietre sono opache. Lo gira tra le mani e quasi non lo riconosce perché no, non può essere uno dei doni di suo marito. Poi ricorda la grande scatola di avorio intarsiato sulla toeletta, quella che conteneva le sue gioie.

E improvvisamente capisce.

Non vedrà più le scarpine di tela ricamata di Giovannuzza. La camicia di batista del suo Vincenzino, rifinita a piccolo punto da donna Ciccia. L'ultimo flacone di profumo di Ignazio. I suoi occhiali. Il suo rosario di corallo e argento. Le foto del marito, del figlio in abito da marinaretto e dei nipotini morti, disposte sul comò, così che fossero la prima cosa che vedeva, al mattino, e l'ultima su cui posava gli occhi, la sera. Tutti gli abiti del suo guardaroba. La camicia che aveva indossato la prima notte di nozze. Il medaglione con la ciocca di capelli di Ignazio. Il libro di preghiere in cui custodiva un ritratto del piccolo Blasco. I quaderni con gli esercizi di tedesco di Vincenzino. Il suo violino. Le tende damascate. Il rosario di donna Ciccia. Il grande ritratto di Ignazio, dipinto quando lui era ancora giovane e in salute.

La sua vita, in cenere.

Ma anche...

Non aveva mai avuto cuore di disfarsi della scatola in legno di rosa ed ebano in cui Ignazio conservava le lettere della donna che aveva amato. Giovanna l'aveva trovata dopo la sua morte e, più di una volta, la gelosia l'aveva spinta a tirarla fuori dal cassettone e ad avvicinarsi al camino per bruciarla, ma non c'era mai riuscita. La nostalgia aveva prevalso sul rancore. Persino ciò che più aveva odiato le era divenuto caro. Lì dentro c'era una traccia di Ignazio, del suo amore; per quanto fosse doloroso, per quanto quell'amore non fosse stato riservato a lei, quelle lettere glielo facevano sentire vicino.

E adesso sono andate in fumo.

Adesso ci sono solo cenere, carbone e fuliggine.

E Giovanna non sa come riuscirà ad andare avanti, ora che è scomparso anche l'ultimo dei suoi fantasmi.

Ad Annina Alliata di Montereale piacciono le auto e la velocità. Ed è coraggiosa, risoluta. Guarda al futuro senza timore.

L'ha intuito subito, Vincenzo. E ne ha avuto la conferma quando, due mesi prima, a luglio, lei gli ha chiesto di sposarlo. Sì, lei. Annina è stata straordinaria anche in questo.

Stavano andando al mare, e lui l'aveva invitata a guidare al suo posto. Sull'altra auto, Franca aveva sorriso, indulgente, Maria Concetta si era fatta il segno della croce e lo chauffeur aveva deciso di andare *molto* più piano del solito. Allora Annina aveva dato gas e aveva sorpassato la vettura, buttando il cappello sul sedile posteriore e alzando il viso verso il sole. Poi aveva suonato il clacson e, nel farlo, aveva sfiorato il braccio di Vincenzo. Lui era arrossito come uno scolaretto.

Si erano fermati nei pressi dallo stabilimento balneare di Romagnolo. Davanti a loro, la costa di Aspra e di Porticello e il mare di un turchese così intenso da ferire gli occhi. Lei era scesa dall'auto a passi veloci, tirandosi giù le maniche dell'abito color pesca, la bocca stretta in un mezzo sorriso. Vincenzo aveva preso la giacca, l'aveva raggiunta e si erano messi a camminare fianco a fianco.

«Non rimproverarmi perché sono spericolata, d'accordo? Lo sapevi che avrei guidato così.»

«Non lo farei mai. Amo la velocità, lo sai.»

Lei aveva annuito, poi gli aveva afferrato la mano, l'aveva stretta tra le sue. «Lo so. Siamo perfetti insieme.» Il viso di Annina si era fatto serio. «Sposami.»

Lui l'aveva fissata, stranito. Una donna che fa una proposta di matrimonio?

E poi... Sposarsi? Lui? Rinunciare a tutto, alle sue *amiche*, alla sua vita, ai divertimenti, ai viaggi, alle corse in auto...

«Sì.»

La risposta era arrivata dall'anima. Perché con lei non avrebbe dovuto rinunciare a nulla, perché condividevano le stesse passioni, perché avevano entrambi fame di vita. Da quando Annina era entrata nella sua vita, poi, le altre non le guardava nemmeno più. Certo, si concedeva qualche serata alla Casa delle Rose, ma era una cosa normale per un uomo, no?

A occhi sgranati, Vincenzo era rimasto muto per qualche istante. «Avrei dovuto essere io a chiedertelo, lo sai?»

Lei aveva scrollato le spalle. «Tu mi farai una dichiarazione pubblica, con tanto di anello. Roba per familiari e conoscenti, che tanto già se lo aspettano e muoiono dalla voglia di aver qualcosa di cui chiacchierare o magari sparlare. Io voglio sapere se tu mi vuoi tanto quanto ti voglio io.»

Non aveva risposto. L'aveva baciata, sollevandola dal sentiero che portava al mare.

«Oh, mio Dio! Che cose! Che cose!» aveva mormorato Maria Concetta, che nel frattempo li aveva raggiunti. Franca no, non aveva sorriso. Aveva sospirato, distogliendo lo sguardo.

Annina non è una ragazza come le altre. A lei gioielli e vestiti interessano fino a un certo punto. È pragmatica, allegra, vitale; e soprattutto decisa a vivere senza compromessi. Pretende rispetto. Non è come Franca che, dopo anni di litigi, ha scelto d'ignorare le relazioni di suo fratello.

Vincenzo lo sa. Con lei dovrà cambiare stile di vita, pensa, mentre apre la porta del villino al centro del parco. Lo accoglie l'odore del legno e quello, più gentile, del *pot-pourri* agli agrumi, sul grande tavolo al centro. Si guarda intorno: nell'ingresso che fa anche da salone, volute di legno si alzano dalle pareti per intrecciarsi in linee sinuose sul soffitto. A sinistra, un camino in maiolica e legno; di fronte, una grande vetrata che si affaccia su una terrazza coperta da teli bianchi, arredata con divani di ferro battuto. I mobili di Ducrot – divani tappezzati in verde, una grande consolle dalle linee fiorite – completano quegli spazi in cui luce e legno sembrano mescolarsi senza soluzione di continuità.

Si dirige verso il seminterrato, dove si trovano le autorimesse, ma anche una sala da biliardo, usata pure come fumoir e sala da gioco. Mentre aspetta che suo cugino Ciccio d'Ondes lo raggiunga per una partita a biliardo, sistema le stecche nelle rastrelliere, passa il gesso sulle punte. L'enorme ambiente, tappezzato anch'esso in verde, è immerso nel silenzio e nella frescura: il luogo ideale per trascorrere quel pomeriggio d'estate senza essere disturbati. Non di rado vi ha portato donne con cui ha trascorso interi pomeriggi a giocare a carte, usando come posta gli abiti suoi e quelli della bellezza di turno.

Quel pensiero gli dà insieme piacere e fastidio. Quand'era scoppiato l'incendio all'Olivuzza, a febbraio, per un istante aveva temuto che il fuoco avesse distrutto anche il suo villino. Rammenta bene come quell'idea lo avesse gettato nella più cupa disperazione: quella casa era una parte di lui, rispecchiava il suo desiderio di libertà, la sua indipendenza, il suo essere sempre alla ricerca di cose sorprendenti.

Questa è una casa da scapolo, si dice con un sospiro. Dovrà cambiare qualcosa oppure trovare un altro luogo per vivere con Annina. Qualcosa da costruire insieme.

Ha sempre pensato solo per sé e adesso non può fare a meno di pensarsi accanto a lei. E, per la prima volta nella sua vita, si sente smarrito. È troppo giovane per ricordare la dedizione di sua madre verso il marito, e ignora quanto amore abbia dato sua nonna Giulia a quel nonno di cui porta il nome. Ha davanti agli occhi tanti, troppi matrimoni che si reggono solo sulle convenienze, sociali o economiche. La semplice idea della gabbia di bugie, di astio e di sofferenza che certe coppie si sono costruite addosso gli dà i brividi.

Di una cosa è certo: vuole Annina nella sua vita. Da un lato, cercherà di non farle del male; dall'altro, proverà a darle tutto ciò che merita.

Amore e rispetto. Sono parole nuove per lui, sono l'inizio di un viaggio in una terra affascinante e sconosciuta.

Ma, con Annina al fianco, lui sente di poter arrivare sino alla fine del mondo.

In quel pomeriggio di fine ottobre 1908, nello studio dell'Olivuzza, Ignazio si stropiccia gli occhi, prende un foglio. L'ennesima fattura.

WORTH,
Robes, Manteaux, Lingerie, Fourrures

L'elenco sottostante dà quasi le vertigini:

1 *Robe du soir en velours gris taupe, panneaux de tulle même ton,*
   brodée de paillettes grises mates et scintillantes, ourlet de skungs;
1 *Corsage en tulle garni d'épis de blé mûr*
1 *Costume de piqué, gilet de lingerie*
1 *Manteau du soir en velours cerise garni de chinchilla; manches re-*
   brodés or de motifs « étincelle »
1 *Robe de dentelle d'argent et satin bleu ciel...*

« Mandare Franca, la bambina e mia madre a Parigi per rifarsi il guardaroba dopo l'incendio è stata una pessima idea... » si dice, fissando sgomento la cifra alla fine dell'elenco. In altri tempi, quella somma non gli avrebbe fatto né caldo né freddo; oggi, invece, è un marchio di fuoco. Come lo sono la fattura di Lanvin e quella di Cartier, dove sua moglie aveva portato la suocera per rimpiazzare alcune delle gioie andate perse nell'incendio.

D'altra parte, sua madre era diventata ancora più cupa, Igiea si era spaventata assai e Franca... be', mandarla lontana era servito a evitare le scene e i commenti acidi dopo che lei aveva saputo della sua relazione con Vera Arrivabene.

La madre di Franca prima e Giulia poi avevano visto giusto: non ci si poteva fidare delle gemelle Papadopoli. Madda ormai non nascondeva più il suo interesse per il diciannovenne Giuseppe Lanza di Trabia. Quanto a Vera, suo marito aveva oltre dieci anni più di lei ed era un rigido ufficiale di marina. Era pure amico di Ignazio... ma questo non era stato sufficiente a trattenerlo.

È bella, vitale e allegra, Vera: lo fa star bene e gli alleggerisce il cuore, ed è ciò di cui Ignazio ha disperatamente bisogno. Tra quelle mura si sente oppresso.

Spinge via le fatture di Worth, di Lanvin e di Cartier e scorre quelle dei lavori per l'Olivuzza. Hanno dovuto rifare ben otto stanze – compresa la sala da ballo –, senza contare le opere di pulizia e di pittura per togliere il nerofumo dalle pareti di altre. Con Franca, hanno pensato di approfittare dell'occasione per realizzare un disimpegno circolare antistante la sala da ballo: un ambiente alla moda, per chiacchierare e rilassarsi.

«Rilassarsi, come no...» mormora Ignazio.

Un tocco leggero alla porta. «L'avvocato Marchesano, don Ignazio», annuncia il cameriere.

«Fatelo accomodare.»

Con passi pesanti, Giuseppe Marchesano entra e si avvicina alla scrivania. Da qualche tempo è lui il legale della famiglia, dopo essere stato deputato nonché avvocato di parte civile nel processo per il delitto Notarbartolo. Ma il suo breve interrogatorio a Ignazio risaliva ormai a sette anni prima; da allora, il vento aveva cambiato direzione tante volte e Marchesano si era adeguato. D'altronde, non era certo l'unico, in Sicilia, ad avere un passato in contraddizione con il presente.

Ignazio non si alza neppure. Sconfortato, guarda il massiccio faldone che Marchesano ha deposto sulla scrivania, poi fissa l'avvocato con un'espressione a metà tra l'insofferenza e l'inquietudine. «Datemi qualche buona notizia», gli dice, non appena la porta si chiude alle spalle del cameriere. «Ne ho bisogno.»

I baffi dell'avvocato – neri e compatti come la sua capigliatura – hanno un fremito. «Temo di non potervi aiutare, allora.» Si siede, indica il faldone. «Mi hanno scritto dalla Banca

Commerciale.» Fa una pausa. «Da Milano, dalla sede centrale», aggiunge.

A occhi chiusi, Ignazio si massaggia la base del naso. «Continuate», mormora.

«Nella riunione del 10 novembre vi chiederanno ufficialmente di cedere alle compagnie La Veloce e Italia le azioni della Navigazione Generale Italiana che avete dato a garanzia dei crediti. Hanno indicato queste due compagnie perché sono affiliate alla NGI, e quindi le azioni resteranno all'interno del gruppo.» Parla con calma, scandendo le parole. Ignazio Florio, lui lo sa, non è uno stupido, ma deve accettare quel fatto per ciò che significa: la Banca Commerciale Italiana, il maggior creditore di Casa Florio, non si fida più di lui.

E sta cercando di buttarlo fuori dalla Navigazione Generale Italiana.

Ignazio si copre il volto con una mano. «Hanno paura», mormora. «Temono che possiamo svendere le azioni della NGI a qualche compagnia estera per far cassa, permettendo così a concorrenti pericolosi di entrare nel mercato dei trasporti marittimi.»

«È ovvio. Vi tengono sotto osservazione da quando avete venduto le azioni ad Attilio Odero. In pratica, gli avete consegnato il cantiere navale. Come si dice? Vi siete infilato l'acqua dentro casa, ecco.»

Già, sono passati quasi tre anni da quando ha ceduto le azioni della Società Cantieri Navali, Bacini e Stabilimenti Meccanici Siciliani per rastrellare un po' di soldi, venendo di fatto estromesso dalle attività dell'impresa. Un sacrificio che ancora brucia. E che non è servito a niente.

«C'è quel cornuto di Piaggio, dietro tutto questo. Da quando l'ho licenziato, si è messo in testa di far sbranare la NGI dal suo Lloyd Italiano. E sono pronto a scommettere che Giolitti è d'accordo e che non vede l'ora di sbarazzarsi di me! Lui e tutti gli amici suoi!»

Marchesano alza un sopracciglio, ma non commenta. Scioglie i legacci del faldone, prende un foglio, lo guarda, strizza gli occhi. Allora estrae di tasca un pince-nez e lo indossa. «Nel tempo, avete ceduto alla Commerciale sempre più azioni della NGI, senza contare che ormai, in pratica, non c'è liquidità in cassa», dichiara. «Avete dato pure le ultime azioni della SAVI alla Banca Commerciale, come garanzia di un prestito, e chissà se riuscirete a riscattarle. Inoltre presto ci sarà il rinnovo delle convenzioni statali per la navigazione, e ben altre sono le offerte dei vostri concorrenti...»

«Insomma cosa vuole la Banca Commerciale?» La voce di Ignazio è un filo. «Perché qualcosa devono darmi in cambio... non possono pretendere che io mi spogli così di tutto!»

«La Banca Commerciale tiene i titoli a riporto e vi offre un diritto di riscatto a maggio o a novembre del prossimo anno, ovviamente a un prezzo diverso.» Marchesano si sfila il pince-nez, incrocia le mani sul ventre. «In tutta onestà, don Ignazio, avete ragione: sono condizioni brutali. Se quelle azioni non venissero riscattate, sareste fuori dalla Navigazione Generale Italiana e da tutto ciò che è a essa collegato, prima fra tutte la Fonderia Oretea, ma anche lo scalo d'alaggio. Tuttavia, data la situazione della casa commerciale, non vedo cosa...»

Prende un altro foglio, lo allunga a Ignazio.

Ignazio guarda quelle cifre. Nella loro purezza, i numeri sono impietosi.

E riassumono una situazione drammatica.

Sente le mani che tremano, avverte una stretta allo stomaco. Allunga il braccio e afferra il campanello. Vuole che pure Vincenzo sia presente.

Finora lo ha tenuto al riparo da tutto, non gli ha mai spiegato nei dettagli cosa stava accadendo. Non voleva fargli vivere una giovinezza gravata da pesi e da responsabilità, com'era stata la sua. A Vincenzo lui ha permesso tutto, viziandolo come un figlio, quel figlio che lui non ha più.

Un pensiero che lo attraversa, si scarica a terra come corrente elettrica.

Ci sarà ancora una ragione per lottare?

Suo fratello arriva poco dopo. In quei minuti lunghissimi, in cui Ignazio e Marchesano sono rimasti in silenzio, le ombre si sono allungate nella stanza, impossessandosi degli scaffali, attorcigliandosi ai piedi della scrivania fino a risalire sul piano, tra le carte. Sembra quasi che il legno respiri, che emetta uno scricchiolio.

Un ennesimo, lunghissimo lamento.

Vincenzo arriva trafelato, in maniche di camicia e tenuta sportiva. Ha macchie di grasso sulle mani e sui calzoni chiari e l'aria allegra. «Che succede, Igna'? Stavo facendo una modifica con i meccanici alla mia auto e... Oh, avvocato Marchesano, ci siete anche voi?»

«Entra.»

Il tono cupo del fratello spegne il sorriso di Vincenzo. Chiude la porta, si siede di fianco a Marchesano. Ignazio gli passa il foglio con i dati, gli ordina di leggere.

Vincenzo obbedisce. Corruga la fronte, scuote la testa, ancora e ancora. «Non capisco...» mormora. «Tutti questi soldi... com'è possibile?» Impallidisce, Vincenzo, e ripercorre le colonne con le dita, quasi che, così facendo, le cifre potessero cambiare. «Quand'è successo? Perché non me lo hai detto prima?»

«Perché è iniziato tutto quasi quindici anni fa e tu, allora, eri troppo piccolo. Ricordi il fallimento del Credito Mobiliare? Gli sportelli erano stati aperti presso il nostro Banco e la gente si era fidata a depositare denaro proprio per questo motivo, e allora... io ho ripianato i debiti della filiale del Credito, ripagando i risparmiatori con il denaro di Casa Florio. È iniziato tutto lì. Mi sono tolto di mano i soldi e nel frattempo...»

Tace e indica le carte sul tavolo.

Un rosario di tentativi, una montagna di fallimenti: dal Consorzio Agrario Siciliano alla cantina di Marsala. Dalla Società Cantieri Navali, Bacini e Stabilimenti Meccanici Siciliani all'Anglo-Sicilian Sulphur Company. E pure Villa Igiea, le cui azioni sono ormai quasi tutte impegnate presso la Société française de Banque et Dépôts. Sino in Francia, era dovuto andare, per trovare un po' di soldi.

«La perdita di liquidità mi ha portato dritto tra le braccia delle altre banche per chiedere prestiti. E così sono arrivati gli interessi...»

«Restano solo le tonnare in attivo.» L'avvocato Marchesano

conferma il pensiero di Vincenzo che si è soffermato con il dito sulla voce EGADI.

Ignazio si affloscia contro lo schienale della sedia e guarda l'avvocato. Sembra quasi che una parte di lui sia convinta che da quell'uomo grassoccio possa venire una soluzione, una via d'uscita. Ma l'altra parte, quella razionale, lucida, gli urla che Casa Florio è prigioniera dei debiti.

E ormai lo sanno tutti, e non solo a Palermo, ma anche in Europa. Non è più soltanto questione delle fatture dei sarti, dei gioiellieri, dei mobilieri. Né del fatto che gli hotel della Costa Azzurra o delle Alpi svizzere ormai chiedano che il conto sia pagato nel momento in cui lui lascia l'albergo, mentre prima bastava una stretta di mano e l'intesa che il saldo sarebbe arrivato di lì a poco. Ci sono le tratte cambiarie, sempre più numerose, che aspettano di essere pagate. E le ipoteche che, nel tempo, sono state accese su case e fabbriche.

«Sì, le Egadi sono l'unico cespite ancora redditizio della casa commerciale», ribadisce Marchesano. Si alza in piedi, li osserva. Di fianco a lui, un ragazzo che finora aveva pensato solo a godersi la vita e che adesso è annichilito da quelle cifre, il cui significato reale forse non riesce nemmeno ad afferrare sino in fondo, perché per lui i soldi sono sempre stati qualcosa di cui non preoccuparsi. Davanti a lui, Ignazio. Di colpo, quel quarantenne elegante gli appare vecchio e stanco. Come se il peso di una maledizione si fosse abbattuto su di lui. Un uomo senza uno scopo nella vita.

Senza un figlio cui lasciare tutto.

Prova pena, Marchesano.

Non è che possano pretendere l'impossibile, i Florio, o accusare chissà chi, riflette. I segnali non erano di certo mancati e quella comunicazione della Banca Commerciale era solo il punto d'arrivo di anni di attività rischiose, di consigli dati e mai accolti e di leggerezze.

Ignazio sbatte le palpebre come se si svegliasse da un lungo sonno. «Con queste carte in mano, non potremo mai rientrare in possesso delle azioni», commenta, amaro.

L'avvocato non può che allargare le braccia. «Ve l'ho detto: sono condizioni molto pesanti. Ma sono anche le uniche che loro sono disposti a offrire.» Infila le mani in tasca, si allontana di alcuni passi dalla scrivania. «La situazione è grave, ma non irrisolvibile, don Ignazio. Dobbiamo pensare a un piano di recupero. A come dare un nuovo corso alla situazione. Perché, al momento, Casa Florio non ha credibilità.» Il tono è pacato, le parole sono coltellate.

Ignazio si mette una mano sulla bocca per non imprecare, freme, poi dà un colpo sulla scrivania. «Maledizione!» grida.

Vincenzo sobbalza, arretra sulla sedia. Non ha mai visto Ignazio così furioso e disperato.

«La Banca Commerciale ha già il nostro Banco... Le azioni, la clientela... E ce l'ha da sei anni! Come garanzia per i soldi che avevo chiesto! E ora vuole tutto il resto?»

«Ma all'epoca vi avevano riconosciuto un'apertura di credito per cinque milioni...»

«Di quanto?» Le voci di Vincenzo e di Marchesano si confondono. L'avvocato si volta a guardare il giovane e stavolta non nasconde un compatimento sporcato di fastidio. «Sei anni fa, vostro fratello ha aperto un credito con la Banca Commerciale e ha continuato a indebitarsi di anno in anno, garantendolo con le azioni a riporto, a cominciare da quelle della NGI. Voi, signore, siete stato tenuto al riparo da tutto ciò per troppo tempo. È bene che ora sappiate come sul vostro futuro si addensino nubi di tempesta.»

Vincenzo apre la bocca per parlare, ma non ci riesce.

Comincia a capire. Ricorda. L'*Aegusa*, lo yacht su cui aveva trascorso tante estati spensierate, da piccolo. Venduto. E lo stesso destino era toccato al *Fieramosca*, all'*Aretusa*, al *Valkyrie*. *Ma allora anche la vendita della Villa ai Colli...* «Io ho sempre creduto che tu avessi ceduto alle suore la Villa ai Colli perché Franca non voleva più mettere piede là dov'era morta Giovannuzza. E invece...»

Una ruga di dolore scava la fronte di Ignazio. Scrolla le spalle, come a dire: *Sì, anche quella, anche per quel motivo,* poi allunga la mano sul tavolo, afferra un'altra cartella, la spinge verso di lui. L'etichetta dice: VENDITA DEI TERRENI DELLE TERRE ROSSE. Le proprietà di Giovanna d'Ondes, la sua dote.

Vincenzo scuote la testa, incredulo. Allunga la mano per

aprire la cartella, poi la tira indietro, come se scottasse. «*Maman* cosa sa?»

«Della situazione in cui siamo? Poco. È consapevole che abbiamo delle difficoltà, ma...»

«E Franca?»

L'occhiata di Ignazio è più eloquente di ogni parola.

«Anzitutto dovete decidere se riscattare le azioni della SAVI date in garanzia alla Commerciale, e quindi salvare la vostra partecipazione nelle attività della cantina di Marsala. Avete dei conti privati che devono essere saldati al più presto.»

«Ma ci sono ancora delle risorse...» mormora Vincenzo. Si alza, agita le mani, poi indica le voci all'attivo. «Ci sono gli immobili, le azioni... certo, anche quelle della SAVI hanno un valore.»

Ignazio sbuffa. «Ma non hai sentito che quei titoli azionari sono stati dati in garanzia per i debiti? Insomma non ci possiamo far conto, dato che ci è quasi impossibile riscattarli. Sì, c'è qualche credito da recuperare, ma si tratta di ben poco. Il grosso delle nostre ricchezze ormai viene da Favignana e dalle case.» Ignazio spalanca le braccia, come ad abbracciare ciò che lo circonda.

Per un attimo, Vincenzo ripensa al villino nel parco dell'Olivuzza, e ai preparativi per il matrimonio con la sua adorata Annina. Le ha promesso un matrimonio da favola e invece...

La voce di Marchesano interrompe i suoi pensieri. L'uomo posa un indice sui fogli. «Lo capite voi stessi cosa bisogna fare.» Per la prima volta alza la voce. «Dovete *tagliare le spese*. Capisco che per voi sia difficile pensarlo, ma da qualche parte bisogna pur cominciare...»

«E da dove? Dal Teatro Massimo? Dall'Ospedale Civico? Ma voi sapete in che condizioni era il bilancio? Com'erano ridotti i padiglioni? Io sono intervenuto a risanare... e adesso dovrei abbandonare tutto?»

«Don Ignazio, gestite troppe iniziative che non portano reddito. Dovete mettere un punto fermo a certe cose.»

Ignazio arretra dalla scrivania, si muove a scatti, va davanti alla finestra. Ha i capelli in disordine, la cravatta allentata. «Tagliare i fondi alla beneficenza significherebbe gridare al mondo che non siamo più i Florio, che il nostro nome, il nome di mio padre e di mio nonno, non ha più nessun valore. Lo capite, questo?»

L'avvocato non risponde subito. Si mette le mani sulle labbra, quasi volesse trattenere ciò che pensa. Ma alla fine parla. E Ignazio e Vincenzo se le ricorderanno per sempre, quelle parole di pietra, anche da vecchi, anche quando non avranno più una casa propria e saranno costretti a vivere come ospiti di qualcuno.

«Voi non avete più un nome su cui contare, don Ignazio.»

Vincenzo si affloscia sulla sedia. Ignazio fissa il nulla, poi chiude gli occhi. Per la prima volta, ringrazia che suo padre sia morto, perché non avrebbe potuto sopportare una simile vergogna. E poco importa che lui, probabilmente, non si sarebbe mai trovato in *quella* situazione.

«A questo punto siamo?» mormora Ignazio.

Marchesano si raddrizza, afferra l'orologio da taschino, prende tempo, perché tanto avrebbe da dire e le parole gli bruciano in bocca come tizzoni ardenti, e no, non vuol essere offensivo. Alla fine si decide. «Non abbiamo molte soluzioni se non rivolgerci in alto, molto in alto.»

«Alla Banca d'Italia? A Bonaldo Stringher, quel pescecane del suo direttore?» Ignazio scuote vigorosamente la testa. «No! Ci metterebbe una catena al collo. Ha troppi alleati tra gli industriali. Aspettano solo questo: buttarmi fuori e spartirsi Casa Florio come *cani di mannara*.»

«Potrebbero, sì, ma ne dubito. In questo momento, l'obiettivo principale è proteggere l'economia di Palermo e della Sicilia; muoversi in questa direzione conviene a tutti.» L'avvocato si schiarisce la voce. «Dovremo chiedere con urgenza un incontro a Stringher, prima dell'assemblea dei soci.» Prende un respiro pesante, poi continua, e lo fa guardandolo negli occhi: «Avete intrapreso affari che si sono rivelati fallimentari. Avete sovvenzionato imprese che hanno chiuso nel giro di pochi anni. Vi siete sobbarcato la costruzione di un cantiere navale che non è mai entrato in piena attività e quindi avete dovuto venderlo. Avete peccato di superbia e d'inesperienza. Tante persone vi hanno consigliato per il meglio, ma voi le avete allontanate. In più, vi siete fatto troppi nemici, a cominciare da Erasmo Piaggio, che avete messo alla porta in malo modo. Per cui sì, siamo a questo punto e sì, il nome dei Florio vale ormai tanto quanto la carta su cui è scritto. Il vostro patrimonio è gravemente compromesso e non vi rimane che una strada per salvare almeno la dignità: trovare il modo di uscirne a testa alta ».

Quando Marchesano se ne va, Vincenzo si prende la testa tra le mani, fissa il tappeto persiano senza vederlo. Ignazio cammina per lo studio.

« Smettila. » Vincenzo ha la voce arrochita dalla rabbia. « *Statti* fermo, dannazione. »

Ignazio gli va davanti. « Cosa vuoi? » gli dice in tono bellicoso. « Manco camminare posso? »

« Mi fai uscire pazzo, mi fai », replica Vincenzo, e lo spinge via. Ha voglia di litigare? Sì. Di gridare, di capire, di ribellarsi, perché quello che ha appena scoperto non può essere vero. È impossibile, non riesce a crederci.

Ignazio lo afferra, lo scrolla. « *Statti* calmo. »

« Perché non mi hai detto niente, mai? »

« E che ne avresti capito, tu? Hai in testa solo le macchine, le *fimmine*... E poi, a che pro angustiarsi in due? »

Vincenzo scatta in piedi. « Perché tu, invece, sei un santo... Quanto hai speso per le tue, di *fimmine*, eh? I gioielli che hai regalato a tutte, per non parlare delle case, come quella a Lina Cavalieri! E ora, con Vera, non fai altro che andare e venire da Roma... altro che affari! »

« Non ti permettere di giudicarmi. Sono io che pago i tuoi passatempi, non te lo ricordi? Sai quanto costa l'organizzazione della Targa? »

Si fronteggiano. Vincenzo lo spinge via, mastica un insulto. Hanno quasi la stessa altezza, si somigliano molto. Ma i quindici anni di differenza tra loro si vedono, oggi più che mai.

« Tu avevi il dovere di dirmi cosa stava succedendo. Non avevo capito che eravamo così... » Cerca la parola e non la trova.

« ... disperati? » completa Ignazio, con uno sbuffo. « Sì, maledizione, questo siamo. E non escludo che dovremo vendere alcune proprietà per ripianare i debiti.» Deglutisce a vuoto, consapevole che in realtà sarebbe necessario fare di più, molto di più, per dare respiro a Casa Florio.

Vincenzo cerca di calmarsi, ma ha paura. E non quella paura esaltante che prova mentre corre in auto. No, questa gela il sangue e i pensieri e cancella il futuro. Si guarda intorno, come se non riconoscesse il luogo in cui si trova, come se i mobili e gli oggetti che hanno fatto parte da sempre della sua quotidianità improvvisamente appartenessero a qualcun altro. Cammina per lo studio e sfiora il pannello di marmo che raffigura un episodio della vita di san Giovanni Battista. È un'opera del grande scultore quattrocentesco Antonello Gagini e Vincenzo ricorda che suo padre l'aveva comprato quando lui era molto piccolo; gli era sembrato immenso e pesantissimo. Accanto, c'è un dipinto della scuola di Raffaello. Poi ci sono la scrivania, le poltrone di pelle, il tappeto persiano... E, oltre la porta, in quella casa e nella sua vita, ci sono i vasi di maiolica, i cristalli di Boemia, le porcellane tedesche, le scarpe inglesi, gli abiti di alta sartoria... Come può pensare che nulla di tutto ciò gli appartenga più? Quale esistenza lo aspetta?

«Mi dispiace.» La voce di Ignazio lo raggiunge alle spalle, lo costringe a voltarsi.

Lui si gira, lo abbraccia. «Ne usciremo a testa alta, Igna'. Vedrai...»

Ma l'altro scuote la testa, si divincola dal suo abbraccio. «E tu... che ora devi sposarti...» dice, la voce incrinata.

A quel pensiero, la ruga sulla fronte di Vincenzo si distende. «Rimandiamo tutto all'anno prossimo. Annina è una ragazza intelligente. Capirà», lo rassicura.

«Pensa a quello che diranno di noi... a cominciare da Tina Whitaker, con la sua lingua biforcuta!»

Vincenzo fa un gesto come a dire: *E chi se ne importa?* «Cerchiamo di uscirne in qualche modo», replica. Una parte di lui si ostina a pensare che ci sia una soluzione, una qualsiasi, perché deve esserci un modo per uscirne. La sua famiglia ha fatto tanto per Palermo e per la Sicilia. Come si può dimenticare tutto questo?

Ignazio annuisce e sospira, avvilito. Ma la sua mente corre via, cerca qualcosa che lo conforti e lo trova: Vera, il suo sorriso quieto, la sua serenità. Eppure accanto a quell'idea se ne forma un'altra: un pensiero insieme luminoso e crudele. Cerca di scacciarlo subito, ma invano. Perché è stata proprio la leggerezza che Vera gli ha donato a permettergli di avere ancora fiducia nel futuro. A donargli una speranza.

Una speranza che è dentro Franca. Sì, sua moglie è di nuovo incinta. Dopo cinque anni dalla morte di Giacobina, Franca aspetta un figlio, e solo Dio sa quanto lui speri che sia un maschio.

Perché ogni essere umano ha bisogno di credere che il suo mondo non finisce con lui, che ha qualcosa da donare al futuro. E Ignazio si sta aggrappando a quel futuro come un naufrago a uno scoglio.

«Andiamo al Royal Cinématographe? Oh, sapessi quanto mi sono commossa ieri sera con *Francesca da Rimini*! E poi ho pianto dal ridere per *La scimmia dentista*!»

«Come vuoi tu, cara», replica Franca. Si rivolge allo chauffeur. «In via Candelai, all'incrocio con via Maqueda, per favore.» L'Isotta Fraschini svolta delicatamente, evitando le buche del basolato.

La nuova gravidanza, appena annunciata, ha riempito Franca di una strana incertezza. Non è paura per il bambino e non è neppure una conseguenza del costante malumore di Ignazio, che comunque adesso è a Roma per affari. *E anche per altro*, pensa. L'immagine di Vera Arrivabene le si affaccia alla mente, però lei è lesta a scacciarla. No, è una sensazione mista di spossatezza e d'insofferenza. Vorrebbe andar via, magari a Parigi o sulle Alpi, ma il medico glielo ha vietato: allora si muove tra l'Olivuzza e Villa Igiea, chiama a sé le amiche per fare qualche partita a carte, legge molto – ha appena finito la nuova tragedia del suo adorato d'Annunzio, *La nave*, che però questa volta l'ha un po' annoiata – e va spesso al cinematografo, in compagnia di Stefanina Pajno, le cui chiacchiere la divertono sempre, e di Maruzza, che s'incanta a vedere le «scene dal vero», forse perché le ricordano quand'era giovane e benestante e poteva viaggiare in compagnia del padre e del fratello.

«Il Regio Teatro Bellini è un cinematografo più bello, però. Più elegante», sta dicendo proprio lei con un'insolita nota di allegria nella voce.

Stefanina allarga le mani. «Ma alla *gentuzza* non importa l'eleganza. A lei bastano *i cunti*, fossero pure quelli dei pupi.» Ride sommessamente. «Ti confesserò una cosa, Franca mia: da piccola, ho assistito a uno spettacolo di pupi affacciata alla finestra della mia camera, con la balia accanto, perché i miei genitori non volevano che mi mescolassi alla folla. E, quando il cantastorie ha cominciato a raccontare e a fare le voci buffe, mi sono emozionata: ho avuto paura, ho riso e ho pianto, anche se la balia mi copriva le orecchie per non farmi sentire le bestemmie. Ecco, con il cinematografo provo la stessa... liberazione!»

«E poi offre a tutti la possibilità di vedere il mondo e di conoscere storie che neanche nei libri...» aggiunge Maruzza, entusiasta.

«Già.» Stefanina sistema l'abito azzurro da pomeriggio, si appoggia contro lo schienale e guarda fuori dal finestrino. «Tutto sta cambiando, diventa più veloce, anche in una città pigra come Palermo. E non parlo solo delle strade nuove, che finalmente stanno cancellando i vicoli del porto e le loro catapecchie, né delle automobili e neppure di quelle macchine volanti che piacciono tanto a tuo cognato Vincenzo! Parlo delle donne: tra non molto anche noi, come le parigine, non metteremo più il corsetto e magari al Politeama organizzeremo raduni come quello delle suffragette di Londra. Hai letto, no? In quindicimila erano, all'Albert Hall! Sembra proprio che, improvvisamente, le donne abbiano fretta di fare cose nuove, di correre incontro al futuro. Tuttavia...»

«Cosa?» mormora Franca, voltandosi a guardarla.

«A volte penso che questi cambiamenti siano soltanto superficiali. E che in realtà noi donne rimaniamo comunque indietro, aggrappate al passato.»

« L'indipendenza fa sempre un po' paura », commenta Maruzza. « Ma non ci si può sottrarre al progresso. »

« Però non si può neanche cancellare di colpo il passato. E non sarebbe neppure giusto. Io per esempio, al cinematografo, trovo disdicevole il fatto di sedermi accanto alla mia lavandaia o a un cocchiere di piazza. Mi sembra una cosa che va contro... l'ordine sociale, ecco. »

Maruzza alza gli occhi al cielo.

Franca ascolta, ma rimane in silenzio, poi si passa una mano sul ventre. Forse la sua inquietudine viene anche da quello: in quale mondo vivrà il suo bambino? Quale sarà il suo posto in questa città che freme, pronta a inseguire il futuro, ma con il viso rivolto al passato?

La boiserie è lucidata a cera e sprigiona un profumo delicato. Lungo le pareti, scaffali pieni di volumi rilegati in pelle si alternano a quadri dai toni cupi. Il pavimento in marmo lucido scintilla nella luce del sole. È un sole sfacciato, anomalo per novembre, anche lì, a Roma. E pare quasi beffardo.

Giuseppe Marchesano e Ignazio Florio sono seduti davanti a una scrivania imponente. Tutto, in quella stanza, sembra avere il preciso scopo d'incutere soggezione; persino la grande porta a doppio battente rivestita in marocchino rosso, adesso chiusa alle loro spalle.

Davanti a loro, Bonaldo Stringher, direttore generale della Banca d'Italia, sfoglia il fascicolo che Marchesano gli ha presentato.

Ignazio ha il respiro corto. Si accorge delle gocce di sudore sulle tempie e le asciuga con un gesto furtivo.

« Vedo che siete addivenuto a più miti consigli », dice Stringher. Ha un volto che pare scolpito nel marmo, un'ampia stempiatura, occhi sottili, penetranti, e un piglio tanto energico quanto distaccato.

Ignazio raddrizza la schiena. « Tutti hanno il diritto di ravvedersi », replica con sussiego.

Marchesano non trattiene una smorfia d'irritazione. *Ignazio Florio riesce a essere arrogante anche sull'orlo dell'abisso*, pensa.

La mano di Stringher scorre sul gilet scuro, si ferma sulla catena d'oro dell'orologio. Lo guarda, quasi dovesse valutare quanto tempo ancora concedere ai due uomini.

«Ho avuto uno scambio di opinioni con il nostro presidente del Consiglio sul vostro caso. L'onorevole Giolitti è del parere che Casa Florio debba essere salvaguardata non tanto perché vostra, quanto per garantire l'occupazione e l'ordine pubblico della Sicilia, che è già abbastanza difficile da gestire.»

Marchesano vorrebbe replicare, ma Stringher alza una mano a fermarlo. Si guarda intorno, poi prende da un posacenere un sigaro spento. Lo riaccende e, nel frattempo, punta gli occhi su Ignazio. «Dunque voi sareste disposto ad affidare la gestione del vostro patrimonio a un amministratore esterno? E vostro fratello? Che ne pensa? È pur sempre proprietario di un terzo dei vostri beni...»

«Mio fratello ha un'assoluta fiducia in me.»

L'occhiata di Stringher è scettica. «Quindi non ci saranno problemi ad avere anche la *sua* firma su questi documenti.»

«La avrete», interviene Marchesano. «I signori Florio s'impegnano ad affidare tutte le loro attività a un amministratore esterno per un periodo di dieci anni, ottenendo in cambio un assegno che garantisca il loro tenore di vita.»

Bonaldo Stringher inarca le sopracciglia. «Questo assegno dovrebbe mantenere anche i parassiti di cui i signori Florio si circondano? Giusto per capire di quale cifra stiamo parlando.»

«Parassiti? Buoni amici cui ci troviamo a dare assistenza e sostegno, piuttosto.» Ignazio non riesce a trattenersi. «La mia famiglia ha una dignità da mantenere, signor Stringher. D'accordo, abbiamo fatto... *ho* fatto vari errori nella gestione del patrimonio familiare. Lo ammetto. Ma porto un nome importante, stimato. Non permetterò a nessuno di umiliarmi e...»

Marchesano gli posa una mano sul braccio, glielo stringe. *Tacete, per l'amor di Dio*, sembra dirgli il suo sguardo. «Come ho già detto al signor Florio, dovrà fare dei sacrifici, ma nulla che lui non possa affrontare. Lui e la sua famiglia dovranno essere più oculati... non certo vivere come gente comune.»

Stringher si appoggia allo schienale della poltrona, osserva entrambi, facendo roteare il sigaro tra le dita. «Le azioni della NGI che cederete alle compagnie indicate non sono sufficienti a coprire i vostri debiti. Vi servono circa ventun milioni di lire.»*

Ignazio ha un sussulto. Quella somma gli taglia il respiro, gli prosciuga i polmoni.

«Sono riuscito a ottenere una dilazione di pagamento per le azioni della SAVI che avete dato in pegno, e che dovreste ripagare entro dicembre», prosegue Stringher, scorrendo con un dito il resoconto. «Però avete altre scadenze da onorare.»

«Ma le convenzioni...»

«Non vi farei troppo affidamento, signor Florio. Il Lloyd Italiano si sta già muovendo in tal senso. Anzi iniziate a pensare di dover cedere a loro una parte della flotta dei piroscafi della NGI. Questo sì che potrebbe alleggerire la vostra posizione.»

Quindi avevo ragione, pensa Ignazio, gli occhi fissi sul bordo del tappeto persiano e la vista che si annebbia. *Maledetto Piaggio! Sembra che lo scopo della sua vita sia strappare a noi Florio tutto quello che abbiamo realizzato.*

Ciò che pensa Stringher invece è legato al colloquio che lui ha avuto con Giolitti. Il ministero dei Trasporti sta cercando di pilotare il rinnovo delle convenzioni marittime. La loro natura – secondo il capo del governo – deve cambiare, perché, al momento, impedisce ad altre aziende, magari liguri o toscane, di offrire i loro servizi a prezzi più vantaggiosi. Non è questione di Nord o di Sud, per Giolitti: è che lo Stato non può continuare a sostenere imprese che di fatto gestiscono un monopolio. E Stringher sa bene che c'è già stata addirittura un'asta per il rinnovo dei servizi di trasporto, anche se, per vari motivi, nessuna società vi ha partecipato. Stringher lo sa e tace, perché lui, a differenza di Ignazio Florio, capisce qual è il momento giusto per parlare.

Stringher conosce il suo potere, sa a chi deve lealtà.

E se, da una parte, andare in soccorso di Casa Florio signi-

* Circa 86 milioni di euro. (*N.d.A.*)

fica aiutare l'economia di un'intera isola, dall'altra il governo gli ha manifestato con estrema chiarezza i propri interessi. E le due cose non necessariamente coincidono.

Ignazio è raggelato. In quel silenzio, l'unico che riesce a parlare è Marchesano. Si alza, fissa Stringher e mormora: «Grazie, direttore. Vi faremo sapere la nostra decisione».

«Donna Franca, qui siete! Vi ho cercato dappertutto finché Nino non mi ha detto che eravate in giardino. Con questo freddo!»

Maruzza, di solito così pacata, non nasconde l'ansia. La copre con il suo scialle, le scalda le mani. Da quand'è tornata da Messina, Franca non parla, dorme poco e male, e quasi non mangia. Ora è lì, immobile sulla panchina di pietra davanti alla voliera, coperta solo da una giacca di lana sopra un abito di velluto grigio scuro.

«Rientrate in casa, vi prego. Ho chiesto al *monsù* di prepararvi un tè con la *lemon tart*, quella che vi piace tanto. Andiamo dentro; tra poco si metterà a piovere.»

In risposta, Franca alza la testa e fissa Maruzza con uno strano sorriso. «Erano lì. Io li ho visti...» mormora. «Solo io potevo vederli, ma erano lì...»

«Ma chi, donna Franca? Cosa dite?» La voce di Maruzza si fa acuta, carica di preoccupazione. «Venite, andiamo a scaldarci davanti al caminetto. Avete bisogno di riposo e di calore. Mastro Nino ha acceso quello grande, nel salotto cremisi.»

Ma Franca non si muove. Torna a guardare davanti a sé, e le dita artigliano lo scialle scuro che Maruzza le ha drappeggiato addosso.

Nei suoi occhi, c'è un'immagine che non vuole cancellarsi.

La spiaggia di Messina.

All'alba del 28 dicembre 1908, la terra aveva tremato tra la Sicilia e la Calabria. Era accaduto in passato e sarebbe accaduto ancora. Era sempre stata zona di terremoti, di gorghi marini, di forti correnti, quella, e i Florio lo sapevano bene, anche se ormai era passato più di un secolo da quando i fratelli Paolo e

Ignazio Florio erano partiti da Bagnara Calabra, proprio dopo un terremoto, per cercare fortuna a Palermo.

Però quello non era stato un «semplice» terremoto. Era stata la mano di Dio, calata dal cielo su uomini e cose per annientarli. La terra si era aperta in due, spezzata come crosta di pane. E aveva lasciato solo briciole.

Reggio Calabria era stata devastata, molti paesi – anche Bagnara – erano stati ridotti a un cumulo di macerie, Messina era diventata polvere e pietre in poco meno di due minuti. Poi lo spirito del terremoto si era impossessato del mare, sollevandolo, e onde altissime si erano abbattute su ciò che restava della città e su quanti si trovavano in strada. Erano scoppiati incendi, c'erano state fughe di gas ed esplosioni. Infine era arrivata la pioggia a impastare la polvere, sporcando invece di lavare, accecando i sopravvissuti che vagavano, inebetiti, tra le rovine. I giornali avevano riempito pagine e pagine di dettagli, l'uno più spaventoso dell'altro: le voragini da cui spuntavano mani e gambe; i lamenti, prima forti, strazianti, poi sempre più deboli; la gente che scappava verso le campagne oppure rimaneva immobile, impietrita, urlando senza sosta. E avevano raccontato anche di uomini che scavavano freneticamente tra mattoni, travi e morti alla ricerca di qualcosa da rubare: l'eterna storia degli sciacalli che rimestavano nel dolore altrui.

Nei giorni seguenti, le informazioni si erano affastellate, l'angoscia e lo sgomento si erano sovrapposti alla necessità e all'urgenza di portare soccorsi, che potevano arrivare unicamente via mare, dato che le strade erano interrotte da frane o da immense voragini.

Lo aveva detto il re in persona, arrivato a Messina insieme con la regina Elena il 30 dicembre, a bordo del *Vittorio Emanuele*, nel telegramma che aveva mandato a Giolitti: *Qui c'è strage, fuoco e sangue. Mandare navi, navi, navi.* Poi era arrivata la notizia che Nicoletta Tasca di Cutò, sorella di Giulia Trigona, era rimasta sotto le macerie con il marito, Francesco Cianciafara. Per fortuna, il loro figlio Filippo, un ragazzo di sedici anni, si era salvato.

A quel punto, Franca non si era più accontentata dei giornali e aveva subissato Ignazio di domande. Aveva voluto sapere cosa aveva fatto l'incrociatore *Piemonte* della Regia Marina, che si trovava nel porto di Messina al momento della tragedia e che era stato il primo a intervenire; quali aiuti erano arrivati dalle navi mercantili inglesi, ma soprattutto cosa stava facendo la NGI. E lui le aveva spiegato che stavano portando cibo e aiuti, che già quattro piroscafi della Navigazione Generale Italiana erano pronti ad accogliere i terremotati, che stavano arrivando da Genova il *Lombardia* e il *Duca di Genova* con provviste per circa duemila persone per un mese e che il *Singapore* e il *Campania* sarebbero attraccati a Napoli con a bordo quasi tremila profughi.

Ma non le era bastato.

Quando Ignazio le aveva annunciato che intendeva andare a Messina, Franca gli aveva chiesto di accompagnarlo. Al rifiuto del marito, aveva implorato e pregato. Giovanna e Maruzza le avevano detto e ripetuto che c'erano troppi pericoli per una donna incinta, che c'era il rischio di epidemie e d'infezioni, che c'era bisogno di lei a Palermo nei comitati di beneficenza per gli sfollati, che non doveva stancarsi, che lo spavento poteva far male al bambino... Tutto inutile. La mattina della partenza, Franca si era fatta trovare davanti alla porta, con il paltò da viaggio e una valigia e, in un tono che non ammetteva repliche, aveva detto: «Devo esserci anch'io».

Erano saliti su un piroscafo e poi, dopo un breve trasbordo su una lancia, si erano trovati sulla spiaggia di Messina. Mentre Ignazio provvedeva a far sbarcare cibo e medicinali e partecipava alle squadre di soccorso, Franca si era aggirata tra le tende e gli accampamenti di fortuna, pronta ad aiutare in ogni modo possibile.

Ed era stato allora che li aveva visti.

Bambini, tanti. Sporchi di fango e di sangue che chiedevano un pezzo di pane o che scavavano tra i calcinacci, cercando un segno di vita dove ormai non c'era altro che polvere e morte; neonati immobili e grigi che le madri si ostinavano a premere contro il seno; piccini nudi che camminavano a malapena e che chiamavano disperatamente la mamma intorno a cumuli di macerie; bambini che la fissavano, vivi ma senza vita negli occhi.

542

Il ricordo dei suoi figli l'aveva travolta. In ogni sguardo aveva scorto quello di Giovannuzza, in ogni passo incerto aveva ritrovato Baby Boy, tutti i neonati le erano sembrati Giacobina... Aveva persino inseguito una bimba con una camicia da notte bianca e lunghi capelli neri che somigliava alla sua primogenita, l'aveva chiamata per nome, ma quella si era voltata e aveva cercato la madre, una donna seduta poco lontano con un maschietto addormentato sulle ginocchia.

Per un istante, aveva invidiato quella povera disgraziata che aveva perso tutto, ma che aveva ancora con sé i suoi figli.

E da quel momento non riusciva a pensare ad altro.

«Solo io potevo vederli, ma erano lì...» ripete, e allunga la mano come se potesse sfiorare il volto di Giovannuzza con una carezza o scompigliare i riccioli di Baby Boy.

Maruzza si avvicina, le circonda le spalle con un braccio, le poggia la fronte sulla spalla. «Dovete lasciarli andare, donna Franca», le mormora. «Sono con voi sempre, ma non sono più su questa terra. E, per quanto doloroso sia, dovete curarvi di chi, su questa terra c'è ancora. Igiea e... questa creaturina qui», conclude, posandole una mano sull'addome.

Franca scoppia a piangere. Piange per quegli orfani che non ha potuto aiutare. Sì, hanno accolto una cinquantina di sfollati – soprattutto bambini – nella loro fabbrica di ceramiche, convertita in ospedale; di tre di loro, Giovanna e lei se ne sono occupate personalmente, ma uno è morto per le ferite, un altro è stato reclamato dal nonno e il terzo si è affezionato alla suocera e non la lascia mai.

Ma lei non vuole i figli degli altri, vuole i suoi, i suoi.

E invece non li ha più. Per lei sono ombre che si aggirano per l'Olivuzza, piccoli angeli destinati a non crescere mai. A volte sente i loro passetti su per le scale; altre volte, nel dormiveglia, le sembra di avvertire la carezza di una manina o il bacio di due piccole labbra. Allora si sveglia di soprassalto, il cuore in gola, e nel buio cerca una traccia della loro presenza, il loro odore, una risata... ma è sola.

Eppure Maruzza ha ragione, proprio come aveva avuto ragione la moglie di quel pescatore, cinque anni prima, a Favignana, quando lei stava pensando di... C'è Igiea e c'è un bimbo che arriverà di lì a pochi mesi. Un maschio? Lo spera, ma fatica a crederci. Nella sua vita, la speranza si è spesso trasformata in veleno.

Franca si asciuga le lacrime poi, sorretta da Maruzza, si alza e guarda la voliera. In quella casa, in quel parco, troppi sono i segni del passato, troppi i ricordi.

«Torniamo a Villa Igiea, Maruzza?» La voce è un soffio.

«Va bene», risponde l'altra, avvolgendole le spalle con un braccio. «Torniamo.»

È il marzo 1909 quando, nello studio di Bonaldo Stringher, si riunisce un consesso di avvocati e di direttori di banca per discutere della situazione di Casa Florio.

I due fratelli non ci sono. In loro vece, partecipano Ottavio Ziino e Vittorio Rolandi Ricci, gli avvocati che, insieme con Giuseppe Marchesano, rappresentano gli interessi della casa commerciale. È Rolandi Ricci che si assume lo sgradevole incarico di definire la situazione: non c'è più tempo, dice. Sì, più dei soldi manca il tempo, giacché il rischio è che non resti più nulla da salvare. Alle loro pressioni si aggiungono quelle del prefetto de Seta, che ha chiesto al direttore della Banca d'Italia una rapida soluzione della faccenda.

Infatti Palermo è di nuovo inquieta.

Non soltanto perché il 12 marzo, in piazza Marina, è stato ucciso con quattro rivoltellate il tenente Giuseppe «Joe» Petrosino, arrivato a Palermo da New York per tirare i fili che legano la mafia siciliana con la «Mano Nera» americana. E nemmeno perché l'eterna spada di Damocle del mancato rinnovo delle convenzioni – e della conseguente scomparsa del compartimento marittimo di Palermo – grava ancora sulla città e la porta, il 21 marzo, a una paralisi che coinvolge ogni attività – dalle fabbriche alle scuole, dai negozi alle tramvie – e che per miracolo non esplode in una rivolta.

Ormai troppe voci si rincorrono da troppo tempo e la gente vuole sapere. Passa davanti all'Olivuzza, passeggia nel giardino di Villa Igiea e allunga il collo, aguzza lo sguardo, tende le

544

orecchie. Cerca di cogliere un movimento alle finestre, studia le auto ferme davanti all'ingresso o i calessi che ancora vengono usati per le passeggiate pomeridiane, ascolta la musica che arriva dai salotti, scruta gli invitati alle conversazioni, alle feste, ai tè e si domanda se davvero la crisi sia così grave come dicono.

Insolente e avida, Palermo aspetta di capire cosa accadrà e lo fa con un sorriso maligno, perché sono in tanti a pensare che, per quell'arrogante di Ignazio Florio, sia finalmente arrivata la resa dei conti. Ma quel sorriso nasconde la paura. Se i Florio affondano, è difficile che la città rimanga a galla. Dal lavoro alle opere di beneficenza ai teatri, troppe cose sono a rischio.

Da Roma arrivano notizie che fanno fremere Ignazio. Dopo l'incontro con i legali di Casa Florio, Stringher gli ha scritto che Ziino, Rolandi Ricci e Marchesano – con la benedizione della Banca d'Italia – stanno provando a creare un consorzio di banche che prenda in carico i debiti e amministri la Casa. È seccato, Stringher, anche se le sue parole sono caute. Per lui, Ignazio è un questuante fastidioso, un incapace che piagnucola perché le banche non gli danno più ascolto.

D'altra parte, Ignazio non sa più a chi rivolgersi. Un pomeriggio d'inizio maggio, va alla sede della Banca Commerciale per discutere di un'ennesima dilazione, ma non riesce neppure a farsi ricevere dal direttore che, a detta del segretario, è «molto impegnato». «Se è così, non sarò certo io a disturbarlo», replica seccamente, andandosene, accompagnato dagli sguardi degli altri funzionari.

Mai si è sentito così umiliato.

Lui, che si sarebbe potuto comprare l'intera filiale. Lui, che avrebbe potuto essere il padrone della loro vita. Lui, messo alla porta con fastidio.

Tornato a casa, la sua inquietudine non trova sfogo. Vorrebbe parlare con qualcuno. Non con un amico, neppure con Romualdo, ché si vergogna, ma con qualcuno che lo capisca. Suo fratello? No, Vincenzo è uscito in auto con Annina e Maria Concetta. Hanno fissato il matrimonio per l'estate e hanno deciso di vivere un po' nel villino dell'Olivuzza – che Vincenzo sta facendo risistemare, così che Annina «abbia il suo spazio» – e un po' in via Catania, una traversa dell'elegante via Libertà, in un palazzo dalle linee moderne, al centro di una delle zone di maggior espansione della città. *Un palazzo che ancora devono finire di pagare, santo cielo!* pensa Ignazio con un moto di stizza.

Non c'è neanche Franca: è a Villa Igiea e sta organizzando una serata in cui si alterneranno partite a carte ed esibizioni musicali. Le è sempre piaciuto giocare a carte, ed è anche brava ma, negli ultimi tempi, sembra pensare unicamente a quello. Sulle prime, Ignazio ne era stato contento: al ritorno da Messina, per settimane, Franca non aveva voluto vedere nessuno e aveva passato giorni interi chiusa nella sua camera, all'Olivuzza. Poi, però, lui si era reso conto che quel passatempo stava diventando sempre più dispendioso e le aveva chiesto di limitare le puntate. Ma lei sembrava sorda a ogni richiamo.

In verità, le cose tra loro sono di nuovo peggiorate.

La gravidanza di Franca, quella che li aveva riavvicinati, che aveva ridato un po' di speranza, si è conclusa il 20 aprile 1909.

Una bambina.

L'hanno chiamata Giulia, come l'amata sorella di Ignazio. Ha polmoni forti e tempra da vendere, quella neonata che ora riempie con la sua presenza le stanze dei bambini rimaste vuote troppo a lungo. Subito dopo la sua nascita, Igiea – che ormai ha quasi nove anni – l'aveva fissata a lungo, poi aveva chiesto alla bambinaia se anche lei sarebbe morta come gli altri.

La donna le aveva sorriso, imbarazzata, e con una carezza le aveva assicurato che no, che lei sarebbe vissuta. Franca, per fortuna, non aveva sentito. Ma Ignazio sì, e aveva provato una stretta al cuore, perché quella semplice domanda aveva riacceso il fuoco del suo dolore.

Dei suoi cinque figli, ne restavano solo due. E due femmine, per di più.

Subito dopo il parto, Ignazio aveva regalato a Franca un bracciale di platino. Non di zaffiri, perché quelli glieli aveva donati quand'era nato Baby Boy. Poco importava se quella spesa sarebbe andata ad assommarsi agli altri debiti. Le aveva preso le mani, gliele aveva baciate. Lei lo aveva fissato a lungo prima di parlare, semidistesa tra i cuscini, il viso gonfio e stanco.

«Mi spiace», aveva detto infine. A mezza voce, gli occhi verdi immensi e rassegnati.

Mi spiace perché non è un maschio. Perché sono troppo vecchia per dartene un altro. Perché nonostante tutto ti ho amato e ho dato fiducia a te e al nostro matrimonio. Ma adesso non c'è più niente, nemmeno il fantasma di quell'amore che ci ha unito. Perché so che hai un'altra. E non è una delle tue conquiste passeggere.

Tutto questo era passato dall'anima di Franca ai suoi occhi e l'amarezza che lei provava si era riversata in Ignazio, costringendolo ad abbassare lo sguardo e ad annuire.

Perché così era e così è. Il pensiero corre a Vera. Ecco: lei comprende la sua frustrazione, e sa restargli vicino, e incoraggiarlo. Rasserenarlo, almeno un poco.

Se la immagina, Vera, che gli va incontro e lo abbraccia senza parlare. Lo aiuta a togliersi la giacca, lo fa sedere sul divano della suite dell'hotel di Roma dove s'incontrano e poggia la testa accanto alla sua. Non lo assilla, lo ascolta. Non lo giudica, lo accoglie.

Perché, se era vero che Franca era stato il suo primo, grande amore, era altrettanto vero che non era stato l'unico. *Perché il modo di amare cambia, perché cambiano le persone e cambia il modo in cui hanno bisogno di sentirsi amate*, riflette. *Perché le favole finiscono e, al loro posto, spesso rimane solo il desiderio di un abbraccio che conforti, che ti tolga di dosso la paura del tempo che passa e che t'illuda di non essere solo.*

Ma Vera è a Roma, è lontana.

Ignazio si aggira per la casa e, al suo passaggio, i domestici si fanno da parte, abbassano gli occhi. Poi chiede dove sia sua madre, e qualcuno gli indica il salotto verde. Giovanna è seduta in poltrona e ha un ricamo accanto, ma le mani contratte dall'artrosi sono abbandonate in grembo. Sta sonnecchiando.

Lui si avvicina, le bacia la fronte e lei si riscuote. «*Oh, figghiu meo... Chi dicinu chiddi da' banca?*»

Lui ha un momento di esitazione, poi: «Tutto tranquillo, *maman. 'Un vi scantati*», mente, con il cuore che gli si stringe.

Lei sorride e, con un sospiro, chiude di nuovo gli occhi.

Ignazio le si siede vicino, le prende una mano. Cosa potrebbe dire a quella povera donna, che ha già dovuto rinunciare alle terre della sua dote, alle Terre Rosse in cui aveva trascorso la sua giovinezza?

Guarda la foto del padre sul tavolino accanto alla poltrona. Eppure, per una volta, stranamente, non legge nel suo sguardo severo un'accusa d'inadeguatezza. Anzi sembra che suo padre gli stia dicendo: *Fatti forza, prendi coraggio, perché questo chiede il momento.*

C'è ancora speranza, pensa Ignazio, mentre si dirige verso lo studio; e se lo ripete quando si affaccia alla stanza di Igiea e la vede che sta giocando, serena, mentre la balia culla Giulia, che dorme profondamente.

I Florio hanno ancora solidità, risorse e un nome, *alla faccia di quello che pensa Marchesano, diamine!* Le indagini dei tecnici della Banca d'Italia garantiscono che i soldi ci sono, che la famiglia ha ancora dei cespiti attivi e che i debiti personali – quelli per cui tante sopracciglia s'inarcano – non sono la causa principale dei suoi problemi.

Entra nello studio e sbatte con violenza la porta.

«Non mi arrendo, io», dice a voce alta. «Vedrete tutti con chi avete a che fare.»

Tanta è l'irritazione nei confronti degli uomini della Banca d'Italia e della Banca Commerciale, che non solo lo trattano come un incapace, ma mettono pure le mani dappertutto, frugano e indagano senza tregua, che Ignazio non si accorge di avere una serpe in seno. È infatti Vittorio Rolandi Ricci, uno dei suoi avvocati, a scrivere a Stringher, lamentandosi del fatto che, nonostante la situazione drammatica, a Palermo si continua a pasteggiare a champagne, a buttare soldi sui tavoli da gioco e a concedersi capricci costosi.

Stringher perde le staffe. Ma a suo modo. Scrive a Ignazio una lettera tanto dura quanto gelida. Accumula parole di biasimo, di sdegno, di accusa, di condanna, di disprezzo, di sfiducia. E, su tutto, formula la minaccia esplicita di abbandonarlo al suo destino.

La lettura di quella lettera fa scattare qualcosa in Ignazio. Non è la prima volta che si sente umiliato, non è la prima volta che si vergogna, ma il tono formale, distaccato di Stringher lo scuote nel profondo, gli dà una lucidità dolorosamente nuova. *Deve* rispondere. Allora si chiude a chiave nel suo studio e scrive. Prepara una minuta, sceglie le parole con cura perché non vuol far capire al direttore della Banca d'Italia quanto si senta mortificato, ma non può neppure rischiare d'irritarlo ulteriormente. Scrive, rilegge, cambia, medita. Dichiara che licenzierà il personale in eccesso, ridurrà le spese di gestione della casa e limiterà al massimo il resto. Prova anche a giustificarsi, a spiegare, ma poi avverte l'inconsistenza di quelle scuse e le cancella con un deciso tratto di penna. Infine, i denti conficcati nel labbro inferiore, batte a macchina la lettera e brucia la brutta copia.

Di più non posso fare, si dice, mentre sigilla la busta e si abbandona sulla poltrona, stropicciandosi gli occhi. Quanto vorrebbe un bicchiere di cognac, del *suo* cognac...

In quel momento sente il motore dell'Isotta Fraschini e il saluto appena mormorato dello chauffeur.

Franca è rincasata.

Ignazio tira fuori l'orologio dal taschino. Quella lettera gli ha fatto perdere la cognizione del tempo.

Sono le due e mezzo.

«A quest'ora...» mormora. Poi un pensiero lo colpisce.

Quanto avrà perso, stanotte?

Esce dallo studio, attraversa a grandi passi i saloni e arriva davanti a Franca nel momento in cui lei sta entrando nella sua camera. Ha in mano una borsetta in oro con la chiusura di brillanti, uno degli ultimi acquisti fatti da Cartier, e un fascio di pagherò.

A quella vista, Ignazio inizia a tremare. «Quanto hai perso?» sibila.

Lei solleva la mano, guarda i fogli come se non le appartenessero. «Ah... non so. Ho firmato e basta, ho detto loro che avrei pagato entro domani.»

Stremato, Ignazio si porta le mani alle tempie. «Loro chi? E quanto dovresti pagare?»

Franca entra, facendo sobbalzare Carmela, che stava dormendo su una sedia. Scalcia via le scarpe, allunga i pagherò a Ignazio, con un secco: «Tieni», poi si avvicina alla cameriera che, con gli occhi bassi per l'imbarazzo, comincia a sbottonarle l'abito di *faille* con *paillettes* nere e argento.

Ignazio scorre le cifre e impallidisce.

Arrivata all'ultimo bottone, Carmela alza il viso e vede che Ignazio ha una mano sulla bocca, come per impedirsi di urlare. Franca percepisce il disagio della donna. «Puoi andare, cara. Metterai in ordine domani», le dice.

Carmela sguscia via.

Franca, in sottoveste, osserva Ignazio per qualche istante, a sopracciglia inarcate, poi si siede sul letto.

«Ti rendi conto di quanto hai speso?» La voce di Ignazio è irriconoscibile. Aspra e nel contempo venata di pianto. «Lo capisci che, mentre tu ti divertivi, io ero qui, solo come un disgraziato, a scrivere una lettera in cui mi giustificavo con quel cane di Stringher? Io mi sono umiliato in nome di questa famiglia, e tu...»

Franca si sfila le calze. L'ultima gravidanza l'ha un po' appesantita e il suo viso sta cominciando a rivelare i segni dei dispiaceri, degli eccessi, delle nottate insonni. «Io non sono tenuta a sapere cosa fai del tuo tempo. Del resto, credo che di queste confidenze goda di più Vera.»

«Tu non hai mai voluto sapere nulla di me e di come mi sentivo!» urla lui, e le tira contro i pagherò. «Mi hai mai chiesto come stavo, come andavano gli affari? Oppure cosa ho passato dopo la morte dei nostri figli, cosa ha significato per me? Non ti ho mai fatto mancare nulla: abiti, gioielli, viaggi... E tu sei stata un'ingrata! Tu, tu, tu... C'eravate solamente tu e il tuo dolore. Hai mai pensato che io dovevo occuparmi di ogni cosa, di tenere tutto insieme, mentre tu eri intenta a farti compiangere dal resto del mondo? Io pure ho perso tre figli, sai? Non ho più un erede, qualcuno cui affidare Casa Florio una volta che... Ho perso il mio futuro, ma a te, questo, non è mai importato.» Si avvicina, la fissa negli occhi. «E adesso mi costringeranno

550

pure a stare sotto tutela, come se fossi un idiota, incapace di amministrare il mio patrimonio. Sapevi che le cose andavano male, però hai continuato a girarti dall'altra parte, a fare la tua vita, a spendere senza criterio. E a umiliarmi, sì, perché questi pagherò non li posso onorare, né domani né sa Dio quando. Ma a te non importa. Sei un'egoista. Sei una maledetta egoista, entrata in questa casa soltanto grazie al suo bel visino!»

Franca lo guarda con distacco. Forse ha bevuto o forse è semplicemente stanca. Non reagisce subito. Si alza, indossa la camicia da notte, la vestaglia, poi si siede di nuovo sul letto e accarezza la coperta. «Come puoi accusare me di essere un'egoista, con quello che mi hai fatto passare per anni?» replica infine, a mezza voce. «Dici che non ti sono stata accanto negli affari ma, se Villa Igiea è famosa in tutta Europa, si deve unicamente a me, a quello che ho fatto e faccio ogni giorno per gli ospiti. No, Ignazio...» Si china a raccogliere un pagherò, lo accartoccia. «Sei tu quello che ha inseguito il suo piacere sempre e comunque. Che ha speso una fortuna per le sue amanti, molto più di quanto non abbia speso io. Ti sei divertito senza curarti di me, di come mi sentivo. E sapendo che, alla fine di ogni storia, quando arrivavano la noia o la stanchezza, io ero lì ad aspettarti, senza fare domande. Ma ormai tutto è oltre, Ignazio mio. Ciascuno ha il suo modo per sfuggire al dolore, e nessuno può rimproverare all'altro di aver tentato di sopravvivere, nonostante tutto.» Un velo di malinconia stempera l'astio che ormai non si cura più di nascondere. «Sai qual è la verità? Sarebbe stato mille volte meglio se non ci fossimo sposati.»

Ignazio sente il sangue abbandonargli il viso. Deglutisce.

Si fissano per un lungo istante.

Poi lui esce dalla stanza e, nel buio, si avvia verso la sua camera.

«Quel Florio è un ingrato! Avete letto la mia lettera in cui vi descrivo il mio incontro con lui, pochi giorni fa? Dice che, con l'accordo che abbiamo trovato con le banche, lui sarebbe di fatto estromesso dall'amministrazione della Casa. Minaccia di ritirarsi dalla trattativa e di chiedere un concordato giudiziario a Palermo, proponendo ai creditori il versamento delle somme dovute nell'arco di sette anni, grazie a un amministratore formalmente nominato dal tribunale, ma deciso da lui. Cosa crede di fare? Chi crede di essere?» Vittorio Rolandi Ricci si ferma, sospira. Sa che, con Bonaldo Stringher, non ha bisogno di controllare i toni. Si conoscono da anni e, pur nell'assoluto rispetto della forma, hanno sviluppato una complicità schietta, forte, avara di parole ma ricca di conoscenza condivisa dei meccanismi dell'economia e del potere.

Stringher non replica subito. Si alza dalla scrivania, va alla finestra e scosta le tende, lasciando entrare la luce di un sole di bronzo che sembra reclamare il suo potere prima che il buio s'impossessi della stanza. Sta ancora osservando il traffico del tardo pomeriggio su via Nazionale quando dice: «Sì, ho letto la vostra lettera. Siete stato preciso e onesto, e di ciò vi ringrazio». *Proprio il contrario di Florio, con la sua lettera piena di buone intenzioni, che però si sono dissolte come neve al sole nel giro di pochi giorni,* pensa. *Quell'uomo è stato rovinato dai privilegi che ha avuto e che crede ancora di avere.* Per un istante, si chiede se non sia il caso di mostrare la lettera a Rolandi Ricci. *No, sarebbe inutile,* decide infine. *Certe armi bisogna usarle solo quando servono. Se servono.*

Gli occhi chiari di Rolandi Ricci sono carichi di collera. «Quell'uomo è cieco! Nonostante gli sforzi che abbiamo fatto e la bozza di accordo che gli abbiamo sottoposto, lui se ne viene fuori con l'idea di mettere un'ipoteca sulle Egadi, la sua più importante fonte di reddito! E poi cosa gli rimarrebbe?»

Stringher torna alla scrivania, si siede, annuisce. «Sì, solo uno sciocco, o una persona mal consigliata, potrebbe pensare una cosa del genere. In verità, ho il sospetto che lui sia entrambe le cose. Noi stiamo facendo il possibile, ma non si può salvare chi non vuole essere salvato.»

«Il fatto è che non ha capito davvero cosa succederebbe se rifiutasse il nostro accordo. Non sa che i concordati giudiziari alla fine si trasformano proprio in ciò che vogliono evitare...»

«Cioè in un fallimento», completa Stringher, passandosi un

dito sulle labbra, a seguire la linea dei baffi. «Altro che onorabilità e rispetto!»

«Di fatto, è come se stesse aprendo la porta agli speculatori», commenta Rolandi Ricci, incrociando le mani sul ventre tondo.

«O forse è già aperta...» mormora Stringher.

Rolandi Ricci lo fissa con aria interrogativa. Sa bene che il direttore generale della Banca d'Italia non fa mai affermazioni avventate.

«Credo che i Florio si stiano muovendo proprio in questo senso. Avete notato l'assenza di Marchesano agli ultimi incontri, vero? L'atteggiamento di Ignazio Florio come voi lo avete descritto, i suoi ripensamenti, le soluzioni che lui propone non fanno che confermare le... voci che mi sono arrivate. Sta cercando alleanze altrove.» Stringher si china in avanti. «Noi stiamo lavorando con coscienza e il governo ci ha chiesto di aiutare Casa Florio *soprattutto* per salvaguardare l'ordine pubblico in Sicilia. Però, se i Florio non aderiscono al nostro consorzio o se vengono mal consigliati, noi non abbiamo motivo d'impedire ai creditori di aggredire il loro patrimonio. Casa Florio andrà in rovina e altri imprenditori occuperanno il vuoto lasciato dalle loro attività. Mi capite?»

Una pausa. Un silenzio lungo, punteggiato dai rumori della strada e dal respiro pesante di Rolandi Ricci che, alla fine, sussurra: «Sì. Vi capisco perfettamente».

Alla fine del maggio 1909 l'avvocato Ottavio Ziino, sguardo terreo e volto di pietra, comunica a un impassibile Stringher che i Florio si ritirano dal consorzio. «Hanno provveduto diversamente. Non potevano accettare le condizioni proposte», conclude, atono.

Bonaldo Stringher lo ascolta e scuote la testa. Poi fissa Ziino con limpido distacco. «Siete pregato di riferire al vostro assistito che si tratta di una decisione insensata e che lui ne piangerà le conseguenze. Ha tradito la fiducia mia e dei creditori, ha agito in maniera ottusa e subdola e il suo comportamento lo porterà alla rovina. »

Ziino non riesce a nascondere il tremito delle mani, ma non abbassa lo sguardo.

Stringher si alza, si aggiusta la cravatta. «Da questo momento in poi, Ignazio Florio non mi riguarda più. I creditori saranno liberi di spartirsi il patrimonio di Casa Florio nei modi e nelle forme che preferiranno. Io non alzerò un dito. »

A Palermo, la notizia è folata di tramontana. Rimbalza dagli uffici del Banco di Sicilia a quelli della Banca d'Italia, si colora di ansia. Nei salotti, il rifiuto del consorzio si mescola con i pettegolezzi su Vera Arrivabene: è stata lei – dicono i ben informati – che lo avrebbe consigliato in tal senso. Lei, e non la moglie, perché Ignazio – dicono sempre gli stessi – ha abituato donna Franca a non immischiarsi mai negli affari. Qualcun altro sostiene di aver saputo « da fonti *affidabilissime* » che alcuni consiglieri di Ignazio hanno già preso accordi con certi industriali che... Altri ancora sentenziano che Casa Florio è nave che affonda. E si sa che fine fanno i relitti.

La notizia si sparge nelle strade, nelle fabbriche, e arriva fino al porto. Subito si scatenano voci, si generano incertezza e confusione. Gli accordi commerciali e i passaggi di proprietà importano assai poco agli operai, ai marinai e ai poveri che sopravvivono di beneficenza. Hanno intuito cosa li aspetta, e la minaccia è più concreta che mai: se i soldi dei Florio stanno per finire, la loro miseria sta per cominciare.

Quando Ignazio ha comunicato la sua decisione in famiglia, Vincenzo si è limitato a scrollare le spalle e a dire: «Fai tu», prima di scappare a casa di Annina per l'organizzazione del matrimonio che si celebrerà di lì a pochi mesi. Giovanna, pallida, sofferente, si è fatta il segno della croce, ha mormorato una preghiera, poi ha preso per mano Igiea e si è allontanata.

Sprofondata in una poltrona, le mani posate sulle ginocchia, Franca lo ha ascoltato senza batter ciglio. «Tu credi davvero che riusciremo a venir fuori da questo pasticcio? » ha chiesto alla fine, dopo essersi accesa una sigaretta.

Lui si è stretto nelle spalle e ha mormorato un: « Lo spero », che Franca ha sentito a malapena.

Poi però lei ha fatto un gesto che non faceva da tempo: gli è andata accanto, lo ha abbracciato. Quel moto d'affetto era esattamente ciò di cui Ignazio aveva bisogno in quel momento. E qualcosa dentro di lui si è sgretolato, rivelando la traccia di un amore ancora vivo, nonostante liti e recriminazioni.

Si è staccato da Franca, le ha preso una mano. «Perché?» le ha chiesto, fissandola negli occhi verdi.

«Perché è così», ha replicato lei, sostenendo il suo sguardo. E, dopo tanto tempo, è affiorato un barlume di tenerezza.

Sono tante, le cose che Ignazio vorrebbe chiederle. È davvero stata solo colpa sua, delle sue infedeltà, oppure anche lei si sente almeno un po' responsabile per il naufragio di quel matrimonio? Gli è davvero stata sempre fedele oppure ha ceduto alla corte di qualcuno, come si dice in giro? Perché la morte dei loro figli, invece di unirli, li aveva separati sempre di più?

E invece rimane immobile, in silenzio, mentre lei va a prepararsi per una delle sue serate a Villa Igiea. Un altro motivo di amarezza; negli ultimi tempi, le sale da gioco della villa sono frequentate anche da gente poco rispettabile: truffatori e bari di professione, strozzini e prostitute che si approfittano soprattutto dei borghesucci ingenui o annoiati. E che, tuttavia, fanno girare il denaro in cassa, cosa di cui i Florio hanno un disperato bisogno.

Quando sente la porta di casa chiudersi alle spalle di Franca, Ignazio si copre il viso con le mani.

L'ennesima occasione di parlare, di spiegarsi è andata perduta.

L'accordo che dovrebbe salvare Casa Florio viene firmato il 18 giugno 1909. Padrino dell'operazione è un certo Vincenzo Puglisi, che ha messo in contatto i Florio con i titolari di una ditta piemontese, la Fratelli Pedemonte-Luigi Lavagetto e C., e con degli industriali conservieri di Genova, i Parodi. Viene ceduto il prodotto della tonnara di Favignana e Formica per cinque anni, e accesa una pesantissima ipoteca su tutto l'arcipelago delle Egadi.

Che idiota, pensa Bonaldo Stringher nel suo ufficio di Roma, mentre legge i rapporti riservati che gli inoltrano gli uffici regionali. *Non finirà semplicemente male. Finirà in rovina*, aggiunge, accendendosi un sigaro.

Rolandi Ricci entra nell'ufficio proprio nel momento in cui Stringher sta chiudendo il fascicolo. Si siede senza aspettare un invito. «Quindi la Banca Commerciale ha vinto.»

Stringher rimane immobile per un attimo, poi si alza, e mette le carte in un armadio. «Sì, Florio non si è reso conto che Lavagetto e Parodi hanno firmato la surroga a favore della Commerciale, per cui, se un giorno dovessero avere difficoltà, cederebbero il loro credito alla banca e lui sarebbe costretto a vedersela direttamente con la Banca Commerciale.»

«... che quindi acquisirebbe la proprietà delle Egadi senza battere ciglio, lasciandoli in mezzo a una strada», conclude Rolandi Ricci.

La risata di Stringher è sprezzante. «La Commerciale dà i soldi a Lavagetto e Parodi, che li danno ai Florio, i quali proprio con quei soldi pagheranno i debiti contratti nei confronti della Commerciale... Una classica partita di giro, insomma. Noi però ci abbiamo guadagnato due debitori infinitamente più affidabili di Ignazio Florio. Se penso a ciò che quest'uomo ha buttato all'aria... Mi è difficile immaginare un esempio più ficcante d'idiozia applicata alla finanza. Non ha riscattato le azioni della SAVI, quindi è fuori dalla cantina. È praticamente fuori dalla Navigazione Generale Italiana, non possiede più né il cantiere né lo scalo d'alaggio... Sarà una catastrofe. È solo questione di tempo.»

«Incredibile! Siamo davvero in pochi...»

«Eh, sì, mia cara. Un ricevimento al risparmio, a differenza di ciò che accadeva solo qualche anno fa. Vi ricordate quando, al termine di ogni ballo, veniva dato a tutti un ninnolo in oro o in argento?»

«Be', del resto, ho saputo che hanno dovuto licenziare vari domestici e che Ignazio ha rinunciato al suo sarto inglese...»

« Lei, per contro, non rinuncia a un bel nulla. Avete visto che abito? »

« Francese o inglese? Il vestito, dico... Comunque, dopo la nascita dell'ultima figlia, si è appesantita assai... »

« Certo, con quel *corsage* in platino e diamanti e con quelle perle al collo può indossare qualunque cosa, però... »

Franca ignora quelle malignità, che la inseguono come uno sciame di vespe. *Dicano pure cosa vogliono, questi parassiti*, pensa. Non le importa più nulla, da tempo. In un abito di pizzo e seta verde che richiama il colore dei suoi occhi, si aggira tra i tavoli, decorati con alzate di fiori bianchi e nastri di raso, sorveglia che tutto sia a posto e che nessun ospite sia trascurato. Il suo sorriso è il suo scudo.

L'orchestrina attacca un valzer e Vincenzo e Annina ballano, per la prima volta come marito e moglie. È il 10 luglio 1909 e un po' di felicità sembra tornata all'Olivuzza.

È bella, Annina, con quel vestito che le segna la vita e il velo fermato ai lati del capo da mughetti. Anche Vincenzo è bello ma, soprattutto, ha lo sguardo di un uomo innamorato; stringe a sé la sposa, la fa roteare vorticosamente e poi si ferma, ridendo. Si baciano senza vergogna, come se fossero soli al mondo.

Sa riconoscere la vera felicità, Franca. Anche se non c'è più nella sua vita, l'amore lei lo sente ancora e ne riconosce l'odore: un profumo intenso, dolce, simile a quello dei mughetti che decorano il velo di Annina.

Ne ha nostalgia, lei, della felicità.

Li guarda ballare e prega che il loro sentimento non sfiorisca com'era accaduto a lei e Ignazio. Prega soprattutto che Vincenzo non faccia soffrire Annina. In lui vibra lo spirito dei Florio: è intraprendente, determinato, guarda lontano; tuttavia il fratello lo ha sempre protetto, finanziandogli ogni impresa. Annina ha solo ventiquattro anni, è bella, sicura di sé. Però anche lei ha vissuto un'esistenza dorata. Riusciranno a trovare insieme la forza di affrontare le tempeste che, inevitabilmente, arriveranno?

Sospira, Franca, e cerca il marito con lo sguardo. È in un angolo, con la fronte corrucciata, a poca distanza dalla poltrona dov'è seduta Giovanna, accanto a Maruzza.

Come al solito, Ignazio non le ha detto nulla di ciò che sta accadendo. Le chiede con insistenza di non fare puntate troppo alte a baccarat o alla roulette, di risparmiare, di limitarsi nelle spese per gli abiti, pur sapendo che lei non può, agli occhi del mondo, rinunciare a rinnovare il guardaroba ogni anno né a fare lunghi soggiorni in Costa Azzurra o sulle Alpi austriache. Ma ormai anche Franca ha piena consapevolezza della grave crisi che incombe su Casa Florio. Ne aveva parlato apertamente con Giulia Trigona solo qualche settimana prima, ammettendo che sì, le voci delle loro difficoltà erano più che fondate.

L'amica l'aveva abbracciata, in lacrime, ma non si era trattenuta dal rivelarle che, in realtà, la città intera lo sapeva da tempo. Ai primi di giugno, suo marito Romualdo era diventato sindaco di Palermo e lei lo aveva sentito descrivere in toni angosciati gli scioperi dei portuali e degli impiegati della Navigazione Generale Italiana, ma anche della fabbrica di ceramiche, gli scontri sanguinosi tra operai e carabinieri, i negozi su via Maqueda presi a sassate, il caffè in piazza Regalmici completamente distrutto, i passanti malmenati, le barricate davanti alla chiesa dei Crociferi... Tutto perché la gente non voleva e non poteva rassegnarsi al fatto che le convenzioni navali non sarebbero state rinnovate, giacché ormai erano – così pareva – nelle mani del Lloyd Italiano di Erasmo Piaggio, che non aveva nessun interesse a coinvolgere Palermo e la sua gente.

Alle parole di Giulia si erano aggiunte le infuocate cronache dell'*Ora*, che Maruzza le leggeva ad alta voce, e che avevano acuito l'inquietudine di Franca, sconvolta all'idea che, a così breve distanza dall'Olivuzza o da Villa Igiea, si fosse scatenato un simile inferno. Erano stati quei disordini uno dei motivi per cui il matrimonio di Annina e Vincenzo era stato rimandato di qualche giorno e che il ricevimento era stato riservato a pochi intimi. Una festa in grande stile rischiava di esacerbare gli animi degli operai... senza contare che avrebbe gravato troppo sulle loro finanze.

Maria Concetta, la sorella di Annina, la raggiunge, la prende sottobraccio. «Sono proprio belli insieme, non è vero?»

«Sì. Belli e felici. Auguro loro di esserlo a lungo.»

Davanti a loro, passa un uomo dal viso triangolare e dai baffi sottili. Indossa un abito impolverato e regge su una spalla, con disinvoltura, un treppiede, su cui è montata una grossa scatola dall'aria insieme delicata e pesante. Sorride a Franca e abbassa il capo in segno di saluto.

Maria Concetta non riesce a trattenersi e scocca all'amica un'occhiata interrogativa.

«È il signor Raffaello Lucarelli, un amico di Vincenzo», spiega Franca con un sorriso. «Ha fatto... come l'ha definita? Ah, sì, 'una meravigliosa film dal vero', cioè una registrazione cinematografica del matrimonio. Dice che vuol mostrarla nel suo teatro, l'Edison.»

«Quindi tutta Palermo potrà assistere al matrimonio? *Mais c'est époustouflant!*»

«Prima Palermo e poi probabilmente l'Italia intera... Sai, Vincenzo è fatto così. Non resiste al richiamo delle novità e vuol dimostrare al mondo di essere sempre un passo avanti rispetto agli altri. Non si cura del giudizio degli altri, lui.»

Maria Concetta si avvicina a Franca, le stringe il braccio fasciato da un lungo guanto color ghiaccio. «Come Ignazio...» mormora.

È un'allusione discreta, fatta senza malignità. Franca annuisce e cerca di nascondere l'amarezza che è affiorata nei suoi occhi al pensiero di Vera Arrivabene. Qualche giorno prima, era entrata nello studio di Ignazio per parlargli. Non lo aveva trovato, ma in compenso aveva subito scorto le lettere di lei. Erano lì, sulla scrivania, in un portacarte d'argento. Una di esse, poi, era sul sottomano, accanto alla risposta di Ignazio, già imbustata e pronta per essere spedita. Lei l'aveva letta. Erano parole di una donna innamorata che rivelavano fiducia, complicità, allegria. Tutto ciò che lei e Ignazio avevano perduto.

Si era sentita una ladra: aveva rimesso tutto a posto ed era uscita dalla stanza in punta di piedi.

Possibile che Ignazio ricambi davvero l'amore di questa donna? si era domandata, chiudendo la porta.

«Lui è fatto così. Ma poi torna da me, sempre», replica ora a Maria Concetta, sforzandosi di sorridere.

Quante volte aveva detto – e si era detta – quella frase in sedici anni di matrimonio? *Lui sempre da te deve tornare*, le aveva detto Giovanna, tanto tempo prima. *Se vuoi tenertelo, deve sapere che tu lo perdonerai sempre. Attuppati l'occhi e l'aricchi e, quannu torna, statti muta.* E lei così si era comportata. Aveva sofferto, aspettato e perdonato in silenzio. E poi aveva imparato a non soffrire più, a vivere senza aspettarlo, a perdonarlo senza fatica. Ad accettare lui e se stessa.

Adesso, però, non può fare a meno di chiedersi se con Vera sia diverso. E se, nel suo futuro, non ci sia un'altra solitudine. Una solitudine in cui anche il filo del dolore che lega lei e Ignazio si è spezzato. Una solitudine in cui si sopravvive solo se si accetta di vivere in compagnia dei fantasmi.

« Cosa farete dopo che gli sposini saranno partiti per il viaggio di nozze? » chiede Maria Concetta. « Maruzza mi accennava che vorreste andare via per qualche giorno. »

Franca annuisce, poi armeggia nella borsa per cercare il bocchino. Fa cenno all'amica di seguirla in giardino. « Sì. Ignazio vorrebbe andare in Costa Azzurra; ha bisogno di un po' di pace. » Accende la sigaretta. « Sono stati giorni terribili per tutti e ce ne saranno altri, temo. Verranno pure Igiea e Giulia, oltre che mia suocera. »

Maria Concetta scosta i capelli dalla fronte, si guarda alle spalle. Dal buffet dove gli ospiti si sono assiepati, viene uno scoppio di risa seguito da un applauso. Vincenzo deve aver detto qualcosa di buffo. « Mia madre è preoccupata », dice. « Oltre ai disordini in città... Be', sai bene le voci che circolano sulla situazione di Casa Florio e lei vorrebbe che Annina non vi fosse coinvolta. È vissuta in un ambiente tranquillo, è una ragazza senza grilli per la testa e non vuole che si trovi in difficoltà. »

« Non posso darle torto », commenta Franca, asciutta. « Del resto, basta una persona che lascia cadere una parola qui e una lì ed ecco che un momento difficile si trasforma subito in una rovina. »

Maria Concetta le va davanti, la guarda negli occhi. Sono amiche da anni, possono essere sincere l'una con l'altra. « Vuoi sapere come ha commentato quelle voci, mia sorella? » chiede con dolcezza.

« Dimmi. »

« Ha detto che, per quanto la riguarda, i Florio potrebbero pure tornare a vivere in via dei Materassai, come dei poveri aromatari, e a lei non importerebbe nulla, perché ama Vincenzo e vuol stare con lui. »

Franca avverte una grande tenerezza. Aveva quasi scordato che esistessero sentimenti così forti, così puliti. E quel pensiero si rispecchia nel gesto di Maria Concetta, che le prende le mani e le parla con la voce che trema. « Abbi cura di lei, Franca, ti prego. È così giovane, così pronta a buttarsi a capofitto nella vita... Non sa, non può sapere, quanto è difficile essere moglie e madre. Ha bisogno di un'amica che la segua e la protegga. »

Franca abbraccia Maria Concetta, avverte una commozione che le stringe la gola. « Sarà come una sorella per me. Te lo prometto, avrò cura di lei. È una Florio, ora. E per noi Florio nulla è più importante della famiglia. »

« Don Ignazio, questi dove li mettiamo? »

Ignazio si volta, guarda gli uomini di fatica che stanno scaricando le casse e i mobili portati via dalla sede della Navigazione Generale Italiana. Ormai quel palazzo in piazza Marina non è più suo. Non vedrà più il passeggio lungo il Cassaro, né il grigio delle *balate* della piazza o le vetture lucide della tramvia. E, forse, non sentirà più scricchiolii e non vedrà più aprirsi crepe.

Non ci è voluto molto, a Luigi Luzzatti – nuovo primo ministro, ma vecchia volpe della politica e della finanza –, per sistemare le cose: nel giugno 1910, ha affidato a una compagnia appena costituita a Roma, la Società Nazionale dei Servizi Marittimi, la gestione dei servizi convenzionati. E questa società ha rilevato la maggioranza delle navi dei Florio. Per qualche tempo, Ignazio continuerà a essere il vicepresidente del consiglio di amministrazione della NGI e Vincenzo sarà addirittura presente alla fatale riunione del 25 aprile 1911, a Roma, quando la sede della NGI verrà definitivamente trasferita a Genova.

Ma la realtà non cambia: i Florio sono fuori dalla Navigazione Generale Italiana.

Insieme con Vincenzo, Ignazio ha aperto una società di gestione di diritti marittimi. Una piccola impresa, che però per lui è l'occasione di restare in quell'ambiente in cui – può ammetterlo apertamente – ormai conta poco o nulla. Hanno preso un ufficio in via Roma. Più luminoso, certo, e moderno, con una bella vista sui palazzi che hanno spazzato via una parte del centro storico, in quella smania di rinnovamento che sembra ancora percorrere la città come una scossa elettrica.

Ignazio fa cenno agli operai di seguirlo per le scale. Indica due ampie stanze, l'una attigua all'altra. «Qui i mobili bassi, i quadri e la scrivania di mio padre; nell'altra stanza, le librerie e gli armadi di sicurezza.»

«Alla fine l'hai portata...»

La voce di Vincenzo lo fa sussultare. In cappello di paglia e completo di lino, gli si affianca e indica con la punta del bastone la pesante scrivania di mogano che i facchini stanno sistemando.

«Non potevo lasciarla là», mormora Ignazio.

«Non nutro un grande amore per queste anticaglie e per le tradizioni di famiglia, ma è giusto così, in fondo.» Guarda il fratello in tralice. «Non essere malinconico. Pensa invece che avremo meno rogne e potremo risollevarci grazie all'accordo sulle tonnare.»

«Lo spero», replica Ignazio.

Vincenzo non capirebbe, lo sa. Lui guarda sempre avanti, non si è mai sentito legato al passato. Forse non pensa che lasciare la scrivania di suo padre e di suo nonno a qualche sconosciuto sarebbe stato un insulto al nome stesso dei Florio. E probabilmente immagina a malapena quali sono le conseguenze della fine del loro legame con Navigazione Generale Italiana. È solo questione di tempo: Ignazio dovrà abbandonare la Fonderia Oretea, che il nonno Vincenzo aveva voluto contro il parere di tutti e che aveva realizzato alcune delle più belle opere in ghisa che decoravano Palermo. E dovrà vendere lo scalo d'alaggio: alcuni parlamentari palermitani si stanno già muovendo per stringere un accordo con Attilio Odero, il proprietario del cantiere navale. Pare che l'accordo preveda che gli operai saranno ricollocati e che quindi non ci saranno troppi licenziamenti, ma non ci crede nessuno: Odero ha ben altri interessi e la nuova compagnia ha sedi a Roma, Genova, Trieste. Ovunque, ma non a Palermo. Tutto finito nelle mani di gente del Nord, liguri soprattutto. Sì, Ignazio sa come andrà a finire, e lo sa pure la gente di Palermo, quella che ora lo guarda in cagnesco e non si fa più da parte per lasciarlo passare.

Ignazio si volta verso il fratello. Sono soli nella stanza ingombra di scatoloni e mobili. «Tu... anche tu pensi che la colpa di tutto questo sia mia», dice.

«Sì e no», risponde Vincenzo. Senza rabbia, senza recriminazione. «Hai avuto troppe cose contro e non te ne sei reso conto. Hai provato a tenere in piedi tutto, ma non sei stato sempre... all'altezza delle circostanze.»

Non ha il coraggio di aggiungere altro, Vincenzo. D'altronde, che senso avrebbe, ormai, rinfacciare al fratello le spese folli, i regali principeschi, i viaggi continui, i ricevimenti sfarzosi? E comunque anche lui si è sempre preso tutto quello che voleva, che fosse un'automobile o una donna. *Forse con Annina cambierà tutto*, si dice. *Imparerò ad apprezzare le cose semplici, senza pretese...* Sorride all'idea, poi però vede che il fratello sta mettendo sulla scrivania una fotografia di Baby Boy in una cornice d'argento. E gli si stringe il cuore. *Ho sempre pensato di essere coraggioso perché non ho paura di correre in auto o volare con un aeroplano*, pensa. *Ma il vero coraggio è vivere con un dolore incancellabile e farlo ogni giorno, andando comunque avanti. Annina e io ti aiuteremo a sopportare il tuo dolore, fratello mio. Perché certi legami sono ancora più forti del sangue. Non ce lo diremo mai, perché siamo uomini e gli uomini certe cose non se le dicono. Ma è così.*

Gli si avvicina, gli posa una mano sulla spalla. «Faremo di tutto per sopravvivere», dice allora. «E lo faremo insieme.»

Ignazio sta correndo lungo i corridoi del Quirinale e quasi non vede le guardie che cercano di farlo rallentare. È un commesso

in livrea che si para davanti a loro e fa cenno di non intervenire, ché si tratta di una faccenda assai delicata.

Penosa, in realtà. Perché una tragedia si è abbattuta su Romualdo Trigona, amico di Ignazio da sempre, quasi un fratello.
Sua moglie Giulia è stata pugnalata a morte nell'albergo Rebec-
chino, una pensione romana di terz'ordine, dal barone palermitano Vincenzo Paternò del Cugno, tenente di cavalleria.

Com'è stato possibile? si chiede Ignazio, sconvolto, ansimante.
Come?

Non riesce a trovare una risposta.

Ma, dov'è iniziata quella storia, lui lo sa benissimo.

Quasi due anni prima, nell'agosto 1909, durante una festa a
Villa Igiea. È lì che Giulia e Vincenzo si sono conosciuti. Una
moglie insoddisfatta e trascurata che diventa oggetto delle attenzioni del rampollo di una famiglia nobile e non particolarmente ricca. Una relazione come tante altre, da tenere nascosta
agli occhi del mondo, da consumare in segreto.

Invece era diventato tutto di pubblico dominio: Giulia se
n'era addirittura andata di casa e aveva venduto alcune sue
proprietà per poter mantenere l'amante. Erano state avviate
le pratiche per la separazione legale.

Nello scandalo che aveva travolto i Tasca di Cutò e i Trigona, Franca aveva provato a far ragionare Giulia, ricordandole
che stava condannando le figlie Clementina e Giovanna a una
vita segnata dalla vergogna, a uno stigma sociale incancellabile. Ma Giulia non aveva voluto sentire ragioni; anche se avesse
lasciato Vincenzo – aveva detto – mai sarebbe tornata da Romualdo. Lo aveva definito un donnaiolo, uno scialacquatore
e un vigliacco, incapace di assumersi qualsiasi responsabilità.

Ignazio, invece, aveva provato a confrontarsi con Vincenzo
Paternò e, grazie alla rete di parentele e di conoscenze della
buona società palermitana, non ci aveva messo molto a trovar-
lo e a parlargli. Paternò del Cugno si era rivelato un giovane
carismatico, ma altezzoso e arrogante, che lo aveva addirittura
accusato di avere mire di conquista su Giulia. Non aveva fatto
mistero del proprio interesse per le ricchezze dell'amante, dato
che aveva pesanti debiti di gioco. Gli animi si erano scaldati,

erano volate parole pesanti. Poco era mancato che venissero alle mani.

Ansima, Ignazio, più per il dolore che gli opprime il petto che per la fatica. Avrebbe potuto fare di più, si dice. *Tutti avrebbero potuto fare di più, eppure nessuno è intervenuto.*

E ora Giulia è morta.

Si ferma al secondo piano, interroga il commesso con lo sguardo e l'uomo gli indica una porta a doppio battente in fondo al corridoio, l'ultimo degli appartamenti riservati alle dame e ai gentiluomini di corte.

Si avvicina, bussa.

Dall'altra parte, singhiozzi.

Ignazio entra.

Romualdo è accasciato su una poltrona. Accanto a lui, il suo valletto.

«*Mi l'ammazzò...* Disgraziato, maledetto, me l'ha ammazzata...»

Ignazio getta da parte il cappello e il soprabito, s'inginocchia ai piedi di Romualdo, lo abbraccia e quello si aggrappa a lui come un naufrago a uno scoglio. Sta male e non solo per quello che è successo. Da qualche giorno ha la febbre e si vede che si è appena alzato dal letto.

«*L'ammazzò, disgraziato malirittu! Puru si avia successo tutto chiddu chi successi, ju...*» Uno scoppio di singhiozzi interrompe quel flusso di parole rabbiose. «Giulia... *mai avrei voluto che finisse accussì.*» Si aggrappa al bavero della giacca di Ignazio. «*E iddu? Vero è che si ammazzò?*»

Ignazio gli afferra il volto, lo scuote. «Si è sparato un colpo alla tempia, ma è solo ferito, a quanto pare. Sembra che lei avesse accettato d'incontrarlo per dirgli che lo voleva lasciare, e che lui... avesse già in animo d'impedirglielo. Aveva con sé un'arma e...» Non riesce a proseguire. Anche lui deve farsi forza per trattenere le lacrime.

Romualdo si contorce, si colpisce la fronte con i pugni chiusi. «*Mancu l'armali si ammazzano a 'sta manera...*» Poi ha uno scatto, afferra Ignazio per le spalle. «Dovevo capirlo! Lo sai, vero, che solo qualche giorno fa quell'infame è venuto qui, nei nostri appartamenti, tutto agitato... Mi hanno detto che

Giulia ha cercato di calmarlo, ma lui si è messo a gridare: 'Vigliacca, sgualdrina, in questo momento mi vuoi abbandonare? Ti scannerò!' Dovevo capirlo!»

«*U' sacciu.*» Sì, gli avevano raccontato di quella tremenda scenata. «Adesso calmati.» Ignazio alza la testa, cerca il valletto con lo sguardo. «Due cognac», ordina. Prende il bicchiere, dice all'amico di mandarlo giù d'un fiato.

Romualdo obbedisce e sembra ritrovare il controllo di sé, anche se le mani continuano a tremare. «*Idda... Tu la viristi?*»

«No. Sono venuto subito qui da te. Franca è... là, all'albergo, insieme con Alessandro. So solo che il principe di Belmonte è andato a dare la notizia al padre di Giulia, che stava per partire per Frascati. Ha già perso una figlia nel terremoto di Messina, quel pover'uomo...»

Ma Romualdo non lo ascolta. «Ha voluto fare di testa sua e io non potevo sopportare che *idda facìa accussì.* Tu lo sai cosa ho passato, sai pure che la regina ha chiesto che provassimo a riconciliarci, ma lei niente, niente...»

Ignazio annuisce di nuovo. Era stato vicino a Romualdo anche due giorni prima, nel difficile momento in cui lui e Giulia avevano firmato la separazione legale e sapeva quanto avesse sofferto. Lo forza a bere dell'altro cognac. «Lo so.»

Romualdo si copre il viso. «Ammazzata come una *buttana di funnaco*», farfuglia. «*Chi così tinti!*»

L'amico gli stringe la spalla. «Pensa questo: adesso non avrai più nulla di cui vergognarti. Tu, ora, sei vittima come e più di lei. E dovrai stare attento a come ti comporti. Dovrai andare dal re e dalla regina e parlare con loro.»

Parole dure, Ignazio lo sa. Ma lui è l'unico che può essere così diretto con Romualdo.

È necessario che l'amico reagisca nel modo giusto. Appartiene a una delle più importanti famiglie dell'isola, è un politico di primo piano, è stato sindaco di Palermo.

Romualdo lo guarda. È frastornato, ma ha compreso il senso delle parole di Ignazio. «Andare dal re e dalla regina», ripete meccanicamente. «Ma devo parlare anche con i miei cognati.»

Ignazio annuisce con vigore. «Certo, certo... Con Alessandro, soprattutto, che prima di tutto è tuo cognato, e poi un avversario politico, ricordatelo.» Fa una pausa, lo costringe a guardarlo. «*Ni canuscemu di quannu aviamu i causi curti, curò. Per cui, ascoltami: devi essere forte. Pure se pensi a com'è finita, pure se ti pare la peggio vergogna... devi farla seppellire nella vostra cappella di famiglia. Fa' in modo di essere tu a organizzare i funerali. To' mugghieri era, a matri di li to figghi e tu non te l'ha' a scurdare.*»

Romualdo si passa la mano tra i capelli, annuisce. No, non se lo dimentica che Giulia era una Trigona. Piuttosto preferisce dimenticare le scenate che hanno reso la loro vita più simile a una guerra che a un matrimonio, perché anche lui è responsabile di quel fallimento. Dal dolore emergono pure i ricordi dei suoi tradimenti continui, soprattutto dell'ultimo, quello con un'attrice della compagnia di Eduardo Scarpetta che Giulia gli aveva rinfacciato più volte con astio.

Sa che Ignazio ha ragione: l'assassinio di Giulia è un colpo vibrato alla sua credibilità sociale e quindi alla sua carriera politica. Tocca a lui ritrovare la dignità e dimostrare che nella sua famiglia ci sono ancora dei valori e lui è lì a difenderli.

Allora, a fatica, Romualdo si alza. Barcolla, va a vestirsi. Ogni tanto si blocca, guarda il vuoto, il corpo scosso dai singhiozzi. Perché ci si può odiare, ci si può ferire, ci si può allontanare, ma la morte è un sigillo che cristallizza tutto, e lascia ai vivi l'onere dell'esistenza. La morte è pietosa per chi se ne va, ma una condanna senza appello per chi resta.

E la morte di Giulia, *quella morte*, ha sigillato per sempre il loro legame.

Dal canto suo, Ignazio sa cosa deve fare. Chiederà a Tullio Giordana, il direttore dell'*Ora*, due corsivi: il primo a difesa della memoria di Giulia, e il secondo per sostenere Romualdo. Lei, buona e mite, ma vittima di torbide passioni. Lui, onesto e nobile, ma vittima di tragiche circostanze. Rimarrà un solo colpevole: Vincenzo Paternò del Cugno.

Sarà così. *Deve* essere così.

Il ritorno a Palermo è strano, cupo. Franca continua a organizzare serate a Villa Igiea, ma passa anche molto tempo accanto alla madre, rimasta sola dopo la morte del figlio Franz, a soli trent'anni, qualche mese prima. Ignazio si divide tra la Sicilia e Roma, ufficialmente per affari, in realtà per stare vicino a Vera, che ormai è diventata il centro dei suoi pensieri. E infatti quando torna a casa è scostante e spesso di cattivo umore, anche perché i creditori non gli danno pace.

Su ogni cosa aleggia una sorta di malinconia. La fine di Giulia ha rivelato a entrambi quale tragico esito possa avere un matrimonio infelice. Per fortuna, le bambine, Vincenzo e Annina rendono le giornate più lievi.

In una luminosa mattina di maggio, Franca raggiunge la cognata nelle scuderie, ora convertite in autorimesse. Annina ha aspettato che Igiea finisse la sua lezione di musica e poi l'ha portata lì per farle ammirare le auto. Le sta mostrando come funziona lo sterzo. «Lo vedi? È collegato alle ruote e le fa girare. La prossima volta che verranno i meccanici amici dello zio, chiederò che ti facciano vedere tutto per bene.»

Igiea annuisce, ma senza troppo interesse; è passato il tempo in cui voleva fare «la pilota». Adesso preferisce disegnare, guardare le fotografie o andare al cinematografo con la madre o con lo zio e Annina, ma soprattutto ama il mare. Su un tavolino dell'Olivuzza, c'è una foto che la ritrae, insieme con la madre, sulla scaletta di una delle grandi cabine mobili che usano per cambiarsi: lei è in piedi e fissa l'obiettivo, seria, mentre Franca è alle sue spalle. Non c'è Giulia – che tutti chiamano Giugiù – perché era ancora troppo piccola per fare il bagno. Quell'immagine è molto cara a entrambe: stavano vivendo un momento di serenità rara e, come tale, preziosa.

Annina si pulisce le mani, strofinandole l'una contro l'altra. Si avvicina a Franca e, insieme, si avviano verso la casa, mentre Igiea le precede a passo svelto, seguita da uno dei suoi amati gatti persiani. «Sai, Vincenzo vorrebbe andare in Svizzera per qualche settimana. Forse partiremo a luglio, perché prima deve risolvere le ultime incombenze legate alla Targa.» Le incombenze, lo sanno bene entrambe, sono i soldi che devono essere ancora pagati a organizzatori e trasportatori. «L'idea di

Vincenzo di spostare le tribune da Buonfornello a Cerda è stata molto intelligente. Hai visto quanta gente è venuta? E che panorama?»

Franca annuisce. «Sì, ti confesso che, dopo le ultime due edizioni, ero un po' preoccupata. Ricordi due anni fa, quando c'erano così pochi concorrenti che Vincenzo stesso aveva deciso di partecipare? Be', almeno questa era stata la sua scusa...»

Annina ride, solleva il viso verso il sole. Non ha timore, lei, che la pelle si arrossi. «Vincenzo è nato per organizzare eventi e progettare novità. Sa coinvolgere tutti, e li spinge a dare il meglio.» Poi si fa seria. «E io non ho intenzione di perderlo di vista neppure un istante. Non mi piaceva come lo guardavano certe ospiti.»

Franca distoglie il viso. Non dirà mai quello che pensa: teme che suo cognato abbia preso non solo il fascino dei maschi Florio, ma pure le pessime abitudini del fratello. Però vuole troppo bene ad Annina. «*Statti sempre accura*», le mormora allora. «*Ti l'ha' a taliàre sempre cu l'occhi aperti.*»

Le labbra di Annina si piegano in un sorriso. «*I masculi vannu comu sunnu insignati.* E io sto provvedendo ad ammaestrarlo bene.»

Nell'aria, il profumo delle rose del giardino è così forte da essere inebriante. Igiea corre verso la bambinaia, che è seduta su una panchina: Giugiù sta muovendo i primi passi e la sorella maggiore la incoraggia, battendo le mani.

Annina sfiora i petali di una rosa noisette, ne annusa l'aroma speziato. «Ogni tanto ripenso a Giulia Trigona, *mischina*. Non ho mai avuto il coraggio di chiedertelo ma... È vero che tu l'hai vista?»

Franca ha un brivido. «No. Sono andata prima in hotel e poi con Ignazio e con Alessandro al cimitero del Verano per l'autopsia, ma non mi hanno fatto entrare.»

«E hai notizie di quell'uomo?»

Franca sospira. «Da Ignazio non viene neanche una parola. A dar retta ai giornali, è a Regina Coeli e riesce a malapena a parlare perché il colpo di pistola gli ha devastato il lato destro del viso. Dovrà comunque rispondere di omicidio premeditato davanti alla Corte d'Assise. Credo sia probabile che Ignazio venga chiamato a testimoniare.» Abbassa il capo, deglutisce un grumo di pianto. «Ho il grande rimorso di non aver insistito di più con lei. Dovevo starle più vicina. Sapevo che le chiedeva continuamente dei soldi, che era arrivato a minacciarla. E Giulia voleva davvero lasciarlo, perché era diventato violento. Se fossi stata più presente, forse...»

«Forse sarebbe successo dopo, ma sarebbe successo comunque. È stata lei a scegliere di dargli quell'ultimo appuntamento ed è stato il suo più grande errore.»

Ma Franca non si rassegna. Parlare di un destino così atroce nel mezzo di quel giardino fiorito le sembra stridente, crudele. «Lei mi era cara come e più di una sorella. Non sopporto più di essere circondata da tutta questa morte», dice piano. «Troppe persone care ho perso.»

Annina le stringe il braccio. «E allora riporteremo la vita in questa casa, Vincenzo e io. Magari con un bambino, con un grande sorriso come quello del suo papà!» Ride. «Sì, un nuovo piccolo Florio! È un po' di gioia, che ci vuole, per questa famiglia.»

È una piaga antica, il colera, che la città ben conosce, e contro la quale già Vincenzo Florio, il nonno di Ignazio, si era trovato a combattere.

Le vittime designate sono sempre le stesse, da secoli: gente che vive nella miseria, che non può lavarsi adeguatamente, che vive in condizioni di promiscuità. Prima una, poi dieci, poi venti. Il comune di Palermo manda funzionari di casa in casa, ma molti non aprono perché hanno paura: si sa, se ti trovano ammalato, ti portano all'ospedale e ti lasciano morire solo come un cane...

Accade tutto molto, molto in fretta.

Dai piani bassi, il colera sale ai piani superiori, si allarga dal centro storico verso la periferia, raggiunge le ville, si attacca alla carne degli abitanti.

Niente e nessuno può fermarlo.

La mattina del 17 giugno 1911, Annina si sveglia intorpidita, con forti dolori al ventre. Accanto a lei, Vincenzo la bacia, le tocca la fronte. È calda. «Hai un po' di febbre», le dice, premuroso. «Chiamo il medico», le sussurra, dopo averla baciata di nuovo.

Quando il medico di Casa Florio arriva, la febbre è salita assai. Annina respira a fatica. Il medico la sfiora, poi arretra.

Colera.

Com'è stato possibile che il colera sia arrivato all'Olivuzza? Lì tutto è pulito, c'è l'acqua corrente e ci sono i bagni e...

Eppure.

Alla notizia, Franca è presa dal panico. Ha già perso una figlia per una malattia infettiva e non vuole neanche pensare che Igiea e Giugiù si possano ammalare. Ordina che le bambine, con Maruzza e la governante, vadano via da Palermo. Il medico impone l'isolamento ad Annina; Ignazio supplica Vincenzo di obbedire, di starle lontano, ma l'altro scuote la testa.

«Mia moglie è. Con lei devo stare», mormora, e la voce, di solito squillante, si fa rivolo di fiume. «Non la lascio sola. Deve guarire.»

È lui a sollevarla tra le braccia e a portarla in una camera al terzo piano dell'Olivuzza, lontana da tutti. Se la stringe al petto, ma Annina, in preda alla febbre, quasi non lo riconosce. Il viso è chiazzato di rosso, i capelli sudati sono attaccati al cranio, è debolissima. Lui le ravvia i capelli, le bagna la fronte con pezze fresche. Sta seduto accanto al letto, le tiene la mano, gliela bacia, manda via le cameriere impaurite e cambia lui stesso le lenzuola e la biancheria.

«Non morire», le dice, tenendole la mano. «Non te ne andare», la supplica.

Per la prima volta nella vita, si è sentito amato e accolto, ha sperimentato la gioia di condividere passioni comuni, di ridere e di emozionarsi per le stesse cose. Non può finire tutto così. Non *deve* finire tutto così.

«È troppo presto», le dice a fior di labbra, la bocca contro il dorso della sua mano. «Non puoi lasciarmi. Vogliamo un figlio, ricordi quanto ne abbiamo parlato? Me lo hai promesso, un bambino.»

Svegliati, implora tra sé, guardando il viso immobile e cereo.

« Svegliati », le dice, e prova a farla bere. A sera, Annina perde conoscenza. Al piano terra, sua sorella Maria Concetta piange e si dispera, e così pure sua madre, ma il medico impedisce loro di salire. « Già è tanto che ci sia il signor Vincenzo. Speriamo che non si ammali pure lui », commenta, fosco, e guarda Ignazio, terreo in viso.

Le due donne decidono di restare lì per la notte, così da stare vicine ad Annina.

La mattina dopo, gli specchi dorati dei saloni dell'Olivuzza e i vetri delle finestre riflettono volti pallidi e segnati. I domestici cercano sapone e aceto per disinfettarsi.

C'è Giovanna, in camera sua, che piange e prega in ginocchio davanti al crocifisso. C'è Franca, terrorizzata, chiusa nella sua stanza, che spera che le sue bambine non siano state contagiate. C'è Ignazio, attonito, che afferra il telefono per chiamare Vera e raccontarle cosa sta accadendo e sentire la sua voce.

C'è Vincenzo, che sente l'anima spezzarsi.

E poi c'è Annina, in un letto intriso di sudore, che non si sveglia più, che non riesce a bere né a parlare, con il respiro sempre più affannoso e il corpo che sembra sul punto di disfarsi.

Nel pomeriggio del 19 giugno, ha un attacco di convulsioni.

Vincenzo urla, chiama aiuto. È la febbre, è troppo forte. Dalle scale, salgono le voci di Maria Concetta e della madre, le grida di Ignazio e del medico.

Annina si contorce, si dibatte, ansima.

Lui prova a tenerla ferma, ma non ci riesce e lei si agita ancora e ancora.

Poi si ferma, gli occhi rovesciati all'indietro, la schiena inarcata. Si affloscia tra le braccia di Vincenzo, senza respiro, senza battito.

E, di colpo, è tutto finito.

PIOMBO

ottobre 1912 – primavera 1935

Cu avi dinari campa felici e cu unn'avi perdi l'amici.
«Chi ha soldi vive felice e chi non ne ha perde gli amici.»

PROVERBIO SICILIANO

Il 30 giugno 1912 viene approvata la nuova legge elettorale: hanno diritto di voto gli uomini di età superiore ai 21 anni e in grado di leggere e scrivere; anche gli analfabeti possono votare, ma devono avere più di trent'anni e aver fatto il servizio militare. Si passa così da poco più di tre milioni di elettori a più di otto milioni e mezzo. I socialisti propongono di estendere il voto alle donne, modificando il primo comma della legge in: «Sono elettori tutti i cittadini italiani maggiorenni senza distinzione di sesso», ma la Camera, il 15 maggio 1912, respinge l'emendamento.

Sono proprio i socialisti a preoccupare Giolitti, in vista delle elezioni del 26 ottobre 1913. Il congresso di Reggio Emilia (luglio 1912) ha infatti decretato l'espulsione dei moderati da parte dei massimalisti, tra i quali spicca il futuro direttore dell'*Avanti!*, Benito Mussolini. Giolitti allora intavola una trattativa con i cattolici, che si concretizza nel Patto Gentiloni (da Vincenzo Ottorino Gentiloni, presidente dell'Unione Elettorale Cattolica Italiana). Firmando un documento in sette punti, i candidati liberali s'impegnano a opporsi a qualsiasi «legge anticattolica» arrivi in Parlamento. In apparenza, la manovra è un successo, ma la maggioranza che si compone è dilaniata da forze contraddittorie (dai firmatari del Patto Gentiloni ai liberisti anticlericali) e, nel caso dei nazionalisti e dei socialisti rivoluzionari, almeno in parte nuove. «Se ne vada, onorevole Giolitti», dice Arturo Labriola alla Camera, il 9 dicembre 1913. «Il Paese le è cresciuto sotto mano, le è scappato di tutela, parla un nuovo linguaggio [...] Situazione novella, politica novella, uomini nuovi. I morti seppelliscano i loro morti.»

Giolitti se ne va il 4 marzo 1914, dopo che i radicali si sono ritirati dal governo, mettendolo in minoranza. E indica al re, come suo successore, Antonio Salandra, il cui governo si insedia il 21 marzo 1914.

Il 28 luglio 1914 l'Austria-Ungheria dichiara guerra al Regno di Serbia a seguito dell'attentato che, un mese prima, è costato la vita all'arciduca Francesco Ferdinando e alla moglie Sofia, uccisi da un nazionalista serbo di soli vent'anni, Gavrilo Princip. Il 1º agosto, la Germania dichiara guerra alla Russia e, due giorni dopo, alla Francia. Il 4 agosto, il Regno Unito dichiara guerra alla Germania. L'Italia, invece, impiega quasi un anno per decidere se entrare in guerra. Un anno di violenti scontri tra il fronte neutralista – i socialisti, i giolittiani e soprattutto i cattolici, dato che il nuovo papa, Benedetto XV (eletto il 5 settembre 1914), si schiera subito contro la guerra – e il gruppo più ridotto, anche in Parlamento, degli interventisti, capaci tuttavia di trascinare il popolo con i loro discorsi infuocati, come quello che Gabriele d'Annunzio fa dallo scoglio di Quarto, nel 55º anniversario della Spedizione dei Mille, davanti ad almeno cinquantamila persone. Vincolato dal Patto di Londra, un accordo segreto firmato tra il governo italiano e la cosiddetta Triplice Intesa (Gran Bretagna, Francia e Russia) e tenuto nascosto al Parlamento, Salandra ottiene dal re i pieni poteri e il 23 maggio 1915 l'Italia dichiara guerra all'Austria, calpestando così anche le ultime vestigia della Triplice Alleanza. E si prepara a combattere in Sud Tirolo e lungo l'Isonzo, cioè nei territori che intende sottrarre all'Impero Austro-Ungarico perché li considera propri.

Il conflitto si trasforma ben presto in un'esasperante guerra di trincea. Dopo la disfatta di Caporetto (24 ottobre - 19 novembre 1917), che vede le truppe italiane decimate dall'artiglieria austro-tedesca (almeno diecimila morti e 265.000 prigionieri), l'Italia destituisce il generale Luigi Cadorna e affida al generale Armando Diaz il compito di riorganizzare l'esercito. La battaglia di Vittorio Veneto, combattuta tra il 24 ottobre e il 3 novembre 1918, sarà decisiva: gli italiani sconfiggono gli austriaci e, il 3 novembre, entrano a Trento e Trieste. Quello stesso giorno, a Villa Giusti, a Padova, viene firmato l'armistizio. L'11 novembre si arrende anche la Germania. Al costo di milioni di morti (le cifre oscillano tra i 15 e i 17 milioni, più di un milione solo tra gli italiani), la geografia politica dell'Europa cambia in modo irreversibile. E a questi numeri bisogna aggiungere i morti per la devastante epidemia di «febbre spagnola» (1918-1920) che, secondo le ultime stime, si aggirerebbero intorno ai 50 milioni nel mondo (seicentomila in Italia).

Ad approfittare della difficile situazione sociale ed economica del dopoguerra è Benito Mussolini, espulso dal Partito Socialista (29 novembre 1914) a causa della sua posizione interventista. Facendo leva sul diffuso scontento dei reduci, fonda i Fasci di Combattimento, improntati a uno spiccato livore antisocialista: un atteggiamento che in breve fa presa anche sulla borghesia, impaurita dagli scioperi e dall'occupazione delle fabbriche che, nel cosiddetto «biennio rosso» (1919-1920), si susseguono in tutta Italia. Neppure Giolitti, tornato per la quinta volta a capo dell'esecutivo (9 giugno 1920 - 7 aprile 1921), riesce a risolvere la situazione. I Fasci diventano sempre più violenti e organizzano vere e proprie azioni squadristiche contro i lavoratori e le loro organizzazioni. Il 22 ottobre 1922, più di quarantamila fascisti si radunano a Napoli, determinati a marciare su Roma. Il capo dell'esecutivo, Luigi Facta, chiede al re di proclamare lo stato di assedio, ma Vittorio Emanuele III rifiuta: Facta si dimette e il 29 ottobre il re affida a Mussolini l'incarico di capo del governo. Il 16 novembre, presentando alla Camera il suo esecutivo, Mussolini chiede i pieni poteri «per il riordinamento del sistema tributario e della pubblica amministrazione»: gli vengono concessi per un anno, con 275 voti contro 90. Il Partito Fascista (all'interno della cosiddetta Lista Nazionale) ottiene il 65 per cento dei voti alle elezioni del 6 aprile 1924, ma il deputato socialista Giacomo Matteotti, in un veemente discorso alla Camera, chiede di annullarle perché si sono svolte in un clima di violenza e di soprusi. Il 10 giugno, Matteotti viene rapito: lo sconcerto è tale che, il 26 giugno, 123 deputati dell'opposizione decidono di disertare i lavori della Camera finché non sia fatta luce sull'accaduto (secessione dell'Aventino). Il cadavere di Matteotti viene ritrovato il 16 agosto in un bosco di Riano (RM); il 3 gennaio 1925, Mussolini si assume la responsabilità «politica, morale, storica» dell'omicidio e determina in pratica l'inizio della dittatura fascista, come dimostrano le «leggi fascistissime», promulgate tra il 1925 e il 1926, che, tra l'altro, determinano «lo scioglimento di tutti i partiti, associazioni e organizzazioni che esplicano azione contraria al regime», indicano nel capo del governo l'unico depositario del potere esecutivo, prevedono il licenziamento dei dipendenti pubblici «incompatibili» con le direttive del partito, vietano gli scioperi e soffocano la libertà di stampa. Alle elezioni del 14 marzo 1929 (che si svolgono in forma plebiscitaria, sottoponendo all'elettore una lista di nomi che può approvare o respingere), il «sì» ottiene otto milioni e mezzo di voti, pari a oltre il 98 per cento dei votanti: un risultato su cui influisce anche la grandissima eco suscitata dalla firma dei Patti Lateranensi (11 febbraio 1929), un accordo tra Stato e Chiesa che finalmente compone la frattura del 1871.

«Giudici dei nostri interessi, garanti del nostro avvenire siamo noi, soltanto noi, esclusivamente noi e nessun altro», dice Mussolini a Cagliari, l'8 giugno 1935. La Storia gli darà torto: nel 1940, l'Italia entra nella seconda guerra mondiale, un conflitto che modifica gli equilibri politici, sociali ed economici del mondo intero. E non è che l'inizio. Come scrive Winston Churchill nel 1948: «Lo scenario di rovine materiali e di sconvolgimenti morali da cui siamo riemersi è di tale cupezza che mai, nei secoli passati, si sarebbe potuto immaginare. Dopo tutto ciò che abbiamo sofferto e ottenuto, ci ritroviamo ad affrontare problemi non più piccoli, ma assai più grandi di quelli che, faticosamente, abbiamo risolto».

« I l piombo è corpo metallico, livido, terrestre, grave, senza suono, di poca bianchezza e molta lividezza », scrive Ferrante Imperato nella sua *Dell'Historia Naturale* (1599). Abbondante in natura, semplice da fondere e da lavorare, è usato già dagli egizi; i fenici, i greci e i romani se ne servono per realizzare armi, come punte di freccia o le cosiddette « ghiande missili », da lanciare con le catapulte, dato che le pallottole di piombo arriveranno solo nel Medioevo. Ma fabbricano anche strumenti da pesca (zavorre, scandagli, ancore), saldature di vario tipo, condutture (per via della sua resistenza all'ossidazione) e pentole in cui cuocere e concentrare il mosto per ottenere lo « zucchero di Saturno » (acetato di piombo) che serve a rendere dolce il vino e che viene chiamato così perché Saturno era il dio collegato al piombo.

È grazie a Teofrasto di Ereso (III secolo a.C.) che si rintraccia l'origine di un altro, fondamentale uso del piombo: la biacca, una sorta di « muffa » che viene prodotta facendo intaccare il piombo da vapori di aceto. Fino al XIX secolo, la biacca, o bianco di piombo, ha illuminato la storia dell'arte: da Leonardo a Tiziano, da Van Dyck a Velázquez, tutti se ne sono serviti, dato che l'unico altro pigmento bianco – il bianco di calce – è inadatto per la pittura a olio. E ha illuminato anche i volti delle donne: già nell'XI secolo, Trotula de Ruggiero, attiva all'interno della Scuola medica salernitana, nel suo *De Ornatu Mulierum* spiega come realizzare una pomata con cui « il viso può essere unto ogni giorno per schiarirlo »: grasso di gallina, olio di viole o rose, cera, albume d'uovo e polvere di bianco di piombo. E il viso terreo di Elisabetta I è dovuto al fatto che la regina, per coprire le cicatrici del vaiolo, stende sul volto una densa mistura di biacca e aceto.

Ci vuole molto tempo per capire quanto sia pericolosa quella luce. Alla metà del Seicento, il medico tedesco Samuel Stockhausen individua nel litargirio (ossido di piombo) la causa dell'asma che affligge i minatori della città di Goslar, in Bassa Sassonia. E, qualche anno dopo, Bernardino Ramazzini nel *De Morbis Artificum Diatriba*, si sofferma sull'attività dei vasai e dice: «[...] tutto quello che il piombo contiene in sé di velenoso così sciolto e liquefatto con l'acqua vien ricevuto da essi nella bocca, nel naso e in tutto il corpo, e in conseguenza indi a poco ne risentono nocumenti gravissimi [...] prima incorrono nel tremor delle mani, indi divengono paralitici, di milza infermi, stupidi, cachetici, senza denti, talmente ché poche volte si vede un vasaio che non sia di faccia smorta e di color di piombo». Verrà chiamata «saturnismo», questa condizione, e si faranno ipotesi sulle sue vittime illustri: numerosi imperatori romani (tra cui Caligola, Nerone, Domiziano, Traiano), forti bevitori di vino e quindi di «zucchero di Saturno»; pittori come Piero della Francesca, Caravaggio, Rembrandt e Goya, a causa dell'uso intenso della biacca. E sembra che Beethoven abbia pagato con la sordità la sua passione per i vini del Reno bevuti in coppe di cristallo al piombo e dolcificati con l'acetato di piombo. Qualcuno sostiene pure che Lenin sia morto per avvelenamento da piombo, dovuto ai due proiettili che lo avevano raggiunto nell'attentato del 1918 e che erano stati estratti solo quattro anni dopo. Anonimi sono e rimarranno invece i milioni di donne e uomini che con il piombo hanno umilmente lavorato e di piombo sono morti: dagli operai ai minatori, dai linotipisti ai cappellai... Si può dar ragione a Primo Levi quando, nel *Sistema periodico*, definisce il piombo «torbido velenoso e greve», eppure è anche grazie a questo metallo se abbiamo *L'Annunciata* di Antonello da Messina, *L'ultima cena* di Leonardo e la *Medusa* di Caravaggio.

Arte e distruzione, bellezza e morte chiuse in un'unica anima.

La FIAT si arresta con una frenata secca davanti all'ingresso a doppio battente dell'albergo. Franca scende. Indossa un soprabito beige bordato di pelliccia e un cappello con una larga veletta che le copre il viso, segnato sulla fronte da una ruga di preoccupazione. Le dita stringono il manico della borsetta mentre lei sale con il suo passo elastico i gradini che la separano dalla hall.

Maruzza la segue di corsa, le arriva accanto nel momento in cui lei sta per chiedere il numero della stanza del signor Florio.

«Il signore è indisposto. Non può ricevere visite.» Il portiere è cortese ma fermo.

Franca spalanca gli occhi per lo sdegno. Solleva la veletta sulla falda del cappello, si china in avanti. «Potrà essere indisposto per tutte, ma non per me. Sono sua moglie, sono donna Franca Florio», dice, con voce piena di collera. «Ditemi il numero della camera di mio marito, subito, o vi faccio licenziare.»

L'uomo mormora un imbarazzato: «Scusate, non vi avevo riconosciuta...» che esaspera ulteriormente Franca.

Con un sospiro, lei si volta verso Maruzza. «Prendete l'auto e sistemate le nostre cose in albergo. Poi rimandatemi la macchina.»

«Siete sicura che non volete che resti qui ad aspettarvi?»

«No, grazie. Andate pure.»

La donna le stringe il braccio. «Siate forte», le mormora contro l'orecchio.

Franca sospira di nuovo.

È una vita che prova a essere forte. Che si *costringe* a essere forte, si corregge mentre sale le scale, le dita sul corrimano di velluto.

Un'intera esistenza in cui ha sopportato, accettato, chiuso gli occhi. Perché così doveva comportarsi. Perché quello era l'unico ruolo possibile per donna Franca Florio sul palcoscenico di quella città pettegola e indiscreta che si chiamava Palermo.

E tutto per amore. Anche quando l'amore aveva smesso di essere tale, perché così era finita e lei si era trovata senza uno scopo. Senza quell'uomo che, nel bene e nel male, le aveva riempito la vita.

Finché non era arrivata Vera.

Si avvicina alla stanza del terzo piano. Dalla camera arriva un rumore attutito di passi, poi un uomo dai folti baffi brizzolati apre la porta. Dietro di lui, seduto sul letto, c'è Ignazio; indossa una giacca da camera di velluto rosso scuro e ha una fasciatura che gli copre parte del viso.

Lei lo fissa. Uno sguardo in cui si mescolano in parti uguali ansia e rabbia.

«Signora... non vi aspettavamo così presto.» L'uomo che ha aperto la porta le fa cenno di entrare. Franca conosce il professor Bastianelli: è il medico che assiste la sua famiglia a Roma. Cercando d'ignorare il vago imbarazzo che si è insinuato nella stanza, l'uomo prende cappello e borsa, si congeda con discrezione. Franca e Ignazio restano soli.

Franca toglie il cappello e il soprabito, sfila i guanti. Indossa un bell'abito marrone, con un sobrio filo di perle al collo. Avvicina la poltrona ai piedi del letto, incrocia le mani sulle gambe e lo guarda a lungo.

Ignazio non si sottrae a quello sguardo.

«Perdonami. Ti ho dato anche questo dispiacere», dice infine lui, e abbassa la testa.

«Non è più amaro di altri. Anzi. Ho avuto più paura per te che altro», commenta Franca con un sorriso tirato.

Davanti a quella reazione, a quegli occhi pieni di rassegnata tristezza, Ignazio avverte un sentimento con cui negli ultimi tempi ha dovuto fare i conti sempre più spesso: il senso di colpa. Ha cercato di negarlo, di respingerlo per tutta la vita, quel malessere. C'è riuscito e ci riesce ancora, se si tratta di affrontare la situazione – sempre più precaria – dei suoi affari. Ma con Franca è tutta un'altra storia. Adesso gli stringe la gola, gli opprime il petto, gli fa mancare l'aria.

«Mi dispiace», mormora. Strofina le mani sulla falda del lenzuolo, segue con il dito un disegno immaginario. «Quando Giberto, il marito di Vera, ha saputo di me e di sua moglie... Ecco, lo so che è penoso sentirti dire queste cose da me...»

Franca rimane impassibile.

Lui continua: «Mi ha aggredito qui, nella hall dell'hotel, pochi giorni fa, e mi ha sfidato, chiedendo soddisfazione. Il duello è stato... inevitabile». Ignazio si alza lentamente. La ferita alla tempia non è grave, ma è fastidiosa e gli causa dei capogiri. «Ci siamo dati appuntamento a Villa Anziani, l'altro ieri, come ti ho raccontato per telefono. Ci siamo battuti con la sciabola. Lui era furioso, mi ha attaccato con la violenza di un demone scatenato. Voleva ammazzarmi o, per lo meno, sfigurarmi.»

Ed è allora che Franca scoppia a ridere. Ride di gusto, a lungo, coprendosi la bocca con le mani. «Oddio, ma quanto siete ridicoli, voi uomini!» esclama poi.

Ignazio la guarda, esterrefatto. Sua moglie è forse impazzita?

Franca scuote la testa. La sua risata si è spenta in un sorriso in cui dolore e incredulità sono in perfetto equilibrio. «Un duello alla sciabola, come in un romanzetto per cameriere. E Giberto che pretende di difendere il suo onore dopo... Da quant'è che vi frequentate, tu e lei? Quattro anni?» Si fissa le mani, le dita sfiorano la fede nuziale. «Se io avessi sfidato a duello le donne con cui tu hai avuto una relazione, la metà delle nostre conoscenze sarebbe morta o sfigurata... oppure lo sarei io. Solo un uomo può comportarsi in modo così stupido.»

Ignazio continua a fissarla a occhi sgranati. «Ma... cosa dici?»

«Dico che forse tu non ti ricordi quante donne hai avuto, ma io sì. Quelle di cui mi è giunta voce, almeno. Ho dovuto imparare a sorridere, a scrollare le spalle, come se fosse normale che mio marito avesse una relazione dopo l'altra. A decine. E la sai una cosa?» Alza lo sguardo. Adesso gli occhi verdi sono limpidi, quasi sereni. «A furia di dire che non m'importava, alla fine non me ne è *davvero* importato più nulla.»

Lui si avvicina a un tavolino, prende una bottiglia di cognac, se ne versa un bicchiere. «Io sono sempre tornato da te, però.»

«Perché non avresti saputo dove andare, altrimenti.»

«Non dire idiozie. Tu sei sempre stata il mio punto di riferimento.»

Franca si alza, gli va davanti. «Ancora ti racconti questa bugia, Ignazio? Fa' pure, ma non raccontarla a me. Sono troppo

stanca, ormai. Quando ti ho sposato ero una ragazzina ingenua e forse anche tu eri pieno di speranze... Sai, a volte provo
nostalgia per quella giovane donna convinta che il suo unico
compito fosse stare al fianco del proprio marito e amarlo nonostante tutto. Quanto ho lottato, e sofferto, per sentirmi degna
di te, del tuo cognome... di essere una Florio. »

La voce è carica di una durezza che mai le aveva sentito.

« Franca... »

« Tu non mi hai mai messo a parte dei tuoi affari, non mi
hai mai detto di cosa parlavi con i tuoi amici politici, a Roma
o a Palermo. Per lunghi anni, mi è sembrato giusto così e, del
resto, non conoscevo altre donne coinvolte dai mariti nei loro
affari. Ero tua moglie e avevo altri doveri sociali; una persona
come me non doveva interessarsi a quelle cose. Ma ora... » Esita. Quelle parole la fanno soffrire, è evidente. « Ora so che con
Vera queste cose le condividi. No, non negarlo: so che è stata
lei a consigliarti in più di un'occasione. Persino Vincenzo me
l'ha confermato. »

Ignazio inghiotte a vuoto, non sa cosa dire. Come fa a spiegarle cosa prova, lui che per primo non riesce a capirlo? Come
può dirle che sì, le vuole bene, perché rappresenta la parte più
bella e importante della sua vita, perché insieme sono stati padroni del mondo, ma che alla fine quella vita si è accartocciata
come carta che brucia e diventa cenere? Come può confessarle
che, quando si guarda indietro, vede solo feste scatenate, viaggi che in realtà erano fughe, corpi femminili senza identità, soldi buttati alla ricerca di un piacere tanto intenso quanto rapido
a sparire? E come rivelarle che, se guarda davanti a sé, scorge
solo il declino inesorabile della vecchiaia, accompagnato dalla
rovina economica?

Non può. Perché dirle tutto questo significherebbe dare corpo e voce alla realtà più dolorosa per entrambi: la mancanza di
un erede per Casa Florio. Il suo nome, il nome di suo zio, un
uomo « onesto e coraggioso », come gli aveva detto suo padre,
finirà con lui. Non ci sarà nessuno cui donare l'anello che lui
porta al dito sotto la fede nuziale. Aveva sperato almeno in
un nipote ma, dopo la morte di Annina, più di un anno prima,

Vincenzo è diventato ancora più irrequieto e ribelle. No, non c'è e non ci sarà nessuno...

Franca nota che Ignazio sta sfregando l'anello di famiglia. Conosce quel gesto. Vuol dire imbarazzo, sofferenza, inquietudine.

«Lo so che me ne fai una colpa», mormora allora.

«Di cosa?» Ignazio non la guarda. Tiene gli occhi fissi sulla parete di fronte, oltre la barriera della finestra socchiusa.

«Del fatto di averti dato solo un maschio. Soltanto uno.»

Un sospiro, più d'irritazione che di sconforto. «Non ti do la colpa di nulla. Uno ne abbiamo avuto e se l'è preso il Signore. Avrà voluto punirci per qualcosa.»

«Neanche tua madre direbbe una cosa del genere.»

Il senso di colpa di Ignazio torna a serrargli il petto. Perché lui invece l'ha pensato, sì, nei momenti più neri, che il Signore volesse punirlo. Per quella serie di follie e di tradimenti che era stata la sua vita. Ma in fondo cosa importa, ormai? Se anche avesse un erede, cosa gli lascerebbe? Solo debiti e polvere.

«Io non mi sono mai tirata indietro, lo sai... Ci sono sempre stata, sono stata una moglie fedele.»

Non ce la fa più, Ignazio. Deve trovare uno sfogo, un modo per liberarsi del peso. «Ma smettila, una buona volta!» esplode. «Perché non parli degli uomini che t'inseguono per tutta Italia, che smaniano per te, a cominciare da d'Annunzio e dal quel marchese che ti copre di fiori per finire con Enrico Caruso, che sono stato così stupido da scritturare per il Massimo quando non lo conosceva nessuno! Lo so che ti scrive ancora dopo... Quanti anni? Dieci, quindici?»

Franca agita le mani, infastidita. «È inutile che mi accusi e lo sai bene. Tutti fanno i cascamorti con me, però nessuno si è mai permesso di andare oltre le parole. Perché io non gliene ho mai dato né il motivo né l'occasione. Sono sempre stata all'altezza dei tuoi desideri. E tutto questo per cosa? C'è sempre stata una donna migliore di me, più desiderabile, più affascinante. Vuoi negarlo?»

Ignazio la fissa in silenzio. Nel suo sguardo ci sono rabbia e vergogna.

Sono sempre stata all'altezza dei tuoi desideri.

La moglie ideale. Bellissima. A suo agio in ogni situazione. Disinvolta ma controllata. Elegante come nessuna. Dalla conversazione brillante, arguta, intelligente. Appassionata di musica e di arte. Perfetta padrona di casa. Non era stato proprio lui a spingere la timida diciannovenne a trasformarsi in quella donna sofisticata ed esigente che adesso aveva davanti? Aveva voluto una moglie da esibire, un trofeo che gli altri maschi gli invidiassero. Non aveva mai cercato davvero in lei una compagna di vita.

Era stato così cieco. Così immaturo.

Se ne rende conto ora che ha trovato altrove ciò di cui ha davvero bisogno.

«Io...»

Lei si fissa le mani, piange in silenzio.

Gli va davanti. «Cos'ha Vera più di me?» chiede alla fine con un filo di voce.

«Franca...» Ignazio le asciuga le lacrime con il dorso della mano. «Siete diverse. Lei è...»

«Cosa può darti di più di quello che ti ho dato io in tutti questi anni?»

In quel momento, Franca è giudice e giuria insieme e lui non riesce a sopportarlo. Si allontana, le dà le spalle.

«Lei è tutto ciò che tu non puoi più essere», risponde. *Piena di entusiasmo, passionale, viva.* «Mi ha accolto nella sua vita. Tu, invece, ormai mi hai tagliato fuori da ogni cosa. E qualsiasi scusa è buona per stare lontana da me: le serate al tavolo da gioco, i viaggi con le tue amiche...»

Franca impallidisce, spalanca gli occhi. «*Tu* rimproveri *a me* di non esserti stata accanto?»

«Da quando sono iniziati i problemi, tu sei... scomparsa. Tu non ci sei stata. Vera sì. E questo ha fatto la differenza.»

«Ma tu non me lo hai mai chiesto!»

«Sei mia moglie. Non dovevo chiedertelo.»

Franca barcolla.

Gli ha dato tutta la vita, eppure a lui non è bastato. Anzi adesso è come se lui la stesse rimproverando di non avergli dato di più. Ma cosa, come? Non era stato sufficiente ignorare i continui tradimenti? Affrontare il mondo intero con dignità dopo la morte dei suoi figli? Essere sempre al suo fianco? No, non era bastato. Franca ora si rende conto che Ignazio avrebbe voluto che lei si annullasse del tutto, rimanendo invisibile finché lui non la evocava, a seconda delle sue necessità, dei suoi bisogni. Poi però, quando aveva conosciuto Vera, aveva capito che la forza dell'amore non era nella sottomissione, ma nella parità, nel camminare fianco a fianco.

Ignazio era finalmente cresciuto. Ma, per farlo, aveva messo da parte lei e tutto quello che c'era stato tra loro due.

Allora anche lui può amare davvero, si dice, più sorpresa che amareggiata. *E ama una donna che non sono io.*

«Ho capito. Non c'è altro da aggiungere.» Raddrizza le spalle, solleva la testa. La dignità e l'orgoglio sono le uniche cose che nessuno potrà mai toglierle. «Vado al Grand Hotel. Potrai trovarmi lì», gli dice, alzandosi. Prende il soprabito. Lui non la ferma. Lascia cadere le braccia lungo il corpo, la osserva, scruta quel volto capace di nascondere il dolore.

Un dolore rimandato, negato, taciuto per troppo tempo. E che adesso brucia anche lui, lo consuma come acido.

Staranno insieme agli occhi del mondo, ma vivranno esistenze separate. Condivideranno la tavola, ma non il letto. E non si volteranno mai più indietro.

«Ti farò avere notizie», le dice, ma lei è già fuori dalla porta.

Franca scende le scale reggendosi al corrimano, anche se ha le dita che tremano.

Il ghiaccio che ha dentro da anni – dalla morte dei suoi figli, ma forse anche da prima – si trasforma d'un tratto in una colata di lava. Ne avverte il calore insopportabile, la sente ribollire, crescere. Le sembra che la stia soffocando. Allora si accascia su un gradino, la fronte appoggiata al braccio e respira a bocca aperta, in preda a un violento capogiro.

Cosa mi è rimasto?

Igiea e Giulia, certo, ma cos'altro?

Il pensiero scarta, si ripiega su se stesso. Le lacrime che poco prima premevano per uscire si sono inaridite.

Non c'è più niente da aggiungere. Si rialza, arriva all'ingresso. Cammina a piccoli passi, lei che ha sempre avuto una falcata sciolta ed elegante. All'esterno dell'albergo trova la vettu-

588

ra che Maruzza ha rimandato indietro. Mentre lo chauffeur le apre lo sportello e lei sta per salire, un'altra auto si ferma davanti all'ingresso.

Ne scende una donna.

Il viso dai lineamenti delicati è segnato dalla tensione, ciocche scomposte escono dal cappellino color crema. Una piccola valigia spunta da sotto la mantella di panno dello stesso colore.

La donna paga il conducente, poi si volta.

E in quel momento i loro sguardi s'incrociano.

Vera Arrivabene spalanca gli occhi, stupita. Poi alza una mano, come se volesse salutare Franca. Dopotutto si conoscono da anni, sono state buone amiche. Sarebbe un gesto normale.

Ma è solo un istante.

Richiude le dita a pugno, abbassa il braccio. Si lascia guardare, senza vergogna, senza rimorso. Ha un viso bianco e delicato, da Madonna, appena soffuso di rosa.

Franca resta immobile. La guarda e insieme la ignora.

Vera le dà le spalle, sale le scale quasi di corsa ed entra nell'albergo.

Soltanto allora Franca si accomoda nell'auto e dice: «Al Grand Hotel».

Vincenzo Florio è seduto su una sedia e guarda fuori, il mento appoggiato al pugno chiuso. Alle sue spalle, sente un movimento. Si volta appena. Una delle due donne con cui ha trascorso la notte si sta svegliando.

Lei lo guarda da sotto le palpebre pesanti, si toglie i capelli rossicci dal viso e lo invita a raggiungerla, battendo la mano sul materasso. L'altra, una bruna dal seno abbondante, sta russando piano, la bocca socchiusa e i capelli arruffati sulla schiena nuda. Nella stanza, odore di sesso, di sudore e di champagne, unito a un profumo dalle forti note floreali.

Lui fa cenno di no, poi torna a guardare fuori.

Sta piovendo su Parigi, sui platani dei boulevard, sui tetti di ardesia. E sta piovendo da tre giorni. Quel giugno freddo e scostante lo ha stancato. Dovrebbe andare in Costa Azzurra.

Oppure raggiungere Franca, che è in Svizzera con le nipoti. Ignazio, invece, potrebbe essere a Venezia o a Roma con Vera, chi lo sa.

Il suo fiato appanna il vetro. Allunga il dito, disegna una A. Poi, di scatto, la cancella.

Annina.

Sono passati tre anni dalla morte di sua moglie. Tre anni in cui lui non ha fatto altro che viaggiare e passare da un letto a un altro, cercando di scrollarsi di dosso quel malessere che lo opprime e gli serra la gola.

Ha una relazione con una donna di origine russa. Talvolta pensa di essersi affezionato a lei, ma notti come quella appena trascorsa gli dimostrano il contrario. In realtà, non gli importa più di niente e di nessuno; per distrarsi, ha persino provato a farsi coinvolgere un po' di più dagli affari di famiglia, anche se Ignazio non l'ha mai preso troppo sul serio.

« Annina farà sempre parte di te e della tua vita », gli aveva detto Franca, pochi giorni dopo il funerale. Vincenzo era su una panchina del parco, immobile, con la testa tra le mani. Lei gli si era seduta accanto, senza toccarlo. « Continuerai a chiederti cosa avreste fatto insieme, le parole che ti avrebbe detto, quando ti avrebbe sorriso. Immaginerai di parlarle, proprio come io immagino... » Aveva fatto una pausa, alzato lo sguardo verso l'orizzonte, abbassato la voce. « Penserai come sarebbe stato avere un figlio, vederlo crescere. Una parte di te continuerà a vivere con lei, nella testa o nel cuore... in un luogo e in un tempo che non esistono. » Soltanto allora gli aveva stretto una mano e lui aveva iniziato a singhiozzare. « Però quella non sarà la tua vita vera. La realtà sarà qui, con il vuoto, con l'assenza e con le parole che non riuscirai mai più a sentire. E, alla fine, immaginare l'impossibile ti farà così male che preferirai rinunciarci. Comincerai a guardare il presente. E a stare un po' meglio. So che ti sembra assurdo, ma credimi. Nessuno meglio di me può saperlo... » Gli aveva circondato le spalle con un braccio e avevano pianto insieme ognuno il proprio dolore.

Vincenzo scuote la testa. In quei tre anni ha ripensato spesso alle parole di Franca, aspettando che la sofferenza si smorzasse. E invece Annina era ancora lì, accanto a lui, una presenza costante. Forse – si era detto – le donne vedono nel buio del dolore cose che gli uomini non riescono neppure a intuire. È la loro maledizione e la loro salvezza.

Ecco, anche in quel momento, lei gli è davanti, vestita con una gonna scura e una camicetta bianca dal colletto di pizzo. Sta per mettersi al volante di una delle loro automobili, ma poi si ferma e lo guarda con aria di rimprovero, quasi che gli stesse dicendo: *Perché ti sei ridotto così?*

«*Vincent, chéri, viens ici...*»

La donna dai capelli rossi lo chiama, incurante del fatto che l'altra stia continuando a dormire. Vorrebbe mandar via entrambe, farle sparire.

Invece si alza, si allontana dalla finestra, si toglie la camicia e si stende accanto a lei. Si lascia toccare. Chiude gli occhi, affonda nel suo corpo quasi con violenza. Non gli interessa come si chiami, chi sia, o quale vita abbia fuori da quella stanza: è un corpo che gli dà piacere e calore.

E lui si tiene stretto quel po' di vita che riesce a prendersi.

La sala d'ingresso dell'hotel di Champfèr, in Engadina, dove alloggiano i Florio, i Lanza di Trabia e i Whitaker, è in preda a una grande agitazione. Volti tesi, telegrammi che passano di mano in mano, telefoni che squillano, valletti che si muovono rapidi come formiche da una sala all'altra. Per circa un mese – da quando un giovanissimo nazionalista serbo ha ucciso a Sarajevo l'arciduca Francesco Ferdinando e sua moglie Sofia – le voci di una possibile dichiarazione di guerra dell'Austria alla Serbia si sono rincorse, affastellate e contraddittorie. E l'ultimatum consegnato al governo serbo dall'ambasciatore austriaco a Belgrado, il 23 luglio, lascia poche speranze per una soluzione pacifica della crisi.

Seduta in poltrona, Franca scorre i giornali italiani e tedeschi, confusa, incapace di districarsi in quell'alternanza di esaltazione bellica e di «intensità febbrile che è richiesta dalla gravità della circostanza» con cui l'Italia si starebbe adoperando per mantenere la pace, come dice il *Corriere della Sera*.

« Eccomi, Franca. *Désolée d'être en retard.* » Giulia Lanza di Trabia la bacia sulla guancia e si guarda intorno. « Norina e Delia non ci sono? »

« No, sono passate qualche minuto fa, con Tina, dicendo che le avevano promesso di trascorrere il pomeriggio con lei. Ci raggiungeranno alle cinque, per il tè. Hanno trent'anni, ma ogni tanto quella donna tratta le figlie come se fossero due bambine. »

« Meglio così », sorride Giulia, indossando i guanti. « Andiamo? »

Fanno un cenno di saluto a Giovanna che, in compagnia di Maruzza, sta prendendo un po' di sole sulla terrazza, poi escono da una porta sul retro dell'hotel.

Giulia respira profondamente l'aria frizzante. « Che peccato che non ci siano anche Igiea e Giugiù! »

« Mi è arrivata proprio oggi una lettera da Zurigo: la governante dice che le cure di Igiea per la sua schiena sembrano fare effetto. Quanto a Giugiù, è come suo padre: dice sempre che la montagna 'la noia' e passa il tempo a correre per casa. Del resto, cosa deve fare, piccola stella? Ha solo cinque anni... »

A passo deciso, Giulia imbocca il sentiero verso un boschetto di pini che si distende sul fianco della montagna.

« E tu, hai saputo qualcosa di Giuseppe? »

« No. » La voce di Giulia risuona aspra. Il suo primogenito ha sempre avuto un'indole inquieta, ribelle. « Con quello che sta succedendo, sarebbe prudente che fosse qui o a Palermo... o che almeno ci facesse sapere dov'è. » Fa una pausa, serra le labbra. « Credo sia a Venezia con *quella*. »

« Madda... » Franca si guarda intorno, osserva le cime aguzze contro il cielo. Davanti a loro, tra gli alberi, si apre un percorso panoramico. Rallentano, quasi si fermano. L'aria è balsamica, profumata di verde, impregnata dall'odore del muschio. Ogni tanto, il verso di un uccello spezza il silenzio. « Due su due. Le gemelle Papadopoli proprio non sanno cosa siano la fedeltà e il rispetto del vincolo matrimoniale. »

« Per la carità! » Giulia fa una smorfia. A differenza di Franca, non si è mai particolarmente curata della sua bellezza e il tempo non le ha fatto sconti. Il viso è diventato aguzzo, segnato dalle rughe. «Se penso a come lo ha circuito! Era un ragazzino quando si sono conosciuti e lei aveva già una figlia. Giuseppe vorrebbe che io la incontrassi... ma è una follia! È sposata e ha lasciato tutto per lui. No, mi rifiuto di vederla: trovo indegno anche solo nominarla.»

Franca le stringe il braccio. «Hai ragione. Eccome se ne hai.»

«Mio fratello è sempre con sua sorella Vera, immagino.»

Il sospiro esasperato di Franca è la risposta.

Giulia fa un verso di disprezzo. «Lasciare quattro figli e un marito per stare con un altro uomo, sposato per di più... Il mondo sta uscendo pazzo!»

Franca si ferma di colpo, guarda Giulia, le stringe un braccio. «Ti ricordi cosa mi hai detto tanti anni fa, nel giardino d'inverno di casa tua?»

Giulia fissa un punto lontano e sorride. «Eri così spaventata... Tutto e tutti ti facevano paura, compresa mia madre.»

«Ma tu mi hai detto che io dovevo prendermi quello che era mio di diritto, che dovevo essere orgogliosa di essere una Florio, di portare questo nome.»

«Sì. E tu l'hai fatto. Sempre, anche nei momenti più difficili.»

Franca sorride, amara. «Ho imparato a farlo, sì. Mi è costato tanto, ma alla fine ci sono riuscita. Davanti al mondo, sono stata una Florio. E lo sarò sempre. Ma dentro...»

Giulia le prende le mani. «Dentro sei morta tante volte. Per quello che hai passato, per il comportamento di Ignazio... So anche questo.»

«Sì, ma c'è dell'altro. Fino a due anni fa, ero convinta di conoscere mio marito. Avevo smesso da tempo di giustificarlo, di accettare in silenzio i suoi difetti. Ma ero convinta che l'amore continuasse a unirci.»

Giulia alza un sopracciglio.

«Sì, lo chiamo ancora amore. C'era comunque un legame tra noi. Poi è arrivata Vera e Ignazio si è innamorato di lei. E io sono rimasta davvero sola.»

«Franca mia, tu non sei sola... Ci siamo io, Igiea, Giugiù...» mormora Giulia.

L'altra raddrizza le spalle, guarda lontano. «Sì, grazie al cielo che ci siete. Però, quando mi guardo nello specchio, vedo solo me stessa, come se il mondo non esistesse. Vedo una donna spezzata che tuttavia continua a vivere.» Prende un respiro. «Ecco, questo volevo dirti: grazie anche alle tue parole, ho imparato a non dipendere da nessuno, ad andare avanti nonostante tutto.»

«A non provare più niente?» mormora Giulia.

«Tu sai bene che non è possibile. Quanti anni sono passati dalla morte di Blasco?»

«Ventuno», risponde Giulia in un soffio.

«E c'è stato un giorno, da allora, uno solo, in cui non hai pensato a lui?»

L'altra scuote la testa.

«I nostri morti non ci lasciano mai. E la loro presenza è dolore e consolazione insieme.»

D'un tratto, Giulia scoppia a piangere, prendendosi la testa tra le mani. «Tu parli di morti e io, io...»

«Che succede?» chiede Franca, improvvisamente in ansia. Non ha mai visto piangere così la cognata. «Non stai bene?»

Singhiozzando, Giulia scuote la testa. «No, no... Non volevo dire niente per non farti preoccupare, ma ho molta paura, Franca. Ho parlato con Pietro, ieri sera. È a Roma e dice che si stanno preparando cose orribili. Secondo lui, gli austriaci attaccheranno la Serbia e questo farà entrare in guerra la Francia, la Russia e forse anche l'Inghilterra. E io ho paura, sì, perché ho dei figli maschi e Dio solo sa cosa potrebbe succedere.»

«Ma i giornali dicono che il governo italiano sta facendo da mediatore...»

«Pietro era molto scettico», replica Giulia, asciugandosi le lacrime. «La guerra è alle porte e solo u' *Signuri sapi comu po' iri a finire*. E io non posso pensare che i miei figli vadano a combattere. Giuseppe ha venticinque anni, Ignazio ne ha ventiquattro e Manfredi venti. Sono uomini fatti, sono dei Lanza di Trabia e il loro posto è in prima linea. È il loro dovere.»

Franca non sa cosa dire. L'Olivuzza prima e Villa Igiea poi sono sempre state aperte a tutti. Non riesce neanche a ricordare quanti inglesi, francesi, tedeschi e russi abbia incontrato.

Politici e artisti, banchieri e imprenditori, con le famiglie al seguito. Hanno conversato, cenato insieme, ballato fino all'alba, giocato a carte o a *lawn tennis*, riso di qualche scherzo o di qualche pettegolezzo. Si sono tuffati in mare o si sono arrampicati sul monte Pellegrino, hanno trascorso ore felici a Favignana, hanno fatto lunghe gite sugli yacht di Ignazio o sulle auto di Vincenzo. Pensa al Kaiser, ai sovrani di Inghilterra, all'imperatrice Eugenia...

E adesso proprio loro stanno decidendo se mettere a ferro e fuoco l'Europa.

I figli di Giulia sono così giovani... D'altronde, Giovannuzza ormai avrebbe ventun anni e magari le sarebbe toccato veder partire il marito. Ignazino, invece, ne ha soltanto sedici, quindi è troppo piccolo per...

No. Fermati. Loro *non ci sono più. Giulia, invece, è qui.*

Posa una mano sulla spalla della cognata. «Pietro probabilmente esagera: vede sempre le cose più nere di quelle che sono. Non accadrà nulla di male ai tuoi figli.»

«Lo spero.» Giulia inspira profondamente per calmarsi. «Sì, meglio pensare al futuro delle mie figlie, di Sofia o di Giovanna. Hanno già diciotto e diciassette anni.»

«Oppure di quel monello di Ignazio», completa Franca con un sorriso tirato. Non sopporta di vedere Giulia soffrire così. «Avanti dobbiamo guardare, alla vita che continua e non a queste cose terribili di cui non abbiamo certezza.»

Quando rientrano in albergo, però, si rendono subito conto che la concitazione di prima si è trasformata in paura. L'angoscia è diventata fisica; nell'aria si avverte un fastidioso olezzo di fumo di sigaretta e di sudore. Gruppi di persone circondate da bauli e valigie stringono d'assedio i concierge: chiedono il conto a gran voce, si agitano, imprecano, implorano attenzione, danno in escandescenze. In un angolo, una donna singhiozza e due bambini, seduti a terra, piangono, ignorati da tutti.

Per un istante, la mente di Franca scivola via, torna alla notte in cui è morto suo figlio.

Poi lei si guarda intorno, frenetica, cerca un viso amico e lo trova: Maruzza si alza dal divano su cui era seduta accanto a

Giovanna, che sta sgranando un rosario a occhi chiusi, e le si avvicina.

« L'Austria ha dichiarato guerra alla Serbia. E dicono che altri Paesi verranno presto coinvolti. »

« Come? Quando? E l'Italia? » Franca e Giulia parlano all'unisono, e Maruzza alza le mani, le ferma. « Ho telegrafato per avvertire don Ignazio », dice, rivolgendosi a Franca. « I Whitaker stanno già facendo i bagagli. Tutti stanno lasciando l'albergo per tornare a casa. »

Giulia si mette la mano sul petto, come per calmare il battito. « Dovrò parlare con mio marito e con i miei figli. Sì, avete ragione: dobbiamo tornare in Italia. Franca, hai con te i documenti che attestano che sei dama di corte della regina Elena, vero? »

Franca annuisce, ma è confusa. « Sì, però... »

« Bene. Sono certa che quei documenti valgono come lasciapassare diplomatico per te e per la tua famiglia », le spiega Giulia, pragmatica. « Chiama Zurigo e di' alla governante di preparare le bambine per una partenza immediata. »

Franca annuisce. « Lo farò subito. »

« E parla con Ignazio », aggiunge Giulia a voce più bassa. « Il suo posto è con te, adesso. Ed è bene che se ne renda conto. »

« Certo che me ne rendo conto, del pericolo. Tuttavia è mio preciso dovere... »

« Ma noi siamo stati ospiti a Vienna dell'imperatore! E tu vuoi partire volontario contro di lui? È assurdo! »

« Siamo in guerra e ognuno deve fare la sua parte. »

Per quasi un anno, Franca ha sperato che l'Italia rimanesse fuori dal conflitto. La paura della guerra le è cresciuta dentro a poco a poco e lei l'ha nascosta a lungo nel lato buio dell'anima, come fa con tutto ciò che non riesce ad accettare. Ma ormai non può più evitarla.

Si alza, cammina per la stanza, domina la tensione a fatica. Poco prima è andata a Palazzo Butera e ha trovato Giulia affranta perché i suoi figli si stanno preparando a partire. Franca adora quei ragazzi: Giuseppe, Ignazio e Manfredi fanno parte della sua vita, li ha guardati crescere e diventare uomini mentre lei perdeva i suoi, di figli. Il semplice pensiero di vederli in divisa la angoscia. Non vuole immaginare nemmeno cosa provi sua cognata. E allora ha deciso. Eviterà di salutarli, perché così non sarà costretta ad ammettere che tutto questo sta succedendo veramente. È così stanca di difendersi dalla vita e dal mondo.

Esce dalla stanza e si dirige al tempietto affacciato sul mare, socchiudendo le palpebre nella luce. Le sembra assurdo parlare di guerra nella calma del giardino di Villa Igiea, tra le piante in fiore, con il profumo dell'estate nell'aria. Lungo i viali che digradano verso la costa, tra le siepi di bosso e pittosporo, due giardinieri stanno mettendo a dimora nuove piantine e parlano a bassa voce. Solo i rumori del porto, in lontananza, spezzano il fischio del vento tra le palme.

È a Villa Igiea che vivono, ormai, insieme con Giovanna e Maruzza e con la governante inglese delle ragazze, Miss Daubeny. L'Olivuzza era diventata troppo grande, aveva troppe spese e un giardino troppo impegnativo. Meglio quell'appartamento nel loro albergo, comunque lussuoso, ma più semplice da gestire. D'altronde adesso Villa Igiea è semideserta, dato che gli ospiti – quasi tutti italiani – sono partiti già da alcuni giorni.

Ignazio le si avvicina, ma Franca stringe le mani a pugno e, senza voltarsi, chiede: «Ed è proprio necessario che ti arruoli subito?»

Lui esita, guarda verso la tonnara dell'Arenella e la Villa dei Quattro Pizzi, tanto amata da suo nonno. Il blu profondo placa la sua irritazione. La sua fronte si distende, ripensando alle crociere sull'*Aegusa*. Ma è solo un attimo. *Una vita prima*, pensa con amarezza. «Necessario? Sì», risponde infine. «Adesso posso muovermi per ottenere un incarico lontano dal fronte e adatto alle mie capacità. Così farò anche per Vincenzo, che rischia di finire in prima linea, perché è più giovane: è un ottimo autista e un valente meccanico, e potrebbe essere utile ai trasporti nelle retrovie. Sta anche pensando di mettere su una piccola fabbrica di aerei o d'idrovolanti in società con Vit-

torio Ducrot, e poi mi ha parlato del progetto di un autocarro
che servirebbe all'esercito nelle zone più impervie... Insomma,
sai com'è Vice': sempre in movimento.»

Franca scuote la testa. «Farà qualche imprudenza. È una testa calda.»

«Ma no!» Le accarezza un braccio. «Non saremo in pericolo. Vedrai.»

Lei si volta a guardare il marito. Ignazio, ormai, ha numerose ciocche spruzzate di grigio, e la sua bocca, una volta elegante e affilata, è segnata dall'amarezza. «Pensi che finirà presto?» chiede, le mani congiunte sulla gonna nera.

Ignazio si stringe nelle spalle. «Non saprei. Sembrava che
dovesse durare poche settimane e invece è già un anno che si
combatte.» Abbassa la voce, sfiora la manica di pizzo bianco
della camicetta di Franca. «E comunque la guerra non potrà
che peggiorare le cose.»

La sua voce è piena di una rassegnazione che Franca ha difficoltà a interpretare. Vorrebbe chiedere, e sta per farlo ma, in
quel momento, un rumore la costringe a voltarsi.

«Perdonate l'intrusione. Se avessi saputo che eravate impegnato, signor Florio, avrei atteso per parlarvi.»

«Venite pure, signor Linch. Buongiorno.»

Carlo Augusto Linch avanza verso di loro a passi lunghi e
morbidi. Ignazio gli va incontro, lo saluta con calore, mentre
Franca si limita a un cenno del capo. Diffida di quell'argentino,
anche perché di lui sa ben poco: solo che ha studiato a Milano e
al Politecnico di Zurigo, che ha diretto una fabbrica in Germania e che, all'inizio della guerra, è tornato in Italia. Si è subito
conquistato la fiducia di suo marito e di suo cognato, affasci-
nandoli con il suo buon carattere, con la sua indole rassicuran-
te e con la sua parlantina sciolta. Così entrambi hanno deciso
di coinvolgerlo nell'amministrazione dei loro beni o, meglio, di
ciò che ne restava. Quindi, da tre mesi, cioè dal febbraio 1915,
Linch è diventato l'amministratore e il procuratore dei Florio.

Franca rimane in disparte, osserva i due uomini. Sente la
frase: «Perché il patrimonio di Casa Florio è...» E solleva un
sopracciglio. Ma quale patrimonio, se ormai persino Cartier
e Worth – di cui è cliente da più di vent'anni – le chiedono

di firmare dei «documenti» per garantire il pagamento delle fatture? Per non parlare di quello che era successo solo il giorno prima: una cameriera si era licenziata perché non aveva ricevuto regolarmente il salario. Una vera mancanza di rispetto per chi aveva dato pane e lavoro a mezza Palermo.

«E voi, signora? Cosa farete?»

Lei accenna una risata imbarazzata. «Perdonatemi, non vi stavo ascoltando. Di cosa stavate parlando?»

«No, dicevo... Cosa farete per sostenere la patria, in questo momento? Presterete la vostra attività come crocerossina?»

«Ah... Sì, certamente. In ospedale, qui a Palermo, immagino.»

Linch le sorride, ma poi distoglie lo sguardo, come se quella risposta non lo convincesse affatto. «Sono certo che saprete adeguarvi a questa difficile situazione. Ci aspettano tempi di grandi rinunce», mormora.

Franca socchiude le palpebre. Dietro quelle parole coglie un rimprovero per la sua condotta, per le sue spese e soprattutto per quello che ormai è diventato il suo unico passatempo.

Le carte. Chemin-de-fer, baccarat, poker. Quando gioca, la tristezza diventa meno opprimente, i pensieri sono più leggeri, il tempo passa. Certo, insieme con le ore scivolano via anche i soldi, perché lei punta forte. Ed è fortunata «più del lecito», come dice sempre la sua compagna al tavolo da gioco, Marie Thérèse Tasca di Cutò, detta Ama, moglie di Alessandro e cognata della povera Giulia Trigona. *Ma non abbastanza*, vorrebbe risponderle Franca.

«Credo di avere in ufficio le carte necessarie», sta dicendo Ignazio a Linch. «Faccio preparare l'auto, così ci andiamo insieme.»

«Non c'è bisogno. Posso dirvi tutto anche qui.»

Franca guarda quell'uomo, poi il marito. Un tempo si sarebbe allontanata in silenzio, ché quelle sono cose da uomini. Ma adesso vuole ascoltare, capire. *Se l'amante di mio marito sa tutto delle nostre faccende, perché io dovrei rimanere all'oscuro?* pensa con irritazione. Così li segue verso un salottino in vimini in un angolo della terrazza di Villa Igiea, ordina a un cameriere di portare una caraffa di limonata e si accomoda con grazia su una poltrona.

Linch la osserva di sottecchi, con un'aria vagamente interrogativa. Franca gli rivolge una lunga occhiata di sfida, poi guarda Ignazio, in attesa.

È in imbarazzo, Linch. Mai gli era capitato di dover discutere di affari in presenza di una donna. Lo sguardo di Franca è così tagliente che lui quasi balbetta. «Allora... se mi permettete...»

Senza guardare la moglie, Ignazio si siede, prende un sorso di limonata. «Prego. Dite pure.»

Linch apre con cautela il faldone che ha portato con sé, lo appoggia su un tavolino. Tocca le carte – lettere, appunti, conti – come per raccogliere le idee, poi mette le mani a piramide davanti al viso. «Come sapete, da qualche giorno ho finalmente concluso un esame approfondito della vostra situazione finanziaria. Come vi accennavo, avevo intenzione di andare a Roma per cercare di formare una cordata che venisse in aiuto di Casa Florio. La Banca d'Italia poteva essere determinante per sanare le vostre situazioni di esposizione debitoria. Anzitutto il contratto con Lavagetto e Parodi per le tonnare alle Egadi. Ormai è chiaro che è stata una scelta infelice e ha reso tutto infinitamente più complicato. All'inizio, certo, avete avuto una buona iniezione di liquidità, che vi ha permesso di sanare alcune pendenze di Casa Florio, ma il reddito delle tonnare è stato del tutto inadeguato a coprire anche solo gli interessi. In più, il mutuo che avete... incautamente contratto con la Société française de Banque et de Dépôts per coprire altre perdite si sta dimostrando assai gravoso.»

Ignazio ascolta, impassibile. Franca cerca di seguire quel discorso, ma troppe cose non le sono chiare.

«Poi ci sono i pacchetti azionari che garantiscono altri prestiti e che appesantiscono in varia misura la situazione debitoria della Casa. Ho intenzione di chiedere una cessione dei pacchetti ancora in vostro possesso per ottenere liquidità, nonché sovvenzioni da parte di altri istituti bancari, sovvenzioni garantite da ipoteche sui vostri beni immobili, da vendere in una fase successiva.» Si ferma, sospira. «In sintesi: avete bisogno di molti soldi e ciò vi costringe a chiedere prestiti alle banche, offrendo loro in garanzia immobili come l'Olivuzza, ma anche i vostri stabili nel mandamento di Castellammare. Beni che in futuro dovranno essere venduti.»

Ignazio ha un sussulto. «La nostra villa e... pure l'aromateria?»

«Sì, insieme con gli altri magazzini e gli appartamenti.»

«Anche la casa di via dei Materassai... la casa di mio padre?» La voce è esile, un filo portato via dallo stormire del vento tra i pini.

«Temo di sì.»

Ignazio si passa le dita tra i capelli. «Mio Dio...» Ride, ma è un suono spezzato, sporco. «A dirla tutta, io non ci vado da tantissimo tempo... Anzi, se è per questo, mia moglie non vuole nemmeno andare ai Quattro Pizzi, che pure abbiamo fatto restaurare perché già mi aspettavo che avrei dovuto cedere l'Olivuzza... Però vendere la casa di via dei Materassai...» Chiude la mano a pugno, vi poggia il mento.

Di colpo, Franca si sente fuori posto. Non ha mai visto la casa del padre di Ignazio e la suocera gliene ha parlato di rado. E, sì, non ha mai amato molto la Villa dei Quattro Pizzi: non può dire sia brutta, ma è troppo piccola per le loro esigenze, e in un quartiere popolare come l'Arenella. Non sarebbe davvero adatta a ricevere i loro ospiti che, per raggiungerla, dovrebbero attraversare strade affollate da carretti e da povera gente.

Ma sentirselo dire così, come un rimprovero, è una mortificazione che non si aspettava.

Linch prende un foglio. «Temo che non avremo molti margini di manovra con la Banca d'Italia. Ho provato a chiedere un incontro con Stringher, ma mi hanno risposto che è molto occupato e, soprattutto, non interessato.»

«E figuriamoci...» Ignazio scatta in piedi, urta il tavolino, facendo traballare la caraffa. «Quel figlio di una cagna vuol farcela pagare per quello che è successo nel 1909, quando mi sono ritirato dal consorzio, ecco la verità. A lui non è mai interessato nulla di Casa Florio!» Ignazio quasi urla. «Ha sempre voluto spogliarci di tutto, anche della nostra dignità.» Si allontana di alcuni passi, biascica un insulto in dialetto, poi si copre gli occhi con la mano. «Dovrò scrivere di tutto questo a Vincenzo... Credo stia tornando da Parigi», considera, quasi tra sé. «Non so che vita faccia, ormai... Passa più tempo in Francia che altrove e qui torna solo per organizzare la Targa o qualche altra gara...»

«Calmatevi. Sedetevi», lo esorta Linch con fermezza. «Anche di questo dobbiamo parlare.»

Ignazio torna verso la poltroncina di vimini con l'aria di un condannato che si avvicina al patibolo. D'un tratto, Franca prova pena per lui. D'istinto, allunga una mano perché vorrebbe consolarlo, per fargli capire che gli è vicina. Ma Ignazio si siede senza guardarla e lei ritrae la mano sul petto.

«Bisognerà limitare tutta una serie di attività e, parallelamente, ridurre le spese», spiega Linch, scandendo le parole, come se stesse ammansendo una bestia ferita. «Mi riferisco alle donazioni in beneficenza, per esempio...» E guarda Franca. Un'occhiata veloce, quasi rubata. «... ma anche alle spese per l'abbigliamento e per i gioielli. Oppure a sprechi come tutti quegli orologi da taschino con il vostro marchio che avete regalato ai fornitori... Alle spese voluttuarie in genere, insomma. Il patrocinio del Teatro Massimo o della Targa dovrebbe subire un significativo ridimensionamento.»

«Ancora questa storia?» Ignazio si morde le nocche del pugno chiuso. Dondola piano, avanti e indietro sulla poltrona. «Tagliare la beneficenza, le sovvenzioni al Massimo... L'aveva già tirata fuori l'avvocato Marchesano, almeno sette anni fa! Ma possibile che nessuno si renda conto del nome che porto? Sarebbe come mettersi *ad abbanniare* per le vie di Palermo: 'Ignazio Florio è un fallito!'»

«Forse, se l'aveste fatta allora, questa scelta, ora sareste in una condizione meno critica. E sì, lo ammetto, la decisione è assai penosa, ma ora più che mai necessaria, se volete salvarvi.» Linch sfoglia le carte, ne prende un'altra, la mostra a Ignazio. È una cambiale garantita dalla firma tremula di Giovanna. «Vedete questa? Ho chiesto alla Banca d'Italia una dilazione e me l'hanno concessa unicamente perché è garantita dal patrimonio di vostra madre.»

Per la prima volta in vita sua, Ignazio Florio arrossisce.

Linch non riesce a nascondere la pena. Le rughe ai lati della bocca sembrano diventare più profonde, gli occhi si abbassano. «Saranno necessari molti sacrifici da parte di tutti», mormora. E si volta a guardare Franca che istintivamente incrocia le braccia sul petto. «Sarebbe utile, per esempio, offrire pegni alle banche a garanzia dei debiti.» Una pausa, lunga. «Pegni in gioielli.»

Lei impallidisce. Scuote la testa, con violenza. «No, non potete chiedermi questo...» La voce è stridio di vetro contro vetro. «Non i miei gioielli. Ci sono dei brillanti in cassaforte, lui lo sa», aggiunge, indicando Ignazio, che però sembra ignorarla. «Non c'è bisogno di... usare i miei.»

«Come dicevo, tutti devono piegarsi a fare dei sacrifici, voi compresa, signora.» Linch non alza la voce, ma il suo tono non ammette repliche.

Franca è sconcertata: nessuno le ha mai parlato così, men che meno un estraneo.

Ignazio scrolla le spalle. Sospira. Quando riprende a parlare, lo fa in tono mesto. Da uomo sconfitto. «E sia. Le case, i gioielli... Ormai che differenza fa? Il re è nudo!» Si alza di nuovo, riprende a camminare lentamente, si sofferma accanto a uno dei pilastri e lo accarezza. Nella memoria passano immagini che gli fanno piegare le labbra in un sorriso dolce. «C'è stato un tempo in cui avrei fatto di tutto per difendere ciò che mi apparteneva. Avrei lottato, accettato mortificazioni e umiliazioni. Ma adesso non c'è più nulla e nessuno per cui combattere. Io sono un albero senza germogli e, ben presto, lo sarà anche il nostro Paese. Questa guerra porterà solo sciagure, durante e dopo. E per cosa, per chi, dovrei reagire?» Si volta a guardarli. «Non ho più nulla di ciò che mi rendeva un Florio.» Conta sulle dita. «Ho venduto la cantina, la prima impresa di mio nonno Vincenzo. Ho provato a costruire un cantiere navale, ma è andato a rotoli, e con esso la Navigazione Generale Italiana che mio padre aveva reso grande. Ho lasciato che la Fonderia Oretea andasse in malora. Ho dato in pasto a dei pescecani le tonnare delle Egadi, convinto che avrei potuto risollevarmi, ma invano. Quando ho chiesto aiuto, ho ricevuto solo corde per impiccarmi. Cosa mi rimane? Il Banco Florio trasformato in un ufficio di passacarte e quest'albergo che ora, con la guerra, si svuoterà... Sto per perdere tutto, anche la mia casa. Quindi la storia della mia famiglia.» Punta lo sguardo su Franca. «E allora cosa vuoi che m'importi dei tuoi gioielli? Ci rimangono solo la dignità e un po' d'orgoglio. Vedi di non sprecarli.»

Franca si alza di scatto, gli afferra il polso, lo strattona. «Non puoi!» Gli prende entrambe le mani. «Non pensi a me e alle tue figlie?»

In quel momento, è proprio Igiea che appare sulla soglia della porta finestra. È una quindicenne aggraziata, con i capelli corti e un viso delicato che somiglia a quello della madre. Fa un passo sul terrazzo, alza la mano per ripararsi dal sole e guarda i genitori. Il fatto che stiano litigando non è una novità.

«*Maman*, Maruzza e io ci stavamo chiedendo se andremo a trovare la principessa Ama, più tardi... Maruzza deve venire o restare con *granny*? Lo sai che non è stata tanto bene.»

La mano di Franca, bianca, rigida, lascia andare il polso di Ignazio. «Andremo dai Tasca di Cutò più tardi. Sì, è meglio che Maruzza rimanga con tua nonna.»

Ignazio aspetta che la figlia si allontani, poi oltrepassa Franca e va davanti a Linch. «Fate tutto ciò che è necessario per salvare il salvabile.» Lo dice a voce bassa, calma. «Avrete ciò che vi serve come garanzia per le cambiali ancora insolute.»

Linch si alza. Ha qualche anno in più di Ignazio ed è alto quasi quanto lui, ma il suo fisico è più asciutto. «Ho bisogno di un elenco di *tutte* le vostre spese, signor Florio. Ogni esborso, ogni acquisto, ogni conto insoluto. Fatemi avere le fatture e, da questo momento in poi, per favore, non comprate nulla senza consultarmi prima. Posso contare sul fatto che lo direte anche a vostro fratello?»

Fa cenno di sì, Ignazio. Ha capito che Linch sarà implacabile, con lui e con Vincenzo. «Ci proverò. Tra pochi giorni partirò come volontario, sapete...»

«Un gesto encomiabile. Sarà mia cura tenervi aggiornato e battermi perché la Banca d'Italia e Stringher vengano a più miti consigli.» Linch si schiarisce la gola, si avvicina a Franca.

«Signora... temo che questo valga anche per voi. Mi farete avere la lista aggiornata delle vostre spese?»

Franca annuisce. Fissa il monte Pellegrino, come se lo stesse ammirando ma, in realtà, è consumata da una rabbia feroce, che si mescola con l'umiliazione. Le sue spese? Certo. E allora quelle che Ignazio fa per Vera, a Roma, dato che ormai vive con lei? Senza contare che – ne è quasi certa – la decisione di suo marito di andare in guerra dipende proprio da quella donna che, lo ha saputo, si è arruolata come infermiera volontaria.

Per l'ennesima volta, è messa da parte, a sopportare il peso degli errori altrui, oltre che dei propri sbagli. *Ma i miei gioielli, no*, pensa. *Non li avranno mai.*

La stanza è calda, troppo. I tendaggi di damasco rosso lasciano trapelare la rossa luce del tramonto attraverso una coltre di nubi che offuscano l'orizzonte. Seduta in poltrona, Maruzza ha la testa appoggiata al palmo di una mano e, con l'altra, tiene aperte le pagine di *Forse che sì, forse che no*, lasciato a Villa Igiea da Franca anni prima. Il Vate glielo aveva donato con una dedica che recitava: *A donna Franca Florio devotissimamente*, e lei lo aveva fatto rilegare in marocchino con finiture dorate.

Sì, tanti anni prima, quando la guerra era lontana e nessuno sapeva cosa sarebbe accaduto, pensa Maruzza con un sospiro.

Franca viene sempre più di rado a Palermo. Quando non è in viaggio, trascorre lunghi periodi a Roma, di solito al Grand Hotel, con le figlie, e con Ama Tasca di Cutò, che ha di fatto lasciato il marito Alessandro e i figli e si fa vedere in giro con un giovane «cavalier servente».

A quel pensiero, la dama di compagnia chiude il libro di scatto. *Non bisognerebbe mai giudicare*, riflette, *però, davvero, quei Tasca di Cutò non si sanno proprio trattenere.* E dire che, in tutti quegli anni a girovagare per l'Europa in compagnia dei Florio, lei di cose ne ha viste, eccome... Ripensa con nostalgia ai lunghi soggiorni a Montecatini, in Svizzera o in Costa Azzurra, e alle spese che Franca sosteneva anche per lei.

Ora non più.

Alza gli occhi sul soffitto, il viso che esprime una pena impossibile da nascondere. La guerra si è insinuata nella vita di tutti come una macchia di umidità che scrosta lentamente l'intonaco di una parete, lasciandolo slabbrato. Agli uomini è concesso agire, combattere nella speranza – o è un'illusione? – di poter cambiare le cose, di tornare alla normalità. Le donne invece possono soltanto attendere che passi la tempesta e, nel frattempo, contemplare la devastazione, chiedendosi se e quando la vita potrà riprendere il suo corso.

E chissà come sarà la vita, dopo.

« Maruzza... Maruzza... »

La voce viene dal cumulo di coperte in cui è avvolta Giovanna. Fragile, stanca, pallida, è irrigidita dall'artrosi. Sta riposando in poltrona e divide le sue giornate tra questa e il letto. « Non sono venuti ancora i miei figli? » chiede in un sussurro venato di pianto. « Ma non lo sanno che sto male? »

Maruzza le si avvicina, le accarezza il viso, le asciuga una lacrima. « Donna Giovanna, in guerra sono, *u' sapite...* »

« *Sì, u sacciu... ma ju a loru matri sugnu e ccà staiu mali.* Potevano farli venire, per due giorni... E Franca? *Franca d'unnè?* »

« A Roma con le figlie, Igiea e Giugiù. »

« Ah... Roma... *E magari idda un po' vèniri?* »

Maruzza si china e le bacia la fronte, le parla, prova a placare la sua ansia. Il respiro è di nuovo più affannoso, nota, forse perché si sta agitando al pensiero dei figli lontani. Dopo tanti anni, si sente più vicina lei a quella donna che non i suoi parenti. L'ha vista invecchiare da sola, diventare sempre più gracile, soffrire per la morte dei nipotini, per le difficoltà economiche di Casa Florio, per la perdita della dignità di quel nome una volta potente e rispettato.

Le ha letto in viso pena e delusione quando i figli le hanno chiesto di avallare le loro cambiali o le hanno domandato di vendere i terreni della sua dote per ripagare gli interessi di debiti che non erano in grado di estinguere.

E ora è sola e malata. Angina pectoris, dicono i medici: così hanno classificato i dolori che la colpiscono dalle braccia fino al torace e che le rendono doloroso ogni respiro. Le sofferenze e le preoccupazioni – passate, presenti e future – avevano infine presentato il conto.

Maruzza si sposta per la stanza, riempie un bicchiere e vi versa alcune gocce di un farmaco che dovrebbe calmare i battiti di quel cuore malandato. Giovanna beve, rassegnata, poi le chiede di aprire le tende, ché vuol vedere il cielo e gli ultimi raggi del sole. La donna obbedisce. Il tramonto è luce di bronzo che si riversa nella stanza; illumina i mobili di Ducrot e le fotografie sul comò. Al di sopra di esse, il ritratto di suo marito Ignazio. Un quadro nuovo, realizzato dopo l'incendio.

È su di lui che Maruzza si sofferma. *Davvero si può amare per tutta la vita un solo uomo?* si domanda. Perché è evidente che Giovanna ha sempre tenuto nel cuore quel marito che lei non ha mai conosciuto se non attraverso i racconti degli altri familiari. Una persona controllata, parca nelle emozioni: quieta, gentile, capace di grandi gesti di tenerezza, ma anche fredda e spietata. Giovanna sembra cogliere quei pensieri, perché la chiama, le fa cenno di spostarsi.

« *Lassatemi taliàre a iddu* », dice, con i lineamenti che si addolciscono. Su quelle labbra scavate dagli anni appare un vago sorriso. Poi Giovanna solleva la mano, indica il comò. « *Pigghiatemi a fotografia di me figghiu Vincenzo.* »

Maruzza sta per prendere la foto del Vincenzo che lei conosce, ma poi capisce: la mano si blocca a mezz'aria e si muove verso un'altra cornice, che racchiude l'immagine di un bimbo dal viso dolce e serio. Gliela porge e Giovanna la bacia, la mette sul cuore.

« *Sangu di lu me cori* », mormora, e cerca di sollevarsi. « *Mi dicivano chi ero fortunata...* A me, che non mi è rimasto più niente per cui piangere. » Bacia la foto, la accarezza. « *Si arristava vivo iddu, capace chi 'un finìa accussì. Sapite di soccu mi scanto, Maruzza? Chi quannu chiuru l'occhi i me figghi si scannano pi' i picciuli. Unn'hanno pace né pacienza, iddi...* Dove sono, perché non tornano qui da me? *Ignazio, Vice'... unni siti?* » chiama, e si agita, e quasi cerca di alzarsi. Maruzza le rimbocca le coperte, cerca di placarla.

« Ve l'ho detto, sono al fronte. Torneranno forse con l'anno nuovo. Per ora non ci pensate, donna Giovanna, e soprattutto non vi agitate, sennò poi vi fa male il petto.»

«*L'ossa attruovano*», dice Giovanna torva, sempre stringendo la foto. «Giratemi la poltrona verso la finestra che voglio vedere fuori», aggiunge con un tono che, per un attimo, torna energico. «*Magari chistu 'm'arristau. Unn'haiu cchiù nenti, manco la casa, manco a' salute. Nenti. Sulu l'occhi pi' chianciri.*»

Non senza fatica, Maruzza gira la poltrona, in modo che Giovanna possa vedere la città che sta scolorendo; tra non molto, con il coprifuoco, perderà ogni traccia di luce. Avvolta nel buio, Palermo si addormenterà, spaurita come una bambina che scruta il vuoto della notte e vede solo dolore e angoscia. E allora si raggomitolerà su se stessa, cadendo poi in un misericordioso sonno senza sogni.

Maruzza le carezza i capelli grigi, poi mormora: «Vado a prendere la cena. Ho chiesto di prepararvi del brodo di pollo. Torno subito».

Villa Igiea è stata parzialmente requisita per farne un ospedale per gli ufficiali. Lungo i corridoi si aggirano infermiere e uomini in divisa o in pigiama che si trascinano dietro stampelle e bastoni. Tutto risuona di quei passi claudicanti, tonfi ritmici simili a quelli di un tamburo. Anche l'aria della villa è cambiata: là dove un tempo aleggiava una fragranza mista di colonia, sigari, fiori e cipria, adesso c'è un pesante sentore di malattia, unito a quello del cibo preparato nelle cucine del seminterrato. Le passatoie rosse sono state tolte, la sala da gioco è occupata da file di letti e il tintinnio delle *fiches* è stato sostituito dai lamenti. Persino le modanature sinuose della scala sono scheggiate e coperte da un velo di polvere.

Fuori dalle cucine, Maruzza aspetta che la cena sia pronta. Appoggiato alla parete, c'è uno specchio dalla massiccia cornice dorata e lei non può fare a meno di guardarsi. Il volto stanco, le rughe profonde, i capelli grigi raccolti in uno chignon scomposto... Nella stanza di donna Giovanna, il tempo sembra immobile e invece eccoli lì, i segni del suo passaggio. Ci sono tutti, insieme con quelli delle angustie per la guerra e per le traversie economiche della famiglia. No, il destino non è stato clemente con lei.

608

Alza lo sguardo verso il soffitto.

Sì, sta troppo male. Non posso più aspettare, si dice. *Devo trovare il modo di far venire qui almeno sua figlia Giulia, perché le stia vicino. Ma anche lei, povera donna, come può dare conforto alla madre con due figli in prima linea?*

La porta delle cucine si apre di scatto, strappa Maruzza a quelle riflessioni. Prende il vassoio che il cuoco le ha passato e si dirige verso gli appartamenti della famiglia. Sulle scale, immagina che dovrà forzare donna Giovanna a mangiare, come ha fatto quasi sempre nelle ultime settimane. Entra nella stanza. «Ecco qui: come promesso, un brodo leggero di pollo», dice, in tono gaio. «E c'è anche una spremuta di arancia. Mangerete, vero, donna Giovanna? A mezzogiorno abbiamo mandato via i piatti ancora pieni...»

Da Giovanna non viene risposta. Le coperte sono scivolate a terra, il corpo sembra essersi inarcato di lato e ora è afflosciato sul bracciolo. La mano stringe ancora la foto del figlio. Le labbra sono piegate all'ingiù, sotto il peso di un'infinita solitudine.

Lo sguardo è lontano, oltre Palermo, oltre l'orizzonte. Se ne è andata così, in silenzio, senza figli accanto. Sola. E forse, si dice Maruzza mentre le chiude gli occhi e una cortina di pena le cala sul cuore, forse, nonostante tutto, è la più fortunata dei Florio.

Ha visto sorgere il sole, ma non ne vedrà il tramonto.

I primi giorni di quel gennaio 1918 hanno il sapore ferroso del lutto. Franca cammina tra stanze e corridoi, i guanti di capretto in una mano, l'altra posata sul bavero di pelliccia della mantella. Dietro di lei, Maruzza, vestita tutta di nero, e una cameriera infagottata in un cappotto blu, liso sui gomiti. È una delle poche rimaste all'Olivuzza: la maggior parte dei domestici è stata licenziata a causa delle restrizioni imposte da Linch. Le tre donne avanzano lentamente, in silenzio, lasciando orme nella polvere sul pavimento. Intorno a loro, mobili coperti da lenzuoli bianchi, tappeti arrotolati, qualche oggetto – una penna, un paio di occhiali – dimenticato chissà da chi.

Arrivano nel salotto verde. A Franca è sempre piaciuta quella stanza raccolta, affacciata sul giardino, piena di luce. Adesso però è buia e fredda, invasa da un odore di umidità. Franca apre la porta finestra e un refolo di vento porta dentro terriccio e le foglie secche che si sono accumulate contro l'imposta. Poi si volta e, tra i mobili, scorge un telaio da ricamo coperto di polvere e ragnatele, come fili intessuti dalla natura per un'ultima volta. È il telaio di sua suocera Giovanna.

L'hanno sepolta nella cappella di famiglia pochi giorni dopo Capodanno; bisognava aspettare che Vincenzo e Ignazio rientrassero dal fronte e che lei arrivasse da Roma. Dopo tanti anni, finalmente, Giovanna d'Ondes si è riunita con il suo adorato marito e con il figlio Vincenzo.

E, oggi, Franca è tornata all'Olivuzza per celebrare un altro tipo di esequie.

Ben presto la grande casa sarà messa in vendita e, per allora, dovrà essere sgombrata dai mobili. Bisogna decidere cosa conservare e cosa vendere. Così ha chiesto Carlo Linch.

Ignazio e Vincenzo sono dovuti ripartire per il fronte, perciò quella scelta tocca a lei. Alcuni mobili saranno destinati alla casa di via Catania in cui Vincenzo andrà ad abitare alla fine della guerra; altri verranno messi nei magazzini all'Arenella in attesa di tempi migliori o sistemati nel loro appartamento a Villa Igiea. Il resto sarà venduto per far cassa.

Questo è venuta a fare Franca: a scegliere cosa tenere di quella vita che le stanno strappando di dosso. Come se non avesse dovuto già rinunciare a tante cose, lei. Come se non le avessero già preso tutto ciò che davvero era importante. Dovrà dire addio ai mobili francesi, ai candelabri comprati a Parigi da Giovanna, ai monetieri di ebano intarsiato, agli Aubusson, alla grande collezione di vasi e maioliche antichi, al pannello di marmo di Antonello Gagini, nello studio di Ignazio... Ma anche ai quadri di Antonino Leto, di Francesco De Mura, di Luca Giordano, di Francesco Solimena e di Francesco Lojacono. Sì, anche al Velázquez. Solo alcuni andranno a Villa Igiea. Degli altri, resteranno all'Olivuzza solo le impronte sulle pareti spoglie.

Ogni tanto, Maruzza si accosta a Franca, indica qualcosa:

«Questo?» L'altra risponde con un cenno. Allora Maruzza spiega alla domestica cosa scrivere sul quadernino che la donna regge tra le mani.

Franca esce dal salotto verde, raggiunge lo scalone di marmo rosso, attraversa il ballatoio e si sofferma per una manciata d'istanti a guardare ciò che resta del giardino d'inverno: solo piante secche, tronchi spogli e marciume. Allora abbassa lo sguardo e si dirige verso la sua stanza. Si ferma solo per un istante davanti a una vetrinetta che ospita un gruppo di statuine acquistate negli anni tra la Sassonia, la Francia e Capodimonte: gruppi di bambini che giocano da soli o con dei cuccioli, diversi negli stili, identici nei sorrisi e nella giocosità imprigionata nel candore della porcellana.

Ricordi puri di un tempo in cui l'innocenza sembrava un valore.

«Queste», dice, la voce improvvisamente dura. «Non voglio più vederle.»

Apre la porta della sua camera da letto. In verità, non c'è quasi più nulla, ma in quel luogo è stata felice, su quel letto sono nati Giovanna, Ignazio, Igiea e Giulia, e forse i ricordi sono ancora lì, racchiusi tra i petali di rose del pavimento, nella mattonella montata al contrario davanti alla porta finestra, nella maniglia che chiude le imposte con difficoltà, nel sorriso sghembo del puttino nell'angolo del soffitto...

Ma quali ricordi? pensa con rabbia. Più che di momenti lieti, quella stanza è stata testimone di dolori e di gelosie. Custodisce un vuoto dell'anima che Franca, da tempo, non può più arginare. *Qui c'è solo roba, roba inutile. Roba morta.*

Rimasta sulla soglia, Maruzza mormora: «Dirò alle domestiche di portar via anche parte del corredo e di mandarlo a Roma».

Franca si volta. «La biancheria usata possono darla in beneficenza o tenerla loro... se non l'hanno già presa.» Il tono è sprezzante. «Tanto così è. Credete che non lo sappia?»

Maruzza si limita ad annuire, una smorfia che le piega le labbra secche.

«Sbrighiamoci. Voglio tornare dalle mie figlie.»

Si affaccia alla camera di Ignazio, indica con un gesto secco

soltanto un mobile, il raffinato portacamicie in piuma di mogano, poi chiude la porta, attraversa di nuovo il giardino d'inverno ed entra nella sala da pranzo. «Via tutto», dice, intendendo
anche i pavoni di corallo e rame e il grande parascintille. Passa
soltanto davanti alle stanze dei bambini, dove ancora restano
giochi e libri di quei piccoli che non ci sono più. Si limita a fare
un cenno, come a dire: *Via*.

Si dirige verso la parte più antica dell'Olivuzza, là dov'era
scoppiato l'incendio dieci anni prima e che, in seguito, era stata risistemata. Ci sono ancora delle fatture da pagare per quei
lavori e lei non riesce a trattenere un pensiero: *Se fosse bruciato
tutto, per lo meno questo strazio mi sarebbe stato risparmiato.*

Muove qualche passo poi, di colpo, si ferma davanti a una
porta. La mano afferra la maniglia, ma rimane immobile per
un lungo istante.

Infine apre. Entra.

Nella semioscurità, scorge le poltrone e i divani accatastati
contro le pareti, le consolle vuote, prive dei vasi di cristallo,
delle alzate d'argento e degli orologi di bronzo dorato, i tappeti arrotolati, i tavoli coperti da stoffe impolverate. Alza lo
sguardo sui lampadari di Murano, opachi di sporcizia, e sulle
modanature dorate del soffitto, imprigionate da un velo di ragnatele.

Ma la cosa che le strappa un sospiro accorato è il silenzio.

In quella sala, non c'era mai silenzio.

Era il regno della musica, delle risate, delle chiacchiere, degli abiti fruscianti, dei calici che tintinnavano, delle scarpine
che ticchettavano.

Era la sala da ballo dell'Olivuzza.

Franca avanza, si ferma al centro della sala.

Si guarda intorno.

E d'un tratto vede figure sfuggite alla legge del tempo. Uomini e donne che non ci sono più e che lì hanno sorriso, ballato,
amato. Può sentire le loro voci e sembra quasi che la sfiorino.
Tra loro c'è anche lei, ombra tra le ombre: giovane, bellissima,
con Ignazio che le posa una mano sul fianco e ride e la guarda con desiderio. Poco distanti, ci sono Giulia Trigona e Stefanina Pajno, e Maria Concetta e Giulia Lanza di Trabia. C'è l'a-

roma del suo profumo, La Marescialla. Ci sono ventagli di raso e madreperla, coppe di champagne, guanti bianchi, bracciali di brillanti, carnet rivestiti di seta e corsetti di pizzo. E ci sono note di mazurka, e di polka, e di valzer...

Ma è solo un attimo, è solo l'effetto della polvere sollevata dal passaggio della domestica che ha aperto le imposte per far entrare un po' di luce e che adesso la fissa, in attesa.

Un altro passo. Le ombre si dissolvono, la polvere si posa.

Franca arretra ed esce dalla sala senza rispondere allo sguardo interrogativo di Maruzza, che rimane immobile per un istante di troppo e poi è costretta a inseguirla.

« Bisogna far prendere anche il servizio di porcellana di Sassonia e la posateria in argento », sta dicendo Franca.

Maruzza annuisce, si rivolge alla domestica. « Prendi nota. Aggiungerei anche l'argenteria dello stipo grande e i cristalli, vero, donna Franca? »

Ma Franca non ascolta più. È stanca di quell'elenco, stanca di lottare contro i ricordi che ogni oggetto, anche il più insignificante, evoca in lei. La sedia su cui si era seduto d'Annunzio durante la cena dopo la rappresentazione della *Gioconda* al Teatro Massimo. Il pianoforte su cui Puccini aveva accennato *Che gelida manina*, e che per un breve periodo avevano usato pure i suoi figli. Il tavolo su cui lei e Ignazio avevano steso grandi fogli per disegnare i mobili di Villa Igiea. La macchina fotografica che Vincenzo aveva regalato al fratello maggiore e che lui aveva usato nel giardino dell'Hôtel Métropole, prima che...

Guarda gli oggetti, sembra che la chiamino, e allora accelera il passo, quasi corre verso la porta d'uscita, come se la stessero inseguendo. *È destino degli uomini essere felici e non rendersi conto di esserlo. È la loro maledizione sprecare il tempo della gioia senza rendersi conto che è tanto raro quanto irripetibile. Che la memoria non può ridarti ciò che hai provato perché ti restituirà invece la misura di ciò che hai perduto*, riflette Franca, mentre le altre due donne continuano a parlottare di tovaglie di lino e di forchette d'argento. Le guarda e una pena infinita la travolge. Vorrebbe piangere, e gridare: *Voi pensate alle cose, e io penso che queste cose presto non mi apparterranno più, mentre prima parlavano di me, di Ignazio, dei nostri figli, di questa famiglia. Ormai l'amore è scivolato via, lasciandomi*

solo rughe di amarezza. Lo sapete cosa significa davvero sentirsi ama-
ti? Sperare di essere amati? Sentirsi infinitamente soli?

Invece rimane immobile, in silenzio. Perché, nonostante tutto, lei è ancora donna Franca Florio. E può mostrare al mondo
un solo viso, quello dell'orgoglio.

Infine le tre donne risalgono sull'automobile per tornare a
Villa Igiea. Franca sente il cuore alleggerirsi mentre si allontana da quella casa in cui, pure, è stata felice. Tra qualche giorno,
lei e le figlie torneranno a Roma. Palermo, con la sua luce opaca e fredda, sarà lontana, e lei potrà smettere di ricordare.

Non lo sa ancora, Franca, che di lì a pochi anni, persino il ricordo di quella casa e di quel parco sarà sbiadito. Che tutto finirà nelle mani di una società immobiliare che dividerà il giardino in lotti, abbatterà quasi tutto e costruirà palazzi proprio là
dove c'erano la voliera e il tempietto neoclassico, dove si allun-
gavano i viali fiancheggiati dai roseti e dalle piante tropicali,
dove giocavano i suoi figli e Vincenzo correva con le sue auto.

Non sentirà il suono delle seghe che tagliano gli alberi seco-
lari, né quello dei colpi di accetta che spezzano i tronchi delle
yucche e delle dracene. Non vedrà le siepi estirpate né le fiamme in cui si consumano i rampicanti strappati al gazebo.

Di quel giardino lussureggiante si salverà ben poco. Due
palme, chiuse in un fazzoletto di terra, su cui si affacciano le
finestre di una clinica. Un'aiuola, là dove c'era il salotto affacciato sul giardino. L'olivo accanto all'entrata, quello particolarmente caro al senatore Ignazio, costretto in una vasca di cemento all'interno di un parcheggio.

Intorno al villino disegnato dall'architetto Basile – dove Vincenzo e Annina si erano amati – resisterà una piccola area verde. Qualcuno proverà addirittura a dar fuoco a quella specie di
casa delle fate per costruirci sopra l'ennesimo palazzo, l'ennesimo mostro di cemento. Il destino deciderà altrimenti.

Ma questa è un'altra storia.

Il cielo è di un azzurro abbagliante in quel febbraio 1918, un
dono insperato dopo giorni di pioggia. Il fronte del Piave è a

pochi chilometri: strie di fumo disegnano colonne e nubi che velano lo sguardo e nascondono l'orizzonte. I cannoni italiani e austriaci tacciono, segno che gli eserciti stanno preparando un'offensiva. Di lì a poco gli obici riprenderanno a tuonare e presto i soldati usciranno dalle trincee per conquistare una manciata di terra al prezzo di decine, di centinaia di morti. La paura di morire in un assalto alla baionetta è tale che qualcuno si procura deliberatamente infezioni o mutilazioni, pur di non combattere. Così almeno hanno raccontato a Ignazio. E lui ci crede.

Alla guida di un'autoambulanza, Ignazio si ferma a poca distanza da un edificio circondato da tende, segnate da una croce rossa. È una cascina trasformata in ospedale da campo, con file di uomini stesi sulle barelle, alcuni bendati, altri in attesa di cure, altri ancora agonizzanti o morti.

Ignazio si muove con cautela lungo un sentiero fangoso, punteggiato da macchie scure che ormai ha imparato a riconoscere. Gli avevano detto che il sangue della guerra aveva un unico colore, ma non era vero. È rosso scuro quando zampilla da una ferita. Ma è nero se sgocciola dai cadaveri.

Dalle tende arrivano zaffate di tintura di iodio unite a imprecazioni, urla, lamenti. Lui passa oltre, raggiunge una tenda a ridosso di quelle che dovevano essere le stalle. Entra. Sembra popolata solo da donne vestite di bianco, suore e infermiere. Se non altro, lì i feriti sembrano più tranquilli, ma gli ci vuole poco per cogliere l'orrore: sono tutti mutilati e a qualcuno le granate hanno portato via addirittura una parte del viso.

Una donna si solleva dal letto su cui era china, lo vede e alza la mano in un cenno di saluto. Poi, dopo essersi pulita le mani sul grembiule, si avvicina.

«Non ti aspettavo così presto.»

La guerra è stata crudele anche con Vera Arrivabene: se alla stanchezza e agli occhi cerchiati si può porre rimedio, nulla riuscirà a raddrizzare la schiena ingobbita e a cancellare le profonde rughe intorno alla bocca.

Ignazio le sfiora il dorso della mano sporca. «Volevo essere sicuro di vederti. Sembra che gli attacchi si stiano moltiplicando.»

Vera gli accarezza il braccio. « Già. Arrivano decine di poveri ragazzi, ormai. Come stai? »

« Sto. »

Le fa cenno di seguirlo fuori. Si siedono su una panca a ridosso di un muro diroccato e Ignazio si accende una sigaretta. Ha un leggero tremito alle mani. « Le notizie da Palermo non sono buone. Quel poco che resta di Casa Florio sembra il trastullo di qualche divinità maligna. Se non altro, sono riuscito a pagare i lavori che gli Albanese avevano fatto all'Olivuzza e a Villa Igiea: una storia che andava avanti da anni. E abbiamo confermato Linch come amministratore fino all'aprile 1926. Con un congruo stipendio, ovvio. » Fa una pausa, guarda Vera, le accarezza una guancia. « Scusami. Io ti butto addosso i miei guai come al solito e non ti ho neppure chiesto come stai. »

Lei china la testa. « Ieri ho assistito un pover'uomo che non aveva più le gambe, un contadino di Frosinone... mi è morto tra le braccia. Aveva paura perché gli avevano richiamato il figlio, e quindi nessuno si occupava più del suo podere, dato che la moglie e le figlie non potevano certo mettersi a spingere l'aratro. Mi ha fatto male vedere con quanta disperazione si è aggrappato a me. Non ho potuto nemmeno dargli un po' di morfina... »

« Lo so. Li vedo. » Respira a fondo, Ignazio. « Quello che sta succedendo è assurdo. Stanno chiamando quelli della leva del '99, praticamente dei bambini. » Fissa un punto lontano. « Sono preoccupato per Manfredi, il figlio di Giulia. Al momento è a Versailles, come ufficiale addetto al Comitato Interalleato Permanente, ma so che smania per tornare a combattere. Quanto all'altro figlio, Ignazio... »

« Avete saputo qualcosa? »

« Nei tre mesi dalla scomparsa del suo aereo, prima ci hanno detto che si trovava in Svizzera, poi che era prigioniero in Germania... Ho un brutto presentimento. »

« E tuo fratello Vincenzo? »

Ignazio aspira una boccata di fumo con forza. « Non è lontano da qui, almeno credo. Mi ha scritto che continua a fare modifiche al suo autocarro, anche se ormai è in produzione da due anni. Ne ho visto qualche esemplare: in effetti, riesce a inerpicarsi su certe mulattiere così ripide che non si saprebbe come affrontare altrimenti. Beato lui! Gli bastano una chiave inglese e qualche bullone per dimenticarsi del resto del mondo! »

Vera gli prende il viso tra le mani, glielo bacia. «Sono una persona orribile se dico che sono felice di essere qui con te, adesso? »

« No, sei una persona adorabile. » Le scosta dalla fronte una ciocca di capelli uscita dalla cuffia. Anche se stanca e provata, per lui Vera resta bellissima. Anche se c'è una disperazione nuova nei suoi occhi. Anche se quelle rughe non se ne andranno più. «Sei una donna coraggiosa, che non ha paura di agire in questo mondo che sembra in preda alla follia. »

Vera lo abbraccia e rimangono così a lungo, in silenzio.

Ma il pensiero di Ignazio corre a Franca. Non vede le figlie da mesi, però è contento di saperle al sicuro con lei. Quanto a Franca, Ignazio ha capito in fretta che lei ha deciso di stare ben lontana da quell'onda di morte. Certo, partecipa a comitati umanitari e promuove raccolte di fondi per i soldati al fronte, ma non ha idea di cosa significhi trasportare uomini coperti di sangue, vedere case e villaggi distrutti, tremare a ogni esplosione.

Ha provato a parlargliene in qualche lettera, Ignazio, a cercare la sua comprensione, ma ormai Franca è come un pianoforte senza il pedale, incapace di produrre suoni che vibrino in profondità. Sembra che nulla riesca più a toccarla, che le emozioni siano, per lei, sfocate, indistinte. La morte dei suoi figli e la perdita della loro casa non sono soltanto una ferita che non si rimargina: sono una piaga su cui lei sparge continuamente del sale per convincersi che il suo dolore è più forte di qualsiasi altro al mondo. Quasi non riesce più a fare a meno di quel pensiero.

Le grandi sofferenze sono egoiste, non ammettono confronti. Conoscono solo la devastazione che infliggono all'anima che le ospita.

Ed è questo che li allontana, di nuovo, ancora.

« Florio! »

« Qui! »

Vincenzo riemerge da sotto l'autocarro che sta riparando, scatta in piedi e si fa avanti sgomitando per raggiungere l'addetto alla distribuzione della posta. Da quando sua madre è morta, riceve poche lettere e vedere ben tre buste per lui lo sorprende.

Le soppesa, poi cerca un posto tranquillo per leggerle e lo trova in un angolo dell'officina. Una è di suo fratello, l'altra di una modella francese che ha conosciuto a Parigi due anni prima, Lucie Henry. Una storia iniziata per caso, che forse sta diventando qualcosa di serio... *Ma non è questo il momento di pensarci*, si dice, mettendo da parte la busta. La terza è di sua sorella Giulia.

Ignazio lo aggiorna su ciò che sta facendo Linch per i loro affari. La fabbrica d'idrovolanti che Ducrot ha impiantato a Mondello e in cui lui ha una partecipazione sta rendendo bene, finalmente. Vincenzo sorride, contento che la sua idea si sia rivelata valida. Poi scorre le righe in cui Ignazio gli spiega che l'Olivuzza è stata svuotata e i mobili che lui vorrà prendere per sé si trovano adesso nei magazzini dell'Arenella. Con una punta di rimorso, pensa quanto sarà costato a Franca scegliere cosa tenere e cosa vendere, ma lui non avrebbe mai avuto il coraggio di farlo. Quando la guerra finirà – perché deve finire, si ripete ormai da tempo immemorabile – si trasferirà definitivamente in via Catania. Un palazzo nuovo, una storia nuova; senza memorie, senza dolore.

Perché talvolta il passato è una maledizione, una pietra sull'anima che neppure con la forza di volontà si riesce a sollevare.

Ed è a questo che pensa mentre apre la lettera della sorella. La calligrafia di Giulia è minuta e spigolosa, e la carta ha qualche strano ispessimento. Inizia a leggere, prima distrattamente, poi in fretta e infine rilegge tutto, una volta, due volte.

È vero quello che dicono: un cuore che si spezza non fa rumore.

Non importa quale sia la causa, se un lutto, una perdita, un amore mai dimenticato o mai vissuto. I frammenti sono lì, e fanno male. Potranno ricomporsi con gli anni, ma le cicatrici sono pronte a riaprirsi nel momento in cui una nuova lama li colpisce.

E questa lama ha il nome di suo nipote Manfredi.

Dopo il lungo soggiorno in Francia, era tornato in Italia, ansioso di combattere. Ed era stato ucciso qualche giorno prima, il 21 agosto 1918, a soli ventitré anni. Una scheggia di granata gli era entrata nell'orecchio destro.

Vincenzo capisce cosa sono quegli ispessimenti.

Lacrime.

Anche Giulia, come Ignazio, sta vedendo morire i propri figli. Venticinque anni prima Blasco, ora Manfredi... Di Ignazio non si sa più nulla da otto mesi. L'unico maschio che le rimane è Giuseppe, anche lui sotto le armi.

Si appoggia alla parete, e deve sedersi per terra perché le gambe si sono fatte molli; sente gli occhi riempirsi di lacrime e li strofina perché nessuno lo veda piangere. Ricorda i suoi nipoti e quante immagini gli dilagano nell'anima, e quanto dolore, e rimpianto, e pena.

Eccoli insieme, a Favignana, o sul *Sultana*, o in viaggio, oppure a correre sul velocipede all'Olivuzza. E poi ancora rivive l'attimo in cui aveva mostrato loro la prima motocicletta che gli aveva regalato Ignazio. Tuttavia, mentre questi si faceva chiamare zio da loro, lui non c'era mai riuscito: la differenza d'età era troppo poca. Erano stati compagni di giochi prima e di scorribande poi.

Ha il cuore di piombo. Prima un singhiozzo, poi un altro lo scuotono. Il dolore è un proiettile caldo e pesante nelle viscere. Ora anche Ignazio e Manfredi sono perduti. Come Annina, che non ha nemmeno fatto in tempo a dargli un figlio. Come sua madre, cui non ha potuto dire addio. Come l'Olivuzza.

Come tutto ciò che era suo e che lui non è riuscito a trattenere.

La fine della guerra non ha portato la fine del dolore. *Forse è davvero troppo presto per queste cose*, pensa Franca, guardando la pila di cartoncini sul tavolino in legno di rosa all'ingresso dell'appartamento a Villa Igiea. Li solleva, li sfoglia, ma sa già che si tratta dei biglietti con cui Palermo sta declinando l'invito alla festa che lei voleva organizzare di lì a un mese, alla metà di febbraio del 1919. Aveva sperato di rinverdire i fasti dell'hotel, ma per ora i suoi sforzi sembrano inutili. Troppi lutti, troppe devastazioni: la città ha bisogno di silenzio e di quiete per asciugarsi le lacrime. E di certo il recente passato da ospedale militare di Villa Igiea non aiuta.

Mette da parte i biglietti con un gesto stanco e si dirige verso il balcone affacciato sul parco. Infagottata in un cappottino azzurro, Giugiù, che ha quasi dieci anni, sta cercando di convincere la governante a portarla in riva al mare, oggi insolitamente agitato. Invece Igiea, che di anni ne ha diciotto, è di certo chiusa in camera sua a leggere, magari uno di quei romanzi inglesi che compra spesso a Roma. Franca ha sfogliato alcune pagine di un volume che ha trovato sul suo comodino: *The Voyage Out* di Virginia Woolf, ma l'ha subito chiuso con stizza. Quella storia di coppie che s'inseguivano per poi respingersi le era sembrata sgradevolmente familiare.

Deve essere grata che le sue figlie non abbiano sofferto troppo a causa della guerra, anche se la famiglia non ne era di certo uscita indenne. Vincenzo era tornato a Palermo e, in apparenza, aveva ripreso il suo ruolo di organizzatore di gare sportive e di varie manifestazioni cittadine. Ogni tanto, usciva dalla sua casa in via Catania per venire a Villa Igiea a trovare le nipoti ma, sebbene con loro si sforzasse di essere sempre allegro, era chiaro che la guerra gli aveva lasciato altre cicatrici nell'anima, insieme con quella, ancora insanabile, della morte di Annina. Quanto a Ignazio, era sempre a Roma con Vera, sempre più faticosamente impegnato in affari di cui lei sapeva poco o nulla, ma che di certo non stavano risolvendo i loro problemi finanziari. Si erano visti quando lui era tornato dal fronte e Franca aveva quasi stentato a riconoscere suo marito in quel cinquantenne ingobbito, dal viso segnato e dallo sguardo spento. D'altronde, anche su di lui era pesata la tragedia di Giulia: dopo la morte di Manfredi, le speranze di ritrovare in vita l'altro figlio, Ignazio, erano svanite quando, un anno dopo la sua scomparsa, era stato rinvenuto il suo cadavere... o, meglio, quello che ne restava. Da allora, proprio come sua madre, Giulia non aveva voluto togliere il nero del lutto e viveva chiusa dentro Palazzo Butera, senza mai vedere nessuno, neanche i fratelli. Per fortuna, suo figlio Giuseppe non soltanto era sopravvissuto, ma era pure stato nominato segretario particolare del presidente del Consiglio, Vittorio Emanuele Orlando, alla Conferenza di pace di Parigi; Giovanna si era fidanzata con Ugo Moncada di Paternò e di certo anche Sofia avrebbe trovato presto un marito. Almeno per loro, la vita continuava...

Già, ma non certo la vita di prima. E allora quale? si chiede adesso Franca.

Il mondo nato dalle ceneri della guerra le è estraneo, quasi la respinge: è un mondo che ha cancellato uomini come il Kaiser Guglielmo II, che ha spento le luci di un'intera epoca e che adesso brancola nel buio. E che la fa sentire vecchia, anche se ha solo quarantacinque anni.

Si decide a sedersi alla scrivania per rispondere alla corrispondenza. La Congregazione delle Dame del Giardinello chiede il suo aiuto per alcune giovani vedove di guerra; Stefanina Pajno la invita a una serata musicale; deve scrivere un biglietto di ringraziamento per...

Bussano alla porta. È un tocco insistente, insolito.

Una delle cameriere dell'hotel apre l'uscio, confabula con qualcuno. Poi Franca sente una voce familiare.

«Donna Franca! Donna Franca, per favore, ho bisogno di parlarvi...»

Con un sospiro, lei si alza e va nell'altra stanza.

E si trova davanti Diodata, la sua cameriera personale all'Olivuzza. Per un momento, il nastro dei ricordi si srotola tra loro e Franca si concede un sorriso. Quante volte quella donna l'aveva aiutata a pettinarsi? Quanti vestiti le aveva preparato? Era stata sempre attenta, discreta... anche e soprattutto durante le scenate con Ignazio.

Le sorride, le va incontro e la fa entrare, congedando la cameriera.

«Ti trovo bene», le dice poi, pur sapendo di mentire. La donna che ha davanti è solo l'ombra della robusta ragazza dalle guance rosee che ha passato tanti anni al suo servizio. È smagrita, segnata dalle rughe, e indossa un cappello sformato e un soprabito che ha più di una toppa.

«Grazie. Anche voi, signora, state molto bene.» Diodata china la testa. È in imbarazzo. «Donna Franca, perdonatemi se sono venuta così, senza nemmeno scrivervi un biglietto. Lo so che non si fa... Ma, vedete, ho saputo che eravate tornata da Roma e solo voi io conosco che mi potete dare aiuto.» D'un tratto, gli occhi s'inumidiscono e il viso di Diodata sembra quasi sgretolarsi. «Vi supplico, donna Franca. Sono disperata!» Si porta i pugni alla fronte. «Vi ricordate, vero, perché mi sono licenziata? Tanino Russello, il contadino che portava le verdure dalla campagna, e che aveva un pezzo di terra verso la borgata di San Lorenzo, mi aveva chiesto in moglie.» Quasi arrossisce. «Eravamo soli tutt'e due e ci eravamo detti che potevamo provare a stare insieme. Figli non ne sono arrivati, ma del resto lui, se ve lo ricordate, era grande di età e zoppicava. Per questo non è andato in guerra e ci era sembrata una benedizione... Ma tre mesi fa è tornato a casa con una tosse... *Marunnuzza mia, chi tussi c'avia*... E la mattina dopo aveva una febbre così forte che ho avuto paura e ho chiamato il dottore. Ma quello non è venuto subito, perché mi mandò a dire che di casi come mio marito ce ne erano assai assai in tutta Palermo e che la colpa era di questa influenza chiamata spagnola: gente che bruciava di una febbre che non voleva scendere, che aveva dolore al collo e non poteva respirare, che finiva per buttare sangue dalla bocca e che ne moriva a decine... e così è stato. Dopo quattro giorni di febbre fortissima, Tanino ha cominciato a tossire sangue e la mattina dopo non c'era più.» Alza la testa. Il suo sguardo parla di dolore, di stenti, di disperazione. «Io pure me la sono presa, questa spagnola, dopo di lui, ma il Signore non mi ha voluto. Sono ancora qui, ho dovuto vendere il pezzo di terra che lui coltivava e con cui riuscivamo a campare, ma quei soldi mi stanno finendo perché la terra non vale più niente, più niente... *Sugnu sula e disprezzata, chi si moro attruovano sulu l'ossa*. Se non trovo qualcuno che mi prenda a servizio...» Le afferra le mani. «Vi scongiuro, donna Franca, riprendetemi con voi, anche solo per un po'... O magari qualcuna delle signore vostre amiche ha bisogno...»

Travolta da quel fiume di parole, Franca d'istinto fa un passo indietro.

Certo, quell'influenza violenta, spesso mortale, non era una novità: se n'era parlato già durante la guerra, ma i giornali le avevano riservato giusto qualche trafiletto per invitare alla prudenza o per segnalare che si era provveduto alla disinfezione di questo o di quel locale pubblico. Tra i suoi conoscenti, poi, non c'era stato nessun malato. E così Franca si era convinta che lì a Palermo non ci fosse pericolo. «Diodata mia, ma cosa dici?» esclama allora. «Possibile che la spagnola abbia colpito così tante persone anche qui?»

L'altra annuisce con forza. «Voi non avete idea di quanta gente è morta, donna Franca. Chi viveva lontano dalla città, verso il mare o in campagna, si è salvato, ma la povera gente... A Castellammare, alla Kalsa, alla Noce, alla Zisa... non c'è portone che non abbia avuto almeno un ammalato o un morto.» Si torce le mani. «Certi si sono sbarrati in casa, altri hanno lavato la biancheria ogni giorno con il sapone allo zolfo... E ci sono stati pure quelli che son andati in giro con delle pezze davanti alla faccia. Ma è sevito a poco.»

Franca è ammutolita. Il terrore della malattia si trasforma in un'onda prepotente, che le annebbia la vista e fa riemergere in tutta la sua crudezza il ricordo della morte di Giovannuzza. «Le mie figlie...» geme, fissando Diodata con un misto di orrore e d'incredulità.

«Io solo a voi conosco, vi ho servito per vent'anni. Vi prego, non lasciatemi in mezzo a una strada. Sono forte, so lavorare. Se potessi, me ne andrei in America, come hanno fatto certi lavoranti della cucina... Ma non ho i soldi per mangiare, figuriamoci per partire...»

Franca non l'ha quasi ascoltata. Un pensiero si è formato nella sua mente e ormai la occupa per intero: *E se Diodata fosse ancora infetta?*

Non può restare accanto a quella donna un minuto di più. Senza dir nulla, va in camera sua, apre un cassetto e ne tira fuori alcune banconote. Poi ha un'idea. Si ferma, la considera, annuisce. Prende carta e penna, scrive poche righe. Mette il denaro e il biglietto in una busta, quindi torna nell'ingresso a passo veloce.

«Non posso riprenderti, Diodata, non posso davvero. Però tieni questa», le dice, porgendole la busta. «C'è un po' di denaro, insieme con un messaggio per mio cognato Vincenzo. Hai detto che vorresti andare in America, no? Ecco, va' da lui, in via Roma, digli che ti mando io. Gli ho scritto, se possibile, di trovarti un biglietto per il prossimo piroscafo.»

Diodata prende la busta, incredula. Poi scoppia in lacrime. «Oh, donna Franca, grazie! *Ju u sapia chi vossia era na' santa cristiana!*» Si avvicina, cerca di baciarle la mano, ma Franca si sottrae.

«Su, su, non c'è bisogno che mi ringrazi per così poco», le dice.

La donna la guarda, si asciuga gli occhi, colmi di una gratitudine che mette Franca ancor più a disagio. «Io non vi dimenticherò mai», mormora. «Nelle mie preghiere ci sarete sempre voi e i vostri figli, sia quelli vivi sia quelli che sono angeli. Siete sempre stata buona con me e lo siete ancora.»

Franca afferra la maniglia della porta. «Va' in fretta a via Roma», le ripete, e quasi si fa scudo con il battente. «Addio e buona fortuna, Diodata.»

Chiude la porta mentre la donna continua a ripetere ringraziamenti e benedizioni, poi corre verso la saletta da bagno, cerca il sapone allo zolfo. Frenetica, si lava le mani e le braccia.

Ma non è solo della febbre spagnola che ha paura, no. È della povertà che ha visto in Diodata che vuole liberarsi, di quella sensazione di sporcizia, di provvisorietà, di miseria. Del senso di colpa, della consapevolezza di ciò che ha significato il declino di Casa Florio. Perché non è stata solo la sua vita a cambiare, no. Sono cambiate tante altre, e in peggio. Ed è una responsabilità, quella, che lei non è in grado di portarsi addosso.

Roma è tanto bella, ma è anche stancante. A Parigi, invece, sembra di essere dentro un quadro di Pissarro. Fa bene al cuore venirci, ogni tanto... Il sole d'aprile sfiora le finestre dei palazzi di rue de

la Paix e ricordi leggeri come veli danzano davanti agli occhi di Franca: il viaggio di nozze, le passeggiate lungo la Senna con le amiche, i concorsi ippici al Grand Palais, le serate all'Opéra... *È come se qui non possa mai succedere nulla di brutto*, pensa, e sorride, ascoltando Igiea e Giugiù che stanno discutendo dei cappelli visti al Café de Paris, dove hanno pranzato: a Igiea non piace proprio la nuova moda che ha bandito i fiori e vuole solo nastri e piume. Giugiù invece ne è entusiasta.

Da due anni ormai Franca vive a Roma, in un appartamento al Grand Hotel. E non solo perché in quella città può far valere il suo ruolo di dama di corte, ma soprattutto perché tutto è più semplice: meno servitù, meno spese. Eppure, le prime volte in cui era tornata per qualche giorno a Villa Igiea e si era seduta nel tempietto affacciato sul mare, le era sembrato di sentire Palermo che la chiamava. La città rivoleva la sua regina, con le sue feste spensierate, gli applausi a teatro, i valzer ballati fino all'alba, il *gelo di mellone* del suo *monsù*. Ma poi anche quella voce si era affievolita fino a spegnersi. *Forse Palermo ha capito che, quando il tempo della felicità è finito, si può soltanto sperare che qualcuno se ne ricordi*, si era detta.

L'unica cosa cui Franca non riesce ad abituarsi, a Roma, è l'onnipresenza della politica, il fatto che ogni avvenimento in Italia lì abbia un'eco immediata, concreta. Tutto ciò che un tempo le arrivava filtrato dalle cronache dei giornali o da qualche racconto adesso le sembra più vicino e spesso più minaccioso. Come quell'orribile attentato al Teatro Diana di Milano, qualche settimana prima, in cui erano morte almeno quindici persone, persino una bambina. Il giorno dopo, Roma era costellata di bandiere listate a lutto e la città intera sembrava sprofondata in un pozzo di dolore. Per non parlare degli scioperi, dei continui scontri tra socialisti e fascisti... Chissà se quel Benito Mussolini, che proprio qualche giorno prima era andato a trovare Gabriele d'Annunzio a Gardone Riviera, era l'uomo giusto per riportare un po' di ordine in Italia...

« Mi hai sentito, *Mutti*? » Igiea le si è affiancata, le dà un colpetto sulla mano. « La mia futura suocera si aspetta che le mostri l'abito da sposa quando sarà quasi pronto. Intende regalarmi alcuni gioielli di famiglia e vuole essere sicura che siano adatti. »

« Sì, l'ha accennato anche a me, come mi ha detto che avrebbe preferito un atelier italiano. » Scrolla le spalle. « Worth è la casa di moda da cui noi Florio ci siamo sempre serviti. È la migliore e per il tuo matrimonio desidero che tu abbia il meglio. » Già immagina le proteste di Carlo Linch – « Donna Franca, mi avevate promesso di limitare le spese! » – e i rimproveri di Ignazio. Ma non le importa. Vuole che Igiea abbia il matrimonio che lei non ha potuto avere.

Giulia sgrana gli occhi chiari. « E io? » chiede, senza nascondere una sfumatura di gelosia infantile.

« Per te, Giugiù, andremo in boulevard des Capucines, da Liberty. » Si china in avanti, le fa una carezza.

« Oh, l'ultima volta ci sono andata con Maruzza. Mi manca, sai? »

« Manca anche a me », sospira Franca.

È passato ormai quasi un anno dal matrimonio di Maruzza con il conte Galanti, il direttore di Villa Igiea. Un matrimonio tardivo per entrambi, un'unione di comodo per lei, per sottrarsi alle tempeste che continuavano ad abbattersi su Casa Florio. Quando le aveva dato la notizia, Franca si era limitata ad annuire e a mormorare qualche parola di comprensione. Le figlie, invece, le avevano fatto grandi feste e l'avevano abbracciata a lungo.

Che figlie meravigliose. Sono proprio due fiori, pensa Franca.

Giugiù ha solo dodici anni, ma sta già sbocciando. E Igiea, che ne ha ventuno, è una giovane donna dalla pelle chiarissima, con un viso delicato e lunghe mani eleganti. All'anulare della sinistra ha l'anello che il duca Averardo Salviati le ha donato in occasione del fidanzamento. Si sposeranno di lì a pochi mesi, il 28 ottobre 1921.

Si sono incontrati durante una vacanza all'Abetone, un luogo carico di ricordi per Franca: là aveva conosciuto Giovanna e Ignazio aveva chiesto la sua mano.

Affetto e malinconia si mescolano per un istante. È felice che Igiea abbia trovato un uomo che la ama teneramente e che ha un titolo così prestigioso. Non avrebbe potuto sperare in un matrimonio migliore per la sua piccola, anche perché le condizioni economiche dei Florio non sono certo migliorate, anzi. Ma spera pure che quell'unione non somigli alla sua con Ignazio. Che sia serena. Che loro due si amino e si rispettino. *Perché mai non dovrebbe essere così?* si dice, quasi per rassicurarsi. *Non ho nessun motivo per pensarlo.*

Arrivano davanti al portone di Worth ma, proprio mentre stanno per entrare, un bimbetto vestito alla marinara spunta come dal nulla e abbraccia le gambe di Franca.

«*Le carrousel! Je veux monter sur le carrousel!*» piagnucola, scuotendo i riccioli biondi.

La bambinaia sopraggiunge subito dopo, ansimando, si profonde in mille scuse e infine trascina via il piccolo, che adesso piange disperato.

Giugiù scoppia a ridere, ma a Igiea non è sfuggito lo sguardo gonfio di tristezza della madre. Era molto piccola quand'erano morti Giovannuzza e Baby Boy, però le loro immagini se le porta dentro. Le si avvicina, le circonda le spalle con un braccio. «Mamma...» sussurra.

Franca trattiene a stento le lacrime. «Mi spiace se non sono riuscita a dare a te e a Giugiù una vita serena. Forse non sono stata nemmeno una buona madre.»

«Non dire così», replica Igiea. «Tu ci sei sempre stata vicina. E papà... ha fatto molti errori, però il suo affetto non ci è mai mancato», aggiunge, con voce tranquilla. «Quella... donna che sta con lui non potrà mai sostituirti. Ora che ho Averardo, capisco molte cose. Per esempio che si possono amare due persone nello stesso momento, ma di un amore differente. Papà, forse, ha bisogno di entrambe.»

«No», sibila Franca astiosa, alzando il capo. Una crepa si apre, lascia uscire un rivolo di dolore. «Se lo dividi, l'amore tra un uomo e una donna va in frantumi. Io gli ho dato tutta me stessa, mentre lui... lui non sa cosa significa amare. Perché non è mai stato in grado di prendersi davvero cura di me. Non sapeva come fare, né ha saputo comprendere che talvolta devi rinunciare a qualcosa di tuo per permettere all'altro di essere felice. Continuerò a volergli bene perché è mio marito ed è vostro padre, però...»

Igiea si raddrizza, fissa la madre negli occhi, le stringe la mano. «Però starete sempre vicini. Ed è questa l'unica cosa che conta davvero.»

Vincenzo respira profondamente l'aria tiepida di Parigi. Sorride, poi osserva la donna che cammina al suo fianco e le schiocca un bacio sulla fronte. Lei ride; una risata spontanea, argentina. Viva.

Capelli neri, occhi scuri, naso perfetto: un viso che rivela un carattere libero, allegro.

Lui stenta a credere di aver trovato una donna che vuole stargli vicino, a onta dei suoi costanti sbalzi d'umore. Lucie Henry è entrata per caso nella sua vita, ma non è affatto un caso che ci sia rimasta. Hanno resistito alla guerra e ora vivono insieme, tra Parigi e Palermo.

Lucie ricambia la sua occhiata, gli si stringe contro. «Credi che tua cognata sarà felice di vedermi? L'ultima volta non mi è sembrata particolarmente lieta della mia presenza.»

Lui si stringe nelle spalle e fa roteare il bastone di ebano con la testa d'argento. «Mah, è un problema suo. Io sono lì per vedere le mie nipoti e tu sei la mia *petite amie*. Ti va bene se ti chiamo così?»

«Ho avuto una figlia fuori dal vincolo del matrimonio. Ho conosciuto molti uomini. Ora vivo con te senza essere tua moglie. *En Sicilie* mi definirebbero in altro modo, ma non m'importa.»

Vincenzo copre la sua mano con la propria. Si fermano in mezzo alla strada. Lui le accarezza gli zigomi e le parla sottovoce. «Ricordi? La guerra era appena iniziata, e tu posavi ancora per quel pittore spiantato... La sera in cui ci siamo conosciuti io ero ubriaco e tu avevi litigato con lui.»

Lei ride piano. «Credi che possa dimenticarlo? Tu dovevi rientrare in Italia di lì a poco e così abbiamo iniziato a vederci di nascosto, come due ragazzini... E poi ti ho presentato Renée.» Fa una pausa. «Volevo che tu la conoscessi perché...»

«Hai una figlia meravigliosa», la interrompe lui. Le immagini si sostituiscono alle parole, il ricordo diventa caldo, dorato come miele. Occhi allungati e sguardo acceso come quello di Lucie, Renée lo aveva scrutato con attenzione prima di avvicinarsi, poi aveva chiesto alla madre se lui era uno dei suoi amici.

L'improvviso imbarazzo di Lucie era scomparso non appena Vincenzo si era chinato e aveva scompigliato i riccioli della bambina, dicendo: «*Non, ma petite*. Io sono uno che vuole bene alla tua mamma».

Poi lui aveva alzato gli occhi e aveva incrociato quelli di Lucie.

Aveva trovato uno sguardo appannato dalle lacrime ad attenderlo.

La memoria scatta in avanti. Loro due, in piedi, nella stanza di Lucie, fermi davanti al balcone schermato da tende bianche. Non si toccano, sono ancora vestiti. Si guardano. Null'altro: sono fermi in quel momento meraviglioso e indefinito in cui s'inizia a fare l'amore con la mente prima ancora che con i corpi.

Lucie è l'unica donna che è stata capace di lenire il dolore per Annina.

«Andiamo», le dice. Lascia scivolare la mano lungo il suo braccio, raggiunge le dita, le intreccia con le sue.

Trovano Franca, Igiea e Giulia nella sala da tè dell'hotel Le Meurice. La luce soffusa che piove dai lampadari di cristallo si riflette sulle boiserie e sugli scaffali, arriva a toccare le tovaglie bianche e si accende nel chiarore latteo della porcellana.

Franca è seduta rigidamente in una poltrona; Igiea, accanto a lei, sta versando il tè per sé e la madre. Giulia è immersa nella lettura di un romanzo.

«Oh, eccovi qui.» Vincenzo si avvicina, bacia le nipoti, sfiora la guancia della cognata.

«Scusateci se vi abbiamo fatto aspettare.» Lucie, alle sue spalle, inclina la testa in un saluto informale.

Franca le indica la poltrona dinanzi a sé. «Di nulla. Abbiamo avuto una giornata densa d'impegni. Igiea ha scelto l'abito da Worth e poi abbiamo fatto un giro da Cartier...» Ignora il sopracciglio inarcato di Vincenzo e si rivolge alla cameriera che si è avvicinata, chiedendole di portare altri *petits fours*.

Lucie si schiarisce la gola, fa passare lo sguardo dalle ragazze alla donna. *È molto bella, e ha una classe innata*, pensa. *Ma sembra così fredda, così distante...* Tiene le mani giunte sulle gambe, la schiena rigida e i sorrisi, che pure le affiorano sulle labbra mentre parla con Vincenzo dei preparativi per le nozze, non arrivano mai agli occhi. D'un tratto, però, Lucie intuisce di essere osservata a sua volta. O, meglio, giudicata. Da quella donna così bella, certo, ma pure dalle figlie. Igiea le rivolge occhiate vagamente altere; Giugiù invece la fissa con un misto di noia e di perplessità. *Che mi stiano paragonando alla loro madre?* non può fare a meno di chiedersi.

Vincenzo sembra ignaro di quel gioco di sguardi. «I tuoi genitori non stanno badando a spese per queste nozze, eh?» dice a Igiea con una punta d'ironia.

La bella bocca di Franca si allarga in un sorriso compiaciuto. «Per una figlia, questo e altro. E poi le convenzioni vanno rispettate, soprattutto se le famiglie coinvolte – i Salviati e gli Aldobrandini – sono tra le più importanti d'Italia.»

«La mamma sa cos'è meglio per me», dichiara Igiea. «La nobiltà romana è molto attenta a...»

«La nobiltà romana?» Lucie sgrana gli occhi. «State dicendo che il matrimonio sarà a Roma?»

«Certo. Igiea vivrà a Roma, o a Migliarino Pisano, dove i Salviati hanno la tenuta di famiglia», replica Franca. «Però sto organizzando anche una grande festa a Villa Igiea per gli amici di Palermo che non potranno venire ai ricevimenti di Roma, così che possano conoscere lo sposo.»

«*Ai* ricevimen*ti*?» chiede Vincenzo. «Non ne basta uno?»

«Dopo la cerimonia civile, ci sarà il vero ricevimento; dopo la funzione religiosa, faremo una colazione tra intimi, un centinaio di persone. Tuo fratello ha voluto così e io mi sono adeguata alle sue richieste.»

«Zio, ricordi che, come testimone, dovrai confessarti, vero?» interviene Igiea. «Sai che la mia futura suocera, la duchessa Aldobrandini, è molto religiosa e che il cardinale Vannutelli che celebrerà le nozze è un carissimo amico di famiglia...»

Vincenzo alza gli occhi al cielo e ride. «Non mi confesso da non so quanti anni. Temo che la mia vita dissoluta sconvolgerà quel povero prete!»

Lucie fissa Igiea. Le sembra impossibile che quella ragazza così giovane sia tanto ligia alle tradizioni e alle apparenze. Alla fine, non riesce a trattenersi ed esclama: «Ma... siamo nel Ventesimo secolo!»

«Se c'è una cosa che non passa mai di moda è il sapersi comportare nel modo giusto», ribatte Igiea con grazia tagliente. «E il comportamento di noi Florio deve essere irreprensibile, in quel giorno.» Poi lancia un'occhiata alla madre e prosegue: «Mio padre sa bene quanto è importante essere all'altezza del nome che si porta. Ecco perché starà accanto alla mamma per tutto il tempo necessario». S'interrompe, perché è arrivata la cameriera con il vassoio di *petits fours*. Nel silenzio improvviso, Franca riserva a Igiea un sorriso orgoglioso. È fiera di sua figlia, della sua determinazione. Del suo modo delicato ma netto di tracciare confini.

Vincenzo invece abbassa la testa, stringe il cucchiaino e lo fa scorrere sulla tovaglia, avanti e indietro. Ha compreso quello che gli sta dicendo la nipote. Infine prende coraggio, alza lo sguardo su Lucie e vede nei suoi occhi una profonda tristezza. Sì, anche lei ha capito: la sua presenza al matrimonio non è gradita.

«Non sono vincolati alla segretezza... i preti, dico?» chiede poi, ma in tono poco convinto.

Igiea allunga la mano verso i *petits fours*, esita, ne sceglie uno. «Non è questione di cosa si dice, ma di quello che si decide di rivelare. Se una cosa non si vede, semplicemente non esiste.» Ha parlato in un soffio, le labbra appena sporche di zucchero. Alza gli occhi e per un istante incrocia lo sguardo di Lucie.

E in quello sguardo c'è un giudizio senza appello.

Franca riaggancia la cornetta del telefono, si alza dalla poltrona e si concede una piccola risata di tenerezza. Maria Arabella, la figlia di Igiea e Averardo, è nata poco più di un mese prima, il 6 settembre 1922, e sia la madre sia la piccola stanno bene, forse anche grazie al fatto che vivono in campagna, nella bella tenuta dei Salviati. A rallegrarla, però, è stata soprattutto la voce di Igiea: pacata, sicura, serena. La voce di una donna che ha trovato il suo posto nel mondo e che si sente apprezzata e stimata dalla sua nuova famiglia.

Il telefono squilla di nuovo e Giulia corre a rispondere.

«Pronto? Oh, zio Vincenzo! Sì, stiamo bene... E voi? *Tante Lucie* come sta? E Renée? E nonna Costanza, l'hai vista? Ah, bene! Cosa? Stai organizzando una gara di motoscafi tra l'Arenella e Villa Igiea e vuoi sapere se noi...»

Franca ha capito e fa subito cenno di no.

«Chiederò alla mamma, ma non credo che verremo... Palermo è troppo triste, a novembre... Oh, sai che ieri abbiamo visto un film ambientato anche in Sicilia? Si chiama *Il viaggio* e c'è Maria Jacobini, che è bellissima e poi...»

Il sorriso di Franca si spegne. E spenta è anche l'immagine di Palermo che l'invito di Vincenzo ha evocato. Poco importa ormai che pure l'ultimo tratto di via Roma sia stato completato o che ci siano strade nuove, grandi negozi. È roba per piccoli borghesi, *gentuzza* senza stile. La maggior parte di quei nobili che hanno illuminato Palermo per tante stagioni non è riuscita a riemergere dal buio della guerra o delle difficoltà economiche che ne sono seguite e conduce un'esistenza appartata. Oppure si è trasferita, magari in Toscana o a Roma, come ha fatto lei. E cerca di viaggiare il più spesso possibile: le camere d'albergo di Parigi, delle Alpi austriache o del Trentino sono confortevoli ed eleganti luoghi senz'anima, senza ricordi.

Solo Giulia ha trovato un modo di rimanere aggrappata al passato: Costantino, l'ex re di Grecia, ha scelto Palermo per il suo esilio e Giulia trascorre le giornate con lui, con la regina Sofia e con il loro piccolo entourage, che spesso si ritrova a Villa Igiea.

Un fantasma che ha scelto la compagnia di altri fantasmi.

Gli occhi di Franca si posano sul cassetto della piccola scrivania addossata alla parete, uno dei mobili di Ducrot che è riuscita a portare a Roma: sa che lì dentro c'è un fascio di carte, dimenticate da Ignazio qualche mese prima, in occasione della sua ultima visita. Forse era stata una sbadataggine, forse l'aveva fatto apposta, chi poteva dirlo. Lei le aveva scorse e, in quel groviglio di numeri e di formule burocratiche, una cosa le era stata chiara: l'ipoteca sull'Olivuzza, contratta con la Société française de Banque et Dépôts, era stata – chissà come – cancellata e buona parte del palazzo, con un'ampia sezione del parco, era stata venduta a Girolamo Settimo Turrisi, principe di Fitalia.

Aveva chiuso di scatto il fascicolo e lo aveva messo subito in quel cassetto, cercando di dimenticarlo. Pensare alla fine del proprio mondo era doloroso; averne la prova concreta era insostenibile.

No, per qualche tempo almeno non tornerà a Palermo.

Però non vuole neanche rimanere a Roma. Cosa poteva succedere dopo quella gigantesca adunata di fascisti a Napoli, dove Benito Mussolini aveva detto: «O ci danno il governo o lo prenderemo calando su Roma», come se la città fosse una sua preda?

«Senti, Giugiù, cosa ne dici se facciamo un piccolo viaggio?» dice allora a Giulia, non appena questa finisce la telefonata. «Magari andiamo a Stresa. E poi a Viareggio, all'Hôtel Select, come sempre. E chiediamo a Dory di venire con noi.»

Giulia lancia un gridolino e si mette a ballare, felice. La nuova amica americana della mamma – Miss Dory Chapman – è una donna che ha viaggiato in tutto il mondo e che conosce un sacco di storie incredibili. Ma soprattutto è sempre di buon umore. Pure Giulia si è accorta che, quando parla con lei, la madre è meno triste del solito. «Vedrai che bello», dice allora. Poi, dandole un bacio sulla guancia, mormora: «Sì, abbiamo bisogno di un po' di allegria».

Franca non sa perché Ignazio l'ha raggiunta all'Hôtel Select di Viareggio in quella nuvolosa sera di novembre. Ha notato che ha un'aria affaticata e si è portato dietro solo un paio di valigie, come se fosse partito di fretta. Al solito, però, non fa domande. In silenzio, prende un filo di perle e un bracciale dalla sua borsa in maglia d'oro, li indossa e richiude la borsa nel bauletto.

Poi si drappeggia sulle spalle la mantella bordata di zibellino e dice semplicemente: «Vieni?»

«Dove stai andando?»

«Al casinò, giusto per qualche puntata e un po' di chiacchiere. Non che ci sia molto altro da fare qui.»

Lui scrolla le spalle. «Ti spiace se non ti accompagno? Fa freddo, sta per piovere, sono esausto e me ne andrei volentieri a letto.»

«La tua stanza è di fronte a quella di Giugiù. Lì c'è la chiave», replica lei, asciutta. «E poi io vado con Dory e con il marchese di Clavesana. Non sono da sola.»

Nel corridoio, Ignazio si allontana senza neppure salutarla.

Ha visto più albe lui del sole e adesso è diventato un vecchio che si lamenta per due gocce di pioggia, riflette Franca con un sorriso amaro, mentre scende le scale e arriva alla hall, dove la aspetta Dory, che le va subito incontro. «Eccoti, cara!» esclama, stringendosi nella stola di volpe. «Sei coperta abbastanza? Voi siciliani avete *so much* bisogno di calore! Il marchese di Clavesana ci aspetta *in the car*. Andiamo?»

Franca sorride. Sì, Giugiù ha ragione: quella donna mette proprio allegria. «Certo», replica.

Si sente un tuono, lontano, mentre un valletto dell'hotel chiude la porta dietro di loro.

È passata da poco mezzanotte. Due uomini vestiti di scuro camminano rapidi lungo i corridoi di servizio dell'Hôtel Select. Salgono una rampa di scale, poi aprono senza far rumore l'uscio di un ripostiglio. Lì, in mezzo alle scope e ai cesti di biancheria sporca, trovano un grembiule. Uno dei due lo afferra, lo agita, sorride.

Un tintinnio. Chiavi.

I due escono dal ripostiglio e salgono al piano nobile, dove si trovano le camere più lussuose. Alla luce di una piccola lampada da parete, inseriscono il passepartout nella toppa, che scatta senza cigolare.

Sono dentro.

La stanza è molto grande e rischiarata solo dalla luce dei lampioni, all'esterno. Intravedono il letto, con una vestaglia appoggiata tra i cuscini, la toeletta e una sedia su cui c'è una sottoveste.

Uno dei due infila un fazzoletto nella serratura della porta. Poi indica la toeletta. Lì davanti, sullo sgabello, c'è un bauletto.

Il bauletto.

Con un cenno d'intesa, lo mettono sul materasso, lo forzano con un grimaldello.

Eccola, la borsa in maglia d'oro con i gioielli di Franca Florio. La aprono, vi rovistano dentro, tastano i sacchetti di velluto, li tirano fuori e, prima di aprire anche quelli, si avvicinano alla finestra. Le perle e le pietre preziose mandano lampi di luce nel buio.

Allora l'uno rimette i sacchetti nella borsa, mentre l'altro si dirige verso la parte opposta della stanza e accosta l'orecchio alla porta che separa la stanza di Franca da quella dell'altra donna, l'americana.

Nessun rumore. Possono procedere.

Rimettono il bauletto sullo sgabello. Poi spalancano gli armadi, aprono le valigie e le cappelliere, frugando tra gli abiti con violenza. Infine afferrano i flaconi delle creme, li aprono, spalancano la finestra e li gettano tra le siepi; tutti si convinceranno che sono fuggiti di lì. Calandosi nel giardino.

Quindi entrano nella stanza di Dory. Il bottino, lì, è meno ricco: una penna d'oro, un piccolo notes pure rivestito in oro, una busta con cinquemila lire.

Poi si chiudono la porta alle spalle e, silenziosamente com'erano arrivati, se ne vanno.

Il commissario Cadolino regge il foglio con le mani che quasi gli tremano. Legge ad alta voce, incredulo, e anche la voce è esitante. «Mi spiace disturbarvi ancora, signor Florio, ma dovrebbe arrivare da Roma il questore Grazioli e io vorrei essere sicuro che l'elenco sia completo. Posso?»

Ignazio, un pugno chiuso sulle labbra, annuisce.

«Grazie. Allora: un filo di 180 perle grosse, con fermaglio di brillanti e rubini; uno di 359 perle con fermaglio di brillanti; un filo di 45 perle grosse; un filo di 435 perle piccole; una collana in platino con grosse perle a gocce e brillanti grossi; una borsetta in oro e platino con cifra in rubini e ciondolo; una spilla in oro con cifra in brillanti e corona reale con nodo turchino...»

«Mia moglie è dama della regina Elena e quello è il suo distintivo.»

«Ah, ecco, certo... Un orologio con brillanti a nastro e bracciale; un bracciale d'orologio in oro di forma quadrata; cinque grossi anelli con perle; un anello con rubini e brillanti; una catena lunga di brillanti divisi in tre parti...»

Franca non ascolta. Tiene le mani giunte in grembo, lo sguardo perso nel vuoto. Non soltanto non ha più i suoi gioielli, la sua protezione contro le brutture del mondo ma, da quand'è stato scoperto il furto, due giorni prima, le sembra addirittura di essere in prigione, come se fosse lei la ladra. Interrogatori continui. Poliziotti ovunque. Giornalisti in attesa fuori dall'albergo. Domande su domande, a lei, a Dory, a Ignazio, persino a Giulia. Mani sconosciute a frugare tra i suoi vestiti e nei cassetti, a spargere in giro una polvere per le impronte digitali, a perquisire e interrogare cameriere e valletti. Per cosa, poi? Non avevano neppure capito se il ladro era solo oppure no, se era entrato dalla porta o dalla finestra e da dov'era scappato. Sì, sul vetro c'era una macchia di *cold cream*, però...

«... un bracciale grosso e catena di platino; un bracciale con due rubini e brillanti; un bracciale in platino con quattro perle grosse; un bracciale tutto di brillanti; un bracciale in platino con turchesi...»

Non ho più nulla.

«... un bracciale di brillanti e zaffiri; un anello di platino con tre brillanti; diverse spille con rubini e brillanti; una treccia con brillanti e rubini...»

Non sono più niente.

«Avete finito?» chiede Ignazio. È stanco, avvilito, e non si cura di nasconderlo.

Cadolino annuisce, fa un cenno di saluto a Franca ed esce.

Ignazio le va vicino, le sfiora il volto e lei lo guarda come se non si fosse nemmeno accorta della sua presenza.

« Vedrai che riusciranno a trovarli », le dice, cercando di consolarla. In realtà, anche lui è turbato e incredulo. Quei gioielli valgono una fortuna e possono rappresentare una garanzia per i debiti che lo strozzano. Lo sa pure Linch, che si è affrettato a chiamarlo per conoscere « l'entità del danno ».

Franca tormenta un fazzoletto. « Ciò che mi era più caro dopo le mie figlie... » sussurra. « Sembra che io non riesca a trattenere ciò cui tengo di più, che il mio destino sia quello di perdere nel modo più doloroso possibile le persone o le cose cui sono affezionata. Quale peccato devo scontare? Perché devo essere punita così? »

Ignazio la abbraccia. « Su, Franca mia... Abbiamo passato ben di peggio. Ricordati che si tratta di gioielli ben riconoscibili. I ladri non possono farli smontare dal primo orafo che capita. In più, nessuno vorrà rischiare di trovarsi invischiato in un'accusa di ricettazione. Per quanto se ne possa ricavare, è davvero una cosa troppo pericolosa. »

Franca sbarra gli occhi. « Smontati? Fatti a pezzi? » balbetta. « Le mie collane? Gli anelli... Le mie perle? » Scuote la testa freneticamente. « No, no... » ripete, e a nulla servono le parole di Ignazio. Franca comincia a tremare, si abbraccia il torace, come se volesse impedirsi di andare in pezzi. « Anche questo mi tocca subire? » si chiede. Piange sottovoce, il volto devastato da un dolore che è la somma di tutta la sofferenza di quegli anni. Come se quel furto, oltre che i gioielli, le avesse sottratto anche l'unica cosa che ancora le proteggeva l'anima: il ricordo della sua felicità.

Eppure, almeno questa volta, il destino è generoso con lei. A condurre le indagini è un abile vice commissario di Milano, Giovanni Rizzo. È un mastino, uno che conosce bene il mestiere. E individua rapidamente i due ladri, il belga Henry Poisson e l'ex ufficiale dell'aeronautica tedesca Richard Soyter. Avevano seguito Franca per qualche giorno, studiato le sue abitudini e quelle dell'amica e agito nel momento in cui erano stati certi che sia Ignazio sia Giulia stavano dormendo.

Rizzo tende loro una trappola a Colonia grazie all'ingenuità di Marguerite, la fidanzata di Poisson. Tra ricostruzioni improbabili e contraddittorie, dichiarazioni a effetto – « Che cosa volevate ne facesse la signora Florio, dei suoi gioielli, lei che ne ha tanti? » pare abbia detto Poisson al momento dell'arresto –, valigie fermate alla frontiera con l'Italia e pasticci giudiziari, bisogna arrivare al 1926, cioè a quattro anni dopo, perché i due ladri vengano condannati in contumacia dalla giustizia italiana. Un processo che non interessa più a nessuno, neppure a Franca, che infatti non vi assiste.

A lei è bastato riavere, nel gennaio 1923, tutti i suoi gioielli. Con un misto di stupore e compassione, Giovanni Rizzo l'ha guardata aprire i sacchetti, a uno a uno, accostare le perle al viso, accarezzare i diamanti e indossare gli anelli. « Sono tornati... Sono qui e sono miei », ha mormorato Franca, piangendo di felicità.

La sua vita, o almeno una sua parte, è tornata al suo posto.

Anche se sono passati più di dieci anni da quando Ignazio ha dovuto abbandonare il suo ufficio a piazza Marina, per lui gli scricchiolii non sono mai cessati e le crepe non si sono mai ricomposte. Anzi. L'Olivuzza sbranata, ridotta a nuovo quartiere della città. Villa Igiea che ha ormai perso la sua ragion d'essere: le sale sono deserte, il casinò non rende quasi nulla. La manifattura di ceramiche praticamente ceduta a Ducrot. La sede del Banco Florio e gli immobili di via dei Materassai venduti a uomini scaltri e di dubbia fama, che si sono arricchiti mentre l'Italia sprofondava nella guerra. Persino *L'Ora* è da tempo passata nelle mani del ricco mugnaio Filippo Pecoraino. Poi, nel 1926, il regime farà chiudere il giornale per riaprirlo l'anno seguente con il sottotitolo *Quotidiano fascista del Mediterraneo*.

In quella tempesta senza fine, l'unico baluardo è Carlo Linch. Onnipresente, puntiglioso, instancabile, continua con testarda fermezza a chiedere di limitare le spese – « Sono ancora *davvero* troppe! » – soprattutto quelle di Franca, e talvolta arriva persino a rievocare il matrimonio di Igiea, benché risalga ormai a quattro anni prima: «Un autentico salasso! Vestiti, gioielli, persino tre ricevimenti! Ah, se si fosse evitato di scialacquare tanto...» esclama, esasperato, nei momenti di maggior difficoltà. Eppure non è un uomo insensibile, Linch: salvare quello che resta di Casa Florio è un incarico che lui svolge con un'abnegazione degna di miglior causa. I maligni insinuano che pure lui ha il suo tornaconto economico e che certe scelte compiute in quel periodo avrebbero potuto essere più oculate. Ma tant'è. Lui ha ancora una speranza e, con lui, ce l'ha Ignazio.

Per un breve momento, quella speranza ha avuto tre nomi: *Ignazio Florio, Vincenzo Florio* e *Giovanna Florio*.

Non era stato facile, ma alla fine la Banca Commerciale aveva concesso ai Florio un'apertura di credito per l'acquisto di tre piroscafi inglesi, destinati al commercio di transito. Con uno di essi – il *Giovanna Florio* – Ignazio aveva persino accarezzato l'idea di una rotta tra il Mediterraneo e Baltimora. Ma ogni ambizione si era infranta contro la crisi del comparto mercantile italiano, minato da costi intollerabili e da profitti sempre più scarsi. Nel giro di qualche anno, i tre piroscafi finiranno in disarmo nel porto di Palermo, triste emblema di un ennesimo sogno sfumato, finché un comandante originario di Piano di Sorrento, Achille Lauro, non li noleggerà per una somma ridicola e costruirà, anche grazie a essi, il suo impero navale.

Un'altra fiamma, un'altra speranza: dopo mesi di discussioni con il ministero della Marina Mercantile, nel dicembre 1925 nasce a Roma la Florio-Società Italiana di Navigazione, cui vengono affidate alcune linee del Tirreno. Il desiderio di non abbandonare il mare è di Ignazio, perché lui lo sa che il nome dei Florio è legato proprio al mare. È però Linch a occuparsene, a vincere la diffidenza del ministero e a tirare le fila dell'operazione. Ignazio, infatti, si è lanciato in un'altra delle sue imprese: è andato alle Canarie con l'intento di aprire lì una tonnara per intercettare i banchi di tonni prima che entrino nel Mediterraneo.

Di tutte le idee folli che hai avuto, questa è la più folle di tutte, pensa Franca, arricciando le labbra, mentre legge la lettera che le è appena arrivata dal marito. È nella camera da letto della sua casa di Roma, una villetta in via Sicilia, elegante nella sua architettura sobria che ricorda vagamente quella di Villa Igiea e arredata con alcuni dei mobili disegnati da Ducrot, ma anche con numerosi preziosi oggetti dell'Olivuzza, come il servizio di cristalli di Boemia e quello di piatti di Sassonia. Le feste con centinaia d'invitati sono un ricordo lontano, però una cena in casa di Franca Florio deve essere comunque un'occasione mondana di alto livello.

La lettera di Ignazio offre poche notizie di cui rallegrarsi: i tonni in realtà scarseggiano, ma ci sono banchi di sarde che lui conta di sfruttare, posto che riesca a trovare un po' di soldi per gli impianti e gli operai. In quel momento, con lui ci sono Vincenzo e Lucie, che hanno preso in affitto una villetta dove vivono senza lussi né particolari agi, proprio come la gente del posto. Le fotografie che accompagnano la lettera sono meno cupe: una ritrae insieme Ignazio e Vincenzo su un letto, in un'altra c'è Ignazio da solo, seduto in poltrona, in un'altra ancora c'è Lucie che cucina. E poi scene di pesca, gli interni della tonnara, capanne di pescatori, una spiaggia al tramonto...

Franca getta da parte le foto, sbuffa con stizza. Mai, neanche una volta, Ignazio le ha chiesto di raggiungerlo, anche solo per qualche settimana. A chi le domandava perché lei non lo facesse, rispondeva che quelle isole erano troppo remote e primitive, inadatte a Giugiù... «E poi», concludeva, sorridendo, «non mi ci vedo proprio a organizzare una cena in mezzo ai selvaggi.»

Bugie.

Non c'è nelle foto, però Franca è certa che Vera è lì con lui. Ne percepisce la presenza, la sente anche se non la vede. Ignazio può essere lontano migliaia di chilometri, ma lei gli legge dentro comunque, legge la verità dietro le sue parole come nessun altro riuscirebbe a fare. L'ha imparato a sue spese, quel codice.

«È arrivata una lettera di papà? Posso leggerla?»

Capelli chiari e gambe svelte, Giulia è entrata nella stanza come una folata di vento primaverile. Lei sorride e le porge il foglio. Com'è bella, la sua Giugiù. È una splendida adolescente di sedici anni. Igiea ha una bellezza classica e delicata, mentre Giulia è vitale e affascinante come il padre, cui pure è molto legata.

La ragazza legge ad alta voce e lancia un grido di gioia quando scopre che il padre ha intenzione di tornare presto a Roma per trattare alcuni affari. In quel momento, la cameriera si affaccia alla porta.

«C'è il signor Linch, signora.»

Stupita, Franca si alza dalla toeletta. «Linch? Chissà come mai...»

Giulia scrolla le spalle. «Forse ci avrà portato dei documenti da consegnare a papà, visto che sta per tornare», mormora, e fa per seguire la madre nel salottino dove il maggiordomo ha fatto accomodare l'uomo. Ma Franca la ferma sulla soglia. Linch è spesso portatore di cattive notizie e non vuole che la figlia ne sia turbata. «Giulia, cara. Va' a controllare che il cuoco stia preparando il parfait di foie gras per la cena di stasera», le dice. Un po' indispettita, la ragazza si allontana verso la cucina.

Carlo Linch è in piedi, ha ancora addosso il soprabito, e sembra di fretta. «Buongiorno, donna Franca. Perdonate se mi presento senza preavviso, ma ho bisogno di parlare con voi.»

Lei gli fa cenno di sedersi e si accomoda. «Con me?» chiede. «Certo, ditemi pure», lo invita poi, dopo che il maggiordomo ha chiuso la porta alle sue spalle.

«Sarò breve e... temo sgradevole», dice Linch, aggrottando la fronte. «Devo rammentarvi ancora una volta che le vostre uscite sono troppe e...»

«Oh, come sono stanca di questa solfa!» lo interrompe Franca, con palese irritazione. Abbassa lo sguardo sul tappeto che un tempo adornava un salotto dell'Olivuzza. «Abbiamo già tagliato tutto il possibile e pure chiesto una dilazione di pagamento per i lavori fatti in questo stabile, in attesa del denaro che dovrebbe arrivare dalle quote di partecipazione della società di navigazione.»

«Ma in questa villa avete al vostro servizio nove persone e ve ne servirebbe la metà. Per non dir nulla dei vostri debiti di gioco e dei viaggi che continuate a fare. In assenza di vostro marito, quindi, tocca a me chiedervi di essere più... controllata.»

Le guance di Franca avvampano per l'indignazione. «Come vi permettete? Mio marito non mi ha mai detto cosa fare e voi, adesso...»

«Non ho finito, signora.»

Franca si aggiusta le pieghe della gonna poi fissa Linch, in attesa.

«Faccio appello al vostro buon senso. Limitare le spese qui a Roma non basta più. Dovreste tornare a vivere a Palermo.»

«Come?» La voce di Franca è un filo prossimo a spezzarsi.

«Tornate a casa. Lì potrete aver cura di ciò che ancora possedete, aiutare la vostra famiglia...»

Franca lo guarda a lungo, in silenzio. Poi, d'un tratto, getta la testa all'indietro e comincia a ridere freneticamente. Ride a lungo e così forte che le vengono le lacrime agli occhi, e continua a piangere anche quando la sua risata si spegne. Si alza di scatto. «A casa?» chiede. La voce adesso è cupa, controllata. «Allora ditemi voi, signor Linch, voi che sapete tutto: in quale casa dovrei tornare? L'Olivuzza e il suo giardino non ci appartengono più. Una casa in cui abbiamo fatto entrare il mondo: capi di Stato, musicisti, poeti, attori! Oppure a Villa Igiea, dove ormai sono un'ospite?» Fa una pausa, lo fissa con la collera che tracima dagli occhi verdi. «O forse mi state dicendo che la casa cui devo tornare è Palermo?» Inghiotte saliva, lacrime e amarezza, Franca. Nessun argine può trattenere la sua rabbia: la cova da troppo tempo. È mareggiata che travolge sabbia e scogli, è onda di tempesta. Si aggira per la stanza, l'orlo del vestito che svolazza intorno alle caviglie. «Palermo che ha avuto pane e lavoro dai Florio per più di un secolo, che si è data arie da grande città europea con quel Teatro Massimo che mio marito ha finanziato. Venivano tutti da noi con il cappello in mano a chiedere un aiuto o una sovvenzione, sicuri che mai i Florio si sarebbero sottratti a un'opera di beneficenza. Era una città che chiedeva e prometteva, ma che ci ha ingannato. A Palermo, la riconoscenza dura tre giorni, come lo scirocco.» Si ferma, si passa una mano sulla fronte. Una ciocca di capelli le ricade sul viso. «E poi ditemi, ditemi da chi dovrei tornare? Non c'è più nessuno che mi aspetti. Da quelli che si definivano nostri amici, che venivano a chiedere un prestito, che hanno accettato i nostri doni e che ora girano la faccia dall'altra parte quando c'incontrano? Oppure da quelli che hanno comprato l'Olivuzza per una miseria, dopo essersela spartita?» Si raddrizza, incrocia le braccia sul petto. Le palpebre sbattono più velocemente, la voce si spezza. «Voi potete dirmi molte cose, signor Linch. Ma siete arrivato a Palermo quando le iene stavano già facendo a brandelli quel poco che restava della nostra vita. Non potete capire. Non sapete cosa significa perdere il rispetto, perché non avete visto la mia Palermo. La città dei Florio era vitale, ricca, piena di speranza. E adesso non esiste più. È solo una ragnatela di strade sconosciute, su cui si affacciano palazzi abitati da fantasmi.»

In silenzio, Linch mette una mano in tasca, ne estrae un fazzoletto, glielo porge. Lei lo prende, ringrazia. Sul tessuto di batista rimane una striscia di cipria.

«Capisco», mormora Linch, abbassando la testa. «Cosa vi posso dire? Cercate di vivere al meglio con ciò che vi è rimasto. Non è mai troppo tardi per essere prudenti.»

Quella frase provoca un altro singhiozzo.

«Però anche voi dovete capire che non posso ritirare la mia... richiesta», prosegue l'uomo. «Gli affari non vanno affatto bene. Sto perorando la causa delle nuove convenzioni dei trasporti marittimi con il ministro Ciano in persona, ma ci sono numerosi ostacoli, a cominciare dal fatto che vostro marito ha di nuovo inasprito il suo atteggiamento verso la Banca Commerciale, che pure possiede gran parte delle azioni e dei titoli di credito verso Casa Florio. Dovrebbe essere più accomodante e invece...»

«Non mi mette a parte di queste cose, lui. Lo sapete bene.» Franca abbassa la testa, fissa il tappeto.

«Lo immaginavo.» Linch prende il cappello, giocherella con la falda. «Le nostre speranze sono legate al fatto che vostro marito si è battuto perché gli industriali appoggiassero la lista di Mussolini nelle elezioni amministrative a Palermo. Ha ancora voce in capitolo, laggiù, ed è stato ascoltato, in qualche modo... Adesso ci tocca sperare che il governo se ne ricordi e che ci sia riconoscente.» Accenna un inchino. «Vi ringrazio di avermi ascoltato, donna Franca. Se cambiate idea, sapete dove trovarmi.»

Franca resta sola.

Un improvviso bisogno di aria fresca le fa spalancare la porta finestra. Getta indietro la testa, respira a pieni polmoni, mentre l'aria le asciuga le lacrime. Il vento scosta la tenda, la alza e lei, per un momento, resta sorpresa nello scorgere il proprio riflesso nel vetro. Ma questa volta non riesce a dirsi di essere ancora bella, nonostante gli anni e le sofferenze. Questa volta vede i segni delle assenze, degli affetti svaniti, di tutto ciò che ha perduto. Sono lì, nei suoi occhi verdi che hanno perso ogni vivacità. Nelle rughe sempre più profonde. Nei capelli ormai grigi.

Sono diventata un'ombra tra le ombre, si dice. *Nient'altro che il riflesso su un vetro.*

Nel silenzio dello stretto corridoio della Villa dei Quattro Pizzi, Ignazio cammina a testa bassa. Da una finestra aperta arriva il lieve sciabordio delle onde insieme con il profumo delle alghe. Un odore che lo riporta alle estati della sua infanzia, a Favignana, quando l'intera famiglia si trasferiva nel palazzo fatto costruire da suo padre.

Il Natale 1928 è passato da poco, l'anno nuovo è entrato in punta di piedi e senza gioia. Anche se al momento è a Milano, Franca vive a Roma con Giulia: è stata sfrattata dalla villetta di via Sicilia e adesso sta in una casa in via Piemonte.

Ignazio inghiotte a vuoto. Arriva davanti alla porta della torre quadrata, la spalanca, ma non entra. Si limita a guardare la luce di gennaio e la polvere che danza al di sopra del pavimento di maiolica. Poi fissa il golfo che si apre davanti a lui. Il mare è una tavola di metallo lucido e freddo, punteggiato da qualche barchetta di pescatori che stanno tornando al porticciolo. Oltre l'acqua, intravede il giardino di Villa Igiea.

Un colpo al cuore. Un altro.

Anche Villa Igiea non gli appartiene più. Pochi mesi prima, lui e Vincenzo l'hanno ceduta a una società finanziaria che ormai, tramite Linch, gestisce la quasi totalità di ciò che loro possiedono: dalla Florio-Società Italiana di Navigazione, soffocata dai debiti, alle tonnare delle Canarie – un altro fallimento –, dalle partecipazioni nella ditta di Ducrot alla casa di Vincenzo in via Catania... e pure la Villa dei Quattro Pizzi in cui lui adesso vive. Per rimanere a Villa Igiea, Ignazio avrebbe dovuto pagare una pigione; non potendo permetterselo, il nuovo direttore l'aveva – gentilmente – invitato ad andarsene. Poi, dopo la gentilezza, era arrivata la lettera di sfratto.

Semu nuddu 'mmiscatu cu' nenti, pensa. E sa che così pensa pure la gente, che così è considerato da tutti. Nulla mischiato con il niente.

Si guarda le mani, Ignazio, e si chiede a chi dare la colpa di tutto ciò. Se l'è chiesto decine – forse centinaia – di volte: ha scaricato la responsabilità sui suoi soci – ottusi, incapaci, miopi – poi però si è detto che in realtà erano stati i suoi avversari a tarpargli le ali. Ha pensato di essere la vittima predestinata della malasorte, poi si è convinto che le sue idee fossero troppo audaci, troppo in anticipo sui tempi per avere successo.

Oggi, però, non ha più la forza di mentire a se stesso.

Sbatte le palpebre per fermare le lacrime e, come in un sogno, rivede suo padre che guarda la mattanza a Favignana, che si ferma a parlare con gli operai dell'Oretea, che calcola come sfruttare al meglio le miniere di zolfo, che assaggia a occhi chiusi il marsala, che osserva il treno entrare nel baglio di Alcamo, che discute con Crispi in un albergo di Roma... La sfortuna, l'inettitudine degli altri o il fatto che il mondo non fosse pronto per le sue imprese erano idee che non lo avevano mai neppure sfiorato. Lui aveva agito secondo responsabilità e senso del dovere, e basta. Aveva avuto un unico dio, Casa Florio, e un'unica religione, il lavoro. Come quel nonno morto proprio mentre Ignazio nasceva e vivo per lui nei racconti che il padre gli aveva fatto: un uomo semplice ma implacabile, un mercante di spezie calabrese che, partendo da una misera *putìa*, si era conquistato il rispetto di una città intera. Era stato lui a voler costruire quella villa, lì, all'Arenella, e a renderla così straordinaria da suscitare l'ammirazione di re e regine.

Ignazio si chiede se non sia stato proprio il sangue dei Florio a tradirlo, perché lui è sempre stato convinto che bastasse quello a renderlo abile negli affari. Che la perizia e le capacità imprenditoriali fossero lì, nel suo sangue, impastate con le ossa e i muscoli. E invece c'era qualcosa di più, qualcosa che lui non aveva avuto: il desiderio di riscatto? La volontà di riuscire? Il senso del dovere? La capacità di leggere nell'animo degli uomini, d'intuirne i desideri?

Non lo sa. Non lo saprà mai.

Sa solo che non è più il tempo di dirsi bugie. A sessant'anni, è inutile cercare giustificazioni, convincersi che, nella fucina del destino, qualcuno – Dio o chi per lui – gli abbia costruito *una cammisa di pici*, un'armatura così pesante che ha finito per stritolarlo.

La colpa è soltanto sua.

« Questione di giorni è », ha detto il medico, la sera prima. « Tenete aperte le finestre, ma fatelo stare al caldo e parlategli di cose belle. Fategli passare qualche sfizio. »

Ignazio ha fatto cenno di sì, e l'ha accompagnato alla porta. Poi è scoppiato a piangere come un bambino.

Non ha pianto così neppure quando Giuseppe Lanza di Trabia è morto in seguito a una febbre tropicale due anni prima, nel 1927, lasciando la sua amatissima sorella e suo cognato nella sua stessa situazione: nessun figlio maschio a continuare il nome. *Questa dev'essere proprio la maledizione dei Florio*, aveva pensato Ignazio, sfiorando l'anello di famiglia.

E adesso Romualdo. La tubercolosi se lo sta portando via. Quando ha saputo che era gravemente malato, l'ha fatto rientrare dal sanatorio sulle Alpi in cui stava consumando gli ultimi giorni, così che potesse morire nella sua città. E allora lui aveva deciso di ospitarlo lì, all'Arenella. Glielo doveva.

Entra nella stanza. Romualdo ha la pelle tirata sugli zigomi, è pallido, ha occhiaie profonde.

Ignazio si siede accanto al suo letto, come un tempo aveva fatto lo zio di cui porta il nome con il fratello Paolo.

« *Comu si'?* »

« *Un ciure* », dice Romualdo, e ride. Ha sempre riso, lui, e lo fa anche in faccia alla morte. « *Pigghia i carte, va', che ni facemu 'na jucata.* »

Ignazio, con il cuore di piombo, lo accontenta. Ma Romualdo fatica a seguire il gioco e s'interrompe spesso per chiacchierare. D'un tratto, però, si ferma, porta le carte al petto e guarda verso il muro. « Lo sai che ogni tanto ci penso? »

« A chi, *curò*? » Ignazio mescola, prepara la mano successiva.

« A mia moglie, a Giulia. » Sospira. « Al fatto che a Paternò ci abbiano dato l'ergastolo e che a me non sia mai sembrato abbastanza. Ma ormai non ricordo neanche la faccia di quell'animale. Giulia invece... *mischina. Ora chi staiu muriennu puru ju, mi fa pena.* »

« Finiscila », lo interrompe Ignazio. « Non stai morendo », aggiunge, con una leggerezza che suona forzata.

Romualdo si volta, lo guarda e inarca le sopracciglia. « *Un ni cuntamu minchiate, Igna'.* »

Lui abbassa gli occhi sulle carte. Le immagini si fanno sfocate. « Con tutte le *fimmine* che abbiamo avuto, eccoci qui, soli come due *mischineddi.* »

« Ma che dici? Tu hai Vera, no? »

« Vera non vuole più vedermi. Sostiene che non è più cosa... e io non so che fare con lei. Mi manca. »

« E Franca? »

Ignazio posa le carte, abbozza un sorriso amaro. « *Da quando fu u' fatto* dei suoi gioielli, che ho fatto mettere a garanzia dei prestiti con il Banco di Sicilia, praticamente non mi parla più. E ormai sono passati due anni... Già aveva sofferto quando ha saputo che Boldini aveva venduto il quadro ai Rothschild. E sai cosa mi ha detto quando mi ha consegnato la borsa in maglia d'oro con i gioielli? »

« Cosa? »

« 'Avevi promesso che mi avresti dato tutto. E invece mi hai tolto tutto.' »

La memoria sgrana le immagini, lente, dolorose. Franca

aveva avvolto i gioielli – a uno a uno – in un panno di velluto, quasi fosse un sudario, poi li aveva rimessi nella borsa. Piangeva. Aveva lasciato per ultime le perle, le aveva fatte scorrere tra le dita, un filo dopo l'altro. «Me l'avevano detto, che le perle sono lacrime», aveva mormorato, stringendole nel pugno. Le aveva portate al viso, per un'ultima carezza, poi le aveva chiuse in un astuccio e gliele aveva consegnate.

Quell'immagine lo tortura ancora. «Povera Franca mia. *Raggiuni avi...*» dice in un soffio. «*La fici piniari assai vero.*»

Romualdo scrolla le spalle. «Ce ne siamo dette assai di minchiate, Igna'. *Chista cu l'autre.*» Gli toglie le carte dalle mani. «*Ormai comu finiu, finiu.*»

«E adesso, alla fine, cosa ci è rimasto, *curò*?» chiede Ignazio, forse più a se stesso che a Romualdo.

«Perché, deve per forza rimanere qualcosa? Abbiamo vissuto bene, Igna'. Non siamo stati a guardare, ci siamo presi la vita a forza e ce la siamo goduta senza pensarci troppo. Arrivo davanti alla morte senza rimpianti. Sono stato sindaco di Palermo, sono stato ricco e potente, come te. Abbiamo avuto donne meravigliose nei nostri letti. *Picciuli*, viaggi, champagne... La vita abbiamo avuto, Igna'. Abbiamo sognato in grande, siamo stati liberi, e comunque abbiamo sempre difeso ciò che davvero contava per noi, *curò*. Non il denaro, non il potere e neanche il nome. La dignità.»

Ignazio rammenta le parole di Romualdo nel giorno in cui sono costretti a lasciare anche la casa di via Piemonte. È tornato accanto alla moglie dopo esser stato abbandonato definitivamente da Vera, che ha avuto una profonda crisi spirituale nel 1930, in seguito alla morte del figlio Leonardo durante un'esercitazione aerea sull'Adriatico. Ignazio e lei ormai erano uniti soltanto dalla violenza della punizione divina per quello che avevano fatto: la morte dei figli di Ignazio prima e di Leonardo poi era il castigo che si meritavano per essere stati infedeli. Gli aveva detto così, Vera, e Ignazio non era riuscito a replicare nulla. Si era limitato ad abbracciare quella donna che gli aveva dato tanta serenità, che aveva sempre avuto un sorriso per lui e che ora, tra le lacrime, lo implorava di redimersi, di pentirsi per il male che aveva fatto alla moglie e alla famiglia. Poi, dopo averle dato un ultimo bacio sulla fronte, si era allontanato.

Ma quelle parole gli erano entrate nell'anima, avevano messo radici in quel senso di colpa che lui aveva negato per tanto tempo. E l'avevano spinto a tornare da Franca, a condividere con lei quel poco che ormai restava.

Non si era arreso, non subito: passando da una città all'altra, aveva provato in ogni modo a concludere affari, anche piccoli, anche a costo di umiliarsi. Ma il suo nome ormai suscitava compassione, disprezzo e, talvolta, addirittura scherno. Ignazio Florio aveva fatto crollare un impero. Ignazio Florio era stato incapace di amministrare il suo patrimonio. Ignazio Florio era un incosciente, un fallito.

Si era ritrovato a invidiare Vincenzo perché aveva accanto una donna coraggiosa e pragmatica, che lo amava davvero e che aveva fatto di tutto per salvare qualcosa, a cominciare dai gioielli e dai mobili che il fratello le aveva regalato nel corso degli anni. Si vedevano raramente: insieme con Lucie e Renée, Vincenzo viaggiava tra Palermo e la Francia, tra via Catania e la casa di famiglia di lei, a Épernay, nella Champagne. L'ultima volta che lo aveva incontrato, Ignazio aveva avuto la sensazione che i quindici anni di differenza tra loro fossero stati cancellati di colpo: si era ritrovato davanti un uomo che dimostrava molto di più dei suoi cinquant'anni, stanco e appesantito. In fondo, si era detto, anche suo fratello aveva sempre fatto tutto quello che aveva voluto, senza badare alle conseguenze. E forse era proprio per colpa dei suoi eccessi che non aveva avuto figli. Chissà se si era rassegnato, si era chiesto allora Ignazio. Ma, ancora una volta, non aveva detto nulla.

Un leggero colpo di tosse. Alle sue spalle, il maggiordomo e una cameriera; entrambi hanno indosso i soprabiti.

«Signore, noi andremmo. Se voleste pagarci l'ultima mensilità...» dice l'uomo.

Una richiesta fatta con garbo, ma con fermezza.

«Quanto agli altri mesi, vi pregheremmo di darci almeno un anticipo...» aggiunge la cameriera.

Di colpo, Ignazio prova un acuto fastidio per quei due. Non sanno che le ossa sono già state spolpate da ben altri predatori?

Infila le mani in tasca, ne tira fuori una mazzetta di banconote. Le ultime.

«Ecco. Pensaci tu a dividerle», dice al maggiordomo, poi gli dà le spalle e si avvicina a Giulia che, ferma sulla soglia della stanza, ha assistito alla scena.

Le fa una carezza sul braccio, le sorride.

Lei gli sorride di rimando, quindi si avvicina al letto, su cui sono aperte due piccole valigie.

«Hai bisogno d'aiuto?»

«Papà, me l'hai già chiesto», replica lei, con un lampo d'ironia negli occhi. «Non hai mai fatto una valigia in vita tua e metteresti dentro una montagna di cose alla rinfusa. Siediti, non mi ci vuole molto.»

Ignazio sospira e obbedisce. È verso Giulia che ha i sensi di colpa più forti. Due anni prima, aveva avuto una grave crisi di nervi; per fortuna Igiea e Averardo si erano presi cura di lei, ospitandola a Migliarino Pisano. L'avevano aiutata a riprendersi, a mangiare normalmente, a dormire con serenità.

L'avevano fatta sentire amata.

Lui era ancora con Vera, all'epoca. Quanto a Franca, dopo aver fatto visita alla figlia, aveva pensato bene di andarsene a Parigi, dopo aver perso chissà quanto nei casinò della Costa Azzurra. Non riusciva a tollerare più nessun dolore, men che meno quello delle sue figlie, aveva detto al suo ritorno, a mo' di giustificazione.

Alla fine, Giulia si era ripresa ma, da allora, era diventata più distaccata, come se il mondo cui apparteneva non la interessasse più.

«Scusa», mormora Ignazio, quasi fra sé.

Giulia sembra non aver sentito. Però, dopo qualche istante, chiede: «Per cosa?»

«Per... quello che ti sto costringendo a fare.»

«Per fortuna, io vado da Igiea», replica lei in tono sbrigativo, chiudendo le valigie. Indossa prima i guanti, poi il sopra-

bito con il bordo di pelliccia. Quell'inverno romano è particolarmente umido. «E soprattutto vado da Arabella, Laura, Fla-
via e Forese. Saranno di certo contenti di stare un po' con la
zia.»

«Verremo a trovarti, io e la mamma. Verremo da te e da
Igiea, tesoro mio.»

Lei fa cenno di sì. Chiude le valigie e lo bacia sulla guancia.
«Abbi cura della mamma», gli dice, lisciandogli il bavero della giacca che ormai dimostra tutti i suoi anni. «Lei non è forte
come te.»

*Tu non puoi sapere com'era. Sono stato io a renderla debole. A
spezzarla*, pensa Ignazio.

Con un'ultima carezza, Giulia si allontana lungo il corridoio, apre la porta ed esce. Davanti al portone, la attende l'automobile dei Salviati. A Ignazio non rimane che fissare le stanze in penombra, le pareti vuote e gli eleganti arredi che stanno
per finire all'asta. Un destino simile a quello dei mobili rimasti
a Palermo, pignorati dall'esattoria comunale per via di una serie d'imposte non pagate. Poca roba, in verità: gran parte è già
stata venduta nel 1921, durante un'asta durata più di un mese.

Ma nel suo sguardo non ci sono più né tristezza né rimpianto. C'è solo un barlume di dignità, quella dignità che il suo
amico Romualdo ha difeso fino all'ultimo respiro e che, per
Ignazio, ormai ha lo stesso colore della rassegnazione.

Franca è seduta sul letto, le mani incrociate in grembo, lo
sguardo fisso sul pavimento. Ignazio entra, ma non la guarda.
Anche lei sembra molto più vecchia dei suoi sessantun anni.
Ignazio sa perché, sa che non c'entrano solo gli stravizi o gli eccessi. Ed è proprio perché lo sa che, se può, evita di fissare quel
volto indurito, quegli occhi spenti, quelle mani coperte da
macchie.

Si avvicina alla poltrona dove c'è il soprabito, lo prende,
glielo drappeggia sulle spalle. Avverte un'eco del profumo
di lei, sempre lo stesso, da sempre: La Marescialla. «Andiamo?» le chiede.

Franca fa cenno di sì.

Ignazio va a prendere le due piccole valigie, poi escono di casa. Il resto è già all'Hotel Eliseo, un albergo dimesso, ma pulito e tranquillo, dalle parti di porta Pinciana. Averardo e Igiea hanno insistito a lungo, ma Franca è stata irremovibile: trasferirsi da loro sarebbe stato un colpo troppo forte alla loro dignità.

Per strada, qualcuno si ferma a salutarli, mentre qualcun altro distoglie il viso. Nel quartiere, tutti sanno chi sono. Camminano in silenzio, fianco a fianco. Con gli anni, il divario tra loro si è accentuato. Lei è sempre stata più alta di lui, ma adesso Ignazio sembra addirittura rimpicciolito, mentre Franca mantiene il suo passo elastico e armonioso. Le costa fatica, ma non potrebbe fare altrimenti.

Perché il mondo la sta guardando e lei è sempre e comunque donna Franca Florio.

La primavera romana è fredda, ma la gente nella sede della Banca Commerciale non sembra notarlo. Forse perché la sala si è riempita fin dal primo mattino, forse perché l'attesa ha acceso gli animi, forse perché è nella natura dei segreti emanare un calore che brucia chiunque ci si avvicini troppo.

Il catalogo dell'asta non dichiara la provenienza dei lotti messi all'incanto, ma le persone che stanno prendendo posto nella sala non hanno bisogno di un nome sulla carta. Perché le spille e i bracciali di brillanti, gli anelli di rubini, i bracciali di smeraldi, i lunghi fili di perle possono appartenere a una persona sola.

A lei.

La nobiltà romana ha saputo e ha mandato i suoi procuratori, con indicazioni precise. C'è chi ha serbato il ricordo di una certa spilla di Cartier – o di Fecarotta oppure dei fratelli Merli – da quando, durante una cena, una prima a teatro, un incontro casuale, gliel'ha vista indossare. L'invidia si è trasformata in smania di possesso. È come se lo splendore di un gioiello potesse conservare una traccia del fascino e della grazia di chi lo ha portato e adesso quegli uomini volessero impadronirsene per brillare di riflesso.

I numerosi gioiellieri presenti, invece, sembrano più distaccati. Si riconoscono tra loro, si salutano con un cenno formale e con sguardi quasi di sfida. Poi scorrono le pagine del catalogo e riflettono sulla base d'asta di questo o di quel pezzo, immaginando come smontare i gioielli e usare le pietre su un'altra montatura, più moderna, meno riconoscibile.

Poi un brusio percorre la sala. Sulla soglia è apparsa Giulia Florio: indossa un cappello con una veletta e un cappotto nero. L'ultimogenita di casa Florio si ferma, le mani strette intorno al manico della borsetta di velluto, lo sguardo altero che studia i volti dei presenti, uno per uno, come se volesse imprimerseli nella mente.

Io so chi siete, sembra dire quello sguardo. *Siete qui perché non avreste mai potuto permettervi ciò che la mia famiglia ha posseduto. Siete soltanto corvi che spolpano le ossa. Potete smontare le pietre, separare i fili di perle o fondere il metallo, ma io saprò cosa avete fatto e saprò chi di voi lo ha fatto.*

Non avrete mai l'eleganza di mia madre, né la classe di mio padre, né la grandezza della mia famiglia. Mai.

E io sono qui a ricordarvelo.

Avanza a testa alta e con passo sicuro, si siede. Il banditore l'ha vista, l'ha riconosciuta: esita per qualche istante, poi però inizia a chiamare i lotti. Davanti a lei scorrono i gioielli che hanno accompagnato la vita di sua madre. Di alcuni, Giulia rammenta anche l'ultima volta in cui li ha visti. Come quella spilla in oro con cifra in brillanti che, cinque anni prima, nel 1930, Franca aveva chiesto di riavere solo per qualche giorno, così da poterla indossare durante le nozze di Umberto II con Maria José del Belgio. Era sempre dama di corte ed era quindi tenuta a partecipare a una cerimonia così importante con la spilla reale. Giulia non aveva dimenticato l'umiliazione negli occhi della madre quando la banca le aveva comunicato che non poteva affidare ai Florio né quella spilla né le collane di perle perché temeva che non venissero restituite. Alla fine aveva ceduto, ma c'erano volute numerose preghiere e varie rassicurazioni in alto loco.

Il banditore descrive i gioielli, le offerte si susseguono, incessanti. Per i fili di perle, si scatena un vero e proprio delirio. Dopo che il filo di 359 perle è stato aggiudicato a una cifra che probabilmente equivale alla metà del suo valore, dopo l'udibile esclamazione di trionfo del gioielliere che l'ha acquistato, Giulia stringe a sé la borsa ed esce dalla sala a testa alta.

Non rivelerà mai alla madre di aver assistito alla vendita dei suoi amati gioielli. Ma suo padre aveva mostrato a lei la lettera della Banca Commerciale che comunicava il giorno e l'ora dell'asta e poi l'aveva guardata, in silenzio, come a dire: *Aiutami*. Giulia l'aveva fissato di rimando, poi aveva scosso la testa, una volta soltanto, e si era allontanata.

L'ultimo capitolo di quella storia dovevano scriverlo insieme, da soli, sua madre e suo padre. Come avevano scritto gli altri capitoli, sia quelli luminosi sia quelli terribili.

Lei non era che una testimone del destino di Casa Florio. E, come tale, aveva voluto guardare la mano che scriveva la parola fine.

Franca è seduta davanti alla toeletta. La piccola stanza dell'Hotel Eliseo è immersa in una luce brillante, che parla di vita nuova e di primavera. La infastidisce, quasi la offende. Ignazio è uscito a fare una passeggiata. O almeno così le ha detto. In realtà – lei lo sa bene – suo marito non sopportava l'idea di dover parlare di ciò che stava accadendo in quel momento. Le ha solo sussurrato: «Perdonami» sulla soglia della stanza, prima di andarsene.

Chiude gli occhi. Oggi è *il* giorno.

Nella mente, sente i colpi del martelletto che scandiscono la vendita dei suoi gioielli.

Il bracciale di zaffiri che Ignazio le ha regalato per la nascita di Baby Boy. Quello di platino, dono per la nascita di Giulia. La spilla di brillanti e platino, a forma di orchidea, ricevuta in occasione del primo anniversario di matrimonio. E poi le sue perle. Il filo da 45 perle grosse. Quello da 180. Quello da 435 perle piccole... E soprattutto il filo da 359 perle, con il loro vezzo, quello che aveva indossato quando Boldini le aveva fatto il ritratto...

Ogni colpo riverbera nelle ossa, eco di un dolore che arriva all'anima.

Quei gioielli sono stati il suo scudo per tutta la vita. L'hanno difesa, hanno dimostrato al mondo la sua forza, la sua bellezza. E adesso, dove sono? Chi si prenderà cura di loro?

Dove sono l'eleganza, lo stile, il dominio di sé? Ci sono mai stati davvero, le sono appartenuti veramente? Oppure erano false certezze destinate a svanire con gli anni?

La risposta ce l'ha lì, davanti a sé. È in quel viso segnato da rughe amare, in quegli occhi tristi, in quell'abito a pieghe che nasconde un corpo appesantito. In quell'anima andata in pezzi così tante volte da non essere più in grado di ricomporsi.

Non aver paura di essere ciò che sei, le aveva detto Giulia in un giorno gonfio di pioggia, una vita fa. E lei ci aveva provato nell'unico modo che le era sembrato possibile. Con l'amore, in tutte le sue forme. Per Ignazio, per i suoi figli, per la famiglia, per il nome che portava. Aveva amato molto e molto era stata amata, ma alla fine era stato proprio l'amore a scavarle dentro una voragine di buio e di silenzio. *Dicono che l'amore sia donare se stessi senza riserve; però, se dai tutto di te, non ti rimane nulla per vivere.*

Così era accaduto a lei.

All'inizio, l'amore per Ignazio era stato colmo di desiderio, di devozione, di fiducia. Si era data interamente a lui, a quello che era stato e a quello che rappresentava. Era stata travolta dalla ricchezza, dalla frenesia di vivere, dal lusso. Con l'arrivo dei figli, la gioia era stata piena. Per un tempo brevissimo e infinitamente lontano, si era sentita viva. Persino le chiacchiere maligne, le occhiate d'invidia, i veleni di una città intera che tanto l'avevano torturata ora le sembrano il segno di quella perfezione piena e splendente.

Ma poi il cerchio si era spezzato. Erano iniziati i tradimenti, il dolore, i lutti. Si era illusa di poter difendere quell'amore continuando ad amare Ignazio nonostante tutto, continuando a essere quello che lui desiderava. Continuando a essere donna Franca Florio.

Quindi era iniziato il declino, non solo di Casa Florio. *Il suo.*

Ora la stella che aveva acceso il cielo di Palermo, luminosa come nessun'altra, si era spenta, diventando buio nel buio.

Anche i suoi gioielli, anche quelli che erano segni di un amore bugiardo, disperato, malriposto, sono spariti. L'illusione di essere stata felice è vapore cancellato dal sole, è polvere in quel mattino dorato di primavera.

Non ha più nulla.

Rimane una blanda tenerezza verso Ignazio, nata dagli anni trascorsi insieme. E rimane l'amore per le sue figlie, per Igiea e per Giulia. Per loro nutre la speranza che non facciano i suoi errori. Che restino fedeli a se stesse e che capiscano che l'amore non può vivere soltanto perché uno dei due lo vuole.

E che, soprattutto, imparino ad amarsi.

Avrei amato meno, se avessi saputo tutto questo?

No.

Avrei amato in modo diverso.

Fissa un punto dello specchio – uno degli specchi salvati dallo spoglio dell'Olivuzza –, ma il suo sguardo è assorto, lontano.

Poi un sorriso lieve le piega le labbra, le addolcisce il viso.

Lì, davanti a lei, c'è un bambino seduto su un tappeto. Ha folti riccioli biondi, uno sguardo da monello e sta ridendo, mentre tira la gonnellina bianca di una bimba dalla pelle diafana e dagli occhi verdi, che tiene in braccio una neonata.

E poi, in un angolo, ci sono sua madre e suo padre, suo fratello Franz, sua suocera Giovanna. C'è anche Giulia Tasca di Cutò, giovane e bella come ai tempi della loro amicizia.

Torna a guardare i bambini. La guardano di rimando, le sorridono.

Giovannuzza. Baby Boy. Giacobina.

« Ti stiamo aspettando, mamma », dice Giovannuzza, senza che le sue labbra si muovano.

Lei annuisce. Lo sa, che la aspettano. E sa pure che l'amore per loro è stato diverso. Con loro non ha mai avuto paura di essere Franca e basta. Non ha avuto timore di essere fragile, di mostrare la sua anima. E lo capisce solo ora che tutto il resto è svanito.

Allora, solo per loro, lì, nello specchio, Franca è di nuovo giovane e bellissima. È nella sua stanza, quella con il pavimento coperto da petali di rosa e i puttini sul soffitto. Gli occhi verdi sono limpidi, la bocca è aperta in un sorriso sereno. Indossa un leggero abito bianco e le sue perle.

E in quel momento, tanto perfetto quanto impossibile, è davvero felice.

Come non è mai stata davvero.

EPILOGO

novembre 1950

> *Cu campa si fa vecchiu.*
> « Chi vive invecchia. »
>
> PROVERBIO SICILIANO

È un novembre gelido, quello del 1950, spazzato da un vento che sa di terra bagnata. Ignazio strascica i piedi sul sentiero di cemento di Santa Maria di Gesù, incespica. Igiea, accanto a lui, è costretta a fermarsi e a sorreggerlo più volte. Dietro di loro, oltre i cancelli, c'è gente, tanta. È venuta a dare l'ultimo saluto a donna Franca Florio.

«Franca mia...» mormora lui. Franca è morta pochi giorni prima a Migliarino Pisano, in casa di Igieà, dove ormai viveva, a settantasei anni. Ignazio si è rifiutato di vederla. Nella sua mente – sempre più fragile e annebbiata – Franca sarà sempre la ragazza con il cappello di paglia e l'abito di cotone bianco che ha incontrato a Villa Giulia.

L'uomo alza lo sguardo. La grande cappella dei Florio si staglia sopra di lui. Il portone in ferro battuto è spalancato e, proprio dietro il leone di marmo scolpito da Benedetto De Lisi, c'è un feretro scuro, coperto da una grande corona di fiori. Un'esplosione di vita in mezzo a quel grigiore.

Igiea lo scuote leggermente e lui la guarda, come se fosse stupito di trovarsela accanto. Sotto la veletta, il viso della figlia è provato, gli occhi sono rossi di pianto.

«Vuoi salutarla, papà?»

Lui fa cenno di no, con forza. Igiea sospira, quasi a dire: *Me lo aspettavo.* Si rivolge a una giovane donna dietro di lei: la sua primogenita, Arabella. «Sta' attenta al nonno», dice, e le fa posto, perché possa prenderlo sottobraccio. Poi percorre il breve sentiero tra le tombe, sale la piccola scalinata e arriva alla cappella, dove la attendono il marito, la sorella Giulia e il cognato, Achille Belloso Afan de Rivera.

Ignazio guarda le figlie con malinconico distacco. Oh, lui lo sa che lo considerano poco lucido, perso in un passato più immaginato che reale, e che gli rimproverano di aver fatto soffrire la loro madre. E hanno ragione.

Sono donne fatte, Igiea e Giulia. Ormai hanno la loro vita, le loro famiglie, il loro posto nel mondo. Non appartengono più alla Sicilia, non portano più il suo cognome. L'unico che avrebbe potuto portarlo è lì, nella stessa cappella che sta per accogliere Franca.

In passato, si è chiesto spesso se aveva paura della morte. Adesso sa la risposta. No, non ne ha. La sua vita è stata piena, per lungo tempo non ha rinunciato a nulla. Però ora è stanco: stanco di sopravvivere a tutte quelle persone che ha amato, di essere una diga che argina la marea del destino, mentre gli altri si fanno trascinare via.

Ignazio si dirige verso la base del terrapieno della cappella, dove c'è la cripta. «Dove vuoi andare, nonno?» chiede Arabella, quasi trattenendolo.

Lui si limita a indicare la piccola cancellata di ferro nero, aperta per l'occasione. «Là», dice semplicemente.

Nella cripta fa ancora più freddo. Le pareti di tufo sono screpolate, coperte da un velo di muffa, e i candelabri di ferro sono piegati, rosi dall'umidità e dagli anni.

Ma i due sarcofagi bianchi, al centro della cripta, sembrano immuni alle ingiurie del tempo. Quello di suo padre è coperto di polvere. Ignazio si avvicina, ci passa una mano sopra per pulirlo. Nel fare quel gesto, però, l'anello di famiglia striscia contro la pietra, producendo un sibilo che gli fa allontanare la mano di scatto. L'altro sarcofago, monumentale, è di quel nonno Vincenzo che lui non ha conosciuto. Lì accanto ci sono sua madre, Giovanna, e sua nonna Giulia, ma anche il bisnonno Paolo e lo zio Ignazio, arrivati a Palermo da Bagnara Calabra e proprietari della misera *putìa* da cui era cominciato tutto. E, insieme con loro, c'è la bisnonna Giuseppina, la moglie di Paolo.

Sono tutti lì, i Florio.

Tutti loro hanno avuto un futuro, qualcuno cui lasciare, più del denaro, delle imprese e dei palazzi, un nome e una storia.

E, come una strada, pietra dopo pietra, quel nome e quella storia sono arrivati fino a lui.

Adesso non c'è più nessuno che custodisca la loro memoria. Quell'idea gli causa una vertigine che non riesce a sopportare e che gli fa chiudere gli occhi, come se bastasse non vedere per fermare la caduta nell'abisso. Per questo non ha voluto assistere alla tumulazione di Franca. Perché, lassù, nella cappella, accanto a lei, ci sono il suo fratellino Vincenzo e tre dei suoi figli, Giovannuzza, Baby Boy e Giacobina.

La vertigine non lo lascia neanche dopo che è uscito dal cimitero ed è salito sull'Alfa Romeo di Igiea. Palermo scorre indifferente sotto i suoi occhi. Ignazio ha un sussulto solo quando passano accanto a Palazzo Butera, lacerato dalle bombe nel 1943. Sua sorella Giulia aveva resistito anche a quello scempio, alla morte dell'ultimo figlio maschio, Giuseppe, e a quella di suo marito Pietro. Ed era morta solo tre anni prima, alla vigilia del Natale 1947.

Ignazio abbassa gli occhi sull'anello di famiglia. Ormai la rovina di Casa Florio è una cosa lontana. Se ci ripensa, prova un vago fastidio, ma non dolore. Persino dipendere dalle figlie e dal fratello lo lascia indifferente. Non ha più neanche un soldo, lui, anche se, almeno formalmente, Casa Florio non è mai fallita. Quello che gli strappa l'anima è l'idea che con lui si perda... un nome. Una storia. La loro storia, racchiusa in quel piccolo cerchio d'oro reso sottile dagli anni.

Igiea ferma l'auto davanti alla Villa dei Quattro Pizzi. Ignazio quasi non se ne accorge. Ha gli occhi fissi nel vuoto, è perso nei suoi pensieri.

«Papà... siamo arrivati dallo zio Vincenzo», gli dice lei. «Salgo a salutare lui e zia Lucie, ma non mi fermo a pranzo da loro.» La donna gira intorno all'auto, gli apre la portiera.

Ignazio scende, poi indica la spiaggia. «Aspetta», mormora. «Fammi andare a vedere il mare.» Le sorride, sembra quasi che chieda scusa per quella richiesta.

Avanzano a fatica, con le scarpe che affondano nella sabbia e tra le minuscole pietre del bagnasciuga. D'un tratto, Ignazio fa un cenno verso la torre alla sua sinistra. «Sai, a tua madre non piaceva qui...»

Igiea indica una grande macchia verde affacciata sul mare, sulla destra. Tra le fronde s'intravede un tempietto. « Lei preferiva Villa Igiea, lo so. È rimasta lì finché le è stato possibile », aggiunge, con una punta di malinconia.

Lo sguardo di Ignazio si fissa sull'orizzonte, sulle strutture del cantiere navale, e poi ancora oltre, sul profilo di Palermo. « *Talìa, lassami ccà deci minuti* », dice lui, indicando uno scoglio piatto, a poca distanza dall'ingresso laterale della villa.

Igiea è perplessa. « Fa freddo, papà », ribatte. Il mare si sta ingrossando, e schizzi di spuma si liberano nell'aria, la riempiono di salmastro. « Non è meglio per te stare al caldo? »

« No, no. Lasciami qui. » Le stringe il braccio. « Va' a salutare i tuoi zii. »

Igiea annuisce, gli rivolge un'occhiata in cui si mescolano dolore e comprensione e poi si allontana.

Rimasto solo, Ignazio fissa a lungo le onde – indifferenti, rabbiose – che s'infrangono sugli scogli.

La Villa dei Quattro Pizzi, voluta da suo nonno; Villa Igiea, una creazione sua e di Franca. Tra quei due edifici, ci sono tutta la sua vita e quella della sua famiglia.

Palermo. Il mare.

Erano stati i signori assoluti di Palermo, loro. E suo padre, tanti anni prima, a Favignana, gli aveva detto che loro avevano il mare nelle vene.

La vertigine ritorna. Violenta, prepotente.

Tutto sarà dimenticato, si dice, e quel pensiero gli strappa un singhiozzo.

Chiude gli occhi, li riapre.

E si sente chiamare.

« Don Ignazio! » Un vecchio dai capelli arruffati sta avanzando verso di lui. Tiene per mano una bambina dalle lunghe trecce nere. « *Assabbinirìca*, don Ignazio. Sono Luciano Gandolfo, vi ricordate di me? »

Lui lo fissa, aggrotta la fronte. « Eravate uno dei *cammareri* della villa, non è vero? »

« Sì, sì. Ero qui già da *picciriddu*, quando c'era ancora vostro padre, buonanima. C'avevo quindici anni, quand'è morto. La mia famiglia e io abbiamo sempre servito i Florio. » L'uomo si china in avanti. «Ho saputo della vostra signora. Era una donna tanto bella, *recamatierna*. Voi qua siete ora, da don Vincenzo?»

Ignazio fa cenno di sì. Ospite di suo fratello, lui che possedeva case ovunque. Che regnava sull'Olivuzza.

Accanto a loro, la bambina si è messa a raccogliere conchiglie. Poi di colpo si raddrizza e fissa Ignazio con uno sguardo intenso, scuro. «Ma allora voi siete don Ignazio Florio?» chiede.

Ignazio la guarda. Avrà dieci anni o poco più. Fa cenno di sì.

«Allora siete il fratello di don Vincenzo, quello delle macchine! Mio padre va a parlare con lui quando ci portano i motori americani dei motoscafi.»

«*Idda è me' nipute, figghia di me' figghiu Ignazio*», spiega il vecchio. La prende per mano, la fa avvicinare. «*Me' figghiu meccanico è.*»

Ignazio si alza in piedi a fatica. «Vostro figlio...»

L'altro annuisce. «Come *a vostru patri lo chiamai*, perché sempre tanto generoso è stato con noi. *E puru idda*», aggiunge, indicando la nipote. «*Idda* si chiama Giovanna, come *a vostra matri che è stata 'na fimmina buona assai cu' tutti nuatri, sempre.*»

La piccola accenna un sorriso; si vede che è orgogliosa di essere stata chiamata per nome. «Io so tutto di voi, don Ignazio. Il nonno racconta tante cose a me e ai miei fratelli... ma pure i nonni dei miei compagni di scuola *ci cuntano* le cose della tonnara e della vostra Casa.» Fa una pausa, guarda le conchiglie che tiene nel palmo, ne sceglie una e gliela porge. «Qui tutti sanno chi siete.»

Ignazio prende la conchiglia. «Lo sanno... tutti?» chiede poi con un filo di voce.

La bambina fa cenno di sì, e il vecchio aggiunge: «*Caciettu*. Tutti conoscono la vostra storia, don Ignazio. Voi, vostro fratello, la vostra famiglia... Ci sono stati tanti cristiani ricchi e importanti a Palermo, ma non come a voi. *Vuatri siti i Florio*».

Con un groppo alla gola, Ignazio alza lo sguardo, lo punta sull'orizzonte. Tra le onde, lontana, c'è una piccola barca con una vela latina bianca. Sembra uno schifazzo.

«Vero è.» Si gira, sorride alla bambina e al vecchio. «Gli altri sono gli altri. Noi siamo i Florio.»

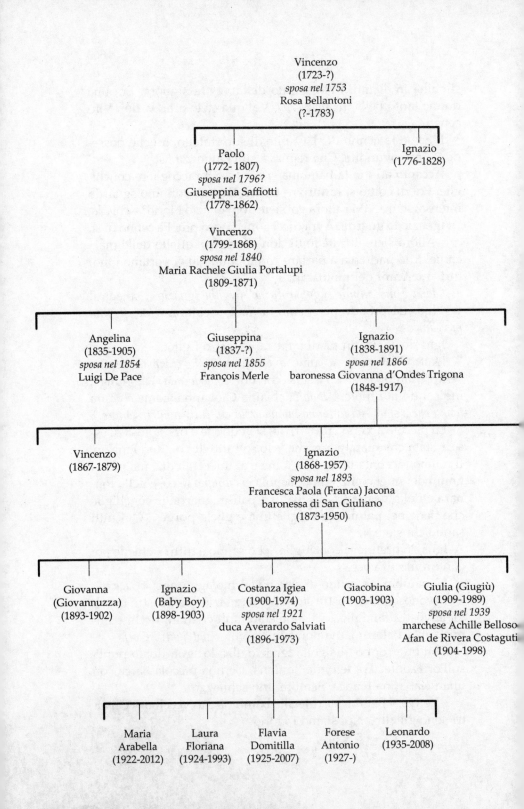

ALBERO GENEALOGICO
DELLA FAMIGLIA FLORIO

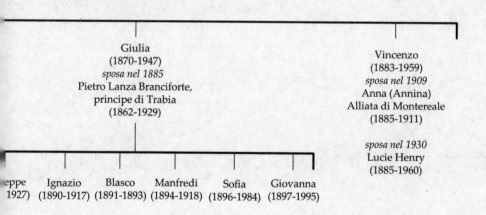

Giulia
(1870-1947)
sposa nel 1885
Pietro Lanza Branciforte,
principe di Trabia
(1862-1929)

Vincenzo
(1883-1959)
sposa nel 1909
Anna (Annina)
Alliata di Montereale
(1885-1911)

sposa nel 1930
Lucie Henry
(1885-1960)

eppe   Ignazio   Blasco   Manfredi   Sofia   Giovanna
1927) (1890-1917) (1891-1893) (1894-1918) (1896-1984) (1897-1995)

NOTA DELL'AUTRICE

L'inverno dei Leoni è un romanzo. Può sembrare inutile sottolinearlo, ma non lo è, non quando si parla di una famiglia come i Florio, che ha segnato in modo così profondo la storia – di Palermo, della Sicilia e dell'Italia – e la cui drammatica parabola sociale ed economica da lungo tempo appassiona gli storici, cui resta il difficile compito di analizzarla in tutta la sua complessità.

Come *I Leoni di Sicilia*, anche questo romanzo si basa su fatti documentati, uniti a situazioni e personaggi che ho immaginato o rielaborato per esigenze narrative. Esigenze che mi hanno pure guidato nella decisione – spesso non facile – di privilegiare alcuni elementi della vicenda dei Florio a discapito di altri. Ho fatto, cioè, delle scelte. Ma questo è il destino di chi scrive romanzi storici che sfiorano il presente ed è, insieme, una benedizione e una maledizione.

Giunta al termine del mio viaggio con i Florio – un viaggio durato quasi sei anni –, mi sembra però giusto elencare quei saggi che sono stati vere e proprie bussole per la stesura dei due romanzi. Anzitutto la monumentale opera di Orazio Cancila, *I Florio, storia di una dinastia imprenditoriale*, indispensabile per una lettura approfondita delle vicende della famiglia nell'arco di quattro generazioni. Poi *L'età dei Florio*, a cura e con contributi di Romualdo Giuffrida e Rosario Lentini e *I Florio*, di Simone Candela, ricchissimi d'informazioni e di chiavi di lettura sempre interessanti. Infine *L'economia dei Florio, una famiglia di imprenditori borghesi dell'800*, che raccoglie contributi di vari autori e comprende anche il catalogo della mostra allestita nel 1991 a Palermo, presso la Fondazione Culturale Lauro Chiazzese della Sicilcassa, mostra a cura di Rosario Lentini, un uomo di

grande generosità intellettuale e d'immensa cultura, che molto
ha scritto sui Florio, soprattutto sulle loro attività imprenditoriali e sui loro legami con la cultura e la politica italiana.

Incentrati su argomenti più specifici, e per questo assai rive-
latori, sono poi stati: *Le navi dei Florio*, di Piero Piccione; *Villa
Igiea*, a cura di Francesco Amendolagine; *Giuseppe Damiani Almeyda. Tre architetture tra cronaca e storia*, di Anna Maria Funda-
rò; *I Florio e il regno dell'Olivuzza*, di Francesca Mercadante; *La
pesca del tonno in Sicilia*, a cura di Vincenzo Consolo; *Breve storia
della ceramica Florio*, di Augusto Marinelli; *Boldini. Il ritratto di
donna Franca Florio*, di Matteo Smolizza; *Gioielli in Italia*, a cura
di Lia Lenti; *Le toilette della signora del Liberty*, di Ketty Gianni-
livigni; *Il guardaroba di donna Franca Florio*, a cura di Cristina
Piacenti Aschengreen; *Regine. Ritratti di nobildonne siciliane
(1905-1914)*, a cura di Daniele Anselmo e Giovanni Purpura;
La musica nell'età dei Florio, di Consuelo Giglio e i siti targape-
dia.com (dove, tra l'altro, si possono trovare i numeri di *Rapi-
ditas*, la «rivista universale di automobilismo» ideata da Vincenzo Florio), targaflorio.info e amicidellatargaflorio.com, vere
e proprie miniere d'informazioni per la storia della Targa Florio. Ma non posso dimenticare gli spunti e le suggestioni che
ho tratto da testi quali *La Sicilie illustrée (fascicoli dal 1904 al
1911)*, *Palermo fin de siècle*, di Pietro Nicolosi e *Sulle orme dei Florio*, di Gaetano Corselli d'Ondes e Paola D'Amore Lo Bue, nonché da classici come *Principi sotto il vulcano*, di Raleigh Treve-
lyan, *Estati felici*, di Fulco Santostefano della Cerda, duca di
Verdura, e *I racconti*, di Giuseppe Tomasi di Lampedusa: grazie a loro, ho potuto approfondire un «uso di mondo» ormai
scomparso eppure incredibilmente affascinante. Ho potuto al-
tresì sempre contare sul mio consulente storico e artistico,
Francesco Melia, che mi ha svelato la complessità e la ricchezza della società palermitana a cavallo tra il XIX e il XX secolo e
che ha consultato numerosissimi testi e confrontato documenti, tra cui il *Dizionario storico-araldico della Sicilia*, di Vincenzo
Palizzolo Gravina; *Vivere e abitare da nobili a Palermo tra Seicento
e Ottocento*, a cura di Luisa Chifari e Ciro D'Arpa e *La pittura
dell'Ottocento in Sicilia tra committenza, critica d'arte e collezioni-
smo*, a cura di Maria Concetta Di Natale.

Un'altra fonte preziosa sono stati i documenti digitalizzati e consultabili su Internet Archive e gli archivi online del *Corriere della Sera* e della *Stampa*. Negli articoli contemporanei all'epoca del romanzo, ho ritrovato meticolose cronache di vicende che altrimenti sarebbero cadute nell'oblio. Sono grata a quei giornalisti – spesso anonimi – che hanno registrato con passione storie, personaggi e avvenimenti, ma anche a chi mette a disposizione i loro articoli. Com'è ovvio, mi sono poi stati di grande utilità il *Giornale di Sicilia* e *L'Ora*, veri protagonisti dell'informazione di quegli anni.

A tutto ciò si aggiungono saggi, testimonianze e articoli sulla vita politica, economica e culturale italiana dal 1868 al 1935. Se nel romanzo ci sono errori o imprecisioni, sono comunque da imputare unicamente a me e non alle persone che mi hanno aiutato nelle ricerche.

Dei testi che ripercorrono le vicende « intime » della famiglia, due sono stati per me fondamentali. Anzitutto *Franca Florio*, di Anna Pomar, la sua unica vera biografia, uscita nel 1985 e basata sulle testimonianze di Giulia Florio, l'ultima figlia di Franca e Ignazio. Un libro che ricostruisce insieme un'epoca e la storia individuale di questa donna dalla vita tormentata e di cui ho parlato a lungo con Marco Pomar, il figlio dell'autrice, anche per confrontarmi con lui riguardo al fatto che, talvolta, le informazioni contenute nel testo non coincidevano con quelle emerse durante le ricerche. Ringrazio perciò di cuore Marco per la grande disponibilità che mi ha dimostrato e mi sento onorata di aver potuto camminare lungo la strada tracciata da sua madre.

L'ultima leonessa, uscito nel 2020, poco prima della morte della sua autrice, Costanza Afan de Rivera, è l'altro libro, anch'esso unico perché ripercorre la vita di Giulia Florio attraverso i ricordi di sua figlia. Rammento ancora con emozione le volte in cui ho avuto il privilegio di parlare con donna Costanza e la sua passione nel rievocare le vicende di famiglia: attraverso di lei, non soltanto ho avuto la possibilità di cogliere gli aspetti più autentici di una donna contraddittoria come Franca, ma anche di comprendere davvero il peso e insieme l'orgoglio di un nome come quello dei Florio.

RINGRAZIAMENTI

In questi sei lunghi anni, dal momento in cui la scena del terremoto, con cui si apre *I Leoni di Sicilia*, è apparsa nella mia testa fino a queste parole di ringraziamento alla fine dell'*Inverno dei Leoni*, ho imparato il valore della disciplina, della solitudine, della pazienza, del coraggio.

Sì, perché scrivere è un atto che non è mai fine a se stesso: pretende responsabilità e forza d'animo. Ci si ritrova da soli con le parole e con i propri dubbi, con il timore di non aver dato abbastanza, con la sensazione di dover combattere a corpo a corpo con una storia che non vuole essere domata e scegliere quali rami secchi tagliare e quali nuove fondamenta costruire.

E invece, alla fine, comprendi che ogni romanzo è una strada piena di curve e dossi, e che puoi scegliere se percorrerla a passo di danza o con un incedere insicuro, illuminato solo dalla luce dell'intuizione. Sai soltanto che davanti a te hai una stella polare: la storia che vuoi raccontare.

Ti sforzi di farlo al meglio, cerchi di mantenere il giusto distacco, e lasci che il tempo aiuti le parole che custodisci a trovare il loro posto. E alla fine « metti la mano in bocca al leone », e quella belva che temevi ti avrebbe azzannato invece si lascia accarezzare, docile.

Ecco.

Raccontare la storia dei Florio è stato tutto questo e molto altro.

E non ci sarei riuscita se non avessi avuto accanto persone che mi hanno aiutato con affetto e pazienza. In primo luogo, mio marito e i miei figli, che non mi hanno mai fatto mancare il loro sostegno anche nei momenti più complicati, e che spesso mi hanno anche seguito in giro per l'Italia. Non è stato facile: davvero, dirvi grazie è poco. E, insieme con loro, la mia famiglia di origine: mia madre Giovanna e le mie sorelle Vita e Anna in primis, nipoti, cognati, zii e cugini (soprattutto i Basiricò e i Rosselli). Ho il privilegio di essere circondata da persone che mi vogliono bene, e non è una cosa così comune. Sono molto fortunata ad avervi accanto e a godere della vostra stima.

Poi gli amici, tanti: Chiara, che c'è sempre, in un modo o nell'altro; Nadia Terranova, che è un esempio e un punto di riferimento prezioso; Loredana Lipperini, che è la mia strega madrina (e lei sa bene cosa significa); Evelina Santangelo, che ringrazio per i consigli. Ma grazie anche a Piero Melati, che mi ha sempre dimostrato una grande stima; ad Alessandro D'Avenia, che mi ha ascoltato con tanta attenzione; a Pietrangelo Buttafuoco, un gentiluomo d'altri tempi con un cuore grande, e infine al gruppo di Villa Diodati Reloaded: Filippo Tapparelli, Eleonora Caruso, Domitilla Pirro, che almeno in un paio di occasioni hanno raccolto i miei cocci e mi hanno fatto ridere. E ancora: grazie a Felice Cavallaro e a Gaetano Savatteri, due delle voci più belle e autentiche della cultura isolana e italiana.

Poi grazie a Elena, Gabriella, Antonella, Valeria, Rita, Valentina e alla sempre cara Elisabetta Bricca, donne e lettrici straordinarie con cui condivido un'amicizia decennale; a Franco Cascio e a Elvira Terranova, perché ci sono, e basta; ad Alessia Gazzola, a Valentina D'Urbano e a Laura Imai Messina, cui devo stima e grande riconoscenza. Le vostre storie sono per me sempre fonte di ispirazione.

Lunghissimo poi è l'elenco di librai che porto nel cuore: alcuni di essi non sono stati – e non sono – soltanto persone «con cui lavorare», ma sono veri amici e, come tali, li cito per nome: Fabrizio, Loredana e Marcella, Teresa, Alessandro e Ina, Ornella, Maria Pia, Bianca, Caterina e Paolo, Manuela, Guido, Sara, Daniela, Giovanni, Maria Carmela e Angelica, Arturo, Nicola, Carlotta e Nicolò, Valentina, Fabio, Cetti e le sue sorelle, Barbara e Francesca, Serena, Alberto, Marco e Susan, Stefania e Giuseppe. A tutti voi e a tutti gli altri librai – indipendenti e no – voglio non solo dire grazie, ma anche fare un inchino, perché il vostro è un lavoro nobile e straordinario; se non facessi l'insegnante, credo proprio che vorrei essere una libraia. Se *I Leoni di Sicilia* sono diventati quello che sono, lo devo a voi, alla passione che ci avete messo nel proporlo ai lettori e al modo incredibile con cui lo avete accompagnato per le strade del mondo. Come devo ringraziare chi vi ha presentato il mio libro, cioè gli agenti della Prolibro (uno per tutti: Toti Di Stefano), capitanati dal direttore commerciale Emanuele Bertoni. Siete i miei eroi.

Grazie a Giuseppe Basiricò, valente antiquario e persona di grandissimo valore, cui devo innumerevoli cartoline, libri e oggetti che riguardano la storia dei Florio e che mi ha incoraggiato e aiutato sin dall'inizio delle mie ricerche; ai fratelli Tortorici per la loro stima e per avermi permesso di curiosare tra le meraviglie esposte nella loro galleria d'arte; a Francesco Sarno, che mi ha messo a disposizione il catalogo dell'asta dei mobili della famiglia Florio, tenutasi nel 1921, e che mi ha seguito con grande solerzia e attenzione.

Ringrazio il professor Mario Damiani Almeyda, nipote dell'architetto dei Florio, che ha creato un meraviglioso archivio online dei disegni del nonno e che, in una mattina di pioggia, mi ha accolto nelle sue stanze per mostrarmi alcuni disegni inediti del palazzo Florio di Favignana. A lui va anche un plauso per la magnifica opera di conservazione e divulgazione che porta avanti da anni con le sue sole forze. Un grazie speciale al professor Piazza, che mi ha permesso di visitare una delle aree più belle e meglio conservate della Villa dell'Olivuzza, oggi affidata al Circolo dell'Unione di Palermo. Un ringraziamento a Giuseppe Carli, proprietario della storica gioielleria Carli a Lucca e appassionato di orologi, che mi ha svelato l'esistenza di un orologio da taschino realizzato per i Florio a scopi pubblicitari ai primi del Novecento. Un lettore raffinato e un uomo di grande cultura che mi ha colpito per la sua generosità intellettuale.

Grazie a chi mi ha accolto (e mi ha aspettato) in questi mesi: Enrico del Mercato, Mario di Caro e Sara Scarafia; grazie a Claudio Cerasa e a tutti i giornalisti che mi hanno incontrato e hanno parlato con me senza pregiudizi, senza filtri. È stato molto bello lavorare con voi. Grazie ai colleghi e alla preside dell'IPSSAR Paolo Borsellino, che continuano ad accogliermi con lo stesso affetto di sempre.

Grazie a Costanza Afan de Rivera: avrei voluto darle questo libro e vedere quel mezzo sorriso con cui si esprimeva la sua curiosità. È un grande rammarico per me sapere che non leggerà queste pagine.

Grazie a Sara di Cara, Mara Scanavino e Gloria Danese: tre persone che mi hanno guidato, ciascuna a suo modo, in questi anni. Verso di loro ho un debito di riconoscenza che non può essere espresso a parole.

Grazie a Isabella di Nolfo e Valentina Masilli, che ormai non fanno più caso al fatto che io sia perennemente fuori di testa e che sanno come gestire la mia ansia.

Un immenso grazie a Silvia Donzelli e Stefania Fietta, le mie agenti. Se sin dall'inizio non ci avessero creduto, questa storia non avrebbe visto la luce. Grazie per la pazienza e per esserci, sempre. Preziose e impagabili.

Grazie alla Nord, la mia casa letteraria: in primo luogo a Stefano Mauri, Cristina Foschini e Marco Tarò, che mi hanno sempre dimostrato stima e affetto. Grazie per la vostra sensibilità e intelligenza, per avermi considerato anzitutto una persona e poi un'autrice, per avermi accolto nonostante la mia conclamata follia. Grazie a Viviana Vuscovich, che ha portato I Leoni di Sicilia e L'inverno dei Leoni nel mondo: nessun altro avrebbe potuto fare i miracoli che ha fatto lei. Grazie a Giorgia di Tolle, la pazienza fatta persona, e a Paolo Caruso, che ha avuto un'idea risolutiva. Grazie al marketing, da Elena Pavanetto al « dottor » Giacomo Lanaro, sempre attenti, sempre creativi, sempre amici. Grazie a Barbara Trianni: oltre che fantastica responsabile dell'ufficio stampa, è una partner in crime – nonché una partner in shopping – ma soprattutto è una donna straordinaria, coraggiosa e risoluta. Grazie ad Alessandro Magno, che guida le persone che si occupano degli audiolibri e degli ebook: Simona Musmeci, Davide Perra e Désirée Favero. E a Ninni Bruschetta, « la voce dei Leoni ». Grazie a Elena Carloni e a Ester Borgese, che hanno acchiappato refusi ed errori, e ancora a Simona Musmeci, che ha uniformato il dialetto. Se potessi, prenderei un dirigibile, ci attaccherei uno striscione di ringraziamento e volerei per ore sopra via Gherardini. E non è escluso che prima o poi non lo faccia.

Poi ci sono tre persone che mi sono state accanto in questi anni di ricerche e di scrittura.

Francesca Maccani, che ci ha sempre creduto, sempre. Che non si è mai tirata indietro, che ha raccolto pianti e confessioni, che è stata davvero il mio angelo custode. Ti auguro di ricevere tutto il bene che tu hai fatto a me, e sappi che è davvero tanto.

Francesco Melia, la cui cultura storica e artistica è impressionante e che ha collaborato con me con straordinaria disponibilità. Una persona di immensa gentilezza e pazienza, un compagno di avventure che ha saputo smussare le mie insicurezze anche solo con una battuta.

Cristina Prasso. A lei, una delle persone più schive del pianeta, dico solo una cosa. Grazie. Perché se non ci avessi creduto anche tu nel 2018, e non avessi letto il mio romanzo in una notte, tutto questo non sarebbe mai avvenuto. Grazie perché non mi hai mollato un minuto, nemmeno nei momenti in cui la stanchezza diventava opprimente e temevo di non riuscire a far venire fuori questa storia come sentivo che *doveva* essere; grazie per essere stata non soltanto un editore e un'editor, ma anche un'amica e un punto di riferimento. Grazie per tutto quello che mi hai insegnato e m'insegni ogni giorno. Grazie perché ci sei e perché sei così.

Grazie a tutti e tre. E dietro queste parole c'è tanto non detto... che tale deve restare.

Grazie a chi legge questo romanzo e poi lo consiglia, lo regala, lo segnala su Instagram e su Facebook perché lo ha amato; ma grazie anche a chi non lo ama e a chi ne rimane indifferente: leggere è sempre e comunque un modo per prendersi cura di sé.

Infine: Paolo e Giuseppina, Ignazio, Vincenzo e Giulia, Giovanna e Ignazio, Franca e Ignazziddu e i loro figli. Ognuno di voi mi ha dato qualcosa. Mi ha insegnato qualcosa.

Il mio ultimo grazie lo devo a voi.

INDICE

Linda Tugnoli

L'ORDINE DELLE COSE

**La malerba non muore mai.
E a volte uccide...**

Le battaglie contro pervicaci rose rampicanti e i progetti
per eleganti bordure all'inglese; i bicchieri di barbera
goduti in religioso silenzio con l'amico Osvaldo e le mai
più di tre parole scambiate con gli altri *vallit*. È questa la
sua vita da giardiniere, e a Guido sta bene così. Meglio che
il passato – l'appartamento a Parigi e il lavoro di «naso»
per una prestigiosa casa profumiera – rimanga dov'è e non
superi le montagne della Valle Cervo, il luogo che l'ha visto
nascere e che, dopo vent'anni, lo ha riaccolto alla sua
maniera, senza cerimonie. Una valle che, come lui,
custodisce molti ricordi e molti segreti, ma che adesso
sembra sia stata dimenticata da Dio e dagli uomini.
A rompere l'equilibrio ci pensa una visita del commissario,
che vorrebbe da lui una consulenza botanica. In città è stata
uccisa una donna, gli indizi scarseggiano e allora tutto
potrebbe essere utile all'indagine, come la busta piena di
semi trovata in una tasca del suo vestito. Ma che tipo di
semi sono? Per Guido alcuni sono semplici da riconoscere,
mentre altri sono un vero e proprio mistero. E la cosa più
strana è che sembrano tutti di piante infestanti.
Di malerbe. Sebbene Guido non conosca la vittima
e sappia che col commissario è meglio non scherzare
troppo, subito scatta in lui la curiosità di saperne di più, di
entrare nella vita ordinata e prevedibile di una donna che,
forse, dell'ordine e della prevedibilità era diventata
prigioniera. E poi Guido scopre che quella donna,
in realtà, per lui non è una sconosciuta...

Kate Quinn

LA CACCIATRICE

« Una straordinaria storia di riscatto e vendetta. »
Publishers Weekly

La chiamano die Jägerin, « la Cacciatrice ». Nessuno conosce il suo vero nome e chiunque l'abbia incontrata non è sopravvissuto per raccontarlo. Tranne Nina. Soldato speciale dell'esercito sovietico, Nina seguiva le sue tacce da mesi e, una notte, persino lei è stata costretta a fuggire, lasciando che la più spietata assassina del Reich uccidesse un innocente. Da allora, non ha fatto altro che scappare. Ma ora le cose sono cambiate. Ora la guerra è finita e Nina avrà la sua vendetta...

Non è stato facile per Jordan accettare che il padre si risposasse, per di più con una vedova di guerra. Eppure, ora che il gran giorno è arrivato, è felice che quella donna così sensibile sia entrata nella loro vita. Quando raccoglie il bouquet, però, Jordan si accorge di un dettaglio stonato nascosto tra i fiori: una Croce di Ferro, una delle più alte onorificenze conferite dal regime nazista. Sebbene accetti la spiegazione che quell'oggetto sia solo un ricordo del defunto marito, una voce dentro di lei inizia a sussurrare che la dolce Annelise non sia affatto chi dice di essere. E, quando viene contattata da un gruppo di cacciatori di nazisti, da anni alla ricerca della famigerata Jägerin, Jordan capisce di non poter continuare a vivere tormentata dai dubbi. Deve scoprire la verità. E così, lei e Nina si troveranno a lavorare insieme, accomunate dalla stessa sete di giustizia. E, se per Nina questa sarà l'occasione per chiudere i conti con un passato forgiato nel sangue e nella paura, per Jordan significherà imparare a lottare per un mondo più giusto, anche a costo della felicità delle persone che ama. Perché esistono crimini che non possono essere dimenticati nel silenzio. Mai.

EDITRICE**NORD**

Questo libro è stampato col sole

Azienda carbon-free

Fotocomposizione Editype S.r.l.
Agrate Brianza (MB)

Finito di stampare
nel mese di luglio 2021
per conto della Casa Editrice Nord s.u.r.l.
da Grafica Veneta S.p.A. di Trebaseleghe (PD)
Printed in Italy